D0188206

Guide des voyages Bordas

LA FRANCE

sous la direction
de Pierre CABANNE

photographies
d'Hervé Bordas
et de Philippe Houdebine

nouvelle édition
cartes mises à jour

Bordas

DANS LA MÊME COLLECTION

Guide de la nature en France
Guide des bords de mer en France
Guide de la pêche en France
Guide des musées de France

Les **textes** du dictionnaire des sites (la France de A à Z) ont été rédigés avec la collaboration de Janine de la Hogue et de May Veber.

Mise en pages : Ruth Ballangé et Jeanne Courjeaud.

Mise à jour des cartes : André Leroux

Réalisation : Bernadette Jacquet

Fabrication : Jean-Marc Lebreton

Iconographie Ph. Hervé Bordas © Photeb
sauf p. 129, Bayeux. Ph. © Luc Joubert
p. 182, Epinal. Ph. Jeanbor © Photeb
p. 318, Saint-Savin. Ph. © Robert Thuillier
Cartographie © Bordas
Photocomposition S.C.P., Bordeaux

11e édition

ISBN 2-04-015379-9

LA FRANCE
LA TERRE ET LES HOMMES

S'enraciner et se dépayser

« La France, disait Michelet, est une personne. » Partons à sa découverte. Une personne a une tête, un cœur, des organes, des membres, des muscles, du sang, une âme; la France a sa capitale, ses villes, ses villages, ses châteaux, ses églises, ses musées, ses rivières, ses vallées, ses montagnes, ses plages, ses sites pittoresques. Du haut de ses sommets, les horizons se découpent ou s'étalent dans les brumes ou sous le soleil. Le long de ses côtes, les ports, les îles invitent à l'aventure. Parcourir la France, c'est pénétrer son passé et entrer, avec ses industries, ses centrales thermiques ou nucléaires, ses exploitations minières, ses fonderies, ses villes nouvelles, dans son avenir. Art et artisanat voisinent, usines et cathédrales se côtoient; dans les vieux villages où survivent les traditions, où se maintiennent les styles et les coutumes d'autrefois, les petites rues aux pavés disjoints rejoignent les routes nationales qui s'embranchent sur les autoroutes : ainsi se dessine l'immense carte où circule le sang de la France. Le nôtre.
Carte du Tendre aussi, où les souvenirs du passé éveillent ou réchauffent notre cœur. Pas une ville ou un village, pas une église ou un château, pas un site qui n'évoque notre histoire. Découvrir la France, c'est à la fois s'enraciner et se dépayser; ce guide vous y aidera.

Le pays de la mesure et de la clarté

Etabli sous la forme alphabétique, aussi maniable pour l'automobiliste que pratique pour le touriste moins pressé, il décrit plus de 3 500 villes, monuments ou lieux divers qui expriment le travail, l'amour ou la foi des hommes et exaltent les beautés de la nature. La diversité de la France a pour contrepoint son harmonie; l'inspiration créative des générations qui se sont succédé sur notre sol s'équilibre avec les paysages. Notre but, en réalisant ce guide, a été de ne jamais séparer les entreprises humaines des créations naturelles. Les richesses monumentales et celles du sol composent de sublimes ou sereines symphonies sans lesquelles la France ne serait pas ce qu'elle est, le pays de la mesure et de la clarté.

Un aspect nouveau de notre pays

L'abondante illustration en couleurs de cet ouvrage n'a pas seulement été choisie pour mettre en valeur les monuments ou les sites les plus remarquables, mais encore pour associer la découverte par l'image à l'information par le texte, texte que l'on a voulu aussi concis, clair et complet que possible. Dans certains cas, nous proposons de courts itinéraires, et nous suggérons, pour aller à la rencontre d'un monument ou d'un site intéressant ou insolite, un détour ou un circuit rapide. L'accent est mis tout spécialement sur les curiosités, les villages anciens à l'écart des grands itinéraires, les églises ou les châteaux peu visités, les sites mal connus, voire inattendus ou mystérieux, où se révèle un aspect nouveau de notre pays.

Passer d'un monde à l'autre

La France est faite de provinces qui, chacune, ont une âme propre; en traversant l'Hexagone du sud au nord, ou de l'est à l'ouest, on parcourt des régions si différentes, si contrastées même, dans les lumières parfois si dissemblables, qu'on a souvent l'impression de passer d'un monde à un autre; la mesure de la France est faite de ces oppositions. Ne les refusez pas : découvrez la farouche Bretagne *à travers les calvaires de granit avec leurs mille petits épisodes vivants, d'une rudesse d'expression semblable à celle des manoirs, des chapelles, et des chaos rocheux. Non loin de là, la fraîche* Normandie *vous offre ses herbages verdoyants et ses églises élancées, ses plages de sable ocre et ses ciels de nacre. Suivez la paresseuse* Loire, *dont les châteaux font triompher les grâces raffinées de la Renaissance et, sous le dur soleil de* Provence, *entrez dans l'ombre rafraîchissante des nefs romanes dont la pierre a la couleur du pain cuit. Des* Alpes *aux* Pyrénées, *les paysages que dominent les sommets neigeux seraient presque semblables s'il n'y avait les villages, qui ont, là, de larges toits en pente couverts de lauzes et des galeries de bois, ici des ardoises, des murs-pignons à ressauts ou des toits en avancée. Et il y a aussi les citadelles cathares, dont les ruines en nid d'aigle couronnent des pitons pointus.*

La même somme de peine et d'amour

Vous rêverez, au «Point sublime» du canyon du Verdon, *aux fantastiques caprices de la nature et, devant les signes mystérieux qui couvrent les rochers du mont* Bego, *dans la vallée des Merveilles, aux premières «bandes dessinées» des hommes, dont c'était l'unique moyen de communication.*

*Les austères églises romanes d'*Auvergne *renferment des Madones sereines qui sont images de foi autant que la terrible «Crucifixion» de* Colmar. *L'église de* Ronchamp, *chef-d'œuvre de Le Corbusier, dont les murs semblent se gonfier comme des voiles, contient la même somme de peine et d'amour que les prestigieuses cathédrales du Moyen Age.*

*Si, dans les villages basques, on danse et on joue à la pelote, ceux de l'*Artois *et de la* Picardie *promènent leurs Géants; aux* Baux, *on offre l'agneau la nuit de Noël; les pardons de* Bretagne *déroulent leur cortèges de bannières et de coiffes sur les landes, tandis qu'à* Turckheim, *en* Alsace, *le dernier veilleur nocturne passe chaque soir d'été dans les rues en chantant le couvre-feu. L'*Argonne *est pétrie de sang, le* Midi *gorgé de soleil; les plages de l'*Océan *et de la* Méditerranée *n'évoquent que farniente et joie de vivre, mais les énormes agglomérations industrielles du Nord, avec leurs terrils et leurs beffrois, disent la peine des hommes au visage de suie. Celle des laboureurs du* Lauragais, *des forestiers des* Ardennes, *des pêcheurs de* Concarneau *n'est pas moins réelle.*

L'invitation au voyage

Parcourir la France, c'est aussi connaître les travaux et les métiers de ses habitants, des dentellières du Puy *aux potiers de* Ratilly, *des lissiers d'*Aubusson *aux imagiers d'*Epinal. *Chaque province a ses spécialités artisanales comme elle a ses spécialités gastronomiques; le bien-manger, chez nous, est inséparable du bien-voyager, c'est pourquoi nous avons donné la place qui leur revenait à la cuisine française et à ses particularités régionales.*

Et maintenant, bon voyage.

Pierre Cabanne

POUR ÉTABLIR OU POUR SUIVRE UN ITINÉRAIRE, POUR RECHERCHER UN SITE, UNE LOCALITÉ

Que faire ?

Itinéraire

Vous pouvez établir votre itinéraire en consultant la carte générale (p. 10-11). Le tableau d'assemblage vous permettra de vous reporter immédiatement à la carte concernée grâce à son numéro. Pour passer d'une carte à l'autre utilisez les numéros fléchés portés au bord de chaque carte.

Recherche d'un site

• Soit directement en consultant les cartes : les sites faisant l'objet d'une entrée dans le dictionnaire sont tous signalés par des cartouches jaunes ; les curiosités isolées sont en rouge.
• Soit en partant de l'un des deux index qui renvoient
(1) à la carte grâce aux indications de quadrillage (lettre et chiffre)
(2) au dictionnaire des sites (entrées signalées en gras).

NOTA

I. Le dictionnaire des sites signale parfois des localités ou des curiosités ne figurant pas sur nos cartes (ni sur l'index). De même, malgré une sélection très importante, vous ne trouverez peut-être pas l'église de votre village !
II. Nos cartes, pour être lisibles, ont été volontairement dépouillées de toute surcharge (petites routes, localités, etc.).
III. Les entrées du dictionnaire des sites et les noms des index comportent des indications chiffrées se rapportant aux cartes. Le premier nombre donne le numéro de la carte. La lettre et le chiffre déterminent, grâce au quadrillage porté sur chaque carte, le secteur où se trouve le site cherché.

Abréviations utilisées

Est = E.
Ouest = O.
Nord = N.
Sud = S.
mercredi = merc.
vendredi = vend.
samedi = sam.
dimanche = dim.
janvier = janv.
février = fév.
juillet = juil.
septembre = sept.
octobre = oct.
novembre = nov.
décembre = déc.
début = déb.
seconde = s.
milieu = mil.
moitié = moit.
ancien = anc.
altitude = alt.
dans = ds
tous = ts
toute, toutes = tte, ttes
Syndicat d'Initiative = S.I.
Jésus-Christ = J.-C.
jours = j.
heure = h.
après-midi = apr.-m.
siècle = s.
droite = dr.
gauche = g.
étage = ét.
boulevard = bd.
ouvert = ouv.
visite = vis.
s'adresser = s'adr.
renseignements = rens.
rendez-vous = r.-v.
supérieur = sup.
intérieur = int.
extérieur = ext.
collection = coll.
habitants = hab.

CONSULTEZ LA TABLE CI-DESSOUS

D'OÙ VIENT CETTE VOITURE ?

En France : les numéros correspondent à ceux des départements ; ils sont précédés d'un numéro d'ordre (1 à 4 chiffres suivant les départements) et d'une à trois lettres de série.

A l'étranger : les numéros et les lettres varient selon les pays d'origine mais des lettres placées sur fond ovale permettent de distinguer chaque pays.

Des immatriculations particulières caractérisent certains véhicules.

Voitures françaises

01 Ain
02 Aisne
03 Allier
04 Alpes-de-Hte-Provence
05 Alpes (Htes)
06 Alpes-Maritimes
07 Ardèche
08 Ardennes
09 Ariège
10 Aube
11 Aude
12 Aveyron
13 B.-du-Rhône
14 Calvados
15 Cantal
16 Charente
17 Charente-Maritime
18 Cher
19 Corrèze
2A Corse-du-Sud
2B Haute-Corse
21 Côte-d'Or
22 Côtes-du-Nord
23 Creuse
24 Dordogne
25 Doubs
26 Drôme
27 Eure
28 Eure-et-Loir
29 Finistère
30 Gard
31 Garonne (Hte)
32 Gers
33 Gironde
34 Hérault
35 Ille-et-Vilaine
36 Indre
37 Indre-et-Loir
38 Isère
39 Jura
40 Landes
41 Loir-et-Cher
42 Loire
43 Loire (Hte)
44 Loire Atlantique
45 Loiret
46 Lot
47 Lot-et-Garonne
48 Lozère
49 Maine
50 Manche
51 Marne
52 Marne (Hte)
53 Mayenne
54 Meurthe-et-Moselle
55 Meuse
56 Morbihan
57 Moselle
58 Nièvre
59 Nord
60 Oise
61 Orne
62 Pas-de-Calais
63 Puy-de-Dôme
64 Pyrénées-Atlantiques
65 Pyrénées (Htes)
66 Pyrénées-Orientales
67 Rhin (Bas)
68 Rhin (Haut)
69 Rhône
70 Saône (Hte)
71 Saône-et-Loire
72 Sarthe
73 Savoie
74 Savoie (Hte)
75 Paris
76 Seine-Maritime
77 Seine-et-Marne
78 Yvelines
79 Sèvres (Deux)
80 Somme
81 Tarn
82 Tarn-et-Garonne
83 Var
84 Vaucluse
85 Vendée
86 Vienne
87 Vienne (Hte)
88 Vosges
89 Yonne
90 Territoire-de-Belfort
91 Essonne
92 Hauts-de-Seine
93 Seine-Saint-Denis
94 Val-de-Marne
95 Val-d'Oise

Immatriculations spéciales

CD Corps diplomatique (jaune sur fond vert)
CMD Chef de mission diplomatique (jaune sur fond vert)
K, C Corps consulaire et assimilés (blanc sur fond vert)
D Véhicules des Domaines
TT Transit temporaire (blanc sur fond rouge)
W Véhicules en vente ou en réparation
WW Immatriculation de livraison

Quelques voitures étrangères

A Autriche
AL Albanie
AND Andorre
AUS Australie
B Belgique
BG Bulgarie
BR Brésil
C Cuba
CDN Canada
CH Suisse
CS Tchécoslovaquie
D Allemagne Féd.
DDR Rép. Dém. Allemande
DK Danemark
DZ Algérie
E Espagne
ET République Arabe Unie
FL Liechtenstein
GB Gde-Bretagne
GBA Alderney-Aurigny
GBG Guernesey
GBJ Jersey
GBM Ile de Man
GBZ Gibraltar
GR Grèce
H Hongrie
I Italie
IL Israël
IND Inde
IR Iran
IRL Irlande
J Japon
L Luxembourg
MA Maroc
MC Monaco
MEX Mexique
N Norvège
NL Pays-Bas
P Portugal
PE Pérou
PL Pologne
R Roumanie
RA Argentine
RCH Chili
RL Liban
RM République Malgache
S Suède
SF Finlande
SN Sénégal
SU U.R.S.S.
TN Tunisie
TR Turquie
U Uruguay
USA Etats-Unis
V Cité du Vatican
YU Yougoslavie
ZA Afrique du Sud

Légende

A1 E9	Autoroute avec accès		Lac de barrage
	Autoroute en construction		Cascade
	Autoroute en projet	Bac	Bac pour automobile
	Grande liaison		Relations maritimes
	Liaison régionale		Frontière - poste de douane
	Route secondaire		Limite de département
	Autre route	45	Code départemental
	Tunnel routier		Ville importante
34	Distances kilométriques (Autoroute)		Ville moyenne
7 9 16	Distances kilométriques		Localité ou lieu dit
N 82 – D 109	Numéros des routes		Phare
	Voie ferrée	+ 744	Altitude en mètres
	Tunnel ferroviaire	1250	Col
	Téléférique, Téléski		Forêt
	Canal		Glacier

Symboles touristiques (excepté dans les villes)

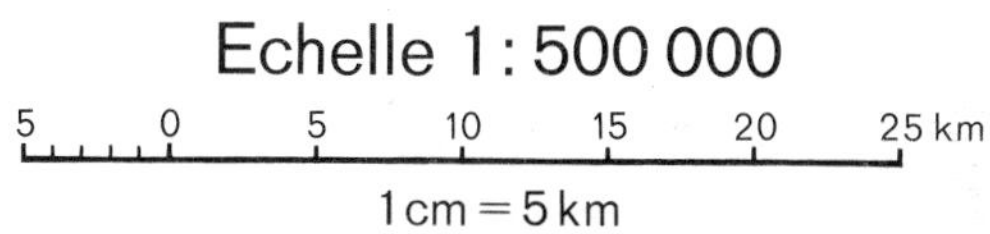

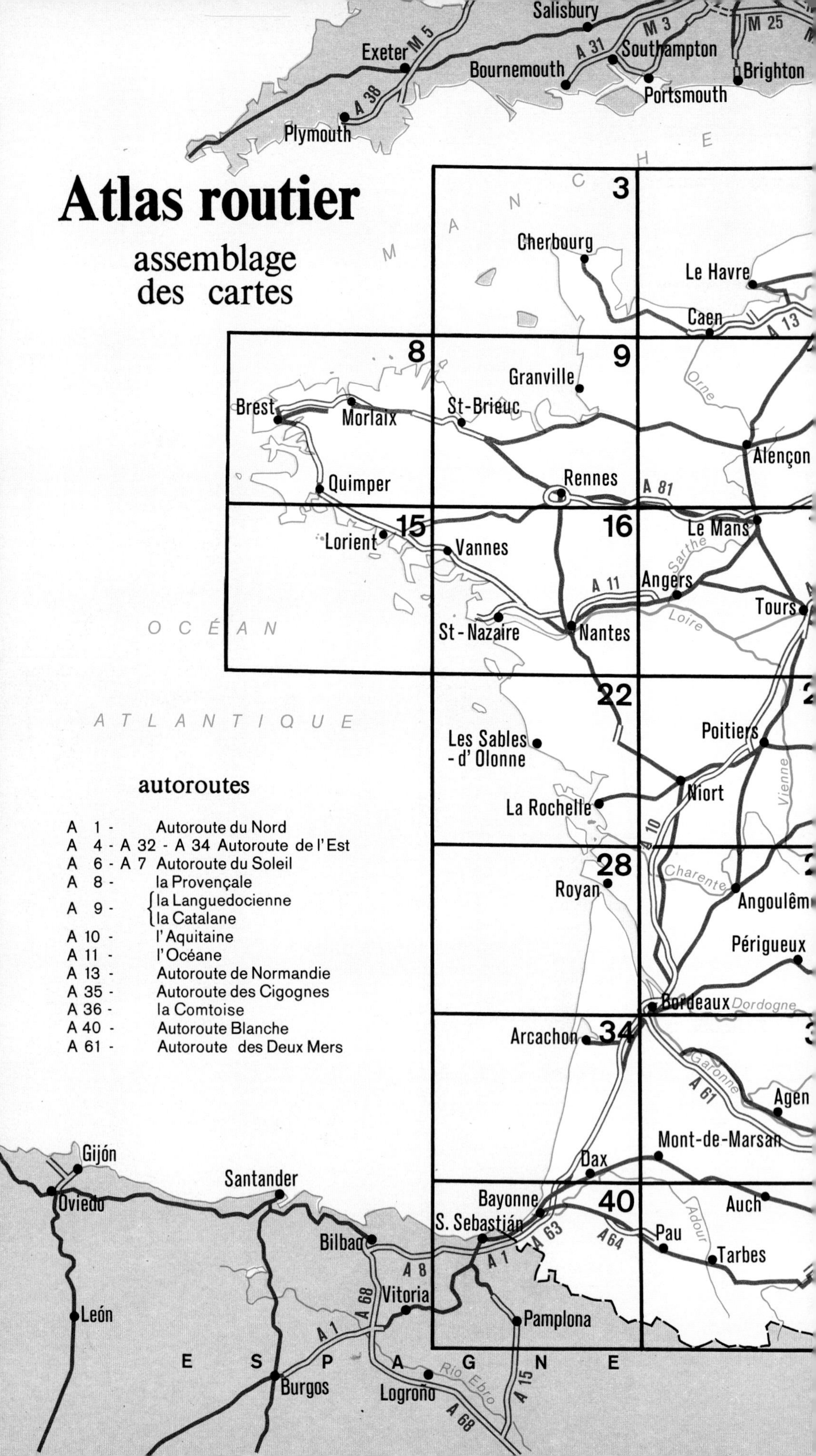
Atlas routier
assemblage des cartes
autoroutes
A 1 - Autoroute du Nord
A 4 - A 32 - A 34 Autoroute de l'Est
A 6 - A 7 Autoroute du Soleil
A 8 - la Provençale
A 9 - la Languedocienne / la Catalane
A 10 - l'Aquitaine
A 11 - l'Océane
A 13 - Autoroute de Normandie
A 35 - Autoroute des Cigognes
A 36 - la Comtoise
A 40 - Autoroute Blanche
A 61 - Autoroute des Deux Mers
Salisbury
Exeter
M 5
M 3
M 25
A 31
Southampton
Bournemouth
Brighton
Portsmouth
A 38
Plymouth
M A N C H E
3
Cherbourg
Le Havre
Caen
A 13
8
9
Granville
Orne
Brest
Morlaix
St-Brieuc
Alençon
Quimper
Rennes
A 81
15
16
Lorient
Vannes
Le Mans
Sarthe
A 11
Angers
Tours
Loire
O C É A N
St-Nazaire
Nantes
A T L A N T I Q U E
22
Les Sables - d' Olonne
Poitiers
Niort
Vienne
La Rochelle
A 10
28
Royan
Charente
Angoulême
Périgueux
Bordeaux
Dordogne
Arcachon
34
Garonne
A 61
Agen
Mont-de-Marsan
Dax
Gijón
Santander
Oviedo
Bayonne
40
Auch
S. Sebastián
A 63
A 64
Pau
Adour
Bilbao
Tarbes
A 1
A 8
Vitoria
A 68
León
Pamplona
A 1
E S P A G N E
Río Ebro
A 15
Burgos
Logroño
A 68

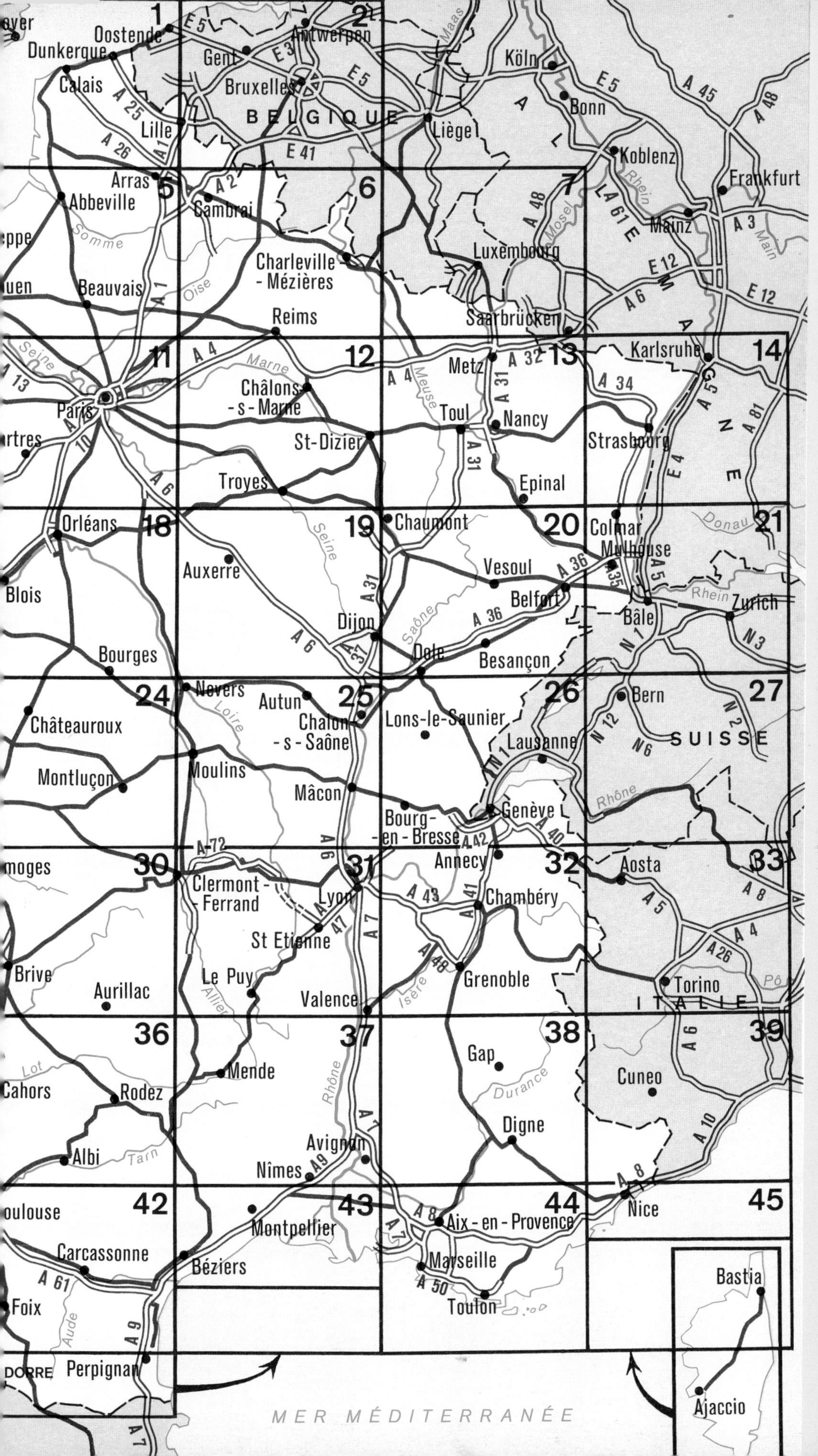

Oostende
Dunkerque
Calais
Lille
Gent
Antwerpen
Bruxelles
BELGIQUE
Liège
Köln
Bonn
Koblenz
Frankfurt
Mainz
Arras
Abbeville
Cambrai
Charleville - Mézières
Beauvais
Reims
Luxembourg
Saarbrücken
Karlsruhe
Paris
Châlons - s - Marne
Metz
Toul
Nancy
Strasbourg
St-Dizier
Troyes
Epinal
Orléans
Chaumont
Colmar
Mulhouse
Auxerre
Vesoul
Belfort
Blois
Dijon
Bâle
Zurich
Bourges
Dole
Besançon
Nevers
Autun
Chalon - s - Saône
Lons-le-Saunier
Bern
SUISSE
Châteauroux
Lausanne
Montluçon
Moulins
Mâcon
Bourg - en - Bresse
Genève
Annecy
Aosta
Clermont - Ferrand
Lyon
Chambéry
St Etienne
Grenoble
Torino
ITALIE
Brive
Aurillac
Le Puy
Valence
Gap
Cuneo
Mende
Cahors
Rodez
Digne
Albi
Avignon
Nîmes
Nice
Montpellier
Aix - en - Provence
Carcassonne
Béziers
Marseille
Toulon
Bastia
Foix
Perpignan
Ajaccio
MER MÉDITERRANÉE
Seine
Marne
Meuse
Saône
Loire
Rhône
Rhein
Donau
Allier
Isère
Durance
Tarn
Lot
Aude
Somme
Oise
Mosel
Main
Pô

A
B
Margate
Westgate-on-Sea
Kingsgate
C. North Foreland
Broadstairs
Ramsgate
Herne Bay
Whitstable
Leysdown
Harty
Faversham
Canterbury
Sandwich
Deal
Dover
Folkestone
Hythe
Ashford
New Romney
Lydd
C. Dungeness
MER
PAS DE CALAIS
MANCHE
Côte d'Opale
Calais
Sangatte
Wissant
Marquise
Boulogne-s.-Mer
Le Portel
Wimereux
Samer
Desvres
Étaples
Le Touquet-Paris-Plage
Montreuil
Berck-Plage
Berck
Fort-Mahon-Plage
Quend-Plage
Boulonnais

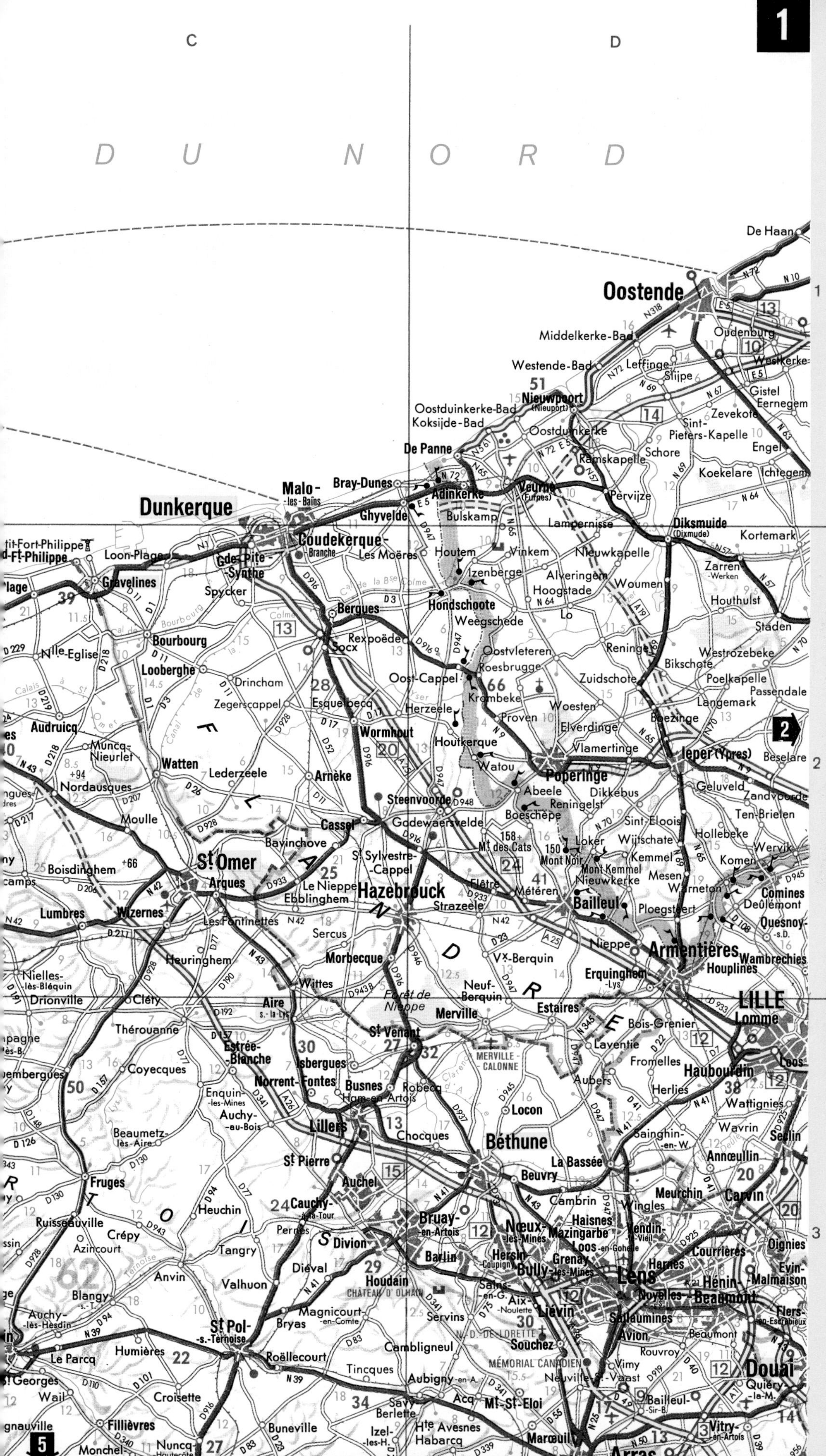
1
C
D
D U N O R D
De Haan
Oostende
Middelkerke-Bad
Oudenburg
Westende-Bad
Leffinge
Slijpe
Westkerke
Gistel
Eernegem
Nieuwpoort
(Nieuport)
Oostduinkerke-Bad
Koksijde-Bad
Oostduinkerke
Zevekote
Sint-Pieters-Kapelle
Ramskapelle
Schore
Engel
De Panne
Bray-Dunes
Adinkerke
Veurne
(Furnes)
Pervijze
Koekelare
Ichtegem
Malo-les-Bains
Dunkerque
Ghyvelde
Bulskamp
Lampernisse
Diksmuide
(Dixmude)
Kortemark
Coudekerque-Branche
Les Moëres
Houtem
Vinkem
Nieuwkapelle
Zarren-Werken
Petit-Fort-Philippe
Gd-Ft-Philippe
Loon-Plage
Gde-Synthe
Izenberge
Alveringem
Woumen
Gravelines
Spycker
Hoogstade
Houthulst
Hondschoote
Lo
Bergues
Weegschede
Staden
Bourbourg
Rexpoëde
Oostvleteren
Reninge
Westrozebeke
Nlle-Eglise
Socx
Bikschote
Roesbrugge
Looberghe
Drincham
Oost-Cappel
Zuidschote
Poelkapelle
Zegerscappel
Esquelbecq
Krombeke
Passendale
Herzeele
Woesten
Langemark
Audruicq
Wormhout
Proven
Elverdinge
Boezinge
Munq-Nieurlet
Houtkerque
Vlamertinge
Ieper (Ypres)
Beselare
Watten
Arnèke
Watou
Poperinge
Nordausques
Lederzeele
Abeele
Dikkebus
Geluveld
Zandvoorde
Steenvoorde
Reningelst
Moulle
Cassel
Godewaersvelde
Boeschepe
Sint-Elooi
Ten-Brielen
Bavinchove
Mt des Cats
Loker
Wijtschate
Hollebeke
St Omer
Boisdinghem
St Sylvestre-Cappel
Mont Noir
Kemmel
Wervik
Arques
Le Nieppe
Mont Kemmel
Nieuwkerke
Mesen
Komen
Ebblinghem
Hazebrouck
Flêtre
Méteren
Warneton
Comines
Lumbres
Wizernes
Strazeele
Bailleul
Ploegsteert
Deûlémont
Les Fontinettes
Quesnoy-s.-D.
Sercus
Nieppe
Armentières
Wambrechies
Heuringhem
Morbecque
Vx-Berquin
Houplines
Nielles-lès-Bléquin
Wittes
Erquinghem-Lys
Drionville
Cléty
Neuf-Berquin
Forêt de Nieppe
LILLE
Lomme
Aire-s.-la-Lys
Merville
Estaires
Thérouanne
Bois-Grenier
St Venant
Laventie
Estrée-Blanche
Isbergues
Merville-Calonne
Fromelles
Haubourdin
Loos
Coyecques
Norrent-Fontes
Busnes
Robecq
Aubers
Herlies
Enquin-les-Mines
Ham-en-Artois
Wattignies
Auchy-au-Bois
Locon
Wavrin
Beaumetz-lès-Aire
Lillers
Chocques
Béthune
Sainghin-en-W.
Seclin
St Pierre
La Bassée
Annœullin
Fruges
Auchel
Beuvry
Heuchin
Cauchy-à-la-Tour
Cambrin
Meurchin
Carvin
Ruisseauville
Bruay-en-Artois
Nœux-les-Mines
Haisnes
Wingles
Crépy
Pernes
Mazingarbe
Vendin-le-Vieil
Oignies
Azincourt
Tangry
Divion
Loos-en-Gohelle
Courrières
Barlin
Hersin-Coupigny
Grenay
Harnes
Evin-Malmaison
Anvin
Diéval
Bully-les-Mines
Lens
Hénin-Beaumont
Blangy-s.-T.
Valhuon
Houdain
Château d'Olhain
Sains-en-G.
Noyelles
Auchy-lès-Hesdin
Magnicourt-en-Comte
Aix-Noulette
Liévin
Sallaumines
Flers-en-Escrebieux
Bryas
Servins
St Pol-s.-Ternoise
N.-D.-de-Lorette
Avion
Beaumont
Le Parcq
Humières
Souchez
Rouvroy
Roëllecourt
Camblígneul
Mémorial Canadien
Vimy
Douai
St Georges
Tincques
Neuville-St-Vaast
Wail
Croisette
Aubigny-en-A.
Acq
Mt-St-Eloi
Bailleul-Sir-B.
Quiéry-la-M.
Savy-Berlette
Fillièvres
Buneville
Izel-les-H.
Hte Avesnes
Habarcq
Marœuil
Vitry-en-Artois
Monchel-s-Canche
Nuncq-Hautecôte
Arras
F L A N D R E
A R T O I S
2
5

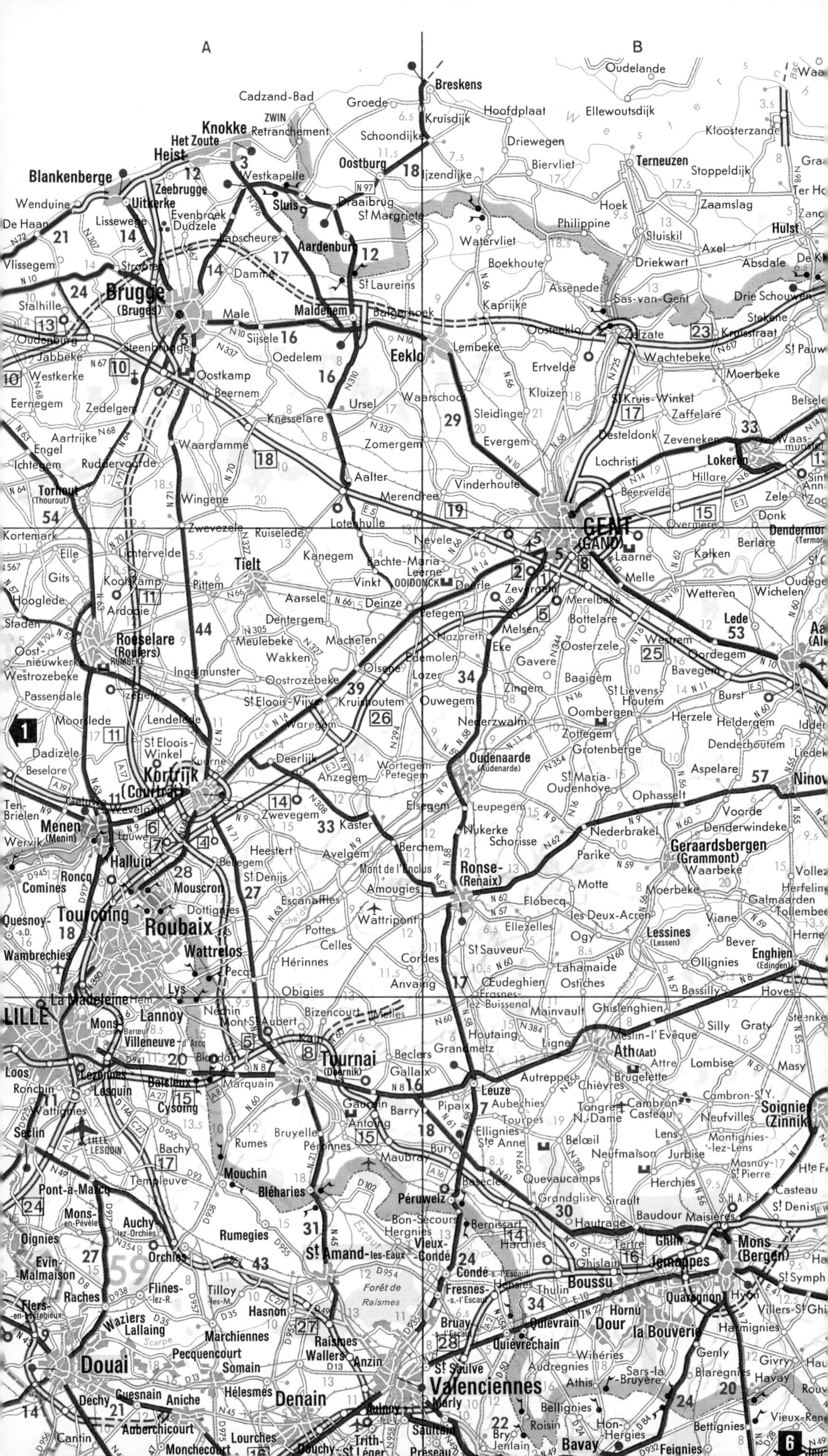

A
B
Oudelande
Breskens
Cadzand-Bad
Groede
Kruisdijk
Hoofdplaat
Ellewoutsdijk
ZWIN
Knokke
Retranchement
Schoondijke
Driewegen
Kloosterzande
Het Zoute
Heist
Terneuzen
Stoppeldijk
Biervliet
Oostburg
IJzendijke
Blankenberge
Westkapelle
Zeebrugge
Uitkerke
Sluis
Draaibrug
St Margriete
Hoek
Zaamslag
Wenduine
Philippine
De Haan
Lissewege
Evenbroek
Dudzele
Sluiskil
Hulst
Vlissegem
Lapscheure
Aardenburg
Watervliet
Axel
Stroobrugge
Damme
Boekhoute
Driekwart
Absdale
De Klinge
St Laureins
Assenede
Brugge
(Bruges)
Maldegem
Balgerhoek
Kaprijke
Sas-van-Gent
Drie Schouwen
Stalhille
Male
Oosteeklo
Zelzate
Stekene
Kruisstraat
Oudenburg
Sijsele
Eeklo
Lembeke
Wachtebeke
St Pauwels
Jabbeke
Steenbrugge
Oedelem
Ertvelde
Moerbeke
Westkerke
Oostkamp
Kluizen
St Kruis-Winkel
Eernegem
Beernem
Ursel
Waarschoot
Zaffelare
Belsele
Zedelgem
Knesselare
Sleidinge
Desteldonk
Zeveneken
Aartrijke
Engel
Zomergem
Evergem
Lokeren
Waasmunster
Ichtegem
Ruddervoorde
Waardamme
Lochristi
Aalter
Hillare
Torhout
(Thourout)
Wingene
Merendree
Vinderhoute
Beervelde
Zele
Lotenhulle
GENT
(GAND)
Overmere
Donk
Dendermonde
Kortemark
Zwevezele
Ruiselede
Nevele
Laarne
Berlare
Elle
Lichtervelde
Tielt
Kanegem
Bachte-Maria-Leerne
Kalken
Gits
Koolskamp
Pittem
Vinkt
OOIDONCK
Deurle
Zevergem
Melle
Oudegem
Hooglede
Ardooie
Aarsele
Deinze
Merelbeke
Wetteren
Wichelen
Staden
Dentergem
Petegem
Bottelare
Lede
Roeselare
(Roulers)
Meulebeke
Machelen
Nazareth
Melsen
Oost-nieuwkerke
RUMBEKE
Wakken
Eke
Oosterzele
Westrem
Oordegem
Westrozebeke
Ingelmunster
Edemolen
Gavere
Bavegem
Oostrozebeke
Olsene
Lozer
Baaigem
Passendale
Izegem
St Eloois-Vijve
Kruishoutem
Ouwegem
Zingem
St Lievens-Houtem
Burst
Moorslede
Lendelede
Waregem
Nederzwalm
Oombergen
Herzele
Heldergem
Idderg
Dadizele
St Eloois-Winkel
Zottegem
Grotenberge
Denderhoutem
Liedek
Beselare
Kuurne
Deerlijk
Wortegem-Petegem
Oudenaarde
(Audenarde)
Aspelare
Kortrijk
(Courtrai)
Anzegem
St Maria-Oudenhove
Ninove
Ten-Brielen
Gullegem
Wevelgem
Ophasselt
Menen
(Menin)
Lauwe
Zwevegem
Elsegem
Leupegem
Voorde
Wervik
Halluin
Kaster
Nukerke
Schorisse
Nederbrakel
Denderwindeke
Heestert
Avelgem
Berchem
Geraardsbergen
(Grammont)
Roncq
Bellegem
St Denijs
Mont de l'Enclus
Ronse
(Renaix)
Parike
Waarbeke
Comines
Mouscron
Amougies
Motte
Moerbeke
Herfelingen
Tourcoing
Roubaix
Dottignies
Escanaffles
Flobecq
Galmaarden
Tollembeek
Quesnoy-s.D.
Wattripont
Ellezelles
les Deux-Acren
Viane
Pottes
Ogy
Lessines
(Lessen)
Bever
Herne
Wambrechies
Wattrelos
Celles
St Sauveur
Enghien
(Edingen)
Pecq
Hérinnes
Cordes
Lahamaide
Ollignies
Lys
Anvaing
Œudeghien
Ostiches
Bassilly
Hoves
La Madeleine
Hem
Obigies
Frasnes-lez-Buissenal
LILLE
Lannoy
Nechin
Bizencourt
Melles
Mainvault
Ghislenghien
Mons-en-Barœul
Mont-St Aubert
Kain
Ath (Aat)
Meslin-l'Evêque
Silly
Graty
Steenkerque
Villeneuve-d'Ascq
Houtaing
Ligne
Tournai
(Doornik)
Beclers
Grandmetz
Lombise
Masy
Loos
Lezennes
Blandain
Attre
Baisieux
Marquain
Gallaix
Autreppe
Brugelette
Ronchin
Lesquin
Leuze
Chièvres
Cambron-St Vincent
Gaurain
Barry
Pipaix
Aubechies
Tongre-N.-Dame
Cambron-Casteau
Soignies
(Zinnik)
Wattignies
Cysoing
Antoing
Tourpes
Neufvilles
Seclin
LILLE-LESQUIN
Bruyelle
Ellignies-Ste Anne
Lens
Montignies-lez-Lens
Rumes
Péronnes
Bury
Belœil
Bachy
Maubray
Neufmaison
Jurbise
Masnuy-St Pierre
Templeuve
Basècles
Quevaucamps
Herchies
Casteau
Pont-à-Marcq
Mouchin
Bléharies
Péruwelz
Grandglise
Sirault
St Denis
Mons-en-Pévèle
Auchy-lez-Orchies
Bon-Secours
Hergnies
Bernissart
Hautrage
Baudour
Maisières
Oignies
Rumegies
Harchies
Ghlin
Mons
(Bergen)
Evin-Malmaison
Orchies
St Amand-les-Eaux
Vieux-Condé
Tertre
St Ghislain
Jemappes
Condé-s.-l'Escaut
Boussu
St Symphorien
Flines-lez-R.
Tilloy-les-M.
Forêt de Raismes
Hensies
Thulin
Quaregnon
Hyon
Raches
Fresnes-s.-l'Escaut
Villers-St Ghislain
Flers-en-Escrebieux
Hasnon
Hornu
Waziers
Lallaing
Marchiennes
Bruay-s.-l'Escaut
Quiévrain
Dour
la Bouverie
Harmignies
Scarpe
Raismes
Quiévrechain
Pecquencourt
Wallers
Anzin
Wihéries
Genly
Givry
Douai
Somain
St Saulve
Audregnies
Sars-la-Bruyère
Blaregnies
Havay
Hélesmes
Valenciennes
Athis
Dechy
Guesnain
Aniche
Denain
Marly
Bellignies
Rouveroy
Aulnoy-les-V.
Vieux-Reng
Auberchicourt
Roisin
Hon-Hergies
Cantin
Lourches
Trith-St Léger
Saultain
Bry
Bettignies
Monchecourt
Douchy
Préseau
Jenlain
Bavay
Feignies

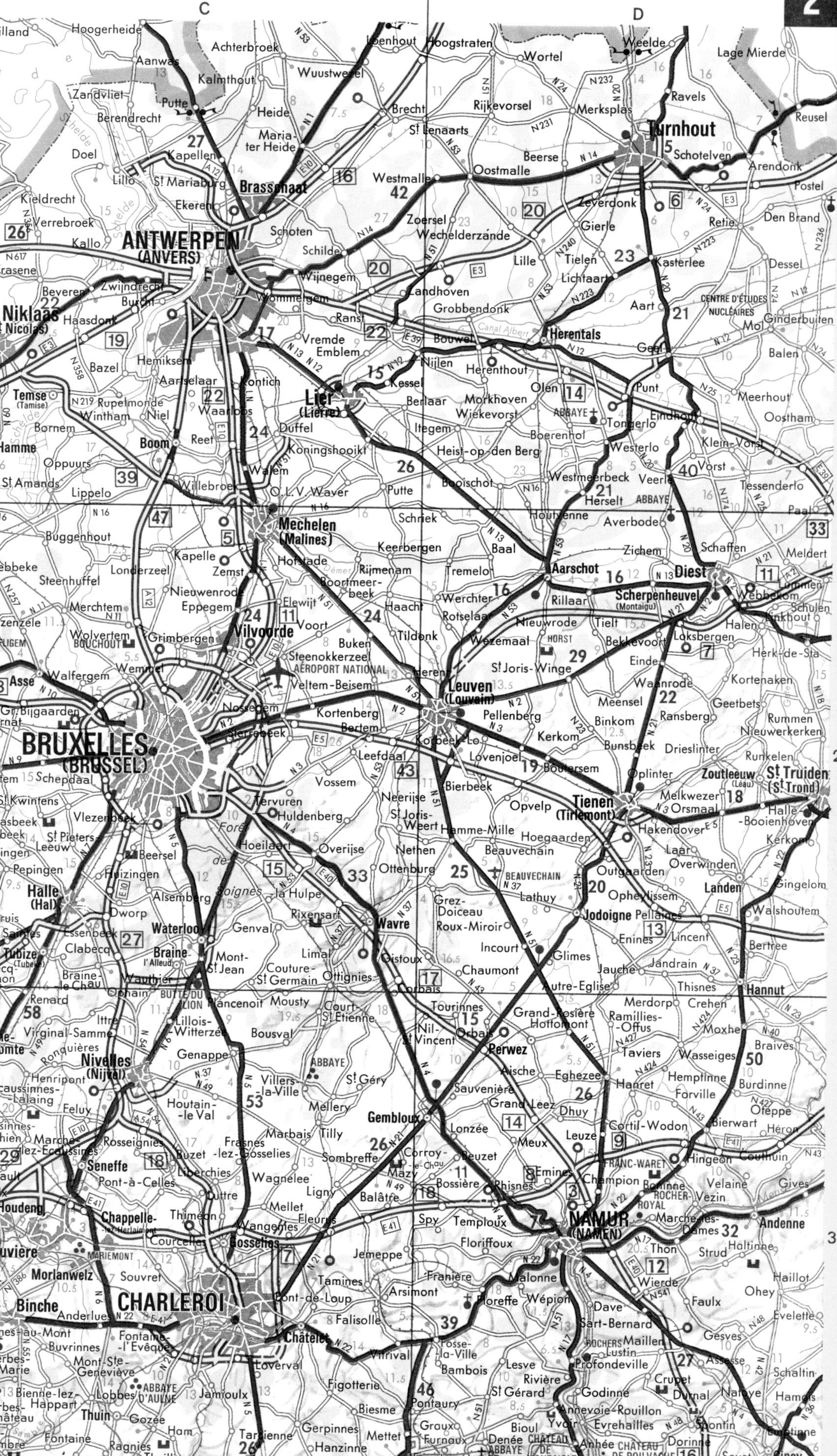
C
D
Hoogerheide
Achterbroek
Aanwas
Kalmthout
Zandvliet
Putte
Berendrecht
Heide
Maria-ter Heide
Kapellen
Doel
Lillo
St Mariaburg
Brasschaat
Ekeren
Kieldrecht
Verrebroek
Kallo
ANTWERPEN
(ANVERS)
Schoten
Schilde
Wijnegem
Wommelgem
Ranst
Beveren
Zwijndrecht
Burcht
Niklaas
Nicolas
Haasdonk
Vremde
Emblem
Bazel
Hemiksem
Aartselaar
Kontich
Temse
(Tamise)
Rupelmonde
Wintham
Niel
Waarloos
Bornem
Boom
Reet
Duffel
Hamme
Oppuurs
St Amands
Lippelo
Willebroek
Walem
O.L.V. Waver
Koningshooikt
Lier
(Lierre)
Kessel
Nijlen
Berlaar
Wuustwezel
Loenhout
Hoogstraten
Wortel
Weelde
Lage Mierde
Ravels
Brecht
Rijkevorsel
Merksplas
Turnhout
Reusel
St Lenaarts
Beerse
Schotelven
Arendonk
Westmalle
Oostmalle
Postel
Zoersel
Wechelderzande
Zeverdonk
Gierle
Retie
Den Brand
Lille
Tielen
Kasterlee
Dessel
Landhoven
Lichtaart
Aart
Grobbendonk
CENTRE D'ÉTUDES NUCLÉAIRES
Mol
Ginderbuiten
Canal Albert
Herentals
Bouwel
Geel
Balen
Herenthout
Olen
Punt
Morkhoven
Wiekevorst
Meerhout
ABBAYE
Tongerlo
Eindhout
Oostham
Itegem
Boerenhol
Heist-op-den Berg
Westerlo
Klein-Vorst
Vorst
Westmeerbeck
Veerle
Booischot
Herselt
Tessenderlo
Putte
Averbode
Paal
Buggenhout
Mechelen
(Malines)
Schriek
Houtvenne
Keerbergen
Baal
Zichem
Schaffen
Meldert
Kapelle
Londerzeel
Zemst
Hofstade
Rijmenam
Tremelo
Aarschot
Diest
Steenhuffel
Boortmeer-beek
Werchter
Rillaar
Scherpenheuvel
(Montaigu)
Webbekom
Schulen
Lummen
Nieuwenrode
Eppegem
Elewijt
Haacht
Rotselaar
Nieuwrode
Tielt
Loksbergen
Halen
Linkhout
Merchtem
Vilvoorde
Voort
Tildonk
Wezemaal
HORST
Bekkevoort
Wolvertem
BOUCHOUT
Grimbergen
Buken
Steenokkerzeel
Herk-de-Sta
Einde
AÉROPORT NATIONAL
Asse
Walfergem
Wemmel
Veltem-Beisem
Herent
St Joris-Winge
Waanrode
Kortenaken
Nossegem
Kortenberg
Leuven
(Louvain)
Meensel
Geetbets
Gr Bijgaarden
Bertem
Pellenberg
Binkom
Ransberg
Rummen
Nieuwerkerken
BRUXELLES
(BRUSSEL)
Sterrebeek
Korbeek-Lo
Kerkom
Bunsbeek
Drieslinter
Runkelen
Schepdaal
Leefdaal
Lovenjoel
Boutersem
Oplinter
Zoutleeuw
(Léau)
St Truiden
(St Trond)
Vossem
Bierbeek
Melkwezer
St Kwintens
Tervuren
Neerijse
Opvelp
Tienen
(Tirlemont)
Orsmaal
Halle
-Booienhoven
Vlezenbeek
Huldenberg
St Joris-Weert
Hakendover
St Pieters-Leeuw
Forêt de Soignes
Hamme-Mille
Hoegaarden
Kerkom
Beersel
Hoeilaart
Overijse
Nethen
Beauvechain
Laar
Overwinden
Pepingen
Ottenburg
BEAUVECHAIN
Outgaarden
Landen
Gingelom
Halle
(Hal)
Huizingen
Alsemberg
la Hulpe
Grez-Doiceau
Lathuy
Opheylissem
Walshoutem
Dworp
Rixensart
Wavre
Jodoigne
Pellaines
Saintes
Essenbeek
Waterloo
Genval
Roux-Miroir
Enines
Lincent
Tubize
(Tubeke)
Clabecq
Braine-l'Alleud
Mont-St Jean
Limal
Incourt
Glimes
Bertree
Gistoux
Chaumont
Jauche
Jandrain
Braine-le Chau
Wauthier
Couture-St Germain
Ottignies
Corbais
Autre-Eglise
Thisnes
Hannut
Renard
Ophain
BUTTE DU LION
Plancenoit
Mousty
Court-St Etienne
Tourinnes
Grand-Rosière
Hottomont
Merdorp
Crehen
Ittre
Lillois-Witterzee
Ramillies-Offus
Moxhe
Virginal-Samme
Bousval
Nil-St Vincent
Orbais
Braives
Ronquières
Genappe
Perwez
Taviers
Wasseiges
Nivelles
(Nijvel)
ABBAYE
Aische
Eghezee
Henripont
Villers-la-Ville
St Géry
Hanret
Hemptinne
Burdinne
Écaussinnes-Lalaing
Houtain-le Val
Sauvenière
Forville
Feluy
Mellery
Grand Leez
Dhuy
Oteppe
Gembloux
Bierwart
Héron
Marches-lez-Ecaussinnes
Rosseignies
Frasnes-lez-Gosselies
Marbais
Tilly
Lonzée
Cortil-Wodon
Buzet
Sombreffe
Corroy-le-Chau
Beuzet
Meux
Leuze
FRANC-WARET
Hingeon
Couthuin
Seneffe
Liberchies
Mazy
Emines
Champion
Bonnine
Velaine
Gives
Pont-à-Celles
Wagnelee
Ligny
Bossière
Rhisnes
ROCHER ROYAL
Vezin
Houdeng
Luttre
Mellet
Balâtre
Chappelle-lez-Herlaimont
Thiméon
Fleurus
Spy
Temploux
NAMUR
(NAMEN)
Marche-les-Dames
Andenne
Wangenies
Courcelles
Gosselies
Floriffoux
Thon
Strud
Haltinne
MARIEMONT
Morlanwelz
Souvret
Jemeppe
Malonne
Wierde
Haillot
Tamines
Franière
Ohey
Binche
CHARLEROI
Anderlues
Pont-de-Loup
Arsimont
Floreffe
Wépion
Dave
Faulx
Evelette
Falisolle
Sart-Bernard
Fontaine-l'Evêque
Châtelet
Gesves
Buvrinnes
Mont-Ste-Geneviève
Vitrival
Fosse-la-Ville
ROCHERS
Maillen
Lustin
Profondeville
Assesse
Loverval
Bambois
Lesve
Rivière
Crupet
Schaltin
ABBAYE D'AULNE
Bienne-lez-Happart
Lobbes
Jamioulx
Figotterie
St Gérard
Godinne
Durnal
Natoye
Hamois
Thuin
Gozée
Biesme
Pontaury
Annevoie-Rouillon
Yvoir
Spontin
Ham
Tarcienne
Gerpinnes
Mettet
Graux
Bioul
Evrehailles
Fontaine
Ragnies
Hanzinne
Furnaux
Denée
CHÂTEAU DE MONTAIGLE
Anhée
CHÂTEAU DE POILVACHE
Dorinne
Sovet
Ciney
Thuillies
Ermeton
ABBAYE

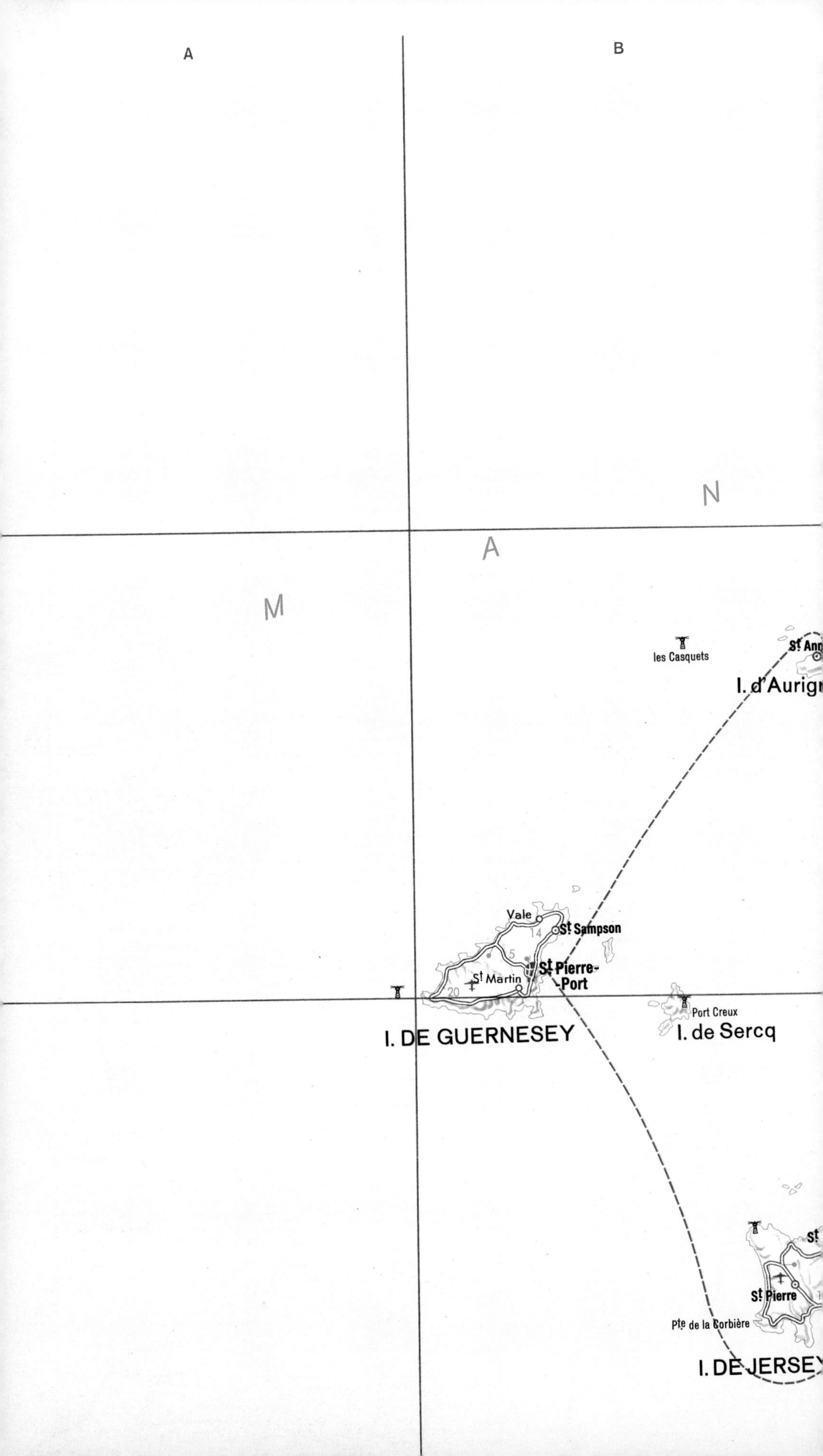
A
B
N
A
M
les Casquets
St Ann
I. d'Aurig
Vale
St Sampson
St Pierre-
-Port
St Martin
I. DE GUERNESEY
Port Creux
I. de Sercq
St Pierre
Pte de la Corbière
I. DE JERSEY

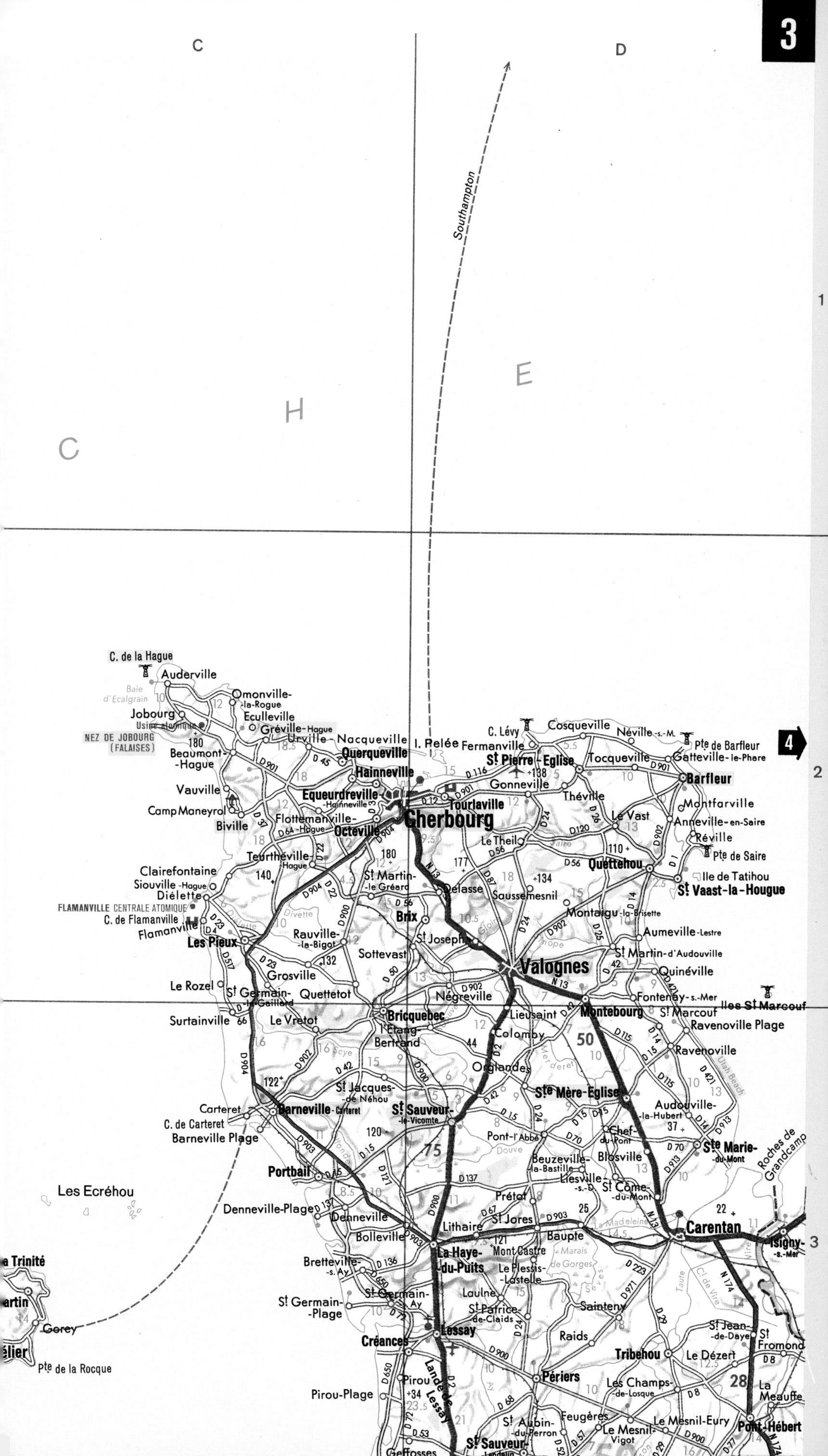
C
D
Southampton
1
C
H
E
C. de la Hague
Auderville
Baie d'Ecalgrain
Omonville-la-Rogue
Jobourg
Eculleville
Usine atomique
Gréville-Hague
NEZ DE JOBOURG (FALAISES)
180
Urville-Nacqueville
I. Pelée
Beaumont-Hague
Querqueville
C. Lévy
Cosqueville
Néville-s.-M.
Pte de Barfleur
Fermanville
4
St Pierre-Eglise
Tocqueville
Gatteville-le-Phare
2
Hainneville
Gonneville
Barfleur
Vauville
Equeurdreville-Hainneville
Tourlaville
Théville
Montfarville
Camp Maneyrol
Biville
Flottemanville-Hague
Cherbourg
Le Vast
Anneville-en-Saire
Octeville
Le Theil
Réville
Teurthéville-Hague
180
Pte de Saire
Clairefontaine
Quettehou
Ile de Tatihou
Siouville-Hague
St Martin-le Gréard
St Vaast-la-Hougue
Diélette
Delasse
Saussemesnil
FLAMANVILLE CENTRALE ATOMIQUE
C. de Flamanville
Brix
Montaigu-la-Brisette
Flamanville
Rauville-la-Bigot
St Joseph
Aumeville-Lestre
Les Pieux
Sottevast
St Martin-d'Audouville
Valognes
Grosville
Quinéville
Le Rozel
St Germain-le-Gaillard
Quettetot
Négreville
Fontenay-s.-Mer
Iles St Marcouf
Surtainville
Le Vretot
Bricquebec
Lieusaint
Montebourg
St Marcouf
Ravenoville Plage
l'Etang-Bertrand
Colomby
50
Ravenoville
Orglandes
Utah Beach
St Jacques-de Néhou
Ste Mère-Eglise
Carteret
Barneville-Carteret
St Sauveur-le-Vicomte
Audouville-la-Hubert
C. de Carteret
Barneville Plage
Pont-l'Abbé
Chef-du-Pont
Ste Marie-du-Mont
Roches de Grandcamp
Beuzeville-la-Bastille
Blosville
Portbail
75
Liesville-s.-D.
St Côme-du-Mont
Les Ecréhou
Denneville-Plage
Prétot
Denneville
St Jores
Carentan
Isigny-s.-Mer
3
Lithaire
Baupte
Bolleville
La Haye-du-Puits
Mont Castre
Marais de Gorges
La Trinité
Bretteville-s. Ay
Le Plessis-Lastelle
St Germain-Ay
Martin
St Germain-Plage
Laulne
Sainteny
Gorey
St Patrice-de-Claids
St Jean-de-Daye
Lessay
Raids
St Fromond
Hélier
Créances
Tribehou
Le Dézert
Pte de la Rocque
Lande de Lessay
Périers
Pirou
Les Champs-de-Losque
28
Pirou-Plage
La Meauffe
St Aubin-du-Perron
Feugères
Le Mesnil-Eury
Le Mesnil-Vigot
Pont-Hébert
Geffosses
St Sauveur-Lendelin
N 13
N 174
D 900
D 901
D 902
D 904
D 903

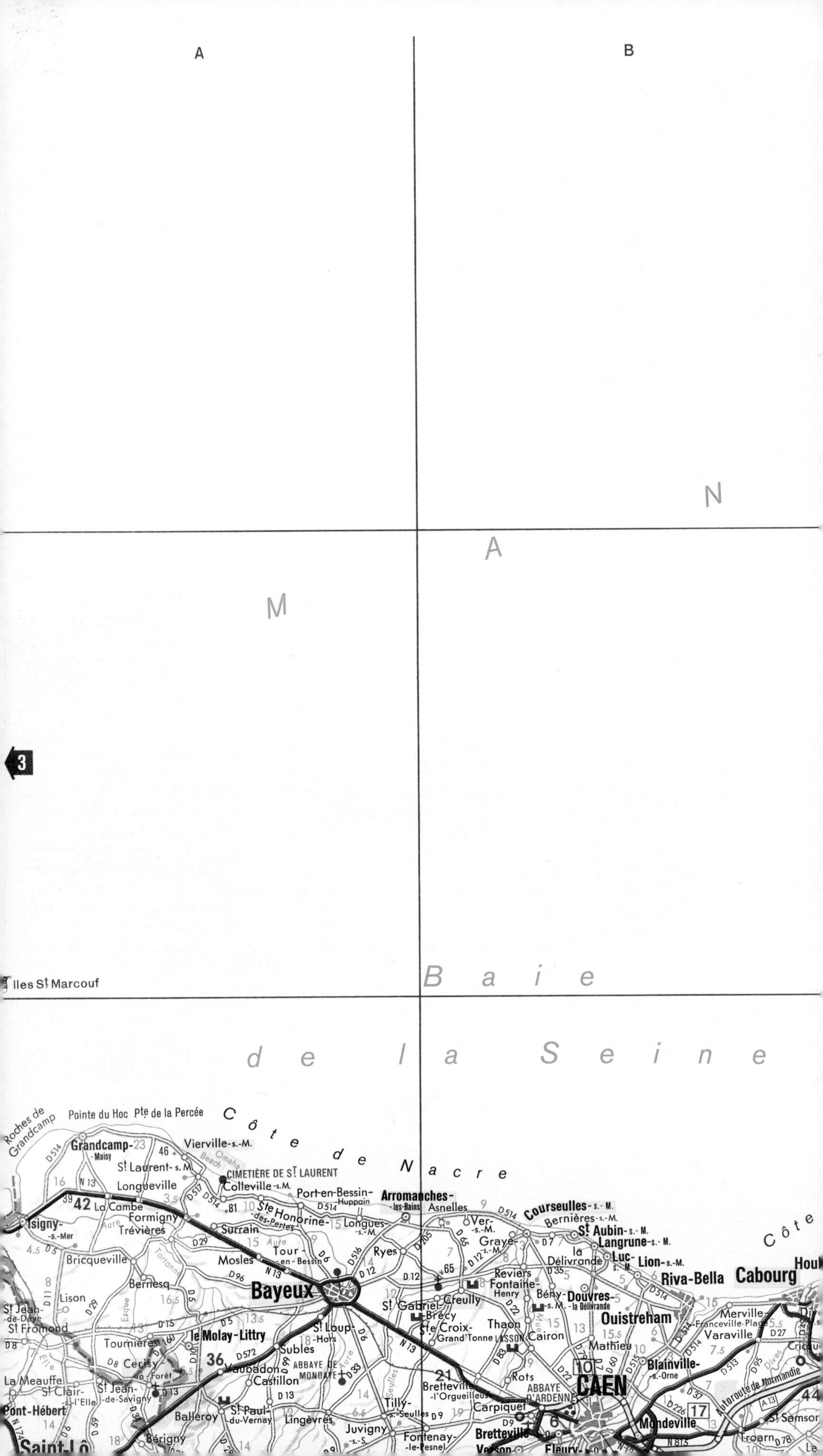

A
B
M
A
N
3
Iles St Marcouf
Baie
de la Seine
Côte de Nacre
Côte
Roches de Grandcamp
Pointe du Hoc
Pte de la Percée
Grandcamp-Maisy
Vierville-s.-M.
Omaha Beach
St Laurent-s.-M.
CIMETIÈRE DE ST LAURENT
Colleville-s.-M.
Longueville
Port-en-Bessin-Huppain
Arromanches-les-Bains
Asnelles
Courseulles-s.-M.
Bernières-s.-M.
St Aubin-s.-M.
Langrune-s.-M.
Luc-s.-M.
Lion-s.-M.
Riva-Bella
Cabourg
Isigny-s.-Mer
La Cambe
Formigny
Trévières
Ste Honorine-des-Pertes
Surrain
Longues-s.-M.
Ver-s.-M.
Graye-s.-M.
la Délivrande
Douvres-la Délivrande
Ouistreham
Merville-Franceville-Plage
Varaville
Bricqueville
Mosles
Tour-en-Bessin
Ryes
Reviers
Fontaine-Henry
Bény
Bernesq
Bayeux
St Gabriel-Brécy
Creully
Thaon
Cairon
Mathieu
Lison
St Jean-de-Daye
St Fromond
Tournières
le Molay-Littry
St Loup-Hors
Subles
Ste Croix-Grand'Tonne
LASSON
Blainville-s.-Orne
Cerisy-la-Forêt
Vaubadon
Castillon
ABBAYE DE MONDAYE
Rots
ABBAYE D'ARDENNE
CAEN
La Meauffe
St Clair-s.-l'Elle
St Jean-de-Savigny
Bretteville-l'Orgueilleuse
Carpiquet
Pont-Hébert
Balleroy
St Paul-du-Vernay
Lingèvres
Tilly-s.-Seulles
Juvigny-s.-S.
Fontenay-le-Pesnel
Bretteville
Mondeville
St Samson
Troarn
Bérigny
Saint-Lô
Autoroute de Normandie

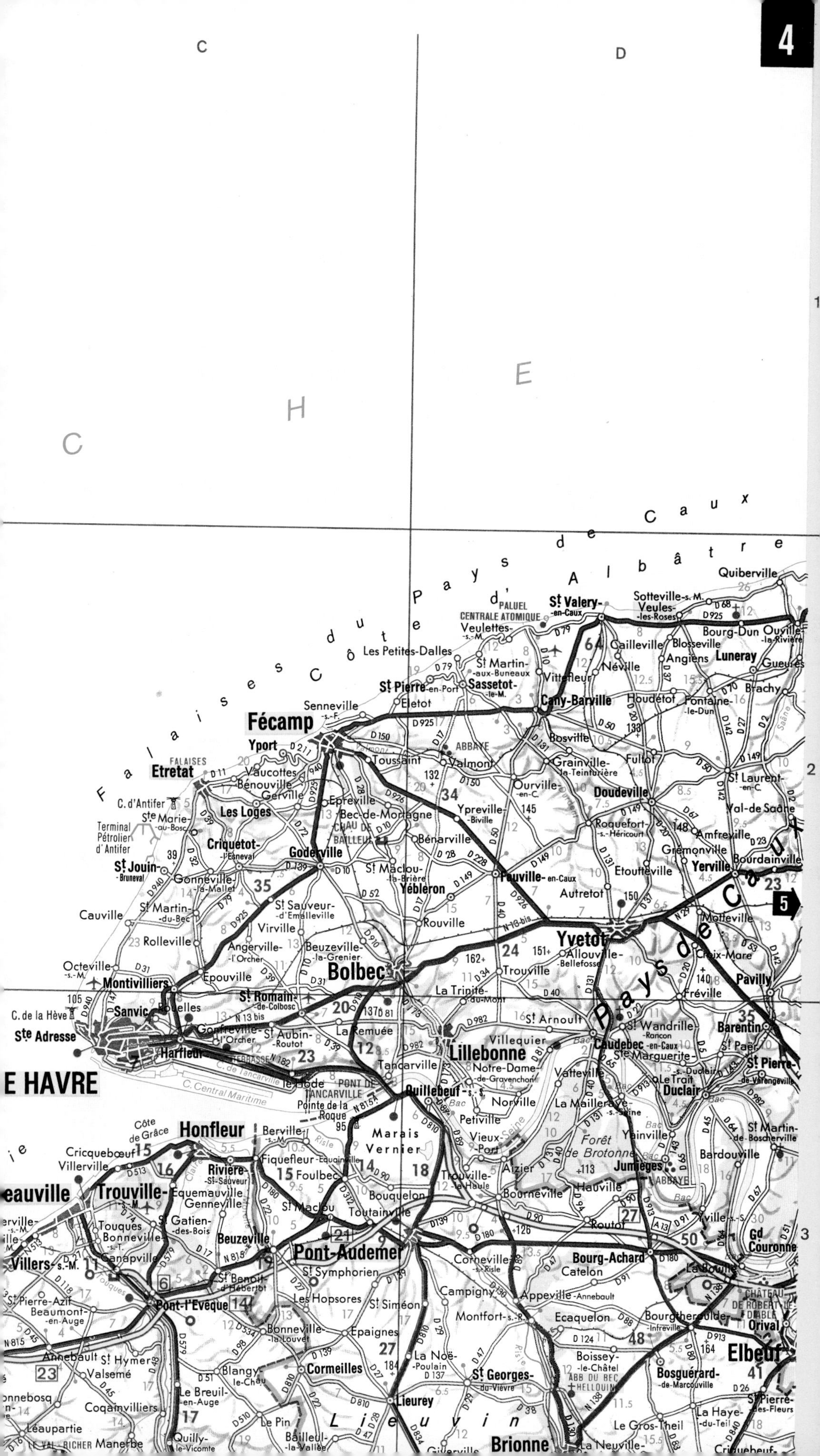
C
D
1
2
3
5
C H E
Falaises du Pays de Caux
Côte d'Albâtre
Pays de Caux
Lieuvin
LE HAVRE
Ste Adresse
C. de la Hève
Sanvic
Harfleur
Montivilliers
Octeville-s.-M.
Rouelles
Gonfreville-l'Orcher
Epouville
Rolleville
Cauville
St Martin-du-Bec
St Jouin-Bruneval
Terminal Pétrolier d'Antifer
C. d'Antifer
Ste Marie-au-Bosc
Etretat
FALAISES
Les Loges
Criquetot-l'Esneval
Gonneville-la-Mallet
Bénouville
Vaucottes
Gerville
Yport
Fécamp
Senneville-s.-F.
Epreville
Bec-de-Mortagne
CHAU DE BAILLEUL
Goderville
St Sauveur-d'Emalleville
Virville
Angerville-l'Orcher
St Romain-de-Colbosc
St Aubin-Routot
St Maclou-la-Brière
Bénarville
Yébleron
Rouville
Beuzeville-la-Grenier
Bolbec
La Remuée
Tancarville
Lillebonne
La Trinité-du-Mont
Toussaint
Valmont
ABBAYE
Eletot
St Pierre-en-Port
Les Petites-Dalles
Sassetot-le-M.
St Martin-aux-Buneaux
Veulettes-s.-M.
PALUEL
CENTRALE ATOMIQUE
St Valery-en-Caux
Cany-Barville
Vittefleur
Ypreville-Biville
Ourville-en-C.
Fauville-en-Caux
Yvetot
Allouville-Bellefosse
Trouville
St Arnoult
Villequier
Caudebec-en-Caux
Ste Marguerite
St Wandrille-Rancon
Notre-Dame-de-Gravenchon
Quillebeuf-s.-S.
Norville
Petiville
Vieux-Port
Aizier
Vatteville
La Mailleraye-s.-Seine
Forêt de Brotonne
Yainville
Jumièges
ABBAYE
Le Trait
Duclair
St Pierre-de-Varengeville
St Martin-de-Boscherville
Bardouville
Hauville
Bourneville
Routot
Bourg-Achard
Catelon
La Bouille
Yville-s.-S.
Gd Couronne
CHÂTEAU DE ROBERT-LE-DIABLE
Orival
Elbeuf
Bourgtheroulde-Infreville
Bosguérard-de-Marcouville
Boissey-le-Châtel
ABB DU BEC HELLOUIN
La Haye-du-Teil
St Pierre-des-Fleurs
Le Gros-Theil
La Neuville-
Brionne
St Georges-du-Vièvre
Montfort-s.-R.
Appeville-Annebault
Ecaquelon
Campigny
Corneville-s.-Risle
Pont-Audemer
St Symphorien
Les Hopsores
St Siméon
Bonneville-la-Louvet
Epaignes
Cormeilles
La Noë-Poulain
Lieurey
Bailleul-la-Vallée
Le Pin
Blangy-le-Chau
Le Breuil-en-Auge
Quilly-le-Vicomte
Manerbe
LE VAL-RICHER
Léaupartie
Coquainvilliers
Valsemé
St Hymer
Annebault
Beaumont-en-Auge
St Pierre-Azif
Pont-l'Evêque
St Benoît-d'Hébertot
Beuzeville
St Gatien-des-Bois
Touques
Bonneville-s.-T.
Canapville
Villers-s.-M.
Trouville-s.-M.
Equemauville
Genneville
Rivière-St-Sauveur
Honfleur
Côte de Grâce
Cricqueboeuf
Villerville
Fiquefleur-Equainville
Foulbec
Berville-s.-M.
St Maclou
Toutainville
Bouquelon
Marais Vernier
Trouville-la-Haule
Pointe de la Roque
PONT DE TANCARVILLE
Le Hode
C. de Tancarville
C. Central Maritime
Quiberville
Sotteville-s.-M.
Veules-les-Roses
Bourg-Dun
Ouville-la-Rivière
Cailleville
Blosseville
Néville
Angiens
Luneray
Gueures
Houdetot
Fontaine-le-Dun
Brachy
Bosville
Grainville-la-Teinturière
Fultot
Doudeville
Roquefort-s.-Héricourt
Etoutteville
Autretot
St Laurent-en-C.
Val-de-Saâne
Amfreville
Grémonville
Yerville
Bourdainville
Motteville
Croix-Mare
Pavilly
Fréville
Barentin
St Paër
Saâne
Bac
Seine
Risle
Touques

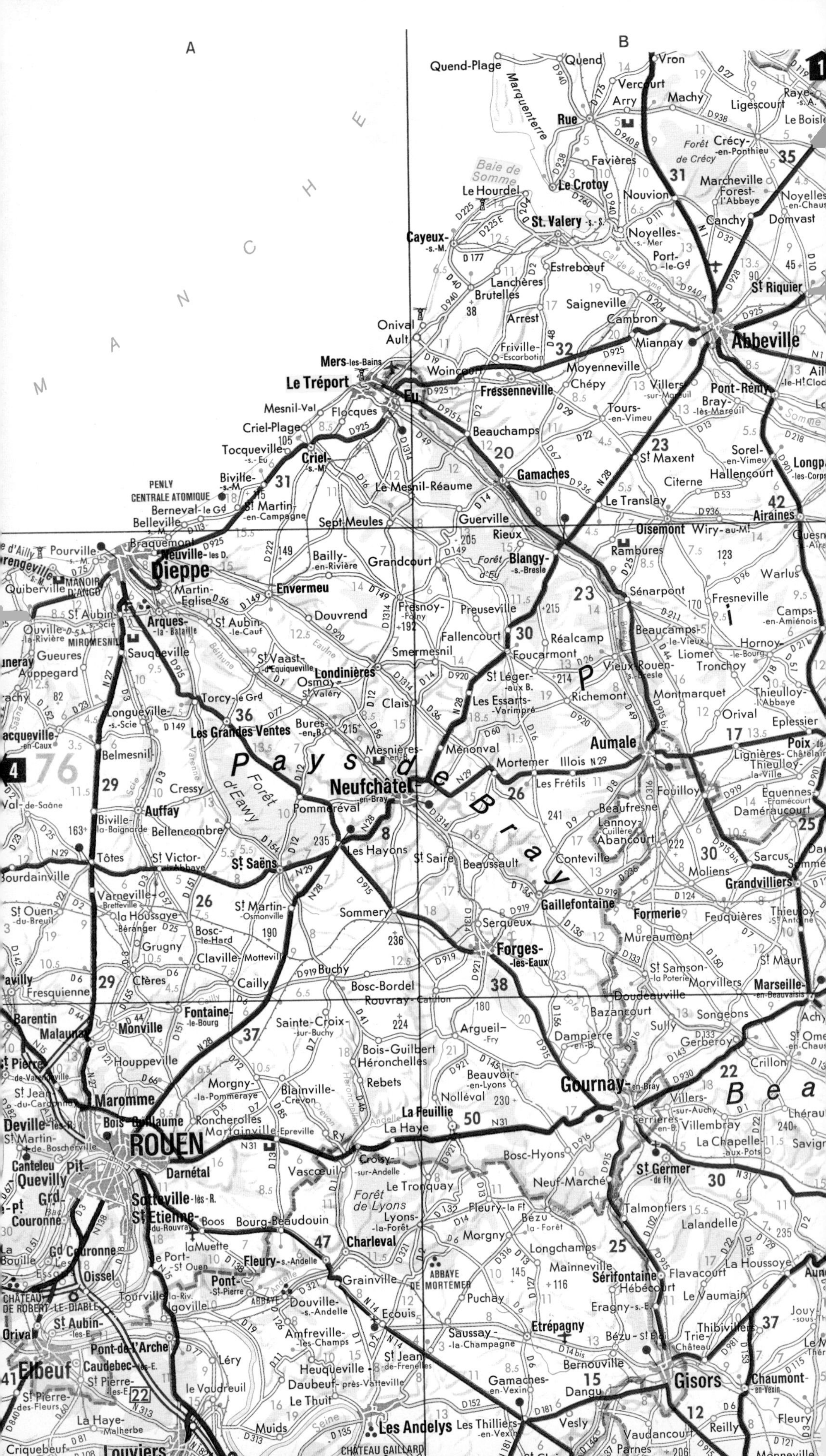

A
B
1
4
M A N C H E
Quend-Plage
Quend
Vron
Marquenterre
Vercourt
Arry
Machy
Ligescourt
Raye-s.-A.
Rue
Le Boisle
Forêt de Crécy
Crécy-en-Ponthieu
Favières
Baie de Somme
Le Crotoy
Marcheville
Forest-l'Abbaye
Le Hourdel
Nouvion
Noyelles-en-Chaussée
St. Valery-s.-S.
Canchy
Domvast
Cayeux-s.-M.
Noyelles-s.-Mer
Port-le-Gd
Estrebœuf
Lanchères
Brutelles
St Riquier
Saigneville
Arrest
Cambron
Onival
Ault
Miannay
Abbeville
Friville-Escarbotin
Mers-les-Bains
Woincourt
Moyenneville
Le Tréport
Eu
Fressenneville
Chépy
Villers-sur-Mareuil
Pont-Remy
Bray-lès-Mareuil
Mesnil-Val
Flocques
Criel-Plage
Beauchamps
Tours-en-Vimeu
Tocqueville-s.-Eu
Criel-s.-M.
St Maxent
Sorel-en-Vimeu
Longpré-les-Corps-Saints
PENLY CENTRALE ATOMIQUE
Biville-s.-M.
Le Mesnil-Réaume
Gamaches
Hallencourt
Citerne
Berneval-le-Gd
St Martin-en-Campagne
Le Translay
Belleville-s.-M.
Sept-Meules
Guerville
Airaines
Rieux
Oisemont
Wiry-au-Mt
Pourville
Braquemont
Neuville-lès-D.
Dieppe
Bailly-en-Rivière
Grandcourt
Forêt d'Eu
Blangy-s.-Bresle
Rambures
Quiberville
MANOIR D'ANGO
Varengeville-s.-M.
Martin-Église
Envermeu
Fresnoy-Folny
Sénarpont
Warlus
Fresneville
St Aubin-s.-Scie
Ouville-la-Rivière
Arques-la-Bataille
St Aubin-le-Cauf
Douvrend
Preuseville
Beaucamps-le-Vieux
Camps-en-Amiénois
MIROMESNIL
Fallencourt
Réalcamp
Hornoy-le-Bourg
Gueures
Auppegard
Sauqueville
St Vaast-d'Équiqueville
Smermesnil
Foucarmont
Vieux-Rouen-s.-Bresle
Liomer
Tronchoy
Londinières
Osmoy-St Valéry
St Léger-aux B.
Richemont
Montmarquet
Thieulloy-l'Abbaye
Torcy-le-Grd
Longueville-s.-Scie
Les Essarts-Varimpré
Orival
Eplessier
Clais
Les Grandes Ventes
Bures-en-B.
Ménonval
Aumale
Poix-de-Picardie
Lignières-Châtelain
Thieulloy-la-Ville
Lacqueville-en-Caux
Belmesnil
Mesnières-en-B.
Mortemer
Illois
Pays de Bray
Neufchâtel-en-Bray
Les Frétils
Fouilloy
Équennes-Éramecourt
Dameraucourt
Cressy
Forêt d'Eawy
Pommeréval
Val-de-Saâne
Auffay
Beaufresne
Lannoy-Cuillère
Abancourt
Biville-la-Baignarde
Bellencombre
Les Hayons
Tôtes
St Victor-l'Abbaye
St Saëns
St Saire
Beaussault
Conteville
Moliens
Sarcus
Bourdainville
Grandvilliers
Varneville-Bretteville
Gaillefontaine
Formerie
Feuquières
St Ouen-du-Breuil
la Houssaye-Béranger
St Martin-Osmonville
Sommery
Serqueux
Mureaumont
Bosc-le-Hard
Grugny
Forges-les-Eaux
St Samson-la Poterie
Morvillers
St Maur
Claville-Motteville
Pavilly
Fresquienne
Clères
Cailly
Buchy
Bosc-Bordel
Rouvray-Catillon
Marseille-en-Beauvaisis
Doudeauville
Barentin
Malaunay
Fontaine-le-Bourg
Monville
Sainte-Croix-sur-Buchy
Argueil-Fry
Bazancourt
Songeons
Sully
St Pierre-de-Varengeville
Houppeville
Bois-Guilbert
Héronchelles
Dampierre-en-B.
Gerberoy
Crillon
Rebets
Beauvoir-en-Lyons
St Jean-du-Cardonnay
Maromme
Morgny-la-Pommeraye
Blainville-Crevon
Nolléval
Gournay-en-Bray
Bea
Deville-lès-R.
Bois-Guillaume
Roncherolles
La Feuillie
Villers-sur-Auchy
Lhéraule
St Martin-de-Boscherville
Rouen
Martainville-Epreville
Ry
La Haye
Ferrières-en-B.
Villembray
La Chapelle-aux-Pots
Savignies
Canteleu
Pt-Quevilly
Darnétal
Vascœuil
Croisy-sur-Andelle
Bosc-Hyons
St Germer-de-Fly
Grd-Quevilly
Le Tronquay
Forêt de Lyons
Neuf-Marché
Petit-Couronne
Sotteville-lès-R.
St Étienne-du-Rouvray
Boos
Bourg-Beaudouin
Lyons-la-Forêt
Fleury-la-Ft
Bézu-la-Forêt
Talmontiers
Lalandelle
Gd Couronne
Morgny
la Muette
Charleval
Le Port-St Ouen
Fleury-s.-Andelle
ABBAYE DE MORTEMER
Longchamps
Mainneville
La Houssoye
La Bouille
Oissel
Pont-St-Pierre
Sérifontaine
Flavacourt
Grainville
Hébécourt
CHÂTEAU DE ROBERT-LE-DIABLE
Tourville-la-Riv.
Igoville
ABBAYE
Douville-s.-Andelle
Puchay
Eragny-s.-E.
Le Vaumain
Orival
St Aubin-lès-E.
Écouis
Étrépagny
Thibivillers
Jouy-sous-Thelle
Amfreville-les-Champs
Saussay-la-Champagne
Bézu-St Éloi
Trie-Château
Pont-de-l'Arche
Léry
St Jean-de-Frenelles
Bernouville
Elbeuf
Caudebec-lès-E.
St Pierre-lès-E.
Heuqueville
Daubeuf-près-Vatteville
Gisors
Chaumont-en-Vexin
le Vaudreuil
Gamaches-en-Vexin
Dangu
St Pierre-des-Fleurs
Le Thuit
La Haye-Malherbe
Seine
Les Andelys
Les Thilliers-en-Vexin
Vesly
Reilly
Fleury
Muids
Criquebeuf
Louviers
CHÂTEAU GAILLARD
Vaudancourt
Parnes
Monneville

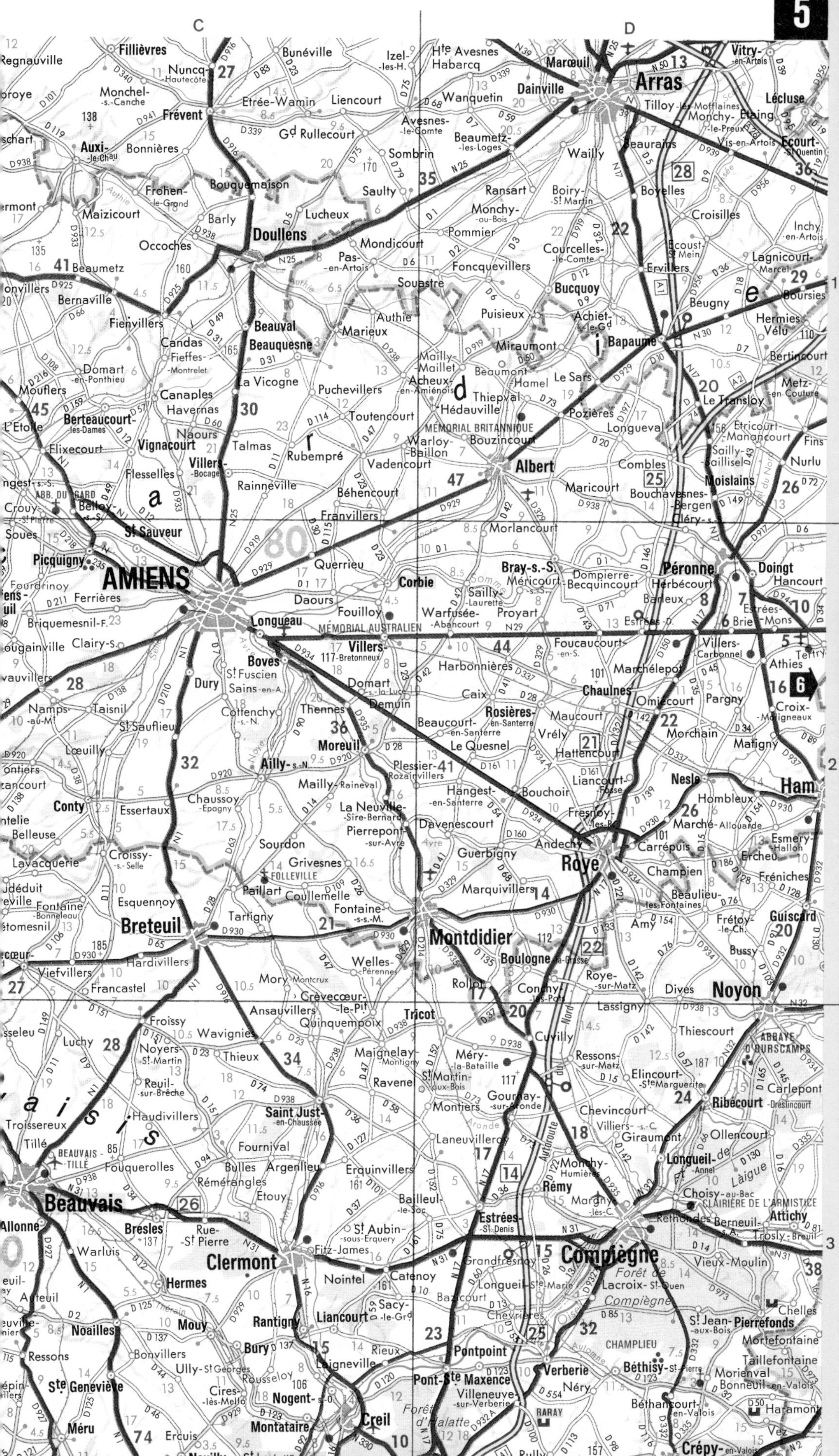
C
D
Regnauville
Fillièvres
Nuncq-Hautecôte
Buneville
Izel-les-H.
Hte Avesnes
Habarcq
Marœuil
Arras
Vitry-en-Artois
Monchel-s.-Canche
Frévent
Etrée-Wamin
Liencourt
Wanquetin
Dainville
Tilloy-lès-Mofflaines
Monchy-le-Preux
Lécluse
Auxi-le-Chau
Bonnières
Gd Rullecourt
Avesnes-le-Comte
Beaumetz-les-Loges
Wailly
Beaurains
Vis-en-Artois
Ecourt-St Quentin
Frohen-le-Grand
Bouquemaison
Sombrin
Saulty
Ransart
Boiry-St Martin
Boyelles
Croisilles
Maizicourt
Barly
Lucheux
Monchy-au-Bois
Pommier
Inchy-en-Artois
Occoches
Doullens
Mondicourt
Pas-en-Artois
Courcelles-le-Comte
Ecoust-St Mein
Lagnicourt-Marcel
Beaumetz
Foncquevillers
Ervillers
Bernaville
Souastre
Bucquoy
Beugny
Boursies
Fienvillers
Authie
Puisieux
Achiet-le-Gd
Bapaume
Hermies
Vélu
Candas
Fieffes-Montrelet
Beauval
Beauquesne
Marieux
Miraumont
Bertincourt
Domart-en-Ponthieu
Mailly-Maillet
Beaumont-Hamel
Le Sars
Metz-en-Couture
Mouflers
La Vicogne
Puchevillers
Acheux-en-Amiénois
Thiepval
Le Transloy
Canaples
Havernas
Toutencourt
Hédauville
Pozières
Berteaucourt-les-Dames
Naours
Mémorial Britannique
Longueval
Etricourt-Manancourt
L'Etoile
Vignacourt
Talmas
Rubempré
Warloy-Baillon
Bouzincourt
Fins
Elixecourt
Villers-Bocage
Vadencourt
Albert
Sailly-Saillisel
Nurlu
Flesselles
Rainneville
Combles
Moislains
Béhencourt
Maricourt
Bouchavesnes-Bergen
Crouy-St Pierre
Belloy-s.-S.
Abb. du Gard
Franvillers
Cléry-s.-S.
St Sauveur
Morlancourt
Soues
Picquigny
Querrieu
Bray-s.-S.
Péronne
Doingt
Amiens
Corbie
Méricourt-s.-S.
Dompierre-Becquincourt
Herbécourt
Hancourt
Fourdrinoy
Ferrières
Daours
Sailly-Laurette
Barleux
Estrées-Mons
Briquemesnil-F.
Fouilloy
Warfusée-Abancourt
Proyart
Estrées-D.
Brie
Longueau
Mémorial Australien
Clairy-s.
Villers-Bretonneux
Foucaucourt-en-S.
Villers-Carbonnel
Terry
Boves
Harbonnières
Athies
St Fuscien
Sains-en-A.
Dury
Domart-s.-la-Luce
Demuin
Caix
Chaulnes
Marchélepot
Omiécourt
Pargny
Croix-Moligneaux
Namps-au-Mt
Taisnil
Cottenchy
Thennes
Rosières-en-Santerre
Maucourt
St Saulflieu
Beaucourt-en-Santerre
Vrély
Morchain
Matigny
Lœuilly
Moreuil
Le Quesnel
Hattencourt
Ailly-s.-N.
Plessier-Rozainvillers
Liancourt-Fosse
Nesle
Ham
Conty
Mailly-Raineval
Hangest-en-Santerre
Bouchoir
Hombleux
Essertaux
Chaussoy-Epagny
La Neuville-Sire-Bernard
Fresnoy-les-R.
Belleuse
Pierrepont-sur-Avre
Davenescourt
Marché-Allouarde
Sourdon
Andechy
Carrépuis
Esmery-Hallon
Lavacquerie
Croissy-s.-Selle
Grivesnes
Guerbigny
Roye
Ercheu
Folleville
Champien
Fréniches
Paillart
Coullemelle
Marquivillers
Beaulieu-les-Fontaines
Fontaine-Bonneleau
Esquennoy
Fontaine-s.-s.-M.
Amy
Tartigny
Frétoy-le-Ch.
Guiscard
Breteuil
Montdidier
Boulogne-la-Grasse
Bussy
Viefvillers
Hardivillers
Welles-Pérennes
Roye-sur-Matz
Francastel
Mory-Montcrux
Rollot
Conchy-les-Pots
Dives
Noyon
Crèvecœur-le-Pt
Ansauvillers
Quinquempoix
Tricot
Lassigny
Froissy
Wavignies
Cuvilly
Thiescourt
Luchy
Noyers-St Martin
Thieux
Maignelay-Montigny
Méry-la-Bataille
Ressons-sur-Matz
Abbaye d'Ourscamps
Reuil-sur-Brêche
Ravenel
St Martin-aux-Bois
Elincourt-Ste Marguerite
Carlepont
Gournay-sur-Aronde
Ribecourt-Dreslincourt
Haudivillers
Saint Just-en-Chaussée
Montiers
Chevincourt
Troissereux
Laneuvilleroy
Villiers-s.-C.
Giraumont
Ollencourt
Tillé
Beauvais-Tillé
Fournival
Fouquerolles
Bulles
Argenlieu
Erquinvillers
Monchy-Humières
Longueil-Annel
Beauvais
Rémérangles
Etouy
Rémy
Margny-lès-C.
Choisy-au-Bac
Clairière de l'Armistice
Bailleul-le-Soc
Estrées-St-Denis
Rethondes
Berneuil-s.-A.
Attichy
Allonne
Bresles
Rue-St Pierre
St Aubin-sous-Erquery
Trosly-Breuil
Warluis
Clermont
Fitz-James
Grandfresnoy
Compiègne
Vieux-Moulin
Hermes
Nointel
Catenoy
Longueil-Ste-Marie
Forêt de Compiègne
Lacroix-St-Ouen
Auteuil
Mouy
Rantigny
Liancourt
Sacy-le-Grd
Bazicourt
Chevrières
Chelles
Noailles
Bury
St Jean-aux-Bois
Pierrefonds
Bonvillers
Rieux
Pontpoint
Champlieu
Mortefontaine
Ressons
Ully-St Georges
Laigneville
Verberie
Béthisy-St-Pierre
Taillefontaine
Ste Geneviève
Rousseloy
Pont-Ste Maxence
Néry
Morienval
Bonneuil-en-Valois
Cires-lès-Mello
Nogent-s-O.
Villeneuve-sur-Verberie
Béthancourt-en-Valois
Haramont
Méru
Montataire
Creil
Forêt d'Halatte
Baray
Ercuis
Neuilly-en-Thelle
St Leu-d'Esserent
Précy
Senlis
Rully
Crépy-en-Valois
Vez
Puiseux
Autoroute du Nord
N1
N17
N25
N29
N30
N31
N32
N324
N330
A1
A2
Authie
Somme
Avre
Noye
Selle
Aronde
Oise
Automne
Laigue

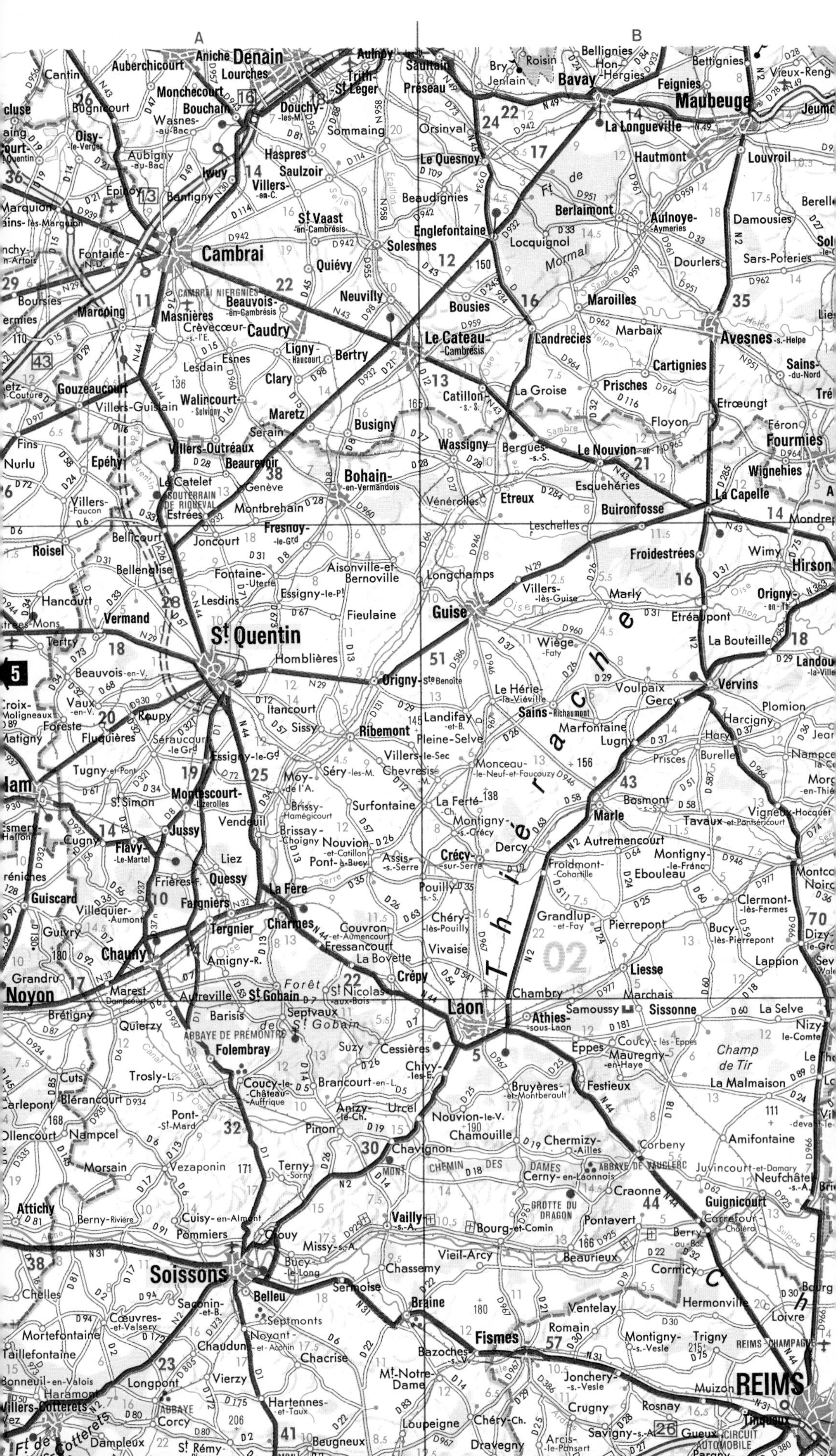

A
B
Aniche
Denain
Auberchicourt
Lourches
Cantin
Monchecourt
Bouchain
Wasnes-au-Bac
Bugnicourt
Oisy-le-Verger
Aubigny-au-Bac
Iwuy
Bantigny
Epinoy
Marquion
Fontaine-N.-D.
Cambrai
Marcoing
Masnières
Crèvecœur-s.-l'E.
Lesdain
Esnes
Gouzeaucourt
Villers-Guislain
Walincourt-Selvigny
Villers-Outréaux
Epéhy
Nurlu
Fins
Le Catelet
SOUTERRAIN DE RIQUEVAL
Estrées
Villers-Faucon
Roisel
Bellicourt
Bellenglise
Joncourt
Hancourt
Vermand
Beauvois-en-V.
Vaux-en-V.
Foreste
Fluquières
Roupy
Tugny-et-Pont
St Simon
Ham
Cugny
Flavy-le-Martel
Guiscard
Villequier-Aumont
Guivry
Noyon
Grandrû
Brétigny
Quierzy
Cuts
Blérancourt
Carlepont
Ollencourt
Nampcel
Morsain
Attichy
Berny-Rivière
Soissons
Chelles
Mortefontaine
Taillefontaine
Bonneuil-en-Valois
Villers-Cotterêts
Haramont
Longpont
Corcy
Dampleux
St Rémy-Blanzy
Ft. de Villers-Cotterêts
Trith-St Léger
Douchy-les-M.
Aulnoy
Saultain
Préseau
Sommaing
Haspres
Saulzoir
Villers-en-C.
St Vaast-en-Cambrésis
Solesmes
Quiévy
Beauvois-en-Cambrésis
Caudry
Ligny-Haucourt
Bertry
Clary
Maretz
Serain
Beaurevoir
Genève
Montbrehain
Fresnoy-le-Grd
Bohain-en-Vermandois
Busigny
Neuvilly
CAMBRAI NIERGNIES
Fontaine-Uterte
Lesdins
Essigny-le-Pt
Aisonville-et-Bernoville
Fieulaine
St Quentin
Homblières
Origny-Ste Benoîte
Itancourt
Sissy
Ribemont
Essigny-le-Gd
Séraucourt-le-Grd
Montescourt-Lizerolles
Jussy
Vendeuil
Moy-de-l'A.
Brissy-Hamégicourt
Brissay-Choigny
Séry-les-M.
Surfontaine
Nouvion-et-Catillon
Pont-à-Bucy
Liez
Quessy
Frières-F.
Fargniers
Tergnier
La Fère
Charmes
Chauny
Amigny-R.
Marest-Dampcourt
Autreville
St Gobain
Forêt de St Gobain
Septvaux
St Nicolas-aux-Bois
Barisis
ABBAYE DE PRÉMONTRÉ
Folembray
Trosly-L.
Coucy-le-Château-Auffrique
Pont-St-Mard
Vezaponin
Cuisy-en-Almont
Pommiers
Crouy
Belleu
Saconin-et-B.
Cœuvres-et-Valsery
Chaudun
Septmonts
Noyant-et-Aconin
Chacrise
Vierzy
Hartennes-et-Taux
Beugneux
Couvron-et-Aumencourt
Fressancourt
La Bovette
Crépy
Laon
Suzy
Cessières
Chivy-les-É.
Brancourt-en-L.
Anizy-le-Ch.
Urcel
Pinon
Chavignon
Terny-Sorny
Vailly-s.-A.
Missy-s.-A.
Bucy-le-Long
Sermoise
Chassemy
Braine
Vieil-Arcy
Bourg-et-Comin
CHEMIN DES DAMES
GROTTE DU DRAGON
Fismes
Bazoches-s.-V.
Mt-Notre-Dame
Loupeigne
Chéry-Ch.
Dravegny
CHÂTEAU DE FÈRE
Orsinval
Le Quesnoy
Beaudignies
Englefontaine
Locquignol
Ft. de Mormal
Bousies
Le Cateau-Cambrésis
Catillon-s.-S.
Wassigny
Vénérolles
Etreux
Bergues-s.-S.
Longchamps
Guise
Villers-lès-Guise
Wiège-Faty
Le Hérie-la-Viéville
Landifay-et-B.
Pleine-Selve
Villers-le-Sec
Chevresis-M.
Monceau-le-Neuf-et-Faucouzy
Sains-Richaumont
La Ferté-Ch.
Montigny-s.-Crécy
Crécy-sur-Serre
Assis-s.-Serre
Pouilly-s.-S.
Chéry-lès-Pouilly
Vivaise
Dercy
Thiérache
Bry
Jenlain
Roisin
Bellignies
Hon-Hergies
Bavay
La Longueville
Berlaimont
Aulnoye-Aymeries
Hautmont
Maubeuge
Feignies
Bettignies
Vieux-Reng
Jeumont
Louvroil
Berelles
Damousies
Sars-Poteries
Dourlers
Maroilles
Landrecies
Marbaix
Avesnes-s.-Helpe
Cartignies
Sains-du-Nord
Prisches
La Groise
Etrœungt
Floyon
Féron
Fourmies
Wignehies
Le Nouvion-en-Th.
Esquéhéries
La Capelle
Buironfosse
Leschelles
Froidestrées
Wimy
Hirson
Marly
Origny-en-Th.
Etréaupont
La Bouteille
Landouzy-la-Ville
Vervins
Voulpaix
Gercy
Marfontaine
Lugny
Harcigny
Plomion
Hary
Burelle
Prisces
Bosmont-s.-S.
Marle
Tavaux-et-Pontséricourt
Vigneux-Hocquet
Autremencourt
Froidmont-Cohartille
Montigny-le-Franc
Ebouleau
Grandlup-et-Fay
Pierrepont
Clermont-lès-Fermes
Bucy-lès-Pierrepont
Dizy-le-Gros
Lappion
Liesse
Marchais
Chambry
Athies-sous-Laon
Samoussy
Sissonne
La Selve
Nizy-le-Comte
Eppes
Coucy-lès-Eppes
Mauregny-en-Haye
Champ de Tir
Festieux
Bruyères-et-Montbérault
La Malmaison
Nouvion-le-V.
Chamouille
Chermizy-Ailles
Corbeny
Amifontaine
Cerny-en-Laonnois
ABBAYE DE VAUCLERC
Craonne
Juvincourt-et-Damary
Neufchâtel-s.-A.
Guignicourt
Pontavert
Carrefour-Choléra
Berry-au-Bac
Beaurieux
Cormicy
Hermonville
Ventelay
Romain
Montigny-s.-Vesle
Trigny
Loivre
REIMS-CHAMPAGNE
Jonchery-s.-Vesle
Muizon
REIMS
Crugny
Rosnay
Tinqueux
Savigny-s.-A.
Gueux
CIRCUIT AUTOMOBILE
Arcis-le-Ponsart
Pargny-lès-Reims
Cormontreuil
02

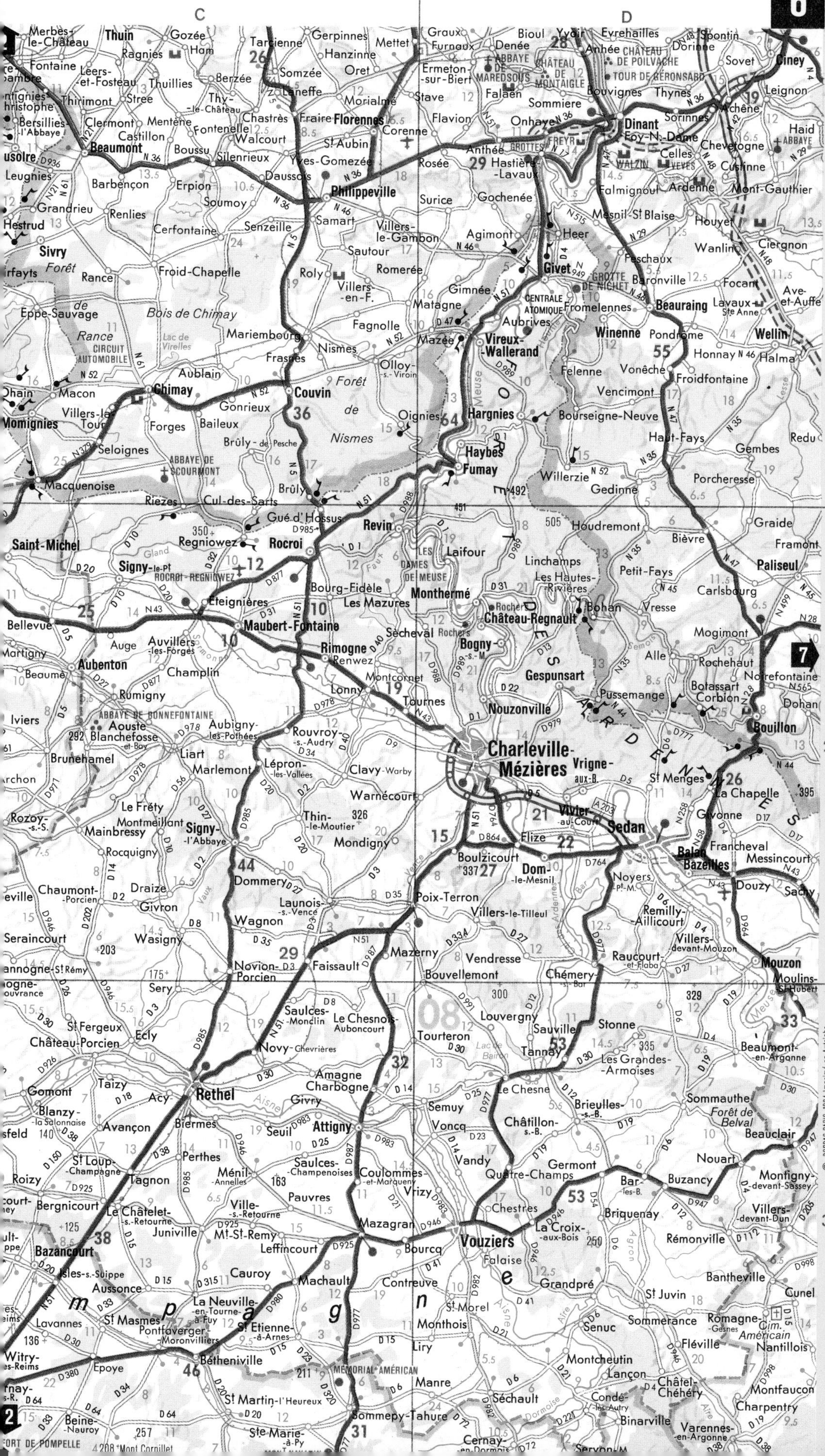

C D

Merbes-le-Château Thuin Gozée Ham Tarcienne Gerpinnes Mettet Graux Furnaux Bioul Denée Yvoir Anhée Evrehailles Château de Poilvache Spontin Dorinne

Fontaine Leers-et-Fosteau Ragnies Hanzinne Oret Ermeton-sur-Biert Abbaye de Maredsous Château de Montaigle Tour de Géronsard Sovet Ciney

Sambre Thuillies Berzée Somzée Laneffe Morialmé Stave Falaën Sommiere Bouvignes Thynes Leignon

Montignies St-Christophe Thirimont Stree Thy-le-Château Chastrès Fraire Florennes Flavion Onhaye Dinant Sorinnes Achêne Haid

Bersillies-l'Abbaye Clermont Mentène Castillon Fontenelle Walcourt Corenne St Aubin Anthée Grottes Freyr Foy-N.-Dame Chevetogne Abbaye

Beaumont Boussu Silenrieux Yves-Gomezée Rosée Hastière-Lavaux Walzin Celles Vêves Custinne

Solre Leugnies Barbençon Erpion Daussois Philippeville Surice Gochenée Falmignoul Ardenne Mont-Gauthier

Grandrieu Renlies Soumoy Samart Villers-le-Gambon Mesnil-St Blaise Houyet

Hestrud Cerfontaine Senzeille Agimont Heer Wanlin Ciergnon

Sivry Forêt de Rance Froid-Chapelle Sautour Romerée Givet Feschaux

Rance Roly Villers-en-F. Gimnée Grotte de Nichet Baronville Focant Ave-et-Auffe

Eppe-Sauvage Bois de Chimay Matagne Centrale Atomique Fromelennes Beauraing Lavaux Ste Anne

Circuit Automobile Lac de Virelles Mariembourg Fagnolle Mazée Aubrives Winenne Pondrôme Wellin

Nismes Vireux-Wallerand Honnay Halma

Aublain Frasnes Olloy-s.-Viroin Felenne Vonêche Froidfontaine

Macon Chimay Couvin Forêt de Nismes Vencimont

Villers-la-Tour Momignies Gonrieux Baileux Oignies Hargnies Bourseigne-Neuve

Forges Brûly-de-Pesche Meuse Haybes Haut-Fays Redu

Seloignes Abbaye de Scourmont Fumay Gembes

Macquenoise Brûly Willerzie Gedinne Porcheresse

Riezes Cul-des-Sarts Gué d'Hossus Revin Houdremont Bièvre Graide

Saint-Michel Regniowez Rocroi Les Dames de Meuse Laifour Linchamps Fromont

Signy-le-Pt Rocroi-Regniowez Bourg-Fidèle Les Hautes-Rivières Petit-Fays Paliseul

Éteignières Les Mazures Monthermé Carlsbourg

Bellevue Maubert-Fontaine Sécheval Château-Regnault Bohan Vresse Mogimont

Martigny Aubenton Auge Auvillers-les-Forges Rimogne Renwez Bogny-s.-M. Alle Rochehaut

Beaumé Champlin Montcornet Gespunsart Botassart Noirefontaine

Rumigny Lonny Tournes Nouzonville Pussemange Corbion Dohan

Abbaye de Bonnefontaine Aouste Aubigny-les-Pothées Rouvroy-s.-Audry Bouillon

Iviers Blanchefosse-et-Bay Liart Charleville-Mézières Vrigne-aux-B. St Menges

Brunehamel Marlemont Lépron-les-Vallées Clavy-Warby La Chapelle

Le Fréty Warnécourt Givonne

Rozoy-s.-S. Mainbressy Montmeillant Signy-l'Abbaye Thin-le-Moutier Vivier-au-Court Sedan Francheval

Rocquigny Mondigny Flize Balan Bazeilles Messincourt

Boulzicourt Dom-le-Mesnil Noyers Pt-M. Douzy Sachy

Chaumont-Porcien Draize Dommery Launois-s.-Vence Poix-Terron Remilly-Aillicourt

Givron Wagnon Villers-le-Tilleul Villers-devant-Mouzon

Seraincourt Wasigny Mazerny Vendresse Raucourt-et-Flaba Mouzon

Novion-Porcien Faissault Bouvellemont Chémery-s.-Bar Moulins-St-Hubert

Sery Saulces-Monclin Le Chesnois-Auboncourt Louvergny Sauville Stonne

Château-Porcien St Fergeux Ecly Novy-Chevrières Tourteron Lac de Bairon Tannay Les Grandes-Armoises Beaumont-en-Argonne

Gomont Taizy Acy Rethel Amagne Charbogne Le Chesne

Blanzy-la-Salonnaise Biermes Givry Semuy Brieulles-s.-B. Sommauthe Forêt de Belval

Avançon Seuil Attigny Voncq Châtillon-s.-B. Beauclair

St Loup-Champagne Perthes Saulces-Champenoises Vandy Germont Nouart

Roizy Tagnon Ménil-Annelles Coulommes-et-Marqueny Quatre-Champs Bar-les-B. Buzancy Montigny-devant-Sassey

Bergnicourt Le Châtelet-s.-Retourne Ville-s.-Retourne Pauvres Vrizy Chestres Briquenay Villers-devant-Dun

Juniville Mt-St-Remy Mazagran La Croix-aux-Bois Rémonville

Bazancourt Leffincourt Bourcq Vouziers Falaise

Isles-s.-Suippe Cauroy Machault Grandpré Bantheville

Aussonce Contreuve St Juvin Cunel

La Neuville-en-Tourne-à-Fuy St Morel Senuc Sommerance Romagne-Gesnes Cim. Américain

Lavannes St Masmes Pontfaverger-Moronvilliers St Etienne-à-Arnes Monthois Fléville Nantillois

Witry-les-Reims Epoye Bétheniville Liry Montcheutin Lançon Châtel-Chéhéry Montfaucon

Mémorial Américain Manre Séchault Condé-les-Autry Charpentry

Beine-Nauroy St Martin-l'Heureux Sommepy-Tahure Binarville Varennes-en-Argonne

Fort de Pompelle Mont Cornillet Ste-Marie-à-Py Cernay-en-Dormois Servon-M.

Champagne Ardenne Forêt des Ardennes Meuse Aisne Semois Lesse Dormoise Agron Aire

1 2 3

7

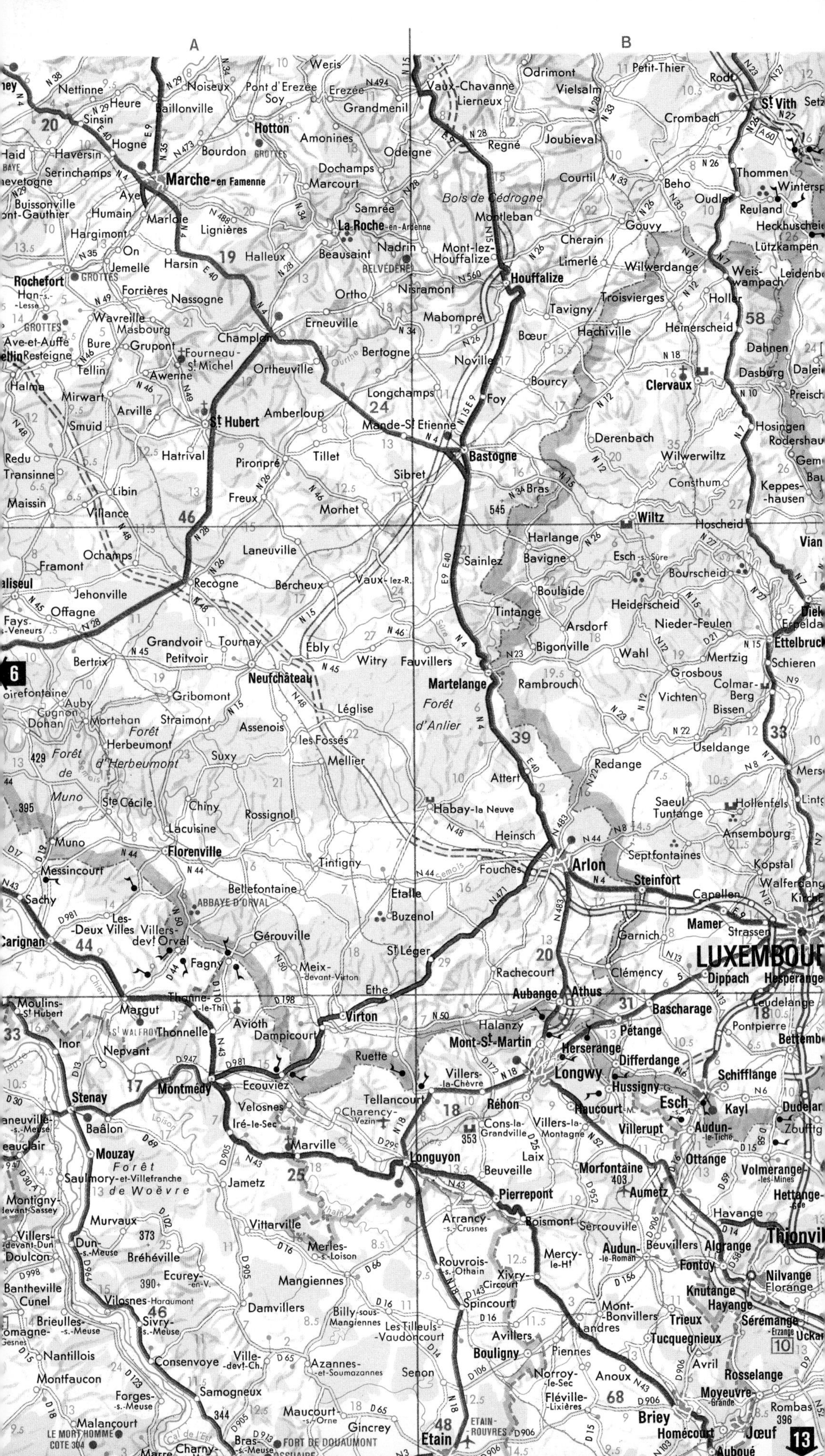
A
B
Weris
Odrimont
Petit-Thier
Rodt
Nettinne
Noiseux
Pont d'Erezée
Erezée
Vaux-Chavanne
Vielsalm
St Vith
Heure
Baillonville
Soy
Grandmenil
Lierneux
Crombach
Sinsin
Hotton
Regné
Joubieval
Haid
Haversin
Hogne
Bourdon
Amonines
Odeigne
Thommen
Serinchamps
Marche-en Famenne
Dochamps
Marcourt
Courtil
Beho
Wintersp
Buissonville
Aye
Samrée
Bois de Cédrogne
Oudler
Reuland
Humain
Marloie
Lignières
La Roche-en-Ardenne
Montleban
Gouvy
Heckhuscheid
Hargimont
Nadrin
Mont-lez-Houffalize
Cherain
Lützkampen
On
Halleux
Beausaint
Limerlé
Rochefort
Jemelle
Harsin
Belvédère
Houffalize
Wilwerdange
Weis-wampach
Leidenborn
Han-s.-Lesse
Grottes
Forrières
Nassogne
Ortho
Nisramont
Troisvierges
Holler
Wavreille
Erneuville
Mabompré
Tavigny
Heinerscheid
Masbourg
Hachiville
Ave-et-Auffe
Bure
Grupont
Champlon
Bœur
Dahnen
Resteigne
Fourneau-St Michel
Bertogne
Noville
Tellin
Awenne
Ortheuville
Boucy
Clervaux
Dasburg
Daleiden
Halma
Mirwart
Longchamps
Foy
Preisch
Arville
St Hubert
Amberloup
Mande-St Etienne
Hosingen
Smuid
Rodershau
Derenbach
Redu
Hatrival
Tillet
Bastogne
Wilwerwiltz
Transinne
Pironpré
Sibret
Consthum
Libin
Freux
Bras
Keppes-hausen
Maissin
Morhet
Villance
Wiltz
Hoscheid
Harlange
Ochamps
Laneuville
Sainlez
Bavigne
Esch-s.-Sûre
Framont
Bourscheid
Recogne
Bercheux
Vaux-lez-R.
Boulaide
Jehonville
Heiderscheid
Offagne
Tintange
Diekirch
Erpeldange
Fays-les-Veneurs
Arsdorf
Nieder-Feulen
Grandvoir
Tournay
Ebly
Witry
Bigonville
Ettelbruck
Bertrix
Petitvoir
Fauvillers
Wahl
Mertzig
Schieren
Neufchâteau
Martelange
Rambrouch
Grosbous
Colmar-Berg
Gribomont
Léglise
Forêt d'Anlier
Vichten
Bissen
Cugnon
Auby
Dohan
Mortehan
Straimont
Assenois
les Fossés
Forêt Herbeumont
Useldange
Forêt de Muno
Forêt d'Herbeumont
Suxy
Mellier
Redange
Mersch
Attert
Saeul
Tuntange
Hollenfels
Ste Cécile
Chiny
Habay-la Neuve
Lacuisine
Rossignol
Heinsch
Ansembourg
Muno
Florenville
Arlon
Septfontaines
Kopstal
Messincourt
Tintigny
Fouches
Steinfort
Walferdange
Sachy
Bellefontaine
Etalle
Capellen
Abbaye d'Orval
Buzenol
Mamer
Strassen
Les-Deux Villes
Villers-devt Orval
Gérouville
Garnich
Carignan
St Léger
Luxembourg
Fagny
Meix-devant-Virton
Rachecourt
Clémency
Dippach
Hesperange
Ethe
Aubange
Athus
Moulins-St Hubert
Margut
Thonne-le-Thil
Virton
Bascharage
Leudelange
St Walfroy
Thonnelle
Avioth
Halanzy
Pétange
Pontpierre
Inor
Dampicourt
Mont-St-Martin
Herserange
Bettembourg
Nepvant
Ruette
Differdange
Montmédy
Ecouviez
Villers-la-Chèvre
Longwy
Hussigny
Schifflange
Stenay
Tellancourt
Réhon
Haucourt-M.
Esch
Kayl
Dudelange
Velosnes
Charency-Vezin
Cons-la-Grandville
Villers-la-Montagne
Villerupt
Audun-le-Tiche
Zoufftgen
Baâlon
Iré-le-Sec
Marville
Laix
Mouzay
Forêt de Woëvre
Longuyon
Beuveille
Morfontaine
Ottange
Volmerange-les-Mines
Saulmory-et-Villefranche
Jametz
Aumetz
Hettange-Gde
Montigny-devant-Sassey
Pierrepont
Havange
Murvaux
Arrancy-s.-Crusnes
Boismont
Serrouville
Thionville
Villers-devant-Dun
Dun-s.-Meuse
Vittarville
Merles-s.-Loison
Audun-le-Roman
Beuvillers
Algrange
Doulcon
Bréhéville
Mercy-le-Ht
Fontoy
Nilvange
Ecurey-en-V.
Mangiennes
Rouvrois-s.-Othain
Xivry-Circourt
Florange
Bantheville
Cunel
Vilosnes-Haraumont
Damvillers
Billy-sous-Mangiennes
Spincourt
Mont-Bonvillers
Knutange
Hayange
Brieulles-s.-Meuse
Sivry-s.-Meuse
Les Tilleuls-Vaudoncourt
Landres
Trieux
Sérémange-Erzange
Uckange
Romagne-Gesnes
Avillers
Tucquegnieux
Nantillois
Consenvoye
Ville-devt-Ch.
Azannes-et-Soumazannes
Bouligny
Piennes
Avril
Montfaucon
Forges-s.-Meuse
Senon
Norroy-le-Sec
Anoux
Rosselange
Samogneux
Fléville-Lixières
Moyeuvre-Grande
Malancourt
Maucourt-s.-Orne
Etain-Rouvres
Briey
Rombas
Le Mort Homme
Cote 304
Charny-s.-Meuse
Bras-s.-Meuse
Fort de Douaumont
Gincrey
Etain
Homécourt
Jœuf
Auboué
Marre
Ossuaire
Canal de l'Est
6
13

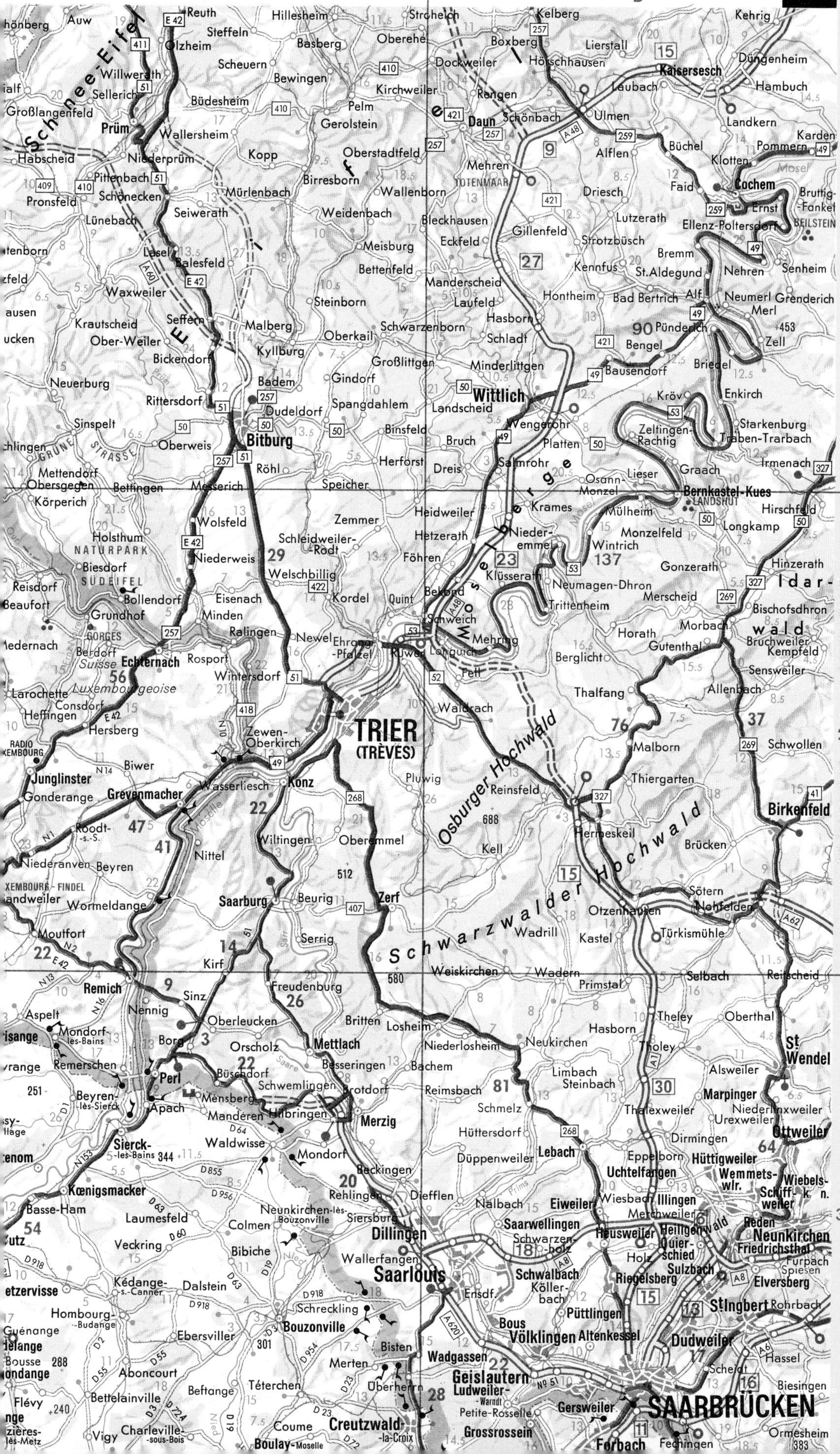

C D

hönberg Auw Reuth Hillesheim Stroheich Kelberg Kehrig
Schnee-Eifel Steffeln Olzheim Basberg Oberehe Boxberg Lierstall Düngenheim
Scheuern Dockweiler Hörschhausen Kaisersesch
Willwerath Bewingen Kirchweiler Laubach Hambuch
Sellerich Rengen
Großlangenfeld Büdesheim Pelm Daun Schönbach Ulmen Landkern
Prüm Gerolstein Karden
Wallersheim Mehren Alflen Büchel Pommern
Habscheid Niederprüm Kopp Oberstadtfeld Klotten Mosel
Pittenbach Birresborn Totenmaar Faid Cochem
Pronsfeld Schönecken Mürlenbach Wallenborn Driesch Bruttig-Fankel
Lünebach Seiwerath Weidenbach Bleckhausen Lutzerath Ernst
Ellenz-Poltersdorf Beilstein
tenborn Lasel Meisburg Eckfeld Gillenfeld Strotzbüsch Bremm
Balesfeld Bettenfeld Kennfus St. Aldegund Nehren Senheim
zfeld Manderscheid
Waxweiler Steinborn Laufeld Hontheim Bad Bertrich Alf Neumerl Grenderich
ausen Hasborn Merl
Krautscheid Seffern Malberg Oberkail Schwarzenborn Schladt Pünderich
ucken Ober-Weiler Kyllburg Bengel Zell
Bickendorf Großlittgen Minderlittgen Bausendorf Briedel
Neuerburg Badem Gindorf Enkirch
Rittersdorf Dudeldorf Spangdahlem Landscheid Wittlich Kröv
Sinspelt Wengerohr Starkenburg
Binsfeld Zeltingen-Rachtig Traben-Trarbach
chlingen Grüne Strasse Oberweis Bitburg Bruch Platten
Mettendorf Herforst Dreis Salmrohr Irmenach
Obersgegen Bettingen Röhl Speicher Graach Lieser
Messerich Osann-Monzel Bernkastel-Kues Landshut
Körperich Zemmer Heidweiler Krames Mülheim Hirschfeld
Wolsfeld Hetzerath Nieder-emmel Monzelfeld Longkamp
Holsthum Naturpark Schleidweiler-Rodt Föhren Wintrich
Niederweis Welschbillig Klüsserath Hinzerath
Biesdorf Südeifel Neumagen-Dhron Gonzerath
Reisdorf Bollendorf Eisenach Kordel Quint Bekond Merscheid Idar-
Beaufort Trittenheim Bischofsdrohn
Grundhof Minden Schweich Morbach wald
Gorges Ralingen Newel Ehrang-Pfalzel Mosel Mehring Horath Bruchweiler
edernach Berdorf Ruwer Longuich Gutenthal Kempfeld
Suisse Echternach Rosport Fell Berglicht Sensweiler
Luxembourgeoise Wintersdorf Thalfang Allenbach
Larochette
Consdorf Waldrach
Heffingen Zewen-Oberkirch TRIER (TRÈVES) Osburger Hochwald Malborn Schwollen
Hersberg
Radio Luxembourg
Biwer Pluwig Thiergarten
Junglinster Konz Reinsfeld
Gonderange Grevenmacher Wasserliesch Hermeskeil Birkenfeld
Roodt-s.-S. Wiltingen Oberemmel Kell Brücken
Niederanven Beyren Nittel Schwarzwälder Hochwald
Luxembourg-Findel
andweiler Wormeldange Saarburg Beurig Zerf Otzenhausen Sötern Nohfelden
Moutfort Serrig Wadrill Kastel Türkismühle
Kirf Weiskirchen Wadern Selbach Reitscheid
Remich Sinz Freudenburg Primstal
Nennig Britten Losheim Theley Oberthal
Aspelt Oberleucken Hasborn
Mondorf-les-Bains Borg Orscholz Mettlach Niederlosheim Neukirchen Tholey St Wendel
isange Remerschen Perl Büschdorf Besseringen Bachem Limbach
Beyren-lès-Sierck Mensberg Schwemlingen Brotdorf Reimsbach Steinbach Alsweiler Marpinger
Apach Manderen Hilbringen Merzig Schmelz Thalexweiler Niederlinxweiler
ssy-llage Urexweiler
Sierck-les-Bains Waldwisse Hüttersdorf Dirmingen Ottweiler
tenom Mondorf Düppenweiler Lebach Eppelborn Hüttigweiler
Uchtelfangen Wemmets-wlr. Wiebels-kirchen
Kœnigsmacker Beckingen Schiff-weiler
Basse-Ham Rehlingen Dieffen Nalbach Eiweiler Wiesbach Illingen
Laumesfeld Neunkirchen-lès-Bouzonville Siersburg Merchweiler Reden
utz Colmen Dillingen Saarwellingen Heusweiler Heiligenwald Neunkirchen
Veckring Bibiche Schwarzenholz Quierschied Friedrichsthal
Wallerfangen Holz Furpach
Kédange-s.-Canner Dalstein Saarlouis Schwalbach Riegelsberg Sulzbach Spiesen
etzervisse Schreckling Köllerbach Elversberg
Hombourg-Budange Ensdf. Püttlingen St Ingbert Rohrbach
Guénange Ebersviller Bouzonville Bous
elange Bisten Völklingen Altenkessel Dudweiler
Bousse Merten Wadgassen Hassel
ondange Aboncourt Scheidt
Téterchen Überherrn Geislautern
Bettelainville Beftange Ludweiler-Warndt Biesingen
Flévy Petite-Rosselle Gersweiler SAARBRÜCKEN
nge Creutzwald-la-Croix
zières-lès-Metz Vigy Charleville-sous-Bois Coume Grossrossein Forbach Fechingen Ormesheim
Boulay-Moselle

1 2 3

A
B
M A N
Côte des Abers
Phare du Stiff
I. d'Ouessant
Petit-Port
I. Molène
Ile de Quéménès
Ile de Béniguet
les Pierres Noires
Ar Men
I. de Sein
Raz de Sein
I. Vierge
Lilia
Plouguerneau
I. Trevors
l'Aber Wrac'h
Landéda
I. Verte
Kersaint
Landunvez
Argenton
le Four
Porspoder
Lanildut
Lampaul-Plouarzel
Plouarzel
Brélès
Ploudalmézeau
Lanrivoaré
St Renan
pte de Corsen
Ploumoguer
Trébabu
Plouzané
Le Conquet
Trez-Hir
Plougonvelin
POINTE DE ST MATHIEU
Coat-Méal
Bourg-Blanc
Lannilis
Kernilis
Kerlouan
Guissény
Brignogan-Plage
pte de Pontusval
Plounéour-Trez
Goulven
Plouescat
Plounévez-Lochrist
St Vougay
Lesneven
Lanhouarneau
Le Folgoët
Ploudaniel
Plouvien
Plabennec
St Thonan
Plounéventer
Ploudéern
Gouesnou
Guipavas
Guilers
BREST
PONT A. LOUPPE
Landerneau
La Roche
La Martyre
Pencran
St Urbain
Le Tréhou
Dirinon
le Relecq-Kerhuon
Plougastel-Daoulas
Loperhet
Daoulas
Irvillac
Hôpital-Camfrout
Ste Anne-du-Portzic
Goulet de Brest
Rade de Brest
Pointe des Espagnols
Roscanvel
St Guénolé
Pointe de l'Armorique
le Fret
Camaret-s.M.
pte de Penhir
LES TAS DE POIS
Pointe de Dinan
Lanvéoc
Poulmic
Landévennec
Crozon
Morgat
GROTTES MARINES
Kerglintin
Tal-ar-Groas
Argol
Telgruc-s.M.
Rosnoën
Le Faou
Hanvec
Quimerc'h
Pont-de-Buis-lès-Q.
PARC
MENEZ-HOM
Pentrez-Plage
Dinéault
Port-Launay
CAP DE LA CHÈVRE
Baie de Douarnenez
Plomodiern
Ploéven
Ste Anne-La-Palud
Cast
Kergoat
Plonévez-P.
Douarnenez
Locronan
Kerlaz
Plogonnec
Guengat
les Sables-Blancs
pte du Van
Pointe de Brézellec
Réserve du Cap Sizun
Baie des Trépassés
Beuzec-Cap-Sizun
Poullan-s.M.
Tréboul
Cléden-Cap-Sizun
Goulien
POINTE DU RAZ
Port de Bestrée
Plogoff
St Tugen
Audierne
Pont-Croix
Confort
Plouhinec
pte de Lervily
Landudec
Plozévet
Baie d'Audierne
Plogastel-St-Germain
Pluguffan
Quimper
Ergué-Armel
Pouldreuzic
Penhors
Tréogat
Plomelin
Plonéour-Lanvern
Tréguennec
St Jean-Trolimon
Pont-l'Abbé
Bénodet
Fouesnant

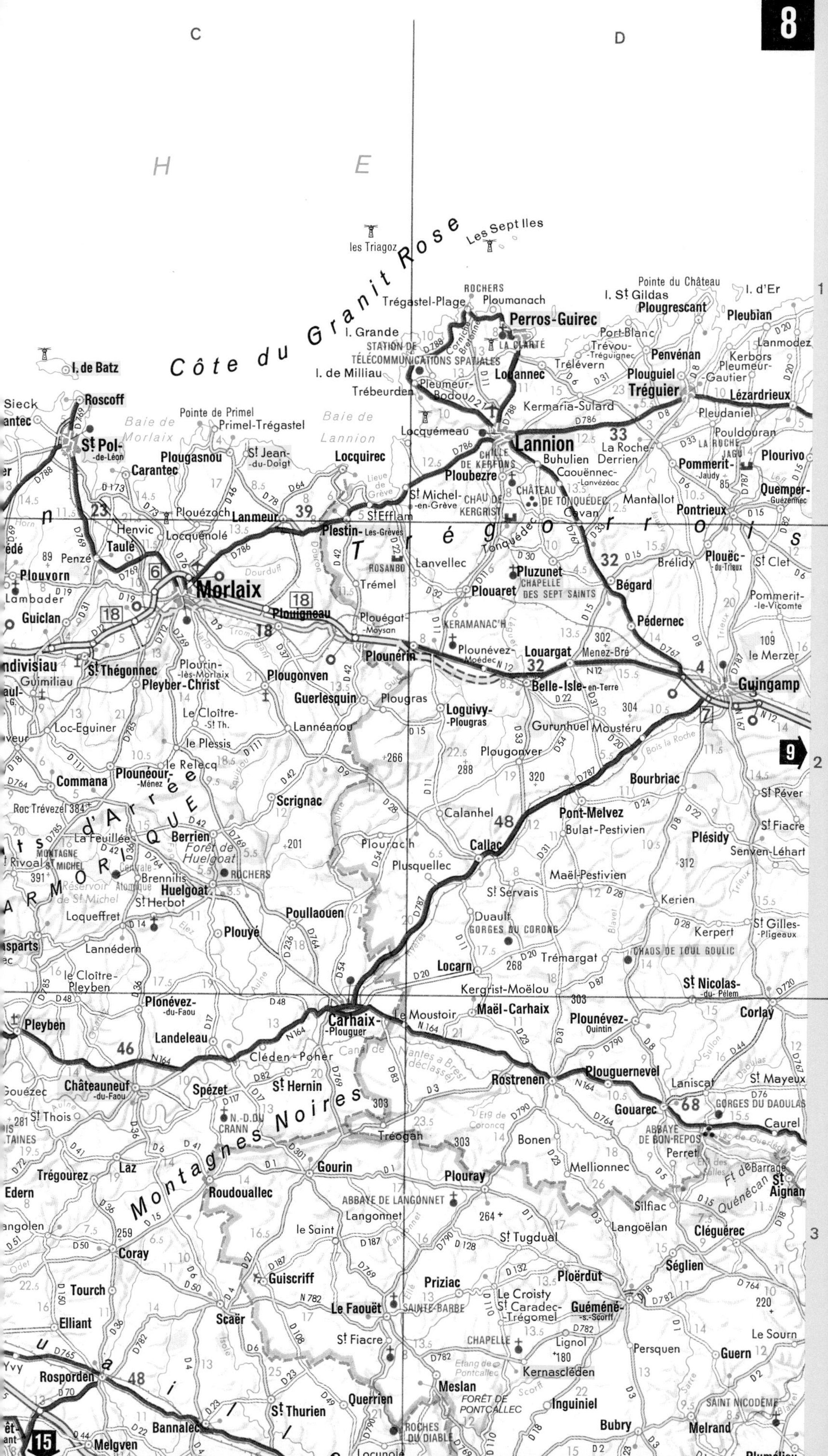
C
D
Côte du Granit Rose
les Triagoz
Les Sept Iles
Pointe du Château
I. St Gildas
I. d'Er
Plougrescant
Pleubian
Trégastel-Plage
Ploumanach
Perros-Guirec
Port-Blanc
Trévou-Tréguignec
Penvénan
Lanmodez
Kerbors
Pleumeur-Gautier
I. Grande
STATION DE TÉLÉCOMMUNICATIONS SPATIALES
LA CLARTÉ
Trélévern
I. de Milliau
Louannec
Plouguiel
Tréguier
Lézardrieux
Trébeurden
Pleumeur-Bodou
Kermaria-Sulard
Pleudaniel
I. de Batz
Roscoff
Sieck
Pointe de Primel
Primel-Trégastel
Baie de Morlaix
Baie de Lannion
Locquémeau
Lannion
Pouldouran
LA ROCHE JAGU
St Pol-de-Léon
Carantec
Plougasnou
St Jean-du-Doigt
Locquirec
CHAPELLE DE KERFONS
Buhulien
Derrien
La Roche
Caouënnec-Lanvézéac
Pommerit-Jaudy
Plourivo
Ploubezre
CHÂTEAU DE TONQUÉDEC
Mantallot
Quemper-Guézennec
St Michel-en-Grève
CHAU DE KERGRIST
Pontrieux
Plouézoch
Lanmeur
St Efflam
Cavan
Henvic
Locquénolé
Plestin-Les-Grèves
Trégorrois
Taulé
Tonquédec
Penzé
Lanvellec
Pluzunet
Brélidy
Plouëc-du-Trieux
St Clet
ROSANBO
CHAPELLE DES SEPT SAINTS
Plouvorn
Morlaix
Trémel
Plouaret
Bégard
Pommerit-le-Vicomte
Lambader
Guiclan
Plouigneau
Plouégat-Moysan
KERAMANAC'H
Pédernec
Plounévez-Moëdec
Louargat
Menez-Bré
Le Merzer
Landivisiau
Guimiliau
St Thégonnec
Plourin-lès-Morlaix
Pleyber-Christ
Plougonven
Plounérin
Belle-Isle-en-Terre
Guingamp
Guerlesquin
Plougras
Le Cloître-St Th.
Loguivy-Plougras
Loc-Eguiner
Lannéanou
Gurunhuel
Moustéru
Le Plessis
Le Relecq
Plougonver
Bourbriac
Commana
Plounéour-Ménez
St Péver
Roc Trévezel
Scrignac
Calanhel
Pont-Melvez
St Fiacre
Bulat-Pestivien
Plésidy
MONTAGNE ST MICHEL
La Feuillée
Berrien
Forêt de Huelgoat
Plourac'h
Callac
Senven-Léhart
Réservoir de St Michel
Brennilis
ROCHERS
Huelgoat
Plusquellec
Maël-Pestivien
St Servais
Kerien
St Herbot
Loqueffret
Poullaouen
Plouyé
Duault
GORGES DU CORONG
St Gilles-Pligeaux
Kerpert
Lannédern
Trémargat
CHAOS DE TOUL GOULIC
Locarn
Le Cloître-Pleyben
Kergrist-Moëlou
St Nicolas-du-Pélem
Plonévez-du-Faou
Pleyben
Carhaix-Plouguer
Le Moustoir
Maël-Carhaix
Plounévez-Quintin
Corlay
Landeleau
Canal de Nantes à Brest (déclassé)
Cléden-Poher
Rostrenen
Plouguernevel
St Mayeux
Châteauneuf-du-Faou
Spézet
St Hernin
Laniscat
Gouarec
GORGES DU DAOULAS
St Thois
N.-D. DU CRANN
Montagnes Noires
Tréogan
Et9 de Coroncq
ABBAYE DE BON-REPOS
Caurel
Lac de Guerlédan
Bonen
Perret
Laz
Gourin
Plouray
Mellionnec
Ft de Barrage
St Aignan
Trégourez
Edern
Roudouallec
ABBAYE DE LANGONNET
Silfiac
Quénécan
Langonnet
Langoëlan
Cléguérec
Le Saint
St Tugdual
Coray
Guiscriff
Priziac
Ploërdut
Séglien
Tourch
Le Croisty
St Caradec-Trégomel
Guémené-s.-Scorff
Elliant
Scaër
Le Faouët
SAINTE-BARBE
Lignol
Le Sourn
St Fiacre
CHAPELLE
Persquen
Guern
Kernascléden
Rosporden
Etang de Pontcallec
Meslan
FORÊT DE PONTCALLEC
Inguiniel
Querrien
St Thurien
SAINT NICODÈME
Bannalec
ROCHES DU DIABLE
Bubry
Melrand
Melgven
Locunolé
Pluméliau
9
15

A
B
les Héaux
Sillon de Talbert
I. de Bréhat
Pleubian
Lanmodez
Loguivy
Pte de l'Arcouest
Lézardrieux
Paimpol
Pleudaniel
Kérity
Pte de Plouézec
Plourivo
ABBAYE DE BEAUPORT
Pte de Minard
Plouézec
Kerfot
Bréhec
Quemper-Guézennec
Lanloup
Roches Douvres
Plateau des Minquiers
Kermaria
Plouha
Tréveneuc
Baie de Saint-Brieuc
Côte d'Emeraude
CAP FRÉHEL
Fort La Latte
I. de Cézembre
Pommerit-le-Vicomte
Lanvollon
St Quay-Portrieux
C.d'Erquy
Sables-d'Or-les-Pins
Plévenon
Goudelin
Etables-s.-Mer
Tréguidel
N.-D. de la Cour
Binic
Erquy
Plurien
Fréhel
Pte de St Cast
St Cast-le Guildo
St Lunaire
St Briac-s.-M.
Dinard
le Merzer
La Corderie
I. Verdelet
Pléneuf-Val-André
Le Val-André
BIENASSIS
Matignon
Lancieux
Pordic
Plélo
Châtelaudren
Trégomeur
Les Rosaires
La Bouillie
St Jacut-de-la Mer
PLEURTUIT
Plouagat
Tréméloir
Pointe des Guettes
St Alban
Hénanbihen
Ploubalay
Trégon
St Brieuc
Trémuson
Morieux
Planguenoual
St Denoual
Hillion
Ploufragan
Langueux
Plancoët
Plessix-Balisson
Pleslin-Trigavou
St Péver
Boqueho
St Donan
CAMP ANTIQUE
Yffiniac
St René
Pléven
St Fiacre
Cohiniac
Plédran
La Poterie
Languénan
Senven-Léhart
St Julien
Pommeret
Lamballe
CHÂTEAU DE LA HUNAUDAYE
Bourseul
Maroué
Noyal
Corseul
RUINES ROMAINES
Quintin
Plaintel
Quessoy
Trégenestre
St Carreuc
Plestan
Plélan-le-Petit
Vildé-Guingalan
Hénon
Bréhand
Jugon-les-Lacs
Etang de Jugon
Bobital
Etang de Beaulieu
Languédias
Ft de Lorge
Plœuc-s.-Lié
Moncontour
Plénée-Jugon
Le Hinglé
Le Bodéo
St Glen
Penguily
Corlay
L'Hermitage-Lorge
Plémy
Le Gouray
Sévignac
Yvignac
ABBAYE DE BOQUEN
Uzel
N-D. de Bel-Air
Collinée
FORÊT DE BOQUEN
Plouguenast
Broons
St Hervé
St Mayeux
Langast
Plessala
Langourla
Guenroc
GORGES DE LA POULANCRE
St Gouéno
St Jacut-du-Mené
Eréac
Caulnes
Médréac
Caurel
Barrage
La Motte
St Vran
St Launeuc
Lanrelas
Plumaugat
St Jouan-de-l'Isle
Mûr-de-Bretagne
Ft de Loudéac
Ft de la Hardouinais
Quédillac
St Aignan
St Caradec
Laurenan
Merdrignac
Montauban
Loudéac
Plémet
Trémorel
Saint-Méen-le-Grd
Boisgervilly
Neulliac
Gomené
la Ferrière
Ménéac
Illifaut
La Chèze
Gaël
Muel
Iffendic
St Gérand
Gueltas
SAINTE NOYALE
St Samson
Plumieux
Pontivy
Noyal-Pontivy
La Trinité-Porhoët
Rohan
Le Sourn
St Gonlay
Evriguet
Mauron
St Malon-s.-Mel
Mohon
Ft de Lanouée
Les Forges
Guilliers
Etang du Pas du Houx
St Péran
Moustoir-Remungol
Lanouée
Tréhorenteuc
Naizin
SAINT NICODÈME
St Malo-des 3 Fontaines
Loyat
Ft de Paimpont
Paimpont
Néant-s.-Yvel
Pluméliau
Réguiny
Plélan-le Gd
8

9
C
D
Gouville-s.-Mer
Blainville-s.-Mer
(Coutainville)
Agon-Coutainville
Regnéville-s.-M.
Montmartin-s.-M.
Annoville
Lingreville
Bricqueville-s.-M.
Iles Chausey
Geffosses
St Malo-de-la-Lande
Tourville-sur-Sienne
St Sauveur-Lendelin
Montsurvent
Monthuchon
St Aubin-du-Perron
Le Mesnil-Vigot
Le Mesnil-Eury
Pont-Hébert
Marigny
St Gilles
Saint-Lô
Camprond
Carantilly
Canisy
Coutances
Condé-s.-Vire
Cerisy-la-Salle
Dangy
Troisgots
Hyenville
Roncey
Le Mesnil-Herman
Quettreville-s.-S.
Notre-Dame-de-Cenilly
Tessy-s.-Vire
St Denis-le-Gast
Hambye
Villebaudon
Cérences
Lengronne
Gavray
Abbaye de Hambye
Percy
Margueray
Bréhal
Chau de Chanteloup
Le Loreur
Le Mesnil-Rogues
Le Mesnil-Garnier
Montbray
Donville-les-B.
Pte du Roc
Granville
Beauchamps
Villedieu-les-Poêles
St Sever-Calvados
Folligny
Champrepus
St Pair-s.-M.
Kairon-Plage
Abbaye de la Lucerne
St Pierre-Langers
La Haye-Pesnel
La Mouche
Rouffigny
Fontenermont
Jullouville
Sartilly
l'Epine
Chérence-le-Héron
Coulouvray-B.
Carolles
Les Chambres
Ste Pience
St Laurent-de-Cuves
St Pois
Pointe du Grouin
St Jean-le-Thomas
Tirepied
Brécey
Cuves
Genêts
Bacilly
Vernix
Chérence-le-R.
Baie du Mont St Michel
Tombelaine
Avranches
St Ovin
Reffuveille
Le Mont St Michel
St Quentin-s.-le-Homme
Montgothier
Juvigny-le-Tertre
Pontaubault
Courtils
Ducey
Isigny-le-Buat
Rothéneuf
St Coulomb
Cancale
Paramé
St Servan-s.-M.
St Méloir-des-Ondes
St Benoît-des-Ondes
La Gouesnière
Le Vivier-s.-M.
Cherrueix
Hirel
St Marcan
Beauvoir
Ardevon
St Aubin-de-Terregatte
Les Biards
St Hilaire-du-Harcouët
St Guinoux
Châteauneuf-d'Ille-et-Vilaine
Roz-Landrieux
Dol-de-Bretagne
St Broladre
Mont Dol
Baguer-Pican
St Georges-de G.
Pontorson
St Laurent-de-Terregatte
Miniac-Morvan
Plerguer
Menhir de Champ Dolent
Epiniac
La Boussac
Pleine-Fougères
La Croix-Avranchin
St James
Montjoie-St Martin
St Martin-de-Landelles
Les Loges-Marchis
Pleudihen-s.-R.
Le Vx Bourg
Vessey
Trans
Argouges
St Georges-de-Reintembault
Solen
St Pierre-de-Plesguen
Lanhélin
Cuguen
Antrain
St Ouen-la-Rouërie
Poilley
Louvigné-du-Désert
Landivy
Meillac
Combourg
Bazouges-la-Pérouse
Coglès
Saint Mars-s.-la-Futaie
Pleugueneuc
Tremblay
St Brice-en-Coglès
St Germain-en-Coglès
Pontmain
Landéan
St Léger-des-Prés
St Domineuc
Romazy
Chauvigné
Forêt de Fougères
St Ellier-du-Maine
Montaudin
Dingé
St Rémy-du-Plain
Etang de Boulet
Baillé
Tinténiac
La Baussaine
Sens-de-Bretagne
St Hilaire-des L.
Fougères
Larchamp
Montmuran
Bécherel
Hédé
Les Iffs
St Ouen-des-A.
Romagné
Beaucé
La Pellerine
Guipel
Montreuil-s.-Ille
Gahard
Mézières-s. C.
St Gondran
St Aubin-d'Aubigné
St Jean-s.-Couesnon
Billé
Luitré
Irodouër
Montreuil-le-Gast
Ercé-près-Liffré
Combourtillé
Parcé
Dompierre-du-Chemin
Romillé
St Aubin-du-C.
St Pierre-des Landes
Gévezé
La Mézière
Chasné-s.-Illet
Gosné
Mecé
Livré-s.-Changeon
St Christophe-des-Bois
Juvigné
Bédée
Chevaigné
Liffré
Châtillon-en-Vendelais
Princé
La Croixille
St Gilles
Ft de Rennes
Dourdain
Taillis
Breteil
St Grégoire
La Bouëxière
St M'hervé
Thorigné-s.V.
Val-d'Izé
Balazé
Bourgon
Le Bourgneuf-la-Forêt
L'Hermitage
Rennes
Forêt de Chevré
Acigné
Servon-s. V.
Champeaux
Cintré
Noval-s.-Vilaine
Châteaubourg
Mordelles
Rennes St Jacques
St Jean-s.-Vilaine
Vitré
St Pierre-la-Cour
Chavagne
St Jacques-de-la-Lande
Domagné
Château des Rochers
Port Brillet
Bréal-sous-Montfort
Vern-s.-S.
Châteaugiron
La Gravelle
Blossac
Bruz
Noyal-s.-S.
St Erblon
Louvigné-de-Bais
Argentré-du Plessis

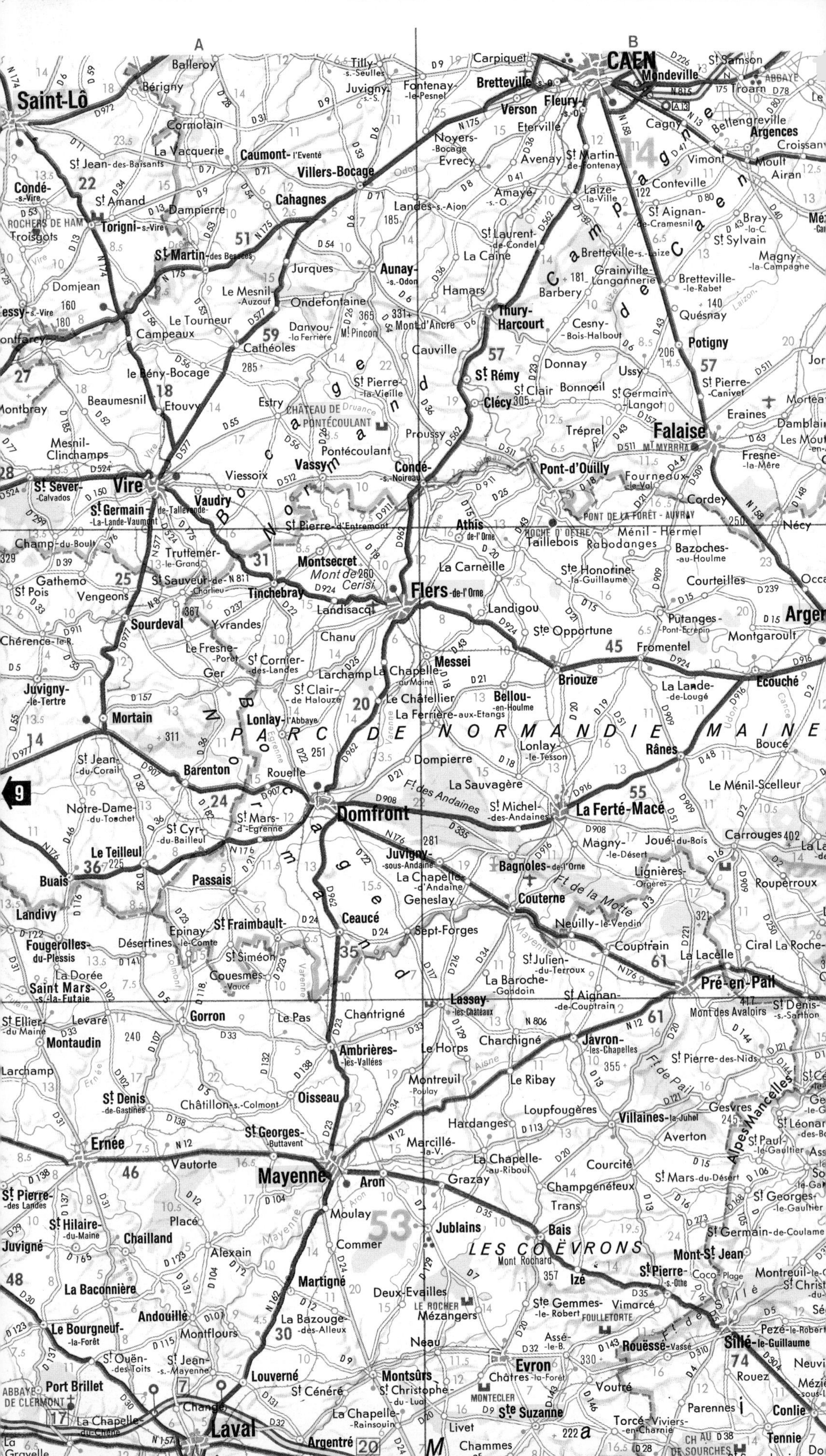
A
B
Balleroy
Tilly-s.-Seulles
Carpiquet
CAEN
Mondeville
St Samson
Saint-Lô
Bérigny
Juvigny-s.-S.
Fontenay-le-Pesnel
Bretteville-s.-O.
Fleury-s.-O.
Troarn
Cormolain
Verson
Eterville
Cagny
Bellengreville
Argences
La Vacquerie
Caumont-l'Eventé
Noyers-Bocage
Evrecy
Avenay
St Martin-de-Fontenay
Vimont
Moult
Croissanv
St Jean-des-Baisants
Villers-Bocage
Airan
Condé-s.-Vire
St Amand
Cahagnes
Amayé-s.-O.
Laize-la-Ville
Conteville
Bray-la-C.
Torigni-s.-Vire
Dampierre
Landes-s.-Ajon
St Aignan-de-Cramesnil
St Sylvain
ROCHERS DE HAM
Troisgots
St Martin-des Besaces
St Laurent-de-Condel
La Caine
Bretteville-s.-Laize
Magny-la-Campagne
Jurques
Aunay-s.-Odon
Grainville-Langannerie
Bretteville-le-Rabet
Domjean
Le Mesnil-Auzouf
Hamars
Barbery
Quésnay
Ondefontaine
Thury-Harcourt
Cesny-Bois-Halbout
Le Tourneur
Danvou-la Ferrière
Mt Pincon
Mont d'Ancre
Potigny
Campeaux
Cathéoles
Cauville
Donnay
Ussy
le Bény-Bocage
St Pierre-la-Vieille
St Rémy
St Clair
Bonnoeil
St Germain-Langot
St Pierre-Canivet
Beaumesnil
Etouvy
Estry
CHÂTEAU DE PONTÉCOULANT
Clécy
Eraines
Montbray
Proussy
Tréprel
Falaise
Damblain
Mesnil-Clinchamps
Pontécoulant
Mt MYRRHA
Les Moutiers-en-
Fresne-la-Mère
Vassy
Condé-s.-Noireau
Pont-d'Ouilly
St Sever-Calvados
Vire
Viessoix
Fourneaux-le-Val
Vaudry
Cordey
St Germain-de-Tallevende-La-Lande-Vaumont
PONT DE LA FORÊT - AUVRAY
St Pierre-d'Entremont
Athis de-l'Orne
ROCHE D'OËTRE
Ménil-Hermei
Néçy
Champ-du-Boult
Taillebois
Rabodanges
Bazoches-au-Houlme
Truttemer-le-Grand
Montsecret
Mont de Cerisi
La Carneille
Gathemo
St Sauveur-de-Chaulieu
Ste Honorine-la-Guillaume
Courteilles
St Pois
Vengeons
Tinchebray
Flers-de-l'Orne
Sourdeval
Yvrandes
Landisacq
Landigou
Putanges-Pont-Ecrepin
Montgaroult
Argentan
Chérence-le-R.
Chanu
Ste Opportune
Le Fresne-Poret
St Cornier-des-Landes
Messei
Fromentel
Ger
Larchamp
La Chapelle-au-Moine
Briouze
Écouché
Juvigny-le-Tertre
St Clair-de Halouze
Le Châtellier
Bellou-en-Houlme
La Lande-de-Lougé
Mortain
Lonlay-l'Abbaye
La Ferrière-aux-Etangs
PARC DE NORMANDIE MAINE
St Jean-du-Corail
Lonlay-le-Tesson
Rânes
Bouçé
Barenton
Rouelle
Dompierre
La Sauvagère
Le Ménil-Scelleur
Notre-Dame-du-Touchet
Domfront
St Michel-des-Andaines
La Ferté-Macé
St Mars-d'Egrenne
St Cyr-du-Bailleul
Ft des Andaines
Magny-le-Désert
Joué-du-Bois
Carrouges
Le Teilleul
Juvigny-sous-Andaine
Bagnoles-de-l'Orne
Buais
Passais
La Chapelle-d'Andaine
Lignières-Orgères
Rouperroux
Landivy
Geneslay
Couterne
Ft de la Motte
Fougerolles-du-Plessis
Epinay-le-Comte
St Fraimbault-
Ceaucé
Sept-Forges
Neuilly-le-Vendin
Désertines
St Siméon
St Julien-du-Terroux
Couptrain
La Lacelle
Ciral
La Roche-
La Dorée
Couesmes-Vaucé
La Baroche-Gondoin
Pré-en-Pail
Saint Mars-s.-la-Futaie
Lassay-les-Châteaux
St Aignan-de-Couptrain
St Denis-s.-Sarthon
St Ellier-du Maine
Levaré
Gorron
Le Pas
Chantrigné
Mont des Avaloirs
Montaudin
Ambrières-les-Vallées
Le Horps
Charchigné
Javron-les-Chapelles
St Pierre-des-Nids
Larchamp
Montreuil-Poulay
Le Ribay
Ft de Pail
St Denis-de-Gastines
Châtillon-s.-Colmont
Oisseau
Loupfougères
Villaines-la-Juhel
Gesvres
Hardanges
Averton
St Léonard-des-Bois
Ernée
St Georges-Buttavent
Marcillé-la-V.
La Chapelle-au-Riboul
St Paul-le-Gaultier
Vautorte
Courcité
Alpes Mancelles
Mayenne
Aron
Grazay
St Mars-du-Désert
St Pierre-des Landes
Champgénéteux
St Georges-le-Gaultier
Moulay
Trans
St Hilaire-du-Maine
Placé
Jublains
Bais
St Germain-de-Coulamer
Chailland
Commer
LES COËVRONS
Juvigné
Alexain
Mont Rochard
Mont-St Jean
Martigné
Izé
St Pierre-s.-Orthe
Montreuil-le-
St Christ
La Baconnière
Deux-Evailles
LE ROCHER
Ste Gemmes-le-Robert
Vimarcé
Andouillé
Mézangers
FOULLETORTE
Le Bourgneuf-la-Forêt
La Bazouge-des-Alleux
Pezé-le-Robert
Montflours
Neau
Assé-le-B.
Rouessé-Vassé
Sillé-le-Guillaume
St Ouën-des-Toits
St Jean-s.-Mayenne
Evron
Châtres-la-Forêt
Louverné
Montsûrs
ABBAYE DE CLERMONT
Port Brillet
St Céneré
St Christophe-du-Luat
Voutré
Rouez
Neuvi
MONTECLER
Parennes
Ste Suzanne
Conlie
Changé
La Chapelle-du-Chêne
La Chapelle-Rainsouin
Laval
Livet
Torcé-Viviers-en-Charnie
Tennie
Argentré
Chammes
CH AU DE SOURCHES
St Symphorien
La Gravelle
Soulgé-s.-Ouette

C
D
Bonnebosq
Coqainvilliers
Léaupartie
Manerbe
Ouilly-le-Vicomte
Le Pin
Lieuvin
Bailleul-la-Vallée
Giverville
Brionne
Le Gros-Theil
La Neuville-du-Bosc
Harcourt
Iville
Criquebeuf-la-Campagne
LE VAL-RICHER
Lisieux
St Laurent-du-Mont
Hermival-les-Vaux
Duranville
Boisney
CHATEAU DU CHAMP DE BATAILLE
Le Neubourg
La Boissière
St Martin-de-la-Lieue
L'Hôtellerie
Thiberville
La Bretagne
Fontaine-la-Soret
Nassandres
Glos
Le Mesnil-Guillaume
La Corne
Pays d'Auge
Serquigny
Omonville
Quittebeuf
St Julien-le-Faucon
St Germain-de-Livet
Le Planquay
Courtonne-les-Deux-Eglises
Bernay
Beaumont-le-Roger
27
COUPESARTE
St Germain-la-Campagne
Fervaques
Emanville
Claville
Boissey
Les Jonquerets-de-Livet
Livarot
Orbec
Broglie
Beaumesnil
le Val Gallerand
Les Authieux
N. Dame-de-Courson
Le Noyer-en-Ouche
Ferrières-Haut-Clocher
Bellou
Lisores
Meulles
Landepereuse
La Ferrière-s-R.
Sébécourt
N. Dame-de-Fresnay
Le Fidelaire
Ammeville
Vimoutiers
Montreuil-l'Argillé
La Barre-en-Ouche
Conches-en-Ouche
Grandmesnil
Ouche
l'Hôtellerie-Farault
Ticheville
Le Sap
Mélicourt
La Vieille-Lyre
Montreuil-la-Cambe
Camembert
Fresnay-le-Samson
Monnai
Chambord
La Neuve-Lyre
Nagel-Séez-Mesnil
Nogent-le-Sec
Bois-Normand-près-Lyre
Guernanville
Trun
Villers-en-Ouche
St Nicolas-des-Laitiers
Glos-la-F.
Les Baux-de-Breteuil
Ft de Breteuil
St Denis-du Béhélan
Mardilly
La Ferté-Frênel
Juignettes
Ambenay
Gouville
Breteuil
Chambois
Gacé
Rugles
Le Bourg-St Léonard
Exmes
St Evroult-N.-D.-du-Bois
Bourth
Piseux
HARAS
Le Pin-au-Haras
Echauffour
L'Aigle
Chandai
11
Aube
Verneuil-s-Avre
Almenèches
St Germain-de-Clairefeuille
Planches
Gournay
Médavy
Nonant-le-Pin
Le Merlerault
Ste Gauburge-Ste Colombe
Auguaise
Crulai
Aristophe-le-J.
Mortrée
CHATEAU D'O
Les Aspres
Beaulieu
Chennebrun
Beauche
Chailloué
Ferrières-la-Verrerie
ABBAYE DE LA GRANDE TRAPPE
Moulins-la-Marche
Ft du Perche
St Maurice-lès-Charencey
Randonnai
La Mancelière
Sées
Courtomer
Aunou-s.-Orne
Le Ménil-Guyon
Soligny-la-Trappe
Moussonvilliers
Tourouvre
Ste Anne
Marchainville
La Ferté-Vidame
La Ferrière-Béchet
Ste Scolasse-s.-S.
Ft de Senonches
Forêt d'Ecouves
Montchevrel
Lignerolles
Malétable
Senonches
Essay
Bazoches-sur-Hoëne
La Lande-s.-Eure
St Hanaps
Radon
Neuilly-s.-E.
Mortagne-au-Perche
Longny-au-Perche
Manou
Larré
Le Mêle-s.-S.
Boëce
Le Mage
Hauterive
St Mard-de-Reno
Bizou
Moutiers-au-Perche
Alframbert
le Ménil-Broût
La Chapelle-Montligeon
Monceaux
Chassé
Perche
St Jouin-de-Blavou
Alençon
La Fresnaye-sur-Chédouet
Blèves
Le Pin-la-Garenne
La Madeleine-Bouvet
La Loupe
St Paterne
Ft de Perseigne
Pervenchères
Mauves-s.-H.
Boissy-Maugis
Bretoncelles
St Eliph
Neufchâtel-en-Saosnois
Beauvoir
Colonard-Corubert
Rémalard
Ancinnes
Ft de Bellême
Le Gué-de-la-Chaîne
Verrières
Suré
Bellême
Louvigny
Condé-s.-Huisne
Montlandon
Rouessé-Fontaine
St Rémy-du-Val
Mamers
Dame-Marie
Berd'huis
Frétigny
St Cyr-la-Rosière
Préaux-du-P.
Coudreceau
St Denis-d'Authou
Les Mées
St Rémy-des-Monts
Igé
Nogent-le-Rotrou
La Hutte
Chérancé
Courgains
René
Marcilly
Thiron
St Germain-de-la-Coudre
Chassant
Dangeul
Marolles-les-Braults
St Cosme-de-Vair
Le Theil
Souancé-au-Perche
Nogent-le-Bernard
Préval
Les Etilleux
Beaumont-s.-S.
Beaumont-les-Autels
Avezé
Coudray-au-Perche
Luigny
La Chapelle-du-Bois
Ceton
St Marceau
Ballon
St Georges-du Rosay
St Bomer
Moulhard
Bonnétable
St Aubin-des-Coudrais
La Ferté-Bernard
Authon-du-Perche
Montbizot
Souligné-sous-Ballon
Courcemont
Cormes
Courcebœufs
l'Océane
Soizé
St Jean-d'Assé
Les Autels-Villevillon
La Guierche
Torcé-en-Vallée
St Célerin
Tuffé
Courgenard
Grèez-s.-Roc
Chapelle-Royale
Apelle-St Fray
La Bazoge
17
33
La Chapelle-St Rémy
Lamnay
Chapelle-
La Bazoche-Gouet

A
B
La Haye-Malherbe
Louviers
Muids
Les Andelys
CHÂTEAU GAILLARD
Les Thilliers-en-Vexin
Vesly
Vaudancourt
Reilly
Fleury
Criquebeuf-la-Campagne
Quatremare
Acquigny
Heudebouville
Venables
Bouafles
Courcelles-s.-S.
Tourny
St Clair-s.-E.
Parnes
Montagny-en-Vexin
Monneville
Chars
Venon
Ailly
Vieux-Villez
Gaillon
Nézé
Berthenonville
La Chapelle-en-Vexin
Liervillle
St Julien-de-la-Liègue
Fontaine-Heudebourg
N. D. de l'Isle
Tilly
Ecos
Magny-en-Vexin
Le Bellay-en-V.
Houetteville
La Croix-St-Leufroy
Le Goulet
St Pierre-d'Autils
Bray-et-Lû
Chaussy
Quittebeuf
Cailly-s.E.
Bacquepuis
St Martin-la-Campagne
St Vigor
Autheuil-Authouillet
Vernon
Gasny
La Roche-Guyon
Arthies
Avernes
Le Boulay-Morin
Fontaine-sous-Jouy
Chambray
Autoroute de Normandie
BIZY
Giverny
Vétheuil
Vigny
Claville
Gravigny
Evreux
EVREUX FAUVILLE
Jouy-s.-Eure
Ménilles
Mousseaux-s.-S.
Bonnières-s.-S.
Drocourt
Seraincourt
Ferrières-Haut-Clocher
Parville
Miserey
Pacy-s.-Eure
Chaufour-les-Bonnières
Rosny-s.-S.
Mantes-la-Jolie
Fontenay-St-Père
Brueil-en-Vexin
Meulan
Juziers
Les Mureaux
Forêt d'Evreux
Les Baux-Ste Croix
Le Plessis-Hébert
Breuilpont
La Belle-Côte
Limay
Flins-s.
Verneuil
Prey
Fresney
Bueil
Villiers-en-Désoeuvre
Favrieux
Vert
Mézières-s.-S.
Epône
Nézel
Nogent-de-Sec
Avrilly
Thomer-la-S.
St André-de-l'Eure
Mousseaux-Neuville
Garennes-s.-E.
Longnes
Boinville-en-M.
Arnouville-lès-Mantes
Orgeval
Les Alluets-le-Roi
Damville
Corneuil
La Couture-Boussey
Ivry-la-B.
Le Mesnil-Simon
Dammartin-en-Serve
Septeuil
Maule
Crespières
Ezy-s.-E.
Anet
Oulins
Boissets
Orvilliers
Thoiry
Beynes
Gouville
Coudres
St Laurent-des-B.
Forêt de Dreux
Rouvres
Orgerus
Garancières
Grandvilliers
Droisy
ABBAYE DU BREUIL-BENOIT
Marcilly-s.-E.
Richebourg
la Queue-les-Y.
Neauphle-le-Vx
Plaisir
Les Clayes-s.-B.
Piseux
Tillières-s.-A.
Nonancourt
St Rémy-s.-A.
Merville
St Georges-Motel
Bû
Houdan
Montfort-l'Amaury
Pontchartrain
Jouars-P.
Maurepas
Dreux
Marolles
Gambais
Les Mesnuls
Coignières
Allainville
Chérisy
Broué
Boutigny-Prouais
Condé-s.-V.
Forêt
Etangs de Hollande
Le Mesnil-St Denis
Laons
Vernouillet
Prouais
St Léger-en-Yvelines
Les Bréviaires
Les Essarts-le-Roi
Brézolles
Faverolles
Le Perray-en-Y.
Dampierre-en-Y.
Auffargis
LES VAUX-DE-CERNAY
Crécy-Couvé
Marville-Moutier-Brûlé
Poigny-la-F!
Tréon
Le Boullay-Mivoye
Guiperreux
Rambouillet
La Mancelière
Blévy
Morvillette
Puiseux
Nogent-le-Roi
Cernay-la-V.
La Celle-les-Bordes
Louvilliers-lès-Perche
Dampierre-s.-B.
Marville-les-Bois
Tremblay-les-Villages
Ormoy
Epernon
le Mesnil-Thomas
Chêne-Chenu
Maintenon
Clairefontaine-en-Y.
Rochefort-en-Yvelines
Senonches
Jaudrais
Châteauneuf-en-Thymerais
Clévilliers
Bouglainval
Orphin
Sonchamp
Gas
St Arnoult-en-Yvelines
Manou
Digny
Vérigny
St Germain-la-Gâtine
Dangers
St Piat
Gallardon
Esclimont
Ste Mesme
Belhomert-Guéhouville
Pontgouin
St Arnoult-des-Bois
Bailleau-l'Evêque
Soulaires
Jouy
Champseru
Ablis
Dourdan
La Loupe
Fontaine-la-Guyon
St Aubin-des-Bois
Lèves
Le Gué-de-Longroi
Umpeau
Corbreuse
St Eliph
Courville-s.-E.
Amilly
Auneau
Authon-la-Plaine
Chartres
Nogent-le-Phaye
Béville-le-Comte
Paray-Douaville
St Luperce
St Georges-s.-Eure
Houville-la-Branche
Sainville
Montlandon
Champrond-en-Gâtine
Morancez
Sours
Voise
St Escobille
St Denis-des-Puits
Ollé
Fontenay-s.-Eure
Denonville
Les Corvées-les-Yys
Bailleau-le-Pin
Thivars
Berchères-les-Pierres
St Denis-d'Authou
Combres
Nonvilliers-Grandhoux
Magny
Ouarville
Pussay
Thiron
Happonvilliers
Ermenonville-la-Grande
Dammarie
Pézy
Boisville-la-St Père
Chassant
Illiers-Combray
Luplanté
Bonce
Baudreville
Mérouville
Montigny-le-Chartif
Ermenonville-la-Petite
Meslay-le-Vidame
Montainville
Prasville
Moutiers
Levesville-la-Chenard
Rouvray-St Denis
Frazé
Vitray-en-Beauce
Voves
Ymonville
Fresnay-l'Evêque
Neuvy-en-Beauce
Luigny
Saumeray
Rouvray-St Florentin
Brou
Dangeau
Le Gault-St Denis
Viabon
Trancrainville
Moulhard
Yèvres
Fains-la-Folie
Unverre
Pré-St Evroult
Sancheville
Germignonville
Allaines-Mervilliers
Janville
Toury
Les Autels-Villevillon
Bonneval
Dancy
Tillay-le-Peneux
Chapelle-Royale
Logron
Flacey
Santilly
Chaussy
Châtillon-en-Dunois
Orgères-en-Beauce
Baigneaux
Oison
Seine
L'Océane
L'Aquitaine
78
28
10

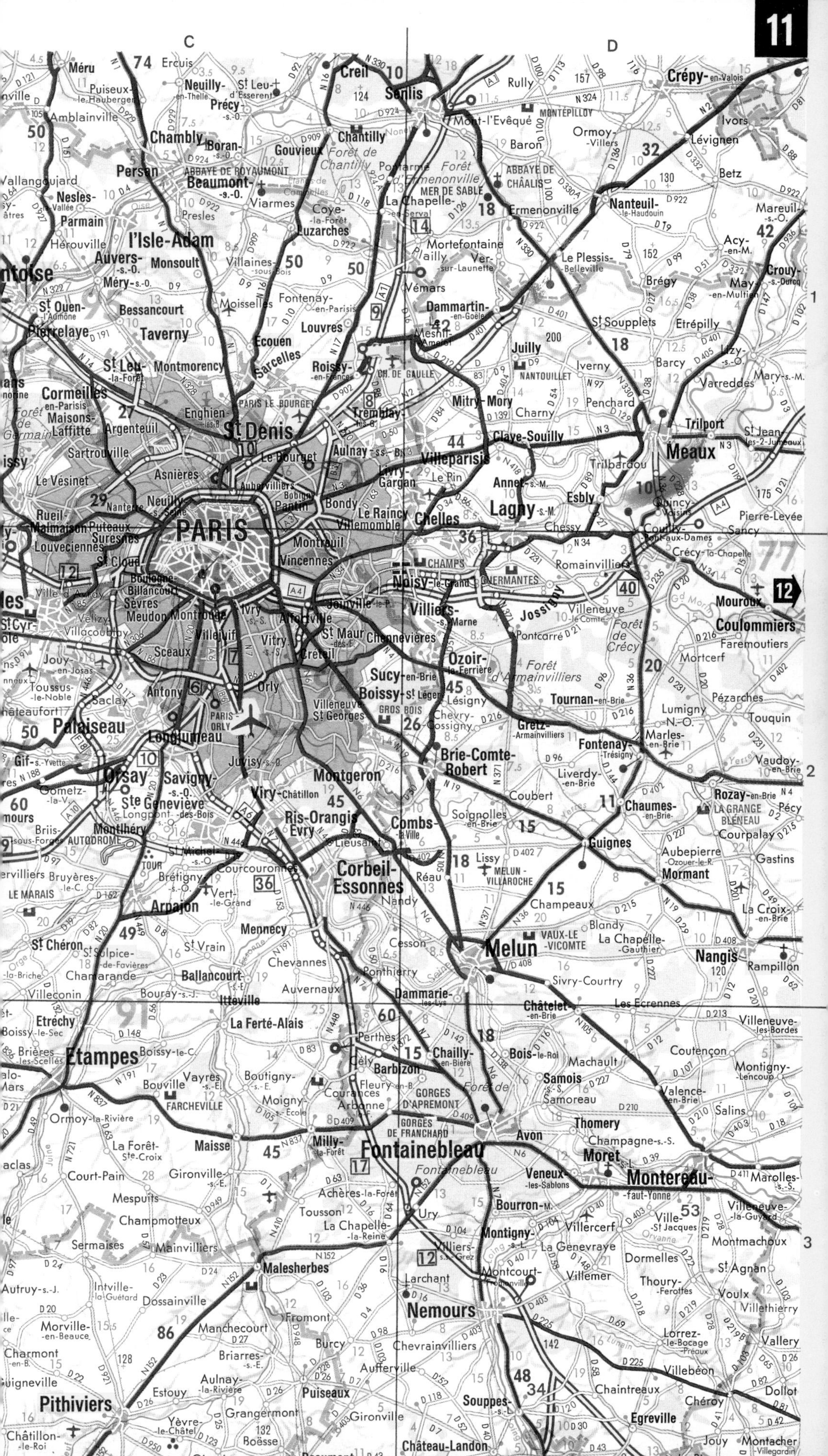
C
D
Méru
Creil
Senlis
Crépy-en-Valois
Chambly
Persan
Beaumont-s.-O.
Chantilly
Forêt de Chantilly
Luzarches
L'Isle-Adam
Pontoise
Nanteuil-le-Haudouin
Ermenonville
Dammartin-en-Goële
Roissy-en-France
CH. DE GAULLE
Sarcelles
Taverny
Montmorency
Cormeilles
St Denis
Le Bourget
PARIS LE BOURGET
Argenteuil
Asnières
Aubervilliers
Pantin
Bondy
Villeparisis
Claye-Souilly
Meaux
Lagny-s.-M.
Chelles
Nanterre
Neuilly-s.-Seine
PARIS
Montreuil
Vincennes
Suresnes
Boulogne-Billancourt
Sèvres
Meudon
Montrouge
Ivry-s.-S.
Villejuif
Vitry-s.-S.
Créteil
Noisy-le-Grand
Villiers-s.-Marne
Chennevières
Sucy-en-Brie
Boissy-St Léger
Ozoir-la-Ferrière
Coulommiers
Versailles
Vélizy-Villacoublay
Sceaux
Antony
Orly
PARIS-ORLY
Longjumeau
Palaiseau
Orsay
Savigny-s.-O.
Juvisy-s.-O.
Viry-Châtillon
Montgeron
Brie-Comte-Robert
Ris-Orangis
Évry
Combs-la-Ville
Corbeil-Essonnes
Montlhéry
Arpajon
Mennecy
Melun
Nangis
Rozay-en-Brie
Étampes
La Ferté-Alais
Barbizon
Fontainebleau
Milly-la-Forêt
Moret-s.-L.
Montereau-faut-Yonne
Malesherbes
Nemours
Pithiviers
Puiseaux
Souppes-s.-L.
Egreville
Château-Landon
91
77
12
1
2
3

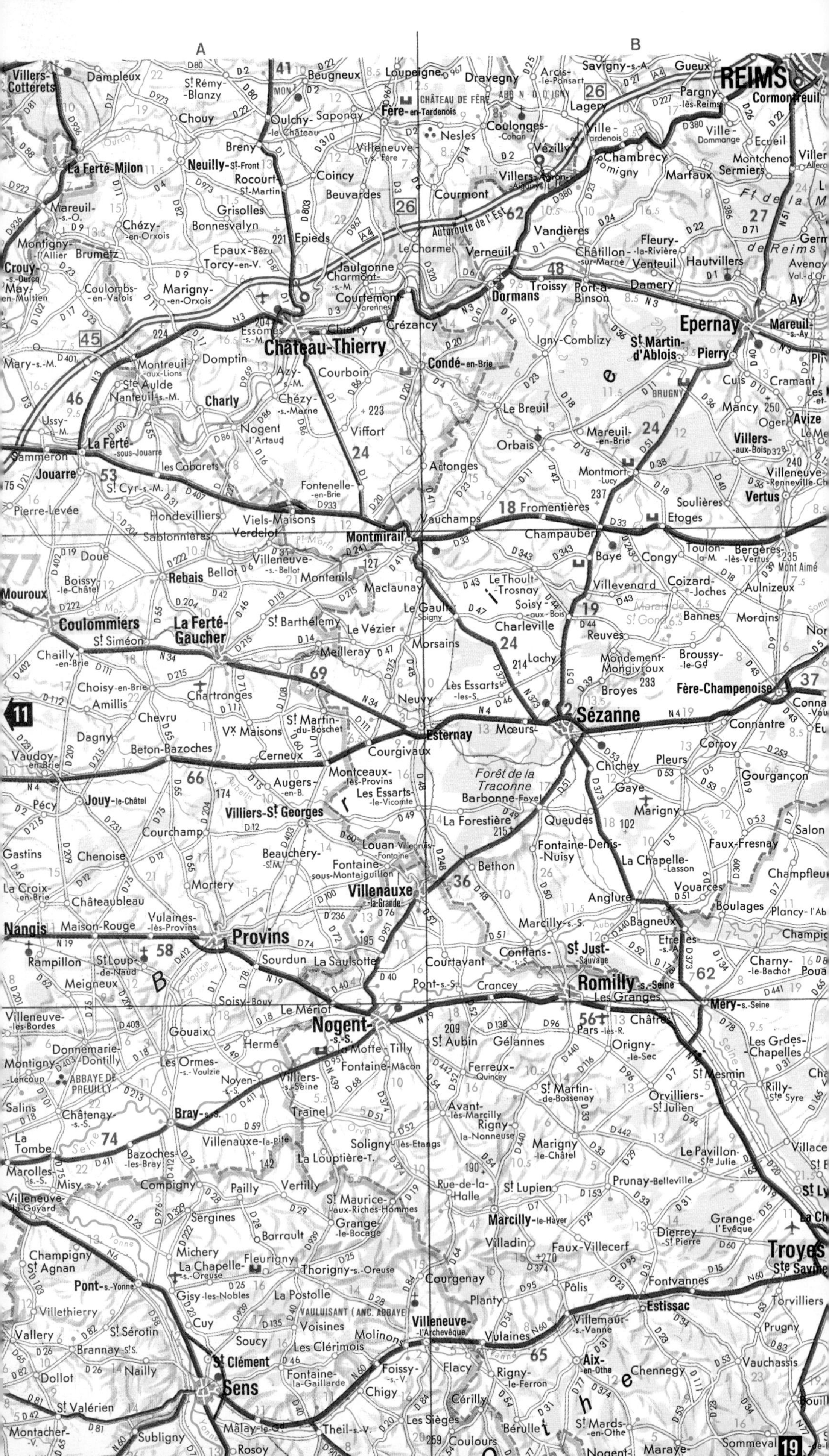

A
B
Villers-Cotterets
Dampleux
St Rémy-Blanzy
Beugneux
Loupeigne
Dravegny
Arcis-le-Ponsart
Savigny-s.-A.
Gueux
REIMS
Cormontreuil
CHÂTEAU DE FÈRE
Fère-en-Tardenois
Lagery
Pargny-lès-Reims
Chouy
Oulchy-le-Château
Saponay
Nesles
Coulonges-Cohan
Ville-en-Tardenois
Ville-Dommange
Ecueil
La Ferté-Milon
Breny
Neuilly-St-Front
Villeneuve-s.-Fère
Vézilly
Chambrecy
Montchenot
Sermiers
Rocourt-St-Martin
Coincy
Villers-Agron-Aiguizy
Romigny
Marfaux
Mareuil-s.-O.
Beuvardes
Courmont
Grisolles
Autoroute de l'Est
Ft de la M
Chézy-en-Orxois
Bonnesvalyn
Vandières
Fleury-la-Rivière
Montigny-l'Allier
Brumetz
Epieds
Le Charmel
Verneuil
Châtillon-sur-Marne
Venteuil
Hautvillers
de Reims
Epaux-Bézu
Crouy-s.-Ourcq
Torcy-en-V.
Jaulgonne
Avenay Val-d'Or
May-en-Multien
Coulombs-en-Valois
Marigny-en-Orxois
Charmont-s.-M.
Troissy
Port-à-Binson
Damery
Dormans
Courtemont-Varennes
Ay
Essômes-s.-M.
Chierry
Crézancy
Epernay
Mareuil-s.-Ay
Château-Thierry
Igny-Comblizy
St Martin-d'Ablois
Pierry
Domptin
Mary-s.-M.
Montreuil-aux-Lions
Condé-en-Brie
Courboin
Cuis
Cramant
Ste Aulde
Azy-s.-M.
BRUGNY
Nanteuil-s.-M.
Charly
Chézy-s.-Marne
Le Breuil
Mancy
Oger
Avize
Ussy-s.-M.
Nogent-l'Artaud
Viffort
Mareuil-en-Brie
Villers-aux-Bois
La Ferté-sous-Jouarre
Orbais
Jouarre
les Cabarets
Artonges
Montmort-Lucy
Villeneuve-Renneville-Ch.
St Cyr-s.-M.
Fontenelle-en-Brie
Vertus
Pierre-Levée
Hondevilliers
Viels-Maisons
Fromentières
Soulières
Etoges
Sablonnières
Verdelot
Montmirail
Vauchamps
Champaubert
Doue
Villeneuve-s.-Bellot
Baye
Congy
Toulon-la-M.
Bergères-lès-Vertus
Mont Aimé
Boissy-le-Châtel
Rebais
Bellot
Montenils
Maclaunay
Le Thoult-Trosnay
Villevenard
Coizard-Joches
Aulnizeux
Mouroux
Soisy-aux-Bois
Marais de St Gond
Bannes
Morains
Coulommiers
La Ferté-Gaucher
St Barthélemy
Le Gault-Soigny
Charleville
St Siméon
Le Vézier
Reuves
Morsains
Chailly-en-Brie
Meilleray
Lachy
Mondement-Montgivroux
Broussy-le-Gd
Choisy-en-Brie
Chartronges
Les Essarts-les-S.
Broyes
Fère-Champenoise
Amillis
Neuvy
Chevru
St Martin-du-Boschet
Sézanne
Connantre
Dagny
Vx Maisons
Esternay
Mœurs
Beton-Bazoches
Corroy
Vaudoy-en-Brie
Courgivaux
Cerneux
Chichey
Pleurs
Gourgançon
Montceaux-lès-Provins
Forêt de la Traconne
Gaye
Augers-en-B.
Les Essarts-le-Vicomte
Barbonne-Fayel
Pécy
Jouy-le-Châtel
Marigny
Villiers-St Georges
La Forestière
Queudes
Salon
Courchamp
Gastins
Louan-Villegruis-Fontaine
Fontaine-Denis-Nuisy
Faux-Fresnay
Chenoise
Beauchery-St M.
Bethon
La Chapelle-Lasson
Champfleury
Fontaine-sous-Montaiguillon
La Croix-en-Brie
Mortery
Villenauxe-la-Grande
Vouarces
Châteaubleau
Anglure
Boulages
Plancy-l'Ab.
Vulaines-lès-Provins
Marcilly-s.-S.
Bagneux
Nangis
Maison-Rouge
Champig.
Provins
Etrelles-s.-A.
Conflans-s.-S.
St Just-Sauvage
Rampillon
St Loup-de-Naud
Sourdun
La Saulsotte
Courtavant
Charny-le-Bachot
Meigneux
Pont-s.-S.
Crancey
Romilly-s.-Seine
Les Granges
Méry-s.-Seine
Soisy-Bouy
Villeneuve-les-Bordes
Le Mériot
Nogent-s.-S.
Pars-lès-R.
Châtres
Gouaix
St Aubin
Gélannes
Les Grdes-Chapelles
Hermé
Origny-le-Sec
Donnemarie-Dontilly
La Motte-Tilly
Montigny-Lencoup
Les Ormes-s.-Voulzie
Fontaine-Mâcon
Ferreux-Quincey
ABBAYE DE PREUILLY
St Mesmin
Noyen-s.-S.
Villiers-s.-Seine
St Martin-de-Bossenay
Orvilliers-St Julien
Rilly-Ste Syre
Salins
Châtenay-s.-S.
Bray-s.-S.
Trainel
Avant-lès-Marcilly
Rigny-la-Nonneuse
La Tombe
Villenauxe-la-Pte
Soligny-lès-Etangs
Marigny-le-Châtel
Le Pavillon-Ste Julie
Villace.
Bazoches-lès-Bray
La Louptière-T.
Marolles-s.-S.
Misy-s.-Y.
Compigny
Pailly
Vertilly
Rue-de-la-Halle
St Lupien
Prunay-Belleville
St Ly.
Villeneuve-la-Guyard
Sergines
St Maurice-aux-Riches-Hommes
Grange-le-Bocage
Marcilly-le-Hayer
Grange-l'Evêque
La Ch.
Barrault
Villadin
Dierrey-St Pierre
Troyes
Champigny
St Agnan
Michery
La Chapelle-s.-Oreuse
Fleurigny
Thorigny-s.-Oreuse
Faux-Villecerf
Ste Savine
Courgenay
Fontvannes
Pont-s.-Yonne
Gisy-les-Nobles
La Postolle
Planty
Pâlis
Torvilliers
Villethierry
VAULUISANT (ANC. ABBAYE)
Estissac
Vallery
St Sérotin
Cuy
Voisines
Villeneuve-l'Archevêque
Villemaur-s.-Vanne
Prugny
Brannay
Soucy
Molinons
Vulaines
Les Clérimois
Aix-en-Othe
Chennegy
Vauchassis
St Clément
Nailly
Dollot
Sens
Foissy-s.-V.
Flacy
Rigny-le-Ferron
Fontaine-la-Gaillarde
Chigy
Cérilly
St Valérien
Les Sièges
Bérulle
St Mards-en-Othe
Montacher-V.
Subligny
Mâlay-le-Gd
Theil-s.-V.
Coulours
Sommeval
Rosoy
Nogent-
Maraye-en-Othe
Bouil.
19

C D

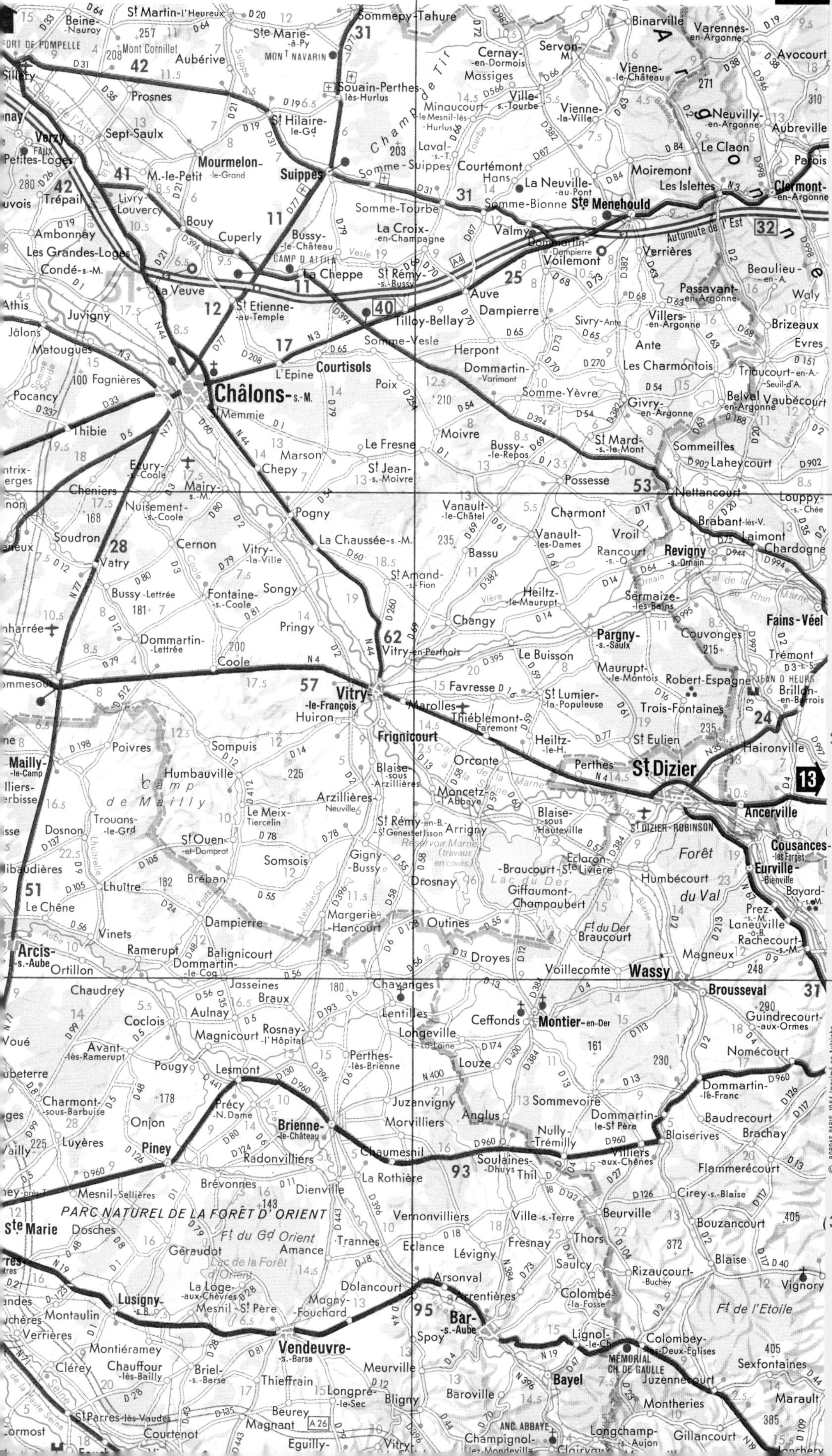

St Martin-l'Heureux, Beine-Nauroy, Fort de Pompelle, Mont Cornillet, Ste Marie-à-Py, Mont Navarin, Sommepy-Tahure, Aubérive, Sillery, Prosnes, Souain-Perthes-lès-Hurlus, Cernay-en-Dormois, Massiges, Servon-M., Binarville, Varennes-en-Argonne, Avocourt, Vienne-le-Château, Ville-s.-Tourbe, Minaucourt-le Mesnil-lès-Hurlus, Vienne-la-Ville, Neuvilly-en-Argonne, Aubreville

Sept-Saulx, Verzy, Faux, Petites-Loges, St Hilaire-le-Gd, Champ de Tir, Laval-s.-T., Mourmelon-le-Grand, M.-le-Petit, Suippes, Somme-Suippes, Courtémont, Hans, La Neuville-au-Pont, Moiremont, Le Claon, Les Islettes, Parois, Clermont-en-Argonne, Argonne

Trépail, Livry-Louvercy, Somme-Tourbe, Somme-Bionne, Ste Menehould, Ambonnay, Bouy, Cuperly, Bussy-le-Château, Camp d'Attila, La Croix-en-Champagne, Valmy, Dommartin-Dampierre, Voilemont, Verrières, Autoroute de l'Est, Les Grandes-Loges, Condé-s.-M., La Cheppe, St Rémy-s.-Bussy, Beaulieu-en-A., Passavant-en-Argonne, Waly

Athis, La Veuve, Juvigny, St Etienne-au-Temple, Tilloy-Bellay, Auve, Dampierre, Sivry-Ante, Villers-en-Argonne, Brizeaux, Jâlons, Matougues, Somme-Vesle, Herpont, Ante, Evres, Fagnières, L'Epine, Courtisols, Dommartin-Varimont, Les Charmontois, Triaucourt-en-A., Seuil-d'A., Pocancy, Châlons-s.-M., Poix, Somme-Yèvre, Givry-en-Argonne, Belval-en-Argonne, Vaubécourt

St Memmie, Thibie, Moivre, Le Fresne, Marson, Bussy-le-Repos, St Mard-s.-le-Mont, Sommeilles, Laheycourt, Ecury-s.-Coole, Chepy, St Jean-s.-Moivre, Possesse, Nettancourt, Louppy-s.-Chée, Cheniers, Mairy-s.-M., Nuisement-s.-Coole, Pogny, Vanault-le-Châtel, Charmont, Brabant-lès-V., Laimont, Soudron, Cernon, Vitry-la-Ville, La Chaussée-s.-M., Bassu, Vanault-les-Dames, Vroil, Rancourt-s.-O., Revigny-s.-Ornain, Chardogne, Vatry

Bussy-Lettrée, Fontaine-s.-Coole, Songy, St Amand-s.-Fion, Heiltz-le-Maurupt, Sermaize-les-Bains, Canal de la Marne au Rhin, Fains-Véel, Pringy, Changy, Pargny-s.-Saulx, Couvonges, Dommartin-Lettrée, Coole, Vitry-en-Perthois, Le Buisson, Maurupt-le-Montois, Robert-Espagne, Jean d'Heurs, Trémont, Brillon-en-Barrois, Sommesous, Vitry-le-François, Favresse, St Lumier-la-Populeuse, Trois-Fontaines, Huiron, Marolles, Thiéblemont-Farémont, Frignicourt, Heiltz-le-H., St Eulien, Haironville

Mailly-le-Camp, Poivres, Sompuis, Humbauville, Camp de Mailly, Blaise-sous-Arzillières, Orconte, Perthes, St Dizier, Arzillières-Neuville, Moncetz-l'Abbaye, Blaise-sous-Hauteville, Ancerville, Trouans-le-Grd, Le Meix-Tiercelin, St Rémy-en-B.-St Genest et Isson, Arrigny, Réservoir Marne (travaux en cours), St Dizier-Robinson, Cousances-les Forges, Dosnon, St Ouen-et-Domprot, Eclaron-Braucourt-Ste Livière, Forêt du Val, Somsois, Gigny-Bussy, Eurville-Bienville, Bréban, Lhuître, Drosnay, Lac du Der, Giffaumont-Champaubert, Humbécourt, Bayard-s.-M., Le Chêne, Margerie-Hancourt, Outines, Ft du Der, Braucourt, Prez-s.-M., Laneuville-à-B., Dampierre, Vinets, Rachecourt-s.-M., Arcis-s.-Aube, Ramerupt, Balignicourt, Dommartin-le-Coq, Droyes, Voillecomte, Wassy, Magneux, Ortillon

Chaudrey, Jasseines, Braux, Chavanges, Brousseval, Aulnay, Lentilles, Ceffonds, Montier-en-Der, Guindrecourt-aux-Ormes, Coclois, Rosnay-l'Hôpital, Longeville-s.-la-Laine, Magnicourt, Voué, Avant-lès-Ramerupt, Perthes-lès-Brienne, Louze, Nomécourt, Pougy, Lesmont, Dommartin-le-Franc, Charmont-sous-Barbuise, Précy-N.-Dame, Juzanvigny, Sommevoire, Baudrecourt, Onjon, Brienne-le-Château, Morvilliers, Anglus, Dommartin-le-St Père, Brachay, Luyères, Piney, Nully-Trémilly, Blaiserives, Radonvilliers, Chaumesnil, Soulaines-Dhuys, Thil, Villiers-aux-Chênes, Flammerécourt, Mesnil-Sellières, Brévonnes, La Rothière, Dienville, Cirey-s.-Blaise

Parc Naturel de la Forêt d'Orient, Ste Marie, Vernonvilliers, Ville-s.-Terre, Beurville, Bouzancourt, Dosches, Ft du Gd Orient, Tranne, Fresnay, Thors, Géraudot, Amance, Eclance, Lévigny, Blaise, Lac de la Forêt d'Orient, Saulcy, Rizaucourt-Buchey, Vignory, La Loge-aux-Chèvres, Arsonval, Lusigny-s.-B., Dolancourt, Arrentières, Colombé-la-Fosse, Ft de l'Etoile, Mesnil-St Père, Magny-Fouchard, Montaulin, Bar-s.-Aube, Verrières, Montiéramey, Vendeuvre-s.-Barse, Spoy, Lignol-le-Ch., Colombey-les-Deux-Eglises, Mémorial Ch. de Gaulle, Sexfontaines, Clérey, Chauffour-lès-Bailly, Briel-s.-Barse, Thieffrain, Meurville, Bayel, Juzennecourt, Longpré-le-Sec, Baroville, Montheries, Marault, St Parres-lès-Vaudes, Beurey, Bligny, Magnant, Courtenot, Anc. Abbaye, Champignol-lez-Mondeville, Clairvaux, Longchamp-s.-Aujon, Gillancourt, Eguilly, Vitry, Cormost

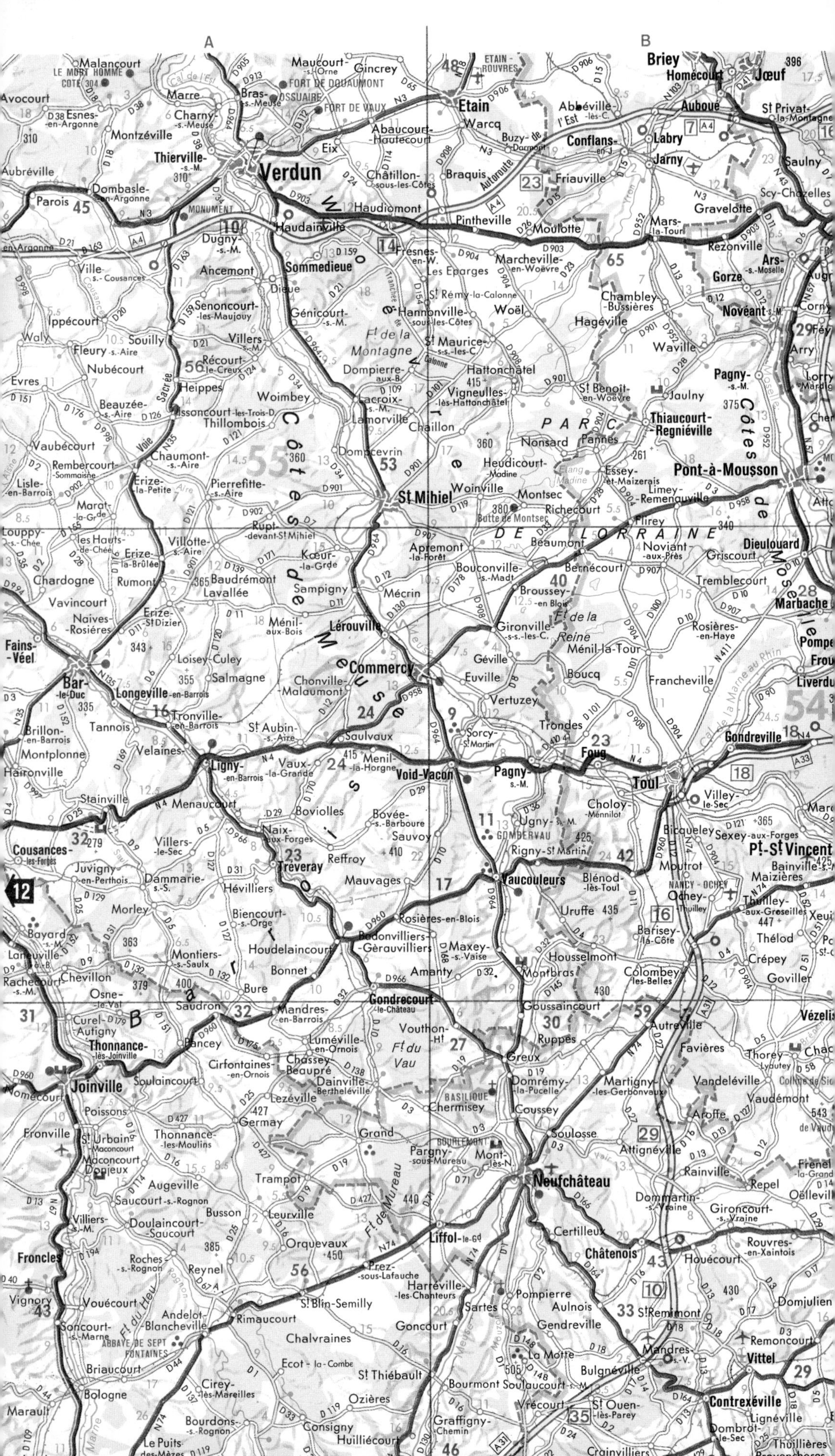

A
B
Malancourt
LE MORT HOMME
Maucourt-s.-Orne
Gincrey
FORT DE DOUAUMONT
ETAIN-ROUVRES
Briey
Homécourt
Jœuf
Avocourt
Esnes-en-Argonne
Marre
Charny-s.-Meuse
Bras-s.-Meuse
OSSUAIRE
FORT DE VAUX
Etain
Warcq
Abbéville-lès-C.
l'Est
Auboué
St Privat-la-Montagne
Montzéville
Abaucourt-Hautecourt
Eix
Buzy-Darmont
Conflans-en-J.
Labry
Jarny
Thierville-s.-M.
Verdun
Châtillon-sous-les-Côtes
Braquis
Autoroute
Friauville
Saulny
Aubréville
Dombasle-en-Argonne
Parois
Haudiomont
Scy-Chazelles
MONUMENT
Gravelotte
Haudainville
Pintheville
Moulotte
Mars-la-Tour
Dugny-s.-M.
Fresnes-en-W.
Rezonville
en-Argonne
Sommedieue
Marcheville-en-Woëvre
Ars-s.-Moselle
Ville-s.-Cousances
Ancemont
Les Eparges
Gorze
Dieue
St Rémy-la-Calonne
Chambley-Bussières
Novéant-s.-M.
Génicourt-s.-M.
Hannonville-sous-les-Côtes
Woël
Hagéville
Ippécourt
Senoncourt-les-Maujouy
Waly
Souilly
Villers-s.-M.
Ft de la Montagne
St Maurice-s.-les-C.
Waville
Arry
Fleury-s.-Aire
Récourt-le-Creux
Nubécourt
Dompierre-aux-B.
Hattonchâtel
Pagny-s.-M.
Lorry
Evres
Heippes
Vigneulles-lès-Hattonchâtel
St Benoît-en-Woëvre
Jaulny
Beauzée-s.-Aire
Woimbey
Lacroix-s.-M.
Lamorville
Issoncourt
Thillombois
Voie Sacrée
Chaillon
PARC
Thiaucourt-Regniéville
Côtes
Vaubécourt
Dompcevrin
Nonsard
Pannes
Rembercourt-Sommaisne
Chaumont-s.-Aire
Côtes de Meuse
Heudicourt-Madine
Essey-et-Maizerais
Pont-à-Mousson
Lisle-en-Barrois
Erize-la-Petite
Pierrefitte-s.-Aire
Woinville
Etang Madine
Limey-Remenauville
Marat-la-Gde
St Mihiel
Montsec
Richecourt
Butte de Montsec
Flirey
Louppy-s.-Chée
les Hauts-de-Chée
Rupt-devant-St Mihiel
DE LORRAINE
Beaumont
Noviant-aux-Prés
Dieulouard
Erize-la-Brûlée
Villotte-s.-Aire
Kœur-la-Gde
Apremont-la-Forêt
Bernécourt
Griscourt
Chardogne
Rumont
Baudrémont
Bouconville-s.-Madt
Tremblecourt
Vavincourt
Lavallée
Sampigny
Mécrin
Broussey-en-Blois
Marbache
Naives-Rosières
Erize-St Dizier
Ménil-aux-Bois
Lérouville
Gironville-s.-les-C.
Ft de la Reine
Rosières-en-Haye
Fains-Véel
Loisey-Culey
Commercy
Géville
Ménil-la-Tour
Pompey
Frouard
Bar-le-Duc
Salmagne
Chonville-Malaumont
Euville
Boucq
Francheville
Liverdun
Longeville-en-Barrois
Vertuzey
Tronville-en-Barrois
Tannois
Sorcy-St Martin
Trondes
Brillon-en-Barrois
St Aubin-s.-Aire
Saulvaux
Gondreville
Montplonne
Velaines
Ligny-en-Barrois
Vaux-la-Grande
Ménil-la-Horgne
Void-Vacon
Pagny-s.-M.
Foug
Toul
Haironville
Stainville
Menaucourt
Boviolles
Choloy-Ménillot
Villey-le-Sec
Bovée-s.-Barboure
Ugny-s.-M.
Bicqueley
Sexey-aux-Forges
Cousances-les-Forges
Villers-le-Sec
Naix-aux-Forges
Sauvoy
GOMBERVAU
Rigny-St Martin
Pt-St Vincent
Tréveray
Reffroy
Moutrot
Bainville-s.-M.
Juvigny-en-Perthois
Dammarie-s.-S.
Hévilliers
Mauvages
Vaucouleurs
Blénod-lès-Toul
Maizières
NANCY-OCHEY
Ochey
Thuilley-aux-Groseilles
Morley
Biencourt-s.-Orge
Rosières-en-Blois
Uruffe
Xeuilley
Bayard-s.-M.
Barisey-la-Côte
Thélod
Montiers-s.-Saulx
Houdelaincourt
Badonvilliers-Gérauvilliers
Maxey-s.-Vaise
Housselmont
Crépey
Laneuville-à-B.
Chevillon
Bonnet
Amanty
Montbras
Colombey-les-Belles
Goviller
Rachecourt-s.-M.
Bure
Osne-le-Val
Saudron
Gondrecourt-le-Château
Goussaincourt
Curel-Autigny
Mandres-en-Barrois
Vouthon-Ht
Autreville
Vézelise
Thonnance-lès-Joinville
Pancey
Luméville-en-Ornois
Ft du Vau
Ruppes
Favières
Thorey-Lyautey
Cirfontaines-en-Ornois
Chassey-Beaupré
Greux
Joinville
Soulaincourt
Dainville-Bertheléville
Domrémy-la-Pucelle
Martigny-les-Gerbonvaux
Vandeléville
Nomécourt
Lezéville
BASILIQUE
Vaudémont
Poissons
Chermisey
Coussey
Aroffe
Germay
Fronville
Thonnance-les-Moulins
Grand
Soulosse
St Urbain-Maconcourt
BOURLEMONT
Attignéville
Pargny-sous-Mureau
Mont-lès-N.
Frenelle-la-Grande
Donjeux
Trampot
Neufchâteau
Rainville
Repel
Augeville
Oëlleville
Saucourt-s.-Rognon
Busson
Leurville
Ft de Mureau
Dommartin-s.-Vraine
Gironcourt-s.-Vraine
Villiers-s.-M.
Doulaincourt-Saucourt
Liffol-le-Gd
Certilleux
Orquevaux
Rouvres-en-Xaintois
Froncles
Roches-s.-Rognon
Châtenois
Houécourt
Reynel
Prez-sous-Lafauche
Harréville-les-Chanteurs
Pompierre
Domjulien
Vignory
Vouécourt
Andelot-Blancheville
Rimaucourt
St Blin-Semilly
Aulnois
St Remimont
Ft du Heu
Sartes
Gendreville
Soncourt-s.-Marne
ABBAYE DE SEPT FONTAINES
Chalvraines
Goncourt
Remoncourt
Mandres-s.-V.
La Motte
Vittel
Briaucourt
Ecot-la-Combe
St Thiébault
Bulgnéville
Bologne
Cirey-lès-Mareilles
Bourmont
Soulaucourt-s.-M.
Contrexéville
Marault
Ozières
Vrécourt
St Ouen-lès-Parey
Lignéville
Bourdons-s.-Rognon
Consigny
Graffigny-Chemin
Dombrot-le-Sec
Le Puits des Mèzes
Huilliécourt
Crainvilliers
Thuillières
Jonchery
Provenchères

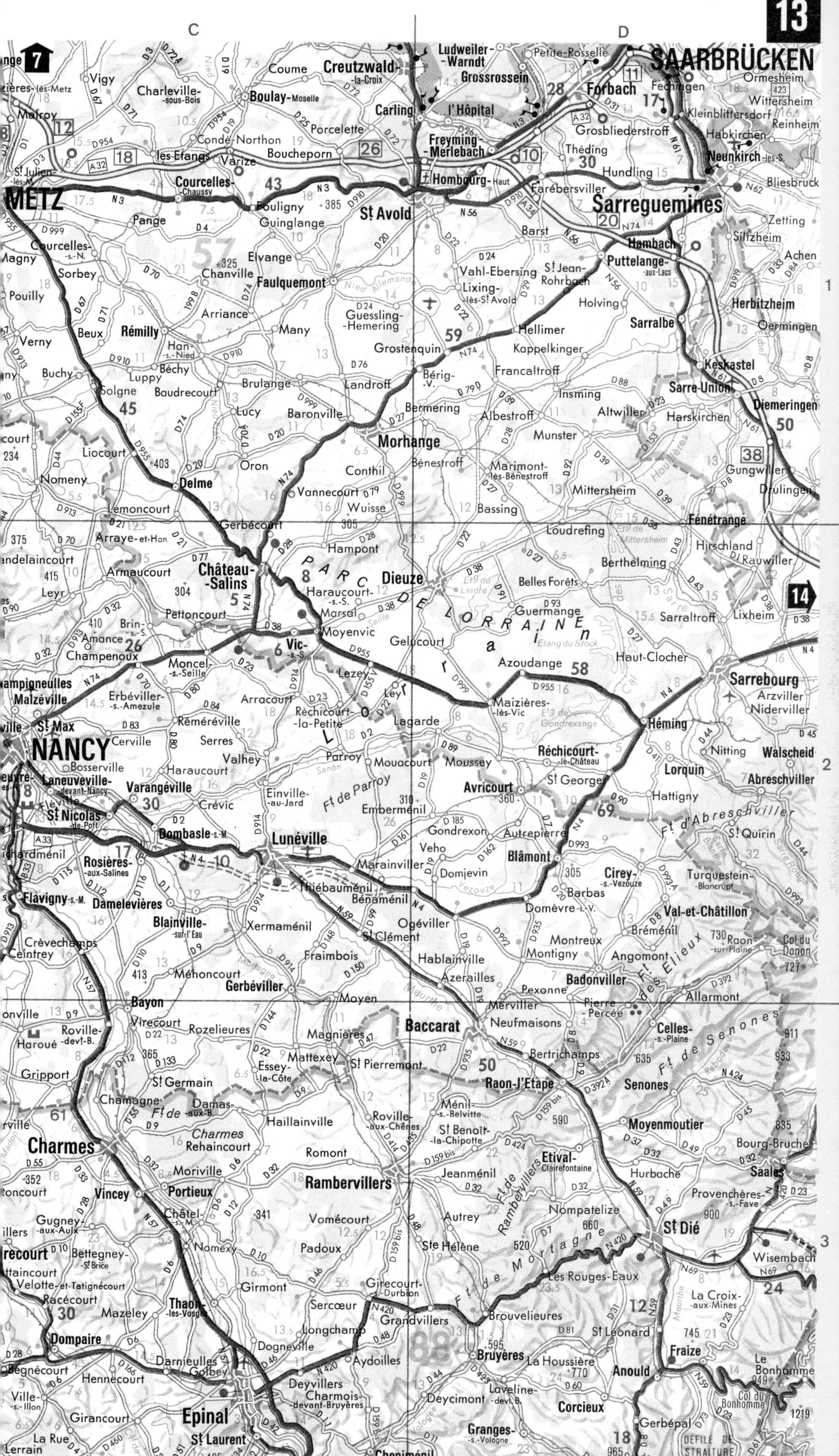
C
D
7
14
Vigy
Charleville-sous-Bois
Boulay-Moselle
Coume
Creutzwald-la-Croix
Ludweiler-Warndt
Grossrosseln
Petite-Rosselle
SAARBRÜCKEN
Ormesheim
Fechingen
Forbach
Wittersheim
Kleinblittersdorf
Reinheim
Carling
l'Hôpital
Porcelette
Grosbliederstroff
Habkirchen
Condé-Northon
Boucheporn
Freyming-Merlebach
Théding
Neunkirch-les-S.
Metz
Malroy
St Julien-lès-M.
les Étangs
Varize
Courcelles-Chaussy
Hombourg-Haut
Farébersviller
Hundling
Bliesbruck
Fouligny
St Avold
Sarreguemines
Pange
Guinglange
Barst
Zetting
Courcelles-s.-N.
Magny
Elvange
Hambach
Siltzheim
Sorbey
Chanville
Vahl-Ebersing
St Jean-Rohrbach
Puttelange-aux-Lacs
Achen
Pouilly
Faulquemont
Lixing-lès-St Avold
Guessling-Hemering
Holving
Herbitzheim
Verny
Beux
Rémilly
Arriance
Many
Hellimer
Sarralbe
Oermingen
Han-s.-Nied
Grostenquin
Kappelkinger
Buchy
Béchy
Luppy
Solgne
Baudrecourt
Brulange
Landroff
Bérig-V.
Francaltroff
Keskastel
Sarre-Union
Insming
Lucy
Baronville
Bermering
Albestroff
Altwiller
Harskirchen
Diemeringen
Liocourt
Morhange
Munster
Gungwiller
Nomeny
Oron
Delme
Conthil
Bénestroff
Marimont-lès-Bénestroff
Mittersheim
Drulingen
Lemoncourt
Vannecourt
Wuisse
Bassing
Fénétrange
Gerbécourt
Loudrefing
Arraye-et-Han
Hampont
Hirschland
Berthelming
Rauwiller
Armaucourt
Château-Salins
PARC DE LORRAINE
Dieuze
Belles Forêts
Leyr
Haraucourt-s.-S.
Marsal
Guermange
Sarraltroff
Lixheim
Pettoncourt
Moyenvic
Brin-s.-S.
Amance
Champenoux
Vic-s.-S.
Gelucourt
Étang du Stock
Haut-Clocher
Moncel-s.-Seille
Azoudange
Sarrebourg
Malzéville
Erbéviller-s.-Amezule
Lezey
Arzviller
Niderviller
Arracourt
Maizières-lès-Vic
Rèchicourt-la-Petite
St Max
Héming
Réméréville
Lagarde
Nancy
Cerville
Serres
Nitting
Walscheid
Bosserville
Valhey
Parroy
Mouacourt
Moussey
Réchicourt-le-Château
Lorquin
Abreschviller
Laneuveville-devant-Nancy
Haraucourt
St Georges
Varangéville
Einville-au-Jard
Ft de Parroy
Avricourt
Hattigny
Crévic
Embermenil
Ft d'Abreschviller
St Nicolas-de-Port
Gondrexon
Autrepierre
St Quirin
Dombasle-s.-M.
Lunéville
Veho
Blâmont
Richardménil
Rosières-aux-Salines
Marainviller
Domjevin
Cirey-s.-Vezouze
Turquestein-Blancrupt
Flavigny-s.-M.
Damelevières
Thiébauménil
Bénaménil
Barbas
Domèvre-s.-V.
Val-et-Châtillon
Blainville-sur-l'Eau
Xermaménil
Ogéviller
St Clément
Bréménil
Crévechamps
Ceintrey
Montreux
Montigny
Angomont
Raon-sur-Plaine
Col du Donon
Fraimbois
Hablainville
Méhoncourt
Gerbéviller
Azerailles
Badonviller
Pexonne
Moyen
Allarmont
Bayon
Merviller
Pierre-Percée
Roville-devt-B.
Virecourt
Rozelieures
Magnières
Baccarat
Neufmaisons
Celles-s.-Plaine
Haroué
Mattexey
Bertrichamps
Ft de Senones
Gripport
St Pierremont
Essey-la-Côte
St Germain
Raon-l'Étape
Senones
Chamagne
Damas-aux-B.
Ft de Charmes
Haillainville
Ménil-s.-Belvitte
Moyenmoutier
Roville-aux-Chênes
St Benoît-la-Chipotte
Charmes
Rehaincourt
Romont
Étival-Clairefontaine
Bourg-Bruche
Moriville
Portieux
Rambervillers
Jeanménil
Hurbache
Saales
Vincey
Ft de Rambervillers
Provenchères-s.-Fave
Gugney-aux-Aulx
Châtel-s.-M.
Vomécourt
Autrey
Nompatelize
St Dié
Bettegney-St Brice
Nomexy
Padoux
Ste Hélène
Ft de Mortagne
Wisembach
Velotte-et-Tatignécourt
Girmont
Les Rouges-Eaux
Racécourt
Sercœur
Girecourt-s.-Durbion
La Croix-aux-Mines
Mazeley
Thaon-les-Vosges
Grandvillers
Brouvelieures
Dompaire
Longchamp
St Léonard
Dogneville
Bruyères
La Houssière
Fraize
Bégnécourt
Hennecourt
Darnieulles
Golbey
Aydoilles
Anould
Le Bonhomme
Col du Bonhomme
Deyvillers
Charmois-devant-Bruyères
Deycimont
Laveline-devt-B.
Corcieux
Ville-s.-Illon
Girancourt
Epinal
Granges-s.-Vologne
Gerbépal
La Rue
Lerrain
St Laurent
Arches
Cheniménil
Tendon
Col de Martimpré
Défilé de Straiture
Le Valtin

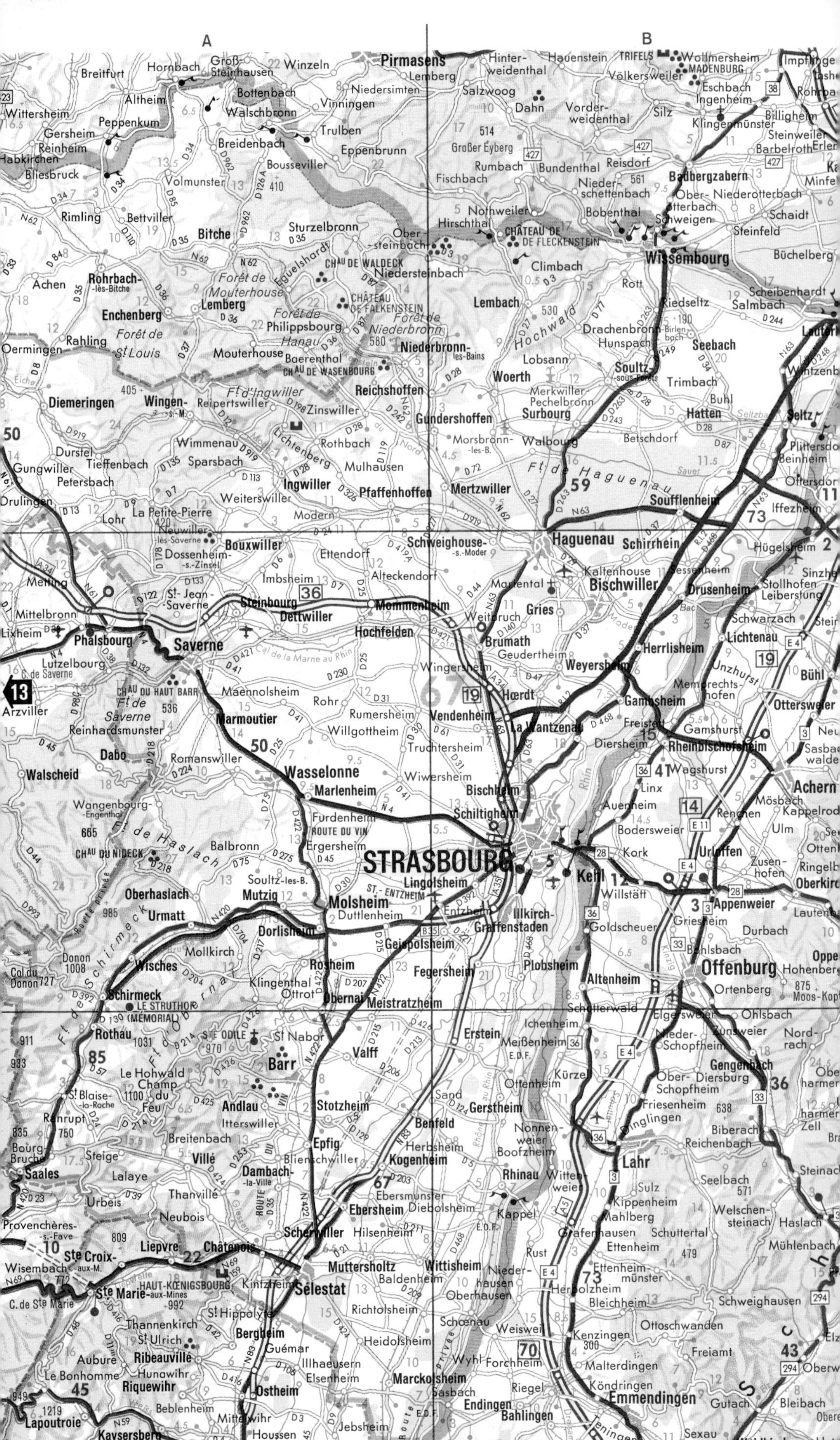

A
B
Pirmasens
Hornbach
Breitfurt
Winzeln
Lemberg
Niedersimten
Altheim
Bottenbach
Vinningen
Walschbronn
Wittersheim
Peppenkum
Gersheim
Trulben
Reinheim
Breidenbach
Eppenbrunn
Bliesbruck
Bousseviller
Volmunster
Rimling
Bettviller
Bitche
Sturzelbronn
Rohrbach-lès-Bitche
Achen
Enchenberg
Lemberg
Forêt de Mouterhouse
Forêt de St Louis
Rahling
Oermingen
Mouterhouse
Baerenthal
Niederbronn-les-Bains
Reichshoffen
Diemeringen
Wingen-s.-M.
Reipertswiller
Zinswiller
Gundershoffen
Rothbach
Wimmenau
Sparsbach
Lichtenberg
Mulhausen
Durstel
Tiffenbach
Gungwiller
Petersbach
Ingwiller
Pfaffenhoffen
Weiterswiller
Drulingen
Lohr
La Petite-Pierre
Neuwiller-lès-Saverne
Bouxwiller
Dossenheim-s.-Zinsel
Ettendorf
Schweighouse-s.-Moder
Haguenau
Schirrhein
Alteckendorf
Imbsheim
Mittelbronn
Phalsbourg
Lixheim
St Jean-Saverne
Steinbourg
Dettwiller
Mommenheim
Hochfelden
Saverne
Lutzelbourg
Arzviller
Reinhardsmunster
Dabo
Walscheid
Marmoutier
Maennolsheim
Rohr
Rumersheim
Willgottheim
Romanswiller
Wasselonne
Marlenheim
Furdenheim
Wangenbourg-Engenthal
Balbronn
Ergersheim
STRASBOURG
Lingolsheim
Schiltigheim
Bischheim
Oberhaslach
Urmatt
Mutzig
Molsheim
Dorlisheim
Duttlenheim
Geispolsheim
Illkirch-Graffenstaden
Mollkirch
Wisches
Schirmeck
Rosheim
Fegersheim
Plobsheim
Klingenthal
Ottrot
Obernai
Meistratzheim
Rothau
St Nabor
Barr
Valff
Erstein
Le Hohwald
Andlau
Itterswiller
Stotzheim
Benfeld
Gerstheim
Breitenbach
Epfig
Kogenheim
Villé
Dambach-la-Ville
Saales
Ebersheim
Rhinau
Neubois
Scherwiller
Châtenois
Sélestat
Liepvre
Ste Croix-aux-M.
Ste Marie-aux-Mines
Muttersholtz
Wittisheim
Kintzheim
St Hippolyte
Bergheim
Ribeauvillé
Riquewihr
Guémar
Illhaeusern
Marckolsheim
Ostheim
Kaysersberg
Lapoutroie
Orbey
Ingersheim
Dahn
Salzwoog
Wissembourg
Bad Bergzabern
Climbach
Lembach
Woerth
Soultz-sous-Forêts
Seebach
Surbourg
Hatten
Mertzwiller
Bischwiller
Brumath
Hœrdt
La Wantzenau
Vendenheim
Herrlisheim
Gambsheim
Kehl
Offenburg
Appenweier
Achern
Bühl
Lichtenau
Rheinbischofsheim
Lahr
Emmendingen
Waldkirch
Gengenbach
Kenzingen
Herbolzheim
Ettenheim
Endingen
Bahlingen
Kaiserstuhl

C D

Liedolsheim Hördt Graben 10 Forst Ubstadt Landshausen Menzingen Rohrbach Stebbach Eppingen 46 Schwaigern Großgartach Heilbronn
Karlsdorf Unter-Owisheim Bruchsal Münzesheim 293 Sulzfeld Stetten Nordheim Neipperg Flein
Leimersheim 24 Linkenheim Spöck Gochsheim Kleingartach Brackenheim Talheim 36
Rheinzabern Leopoldshafen Friedrichstal 35 Heidelsheim Zaisenhausen Mühlbach 331 Frauenzimmern Lauffen Ilsfeld
Jockgrim 20 Untergrombach Flehingen Kürnbach Meimsheim 30 Neckarwestheim
Eggenstein Blankenloch E4 15 Gondelsheim Leonbronn Güglingen Cleebronn Kirchheim Winzerhausen
Obergrombach Derdingen Zaberfeld Bönnigheim 27 Gemmrigheim
Wörth Neureut Weingarten 24 Diedelsheim Bretten Sternenfels Häfnerhaslach
8 Karlsruhe Hagsfeld Jöhlingen Diefenbach Knittlingen Freudental Löchgau Mundelsheim
10 Mühlburg 4 Berghausen 27 Zaisersweiher Ochsenbach Besigheim Hessigheim
Wössingen Maulbronn Hohenhaslach
Neuburg 30 Söllingen Ölbronn Lienzingen Gündelbach Horrheim Pleidelsheim
Forchheim Durlach Kleinsteinbach Bauschlott Ötisheim 35 Ensingen Groß-Sachsenheim Bietigheim Marbach 1
Rhein 5 4 3 Stein 18 Illingen Sersheim
18 Rüppurr Grünwettersbach Königsbach Eisingen Enzberg 10 Mühlacker 42 Unterriexingen Bissingen Beihingen
Mörsch 2 Stupferich Wilferdingen Ersingen Dürrmenz Vaihingen an der Enz Neckar
15 Ettlingen Busenbach 19 Kieselbronn 35 Niefern Großglattbach Markgröningen Neckarweihingen
Durmersheim 9 Eutingen Enzweihingen Asperg
Spessart Langensteinbach Ispringen E 11 5 Pinache Riet Möglingen Ludwigsburg
Bietigheim E4 Ellmendingen Wernsheim 10 8 Aldingen
Ötigheim Dietlingen Iptingen Hemmingen Schwieberdingen
Spielberg Birkenfeld 5 Pforzheim Wurmberg Kornwestheim
32 Völkersbach Ittersbach Mönsheim Heimerdingen Münchingen
Malsch Gräfenhausen 463 Huchenfeld
Muggensturm Pfaffenrot 25 Neuenbürg Wimsheim Weissach Zuffenhausen
Rastatt Freiolsheim Schwann 16 Büchenbronn Ditzingen Korntal 7
Kuppenheim Schielberg Langenalb Engelsbrand Tiefenbronn E 11 Rutesheim Leonberg 12 15
462 Michelbach Bernbach Unterreichenbach Schellbronn Perouse
Rotenfels Dennach Langenbrand Heimsheim 25 STUTTGART
Neneberstein Dobel Höfen SOLITUDE RENNSTRECKE
Gaggenau Herrenalb Schömberg Neuhausen Hausen Malmsheim Heslach
Ebersteinburg Selbach Calmbach Bad Liebenzell Möttlingen Merklingen Renningen 295 19 Wangen
Loffenau Sommerberg +784 Magstadt 16 Degerloch
Gernsbach Igelsloch Hirsau Simmozheim Weil der Stadt Vaihingen
Baden-Baden Reichental Wildbad 296 Oberreichenbach 49 Calw Schafhausen Maichingen 8 Plieningen
869 Altburg Althengstett Sindelfingen 11
Steinberg 652 Würzbach Gechingen Döffingen 17 Echterdingen
Wanne-Ebene Rötenbach Dagersheim Böblingen
Bermersbach Sprollenhaus Oberkollwangen Stammheim 22 Bernhausen
Badener Höhe 1002 51 Zavelstein 610 44 Deufringen Aidlingen 14 Schönaich Steinenbronn E 70
Herrenwies Forbach Enzklösterle 763 Neubulach Gültlingen Deckenpfronn Ehningen Plattenhardt
SCHWARZWALD TÄLERSTRASSE Neuweiler Gärtringen Holzgerlingen Weil Waldenbuch
462 Schönbronn 20 Oberjesingen Hildrizhausen 43
1054 Ochsenkopf Raumünzach Zwerenberg Martinsmoos Wildberg Sulz Nufringen Dettenhausen
63 62 294 Simmersfeld Kuppingen 27 Walddorf
Hornisgrinde Berneck 28 Herrenberg Schönbuch Gniebel 2
Hochdorf Ebhausen Pfrondorf Kayh Bebenhausen Pliezhausen
1013 Besenfeld Altensteig Nebringen Altingen 20 Tübingen Pfrondorf
Pfälzerkopf Grömbach Egenhausen Ober-Unter-Jettingen 18 Entringen Rommelsbach
Erzgrube Spielberg Nagold Oschelbronn Reusten Kirchentellinsfurt
Kälberbronn 52 Unterjesingen Reutlingen
Obertal Igelsberg Haiterbach Bondorf
Klosterreichenbach Pfalzgrafenweiler Iselshausen Mötzingen Vollmaringen Jettenburg
Baiersbronn 28 Hochdorf Seebronn Wurmlingen Ohmenhausen
Hallwangen Lützenhardt Salzstetten Eutingen Ergenzingen Rottenburg Gomaringen
Grüntal Dornstetten Weitingen Dußlingen Gönningen
28 Freudenstadt Altheim Horb Bildechingen A81 Dettingen Rammert Ofterdingen Genkingen
Holzwald Aach Schopfloch 11 Bieringen 869
Bad Griesbach Nordstetten Hirrlingen Oschingen
Glatten 72 Mühringen Mössingen Undingen
Bad Peterstal Klösterle Loßburg Dettingen Bad Imnau Bodelshausen
Hundskopf Leinstetten Fischingen Empfingen Rangendingen Stein Melchingen
Hirschbach Sulz 14 Hechingen 32 Schlatt
Schapbach Ehlenbogen Neckar Haigerloch Owinger Berg 622 Großelfingen Stetten
810 Bocksecke Dornhan Gruol Jungingen Ringingen
Alpirsbach Vöhringen 682 Owingen HOHENZOLLERN Hausen
Oberwolfach 49 30 Heiligenzimmern Bisingen
Schenkenzell Peterzell Aistaig Engstlatt Onstmettingen Burladingen
Wolfach 294 Fluorn Rosenfeld E 70 Höchst Gauselfingen 76
Schiltach Aichhalden Oberndorf Balingen 59 808 Tailfingen
Leidringen Endingen 27 Pfeffingen
Waldmössingen Epfendorf Dautmergen Dürrwangen BURGFELDEN
Gutach Laufen a.d. Eyach 845
Sulgen Bösingen Böhringen Dotternhausen Ebingen Harthausen a.d. Scheer 3
Schramberg Villingendorf Dietingen Schömberg Tieringen Meßstetten
Hornberg Dunningen 972 Kählesbühl Straßberg Winterlingen
Tennenbronn Wandbühl +1007 Unterdigisheim Hartheim
Hardt Rottweil Wehingen
33 Weiler Stetten Reichenbach a. Heuberg Heinstetten
Fischbach Horgen 10 Wellendingen Stetten am kalten Markt
Schonach Triberg St. Georgen Königsfeld Deißlingen Neufra Heuberg Schwenningen
Triberger Wasserfall Nußbach Kappel A81 Denkingen Gutenstein
59 33 Böttingen Mahlstetten Bärenthal
Villingen Schwenningen Spaichingen Kreenheinstetten
Rohrbach 22 Trossingen 29 900 Beuron Leibertingen Rohrdorf

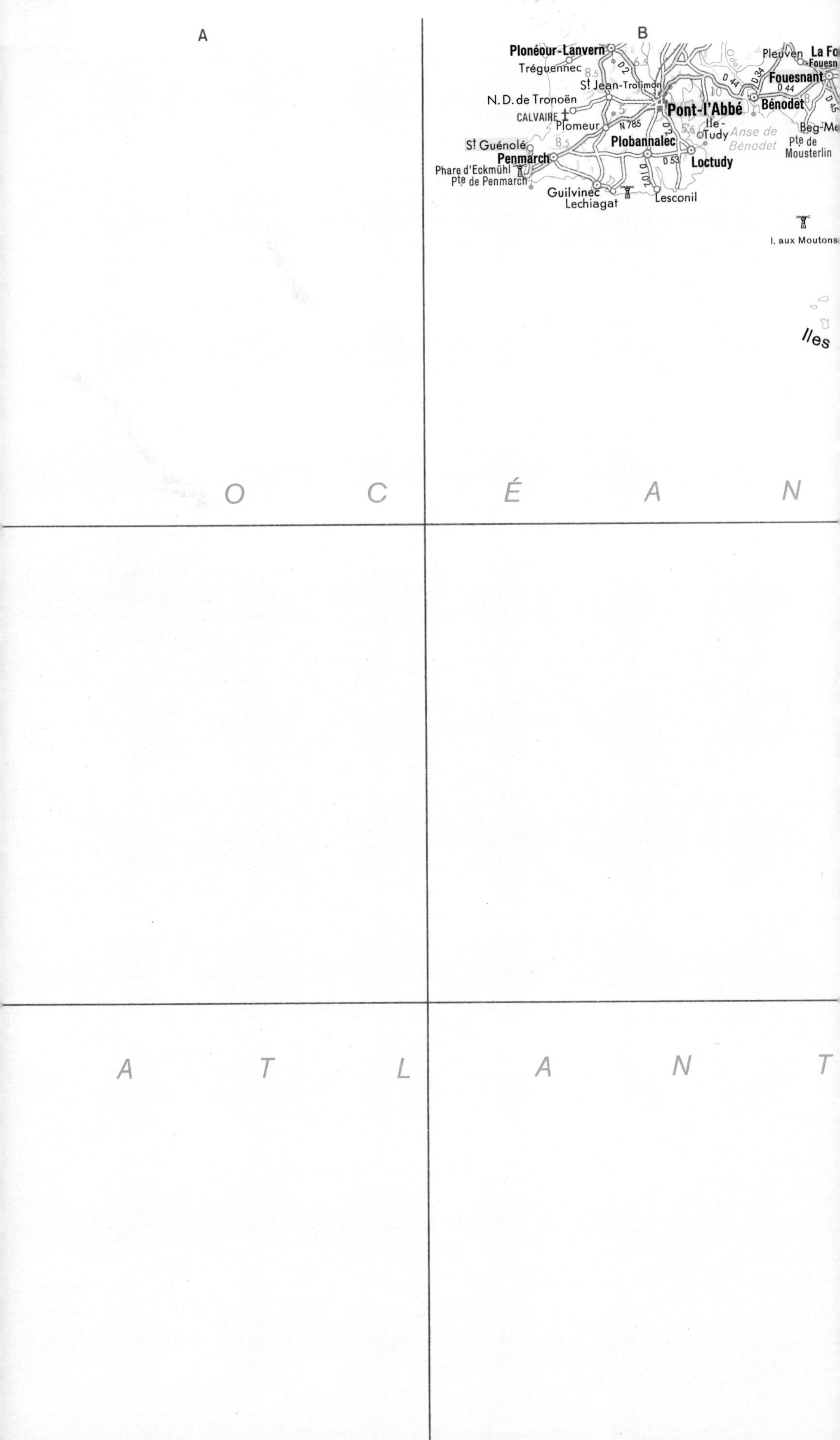

A
B
Plonéour-Lanvern
Tréguennec
St Jean-Trolimon
N. D. de Tronoën
CALVAIRE
Plomeur
N 785
Pont-l'Abbé
St Guénolé
Penmarch
Phare d'Eckmühl
Pte de Penmarch
Plobannalec
Loctudy
Ile-Tudy
Guilvinec
Lechiagat
Lesconil
D 53
D 102
D 2
D 44
D 34
Pleuven
Fouesnant
Bénodet
Anse de Bénodet
Beg-Me
Pte de Mousterlin
I. aux Moutons
Iles
O C É A N
A T L A N T

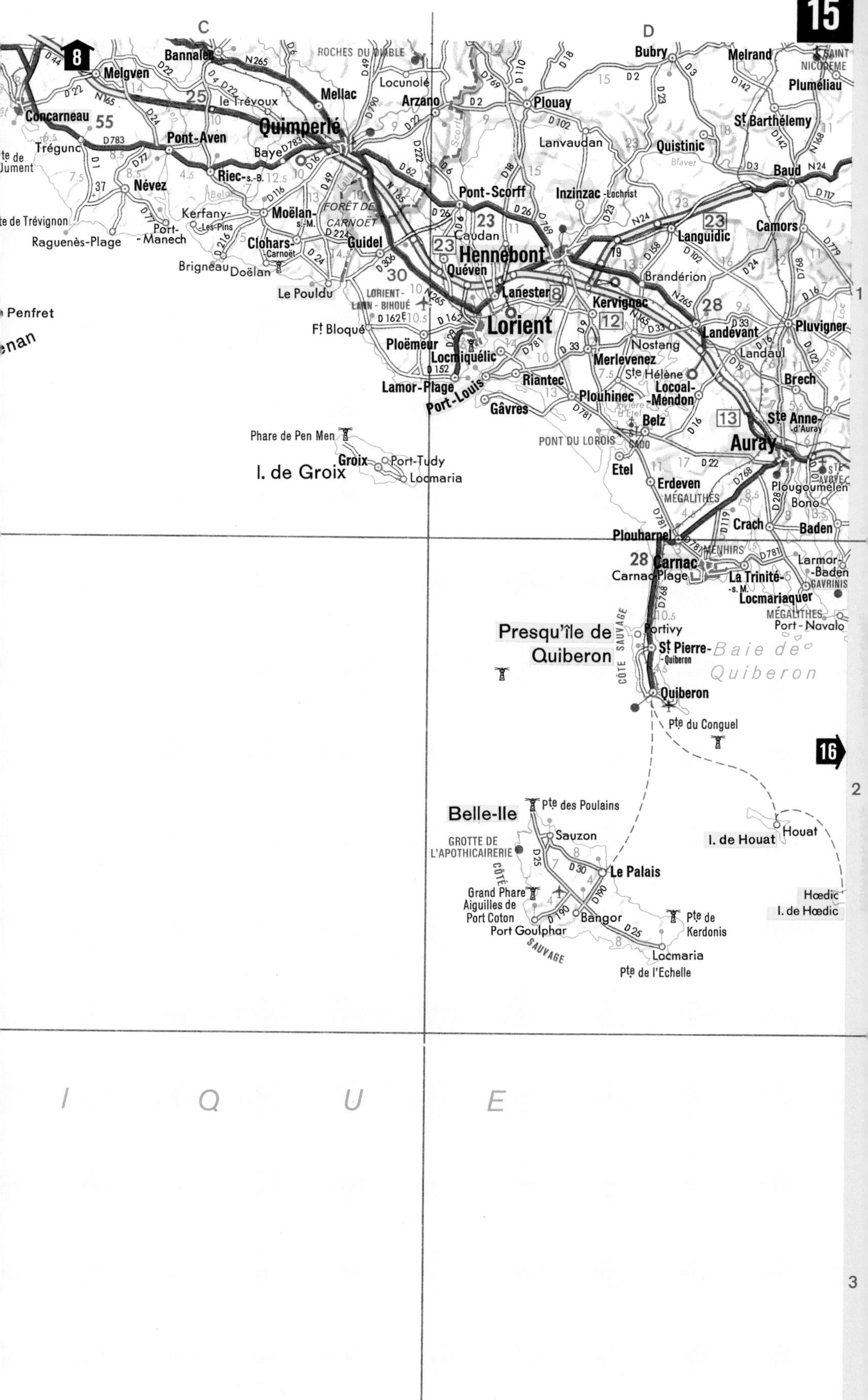
C
D
8
Bannalec
Melgven
Concarneau
Trégunc
Pont-Aven
Névez
Riec-s.-B.
Quimperlé
Mellac
Locunolé
Arzano
Plouay
Lanvaudan
Bubry
Melrand
Pluméliau
St Barthélemy
Quistinic
Baud
Camors
Languidic
Brandérion
Inzinzac-Lochrist
Pont-Scorff
Caudan
Hennebont
Quéven
Lanester
Lorient
Kervignac
Landévant
Landaul
Pluvigner
Brech
Ste Anne-d'Auray
Auray
Nostang
Merlevenez
Ste Hélène
Locoal-Mendon
Plouhinec
Belz
Etel
Erdeven
Plouharnel
Carnac
Carnac-Plage
La Trinité-s.-M.
Locmariaquer
Crach
Baden
Larmor-Baden
Plougoumelen
Bono
Port-Navalo
Riantec
Gâvres
Port-Louis
Lamor-Plage
Locmiquélic
Ploëmeur
Ft Bloqué
Le Pouldu
Guidel
Clohars-Carnoët
Moëlan-s.-M.
Doëlan
Brigneau
Kerfany-Les-Pins
Port-Manech
Raguenès-Plage
Penfret
Phare de Pen Men
Groix
Port-Tudy
Locmaria
I. de Groix
Presqu'île de Quiberon
Portivy
St Pierre-Quiberon
Quiberon
Baie de Quiberon
Pte du Conguel
16
Belle-Ile
Pte des Poulains
Sauzon
Le Palais
Bangor
Port Goulphar
Port Coton
Grand Phare
Aiguilles de
GROTTE DE L'APOTHICAIRERIE
Pte de Kerdonis
Locmaria
Pte de l'Echelle
I. de Houat
Houat
Hœdic
I. de Hœdic
I Q U E
1
2
3

A
B
SAINT NICODÈME
Pluméliau
Naizin
Réguiny
Lanouée
Josselin
Loyat
Taupont
Néant-s.-Yvel
Tréhorenteuc
Paimpont
Plélan-le Gd
Maxent
Remungol
Moréac
N 24
36
Guégon
Ploërmel
Campénéac
TRÉCESSON
Beignon
St Malo-de-Beignon
CAMP DE COËTQUIDAN
Augan
16
Locminé
St Allouestre
Bignan
56
Guéhenno
Guillac
155
Loutehel
Campel
La-Chapelle-Neuve
Plumelin
Morbihan
Quily
Monterrein
Oyon
158
Guer
Comblessac
Les Brûlais
Colpo
St Jean-Brévelay
Plumelec
Roc St André
La Chapelle
Caro
Monteneuf
Réminiac
Sérent
Vieux-Bourg
St Séglin
Landes de Lanvaux
Malestroit
Ruffiac
Carentoir
28
Grand-Champ
Trédion
46
Plumergat
Locqueltas
TOURS D'ELVEN
Pleucadeuc
St Congard
Sixt-s.-Aff
St Martin
La Gacilly
Meucon
Elven
Plescop
Ste Anne-d'Auray
17
8
St Gravé
Peillac
Renac
Rochefort-en-Terre
Malansac
STE AVOYE
Plougoumelen
Bono
18
Vannes
Theix
Questembert
Arradon
Séné
Berric
Limerzel
Redon
Avessac
St Nicolas-de R.
Golfe du Morbihan
Larmor-Baden
Noyalo
Ile d'Arz
La Trinité-Surzur
Caden
Allaire
Locmariaquer
GAVRINIS
Port-Navalo
Arzon
Ile aux Moines
St Armel
Surzur
43
35
Noyal-Muzillac
Béganne
Péaule
Fégréac
Sarzeau
Ambon
Muzillac
St Cry
St Dolay
Sévérac
Le Tour-du-P.
Penvins
Damgan
Marzan
St Gildas-de-Rhuys
CHÂTEAU DE SUSCINIO
Arzal
La Roche-Bernard
St Gildas-des-Bois
Guenrouet
15
Pénestin
Camoël
Vilaine
19
Missillac
28
I. de Belair
Férel
Herbignac
Drefféac
Quilly
Assérac
La Chapelle-des-Marais
Pontchâteau
Ste Anne
I. Dumet
Mesquer
Pompas
PARC RÉGIONAL DE BRIÈRE
Crossac
Campbon
Piriac-s.-M.
St Molf
35
Grande Brière
St Lyphard
Besné
Pte du Castelli
16
Hœdic
I. de Hœdic
La Turballe
St Joachim
Prinquiau
Savenay
Rade du Croisic
Guérande
24
Montoir-de-Bretagne
23
St André-des-Eaux
Trignac
Donges
Pte du Croisic
Le Croisic
CAREIL
Escoublac
ST NAZAIRE-MONTOIR
Port de Donges
Lavau
Loire
Batz-s.-M.
27
St Nazaire
Paimbœuf
Le Pouliguen
La Baule-Escoublac
Pornichet
Côte d'Amour
Mindin
St Brévin-les-Pins
St Marc
St Viaud
Pte de Chémoulin
St Brévin-l'Océan
St Père-en-Retz
La Banche
Tharon-Plage
St Michel-Chef-Chef
Chauvé
Pte de St Gildas
Préfailles
La Plaine-s.-M.
Côte de Jade
Ste Marie
Pornic
Le Clion-s.-M.
Chéméré
Arthon-en-R.
La Bernerie-en-Retz
St Hilaire-de-Chaléons
Baie de Bourgneuf
Le Pilier
Les Moutiers
Bourgneuf-en-Retz
L'Herbaudière
Bois de la Chaise
Noirmoutier-en-l'Ile
Ile de Noirmoutier
La Guérinière
Bouin
Barbâtre
LE GOIS
Pte de la Fosse
Beauvoir-s.-Mer

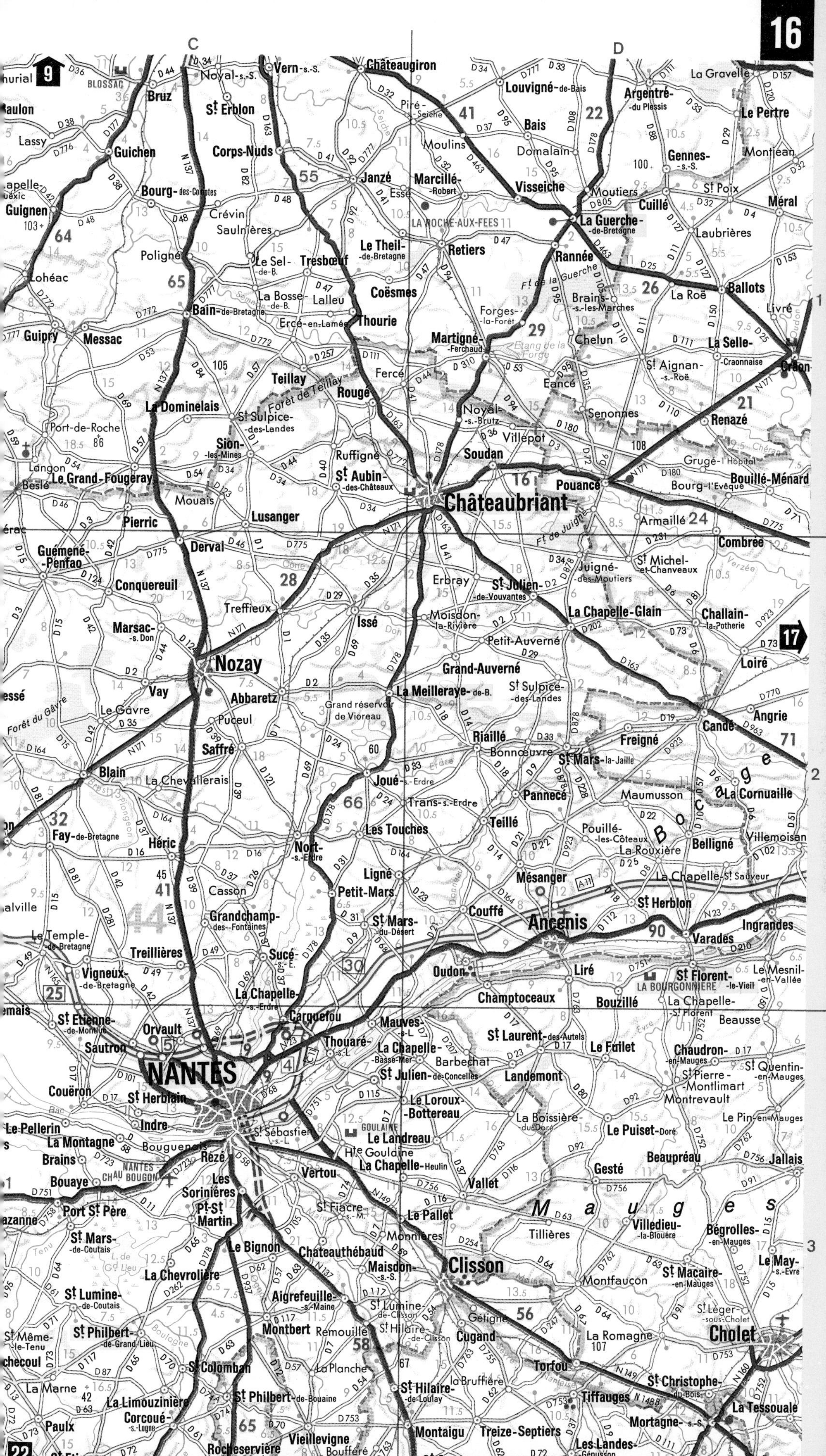
Châteaubriant
Nantes
Ancenis
Clisson
Cholet
Nozay
Pouancé
Candé
Châteaugiron
Janzé
La Guerche-de-Bretagne
Bain-de-Bretagne
Derval
Blain
Vertou
Rezé
Montaigu
Varades
Craon
Mauges
Bocage

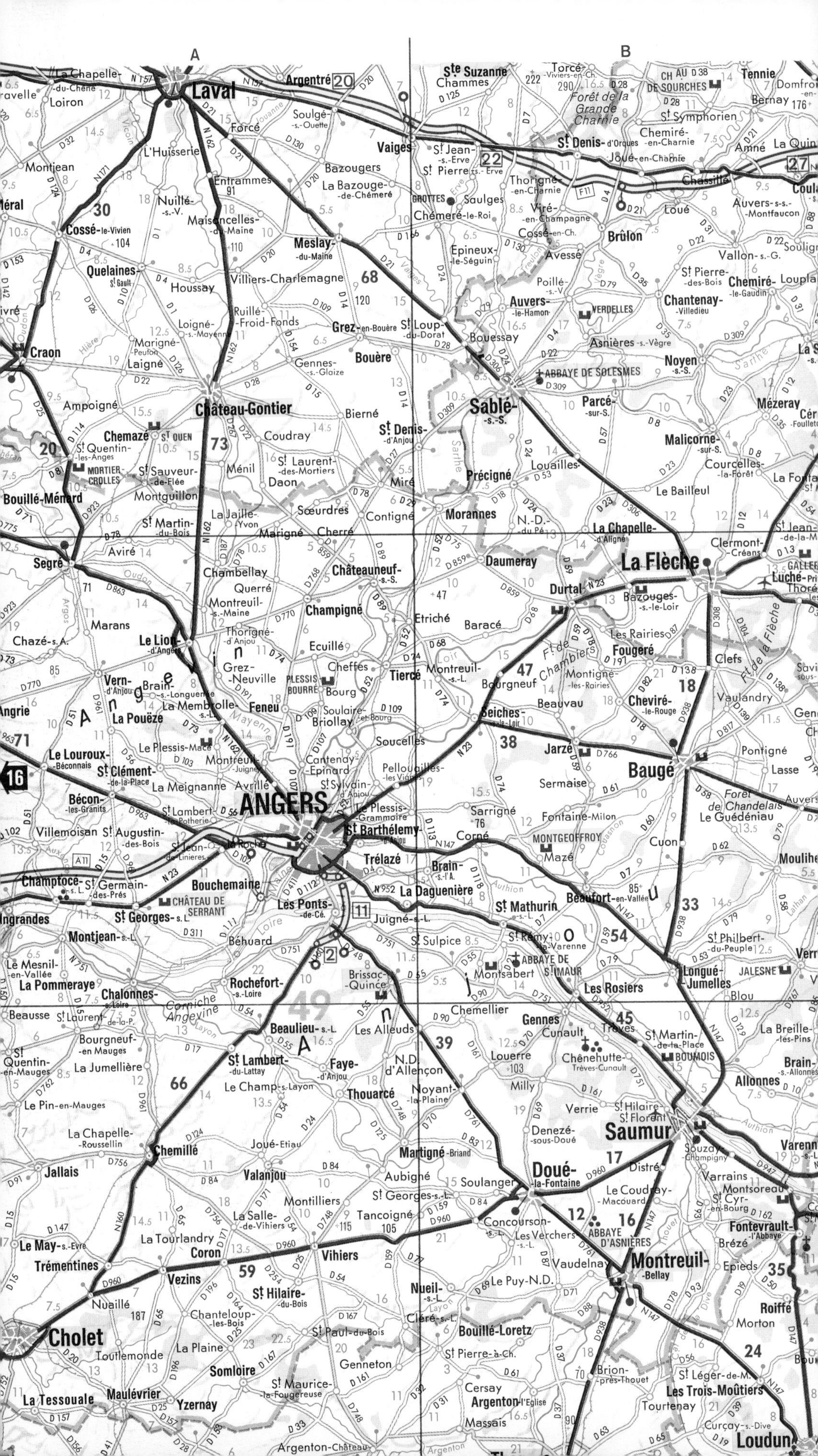
A
B
La Chapelle-du-Chêne
Loiron
Laval
Argentré
20
Ste Suzanne
Chammes
Torcé-Viviers-en-Ch.
Forêt de la Grande Charnie
CH AU DE SOURCHES
Tennie
Domfront-en-Ch.
Bernay
St Symphorien
Force
Soulgé-s.-Ouette
Vaiges
St Jean-s.-Erve
St Pierre-s.-Erve
22
St Denis-d'Orques
Chemiré-en-Charnie
Joué-en-Charnie
Amné
La Quinte
27
L'Huisserie
Montjean
Bazougers
Entrammes
La Bazouge-de-Chéméré
Thorigné-en-Charnie
Chassillé
Coulans
Nuillé-s.-V.
Maisoncelles-du-Maine
GROTTES
Saulges
Chéméré-le-Roi
Viré-en-Champagne
Loué
Auvers-s.-s.-Montfaucon
Méral
30
Cossé-le-Vivien
Meslay-du-Maine
Cossé-en-Ch.
Brûlon
Epineux-le-Séguin
Avessé
Vallon-s.-G.
Souligné
Quelaines-St Gault
Houssay
Villiers-Charlemagne
68
Poillé-s.-V.
St Pierre-des-Bois
Chemiré-le-Gaudin
Louplande
Ruillé-Froid-Fonds
Grez-en-Bouère
St Loup-du-Dorat
Auvers-le-Hamon
VERDELLES
Chantenay-Villedieu
Loigné-s.-Mayenne
Marigné-Peuton
Bouessay
Asnières-s.-Vègre
Craon
Laigné
Gennes-s.-Glaize
Bouère
ABBAYE DE SOLESMES
Noyen-s.-S.
Ampoigné
Château-Gontier
Bierné
Sablé-s.-S.
Parcé-sur-S.
Mézeray
Chemazé
St Quentin-les-Anges
St Quen
Coudray
St Denis-d'Anjou
Malicorne-sur-S.
20
73
St Laurent-des-Mortiers
Louailles
Courcelles-la-Forêt
MORTIER-CROLLES
St Sauveur-de-Flée
Ménil
Daon
Miré
Précigné
Bouillé-Ménard
Montguillon
Le Bailleul
Sœurdres
Contigné
Morannes
St Martin-du-Bois
La Jaille-Yvon
N.-D.-du Pé
La Chapelle-d'Aligné
Clermont-Créans
St Jean-de-la-M.
Aviré
Marigné
Cherré
Daumeray
La Flèche
Segré
Châteauneuf-s.-S.
Durtal
Luché-Pringé
Chambellay
Querré
47
Bazouges-s.-le-Loir
Montreuil-s.-Maine
Champigné
Etriché
Baracé
Marans
Thorigné-d'Anjou
Les Rairies
Chazé-s. A.
Le Lion-d'Angers
Ecuillé
Fougeré
Grez-Neuville
Cheffes
Montreuil-s.-L.
Clefs
Vern-d'Anjou
Brain-s.-Longuenée
PLESSIS BOURRÉ
Tiercé
Bourg
47
Bourgneuf
Montigné-les-Rairies
18
Vaulandry
La Membrolle-s.-L.
Feneu
Chevire-le-Rouge
Angrie
Anjou
La Pouëze
Soulaire-et-Bourg
Briollay
Seiches-s.-le-Loir
Beauvau
71
Le Plessis-Macé
Soucelles
38
Jarzé
Pontigné
Le Louroux-Béconnais
St Clément-de-la-Place
Montreuil-Juigné
Cantenay-Epinard
Pellouailles-les-Vignes
Baugé
Lasse
16
La Meignanne
Avrillé
St Sylvain-d'Anjou
Sermaise
Bécon-les-Granits
ANGERS
Le Plessis-Grammoire
Forêt de Chandelais
Le Guédéniau
St Lambert-la-Potherie
Sarrigné
Fontaine-Milon
Villemoisan
St Augustin-des-Bois
St Barthélemy-d'Anjou
Corné
MONTGEOFFROY
Cuon
St Jean-de-Linières
La Roche
Mazé
Trélazé
Brain-s.-l'A.
Champtocé-s.-L.
St Germain-des-Prés
Bouchemaine
La Daguenière
Beaufort-en-Vallée
CHÂTEAU DE SERRANT
Les Ponts-de-Cé
St Mathurin-s.-L.
33
Ingrandes
St Georges-s. L.
Juigné-s.-L.
Montjean-s.-L.
Béhuard
St Sulpice
St Rémy-la-Varenne
54
St Philbert-du-Peuple
Le Mesnil-en-Vallée
ABBAYE DE ST MAUR
La Pommeraye
Rochefort-s.-Loire
Brissac-Quincé
Montsabert
Longué-Jumelles
JALESNE
Chalonnes-s.-Loire
Les Rosiers
Blou
49
Corniche Angevine
Chemellier
Beausse
St Laurent-de-la-P.
Beaulieu-s.-L.
Les Alleuds
Gennes
45
Bourgneuf-en Mauges
Cunault
Trèves
St Martin-de-la-Place
La Breille-les-Pins
39
Chênehutte-Trèves-Cunault
BOUMOIS
St Quentin-en-Mauges
La Jumellière
St Lambert-du-Lattay
Faye-d'Anjou
N.D. d'Allençon
Louerre
Brain-s.-Allonnes
66
Le Champ-s.-Layon
Thouarcé
Noyant-la-Plaine
Milly
Allonnes
Le Pin-en-Mauges
Verrie
St Hilaire-St Florent
Saumur
Denezé-sous-Doué
La Chapelle-Rousselin
Chemillé
Joué-Etiau
Martigné-Briand
Souzay-Champigny
Varennes
Jallais
Valanjou
Aubigné
Doué-la-Fontaine
17
Distré
Varrains
Montsoreau
Soulanger
Le Coudray-Macouard
St Cyr-en-Bourg
Montilliers
St Georges-s.-L.
La Salle-de-Vihiers
Tancoigné
Concourson-s.-L.
12
16
Fontevrault-l'Abbaye
Le May-s.-Evre
La Tourlandry
Les Verchers-s.-L.
ABBAYE D'ASNIÈRES
Brézé
Coron
Vihiers
Montreuil-Bellay
Trémentines
Vezins
59
Vaudelnay
Epieds
35
Nuaillé
St Hilaire-du-Bois
Nueil-s.-L.
Le Puy-N.D.
Roiffé
Chanteloup-les-Bois
Cléré-s.-L.
Morton
Cholet
La Plaine
St Paul-du-Bois
Bouillé-Loretz
Toutlemonde
Genneton
St Pierre-à-Ch.
Brion-près-Thouet
24
Somloire
St Maurice-la-Fougereuse
Cersay
St Léger-de-M.
La Tessoualle
Maulévrier
Yzernay
Argenton-l'Eglise
Les Trois-Moûtiers
Massais
Tourtenay
Curçay-s.-Dive
Argenton-Château
Loudun

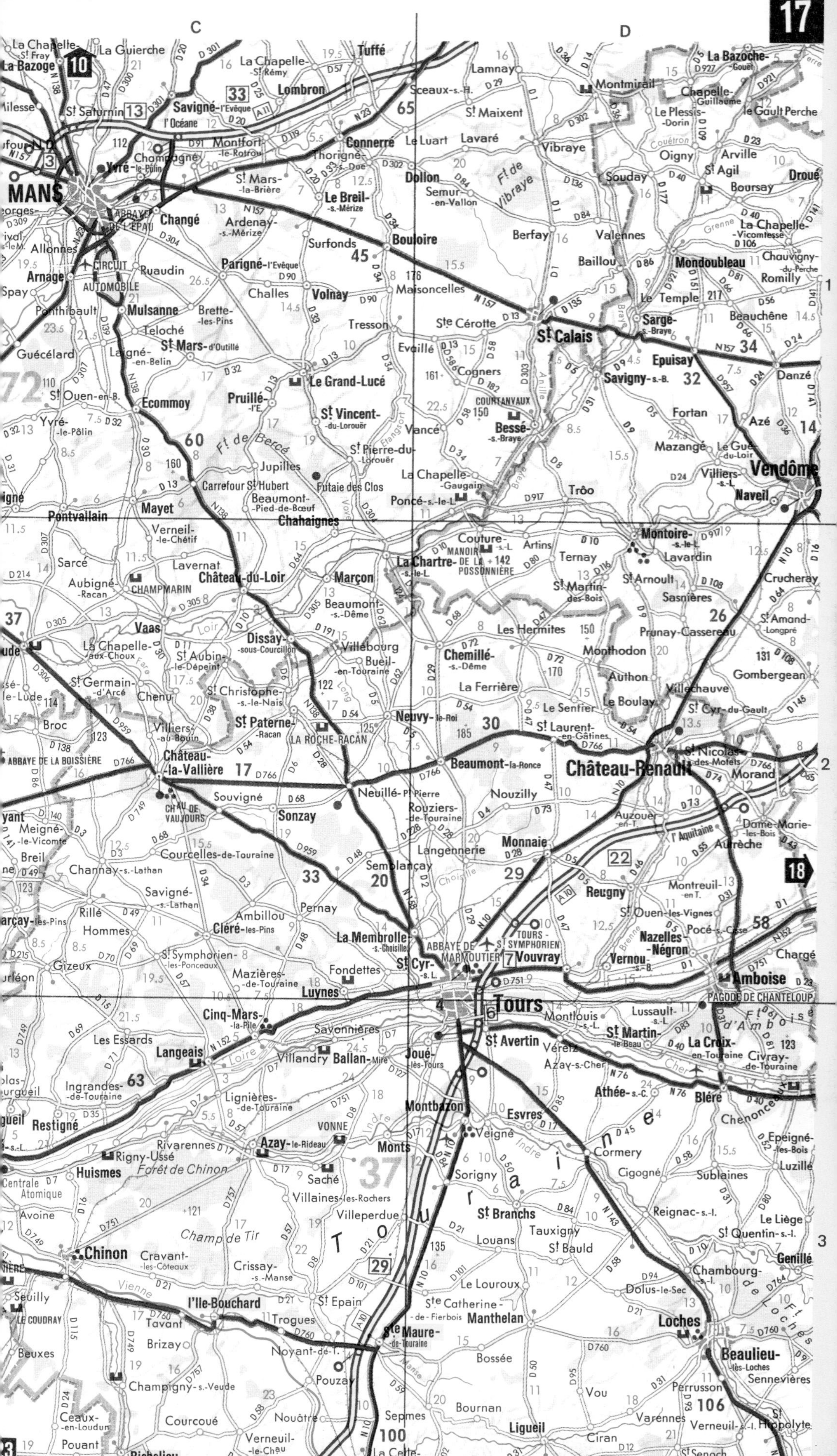
C
D
La Chapelle-St Fray
La Bazoge
La Guierche
10
La Chapelle-St Rémy
Tuffé
Lamnay
Montmirail
La Bazoche-Gouët
St Saturnin
13
Savigné-l'Evêque
33
Lombron
Sceaux-s.-H.
St Maixent
Chapelle-Guillaume
Le Plessis-Dorin
le Gault Perche
Montfort-le-Rotrou
Connerré
Le Luart
Lavaré
Vibraye
Oigny
Arville
Yvré-le-Pôlin
Champagné
St Mars-la-Brière
Thorigné-s.-Dué
Dollon
Semur-en-Vallon
Ft de Vibraye
Souday
St Agil
Boursay
Droué
MANS
Le Breil-s.-Mérize
Abbaye de l'Épau
Changé
Ardenay-s.-Mérize
Bouloire
Berfay
Valennes
La Chapelle-Vicomtesse
Allonnes
Surfonds
Baillou
Mondoubleau
Chauvigny-du-Perche
Arnage
Circuit Automobile
Ruaudin
Parigné-l'Evêque
Maisoncelles
Romilly
Spay
Challes
Volnay
Le Temple
Sargé-s.-Braye
Beauchêne
Mulsanne
Brette-les-Pins
Tresson
Ste Cérotte
St Calais
Epuisay
Teloché
St Mars-d'Outillé
Evaillé
Cognets
Savigny-s.-B.
Danzé
Guécélard
Laigné-en-Belin
Le Grand-Lucé
St Ouen-en-B.
Yvré-le-Pôlin
Ecommoy
Pruillé-l'É.
St Vincent-du-Lorouër
Courtanvaux
Vancé
Bessé-s.-Braye
Fortan
Azé
Mazangé
Le Gué-du-Loir
Ft de Bercé
Jupilles
St Pierre-du-Lorouër
Vendôme
Villiers-s.-L.
Naveil
Carrefour St Hubert
Futaie des Clos
La Chapelle-Gaugain
Trôo
Mayet
Beaumont-Pied-de-Bœuf
Ponce-s.-le-L.
Pontvallain
Chahaignes
Montoire-s.-le-L.
Verneil-le-Chétif
Couture-s.-L.
Manoir de la Possonnière
Artins
Ternay
Lavardin
Sarcé
Lavernat
La Chartre-s.-le-L.
Crucheray
Aubigné-Racan
Champmarin
Château-du-Loir
Marçon
St Martin-des-Bois
St Arnoult
Sasnières
Beaumont-s.-Dême
St Amand-Longpré
Vaas
Les Hermites
Prunay-Cassereau
La Chapelle-aux-Choux
Dissay-sous-Courcillon
Villebourg
Chemillé-s.-Dême
Monthodon
St Aubin-le-Dépeint
Bueil-en-Touraine
Authon
Gombergean
St Germain-d'Arcé
Chenu
St Christophe-s.-le-Nais
La Ferrière
Villechauve
Le Boulay
Broc
St Paterne-Racan
Neuvy-le-Roi
Le Sentier
St Cyr-du-Gault
Villiers-au-Bouin
La Roche-Racan
St Laurent-en-Gâtines
Abbaye de la Boissière
Château-la-Vallière
Beaumont-la-Ronce
Château-Renault
St Nicolas-des-Motels
Morand
Souvigné
Neuillé-Pt Pierre
Nouzilly
Château de Vaujours
Sonzay
Rouziers-de-Touraine
Auzouer-en-T.
Meigné-le-Vicomte
Dame-Marie-les-Bois
Breil
Courcelles-de-Touraine
Langennerie
Monnaie
l'Aquitaine
Autrèche
Channay-s.-Lathan
Semblançay
Reugny
18
Savigné-s.-Lathan
Montreuil-en-T.
Rillé
Pernay
St Ouen-les-Vignes
Hommes
Ambillou
Cléré-les-Pins
Tours-St Symphorien
Nazelles-Négron
Poce-s.-Cisse
St Symphorien-les-Ponceaux
La Membrolle-s.-Choisille
Abbaye de Marmoutier
Vouvray
Vernou-s.-B.
Chargé
Gizeux
Mazières-de-Touraine
Fondettes
St Cyr-s.-L.
Amboise
Luynes
Tours
Pagode de Chanteloup
Cinq-Mars-la-Pile
Montlouis-s.-L.
Lussault-s.-L.
Ft d'Amboise
Les Essards
Savonnières
St Avertin
St Martin-le-Beau
La Croix-en-Touraine
Civray-de-Touraine
Langeais
Villandry
Ballan-Miré
Joué-lès-Tours
Véretz
Azay-s.-Cher
Ingrandes-de-Touraine
Athée-s.-C.
Bléré
Lignières-de-Touraine
Montbazon
Esvres
Chenonceaux
Restigné
Vonne
Veigné
Épeigné-les-Bois
Rivarennes
Azay-le-Rideau
Monts
Cormery
Rigny-Ussé
Luzillé
Huismes
Forêt de Chinon
Saché
Sorigny
Cigogné
Sublaines
Centrale Atomique
Villaines-les-Rochers
Avoine
Villeperdue
St Branchs
Reignac-s.-I.
Le Liège
Champ de Tir
Tauxigny
St Quentin-s.-I.
Louans
St Bauld
Chinon
Cravant-les-Coteaux
Crissay-s.-Manse
Genillé
Chambourg-s.-I.
Seuilly
Le Louroux
Dolus-le-Sec
Le Coudray
L'Ile-Bouchard
St Epain
Ste Catherine-de-Fierbois
Manthelan
Loches
Tavant
Trogues
Ste Maure-de-Touraine
Beaulieu-lès-Loches
Brizay
Noyant-de-T.
Bossée
Sennevières
Beuxes
Pouzay
Perrusson
Champigny-s.-Veude
Vou
Bournan
Ceaux-en-Loudun
Courcoué
Nouâtre
Sepmes
Varennes
Verneuil-s.-I.
St Hippolyte
Pouant
Verneuil-le-Chau
La Celle-St Avant
Ligueil
Ciran
St Senoch
Richelieu
Cussay
Touraine
37
72

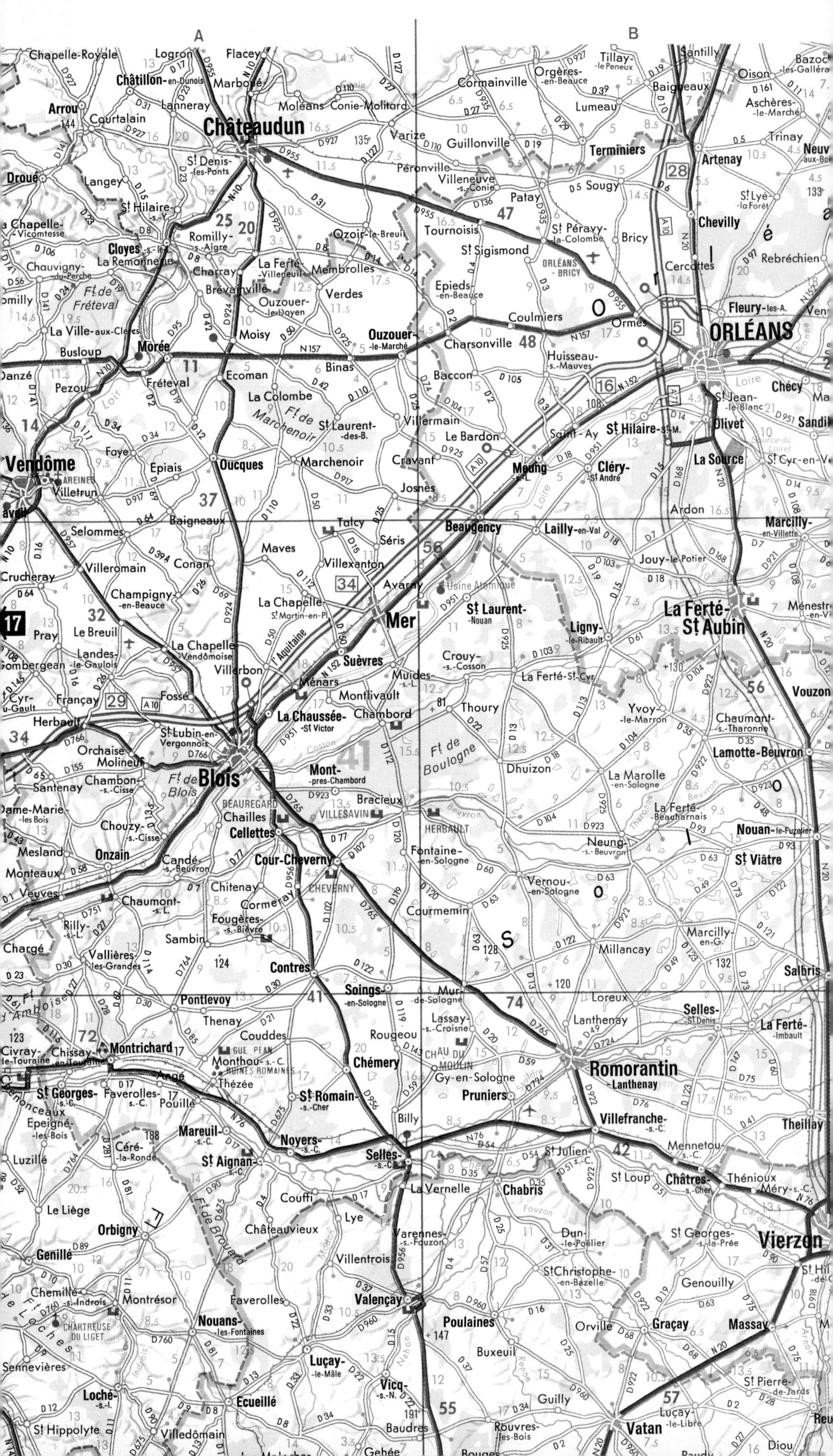

A
B
Chapelle-Royale
Logron
Flacey
Tillay-le-Peneux
Santilly
Bazoches-les-Gallérandes
Châtillon-en-Dunois
Marboué
Cormainville
Orgères-en-Beauce
Baigneaux
Oison
Arrou
Courtalain
Lanneray
Moléans
Conie-Molitard
Lumeau
Aschères-le-Marché
Châteaudun
Varize
Guillonville
Terminiers
Trinay
Artenay
St Denis-les-Ponts
Péronville
Villeneuve-s.-Conie
Droué
Langey
Patay
Sougy
St Lyé-la-Forêt
St Hilaire-s.-Yerre
Tournoisis
St Péravy-la-Colombe
Bricy
Chevilly
La Chapelle-Vicomtesse
Romilly-s.-Aigre
Ozoir-le-Breuil
St Sigismond
Orléans-Bricy
Cloyes-s.-le-Loir
La Ferté-Villeneuil
Membrolles
Cercottes
Rebréchien
Chauvigny-du-Perche
La Remonnerie
Charray
Brévainville
Verdes
Epieds-en-Beauce
Ft de Fréteval
Ouzouer-le-Doyen
Coulmiers
Ormes
Fleury-les-A.
La Ville-aux-Clercs
Moisy
Ouzouer-le-Marché
Charsonville
ORLÉANS
Busloup
Morée
Huisseau-s.-Mauves
Binas
Pezou
Fréteval
Ecoman
Baccon
Chécy
La Colombe
St Jean-le-Blanc
Ft de Marchenoir
St Laurent-des-B.
Villermain
Le Bardon
St Hilaire-St-M.
Olivet
Saint-Ay
Faye
Epiais
Oucques
Marchenoir
Cravant
Meung-s.-L.
Cléry-St André
La Source
St Cyr-en-Val
Vendôme
Areines
Villetrun
Josnes
Baigneaux
Beaugency
Lailly-en-Val
Ardon
Marcilly-en-Villette
Selommes
Talcy
Séris
Maves
Conan
Jouy-le-Potier
Crucheray
Villeromain
Villexanton
Champigny-en-Beauce
Avaray
Usine Atomique
La Chapelle-St Martin-en-Pl
St Laurent-Nouan
Ligny-le-Ribault
La Ferté-St Aubin
Ménestreau-en-Villette
Pray
Le Breuil
Mer
La Chapelle-Vendômoise
Crouy-s.-Cosson
Landes-le-Gaulois
Suèvres
Villerbon
Muides-s.-L.
La Ferté-St-Cyr
Vouzon
Fossé
Ménars
Montlivault
Thoury
Yvoy-le-Marron
Chaumont-s.-Tharonne
Françay
Herbault
La Chaussée-St Victor
Chambord
St Lubin-en-Vergonnois
Orchaise
Molineuf
Ft de Boulogne
Lamotte-Beuvron
Blois
Ft de Blois
Mont-près-Chambord
Dhuizon
La Marolle-en-Sologne
Santenay
Chambon-s.-Cisse
Beauregard
Bracieux
Villesavin
Herbault
La Ferté-Beauharnais
Chailles
Chouzy-s.-Cisse
Cellettes
Nouan-le-Fuzelier
Mesland
Onzain
Candé-s.-Beuvron
Cour-Cheverny
Fontaine-en-Sologne
Neung-s.-Beuvron
St Viâtre
Monteaux
Veuves
Chitenay
Cheverny
Vernou-en-Sologne
Chaumont-s.-L.
Cormeray
Courmemin
Rilly-s.-L.
Fougères-s.-Bièvre
Marcilly-en-G.
Chargé
Sambin
Millancay
Vallières-les-Grandes
Salbris
Contres
Soings-en-Sologne
Mur-de-Sologne
Pontlevoy
Loreux
Thenay
Lassay-s.-Croisne
Lanthenay
Selles-St Denis
La Ferté-Imbault
Couddes
Rougeou
Civray-de-Touraine
Chissay-en-Touraine
Montrichard
Gué Péan
Monthou-s.-C.
Ruines Romaines
Chémery
Romorantin-Lanthenay
Angé
Gy-en-Sologne
St Georges-s.-C.
Faverolles-s.-C.
Pouillé
Thézée
St Romain-s.-Cher
Pruniers
Chenonceaux
Epeigné-les-Bois
Mareuil-s.-C.
Noyers-s.-C.
Billy
Villefranche-s.-C.
Theillay
Céré-la-Ronde
St Aignan-s.-C.
Selles-s.-C.
St Julien-s.-C.
Mennetou-s.-C.
Luzillé
La Vernelle
Chabris
St Loup
Châtres-s.-Cher
Thénioux
Méry-s.-C.
Le Liège
Couffi
Lye
Orbigny
Châteauvieux
Varennes-s.-Fouzon
Dun-le-Poëlier
St Georges-s.-la-Prée
Vierzon
Genillé
Villentrois
St Christophe-en-Bazelle
Genouilly
Chemillé-s.-Indrois
Montrésor
Faverolles
Valençay
Chartreuse du Liget
Nouans-les-Fontaines
Poulaines
Orville
Graçay
Massay
Sennevières
Luçay-le-Mâle
Buxeuil
St Pierre-de-Jards
Loché-s.-I.
Ecueillé
Vicq-s.-N.
Guilly
Villedômain
St Hippolyte
Baudres
Rouvres-les-Bois
Luçay-le-Libre
Vatan
Diou
Gehée

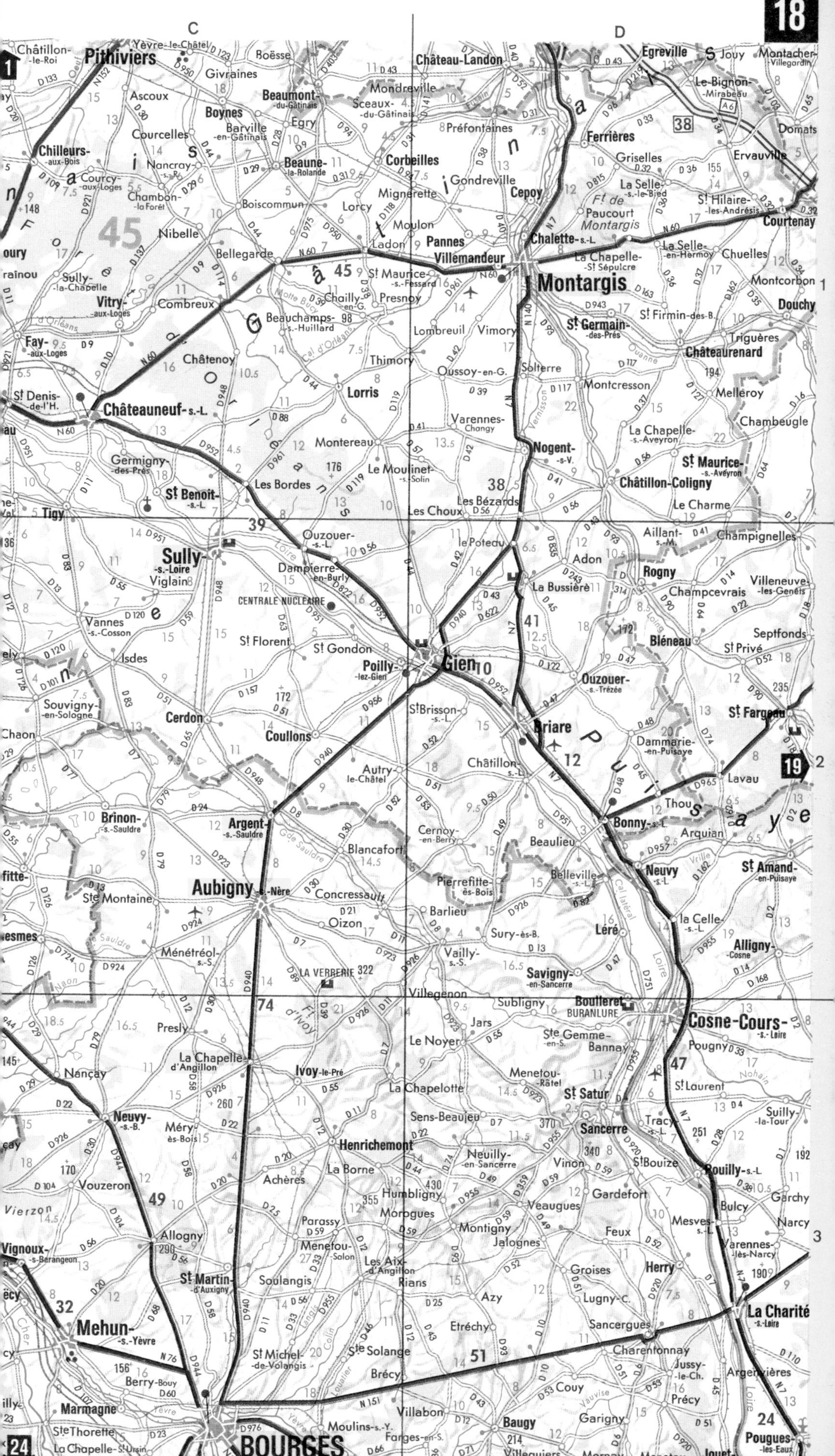
C
D
Châtillon-le-Roi
Pithiviers
Yèvre-le-Châtel
Boësse
Château-Landon
Egreville
Jouy
Montacher-Villegardin
Givraines
Mondreville
Le-Bignon-Mirabeau
Ascoux
Beaumont-du-Gâtinais
Sceaux-du-Gâtinais
Boynes
Barville-en-Gâtinais
Egry
Préfontaines
Ferrières
Domats
Courcelles
Chilleurs-aux-Bois
Nancray-s.-R.
Beaune-la-Rolande
Corbeilles
Griselles
Ervauville
Courcy-aux-Loges
Chambon-la-Forêt
Gondreville
Cepoy
La Selle-s.-le-Bied
Mignerette
Boiscommun
Lorcy
Ft de Paucourt
Montargis
St Hilaire-les-Andrésis
Courtenay
45
Nibelle
Moulon
Ladon
Pannes
Chalette-s.-L.
La Selle-en-Hermoy
Chuelles
Bellegarde
Villemandeur
La Chapelle-St Sépulcre
Sully-la-Chapelle
St Maurice-s.-Fessard
Montcorbon
Vitry-aux-Loges
Combreux
Chailly-en-G.
Presnoy
Douchy
St Germain-des-Prés
St Firmin-des-B.
Beauchamps-s.-Huillard
Lombreuil
Vimory
Trigùeres
Châteaurenard
Fay-aux-Loges
Châtenoy
Thimory
Oussoy-en-G.
Solterre
St Denis-de-l'H.
Lorris
Montcresson
Melleroy
Châteauneuf-s.-L.
Varennes-Changy
La Chapelle-s.-Aveyron
Chambeugle
Nogent-s.-V.
Germigny-des-Prés
Montereau
Le Moulinet-s.-Solin
St Maurice-s.-Aveyron
St Benoit-s.-L.
Les Bordes
Châtillon-Coligny
Les Bézards
Le Charme
Tigy
Les Choux
Sully-s.-Loire
Ouzouer-s.-L.
le Poteau
Aillant-s.-M.
Champignelles
Viglain
Dampierre-en-Burly
Adon
Rogny
Villeneuve-les-Genêts
CENTRALE NUCLÉAIRE
La Bussière
Champcevrais
Vannes-s.-Cosson
St Florent
St Gondon
Gien
Bléneau
Septfonds
St Privé
Isdes
Poilly-lez-Gien
Ouzouer-s.-Trézée
St Brisson-s.-L.
St Fargeau
Souvigny-en-Sologne
Cerdon
Coullons
Briare
Dammarie-en-Puisaye
Chaon
Châtillon-s.-L.
Lavau
Autry-le-Châtel
Thou
Brinon-s.-Sauldre
Argent-s.-Sauldre
Bonny-s.-L.
Arquian
Cernoy-en-Berry
Beaulieu
Blancafort
Neuvy-s.-L.
St Amand-en-Puisaye
Pierrefitte-ès-Bois
Belleville-s.-L.
Aubigny-s.-Nère
Concressault
Ste Montaine
Barlieu
la Celle-s.-L.
Oizon
Léré
Sury-ès-B.
Alligny-Cosne
Ménétréol-s.-S.
Vailly-s.-S.
Savigny-en-Sancerre
LA VERRERIE
Villegenon
Subligny
Boulleret
BURANLURE
Cosne-Cours-s.-Loire
Presly
Jars
Ste Gemme-en-S.
Bannay
Pougny
La Chapelle-d'Angillon
Le Noyer
Nançay
Ivoy-le-Pré
Menetou-Râtel
St Laurent
La Chapelotte
St Satur
Neuvy-s.-B.
Méry-ès-Bois
Sens-Beaujeu
Sancerre
Tracy-s.-L.
Suilly-la-Tour
Henrichemont
Neuilly-en-Sancerre
St Bouize
Vouzeron
Achères
La Borne
Vinon
Pouilly-s.-L.
Humbligny
Gardefort
Garchy
Vierzon
Morogues
Veaugues
Bulcy
Allogny
Parassy
Montigny
Mesves-s.-L.
Narcy
Vignoux-s-Barangeon
Menetou-Salon
Jalognes
Feux
Varennes-lès-Narcy
St Martin-d'Auxigny
Soulangis
Les Aix-d'Angillon
Rians
Groises
Herry
Lugny-C.
La Charité-s.-Loire
Mehun-s.-Yèvre
Azy
Etréchy
Sancergues
Charentonnay
St Michel-de-Volangis
Ste Solange
Jussy-le-Ch.
Argenvières
Berry-Bouy
Brécy
Couy
Précy
Marmagne
Villabon
Garigny
Baugy
Moulins-s.-Y.
Ste Thorette
La Chapelle-St Ursin
BOURGES
Farges-en-S.
Villequiers
Mornay-Berry
Menetou-
Jouet-s.-l'Aubois
Pougues-les-Eaux
Puisaye
Gâtinais
Forêt d'Orléans
19
24

A
B
12
18
Subligny
Villeneuve-la-Dondagre
Egriselles-le-Bocage
Etigny
Rosoy
Véron
Theil-s.-V.
Cerisiers
Vaudeurs
Coulours
St Mards-en-Othe
Maraye-en-Othe
Sommeval
Nogent-en-Othe
Domats
Marsangis
Les Bordes
Villechétive
Arces-Dilo
La Grande-Jarronnée
Vosnon
Auxon
St Phal
Villeneuve-s.-Y.
Dixmont
Chailley-Turny
Sormery
Villeneuve-au-Chemin
Piffonds
Courtenay
St Martin-d'Ordon
St Julien-du-Sault
Villevallier
Bussy-en-Othe
Bellechaume
Champlost
Neuvy-Sautour
Venizy
Ervy-le-Châtel
Vanlay
St Florentin
Beugnon
Chessy-les-Prés
Cudot
St Aubin-s.-Y.
Joigny
Brion
Brienon-s.-A.
Germigny
Les Croûtes
Bernon
Montcorbon
Migennes
Flogny-la-Ch.
Marolles-sous-Lignières
Douchy
Villefranche
Précy-s.-V.
Béon
Laroche-St Cydroine
Cheny
Carisey
Sépeaux
Volgré
Champlay
Hauterive
Pontigny
St Romain-le-Preux
Prunoy
Senan
Neuilly
Chemilly-s.-Y.
Guerchy
Ligny-le-Châtel
Dannemoine
Charny
La Ferté-Loupière
Appoigny
Seignelay
Venouse
Maligny
Vézannes
Tonnerre
Chambeugle
Sommecaise
Aillant-s.-T.
Fleury-la-Vallée
Montigny-la-Resle
Lignorelles
Tissey
St Martin-s.-O.
Les Ormes
Monéteau
Bleigny-le-Carreau
Collan
Ft de Merry-Vaux
Egleny
Lindry
St Georges-s.-B.
Beine
Fyé
Chablis
Grandchamp
Villefargeau
Yrouerre
Champignelles
Villiers-St Benoît
Auxerre
Courgis
Chemilly-s.-S.
Fresnes
Parly
Pourrain
St Bris-le-V.
St Cyr-les-Colons
Poilly-s.-Serein
Ste Vertu
Dracy
Vallan
Escamps
Lichères-Aigremont
Villeneuve-les-Genêts
Toucy
Champs
Gy-l'Evêque
Escolives-Ste Camille
Aigremont
Septfonds
Mézilles
Leugny
Coulanges-la Vineuse
Vincelles
Cravant
Vermenton
Noyers
Nitry
Fontenoy
Ouanne
Merry-Sec
Charentenay
Accolay
St Fargeau
St Sauveur-en-Puisaye
Fontenay-s.-Fouronnes
Lucy-s.-C.
Joux-la-Ville
Massangis
Annoux
Lain
Taingy
Courson-les-Carrières
Mailly-la-V.
Arcy-s.-C.
Grottes d'Arcy
Thury
Mailly-le-Château
Précy-le-Sec
L'Isle-s.-Serein
Puisaye
Lainsecq
Treigny
Perreuse
Sougères-en-Puisaye
Ft de Frétoy
Le Saussois (Rochers)
Voutenay-s.-C.
Provency
Druyes-les-Belles-Fontaines
Lucy-le-Bois
Blannay
St Amand-en-Puisaye
Sainpuits
Coulanges-s.-Y.
Châtel-Censoir
Montréal
Etais-la-Sauvin
Surgy
Montillot
Avallon
Sauvigny-le-Bois
Bouhy
Billy-s.-Oisy
Asnières-s.-Bois
Pontaubert
Entrains-s.-Nohain
Oisy
Clamecy
Vézelay
St Père
Cussy-les-Forges
Alligny-Cosne
Ciez
Ft des Dames
Corvol-l'Orgueilleux
Dornecy
Foissy-les-Vézelay
Fouilles des Fontaines Salées
Villiers-N.
Couloutre
Rix
La Maison-Dieu
Pierre-Perthuis
St Germain-des-Champs
La Chapelle-St André
Ouagne
Domecy-s.-C.
Chastellux-s.-C.
Bge du Crescent
St Léger-Vauban
Donzy
Menou
Varzy
Turigny
Amazy
Nuars
Quarré-les-Tombes
Suilly-la-Tour
Colméry
Villiers-le-Sec
Tannay
Flez-Cuzy
Bazoches
Ft de Donzy
Chalaux
Ste Colombe
St Malo-en-Donziois
Marcy
Asnan
Ruages
Anthien
St Martin-du-Puy
Parc Na
Lormes
Bge de Chaumeçon
Châteauneuf-Val-de-Bargis
Champlemy
Chevannes-Changy
Moraches
Dun-les-P.
Garchy
Brinon-s.-B.
Corbigny
Brassy
Morvan
Régional
Arzembouy
Chaumot
Narcy
Dompierre-s.-N.
Butte de Montenoison
Neuilly
Cervon
Vauclaix
Montsauche
Les Bertins
Giry
Guipy
Marcilly
Varennes-les-Narcy
St Révérien
Beaumont-la-F.
Les Gds Bois
Montenoison
Moussy
Ft de Montreuillon
Sardy-les-Epiry
Montreuillon
Ouroux-en-Morvan
Prémery
Crux-la-Ville
Bge de Pannesière-Ch.
Lurcy-le-Bourg
Bazolles
Chaumard
St Aubin-les-Forges
Sichamps
Bazois
Aunay-en-Bazois
Blismes
Nolay
Grandry
Guérigny
St Saulge
St Maurice
Ft d'Anost
Pougues-les-Eaux
Châtillon-en-Bazois
Tamnay-en-Bazois
Dommartin
Château-Chinon
Ourouër
Bona
Arleuf
89
58

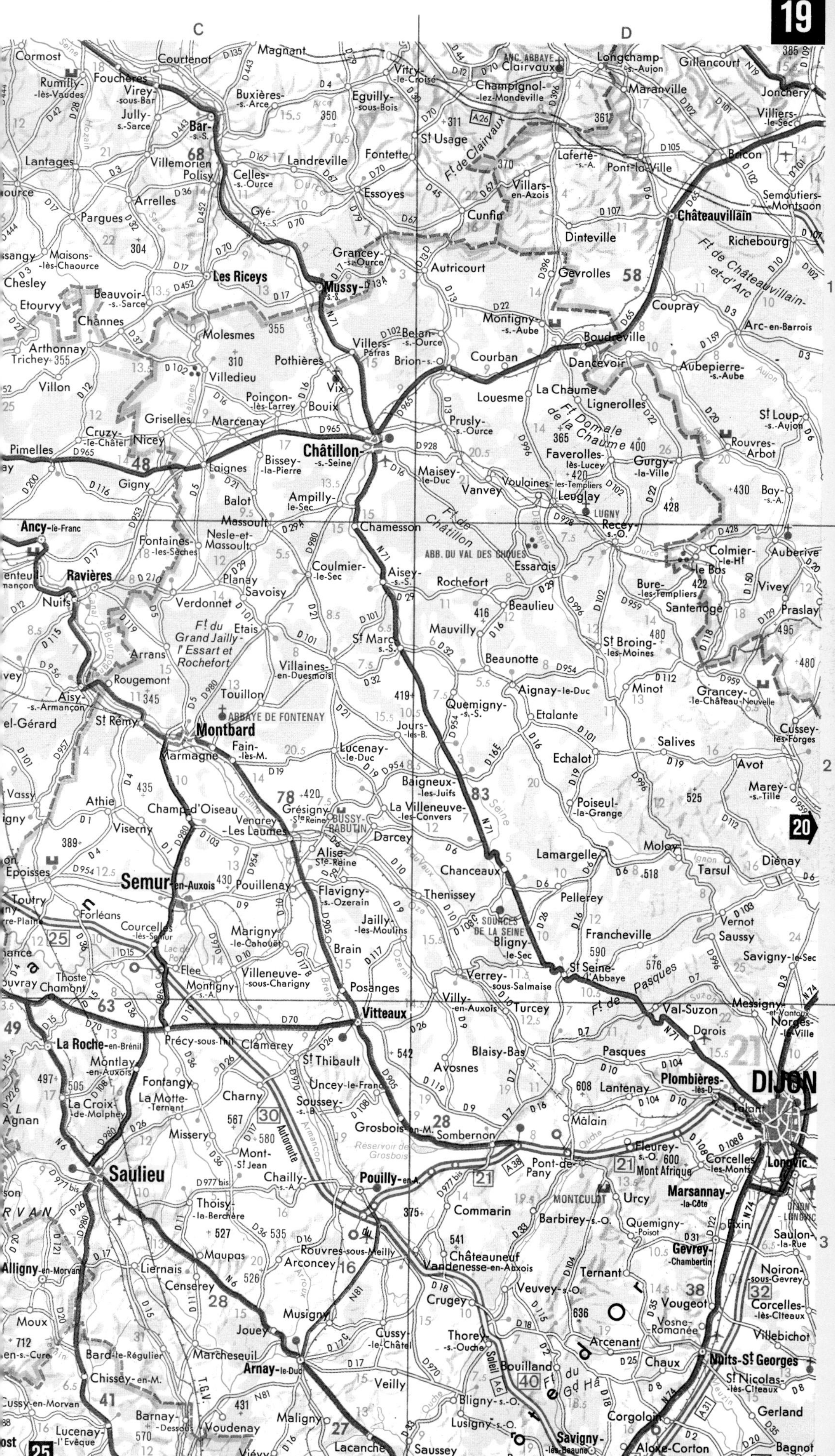
C
D
Cormost
Rumilly-lès-Vaudes
Fouchères
Courtenot
Magnant
Virey-sous-Bar
Jully-s.-Sarce
Bar-s.-S.
Buxières-s.-Arce
Vitry-le-Croisé
Eguilly-sous-Bois
ANC. ABBAYE Clairvaux
Champignol-lez-Mondeville
Longchamp-s.-Aujon
Gillancourt
Maranville
Jonchery
Villiers-le-Sec
St Usage
Lantages
Villemorien
Polisy
Celles-s.-Ource
Landreville
Fontette
Essoyes
Ft de Clairvaux
Laferté-s.-A.
Pont-la-Ville
Bricon
Semoutiers-Montsaon
Villars-en-Azois
Arrelles
Pargues
Gyé-s.-S.
Cunfin
Dinteville
Châteauvillain
Richebourg
Maisons-lès-Chaource
Chesley
Les Riceys
Grancey-s.-Ource
Mussy-s.-S.
Autricourt
Gevrolles
Ft de Châteauvillain-et-d'Arc
Beauvoir-s.-Sarce
Etourvy
Channes
Molesmes
Villers-Pâtras
Belan-s.-Ource
Montigny-s.-Aube
Coupray
Arc-en-Barrois
Boudreville
Arthonnay
Trichey
Villedieu
Pothières
Brion-s.-Ource
Courban
Dancevoir
Aubepierre-s.-Aube
Villon
Vix
Poinçon-lès-Larrey
Bouix
Louesme
La Chaume
Lignerolles
Ft Domale de la Chaume
Griselles
Marcenay
Prusly-s.-Ource
St Loup-s.-Aujon
Cruzy-le-Châtel
Nicey
Pimelles
Châtillon-s.-Seine
Faverolles-lès-Lucey
Gurgy-la-Ville
Rouvres-Arbot
Laignes
Bissey-la-Pierre
Maisey-le-Duc
Vanvey
Voulaines-les-Templiers
Leuglay
LUGNY
Bay-s.-A.
Gigny
Balot
Ampilly-le-Sec
Ft de Châtillon
Recey-s.-O.
Ancy-le-Franc
Massoult
Nesle-et-Massoult
Fontaines-les-Sèches
Chamesson
ABB. DU VAL DES CHOUES
Essarois
Colmier-le-Ht
Colmier-le-Bas
Auberive
Ravières
Nuits
Planay
Savoisy
Coulmier-le-Sec
Aisey-s.-S.
Rochefort
Beaulieu
Bure-les-Templiers
Vivey
Santenoge
Praslay
Verdonnet
Etais
Ft du Grand Jailly-l'Essart et Rochefort
Mauvilly
St Marc-s.-S.
St Broing-les-Moines
Villaines-en-Duesmois
Beaunotte
Arrans
Rougemont
Aisy-s.-Armançon
Touillon
Minot
Grancey-le-Château-Neuvelle
Aignay-le-Duc
Quemigny-s.-S.
Etalante
St Rémy
Montbard
ABBAYE DE FONTENAY
Jours-lès-B.
Cussey-les-Forges
Marmagne
Fain-lès-M.
Lucenay-le-Duc
Salives
Echalot
Avot
Baigneux-les-Juifs
Marey-s.-Tille
Athie
Champ-d'Oiseau
Grésigny-Ste Reine
BUSSY-RABUTIN
La Villeneuve-les-Convers
Poiseul-la-Grange
Viserny
Venarey-Les Laumes
Darcey
Moloy
Epoisses
Alise-Ste-Reine
Lamargelle
Tarsul
Diénay
Semur-en-Auxois
Pouillenay
Chanceaux
Flavigny-s.-Ozerain
Thenissey
Pellerey
Toutry
Forléans
Courcelles-lès-Semur
Marigny-le-Cahouët
Jailly-les-Moulins
SOURCES DE LA SEINE
Vernot
Saussy
Francheville
Brain
Bligny-le-Sec
Thoste
Chamont
Flée
Montigny-s.-A.
Villeneuve-sous-Charigny
Posanges
Verrey-sous-Salmaise
St Seine-l'Abbaye
Savigny-le-Sec
Villy-en-Auxois
Turcey
Ft de Pasques
Val-Suzon
Messigny-et-Vantoux
Norges-la-Ville
Vitteaux
La Roche-en-Brénil
Précy-sous-Thil
Clamerey
St Thibault
Darois
Montlay-en-Auxois
Blaisy-Bas
Pasques
Avosnes
Fontangy
La Motte-Ternant
Charny
Uncey-le-Franc
Lantenay
Plombières-lès-D.
DIJON
La Croix-de-Molphey
Soussey-s.-B
Talant
Missery
Grosbois-en-M.
Sombernon
Mâlain
Agnan
Réservoir de Grosbois
Fleurey-s.-O.
Corcelles-les-Monts
Mont-St Jean
Mont Afrique
Longvic
Saulieu
Chailly-s.-A.
Pouilly-en-A.
Pont-de-Pany
Autoroute
Thoisy-la-Berchère
Commarin
MONTCULOT
Urcy
Marsannay-la-Côte
Barbirey-s.-O.
Quemigny-Poisot
Fixin
Saulon-la-Rue
Maupas
Châteauneuf
Gevrey-Chambertin
Alligny-en-Morvan
Liernais
Rouvres-sous-Meilly
Arconcey
Vandenesse-en-Auxois
Ternant
Noiron-sous-Gevrey
Censerey
Veuvey-s.-O.
Crugey
Vougeot
Corcelles-lès-Cîteaux
Moux
Musigny
Vosne-Romanée
Joucy
Thorey-s.-Ouche
Cussy-le-Châtel
Arcenant
Villebichot
Bard-le-Régulier
Marcheseuil
Bouilland
Nuits-St Georges
Chaux
Arnay-le-Duc
Ft du Gd Ha
St Nicolas-lès-Cîteaux
Chissey-en-M.
Veilly
Cussy-en-Morvan
Barnay-Dessous
Bligny-s.-O.
Corgoloin
Gerland
Voudenay
Maligny
Lusigny-s.-O.
Lucenay-l'Evêque
Savigny-lès-Beaune
Aloxe-Corton
Bagnot
Lacanche
Saussey
Viévy
Bouze-lès-B.
Reclesne
Cordesse
Côte d'Or
Seine
Ource
Aube
Ignon
Suzon
Ouche
Armançon
Brenne
Canal de Bourgogne
T.G.V.
Soleil
20
25

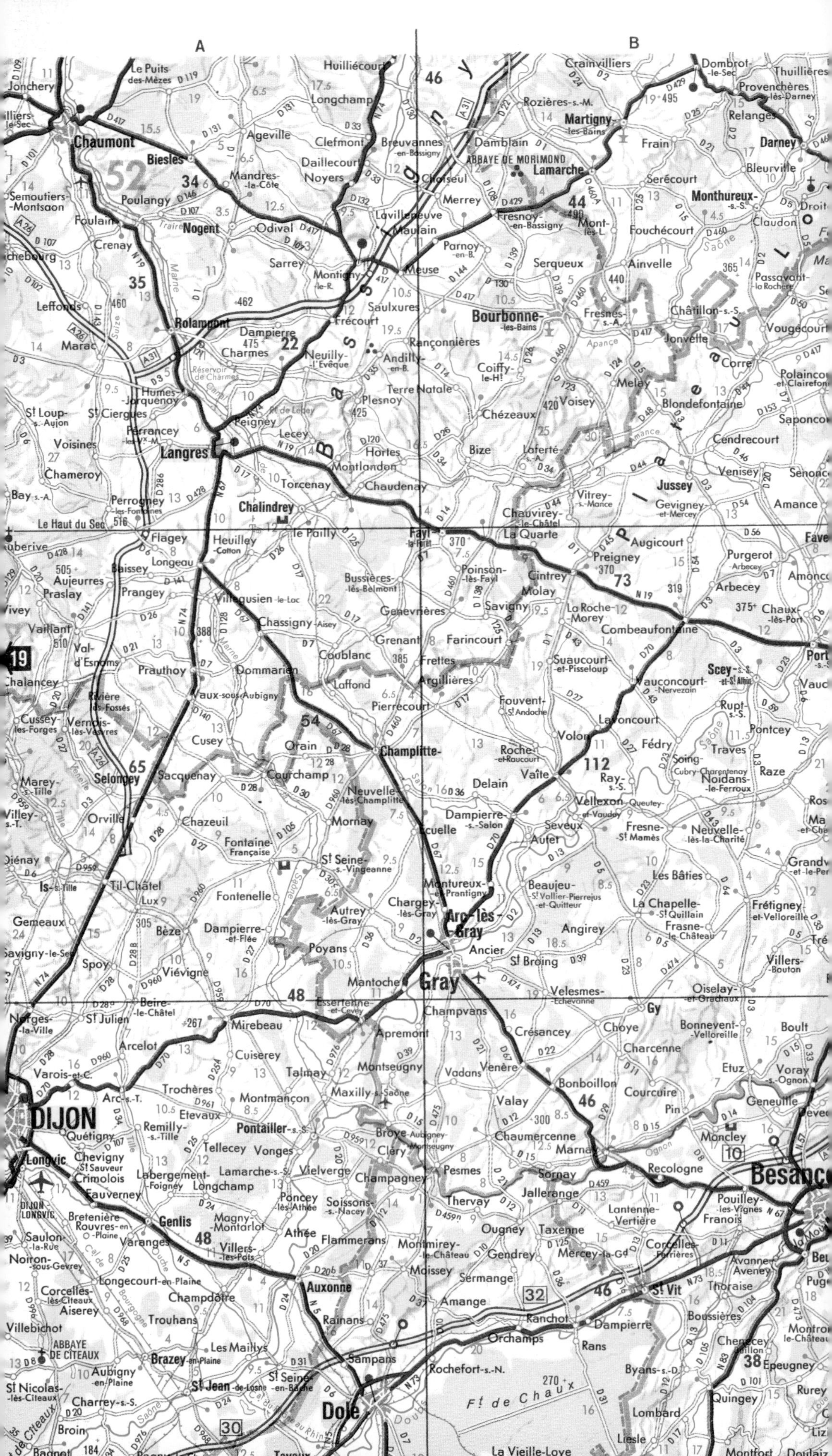

A
B
Jonchery
Le Puits-des-Mèzes
Huilliécourt
46
Crainvilliers
Dombrot-le-Sec
Thuillières
Provenchères-lès-Darney
Longchamp
Rozières-s.-M.
Martigny-les-Bains
Relanges
Chaumont
Biesles
Ageville
Clefmont
Breuvannes-en-Bassigny
Damblain
Frain
Darney
52
Daillecourt
Noyers
Choiseul
ABBAYE DE MORIMOND
Lamarche
Bleurville
34
Mandres-la-Côte
Serécourt
Semoutiers-Montsaon
Poulangy
Merrey
44
Monthureux-s.-S.
Foulain
Nogent
Odival
Lavilleneuve
Fresnoy-en-Bassigny
Mont-lès-L.
Fouchécourt
Claudon
Crenay
Maulain
Parnoy-en-B.
Sarrey
Montigny-le-R.
Meuse
Serqueux
Ainvelle
Passavant-la-Rochère
35
Leffonds
Saulxures
Bourbonne-les-Bains
Fresnes-s.-A.
Châtillon-s.-S.
Rolampont
Dampierre
Frécourt
Jonvelle
Vougécourt
Marac
Charmes
22
Neuilly-l'Évêque
Rançonnières
Andilly-en-B.
Corre
Réservoir de Charmes
Coiffy-le-H!
Humes-Jorquenay
Terre Natale
Melay
Polaincourt-et-Clairefontaine
St Loup-s.-Aujon
St Ciergues
Plesnoy
Voisey
Blondefontaine
Saponcourt
Voisines
Perrancey-les-Vx-M.
Peigney
Lecey
Chézeaux
Cendrecourt
Langres
Hortes
Bize
Laferté-s.-A.
Chameroy
Montlandon
Venisey
Senoncourt
Torcenay
Chaudenay
Jussey
Bay-s.-A.
Perrogney-les-Fontaines
Chalindrey
Vitrey-s.-Mance
Gevigney-et-Mercey
Amance
Le Haut du Sec
Chauvirey-le-Châtel
Flagey
Le Pailly
Fayl-la-Forêt
La Quarte
Augicourt
Faverney
Auberive
Heuilley-Cotton
Poinson-lès-Fayl
Preigney
Purgerot
Aujeurres
Baissey
Longeau
Cintrey
Arbecey
Amoncourt
Praslay
Prangey
Bussières-lès-Belmont
Molay
73
Vivey
Villegusien-le-Loc
Savigny
La Roche-Morey
Chaux-lès-Port
Vaillant
Chassigny-Aisey
Genevrières
Combeaufontaine
Val-d'Esnoms
Grenant
Farincourt
Port
19
Prauthoy
Coublanc
Frettes
Suaucourt-et-Pisseloup
Scey-s.-S.-et-St Albin
Chalancey
Dommarien
Argillières
Vauconcourt-Nervezain
Rivière-les-Fossés
Vaux-sous-Aubigny
Laffond
Cussey-les-Forges
Vernois-lès-Vesvres
Pierrecourt
Fouvent-St Andoche
Rupt-s.-S.
Cusey
54
Lavoncourt
Pontcey
Orain
Champlitte
Roche-et-Raucourt
Volon
Fédry
Traves
Selongey
Sacquenay
Courchamp
112
Soing-Cubry-Charentenay
Raze
Marey-s.-Tille
65
Delain
Vaîte
Ray-s.-S.
Noidans-le-Ferroux
Neuvelle-lès-Champlitte
Vellexon-Queutey-et-Vaudey
Villey-s.-T.
Orville
Chazeuil
Mornay
Dampierre-s.-Salon
Seveux
Autet
Fresne-St Mamès
Neuvelle-lès-la-Charité
Fontaine-Française
Écuelle
Diénay
St Seine-s.-Vingeanne
Grandvelle-et-le-Perrenot
Is-s.-Tille
Til-Châtel
Fontenelle
Montureux-et-Prantigny
Beaujeu-St Vallier-Pierrejus-et-Quitteur
Les Bâties
Lux
Autrey-lès-Gray
Chargey-lès-Gray
Arc-lès-Gray
La Chapelle-St Quillain
Frétigney-et-Velloreille
Gemeaux
Bèze
Dampierre-et-Flée
Angirey
Frasne-le-Château
Savigny-le-Sec
Poyans
Ancier
Spoy
St Broing
Villers-Bouton
Viévigne
Mantoche
Gray
Velesmes-Echevanne
Oiselay-et-Grachaux
Beire-le-Châtel
48
Essertenne-et-Cecey
Norges-la-Ville
St Julien
Mirebeau
Champvans
Gy
Boult
Apremont
Crésancey
Choye
Bonnevent-Velloreille
Arcelot
Cuiserey
Charcenne
Varois-et-C.
Talmay
Montseugny
Vadans
Venère
Etuz
Voray-s.-Ognon
Trochères
Bonboillon
Arc-s.-T.
Montmançon
Maxilly-s.-Saône
Courcuire
DIJON
Etevaux
Valay
46
Geneuille
Remilly-s.-Tille
Pontailler-s.-S.
Pin
Quétigny
Broye-Aubigney-Montseugny
Chaumercenne
Marnay
Moncley
Longvic
Chevigny St Sauveur
Tellecey
Vonges
Cléry
10
Crimolois
Labergement-Foigney
Longchamp
Lamarche-s.-S.
Vielverge
Champagney
Pesmes
Sornay
Recologne
Besançon
Fauverney
Poncey-lès-Athée
Soissons-s.-Nacey
Jallerange
Pouilley-les-Vignes
DIJON LONGVIC
Bretenière
Rouvres-en-Plaine
Genlis
Magny-Montarlot
Athée
Thervay
Lantenne-Vertière
Franois
Saulon-la-Rue
Varanges
48
Flammerans
Ougney
Taxenne
Noiron-sous-Gevrey
Villers-les-Pots
Montmirey-le-Château
Gendrey
Mercey-le-Gd
Corcelles-Ferrières
Avanne-Aveney
Longecourt-en-Plaine
Auxonne
Moissey
Sermange
Corcelles-lès-Citeaux
Champdôtre
St Vit
Thoraise
Aiserey
Amange
32
Trouhans
Rainans
Ranchot
Dampierre
Boussières
Villebichot
ABBAYE DE CITEAUX
Les Maillys
Orchamps
Chenecey-Buillon
Montrond-le-Château
Brazey-en-Plaine
Sampans
Rans
Aubigny-en-Plaine
St Seine-en-Bâche
Rochefort-s.-N.
38
Epeugney
St Nicolas-lès-Cîteaux
St Jean-de-Losne
Byans-s.-D.
Charrey-s.-S.
Ft de Chaux
Quingey
Rurey
Dole
Lombard
Broin
30
Bagnot
Tavaux
La Vieille-Loye
Liesle
Montfort
Doulaize

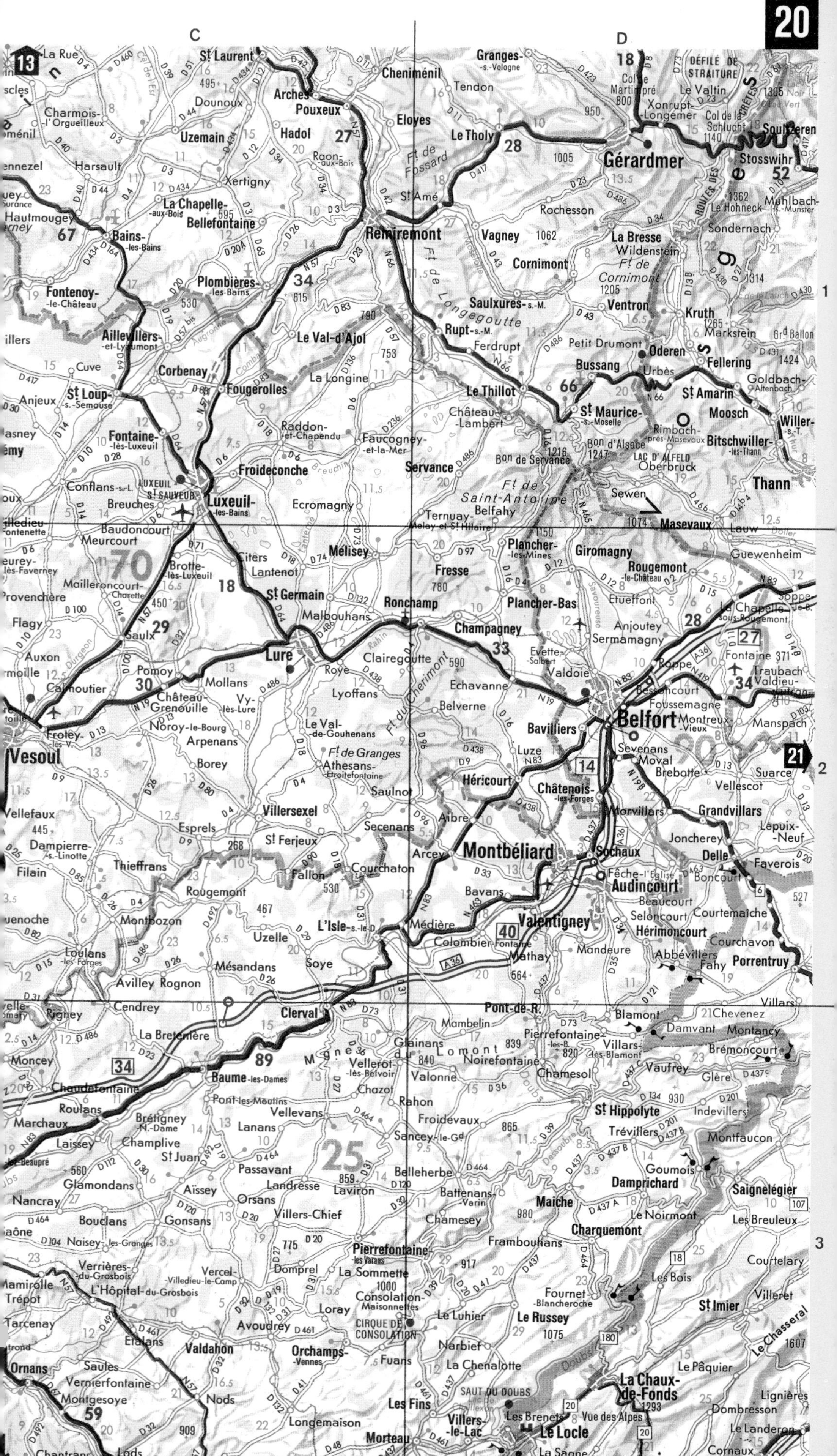
C
D
13
21
1
2
3
La Rue
St Laurent
Granges-s.-Vologne
DÉFILÉ DE STRAITURE
Charmois-l'Orgueilleux
Dounoux
Arches
Pouxeux
Cheniménil
Tendon
Col de Martimpré
Le Valtin
Xonrupt-Longemer
Col de la Schlucht
Soultzeren
Uzemain
Hadol
Eloyes
Le Tholy
Gérardmer
Stosswihr
Harsault
Raon-aux-Bois
Ft de Fossard
Xertigny
St Amé
Rochesson
Le Hohneck
Mühlbach-s.-Munster
Hautmougey
La Chapelle-aux-Bois
Bellefontaine
Remiremont
Vagney
La Bresse
Wildenstein
Sondernach
Bains-les-Bains
Cornimont
Ft de Cornimont
Fontenoy-le-Château
Plombières-les-Bains
Ft de Longegoutte
Saulxures-s.-M.
Ventron
Kruth
Markstein
Grd Ballon
Aillevillers-et-Lyaumont
Le Val-d'Ajol
Rupt-s.-M.
Ferdrupt
Petit Drumont
Oderen
Fellering
Cuve
Corbenay
La Longine
Bussang
Urbès
St Loup-s.-Semouse
Fougerolles
Le Thillot
St Amarin
Goldbach-Altenbach
Anjeux
Château-Lambert
St Maurice-s.-Moselle
Moosch
Willer-s.-T.
Raddon-et-Chapendu
Faucogney-et-la-Mer
Rimbach-près-Masevaux
Bitschwiller-lès-Thann
Fontaine-lès-Luxeuil
Ballon d'Alsace
LAC D'ALFELD
Oberbruck
Froideconche
Servance
Bon de Servance
Thann
Conflans-s.-L.
LUXEUIL-ST SAUVEUR
Luxeuil-les-Bains
Ft de Saint-Antoine
Sewen
Breuches
Ecromagny
Ternuay-Melay-et-St-Hilaire
Belfahy
Masevaux
Lauw
Baudoncourt
Meurcourt
Mélisey
Plancher-les-Mines
Giromagny
Guewenheim
Brotte-lès-Luxeuil
Citers
Lantenot
Fresse
Rougemont-le-Château
70
Mailleroncourt-Charette
St Germain
Plancher-Bas
Etueffont
Provenchère
Malbouhans
Ronchamp
Champagney
Anjoutey
La Chapelle-sous-Rougemont
Flagy
Saulx
Sermamagny
Fontaine
Auxon
Lure
Clairegoutte
Evette-Salbert
Valdoie
Roppe
Traubach
Pomoy
Roye
Ft du Chérimont
Echavanne
Bessoncourt
Valdieu-Lutran
Mollans
Vy-lès-Lure
Lyoffans
Belverne
Foussemagne
Château-Grenouille
Belfort
Montreux-Vieux
Manspach
Frotey-lès-V.
Vesoul
Noroy-le-Bourg
Le Val-de-Gouhenans
Bavilliers
Arpenans
Ft de Granges
Luze
Sevenans
Moval
Brebotte
90
Suarce
Borey
Athesans-Etroitefontaine
Héricourt
Châtenois-les-Forges
Vellescot
Saulnot
Grandvillars
Vellefaux
Villersexel
Aibre
Morvillars
Lepuix-Neuf
Esprels
Secenans
Montbéliard
Joncherey
Dampierre-s.-Linotte
St Ferjeux
Arcey
Sochaux
Delle
Faverois
Filain
Thieffrans
Fallon
Courchaton
Fêche-l'Eglise
Boncourt
Audincourt
Rougemont
Bavans
Beaucourt
Courtemaîche
Montbozon
L'Isle-s.-le-D.
Médière
Valentigney
Seloncourt
Hérimoncourt
Uzelle
Colombier-Fontaine
Courchavon
Loulans-les-Forges
Mésandans
Soye
Mathay
Mandeure
Abbévillers
Fahy
Porrentruy
Avilley
Rognon
Rigney
Cendrey
Cerval
Pont-de-R.
Blamont
Chevenez
Villars
La Bretenière
Mambelin
Pierrefontaine-lès-B.
Damvant
Montancy
Moncey
Glainans
Lomont
Villars-lès-Blamont
Brémoncourt
Baume-les-Dames
Vellerot-lès-Belvoir
Valonne
Noirefontaine
Vaufrey
Glère
Chaudefontaine
Chazot
Chamesol
Roulans
Pont-les-Moulins
Rahon
St Hippolyte
Indevillers
Marchaux
Brétigney-N.-Dame
Vellevans
Lanans
Froidevaux
Trévillers
Laissey
Champlive
Sancey-le-Gd
Montfaucon
St Juan
25
Glamondans
Passavant
Belleherbe
Goumois
Damprichard
Saignelégier
Nancray
Aïssey
Landresse
Laviron
Battenans-Varin
Maîche
Orsans
Le Noirmont
Les Breuleux
Bouclans
Gonsans
Villers-Chief
Chamesey
Charquemont
Naisey-les-Granges
Frambouhans
Verrières-du-Grosbois
Pierrefontaine-les-Varans
Courtelary
Villedieu-le-Camp
Vercel
Dompreł
La Sommette
Les Bois
Mamirolle
L'Hôpital-du-Grosbois
Trépot
Consolation-Maisonnettes
Fournet-Blancheroche
Villeret
St Imier
Tarcenay
Loray
Le Luhier
Le Russey
Avoudrey
CIRQUE DE CONSOLATION
Etalans
Valdahon
Orchamps-Vennes
Narbief
Le Chasseral
Saules
Fuans
La Chenalotte
La Chaux-de-Fonds
Le Pâquier
Ornans
Vernierfontaine
Montgesoye
Nods
Les Fins
SAUT DU DOUBS
Dombresson
Lignières
Les Brenets
Vue des Alpes
Longemaison
Villers-le-Lac
Le Locle
Le Landeron
Chantrans
Lods
Arc-sous-Cicon
Morteau
La Sagne
Cornaux

A
B
Orbey
Les Trois-Epis
Ingersheim
Houssen
Jebsheim
Artzenheim
Eichstetten
Nimburg
Sexau
Waldkirch
Kaiserstuhl
Turckheim
Muntzenheim
Oberbergen
Totenkopf
Reute
Denzlingen
Kandel
Hohrodberg
Wihr-au-Val
Wintzenheim
Colmar
Andolsheim
Bötzingen
Hugstetten
Vörstetten
Glottertal
Unter-Gundelfingen
Soultzeren
Stosswihr
Sundhoffen
Biesheim
Ihringen
Gottenheim
Lehen
St. Peter
Munster
Eguisheim
Herrlisheim-près-C.
Wolfgantzen
Appenwihr
Breisach am-Rh.
Umkirch
Merdingen
Freiburg
St. Märgen
Muhlbach-s.-Munster
Hattstatt
Ste Croix-en-Plaine
Neuf-Brisach
Gündlingen
Betzenhausen
Ebnet
Eschbach
Sondernach
Pfaffenheim
Tiengen
Wasserbourg
Niederhergheim
Dessenheim
Merzhausen
Günterstal
Kirchzarten
Buchenbach
Le Petit Ballon
Heiteren
Wolfenweiler
Pfaffenweiler
Rouffach
Oberhergheim
Biengen
Kirchhofen
Soultzmatt
Hartheim
Bollschweil
Schauinsland
Oberried
Gundolsheim
Bad Krozingen
Ehrenstetten
St. Ulrich
Toter Mann
Lautenbach
Buhl
Merxheim
Meyenheim
Hirtzfelden
Fessenheim
Centrale Nucléaire
Murbach
Ballon
Guebwiller
Reguisheim
Grißheim
Staufen
Feldberg
Soultz-Haut-Rhin
Munchhouse
Heitersheim
Untermünstertal
Aftersteg
Goldbach-Altenbach
Rumersheim-le-Haut
Buggingen
Vieil Armand
Ensisheim
Sulzburg
Belchen
Menzenschwand
Bollwiller
Bantzenheim
Britzingen
Todtnau
Willer-s.-T.
Pulversheim
Chalampé
Neuenburg
Badenweiler
Utzenfeld
Geschwend
Bitschwiller-lès-Th.
Cernay
Wittenheim
Schweighof
Neuenweg
Schönau
Präg
Ottmarsheim
Müllheim
Blauen
Wittelsheim
Baldersheim
Auggen
Bürchau
Wembach
Hochkopf
Thann
Pfastatt
Illzach
Mulhouse
Steinenstadt
Feldberg
Marzell
Wies
Lutterbach
Rixheim
Schliengen
Todtmoos
Aspach-le-B.
Liel
Sitzenkirch
Mambach
Guewenheim
Reiningue
Heimsbrunn
Habsheim
Petit Landau
Bamlach
Bellingen
Riedlingen
Malsburg
Tegernau
Rohrer Kopf
Pont-d'Aspach
Morschwiller-le-Bas
Brunstatt
Kandern
Zell im Wiesental
Wolpadingen
Burnhaupt-le-Bas
Tannenkirch
Holzen
Schlächtenhaus
Wieslet
Soppe-le-Bas
Bernwiller
Zillisheim
Bruebach
Kembs
Egringen
Hausen
Gersbach
Herrischried
Wollbach
Weitenau
Wittlingen
Fahrnau
Spechbach-le-Bas
Illfurth
Sierentz
Istein
Efringen-Kirchen
Steinen
Haagen
Schopfheim
Traubach
Kœtzingue
Bartenheim
Binzen
Maulburg
Hottingen
Valdieu-Lutran
Dannemarie
Tagsdorf
Kappelen
Eimeldingen
Haltingen
Brombach
Lörrach
Dossenbach
Schwörstadt
Willaringen
Oflingen
Hänner
Manspach
Carspach
Altkirch
Jettingen
Bâle Mulhouse
Blotzheim
Huningue
Weil
Riehen
Karsau
Laufenburg
St. Louis
BASEL
Rheinfelden
Möhlin
Säckingen
St Ulrich
Hirsingue
Steinsoultz
Hésingue
Wyhlen
Grenzach
Stein
Suarce
Friesen
Folgensbourg
Allschwil
Birsfelden
Rheinfelden
Zeiningen
Eiken
Lepuix-Neuf
Feldbach
Hagenthal-le-Bas
Oberwil
Muttenz
Magden
Maisprach
Frick
Seppois
Augusta Raurica
Pratteln
Wegenstetten
Faverois
Réchésy
Moernach
Werentzhouse
Leymen
Benken
Arlesheim
Wintersingen
Wittnau
Mooslargue
Ferrette
Oltingue
Reinach
Dornach
Liestal
Sissach
Gelterkinden
Densbüren
Beurnevésin
Pfetterhouse
Ettingen
Aesch
Bonfol
Biederthal
Rodersdorf
Courtemaîche
Courtavon
Winkel
Grellingen
Kienberg
Vendlincourt
Kiffis
Seewen
Hölstein
Buckten
Küttigen
Courchavon
Kleinlützel
Alle
Miécourt
Laufen
Breitenbach
Reigoldswil
Läufelfingen
Aarau
Charmoille
Movelier
Oberdorf
Porrentruy
Soyhières
Büsserach
Nunningen
Waldenburg
Niedergösgen
Schönenwerd
Villars
Delémont
Erschwil
Langenbruck
Wangen
Olten
Oberentfelden
St Ursanne
Montsevelier
Paßwang
Hägendorf
Montancy
Develier
Vicques
Bassecourt
Aarburg
Brémoncourt
Epauvillers
Courrendlin
Scheltenpaß
Balsthal
Oensingen
Dietiwart
Schöftland
St Brais
Undervelier
Zofingen
Perrefitte
Crémines
Welschenrohr
Wolfwil
Murgenthal
Montfaucon
Niederbipp
Bellelay
Souboz
Moutier
Gänsbrunnen
Wiedlisbach
Les Genevez
Weissenstein
Aarwangen
Reiden
Court
Oberdorf
Wangen
St Urban
Dagmersellen
Reconvilier
Pfaffnau
Solothurn
Tramelan
Tavannes
Grenchen
Herzogenbuchsee
Langenthal
Sonceboz
Reuchenette
Subingen
Melchnau
Pieterlen
Biberist
Schötz
Fischbach
Alberswil
Courtelary
Leuzigen
Gerlafingen
Madiswil
Taubenloch
Arch
Riedtwil
Rohrbach
Zell
Villeret
Orvin
Rüti
Koppigen
Le Chasseral
Orpund
Bätterkinden
Ursenbach
Huttwil
Willisau-Stadt
Biel / Bienne
Brügg
Büren
Lüterswil
Utzenstorf
Wynigen
Lamboing
Diesse
Schnottwil
Hergiswil
Mülchi
Kirchberg
Häusernmoos
Nods
Worben
Diessbach
Wengi
Messen
Eriswil
Grünenboden
Ligerz
Twann
Bieler See
Weier
Luthern
Lignières
Bühl
Großaffoltern
Lyssach
Burgdorf
La Neuveville
Lyss
Jegenstorf
Rüegsbach
Wasen
Luthern-Bad
Le Landeron
Täuffelen
Aarberg
Schüpfen
Hindelbank
Oberburg
Sumiswald
Napf
Cornaux
Erlach
Kallnach
Schwanden
Münchenbuchsee
Frienisberg
Hasle
Ramsei

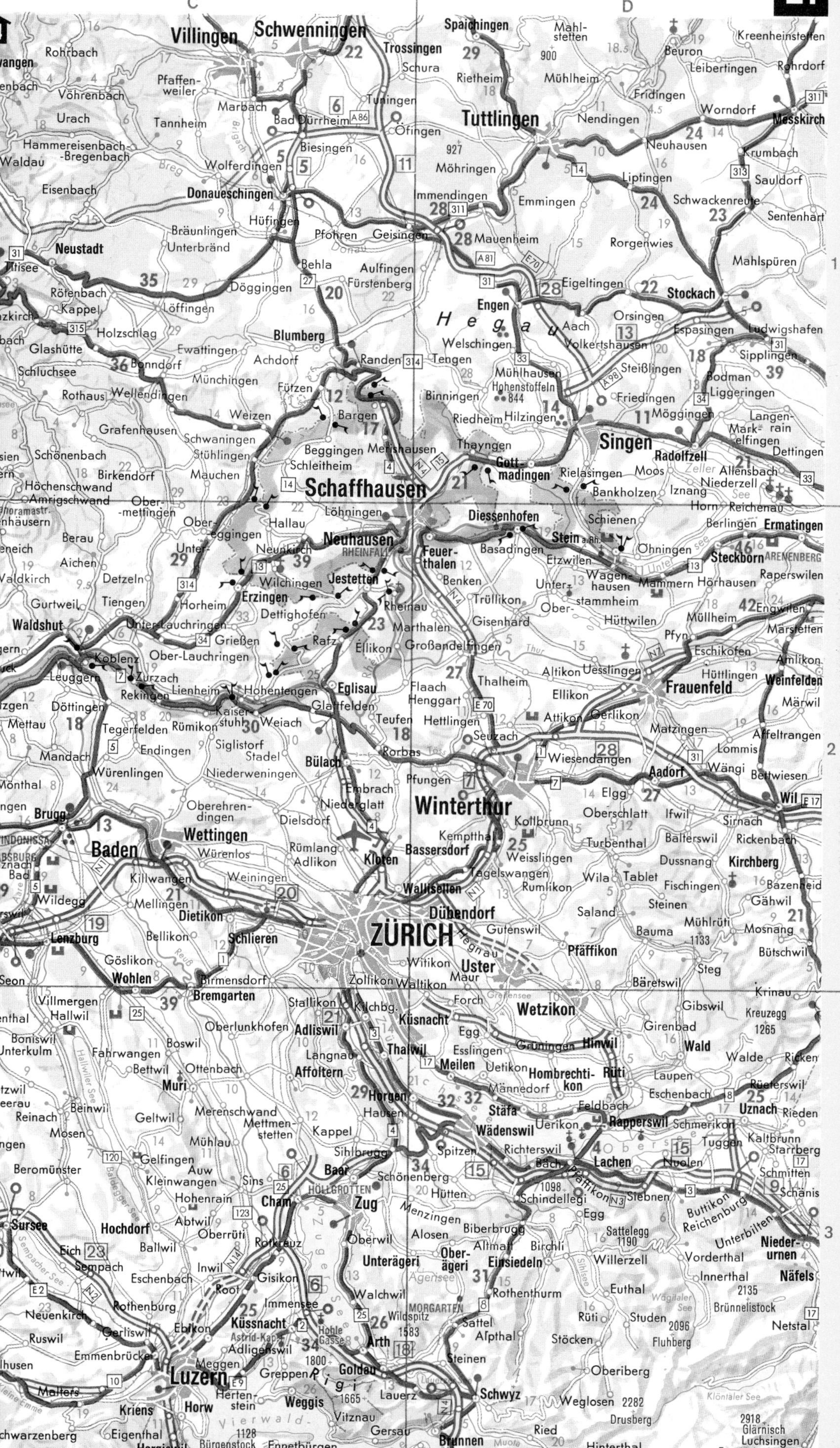

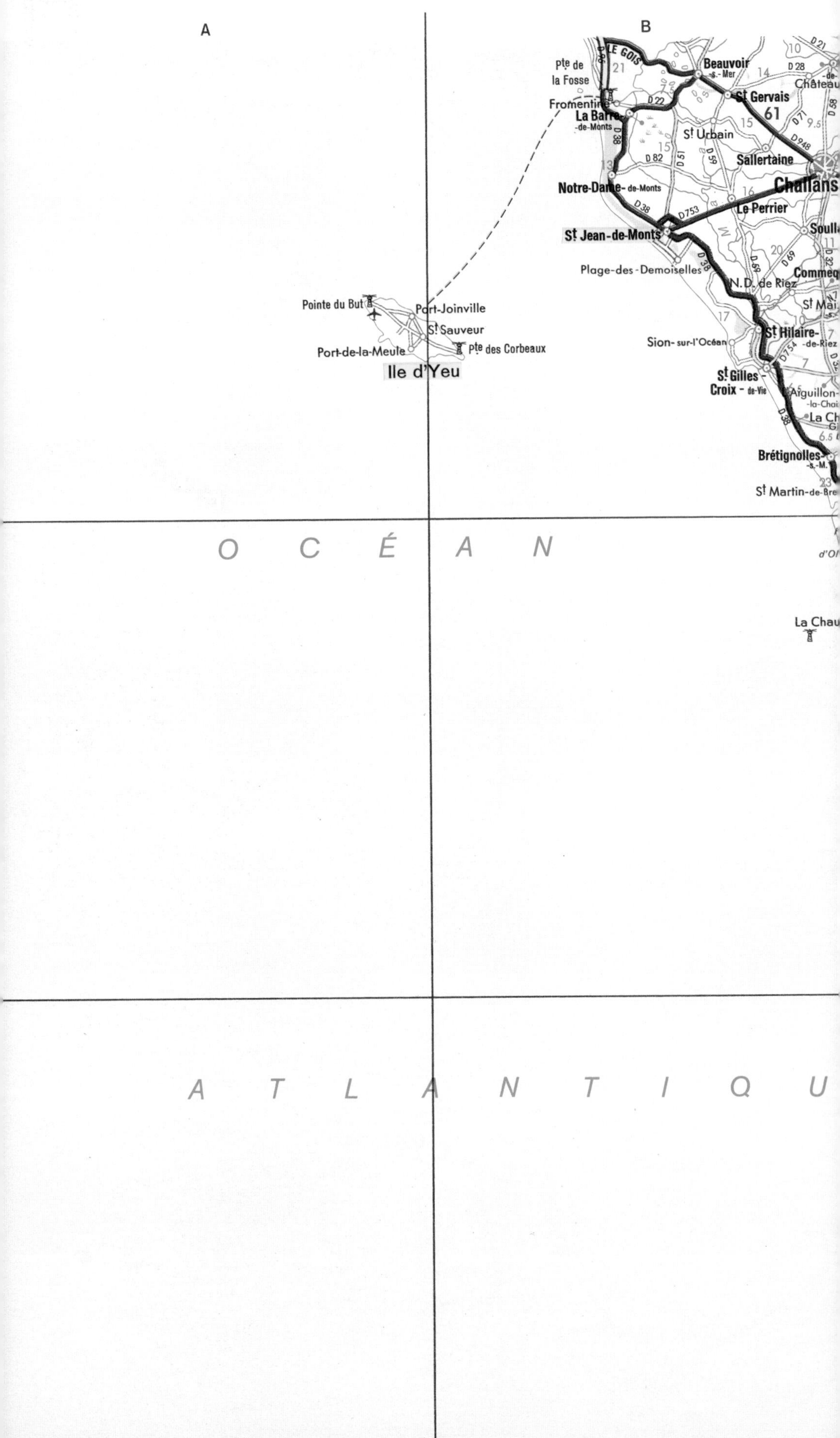

A
B
LE GOIS
Pte de la Fosse
Beauvoir -s.-Mer
St Gervais
Châteaux
Fromentine
La Barre-de-Monts
St Urbain
Sallertaine
Challans
Notre-Dame-de-Monts
Le Perrier
St Jean-de-Monts
Plage-des-Demoiselles
N.D. de Riez
Pointe du But
Port-Joinville
St Sauveur
Pte des Corbeaux
Port-de-la-Meule
Ile d'Yeu
Sion-sur-l'Océan
St Hilaire-de-Riez
St Gilles-Croix-de-Vie
Brétignolles-s.-M.
St Martin-de-Bre
O C É A N
La Chau
A T L A N T I Q U

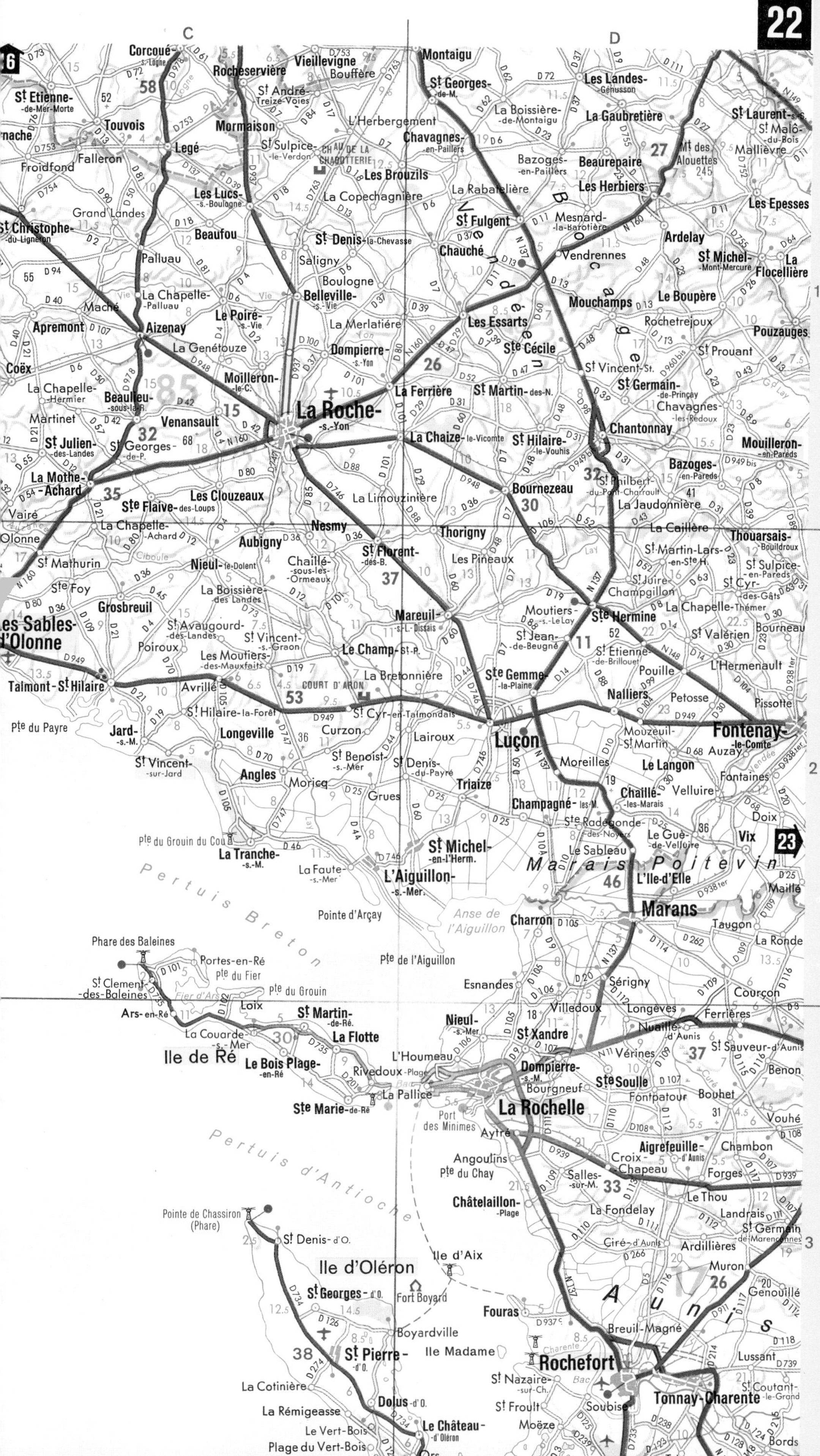
C
D
16
Corcoué-s.-Logne
Rocheservière
Vieillevigne
Bouffère
Montaigu
St Georges-de-M.
Les Landes-Génusson
St Etienne-de-Mer-Morte
St André-Treize-Voies
La Boissière-de-Montaigu
La Gaubretière
St Laurent-s.-S.
St Malô-du-Bois
Touvois
Mormaison
L'Herbergement
Chavagnes-en-Paillers
Mallièvre
Falleron
Froidfond
Legé
St Sulpice-le-Verdon
CH AU DE LA CHABOTTERIE
Les Brouzils
Bazoges-en-Paillers
Beaurepaire
Mt des Alouettes
Les Herbiers
Les Lucs-s.-Boulogne
La Copechagnière
La Rabatelière
Les Epesses
Grand'Landes
St Christophe-du-Ligneron
Beaufou
St Fulgent
Mesnard-la-Barotière
Ardelay
St Denis-la-Chevasse
Chauché
Vendrennes
St Michel-Mont-Mercure
La Flocellière
Palluau
Saligny
Boulogne
Mouchamps
Le Boupère
Belleville-s.-Vie
La Chapelle-Palluau
Maché
Le Poiré-s.-Vie
La Merlatière
Les Essarts
Rochetrejoux
Pouzauges
Apremont
Aizenay
La Genétouze
Dompierre-s.-Yon
Ste Cécile
St Prouant
Coëx
St Vincent-St.
St Germain-de-Prinçay
La Chapelle-Hermier
Moilleron-le-C.
La Ferrière
St Martin-des-N.
Chavagnes-les-Redoux
Beaulieu-sous-la-R.
Martinet
Venansault
La Roche-s.-Yon
Chantonnay
St Julien-des-Landes
St Georges-de-P.
La Chaize-le-Vicomte
St Hilaire-le-Vouhis
Mouilleron-en-Pareds
Bazoges-en-Pareds
La Mothe-Achard
St Philbert-du-Pont-Charrault
Bournezeau
La Limouzinière
La Jaudonnière
Les Clouzeaux
Ste Flaive-des-Loups
Vairé
La Chapelle-Achard
Nesmy
Thorigny
La Caillère
Thouarsais-Bouildroux
Olonne
Aubigny
St Florent-des-B.
St Mathurin
Nieul-le-Dolent
Chaillé-sous-les-Ormeaux
Les Pineaux
St Martin-Lars-en-Ste H.
St Sulpice-en-Pareds
St Juire-Champgillon
St Cyr-des-Gâts
Ste Foy
La Boissière-des Landes
Grosbreuil
Mareuil-s.-L.-Dissais
Moutiers-s.-Le Lay
Ste Hermine
La Chapelle-Thémer
Les Sables-d'Olonne
St Avaugourd-des-Landes
St Vincent-s.-Graon
St Jean-de-Beugné
St Valérien
Bourneau
Poiroux
Les Moutiers-les-Mauxfaits
Le Champ-St-P.
St Etienne-de-Brillouet
Pouille
L'Hermenault
Talmont-St Hilaire
Avrillé
La Bretonnière
Ste Gemme-la-Plaine
Nalliers
Petosse
COURT D'ARON
Pissotte
St Hilaire-la-Forêt
St Cyr-en-Talmondais
Pte du Payre
Jard-s.-M.
Longeville
Curzon
Lairoux
Luçon
Mouzeuil-St Martin
Fontenay-le-Comte
Auzay
St Vincent-sur-Jard
St Benoist-s.-Mer
St Denis-du-Payré
Moreilles
Le Langon
Angles
Moricq
Triaize
Chaillé-les-Marais
Fontaines
Vellure
Grues
Champagné-les-M.
Ste Radégonde-des-Noyers
Doix
Pte du Grouin du Cou
Le Gué-de-Velluire
Vix
23
La Tranche-s.-M.
St Michel-en-l'Herm.
Le Sableau
Marais Poitevin
Pertuis Breton
La Faute-s.-Mer
L'Aiguillon-s.-Mer
L'Ile-d'Elle
Maillé
Pointe d'Arçay
Anse de l'Aiguillon
Charron
Marans
Taugon
Phare des Baleines
La Ronde
Portes-en-Ré
Pte du Fier
Pte de l'Aiguillon
St Clement-des-Baleines
Esnandes
Sérigny
Pte du Grouin
Courçon
Fier d'Ars
Loix
Ars-en-Ré
St Martin-de-Ré
Villedoux
Longèves
Ferrières
La Couarde-s.-Mer
La Flotte
Nieul-s.-Mer
St Xandre
Nuaillé-d'Aunis
Ile de Ré
Le Bois Plage-en-Ré
L'Houmeau
Dompierre-s.-M.
Vérines
St Sauveur-d'Aunis
Rivedoux-Plage
Ste Soulle
Benon
La Pallice
Bourgneuf
Ste Marie-de-Ré
Fontpatour
Bouhet
La Rochelle
Port des Minimes
Vouhé
Aytré
Pertuis d'Antioche
Aigrefeuille-d'Aunis
Chambon
Angoulins
Croix-Chapeau
Pte du Chay
Salles-sur-M.
Forges
Châtelaillon-Plage
Le Thou
La Fondelay
Landrais
Pointe de Chassiron (Phare)
St Germain-de-Marencennes
St Denis-d'O.
Ciré-d'Aunis
Ardillières
Ile d'Aix
Ile d'Oléron
Muron
St Georges-d'O.
Fort Boyard
Aunis
Genouillé
Fouras
Breuil-Magné
Boyardville
Ile Madame
Lussant
St Pierre-d'O.
Rochefort
Charente
St Nazaire-sur-Ch.
St Coutant-le-Grand
La Cotinière
Tonnay-Charente
Soubise
St Froult
La Rémigeasse
Dolus-d'O.
Moëze
Le Vert-Bois
Le Château-d'Oléron
Bords
Plage du Vert-Bois
Trizay
Ors
1
2
3

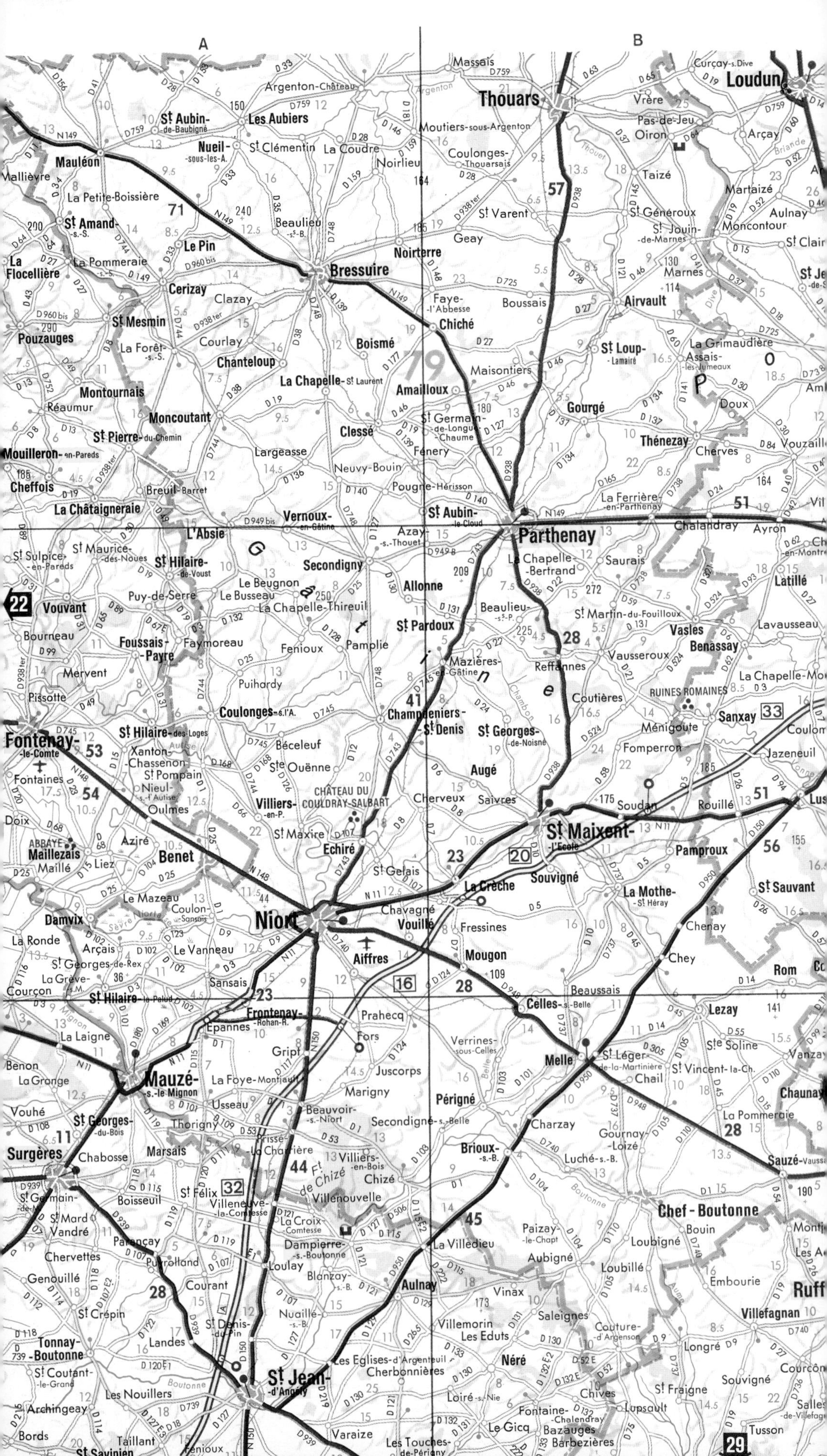

A
B
Massais
Argenton-Château
Thouars
Curçay-s.-Dive
Loudun
Vrère
Pas-de-Jeu
Oiron
Arçay
St Aubin-de-Baubigné
Les Aubiers
Moutiers-sous-Argenton
Nueil-sous-les-A.
St Clémentin
La Coudre
Noirlieu
Coulonges-Thouarsais
Mauléon
Mallièvre
Taizé
Martaizé
La Petite-Boissière
St Varent
St Généroux
Aulnay
St Amand-s.-S.
Beaulieu-s.-B.
Geay
St Jouin-de-Marnes
Moncontour
St Clair
Le Pin
Noirterre
Marnes
La Flocellière
La Pommeraie-s.-S.
Bressuire
Cerizay
Faye-l'Abbesse
Boussais
Airvault
Clazay
Pouzauges
St Mesmin
Chiché
La Forêt-s.-S.
Courlay
Boismé
St Loup-Lamairé
La Grimaudière
Assais-les-Jumeaux
Chanteloup
Maisontiers
Montournais
La Chapelle-St Laurent
Amailloux
Réaumur
Moncoutant
Gourgé
Doux
St Pierre-du-Chemin
Clessé
St Germain-de-Longue-Chaume
Thénezay
Cherves
Vouzailles
Mouilleron-en-Pareds
Largeasse
Fénery
Cheffois
Neuvy-Bouin
Pougne-Hérisson
Breuil-Barret
La Châtaigneraie
Vernoux-en-Gâtine
St Aubin-le-Cloud
La Ferrière-en-Parthenay
L'Absie
Azay-s.-Thouet
Parthenay
Chalandray
Ayron
St Sulpice-en-Pareds
St Maurice-des-Noues
St Hilaire-de-Voust
Secondigny
La Chapelle-Bertrand
Saurais
Latillé
Le Beugnon
Allonne
Puy-de-Serre
Le Busseau
La Chapelle-Thireuil
Vouvant
St Pardoux
Beaulieu-s.-P.
St Martin-du-Fouilloux
Vasles
Lavausseau
Bourneau
Foussais-Payré
Faymoreau
Fenioux
Pamplie
Mazières-en-Gâtine
Reffannes
Vausseroux
Benassay
Mervent
Puihardy
Coutières
La Chapelle-Mo
Pissotte
RUINES ROMAINES
Coulonges-s.-l'A.
Champdeniers-St Denis
St Georges-de-Noisné
Ménigoute
Sanxay
Fontenay-le-Comte
St Hilaire-des-Loges
Xanton-Chassenon
Béceleuf
Ste Ouënne
Fomperron
Jazeneuil
St Pompain
Augé
Fontaines
Nieul-s.-l'Autise
Villiers-en-P.
CHÂTEAU DU COULDRAY-SALBART
Cherveux
Saivres
Soudan
Rouillé
Oulmes
Doix
St Maxire
St Maixent-l'École
ABBAYE
Maillezais
Maillé
Liez
Azairé
Benet
Échiré
Pamproux
St Gelais
La Crèche
Souvigné
La Mothe-St Héray
St Sauvant
Le Mazeau
Damvix
Coulon-Sansais
Niort
Chavagné
Vouillé
Fressines
Chenay
La Ronde
Arçais
Le Vanneau
Aiffres
Mougon
Chey
St Georges-de-Rex
La Grève-s.-M.
Sansais
Rom
Courçon
St Hilaire-la-Palud
Frontenay-Rohan-R.
Prahecq
Beaussais
Celles-s.-Belle
Lezay
Epannes
La Laigne
Fors
Verrines-sous-Celles
Ste Soline
Benon
La Grange
Gript
Mauzé-s.-le Mignon
Juscorps
Melle
St Léger-de-la-Martinière
St Vincent-la-Ch.
Chail
Vanzay
La Foye-Monjault
Vouhé
Usseau
Marigny
Périgné
Chaunay
St Georges-du-Bois
Thorigny
Beauvoir-s.-Niort
Charzay
La Pommeraie
Surgères
Chabosse
Marsais
Prissé-la-Charrière
Secondigné-s.-Belle
Gournay-Loizé
Villiers-en-Bois
Brioux-s.-B.
Luché-s.-B.
Sauzé-Vaussais
Ft de Chizé
Chizé
St Germain-de-M.
Boisseuil
St Félix
Villeneuve-la-Comtesse
Villenouvelle
Chef-Boutonne
St Mard
Vandré
La Croix-Comtesse
Paizay-le-Chapt
Bouin
Montj
Parançay
Dampierre-s.-Boutonne
La Villedieu
Aubigné
Loubigné
Les A
Chervettes
Puyrolland
Loulay
Loubillé
Emboure
Genouillé
Courant
Blanzay-s.-B.
Aulnay
Vinax
Ruff
St Crépin
Nuaillé-s.-B.
Saleignes
Villefagnan
St Denis-du-Pin
Villemorin
Les Eduts
Couture-d'Argenson
Tonnay-Boutonne
Landes
Néré
Longré
St Coutant-le-Grand
Les Eglises-d'Argenteuil
Cherbonnières
Courcôme
St Jean-d'Angély
Souvigné
Les Nouillers
Chives
St Fraigne
Archingeay
Loiré-s.-Nie
Lupsault
Salles-de-Villefagnan
Fontaine-Chalendray
Bords
Taillant
Varaize
Les Touches-de-Périgny
Le Gicq
Bazauges
Barbezières
Tusson
St Savinien
Fenioux
Gâtine
Thouet
Dive
Autise
Sèvre Niortaise
Mignon
Boutonne
Belle
Chambon
Briande
22
33
20
16
32
29

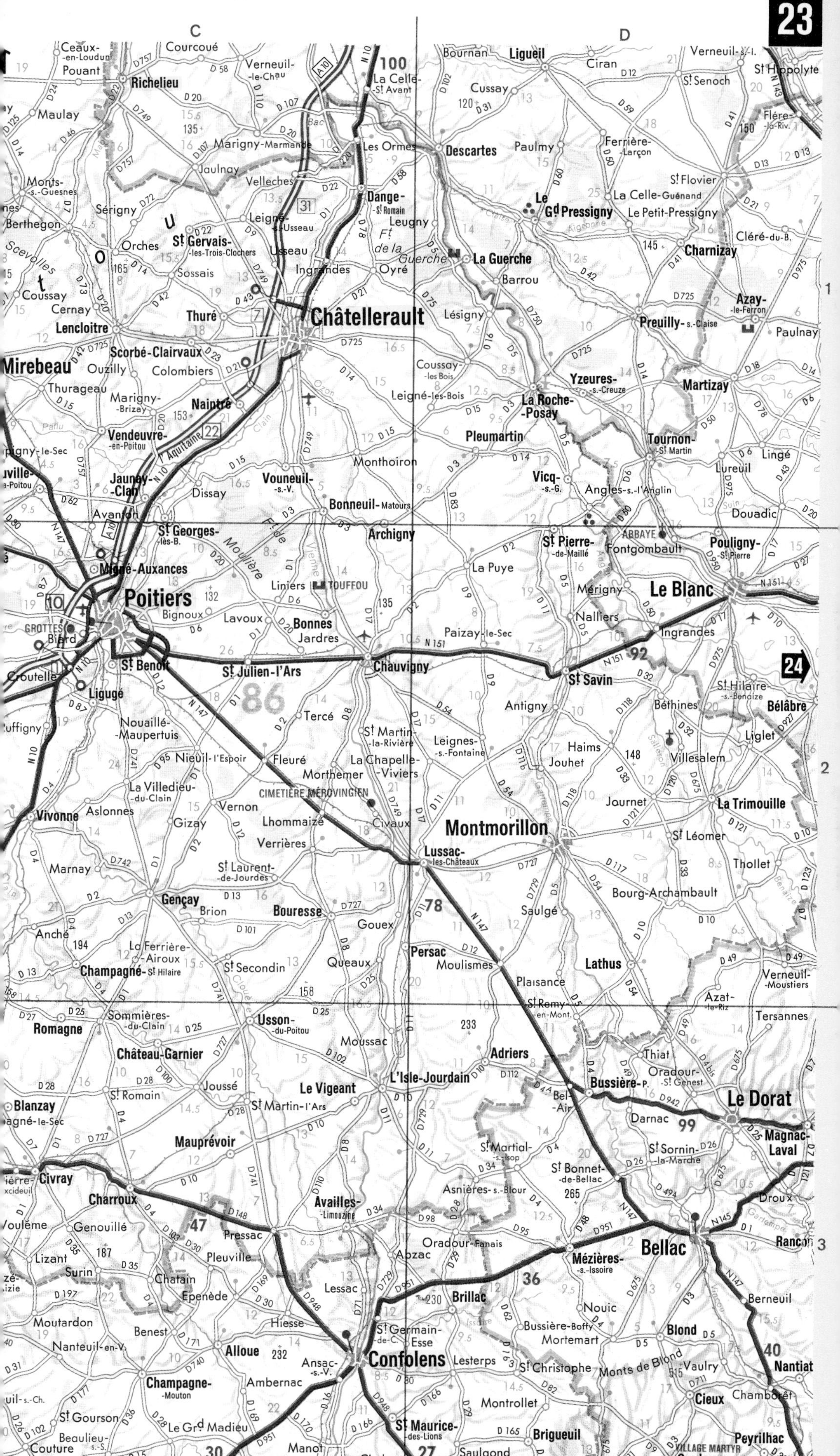
C
D
Ceaux-en-Loudun
Courcoué
Pouant
Richelieu
Verneuil-le-Château
La Celle-St Avant
Bournan
Ligueil
Ciran
Verneuil-s-I.
St Senoch
St Hippolyte
Maulay
Cussay
Descartes
Paulmy
Ferrière-Larçon
Fléré-la-Riv.
Marigny-Marmande
Les Ormes
Jaulnay
Velleches
Monts-s.-Guesnes
Dangé-St Romain
Le Gd Pressigny
La Celle-Guénand
Le Petit-Pressigny
St Flovier
Sérigny
Berthegon
Leigné-s-Usseau
Leugny
St Gervais-les-Trois-Clochers
Usseau
Orches
La Guerche
Charnizay
Cléré-du-B.
Sossais
Ingrandes
Oyré
Barrou
Coussay
Cernay
Thuré
Châtellerault
Lésigny
Preuilly-s.-Claise
Azay-le-Ferron
Paulnay
Lencloitre
Scorbé-Clairvaux
Mirebeau
Ouzilly
Colombiers
Coussay-les Bois
Yzeures-s.-Creuze
Martizay
Thurageau
Marigny-Brizay
Naintré
Leigné-les-Bois
La Roche-Posay
Vendeuvre-en-Poitou
Pleumartin
Tournon-St Martin
Lingé
Monthoiron
Lureuil
Jaunay-Clan
Vouneuil-s.-V.
Dissay
Vicq-s.-G.
Angles-s.-l'Anglin
Avanton
Bonneuil-Matours
Douadic
St Georges-lès-B.
Archigny
St Pierre-de-Maillé
Abbaye Fontgombault
Pouligny-St Pierre
Migné-Auxances
La Puye
Liniers
Touffou
Mérigny
Le Blanc
Poitiers
Bignoux
Lavoux
Bonnes
Nalliers
Grottes
Biard
Jardres
Paizay-le-Sec
Ingrandes
St Benoit
St Julien-l'Ars
Chauvigny
St Savin
Croutelle
Ligugé
86
St Hilaire-s.-Benaize
Béthines
Bélâbre
24
Antigny
Tercé
St Martin-la-Rivière
Leignes-s.-Fontaine
Haims
Liglet
Nouaillé-Maupertuis
Nieuil-l'Espoir
Fleuré
La Chapelle-Viviers
Morthemer
Jouhet
Villesalem
Vivonne
Aslonnes
La Villedieu-du-Clain
Vernon
Cimetière Mérovingien
Civaux
Journet
La Trimouille
Gizay
Lhommaizé
Montmorillon
St Léomer
Marnay
Verrières
Lussac-les-Châteaux
Thollet
St Laurent-de-Jourdes
Bourg-Archambault
Gençay
Brion
Bouresse
Saulgé
Anché
Gouex
La Ferrière-Airoux
Persac
Moulismes
Lathus
Champagné-St Hilaire
St Secondin
Queaux
Plaisance
Verneuil-Moustiers
Azat-le-Riz
St Remy-en-Mont.
Tersannes
Romagne
Sommières-du-Clain
Usson-du-Poitou
Château-Garnier
Moussac
Adriers
Thiat
Oradour-St Genest
Blanzay
St Romain
Joussé
Le Vigeant
L'Isle-Jourdain
Bussière-P.
Bel-Air
Le Dorat
St Martin-l'Ars
Darnac
Magnac-Laval
Mauprévoir
St Martial-s.-Isop
St Sornin-la-Marche
Civray
St Bonnet-de-Bellac
Charroux
Availles-Limouzine
Asnières-s.-Blour
Droux
Genouillé
Pressac
Oradour-Fanais
Bellac
Rancon
Lizant
Surin
Pleuville
Abzac
Mézières-s.-Issoire
Chatain
Epenède
Lessac
Brillac
Moutardon
Hiesse
Nouic
Berneuil
Benest
St Germain-de-C.
Esse
Bussière-Boffy
Blond
Nanteuil-en-V.
Alloue
Mortemart
Confolens
Lesterps
St Christophe
Monts de Blond
Vaulry
Nantiat
Ansac-s.-V.
Champagne-Mouton
Ambernac
Cieux
Chamboret
Montrollet
St Gourson
Le Grd Madieu
St Maurice-des-Lions
Brigueuil
Peyrilhac
Beaulieu-s.-S.
Couture
Manot
Chabrac
Saulgond
Village Martyr Oradour-s.-Glane
Chantrezac
Chirac

A
B
18
23
St Hippolyte
Villedômain
Jeu-Maloches
Gehée
Baudres
Rouvres-les-Bois
Guilly
Vatan
Luçay-le-Libre
Reuilly
Préaux
Bouges-le-Château
Liniez
Paudy
Diou
Fléré-la-Riv.
Frédille
Moulins-s.-C.
St Martin-de-Lamps
Bretagne
Ménétréols-s.-V.
Ste Lizaigne
Châtillon-s.-I.
Pellevoisin
Levroux
Les Bordes
Le Tranger
Palluau-s.-I.
Villegouin
Sougé
Brion
St Valentin
Issoudun
Clion
St Genou
Argy
Francillon
La Champenoise
Cléré-du-B.
Murs
Villegongis
Coings
Arpheuilles
Vineuil
Villiers-
Buzançais
Chézelles
Azay-le-Ferron
Saulnay
Villers-les-Ormes
Céré
Neuvy-P.
Ste Gemme
Montierchaume
Ste Fauste
Paulnay
La Chapelle-Orthemale
Villedieu-s.-I.
Déols
Diors
Mézières-en-Brenne
St Aubin
St Michel-en-B.
Niherne
Châteauroux
Vouillon
Meunet-Planches
Vendoeuvres
Mâron
Ft de Lancosme
Le Poinçonnet
Ambrault
Pruniers
Neuillay-les-Bois
Sassierges-St Germain
Méobecq
Luant
Ft de Châteauroux
Ardentes
Le Bouchet
Douadic
Migné
La Pérouille
St Août
Rosnay
Nuret-le-Ferron
Arthon
Velles
Jeu-les-Bois
Le Lys-St Georges
La Berthenoux
Ruffec
Ciron
Rivarennes
St Gaultier
Buxières-d'Aillac
Mers-s.-Indre
St Chartier
Nohant-Vic
Oulches
St Marcel
Mosnay
Bouesse
Sarzay
Argenton-s.-Creuse
Neuvy-St-Sépulcre
La Châtre
St Hilaire-s.-Benaize
Bélâbre
Chavin
Fougerolles
Briantes
Luzeret
Badecon-le-Pin
Cluis
Chassignolles
Celon
Pommiers
St Denis-de-Jouhet
Prissac
Gargilesse-Dampierre
La Buxerette
Pouligny-St Martin
Vigoux
St Gilles
St Civran
Cuzion
Orsennes
Crevant
Dunet
Lignac
Parnac
Bge d'Eguzon
St Plantaire
Chaillac
St Benoît-du-Sault
Eguzon-Chantome
Lourdoueix-St Michel
Aigurande
Nouziers
Thollet
Tilly
La Châtre-l'Anglin
La Forêt-du-Temple
St Sébastien
Crozant
Fresselines
Tercillat
St Martin-le-Mault
Bonneuil
Les Gds Chézeaux
Moutier-Malcard
La Cellette
Bazelat
Chambon-Ste Croix
Lussac-les-Eglises
Azerables
Maison-Feyne
Verneuil-Moustiers
Mailhac-s.-B.
Chéniers
Genouillac
St Germain-B.
Dun-le-Palestel
Tersannes
St Sulpice-les-Feuilles
Vareilles
La Celle-Dunoise
Bonnat
Châtelus-Malvaleix
St Léger-M.
Arnac-la-Poste
Colondannes
St Hilaire-la-Treille
St Agnant-de-Versillat
Anzême
La Souterraine
Naillat
Puy des 3 Cornes
Bussière-Dunoise
Ladapeyre
Dompierre-les-Eglises
Fleurat
Glénic
Magnac-Laval
St Sornin-Leulac
St Maurice-la-S.
St Vaury
Ajain
Droux
Morterolles-s.-Semme
St Etienne-de-Fursac
Pionnat
La Grand-Bourg
Guéret
Châteauponsac
le Maupuy
Rancon
Folles
Bénévent-l'Abbaye
Montaigut-le-Blanc
Ste Feyre
Cressat
Bessines-s.-Gartempe
La Chapelle-Taillefert
Peyrabout
Le Moutier-d'Ahun
Roussac
St Pardoux
Bersac-s.-Rivalier
Laurière
Mourioux
Aulon
Ahun
Razès
Signal de Sauvagnac
St Goussaud
Mt Jovis
Sardent
Nantiat
La Jonchère-St Maurice
St Dizier-Leyrenne
La Chapelle-St Martial
Chamberaud
Chamboret
Compreignac
Bosmoreau-les-Mines
St Georges-la-P.
St Sulpice-les-Champs
St Sylvestre
Châtelus-le-Marcheix
Pontarion
La Pouge
Peyrilhac
St Jouvent
Monts d'Ambazac
Masbaraud-Mérignat
St Hilaire-le-Château
Les Billanges
Ambazac
St Martin-Ste C.
Montboucher
Bourganeuf
Chavanat
Champagne
Brenne
Boischaut
Marche
36
23

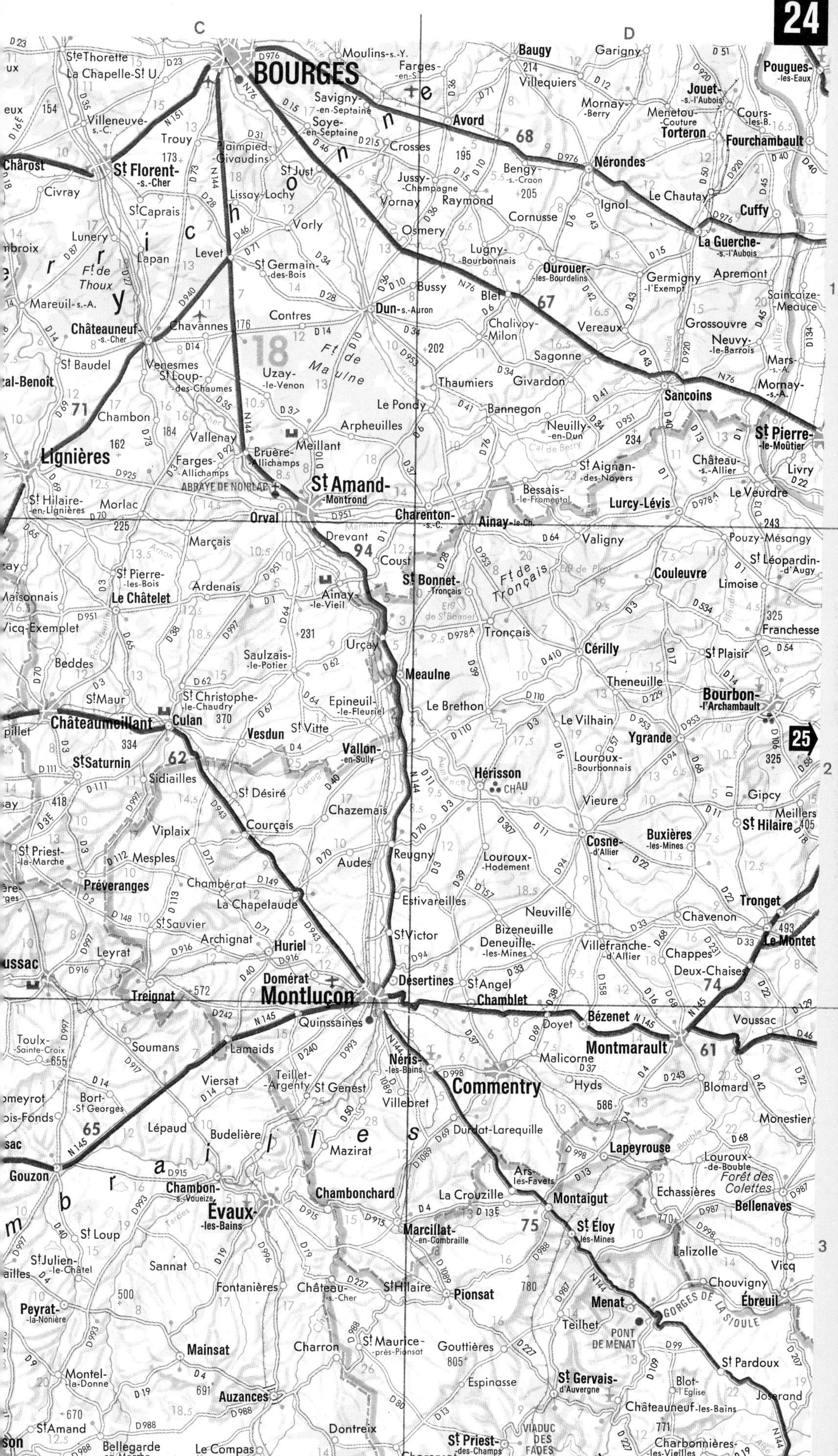
C
D
BOURGES
Baugy
Garigny
Pougues-les-Eaux
Ste Thorette
La Chapelle-St U.
Moulins-s.-Y.
Farges-en-S.
Villequiers
Savigny-en-Septaine
Soye-en-Septaine
Jouet-s.-l'Aubois
Mornay-Berry
Menetou-Couture
Cours-les-B.
Villeneuve-s.-C.
Avord
Torteron
Fourchambault
Trouy
Plaimpied-Givaudins
Crosses
68
Chârost
St Florent-s.-Cher
St Just
Jussy-Champagne
Bengy-s.-Craon
Nérondes
Civray
Lissay-Lochy
Vornay
Raymond
Ignol
Le Chautay
Cuffy
St Caprais
Vorly
Osmery
Cornusse
La Guerche-s.-l'Aubois
Lunery
Levet
Lugny-Bourbonnais
Lapan
St Germain-des-Bois
Ourouer-les-Bourdelins
Germigny-l'Exempt
Apremont
Ft de Thoux
Bussy
Blet
67
Saincaize-Meauce
Mareuil-s.-A.
Dun-s.-Auron
Contres
Chalivoy-Milon
Vereaux
Grossouvre
Châteauneuf-s.-Cher
Chavannes
18
Ft de Maulne
Neuvy-le-Barrois
Sagonne
Mars-s.-A.
St Baudel
Venesmes
St Loup-des-Chaumes
Uzay-le-Venon
Thaumiers
Givardon
Mornay-s.-A.
Sancoins
71
Chambon
Le Pondy
Bannegon
Neuilly-en-Dun
Vallenay
Arpheuilles
St Pierre-le-Moûtier
Lignières
Farges-Allichamps
Bruère-Allichamps
Meillant
234
St Aignan-des-Noyers
Château-s.-Allier
Livry
ABBAYE DE NOIRLAC
St Amand-Montrond
Bessais-le-Fromental
Lurcy-Lévis
Le Veurdre
St Hilaire-en-Lignières
Morlac
Orval
Charenton-s.-C.
Ainay-le-Ch.
Marçais
Drevant
94
Coust
Valigny
Pouzy-Mésangy
St Léopardin-d'Augy
St Pierre-les-Bois
Ardenais
St Bonnet-Tronçais
Ft de Tronçais
Couleuvre
Limoise
Le Châtelet
Ainay-le-Vieil
Maisonnais
Vicq-Exemplet
Urçay
Tronçais
Franchesse
Saulzais-le-Potier
Cérilly
St Plaisir
Beddes
Meaulne
Theneuille
St Maur
St Christophe-le-Chaudry
Epineuil-le-Fleuriel
Le Brethon
Bourbon-l'Archambault
Châteaumeillant
Culan
Vesdun
St Vitte
Le Vilhain
Ygrande
25
St Saturnin
62
Vallon-en-Sully
Hérisson
Louroux-Bourbonnais
Sidiailles
St Désiré
Vieure
Gipcy
Meillers
Chazemais
St Hilaire
Viplaix
Courçais
Cosne-d'Allier
Buxières-les-Mines
St Priest-la-Marche
Mesples
Audes
Reugny
Louroux-Hodement
Préveranges
Chambérat
La Chapelaude
Estivareilles
Tronget
Neuville
Chavenon
St Sauvier
Archignat
St Victor
Bizeneuille
Leyrat
Huriel
Deneuille-les-Mines
Villefranche-d'Allier
Chappes
Le Montet
Deux-Chaises
74
Treignat
Domérat
Montluçon
Désertines
St Angel
Chamblet
Bézenet
Voussac
Toulx-Sainte-Croix
Soumans
Lamaids
Quinssaines
Doyet
Montmarault
61
Néris-les-Bains
Malicorne
Viersat
Teillet-Argenty
St Genest
Commentry
Hyds
Blomard
Bort-St Georges
Villebret
Monestier
65
Lépaud
Budelière
Durdat-Larequille
Mazirat
Lapeyrouse
Louroux-de-Bouble
Gouzon
Chambon-s.-Voueize
Ars-les-Favets
Forêt des Colettes
Chambonchard
La Crouzille
Montaigut
Echassières
Bellenaves
Évaux-les-Bains
Marcillat-en-Combraille
75
St Éloy-les-Mines
St Loup
Lalizolle
Vicq
St Julien-le-Châtel
Sannat
Chouvigny
Fontanières
Château-s.-Cher
St Hilaire
Pionsat
Peyrat-la-Nonière
Menat
Ébreuil
GORGES DE LA SIOULE
Teilhet
PONT DE MENAT
Mainsat
Charron
St Maurice-près-Pionsat
Gouttières
St Pardoux
Montel-la-Donne
Espinasse
St Gervais-d'Auvergne
Blot-l'Eglise
Auzances
Josérand
Châteauneuf-les-Bains
St Amand
Dontreix
VIADUC DES FADES
Bellegarde-en-Marche
Le Compas
St Priest-des-Champs
Charbonnières-les-Vieilles
Charensat
BARRAGE
1
2
3

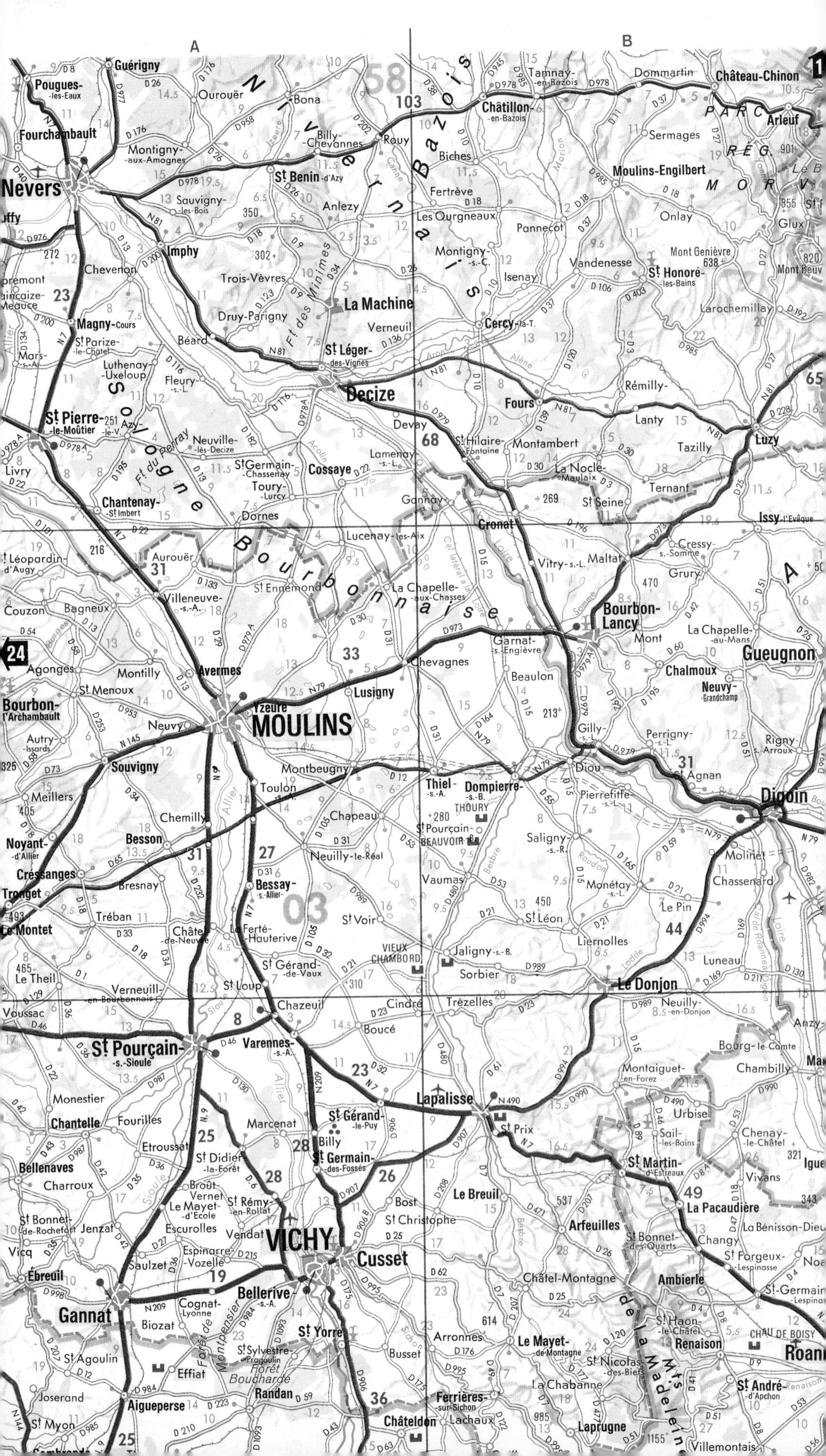

A
B
1
58
103
Guérigny
Pougues-les-Eaux
Ourouër
Bona
Tamnay-en-Bazois
Dommartin
Château-Chinon
Fourchambault
Montigny-aux-Amognes
Billy-Chevannes
Rouy
Châtillon-en-Bazois
Sermages
Arleuf
Nivernais
Bazois
PARC RÉG. MORV
Nevers
St Benin-d'Azy
Biches
Moulins-Engilbert
Sauvigny-les-Bois
Fertrève
Anlezy
Les Ourgneaux
Pannecot
Onlay
Glux
Imphy
Montigny-s.-C.
Mont Genièvre
Chevenon
Trois-Vèvres
Isenay
Vandenesse
St Honoré-les-Bains
Mont Beuvray
23
Ft des Minimes
La Machine
Larochemillay
Magny-Cours
Druy-Parigny
Verneuil
Cercy-la-T.
St Parize-le-Châtel
Béard
St Léger-des-Vignes
Mars-s.-A.
Luthenay-Uxeloup
Fleury-s.-L.
Decize
Fours
Rémilly
65
St Pierre-le-Moûtier
Azy-le-V.
Devay
Lanty
Luzy
Livry
Sologne
Neuville-lès-Decize
Lamenay-s.-L.
68
St Hilaire-Fontaine
Montambert
Tazilly
Ft du Perray
St Germain-Chassenay
Cossaye
La Nocle-Maulaix
Chantenay-St Imbert
Toury-Lurcy
Gannay-s.-L.
Ternant
Dornes
Cronat
St Seine
Issy l'Évêque
216
Lucenay-les-Aix
Cressy-s.-Somme
St Léopardin-d'Augy
Aurouër
31
Vitry-s.-L.
Maltat
Grury
A
Bourbonnaise
St Ennemond
La Chapelle-aux-Chasses
470
Couzon
Bagneux
Villeneuve-s.-A.
Bourbon-Lancy
Mont
La Chapelle-au-Mans
24
Garnat-s.-Engièvre
Gueugnon
33
Chevagnes
Chalmoux
Agonges
Montilly
Avermes
Beaulon
Neuvy-Grandchamp
St Menoux
Lusigny
Bourbon-l'Archambault
Yzeure
MOULINS
213
Autry-Issards
Neuvy
Gilly-s.-L.
Perrigny-s.-L.
Rigny-s.-Arroux
Souvigny
Montbeugny
Diou
31
St Agnan
Meillers
Toulon-s.-A.
Thiel-s.-A.
Dompierre-s.-B.
Pierrefitte-s.-L.
Digoin
Chapeau
THOURY
280
St Pourçain-s.-B.
BEAUVOIR
Chemilly
Noyant-d'Allier
Besson
Saligny-s.-R.
Molinet
31
27
Neuilly-le-Réal
Chassenard
Créssanges
Bressay-s.-Allier
Vaumas
Monétay-s.-L.
Tronget
Bresnay
03
Le Pin
Le Montet
Tréban
St Voir
450
St Léon
44
Châtel-de-Neuvre
La Ferté-Hauteriive
Liernolles
VIEUX CHAMBORD
Jaligny-s.-B.
Luneau
Le Theil
St Gérand-de-Vaux
310
Sorbier
Le Donjon
Verneuil-en-Bourbonnais
St Loup
Chazeuil
Cindré
Trèzelles
Neuilly-en-Donjon
Voussac
8
Anzy
Bouçé
St Pourçain-s.-Sioule
Varennes-s.-A.
Bourg-le-Comte
23
Montaiguet-en-Forez
Chambilly
Monestier
Lapalisse
St Prix
Urbise
Chantelle
Fourilles
Marcenat
St Gérand-le-Puy
Sail-les-Bains
Chenay-le-Châtel
Etroussat
25
28
Billy
St Martin-d'Estreaux
321
Bellenaves
St Didier-la-Forêt
St Germain-des-Fossés
26
Vivans
Charroux
Broût-Vernet
Le Mayet-d'Ecole
St Rémy-en-Rollat
28
Bost
Le Breuil
537
49
La Pacaudière
343
St Bonnet-de-Rochefort
Jenzat
Escurolles
St Christophe
Arfeuilles
La Bénisson-Dieu
Vicq
Vendat
VICHY
St Bonnet-des-Quarts
Changy
Saulzet
Espinarre-Vozelle
Cusset
St Forgeux-Lespinasse
Ébreuil
19
Châtel-Montagne
Ambierle
St Germain-Lespinasse
Gannat
Bellerive-s.-A.
Cognat-Lyonne
St Haon-le-Châtel
Biozat
614
CHAU DE BOISY
Renaison
St Yorre
Arronnes
Le Mayet-de-Montagne
Roanne
St Agoulin
St Sylvestre-Pragoulin
Busset
St Nicolas-des-Biefs
Effiat
Forêt de Montpensier
Forêt Bouchardé
La Chabanne
St André-d'Apchon
Joserand
Randan
Mts de la Madeleine
36
Ferrières-sur-Sichon
985
Aigueperse
Châteldon
Lachaux
Laprugne
St Myon
1155
Villemontais
25

C
D
Lucenay-l'Evêque
Barnay-Dessous
Voudenay
Maligny
Lacanche
Saussey
Savigny-lès-Beaune
Aloxe-Corton
Corgoloin
Bagnot
Reclesne
Viévy
Thury
Bouze-lès-B.
Beaune
Villy-le-M.
Corberon
Cordesse
Ivry-en-Montagne
Sully
Molinot
St Romain
Dracy-St Loup
Volnay
Ste Marie-la-Blanche
La Gde Verrière
Epinac
Meursault
Bligny-lès-B.
La Drée
Nolay
La Rochepot
Monthelon
Saisy
Autun
Auxy
Tintry
Chassagne-M.
Chagny
Demigny
St Loup-de la Salle
St Martin-en-Gâtinois
Ecuelles
Créot
Santenay
Remigny
Allerey-s.-S.
St Emiland
Raconnay
Verdun-s.-le-Doubs
Mesvres
Broye
Couches
Gergy
Etang-s.-Arroux
Marmagne
St Sernin-du-Bois
St Léger-s.-Dheune
Fontaines
Charrecey
Mercurey
Sassenay
Damerey
Champforgeuil
Uchon
St Bérain-s.-D.
La Tagnière
Le Creusot
l'Abergement
Mellecey
Chalon-s.-Saône
St Martin-en-Bresse
Montcenis
Guerfand
Charbonnat
Givry
St Marcel
L'Abergement-Ste Colombe
Dettey
Villeneuve-en-Montagne
Montchanin
St Désert
St Loup-de-V.
Varennes-le-Grand
Ouroux-s.-S.
Buxy
Bge de la Sorme
Blanzy
Toulon-s.-Arroux
St Bérain-s-s.-S.
Sanvignes-les-Mines
Marigny
St Micaud
Ft de la Ferté
St Germain-du-Plain
St Etienne-en-Bresse
Montceau-les-Mines
Genouilly
St Boil
Messey-s.-G.
Gigny-s.-S.
St Vincent-en-Bresse
Dompierre-sous-Sanvignes
Sennecey-le-Grd
Perrecy-les-Forges
Ciry-le-Noble
St Vallier
Gourdon
Mt St Vincent
Laives
Simandre
Pouilloux
Joncy
St Gengoux-le-National
Tallant
Génelard
Bresse-s.-Grosne
Tournus
Chapaize
Brancion
Cuisery
Brienne
St Marcelin-de-Cray
Marizy
La Guiche
Bonnay
Cormatin
Ozenay
Palinges
Ratenelle
Martigny-le-Comte
Sailly
Cortevaix
Martailly-lès-Brancion
Romenay
St Martin-de-S.
Salornay-s.-Guye
Chissey-lès-Mâcon
Chardonnay
Grandvaux
St André-le-Désert
Massilly
Lugny
Sermoyer
St Aubin-en-Charollais
Bissy-la-Mâconnaise
Viry
St Bonnet-de-Joux
Donzy-le-National
Donzy-le-Pertuis
Viré
Charolles
Vendenesse-lès-Charolles
Cluny
Mt de Mandé
Azé
St Albain
Pont-de-Vaux
St Jean-s.-Reyssouze
Lugny-les-Ch.
Buffières
Vaudebarrier
Beaubéry
Curtil-sous-Buffières
Mazille
Laizé
La Salle
Verosvres
Bergesserin
Brandon
Ste Cécile
Verzé
St Jean-le-Priche
Chevroux
Béréziat
St Julien-de-Civry
St Germain-en-Brionnais
Dompierre-les-Ormes
Milly-Lamartine
La Roche-Vineuse
Manziat
St Point
Feillens
Oyé
Bois Ste Marie
Trambly
Tramayes
Prissé
Mâcon
St Didier-d'Aussiat
Gibles
Matour
Solutré-Pouilly
Bâgé-le-Châtel
St Cyr-s.-Menthon
La Clayette
Chasselas
Fuissé
La Chapelle-sous-Dun
Aigueperse
Pt de Veyle
Crêches-s.-S.
Cormoranche-s.-Saône
Ligny-en-Brionnais
Juliénas
Ouroux
Monsols
La Chapelle-de-Guinchay
Mézériat
Mont St Rigaud
Pontanevaux
Vonnas
Chauffailles
Châteauneuf
Fleurie
Romanèche-Thorins
St Julien-s.-Veyle
Propières
Mt Rochefort
St Didier-s.-Ch.
Sulignat
Mars
Belmont-de-la-Loire
Les Echarmeaux
Chênelette
Mt Trouvéon
Beaujeu
Villié-Morgon
Thoissey
Neuville-les-Dames
Cuinzier
St Jean-d'Ardières
Belleville-s.-S.
Villers
Ranchal
Marchampt
Guéreins
Chatillon-s.-Chalaronne
Nandax
Claveisolles
Mt Brouilly
Odenas
Chaneins
Montmerle-s.-S.
Cours-la-Ville
St Etienne-des-O.
St Trivier-s.-Moignans
Coutouvre
Marlieux
Perreux
Thizy
Lamure-s.-Azergues
Le Perréon
St Georges-de-R.
Montagny
Cublize
Grandris
Arnas
St Victor-s.-R.
Chambost-Allières
St Cyr-le-Chatoux
Rivolet
Beauregard
Villeneuve
Villars-les-Dombes
Regny
Amplepuis
Chamelet
Villefranche-s.-S.
Jassans-Riottier
Ars-s.-F.
Ambérieux-en-D.
Mts du Beaujolais
Charolais
Mâconnais
Autoroute du Soleil
Ft Nale de Planoise
Ft de Gergy
T.G.V.
26
1
2
3

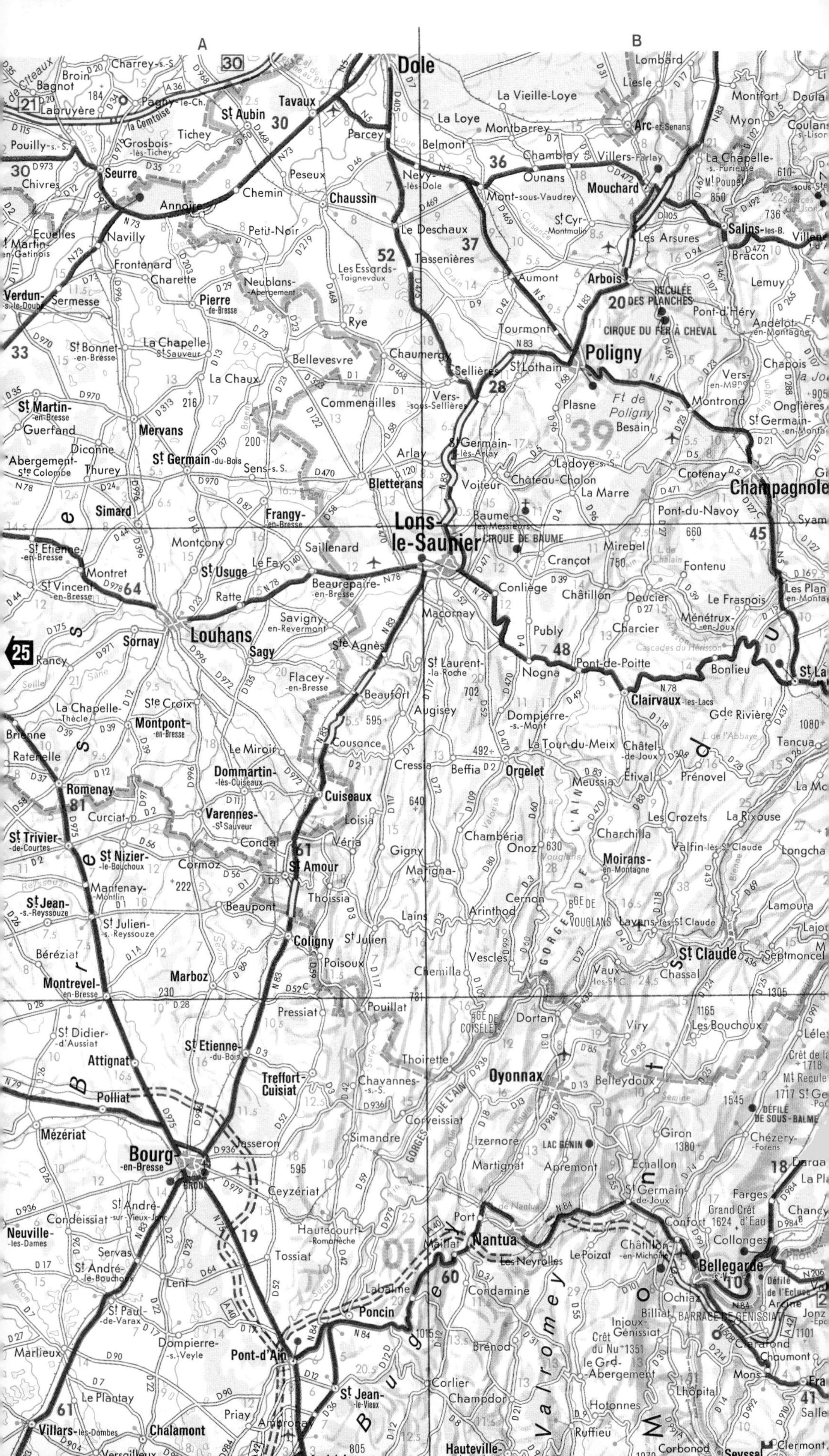

A
B
30
Dole
Lombard
Liesle
Broin
Charrey-s.-S.
Bagnot
21
Labruyère
Pagny-le-Ch.
St Aubin
Tavaux
30
La Vieille-Loye
Arc-et-Senans
Montfort
Doulaize
Myon
Coulans
La Loye
Montbarrey
Tichey
Grosbois-lès-Tichey
Parcey
Belmont
Pouilly-s.-S.
30
Chivres
Seurre
Peseux
Nevy-lès-Dole
36
Chamblay
Villers-Farlay
La Chapelle-s.-Furieuse
Mt Poupet
Ounans
Mouchard
Chemin
Annoire
Chaussin
Mont-sous-Vaudrey
St Cyr-Montmalin
Salins-les-B.
Ecuelles
Navilly
Petit-Noir
Le Deschaux
37
Les Arsures
Bracon
Villeneuve-d'Aval
St Martin-en-Gâtinois
52
Tassenières
Frontenard
Charette
Les Essards-Taigneveaux
Aumont
Arbois
Lemuy
Verdun-s.-le-Doubs
Sermesse
Neublans-Abergement
Pierre-de-Bresse
RECULÉE DES PLANCHES
20
Pont-d'Héry
CIRQUE DU FER À CHEVAL
Andelot-en-Montagne
Rye
Tourmont
33
St Bonnet-en-Bresse
La Chapelle-St Sauveur
Bellevesvre
Chaumergy
Poligny
Sellières
St Lothain
28
Chapois
La Chaux
Vers-en-Mgne
Commenailles
Vers-sous-Sellières
Plasne
Ft de Poligny
Montrond
St Martin-en-Bresse
Guerfand
Mervans
39
Besain
Onglières
St Germain-en-Montagne
Diconne
St Germain-lès-Arlay
Arlay
Abergement-Ste Colombe
Thurey
St Germain-du-Bois
Sens-s.-S.
Ladoye-s.-S.
Crotenay
Bletterans
Voiteur
Château-Chalon
Champagnole
La Marre
Simard
Frangy-en-Bresse
Baume-les-Messieurs
Pont-du-Navoy
Lons-le-Saunier
CIRQUE DE BAUME
Mirebel
Montcony
Saillenard
Crançot
45
Syam
St Etienne-en-Bresse
Montret
St Usuge
Le Fay
Beaurepaire-en-Bresse
Fontenu
St Vincent-en-Bresse
64
Conliège
Châtillon
Doucier
Le Frasnois
Les Planches-en-Montagne
Ratte
Macornay
Ménétrux-en-Joux
Louhans
Sornay
Savigny-en-Revermont
Publy
Charcier
25
Rancy
Sagy
Ste Agnès
48
Cascades du Hérisson
St Laurent-la-Roche
Pont-de-Poitte
Bonlieu
Nogna
St Laurent
Flacey-en-Bresse
Beaufort
Clairvaux-les-Lacs
La Chapelle-Thècle
Ste Croix
Augisey
Dompierre-s.-Mont
Gde Rivière
Montpont-en-Bresse
Brienne
Cousance
La Tour-du-Meix
Châtel-de-Joux
Tancua
Ratenelle
Le Miroir
Cressia
Beffia
Orgelet
Étival
Prénovel
Dommartin-lès-Cuiseaux
Meussia
Romenay
81
Cuiseaux
Les Crozets
La Rixouse
Curciat-D.
Varennes-St Sauveur
Loisia
Chambéria
Charchilla
St Trivier-de-Courtes
Condal
Véria
Onoz
Moirans-en-Montagne
Valfin-lès-St Claude
St Nizier-le-Bouchoux
Cormoz
61
St Amour
Gigny
Marigna-s.-V.
Mantenay-Montlin
Thoissia
St Jean-s.-Reyssouze
Beaupont
St Julien-s.-Reyssouze
Lains
Arinthod
Cernon
BGE DE VOUGLANS
Lavans-lès-St Claude
Lamoura
Coligny
St Julien
GORGES DE L'AIN
St Claude
Septmoncel
Béréziat
Poisoux
Vescles
Chemilla
Vaux-les-St C.
Chassal
Montrevel-en-Bresse
Marboz
Pressiat
Pouillat
Dortan
Les Bouchoux
St Didier-d'Aussiat
BGE DE COISELET
Viry
St Etienne-du-Bois
Attignat
Thoirette
Oyonnax
Treffort-Cuisiat
Chavannes-s.-S.
Belleydoux
Polliat
Corveissiat
DÉFILÉ DE SOUS-BALME
Mézériat
Mt Reculet
Crêt de la Neige
Bourg-en-Bresse
Jasseron
Simandre
Izernore
LAC GENIN
Chézery-Forens
BROU
Martignat
Apremont
Giron
Echallon
Ceyzériat
St André-sur-Vieux-Jonc
St Germain-de-Joux
Farges
Condeissiat
Port
Grand Crêt d'Eau
Chancy
Neuville-les-Dames
19
Hautecourt-Romanèche
Nantua
Confort
Collonges
Servas
Tossiat
Maillat
Les Neyrolles
Le Poizat
Châtillon-en-Michaille
St André-le-Bouchoux
Lent
01
60
Bellegarde-s.-V.
Défilé de l'Écluse
Labalme
Condamine
Ochiaz
St Paul-de-Varax
Poncin
Billiat
BARRAGE DE GÉNISSIAT
Injoux-Génissiat
Dompierre-s.-Veyle
Crêt du Nu
Clarafond
Marlieux
Pont-d'Ain
Brénod
Chaumont
Le Grd-Abergement
Mons
Le Plantay
Corlier
Champdor
Lhôpital
61
St Jean-le-Vieux
Hotonnes
Priay
Ambronay
Villars-les-Dombes
Chalamont
Ruffieux
Versailleux
Hauteville-Lompnes
Corbonod
Seyssel
Clermont
Bresse
Bugey
Valromey
Mont d'Ain

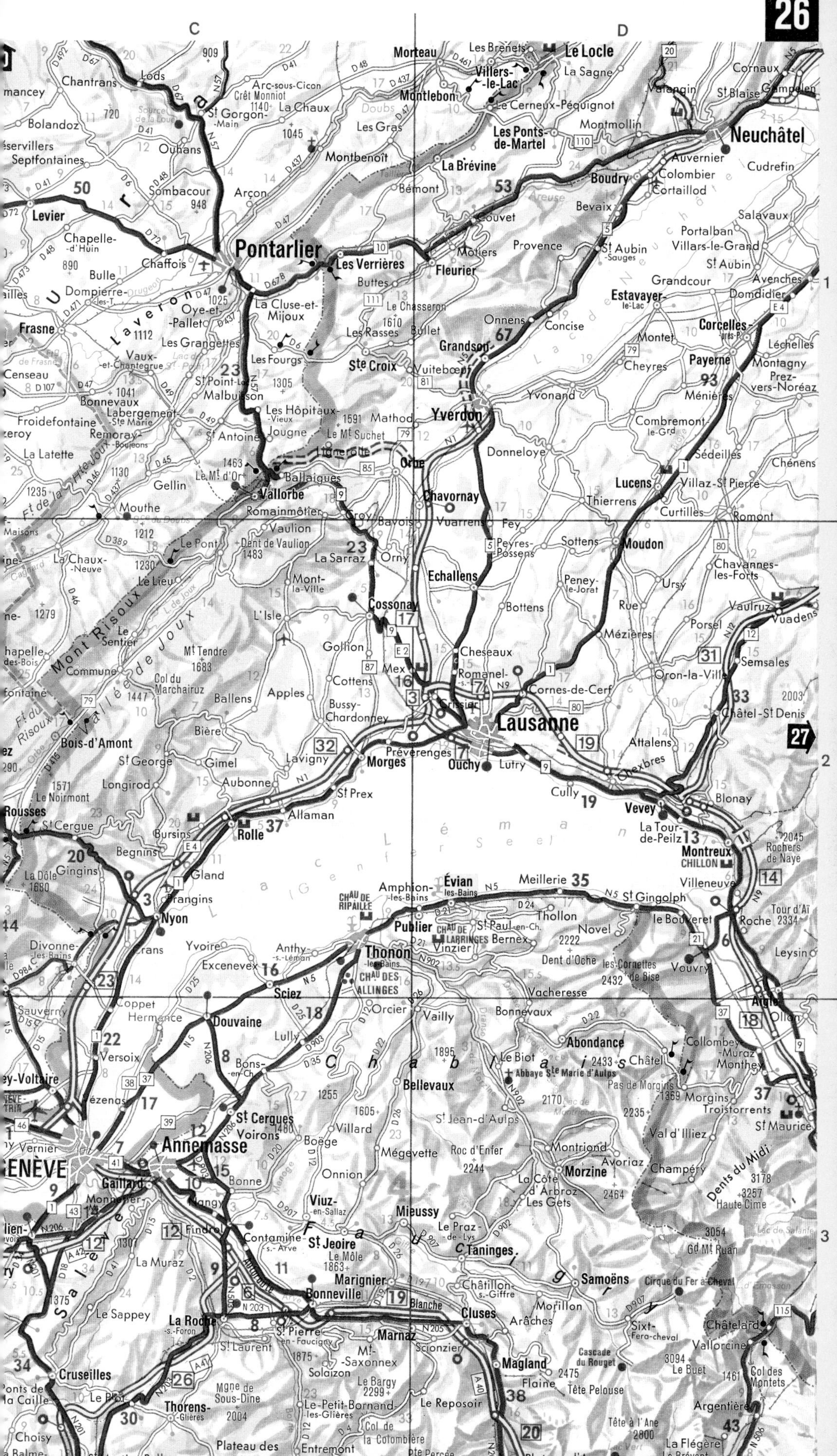
C
D
Morteau
Les Brenets
Le Locle
Villers-le-Lac
La Sagne
Le Cerneux-Péquignot
Montlebon
Valangin
Cornaux
St Blaise
Gampelen
Neuchâtel
Les Ponts-de-Martel
Montmollin
Auvernier
Cudrefin
Colombier
Cortaillod
Boudry
Bevaix
La Brévine
Bémont
Couvet
Môtiers
Fleurier
Provence
St Aubin -Sauges
Portalban
Villars-le-Grand
St Aubin
Salavaux
Avenches
Domdidier
Estavayer-le-Lac
Grandcour
Corcelles-près-P.
Montet
Léchelles
Payerne
Montagny
Prez-vers-Noréaz
Ménières
Cheyres
Yvonand
Concise
Onnens
Grandson
Yverdon
Combremont-le-Grd
Sédeilles
Chénens
Donneloye
Lucens
Villaz-St Pierre
Thierrens
Curtilles
Romont
Fey
Moudon
Sottens
Peyres-Possens
Chavannes-les-Forts
Peney-le-Jorat
Ursy
Rue
Vaulruz
Vuadens
Porsel
Mézières
Semsales
Oron-la-Ville
Châtel-St Denis
Bottens
Cheseaux
Romanel-s.-L.
Cornes-de-Cerf
Lausanne
Crissier
Échallens
Chavornay
Orbe
Bavois
Vuarrens
Orny
Croy
Romainmôtier
La Sarraz
Cossonay
Mex
Gollion
Cottens
Bussy-Chardonney
Préverenges
Ouchy
Lutry
Chexbres
Attalens
Cully
Vevey
Blonay
La Tour-de-Peilz
Montreux
Chillon
Villeneuve
Rochers de Naye
Roche
Tour d'Aï
Leysin
Aigle
Ollon
Monthey
Collombey-Muraz
Troistorrents
St Maurice
Morgins
Val d'Illiez
Champéry
Dents du Midi
Haute Cime
Gd Mt Ruan
Pontarlier
Les Verrières
Buttes
Le Chasseron
La Cluse-et-Mijoux
Oye-et-Pallet
Les Rasses
Bullet
Ste Croix
Vuiteboeuf
Les Fourgs
Les Hôpitaux-Vieux
Jougne
Mathod
Le Mt Suchet
Lignerolle
Ballaigues
Vallorbe
Le Mt d'Or
Mouthe
Vaulion
Dent de Vaulion
Le Pont
Le Lieu
La Chaux-Neuve
Mont-la-Ville
L'Isle
Le Sentier
Mt Tendre
Col du Marchairuz
Ballens
Apples
Bière
Gimel
Lavigny
Morges
St Prex
Allaman
Aubonne
Longirod
St George
Bois-d'Amont
Vallée de Joux
Mont Risoux
Le Noirmont
Rousses
St Cergue
Begnins
Bursins
Rolle
Gingins
La Dôle
Gland
Prangins
Nyon
Divonne-les-Bains
Crans
Coppet
Hermance
Versoix
Yvoire
Excenevex
Sciez
Douvaine
Anthy-s.-Léman
Thonon-les-Bains
Chau de Ripaille
Chau des Allinges
Amphion-les-Bains
Évian-les-Bains
Publier
Chau de Larringes
Vinzier
St Paul-en-Ch.
Bernex
Thollon
Meillerie
St Gingolph
Le Bouveret
Novel
Dent d'Oche
Les Cornettes de Bise
Vouvry
Vacheresse
Bonnevaux
Abondance
Châtel
Pas de Morgins
Abbaye Ste Marie d'Aulps
St Jean-d'Aulps
Montriond
Avoriaz
Morzine
La Côte d'Arbroz
Les Gets
Roc d'Enfer
Bellevaux
Orcier
Vailly
Lully
Bons-en-Ch.
St Cergues
Voirons
Villard
Boëge
Mégevette
Onnion
Annemasse
Genève
Gaillard
Monnetier
Bonne
Viuz-en-Sallaz
Mieussy
Le Praz-de-Lys
Taninges
St Jeoire
Le Môle
Contamine-s.-Arve
Marignier
Bonneville
Châtillon-s.-Giffre
Samoëns
Morillon
Cluses
Arâches
Sixt-Fer-à-Cheval
Cirque du Fer à Cheval
Scionzier
Marnaz
Magland
Cascade du Rouget
Flaine
Tête Pelouse
Le Buet
Châtelard
Vallorcine
Col des Montets
Argentière
La Flégère
Le Brévent
Plateau d'Assy
Tête à l'Ane
Le Reposoir
Pte Percée
Col de la Colombière
Entremont
Le-Petit-Bornand-les-Glières
Plateau des Glières
Mgne de Sous-Dine
Thorens-Glières
St Martin-Bellevue
Le Bargy
Solaizon
Mt-Saxonnex
St Pierre-en-Faucigny
St Laurent
La Roche-s.-Foron
Le Sappey
La Muraz
Findrol
Cruseilles
Le Plot
Choisy
Salève
Chablais
Faucigny
Lac Léman
Lods
Chantrans
St Gorgon-Main
Arc-sous-Cicon
Crêt Monniot
La Chaux
Les Gras
Montbenoît
Bolandoz
Ouhans
Septfontaines
Sombacour
Arçon
Levier
Chapelle-d'Huin
Chaffois
Bulle
Dompierre-les-T.
Frasne
Les Grangettes
Vaux-et-Chantegrue
St Point-Lac
Malbuisson
Bonnevaux
Labergement-Ste Marie
Remoray-Boujeons
St Antoine
Froidefontaine
La Latette
Gellin
Ft de la Hte Joux
Ft du Risoux
27

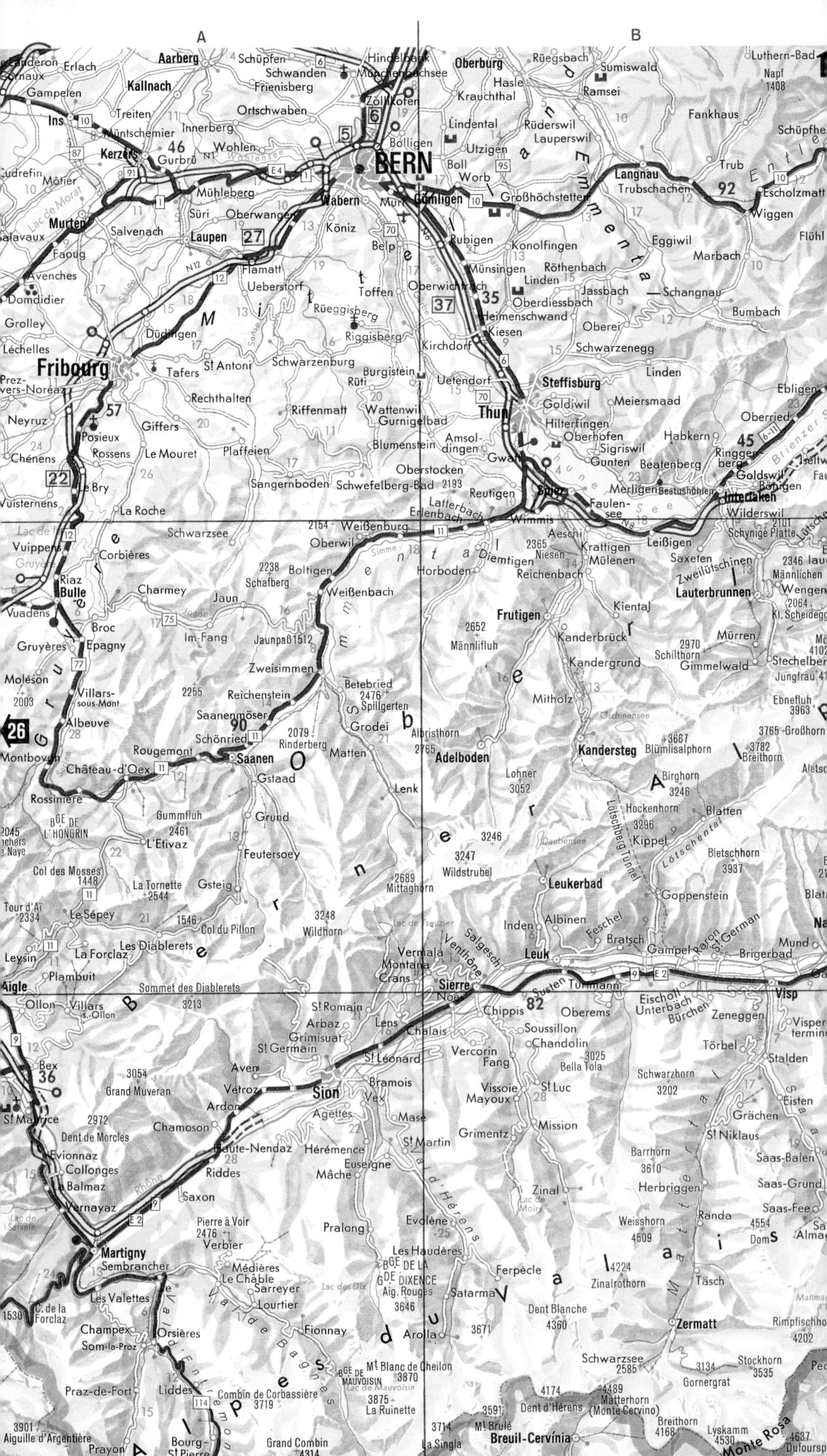
A
B
Erlach
Gampelen
Aarberg
Kallnach
Schüpfen
Schwanden
Frienisberg
Hindelbank
Münchenbuchsee
Zollikofen
Oberburg
Rüegsbach
Sumiswald
Hasle
Krauchthal
Ramsei
Luthern-Bad
Napf
1408
Ins
Treiten
Müntschemier
Ortschwaben
Innerberg
Lindental
Rüderswil
Lauperswil
Fankhaus
Schüpfhe
Kerzers
Gurbrü
Wohlen
Bolligen
Utzigen
BERN
Boll
Worb
Langnau
Trubschachen
Trub
Escholzmatt
Wiggen
Mühleberg
Süri
Oberwangen
Wabern
Muri
Gümligen
Großhöchstetten
Murten
Salvenach
Laupen
Köniz
Belp
Rubigen
Konolfingen
Eggiwil
Flühl
Marbach
Faoug
Avenches
Domdidier
Flamatt
Ueberstorf
Toffen
Oberwichtrach
Münsingen
Röthenbach
Linden
Jassbach
Schangnau
Oberdiessbach
Bumbach
Heimenschwand
Grolley
Léchelles
Düdingen
Rüeggisberg
Riggisberg
Kirchdorf
Kiesen
Oberei
Schwarzenegg
Fribourg
Tafers
St Antoni
Schwarzenburg
Burgistein
Rüti
Uetendorf
Steffisburg
Prez-vers-Noréaz
Rechthalten
Wattenwil
Gurnigelbad
Thun
Goldiwil
Meiersmaad
Hilterfingen
Oberhofen
Ebligen
Oberried
Neyruz
Posieux
Giffers
Riffenmatt
Amsoldingen
Habkern
Sigriswil
Gunten
Beatenberg
Ringgenberg
Goldswil
Bönigen
Chénens
Rossens
Le Mouret
Plaffeien
Blumenstein
Oberstocken
Gwatt
Le Bry
Sangernboden
Schwefelberg-Bad
2193
Reutigen
Spiez
Merligen
Faulensee
Interlaken
Vuisternens
La Roche
Latterbach
Erlenbach
Wimmis
Wilderswil
Schwarzsee
2154
Weißenburg
Oberwil
Aeschi
Krattigen
Leißigen
Schynige Platte
2101
Vuippens
Corbières
2238
Schafberg
Boltigen
Horboden
Diemtigen
2365
Niesen
Mülenen
Reichenbach
Saxeten
Zweilütschinen
2346
Männlichen
Wengen
Riaz
Bulle
Vuadens
Charmey
Jaun
Weißenbach
Frutigen
Kiental
Lauterbrunnen
2064
Kl. Scheidegg
Broc
Gruyères
Epagny
Im-Fang
Jaunpaß 1512
2652
Männlifluh
Kanderbrück
2970
Schilthorn
Mürren
Gimmelwald
Stechelberg
Kandergrund
Moléson
2003
Villars-sous-Mont
2255
Reichenstein
Zweisimmen
Betebried
2476
Spillgerten
Mitholz
Jungfrau
Ebnefluh
3963
Albeuve
Saanenmöser
Schönried
2079
Rinderberg
Grodei
Albristhorn
2765
+3667
Blümlisalphorn
+3782
Breithorn
3765
Großhorn
26
Montbovon
Château-d'Oex
Rougemont
Saanen
Gstaad
Matten
Adelboden
Kandersteg
Lohner
3052
Birghorn
3246
Lenk
Rossinière
Gummfluh
2461
Grund
Hockenhorn
3296
Kippel
Blatten
Lötschental
Lötschberg Tunnel
BGE DE L'HONGRIN
L'Etivaz
Feutersoey
3246
3247
Wildstrubel
Bietschhorn
3937
Col des Mosses
1448
La Tornette
2544
Gsteig
2689
Mittaghorn
Leukerbad
Goppenstein
Tour d'Aï
2334
Le Sépey
1546
Col du Pillon
3248
Wildhorn
Inden
Albinen
Feschel
Salgesch
Leysin
La Forclaz
Les Diablerets
Vermala
Montana
Crans
Varen
Bratsch
Gampel
Raron
St German
Mund
Brigerbad
Leuk
Aigle
Plambuit
Sommet des Diablerets
3213
Sierre
Noës
Susten
Turtmann
Visp
Ollon
Villars s.-Ollon
St Romain
Arbaz
Grimisuat
Lens
Chalais
Chippis
Oberems
Eischoll
Unterbäch
Bürchen
Zeneggen
Visperterminen
St Germain
St Léonard
Soussillon
Chandolin
Vercorin
Fang
+3025
Bella Tola
Törbel
Stalden
Bex
3054
Grand Muveran
Aven
Vétroz
Sion
Bramois
Vex
Vissoie
Mayoux
St Luc
Schwarzhorn
3202
St Maurice
2972
Dent de Morcles
Chamoson
Ardon
Agettes
Mase
Mission
Grächen
Eisten
St Niklaus
Evionnaz
Collonges
Haute-Nendaz
Hérémence
St Martin
Grimentz
Barrhorn
3610
Saas-Balen
La Balmaz
Vernayaz
Riddes
Saxon
Mâche
Euseigne
Zinal
Herbriggen
Saas-Grund
Saas-Fee
Pierre à Voir
2476
Verbier
Pralong
Evolène
Weisshorn
4509
Randa
4554
Dom
Martigny
Sembrancher
Médières
Le Châble
Les Haudères
BGE DE LA GDE DIXENCE
Ferpècle
4224
Zinalrothorn
Täsch
Les Valettes
Sarreyer
Lourtier
Aig. Rouges
3646
Satarma
C. de la Forclaz
1530
Champex
Som-la-Proz
Orsières
Fionnay
Arolla
3671
Dent Blanche
4360
Zermatt
Rimpfischhorn
4202
Val de Bagnes
Val d'Hérens
BGE DE MAUVOISIN
Mt Blanc de Cheilon
3870
Schwarzsee
2585
3134
Gornergrat
Stockhorn
3535
Praz-de-Fort
Liddes
Combin de Corbassière
3719
3875
La Ruinette
4174
Dent d'Hérens
4489
Matterhorn
(Monte Cervino)
3591
Breithorn
4168
Lyskamm
4530
Monte Rosa
4637
3901
Aiguille d'Argentière
Prayon
Bourg-St Pierre
Grand Combin
4314
3714
La Singla
Mt Brulé
Breuil-Cervinia
Emmental
Mittelland
Simmental
Berner Alpen
Gruyère
Valais
Alpes du Valais

C D

1 2 3

A
B
O C É A N
A T L A N T I

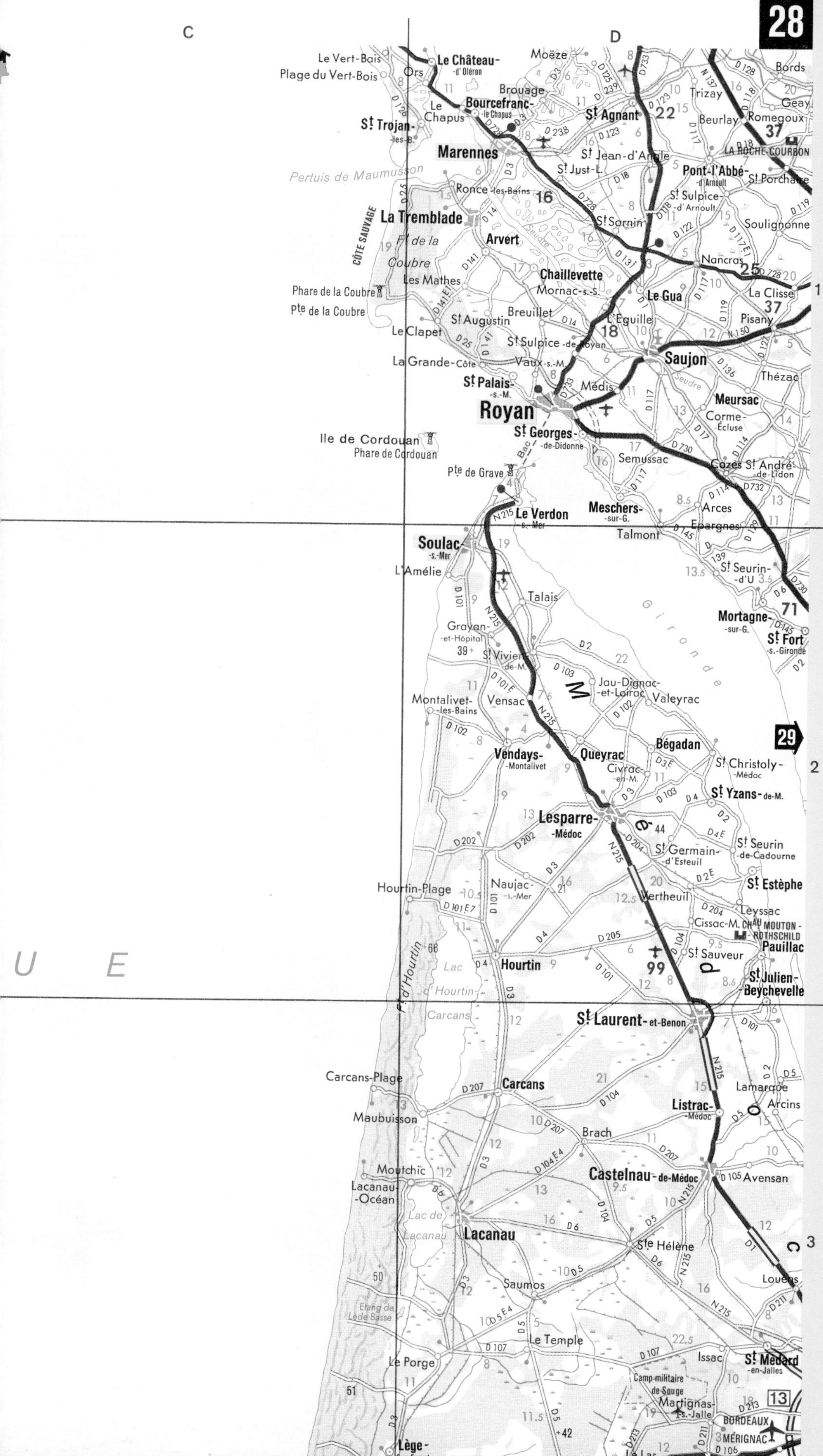
28
C
D
Le Vert-Bois
Plage du Vert-Bois
Le Château-d'Oléron
Ors
Moëze
Brouage
Bourcefranc-le Chapus
Le Chapus
St Trojan-les-B.
St Agnant
Trizay
Bords
Geay
Beurlay
Romegoux
LA ROCHE-COURBON
Marennes
St Jean-d'Angle
St Just-L.
Pont-l'Abbé-d'Arnoult
St Porchaire
Pertuis de Maumusson
Ronce-les-Bains
St Sulpice-d'Arnoult
La Tremblade
St Sornin
Soulignonne
CÔTE SAUVAGE
Ft de la Coubre
Arvert
Nancras
Chaillevette
Mornac-s.-S.
Le Gua
La Clisse
Phare de la Coubre
Pte de la Coubre
Les Mathes
Breuillet
St Augustin
L'Eguille
Pisany
Le Clapet
St Sulpice-de-Royan
Saujon
La Grande-Côte
Vaux-s.-M.
Thézac
St Palais-s.-M.
Médis
Meursac
Royan
Corme-Écluse
St Georges-de-Didonne
Ile de Cordouan
Phare de Cordouan
Semussac
Cozes
St André-de-Lidon
Pte de Grave
Bac
Le Verdon s. Mer
Meschers-sur-G.
Arces
Talmont
Épargnes
Soulac-s.-Mer
L'Amélie
St Seurin-d'U
Talais
Mortagne-sur-G.
Gironde
Grayan-et-Hôpital
St Vivien-de-M.
St Fort-s.-Gironde
Jau-Dignac-et-Loirac
Valeyrac
Montalivet-les-Bains
Vensac
29
Bégadan
Vendays-Montalivet
Queyrac
St Christoly-Médoc
Civrac-en-M.
St Yzans-de-M.
Lesparre-Médoc
St Germain-d'Esteuil
St Seurin-de-Cadourne
Hourtin-Plage
Naujac-s.-Mer
Vertheuil
St Estèphe
Leyssac
Cissac-M.
CHÂU MOUTON-ROTHSCHILD
Pauillac
Hourtin
St Sauveur
Lac d'Hourtin
St Julien-Beychevelle
Ft d'Hourtin
Carcans
St Laurent-et-Benon
U E
Carcans-Plage
Lamarque
Listrac-Médoc
Arcins
Maubuisson
Brach
Moutchic
Castelnau-de-Médoc
Avensan
Lacanau-Océan
Lac de Lacanau
Lacanau
Ste Hélène
Saumos
Louens
Étang de Lède Basse
Le Temple
Le Porge
Issac
St Médard-en-Jalles
Camp militaire de Souge
Martignas-s.-Jalle
13
BORDEAUX
MÉRIGNAC
Lège-Cap-Ferret
Le Las
1
2
3

A
B
Bords
St Savinien
Geay
Romegoux
Crazannes
LA ROCHE-COURBON
St Porchaire
Plassay
Soulignonne
Nieul-lès-Saintes
Saintes
La Clisse
Pessines
Chermignac
Rétaud
Thézac
Rioux
St André-de-Lidon
Jazennes
Gémozac
Mortagne-sur-G.
St Fort-s.-Gironde
Lorignac
St Dizant-du-Gua
St Ciers-du-Taillon
St Thomas-de-Conac
St Sorlin-de-Conac
St Bonnet-s.-G.
St Ciers-s.-G.
LE BLAYAIS Centrale Atomique
Pauillac
St Androny
St Julien-Beychevelle
Blaye
Lamarque
Arcins
Margaux
Labarde
Le Pian-Médoc
Louens
Le Taillan-Médoc
St Médard-en-Jalles
Le Haillan
Mérignac
Pessac
Beutre
BORDEAUX
Blanquefort
Taillant
Fenioux
Grandjean
Ste Même
St Hilaire-de-V.
Annepont
St Vaize
Vénérand
Ecoyeux
Brizambourg
St Bris-des-Bois
Burie
Chaniers
St Sauvant
Dompierre-s.-Ch.
Colombiers
Thénac
Berneuil
Tesson
St Léger
Montils
Pons
Bougneau
Avy
Fléac-s.-Seugne
Champagnolles
Mosnac
St Genis-de-Saintonge
Nieul-le-Virouil
St Ciers-du-Taillon
Semillac
Mirambeau
Villexavier
Soubran
Pleine-Selve
Boisredon
Marcillac
Braud-et-St Louis
Etauliers
Anglade
Reignac
Le Pontet
Saugon
Berson
Villeneuve
St Christoly-de-Blaye
Pugnac
Bourg
Ambès
Macau
Prignac-et-Marcamps
St Antoine
St André-de-Cubzac
St Vincent-de-P.
Cadillac-en-Fronsadais
Carbon-Blanc
St Loubès
St Sulpice-et-Cameyrac
Vayres
Beychac-et-Caillau
Salleboeuf
Floirac
l'Aquitaine
Varaize
Matha
Authon-Ebéon
Prignac
Migron
Thors
Cherves-Richemont
Javrezac
Cognac
Merpins
Brives-s.-Ch.
Pérignac
Coulonges
Echebrune
Lonzac
Jarnac-Champagne
Ste Lheurine
Marignac
Neuillac
Clam
Réaux
Jonzac
Meux
Champagnac
Ozillac
Léoville
Chartuzac
Courpignac
Vanzac
Pommiers-Moulons
Vallet
Montendre
Polignac
Chepniers
Bussac-Forêt
St Savin
Cézac
Cavignac
Laruscade
Marcenais
St Ciers-d'Abzac
Mouillac
Galgon
Villegouge
Lugon-l'Ile-du-Carney
Fronsac
Arveyres
Génissac
Moulon
St Germain-du-Puch
Tizac-de-Curton
Gibourne
Le Gicq
Les Touches-de-Périgny
Bazauges
Barbezières
Beauvais-s.-M.
Brie-sous-Matha
Siecq
Bréville
Macqueville
Ste Sévère
Nercillac
Jarnac
Châteaubernard
Salles-d'Angles
Segonzac
St Même-les-Carrières
Bouteville
Châteauneuf-s.-Ch.
St Fort-s.-le-Né
Cierzac
Lignières-Sonneville
Lachaise
Archiac
Barret
Barbezieux-St Hilaire
St Ciers-Champagne
Reignac
St Maigrin
Baignes-Ste Radegonde
Mérignac
Chevanceaux
Pouillac
Montlieu-la-Garde
Martron
Montguyon
Clérac
Bédenac
Cercoux
Lapouyade
Guîtres
St Denis-de-Pile
Les Billaux
Libourne
Montagne
St Emilion
Abzac
Coutras
Verdille
Aigre
Fouqueure
Marcillac-Lanville
Gourville
Anville
Rouillac
Mareuil
Sigogne
Foussignac
Echallat
Mérignac
St Genis-d'Hiersac
Hiersac
Vibrac
Nersac
St Michel
Angoulême
Birac
Jurignac
LE MAINE GIRAUD
Blanzac-Porcheresse
Brie-sous-B.
Condéon
Chillac
St Félix
Passirac
Brossac
Chalais
Rioux-Martin
Boscamnant
St Aigulin
St Martin-de-Coux
La Clotte
Lagorce
St Christophe-de-Double
Le Fieu
St Seurin-s.-l'I.
St Médard-de-Guizières
Lussac
Petit-Palais-et-Cornemps
Puynormand
Monbadon
St Philippe-d'Aiguille
Puisseguin
St Genès-de-Castillon
CHÂTEAU DE MONTAIGNE
Castillon-la-Bataille
St Pey-d'A.
Civrac-de-Dordogne
Tusson
Luxé
Mansle
Villognon
Xambes
Vouharte
St Amant-de-Bo
Genac
Montignac-s.-Ch.
Vars
Marsac
St Yrieix-s.-Ch.
Champniers
Puymoyen
La Couronne
Roullet-St Estèphe
Mouthiers-s.-Boëme
Aignes-et-Puypéroux
Montmoreau-St Cybard
Montboyer
St Romain
Aubeterre-s.-Dr.
Bonnes
Parcoul
St Aulaye
La Roche-Chalais
Servanches
Echourgnac
St Barthélemy-de-Bellegarde
Eygurande-et-Gardefeuil
St Antoine-s.-l'I.
Le Pizou
Montpon-Ménestérol
Villefranche-de-Lonchat
Montazeau
St Michel-de-Montaigne
Montcaret
Vélines
Lamothe-Montravel
St Antoine-de-Breuilh
Ste Foy
Saintonge
Angoumois
Dordogne
Garonne
Charente
28
27
26
22
23
13
34
15
11
31
33
38
20
65
69
95

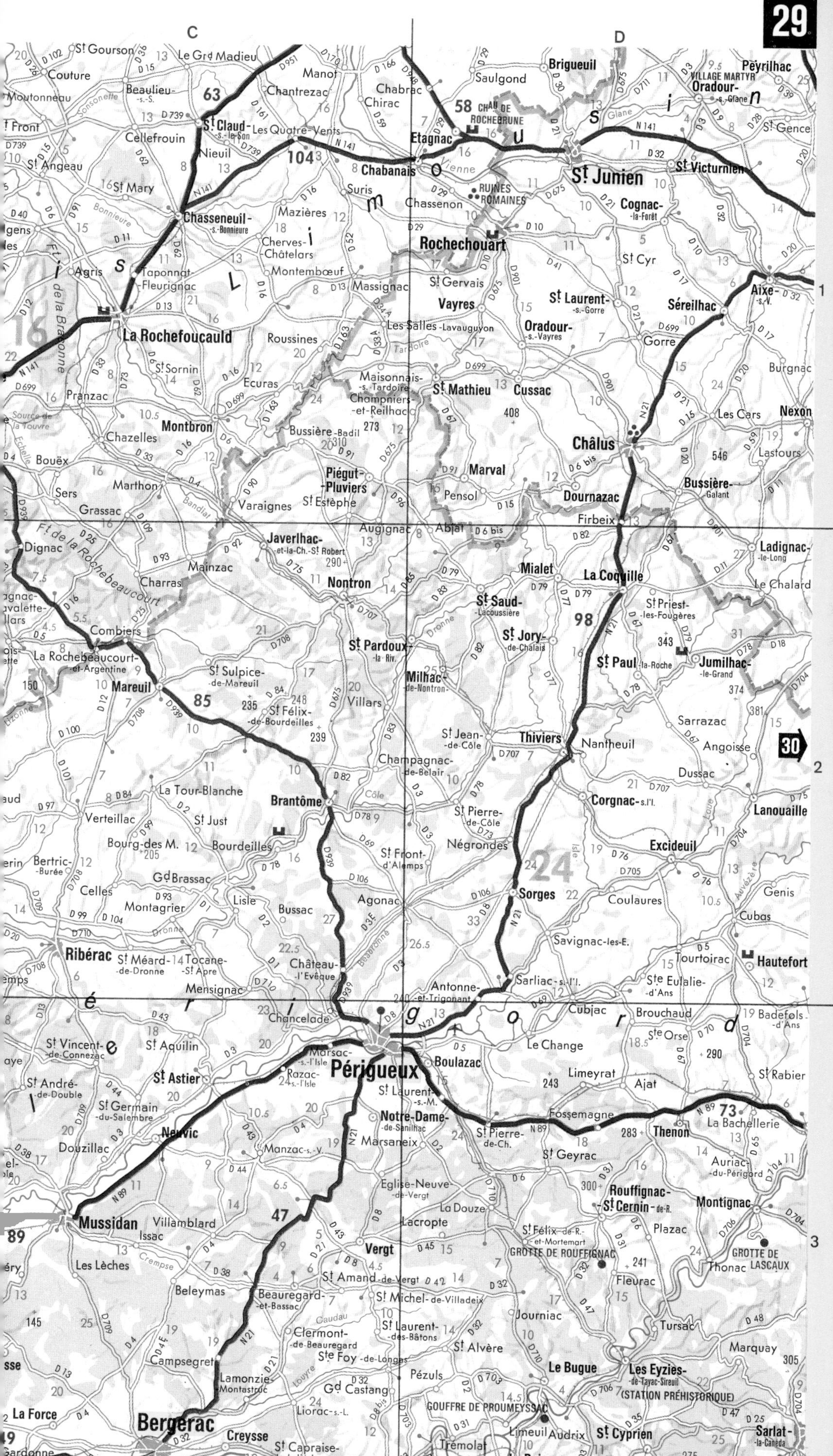
C
D
St Gourson
Couture
Le Grd Madieu
Manot
Beaulieu-s.-S.
Chantrezac
Chabrac
Chirac
Saulgond
Brigueil
Peyrilhac
Oradour-s.-Glane
VILLAGE MARTYR
Cellefrouin
St Claud-s.-le-Son
Les Quatre-Vents
Nieuil
Etagnac
CHAU DE ROCHEBRUNE
St Gence
St Angeau
Chabanais
Vienne
St Junien
St Victurnien
St Mary
Suris
RUINES ROMAINES
Chassenon
Cognac-la-Forêt
Chasseneuil-s.-Bonnieure
Mazières
Cherves-Châtelars
Rochechouart
St Cyr
Agris
Taponnat-Fleurignac
Montembœuf
Massignac
St Gervais
Vayres
St Laurent-s.-Gorre
Séreilhac
Aixe-s.-V.
La Rochefoucauld
Roussines
Les Salles-Lavauguyon
Oradour-s.-Vayres
Gorre
St Sornin
Maisonnais-s.-Tardoire
St Mathieu
Cussac
Burgnac
Pranzac
Ecuras
Champniers-et-Reilhac
Les Cars
Nexon
Montbron
Chazelles
Bussière-Badil
Châlus
Lastours
Bouëx
Marthon
Piégut-Pluviers
Marval
Pensol
Dournazac
Bussière-Galant
Sers
Grassac
Varaignes
St Estèphe
Firbeix
Dignac
Javerlhac-et-la-Ch.-St Robert
Augignac
Abjat
Ladignac-le-Long
Mainzac
Charras
Nontron
Mialet
La Coquille
Le Chalard
St Saud-Lacoussière
St Priest-les-Fougères
Combiers
St Jory-de-Chalais
La Rochebeaucourt-et-Argentine
St Pardoux-la-Riv.
St Paul-la-Roche
Jumilhac-le-Grand
Mareuil
St Sulpice-de-Mareuil
Milhac-de-Nontron
St Félix-de-Bourdeilles
Villars
Sarrazac
St Jean-de-Côle
Thiviers
Nantheuil
Angoisse
Champagnac-de-Belair
Dussac
La Tour-Blanche
Brantôme
Lanouaille
St Just
St Pierre-de-Côle
Corgnac-s.l'I.
Verteillac
Bourg-des M.
Bourdeilles
Négrondes
Excideuil
Bertric-Burée
St Front-d'Alemps
Gd Brassac
Celles
Montagrier
Lisle
Agonac
Sorges
Coulaures
Genis
Bussac
Cubas
Ribérac
St Méard-de-Dronne
Tocane-St Apre
Château-l'Evêque
Savignac-les-E.
Tourtoirac
Hautefort
Mensignac
Antonne-et-Trigonant
Sarliac-s.-l'I.
Ste Eulalie-d'Ans
Chancelade
Cubjac
Brouchaud
Badefols-d'Ans
St Vincent-de-Connezac
St Aquilin
Le Change
Ste Orse
Marsac-s.-l'Isle
Périgueux
Boulazac
Razac-s.-l'Isle
St Astier
Limeyrat
Ajat
St Rabier
St André-de-Double
St Laurent-s.-M.
St Germain-du-Salembre
Notre-Dame-de-Sanilhac
Fossemagne
Thenon
La Bachellerie
Neuvic
Marsaneix
St Pierre-de-Ch.
Douzillac
Manzac-s.-V.
St Geyrac
Auriac-du-Périgord
Eglise-Neuve-de-Vergt
Rouffignac-St Cernin-de-R.
Montignac
Mussidan
Villamblard
La Douze
Lacropte
Issac
Plazac
St Félix-de-R.-et-Mortemart
Vergt
GROTTE DE ROUFFIGNAC
GROTTE DE LASCAUX
Thonac
Les Lèches
St Amand-de-Vergt
Fleurac
Beleymas
Beauregard-et-Bassac
St Michel-de-Villadeix
Journiac
Tursac
Clermont-de-Beauregard
St Laurent-des-Bâtons
St Alvère
Marquay
Ste Foy-de-Longes
Campsegret
Le Bugue
Les Eyzies-de-Tayac-Sireuil
(STATION PRÉHISTORIQUE)
Lamonzie-Montastruc
Gd Castang
Pézuls
Liorac-s.-L.
GOUFFRE DE PROUMEYSSAC
La Force
Bergerac
Creyssé
Limeuil
Audrix
St Cyprien
Sarlat-la-Canéda
St Capraise-de-Lalinde
Lalinde
Trémolat
Le Buisson-
Cours-de-Pile
Gardonne
30

A
B
LIMOGES
Ambazac
Les Billanges
Bourganeuf
Masbaraud-Mérignat
St Hilaire-le-Château
La Pouge
Chavanat
Le Monteil-au-Vicomte
Montboucher
Sauviat-s.-Vige
St Martin-Terressus
St Priest-Taurion
Le Châtenet-en-Dognon
St Junien-la-Bregère
St Pardoux-Morterolles
Vallières
Le Compeix
St Yrieix-la-Montagne
Plateau de Gentioux
St Just-le-Martel
St Léonard-de-Noblat
St Moreil
Royère-de-Vassivière
St Marc-à-Loubaud
Isle
Feytiat
Cheissoux
BARRAGE DU MONT LARRON
Peyrat-le-Château
Aixe-s.-V.
Eybouleuf
Eyjeaux
Bujaleuf
Gentioux-Pigerolles
Solignac
St Paul
Masléon
Eymoutiers
Beaumont-du-Lac
Burgnac
CHAU DE CHALUSSET
St Hilaire-Bonneval
St Maurice-les-Brousses
St Genest-s.-Roselle
Linards
Châteauneuf-la-Forêt
Nedde
Faux-la-M.
La Villedieu
Peyrelevade
Nexon
St Jean-Ligoure
Pierre-Buffière
Sussac
Tarnac
Lastours
St Priest-Ligoure
Domps
Toy-Viam
Millevaches
La Meyze
Magnac-Bourg
La Croisille-s.-Briance
Lacelle
St Merd-les-Oussines
Château-Chervix
St Germain-les-Belles
Surdoux
St Hilaire-les-Courbes
Viam
Bugeat
La Roche-l'Abeille
La Porcherie
Chamberet
BARRAGE DE LA VIROLE
Pérols-s.-V.
RUINES ROM DES CARS
Plateau de
Le Chalard
Meuzac
Meilhards
BARRAGE DE TREIGNAC
Gourdon
Coussac-Bonneval
Masseret
Rilhac-Treignac
Treignac
Lestards
Bonnefond
St Yrieix-la-Perche
Benayes
Peyrissac
St Julien-le-Vendômois
Lubersac
Eyburie
Le Lonzac
Madranges
Ségur-le-Château
St Yrieix-le-Déjalat
Angoisse
Uzerche
Chamboulive
St Augustin
Payzac
Arnac-Pompadour
St Jal
Mont des Monédières
Égletons
Vitrac-s.-M.
Vigeois
Seilhac
Lagraulière
Corrèze
Rosiers-d'Égletons
Montaignac-St Hippolyte
Genis
Juillac
Perpezac-le-Noir
St Clément
Naves
Gimel-les-Cascades
St Priest-de-G.
CASCADES
Segonzac
Voutezac
St Mexant
Tulle
Marcillac-la-Croisille
Sadroc
Le Saillant
St Robert
Objat
Allassac
Clergoux
St Bonnet-Avalouze
GORGES DE LA VÉZÈRE
Ayen
Donzenac
Ste Féréole
St Pardoux-la-Croisille
St Merd-de-Lapleau
Laguenne
Badefols-d'Ans
Perpezac-le-Blanc
Ste Fortunade
Marc-la-T.
Châtres
Villac
Varetz
Cornil
La Roche-Canillac
Brignac-la-Plaine
BGE DU CHASTANG
Aubazines
Lagarde-Enval
Le Lardin-St Lazare
Brive-la-Gaillarde
St Martin-la-Méanne
Forgès
Quatre-Routes
Terrasson-la-Villedieu
Lanteuil
Larche
St Cernin-de-Larche
Beynat
St Chamant
Chavagnac
Noailles
Argentat
Coly
Montignac
ST AMAND DE COLY
La Cassagne
Lagleygeolle
Le Pescher
St Cirgues-la-Loutre
GROTTE DE LASCAUX
Nadaillac
Turenne
Collonges-la-Rouge
Tudeils
BGE DE HAUTEFAGE
Meyssac
TOURS DE M
Cressensac
Marcillac-la-Croze
Puy-d'Arnac
Sexcles
St Geniès
Gignac
La Chapelle-St Géraud
Paulin
Les 4 Routes
Mercœur
Salignac-Eyvignes
Vayrac
Beaulieu-s.-D.
Queyssac-les-Vignes
Borrèze
Bétaille
GORGES DE LA CÈRE
Lamativie
Ste Nathalène
Martel
Puybrun
Teyssieu
Baladou
Floirac
Carennac
Calviac
Peyrillac-et-Millac
Cirque de Montvalent
Bretenoux
Sarlat-la-Canéda
Carlux
Souillac
Meyronne
St Sozy
Montvalent
CASTELNAU
Lanzac
GOUFFRE DE PADIRAC
Loubressac
St Céré
Sousceyrac
29

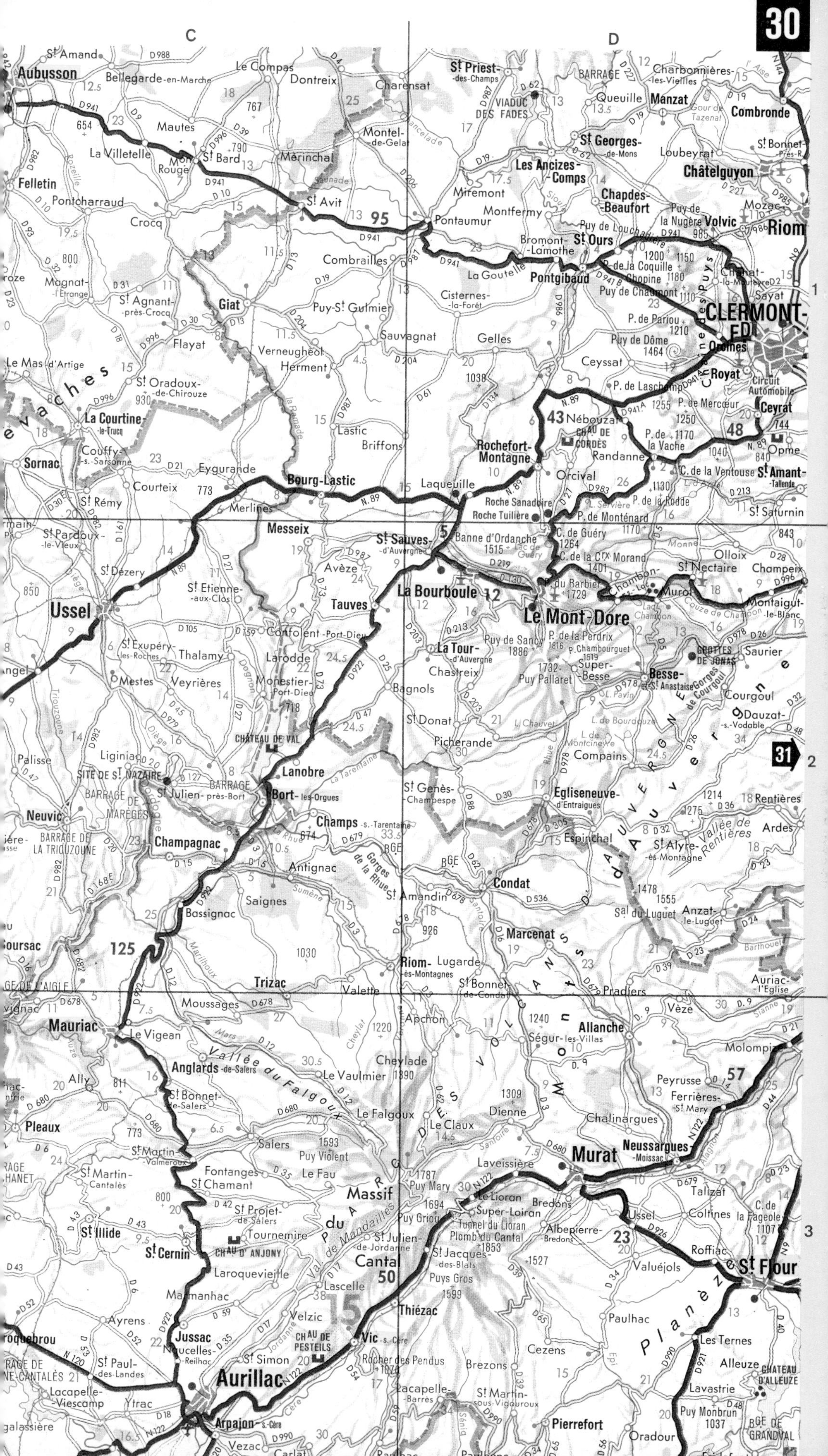
C
D
St Amand
Aubusson
Bellegarde-en-Marche
Le Compas
Dontreix
Charensat
St Priest-des-Champs
BARRAGE
Charbonnières-les-Vieilles
Queuille
Manzat
Combronde
VIADUC DES FADES
Gour de Tazenat
Mautes
Montel-de-Gelat
St Georges-de-Mons
Loubeyrat
St Bonnet-Près-R.
La Villetelle
Mon Rouge
St Bard
Mérinchal
Les Ancizes-Comps
Châtelguyon
Felletin
Pontcharraud
St Avit
Miremont
Chapdes-Beaufort
Mozac
Crocq
Pontaumur
Montfermy
Puy de la Nugère
Volvic
Riom
Puy de Louchadière
Bromont-Lamothe
St Ours
Combrailles
La Goutelle
Pontgibaud
P. de la Coquille
Chopine
Chanat-la-Mouteyre
Magnat-l'Etrange
St Agnant-près-Crocq
Giat
Puy-St Gulmier
Cisternes-la-Forêt
Puy de Chaumont
Sayat
Chaîne des Puys
P. de Pariou
CLERMONT-FD
Flayat
Sauvagnat
Gelles
Puy de Dôme
Verneugheol
Herment
Orcines
Le Mas-d'Artige
Ceyssat
St Oradoux-de-Chirouze
Royat
Circuit Automobile
P. de Laschamp
P. de Mercœur
Ceyrat
La Courtine-le-Trucq
Lastic
Briffons
Nébouzat
CHAU DE CORDÈS
P. de la Vache
Opme
Rochefort-Montagne
Randanne
Couffy-s.-Sarsonne
Sornac
Eygurande
Orcival
C. de la Ventouse
St Amant-Tallende
Courteix
Bourg-Lastic
Laqueuille
St Rémy
Merlines
Roche Sanadoire
Roche Tuilière
P. de la Rodde
P. de Monténard
St Saturnin
Messeix
St Pardoux-le-Vieux
St Sauves-d'Auvergne
Banne d'Ordanche
C. de Guéry
Lac de Guéry
C. de la Cx Morand
St Dézery
Avèze
St Nectaire
Olloix
Champeix
St Etienne-aux-Clos
La Bourboule
P. du Barbier
Chambon-s.-Lac
Murol
Montaigut-le-Blanc
Ussel
Tauves
Le Mont-Dore
Lac Chambon
Couze de Chambon
Confolent-Port-Dieu
La Tour-d'Auvergne
Puy de Sancy
P. de la Perdrix
P. Chambourguet
St Exupéry-les-Roches
Thalamy
GROTTES DE JONAS
Saurier
Larodde
Chastreix
Super-Besse
Besse-et-St Anastaise
Gorges de Courgoul
Mestes
Veyrières
Monestier-Port-Dieu
Puy Pallaret
L. Pavin
Courgoul
Bagnols
L. de Bourdouze
Dauzat-s.-Vodable
L. Chauvet
St Donat
L. de Montcineyre
Compains
Picherande
CHÂTEAU DE VAL
Palisse
Liginiac
SITE DE St NAZAIRE
Lanobre
BARRAGE
31
St Julien-près-Bort
Bort-les-Orgues
St Genès-Champespe
Egliseneuve-d'Entraigues
Rentières
BARRAGE DE MARÈGES
Neuvic
Champs-s.-Tarentaine
Espinchal
St Alyre-ès-Montagne
Ardes
Vallée de Rentières
BARRAGE DE LA TRIOUZOUNE
Champagnac
Gorges de la Rhue
Antignac
Condat
St Amandin
Saignes
Sal du Luguet
Anzat-le-Luguet
Bassignac
Marcenat
Riom-ès-Montagnes
Lugarde
Trizac
St Bonnet-de-Condat
Valette
Pradiers
Auriac-l'Eglise
Moussages
Apchon
Vèze
Mauriac
Le Vigean
Allanche
Ségur-les-Villas
Molompize
Anglards-de-Salers
Vallée du Falgoux
Cheylade
Le Vaulmier
Peyrusse
Ally
Ferrières-St Mary
St Bonnet-de-Salers
Dienne
Chalinargues
Pleaux
Le Falgoux
Le Claux
Salers
Puy Violent
Murat
Neussargues-Moissac
St Martin-Valmeroux
Laveissière
St Martin-Cantalès
Fontanges
Le Fau
Puy Mary
Le Lioran
Super-Lioran
Bredons
Talizat
C. de la Fageole
St Chamant
Massif du Cantal
St Projet-de-Salers
Tunnel du Lioran
Plomb du Cantal
Albepierre-Bredons
Puy Griou
Ussel
Coltines
St Illide
Tournemire
St Julien-de-Jordanne
St Jacques-des-Blats
St Cernin
CHAU D'ANJONY
Roffiac
St Flour
Valuéjols
Laroquevieille
Puys Gros
Lascelle
Marmanhac
Thiézac
Paulhac
Ayrens
Velzic
Planèze
Jussac
CHAU DE PESTEILS
Vic-s.-Cère
Les Ternes
Naucelles-Reilhac
St Simon
Rocher des Pendus
Brezons
Cezens
St Paul-des-Landes
Alleuze
CHATEAU D'ALLEUZE
Aurillac
Lacapelle-Barrès
St Martin-sous-Vigouroux
Lavastrie
Lacapelle-Viescamp
Ytrac
Pierrefort
Puy Monbrun
Arpajon-s.-Cère
BGE DE GRANDVAL
Vezac
Carlat
Raulhac
Paulhenc
Oradour
PARC DES VOLCANS
Monts d'Auvergne
Monts du Cantal
Plateau de Millevaches

A
B
St Myon
Combronde
Davayat
Le Cheix
St Bonnet-près-Riom
Châtelguyon
Riom
Ennezat
St Beauzire
Chappes
Gerzat
Lussat
Pt-du-Château
Montferrand
Aulnat
CLERMONT-FERRAND
Cournon-d'Auvergne
Pérignat-lès-Sarliève
Pérignat-s.-A.
Plateau de Gergovie
Opme
St Amant-Tallende
Martres-de-Veyre
Monton
Veyre-Monton
St Saturnin
Champeix
Montaigut-le-Blanc
Neschers
Issoire
Solignat
Dauzat-s.-Vodable
St Germain-Lembron
Rentières
Ardes
Lempdes
Blesle
Grenier-Montgon
Auriac-l'Eglise
St Beauzire
Massiac
Molompize
La Chapelle-Laurent
St Poncy
Vieillespesse
Lastic
C. de la Fageole
St Flour
Ruynes-en-Margeride
Clavières
Alleuze
CHÂTEAU D'ALLEUZE
VIADUC DE GARABIT
Chaliers
Faverolles
Loubaresse
BGE DE GRANDVAL
Fridefont
Randan
Thuret
Sardon
St Denis-Combarnazat
Maringues
Limagne
Crevant-Laveine
Joze
Culhat
Pt-de-Dore
Lezoux
Moissat
Billom
RAVEL (CH AU)
Mauzun
Laps
Vic-le-Comte
Isserteaux
Coudes
Manglieu
St Babel
Sugères
Sauxillanges
Parentignat
Le Breuil-s-Couze
Lamontgie
Auzat-s.-A.
Jumeaux
Auzon
Azérat
LEOTOING (CH AU)
Brioude
Fontannes
Lamothe
Vieille-Brioude
Lavaudieu
Domeyrat
La Chomette
Paulhaguet
Villeneuve-d'Allier
Ally
Lavoûte-Chilhac
Cronce
Védrines-St Loup
Langeac
Pinols
Pébrac
Mont Mouchet
Auvers
Saugues
Paulhac-en-Margeride
Fraissinet-Chazalais
Esplantas
Châteldon
Lachaux
La Guillermie
Puy-Guillaume
St Rémy-s.-D.
Thiers
Vollore-Ville
Vollore-Montagne
Courpière
Augerolles
St Gervais-sous-Meymont
Olliergues
St Dier-d'Auvergne
Tours-sous-Meymont
Cunlhat
Auzelles
Condat-lès-Montboissier
Vernet-la-Varenne
St Germain-l'Herm
St Bonnet-le-Chastel
St Alyre-d'Arlanc
Champagnac-le-Vieux
Cistrières
La Chaise-Dieu
Bonneval
Sembadel-Gare
Félines
St Pal-de-Senouire
Ste Marguerite
Allègre
Jax
Chavaniac-Lafayette
St Georges-d'Aurac
St Eble
Fix-St Geneys
Siaugues-Ste Marie
Loudes
Chaspuzac
Vergezac
St Bérain
Prades
St Privat-d'Allier
Monistrol-d'Allier
St Jean Lachalm
Devès
Alleyras
St Préjet
Lac du Bouchet
Cayres
Laprugne
Puy Snidre
Puy de Montoncel
Palladuc
Les Bois Noirs
Chabreloche
La Monnerie-le-Montel
Noirétable
La Chambonie
Le Brugeron
St Pierre-la-Bourlhonne
Marat
PIERRE SUR HAUTE
Bertignat
St Amant-Roche-Savine
St Eloy-la-Glacière
C. des Fourches
Fournols
Ambert
MOULIN RICHARD-DE-BAS
Valcivières
Marsac-en-Livradois
Baffie
Arlanc
Dore-l'Eglise
Sauvessanges
Viverols
Craponne-s.-Arzon
Jullianges
Chomelix
Bellevue-la-Montagne
St Paulien
LA ROCHELAMBERT
Borne
Polignac
St Rémy
Bains
Mts de la Madeleine
Monts du Forez
Livradois
Mts du Velay
St Priest-la-Prugne
La Tuilière
St Just-en-Ch.
Villemontais
SAUT DU PERRON
St Maurice-s.-L.
St Polgues
Juré
Crémeaux
St Martin-la-Sauveté
St Thurin
St Julien-la-Vêtre
St Germain-Laval
Cezay
Bussy-Albieux
L'Hôpital-sous-Rochefort
Boën
Sail-sous-Couzan
Chalmazel
St Georges-en-Couzan
Marcilly-le-Châtel
St Bonnet-le-Courreau
Champdieu
Essertines-en-Châtelneuf
Montbrison
Col de la Croix de l'Homme mort
St Anthème
St Jean-Soleymieux
Eglisolles
Estivareilles
Usson-en-Forez
St Hilaire-Cusson-la-V.
St Pal-de-Chalençon
Boisset
Tiranges
St Georges-Lagricol
Combres
Roche-en-Régnier
Vorey
Chamalières-s.-L.
Beaulieu
Rosières
Lavoûte-s.-L.
Malrevers
Le Puy
St Hostien
Blavozy
Brives-Charensac
Taulhac
St Julien-Chapteuil
Arsac-en-Velay
Solignac-s.-L.
Le Monastier-s.-Gazeille
St Martin-de-Fugères
Goudet
Alleyrac
63
43
30
A72
N 9
N 89
N 102
N 88
D 906

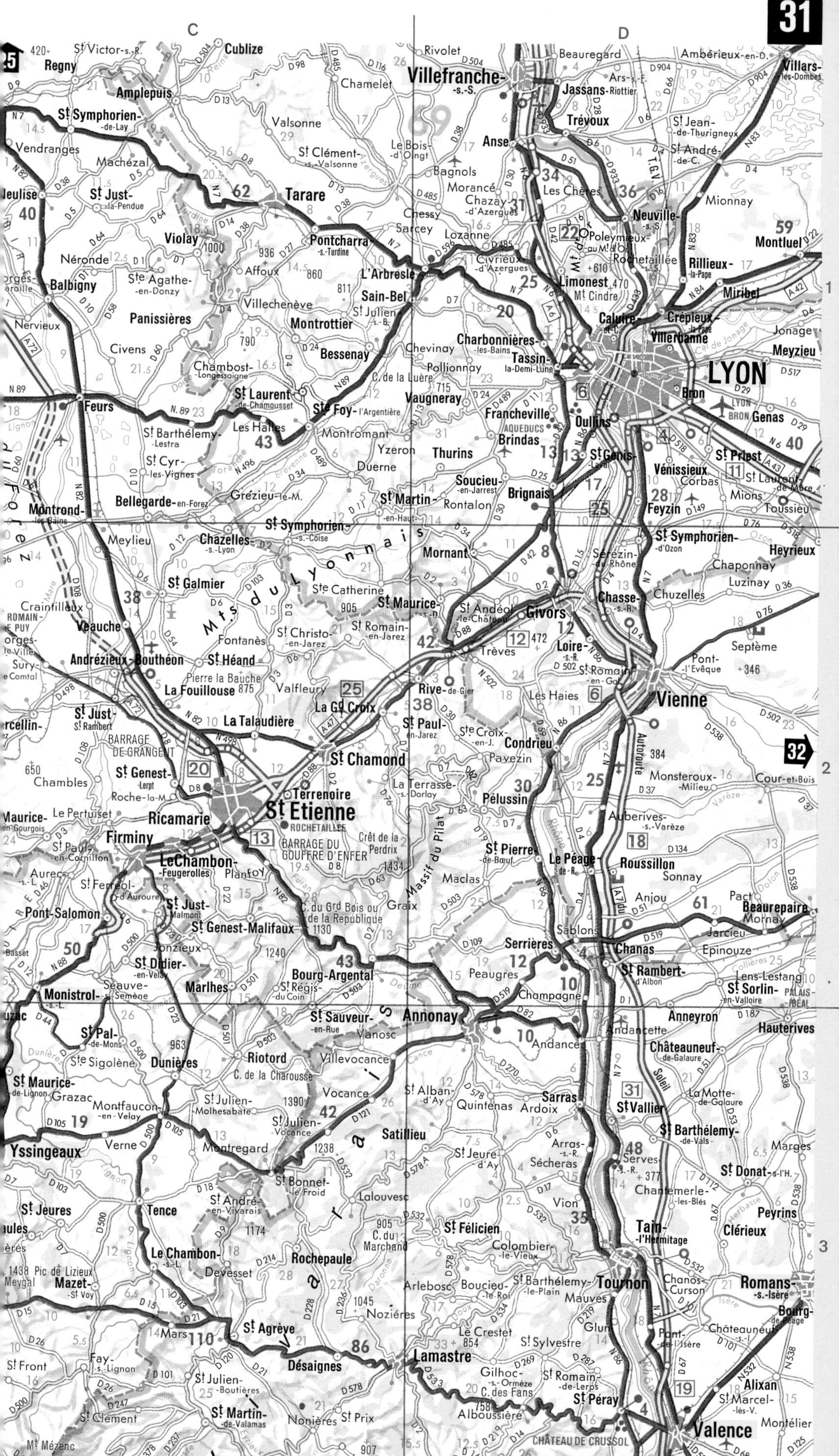
C
D
Regny
St Victor-s.-R.
Cublize
Amplepuis
St Symphorien-de-Lay
Vendranges
Machézal
St Just-la-Pendue
Tarare
Violay
Néronde
Balbigny
Ste Agathe-en-Donzy
Panissières
Nervieux
Civens
Chambost-Longessaigne
Feurs
St Barthélemy-Lestra
St Cyr-les-Vignes
Bellegarde-en-Forez
Montrond-les-Bains
Meylieu
Chazelles-s.-Lyon
St Galmier
Craintilleux
Veauche
Andrézieux-Bouthéon
St Just-St Rambert
BARRAGE DE GRANGENT
St Genest-Lerpt
Chambles
Roche-la-M.
Ricamarie
Firminy
Le Pertuiset
St Paul-en-Cornillon
Aurec-s.-L.
St Ferréol-d'Auroure
Pont-Salomon
Monistrol-s.-L.
Sauve-s.-Semène
St Pal-de-Mons
Ste Sigolène
St Maurice-de-Lignon
Grazac
Yssingeaux
Montfaucon-en-Velay
Verne
St Jeures
Tence
Le Chambon-s.-L.
Mazet-St Voy
Fay-s.-Lignon
St Front
St Clément
Mt Mézenc 1754
Villefranche-s.-S.
Rivolet
Chamelet
Valsonne
St Clément-s.-Valsonne
Le Bois-d'Oingt
Bagnols
Morancé
Chazay-d'Azergues
Chessy
Sarcey
Lozanne
Pontcharra-s.-Turdine
L'Arbresle
Sain-Bel
St Julien-s.-B.
Montrottier
Bessenay
Affoux
Villechenève
St Laurent-de-Chamousset
Ste Foy-l'Argentière
Les Halles
Montromant
Yzeron
Duerne
St Martin-en-Haut
Grézieu-le-M.
St Symphorien-s.-Coise
Mts du Lyonnais
Ste Catherine
St Maurice-s.-D.
St Christo-en-Jarez
St Romain-en-Jarez
Fontanès
St Héand
Pierre la Bauche
La Fouillouse
Valfleury
La Gd Croix
La Talaudière
St Chamond
Terrenoire
St Etienne
ROCHETAILLÉE
BARRAGE DU GOUFFRE D'ENFER
Crêt de la Perdrix
Le Chambon-Feugerolles
Planfoy
St Just-Malmont
St Genest-Malifaux
Jonzieux
St Didier-en-Velay
Marlhes
Bourg-Argental
St Régis-du Coin
St Sauveur-en-Rue
Vanosc
Riotord
Dunières
C. de la Charousse
Villevocance
Vocance
St Julien-Molhesabate
St Julien-Vocance
Montregard
St Bonnet-le-Froid
St André-en-Vivarais
Devesset
Rochepaule
St Agrève
Désaignes
St Julien-Boutières
St Martin-de-Valamas
Nonières
St Prix
Le Cheylard
St Julien-Labrousse
Anse
Beauregard
Jassans-Riottier
Ars-s.-F.
Trévoux
St Jean-de-Thurigneux
St André-de-C.
Ambérieux-en-D.
Villars-les-Dombes
Les Chères
Neuville-s.-S.
Mionnay
Montluel
Poleymieux-au Mt d'Or
Rochetaillée-s.-S.
Civrieux-d'Azergues
Limonest
Mt Cindre
Rillieux-la-Pape
Miribel
Caluire-et-C.
Crépieux-la-Pape
Villeurbanne
Jonage
Meyzieu
Charbonnières-les-Bains
Tassin-la-Demi-Lune
Chevinay
Pollionnay
C. de la Luère
Vaugneray
Francheville
AQUEDUCS
Brindas
LYON
Bron
Genas
Oullins
St Genis-Laval
Thurins
Soucieu-en-Jarrest
Rontalon
Brignais
Vénissieux
Corbas
St Priest
St Laurent-de-Mure
Mions
Toussieu
Feyzin
St Symphorien-d'Ozon
Heyrieux
Mornant
Sérézin-du-Rhône
Chaponnay
Luzinay
Chasse-s.-R.
Chuzelles
Givors
St Andéol-le-Château
Trèves
Loire-s.-R.
St Romain-en-Gal
Septème
Pont-l'Evêque
Vienne
Rive-de-Gier
Les Haies
St Paul-en-Jarez
Ste Croix-en-J.
Condrieu
Pavezin
La Terrasse-s.-Dorlay
Pélussin
Massif du Pilat
Monsteroux-Milieu
Cour-et-Buis
Auberives-s.-Varèze
St Pierre-de-Bœuf
Le Péage-de-R.
Roussillon
Sonnay
Maclas
Anjou
C. du Grd Bois ou de la République
Graix
Pact
Beaurepaire
Mornay
Sablons
Serrières
Chanas
Jarcieu
Epinouze
Peaugres
St Rambert-d'Albon
Lens-Lestang
St Sorlin-en-Valloire
Champagne
Annonay
Andance
Andancette
Anneyron
Hauterives
Châteauneuf-de-Galaure
Sarras
St Vallier
La Motte-de-Galaure
St Alban-d'Ay
Quintenas
Ardoix
St Barthélemy-de-Vals
Satillieu
Marges
Arras-s.-R.
St Jeure-d'Ay
Sécheras
Serves-s.-R.
St Donat-s.-l'H.
Lalouvesc
Chantemerle-les-Blés
Vion
Peyrins
St Félicien
C. du Marchand
Tain-l'Hermitage
Clérieux
Colombier-le-Vieux
Arlebosc
Boucieu-le-Roi
St Barthélemy-le-Plain
Tournon
Mauves
Chanos-Curson
Romans-s.-Isère
Bourg-de-Péage
Nozières
Glun
Pont-de-l'Isère
Châteauneuf-s.-I.
Le Crestet
Lamastre
St Sylvestre
Gilhoc-s.-Ormèze
C. des Fans
St Romain-de-Lerps
St Péray
Alixan
St Marcel-lès-V.
Alboussière
CHÂTEAU DE CRUSSOL
Valence
Montélier
Vernoux
Autoroute du Soleil
T.G.V.
32

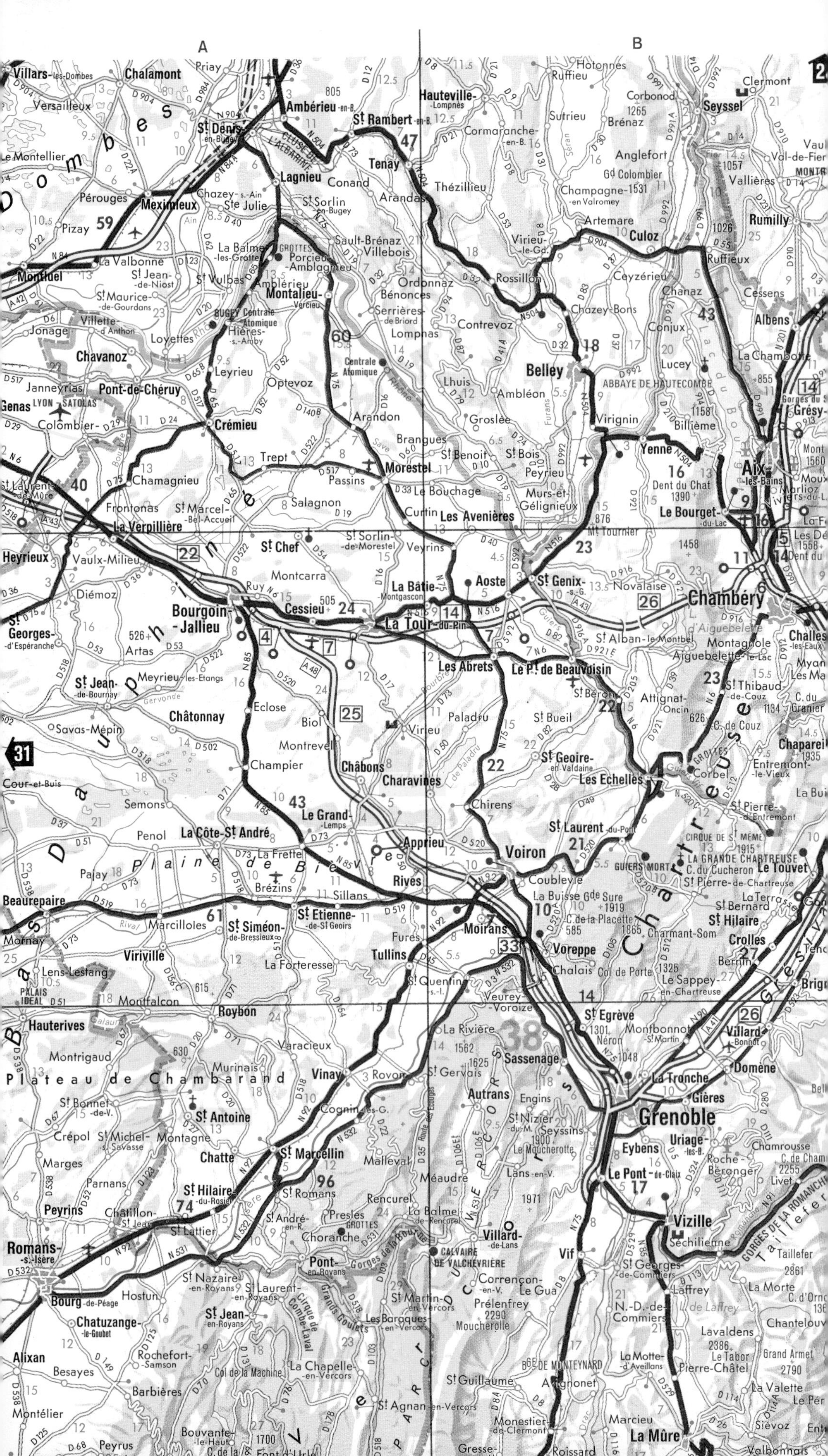

A
B
2
Villars-les-Dombes
Chalamont
Priay
Ambérieu-en-B.
St Rambert-en-B.
Hauteville-Lompnes
Hotonnes
Ruffieu
Clermont
Corbonod
Seyssel
Versailleux
St Denis-en-Bugey
Cormaranche-en-B.
Sutrieu
Brénaz
Dombes
Le Montellier
Lagnieu
Tenay
Conand
Anglefort
Gd Colombier
Val-de-Fier
Vallières
Pérouges
Meximieux
Chazey-s.-Ain
Ste Julie
St Sorlin-en-Bugey
Arandas
Thézillieu
Champagne-en-Valromey
Artemare
Culoz
Rumilly
Pizay
La Balme-les-Grottes
Grottes
Porcieu-Amblagnieu
Sault-Brénaz
Villebois
Virieu-le-Gd.
Ruffieux
Montluel
La Valbonne
St Jean-de-Niost
St Vulbas
Amblérieu
Montalieu-Vercieu
Ordonnaz
Bénonces
Rossillon
Ceyzérieu
Chanaz
Cessens
St Maurice-de-Gourdans
Bugey Centrale Atomique
Serrières-de Briord
Contrevoz
Chazey-Bons
Albens
Jonage
Villette-d'Anthon
Loyettes
Hières-s.-Amby
Lompnas
Conjux
Chavanoz
Leyrieu
Centrale Atomique
Belley
Lucey
La Chambotte
Janneyrias
Pont-de-Chéruy
Optevoz
Lhuis
Ambléon
Abbaye de Hautecombe
Genas
Lyon-Satolas
Colombier-
Crémieu
Arandon
Groslée
Virignin
Billième
Gresy-
Gorges du S
Brangues
St Benoit
St Bois
Yenne
Aix-les-Bains
Trept
Morestel
Peyrieu
St Laurent-de-Mûre
Chamagnieu
Passins
Le Bouchage
Murs-et-Gélignieux
Dent du Chat
Marlioz
Viviers-du-L.
Frontonas
St Marcel-Bel-Accueil
Salagnon
Curtin
Les Avenières
Le Bourget-du-Lac
La Verpillière
St Chef
St Sorlin-de-Morestel
Veyrins
Mt Tournier
Heyrieux
Vaulx-Milieu
Montcarra
La Bâtie-Montgascon
Aoste
St Genix-s.-G.
Novalaise
Chambéry
Diémoz
Bourgoin-Jallieu
Ruy
Cessieu
La Tour-du-Pin
d'Aiguebelette
Challes-les-Eaux
St Georges-d'Espéranche
Artas
St Alban-le-Montbel
Montagnole
Aiguebelette-le-Lac
Les Abrets
Le Pt de Beauvoisin
Myans
Les Ma
St Jean-de-Bournay
Meyrieu-les-Etangs
St Béron
Attignat-Oncin
St Thibaud-de-Couz
C. du Granier
Eclose
Biol
Virieu
Paladru
St Bueil
C. de Couz
Châtonnay
Gervonde
Savas-Mépin
Montrevel
St Geoire-en-Valdaine
Grottes
Corbel
Chapareil
31
Champier
Châbons
Charavines
Lac de Paladru
Les Echelles
Entremont-le-Vieux
Cour-et-Buis
Semons
Chirens
St Pierre-d'Entremont
Le Grand-Lemps
St Laurent-du-Pont
Cirque de St Même
Penol
La Côte-St André
Apprieu
Voiron
La Grande Chartreuse
C. du Cucheron
Le Touvet
Pajay
La Frette
Guiers Mort
St Pierre-de-Chartreuse
Plaine de Bièvre
Brézins
Rives
Coublevie
La Buisse
Gde Sure
St Bernard
La Terrasse
Beaurepaire
Sillans
C. de la Placette
St Hilaire
Marcilloles
St Siméon-de-Bressieux
St Etienne-de-St Geoirs
Moirans
Charmant-Som
Chartreuse
Crolles
Mornay
Viriville
Fures
Tullins
Voreppe
Bernin
La Forteresse
Chalais
Col de Porte
Lens-Lestang
St Quentin-s.-I.
Le Sappey-en-Chartreuse
Palais Idéal
Montfalcon
Roybon
Veurey-Voroize
St Egrève
Néron
Montbonnot-St Martin
Villard-Bonnot
Hauterives
La Rivière
38
Montrigaud
Varacieux
Murinais
Sassenage
La Tronche
Domène
Plateau de Chambarand
Vinay
Rovon
St Gervais
Autrans
Engins
Grenoble
Gières
St Bonnet-de-V.
St Antoine
Cognin-les-G.
St Nizier-du-M.
Seyssins
Uriage-les-B.
Chamrousse
Crépol
St Michel-s. Savasse
Montagne
Le Moucherotte
Eybens
Roche-Béranger
Marges
Chatte
St Marcellin
Malleval
Lans-en-V.
Le Pont-de-Claix
Parnans
Méaudre
St Hilaire-du-Rosier
St Romans
Livet
Peyrins
Châtillon-St Jean
Rencurel
Vizille
Romans-s.-Isère
St Lattier
St André-en-R.
Presles
La Balme-de-Rencurel
Choranche
Villard-de-Lans
Séchilienne
Taillefer
Pont-en-Royans
Calvaire de Valchevrière
Vif
St Nazaire-en-Royans
St Laurent-en-Royans
Gorges de la Bourne
St Georges-de-Commiers
Bourg-de-Péage
Hostun
Corrençon-en-V.
Le Gua
Laffrey
La Morte
St Jean-en-Royans
St Martin-en-Vercors
Prélenfrey
Chatuzange-le-Goubet
Les Baraques-en-Vercors
Moucherolle
N.-D.-de-Commiers
Chantelouve
Cirque de Combe-Laval
Grands Goulets
Lavaldens
Alixan
Rochefort-Samson
Le Tabor
Grand Armet
Besayes
Col de la Machine
La Chapelle-en-Vercors
Bge de Monteynard
La Motte-d'Aveillans
Pierre-Châtel
St Guillaume
Avignonet
La Valette
Barbières
St Agnan-en-Vercors
Montélier
Monestier-de-Clermont
Marcieu
Siévoz
Vercors
Parc du Vercors
Bouvante-le-Haut
Peyrus
Font d'Urle
Gresse-en-V.
Roissard
La Mûre
Valbonnais

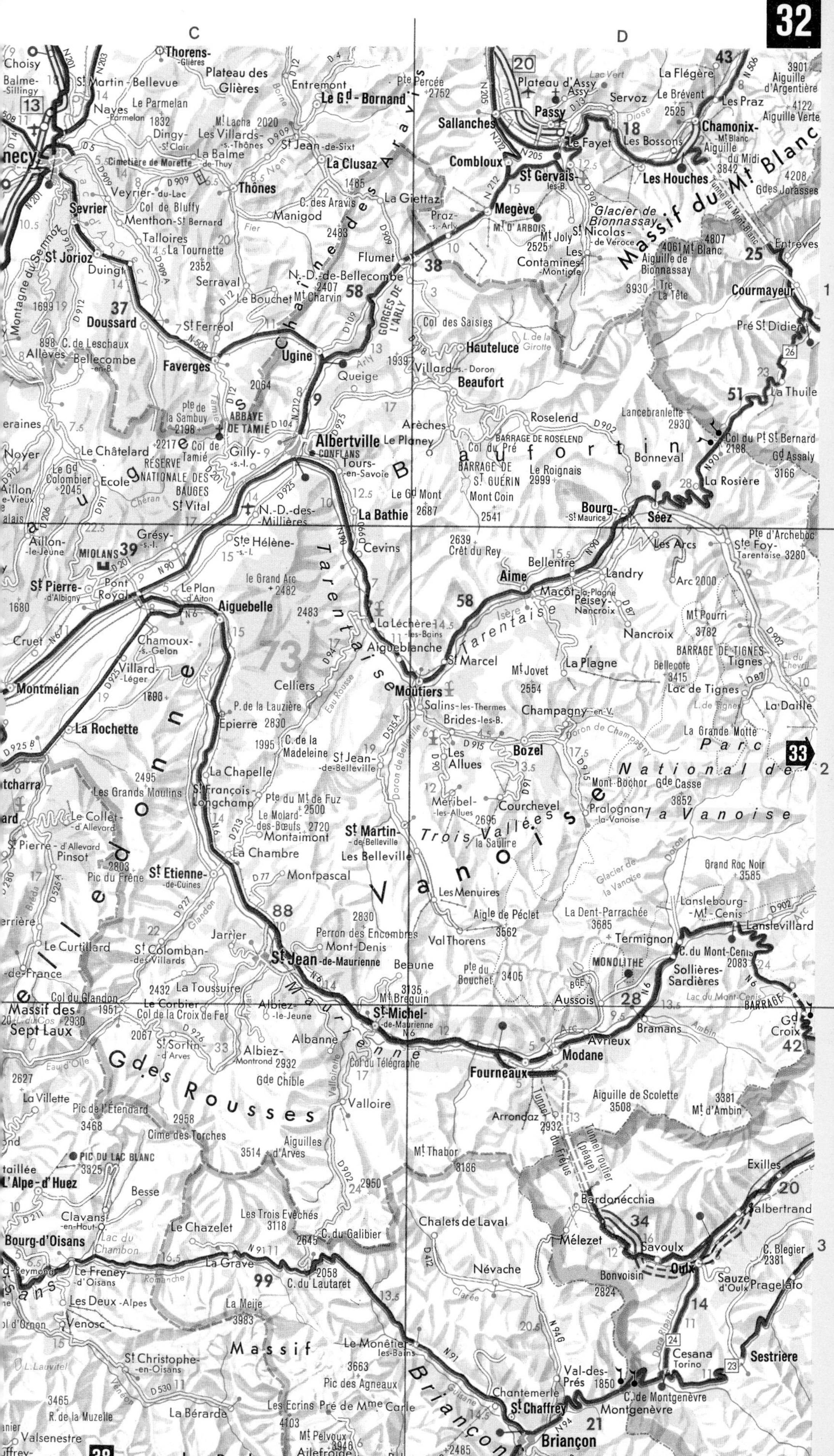
C
D
Thorens-Glières
Plateau des Glières
Le Gd-Bornand
Sallanches
Passy
Chamonix-Mt Blanc
Massif du Mt Blanc
Thônes
La Clusaz
Combloux
St Gervais-les-B.
Les Houches
Sevrier
Megève
St Jorioz
Doussard
Faverges
Ugine
Flumet
N.-D.-de-Bellecombe
Courmayeur
Hauteluce
Beaufort
Albertville
Beaufortin
Col du Pt St Bernard
Bourg-St Maurice
Séez
La Bathie
Aime
Aiguebelle
Tarentaise
Moûtiers
Montmélian
La Rochette
Bozel
Parc National de la Vanoise
Vanoise
Trois Vallées
Courchevel
St Jean-de-Maurienne
St Michel-de-Maurienne
Modane
Fourneaux
Maurienne
Gdes Rousses
Bourg-d'Oisans
La Grave
Bardonècchia
Oulx
Sestriere
Briançon
Massif du Pelvoux
Briançonnais
33
38

A
B
Massif du Mt Blanc
Courmayeur
Aosta
Breuil-Cervínia
Monte Rosa
Valle d'Aosta
Parco Nazionale Gr. Paradiso
Valle di Locana
Cogne
Châtillon
Verrès
Ivrea
Cuorgnè
Rivarolo Canavese
Ciriè
Lanzo Torinese
Susa
Avigliana
Rivoli
TORINO
Venaria Reale
Chivasso
Chieri
Moncalieri
Carmagnola
Pinerolo
Fenestrelle
Valle del Chisone
Giaveno
Volpiano
Caluso
Val d'Isère
Bonneval-s.-Arc
Lanslevillard
Poirino

C
D
1
2
3
Massiola
Gravellona Toce
Baveno
Isole Borromee
Laveno
Brenta
Ganna
Porto Cerésio
Carcóforo
Rimella
Omegna
Mottarone
Stresa
Cittiglio
Reno
Orino
Brinzio
Bisuschio
Viggiù
Fobello
S. Caterina del Sasso
Campo d. Fiori
1226
Rasa
Stabio
Madonna d. Ferrate
Quarna
Gignese
Vezzo
Arolo
Besozzo
S. Andrea
S. Maria del Monte
Induno Olona
Ferrera
Belgirate
Gavirate
Comério
Varese
Rimasco
Cravagliana
Corte
Massino
Lesa
Calcinate
Cantello
Boccioleto
Vocca
Césara
Armeno
Travedona
Malnate
Varallo
Sacro Monte
Pettenasco
Sovazza
Ispra
Lago di Varese
Móllia
Balmúccia
Civiasco
Pisano
Cadrezzate
Cassinetta
Rizzone
Solbiate
Bizzozero
Alzo
Orta
Méina
L. di Monate
Rocca Pietra
Azzate
Scopa
Arona
Angera
Comábbio
Piode
Cast. di Gavala
Invório
Mornago
Castronno
Tradate
Scopello
1827
Quarona
Mercallo
Solbiate Arno
Paruzzaro
Sesto Calende
Albizzate
Gozzano
Vergiate
M. Barone
2044
Valdúggia
Gattico
Castelletto s. Ticino
Besnate
Lonate Ceppino
Borgosésia
Golasecca
Cavaria
Cairate
Póstua
Maggiora
Borgomanero
Somma Lombardo
Fagnano ol.
Cóggiola
Grignasco
Borgo Ticino
Cassano Magnago
Gorla magg.
Boca
Bogogno
Varallo Pómbia
Casorate Sempione
Solbiate Olona
Crevacuore
Gallarate
Campíglia Cervo
Trivero
Cavallírio
Olgiate Olona
Mosso S. Maria
Sostegno
Prato Sésia
Suno
Marano Ticino
Samarate
Aeroporto d. Malpensa
Ferno
Valle Mosso
Curino
Romagnano Sésia
Mezzomerico
Andorno Micca
Petti-nengo
Gattinara
Cavaglio d'Agogna
Váprio d'Agogna
Oléggio
Lonate Pozzolo
Busto Arsízio
Legnano
Bióglio
Masserano
Ghemme
Bellinzago Novarese
Piatto
Lessona
Brusnengo
Momo
Castano Primo
Busto Garolfo
Galdina
Biella
Fara Novarese
Badia di Dulzago
Buscate
Vigliano Biellese
Cossato
Lenta
Turbigo
Occhieppo
Rovasenda
Candelo
Ghislarengo
Carpignano Sésia
Caltignaga
Cámeri
Cuggiono
Inveruno
Sandigliano
Castelletto Cervo
Mandello Vitta
Marcallo
Benna
Mottalciata
Cascine S. Giácomo
Arbório
Vicolungo
Véveri
Galliate
Magenta
Borriana
Buronzo
S. Pietro Mosezzo
Romentino
Zubiena
Massazza
Balocco
Biandrate
Pernate
S. Martino
Robecco s. Nav.
Gréggio
NOVARA
Trecate
Cerrione
Salussola
Arro
Casalbeltrame
Anzasco
Villarboit
Albano Vercelli
Lumellogno
Cerano
Formigliana
Viverone
Dorzano
Casalvolone
Garbagna Novara
Sozzago
Cavaglià
Lago di Viverone
Carísio
Vettigne
Casanova Elvo
Collobiano
Villata
Cameriano
Terdobbiate
Cassolnovo
Nibbiola
Quinto V.
Casalino
Granozzo con Monticello
Tórnaco
Álice Castello
Santhià
Olcenengo
Borgo Vercelli
Vespolate
Gravellona
Tronzano Vercelli
S. Germano Vercelli
Vercelli
Confienza
Borgo Lavezzaro
Cilavegna
Borgo d'Ale
Vigévano
Moncrivello
Crova
Salasco
Cappuccini
Róbbio
Albonese
Sali Vercelli
Carpeneto
Palestro
Parona
Bianzè
Nicorvo
Gambolò
Cigliano
Lachelle
Lignana
Asigliano Verc.
Pezzana
Castelnovetto
Mortara
Livorno Ferráris
Desana
Rosasco
Garbana
Ronsecco
S. Ángelo di Lomellina
Castel-Apértole
Dárola
Pertengo
Stroppiana
Castello d'Agogna
Tromello
Salúggia
Tricerro
Costanzana
Caresana
Langosco
Lamporo
Rive
Zeme
Cergnago
Torrazza Piemonte
Fontanetto Po
Trino
Motta de' Conti
S. Giorgio di Lomellina
Villanova Monferrato
Cozzo
Crescentino
Bálzola
Cándia Lomellina
Velezzo Lomellina
Ottobiana
Verolengo
Palazzolo Vercelli
Terranova
Valle Lomellina
Valéggio
Gabiano
Morano Po
Semiana
Camino
Frassineto Po
Ferrera Erbognone
Pontestura
Breme
Lomello
Brusasco
Casale Monferrato
Villamiróglio
Mombello Monferrato
Sartirana Lomellina
Cerrina
Mede
Odalengo Gr.
Borgo S. Martino
Mezzana Bigli
Aramengo
Ozzano Monferrato
Ticineto
Ponzano Monferrato
Bózzole
Torre Beretti
Pieve d. Cáiro
Cocconato
Berzano S. Pietro
Occimiano
Isola S. António
Albugnano
Villadeati
Frascarolo
Ottíglio
Giarole
Cucco Torinese
Gambarana
Castelnuovo Don Bosco
Motíglio
Mirabello Monferrato
Frassinello Monferrato
Guazzora
Alfiano Natta
Moncalvo
Villabella
Valenza
Bassignana
Piea
Tonco
Conzano
Casorzo
Cortanze
Lu
S. Salvatore Monferrato
Pecetto di Val.
Sale
Montechiaro d'Asti
Calliano
Vignale
Rivarone
Montafia
Castelletto Monferrato
Montemagno
Pióvera
Viarigi
Sóglio
Castell' Alfero
Cortazzone
Castagnole
Fubine
Pietra Marazzi
S. Páolo-Solbrito
Quargnento
Lobbi
Portacomaro
Refrancore
Serravalle d'Asti
Marengo
S. Giuliano Nuovo
Solero
Alessándria
Spinetta
Quattordio
Baldichieri d'Asti
Asti
Castello di Annone
Felizzano
S. Giuliano Vecchio
Mandrogne
Valfenera
Pollastra
Rocca d'Arazzo
Másio
Ovíglio
Castellazzo Bórmida
Frugarolo
Celle
Rocchetta Tánaro
Casal Cermelli
S. Damiano d'Asti
Antignano
Montegrosso d'Asti
Bergamasco
Borgoratto
Bosco
Pozzolo

A
B
O C É A N
A T L A N T I Q U

C
D
Bordeaux Mérignac
Lège-Cap-Ferret
Claouey
Arès
Andernos-les-Bains
le Grand-Piquey
Ile aux Oiseaux
Bassin d'Arcachon
Arcachon
Les Abatilles
Cap Ferret
Le Moulleau
Pyla-s.-Mer
La Teste
Pilat-Plage
Dune du Pilat
Gujan-Mestras
Le Teich
Audenge
Biganos
Facture
Mios
Marcheprime
Blagon
Le Las
St Jean-d'Illac
Gazinet
Beutre
Cestas
Pierroton
Jauge
Le Barp
Chantier
Baillet
St Magne
Salles
Parc Fleuri
Caudos
Lanot
Beliet
Belin-Beliet
Lugos
Canet
Joue
Ft de Nézer
Cazaux
Lac de Cazaux et de Sanguinet
Sanguinet
Biscarrosse-Plage
Ft de Biscarrosse
Biscarrosse
Parc des Landes de Gascogne
Le Muret
Biganon
Mano
Belhade
Castelnau
Moustey
Argelouse
Centre d'Essais des Landes (Zone interdite)
Lac de Biscarrosse et de Parentis
Gastes
Parentis-en-Born
Ychoux
Liposthey
Pissos
Ft de Ste Eulalie
Ste Eulalie-en-Born
Pontenx-les-Forges
Daugnague
Lac d'Aureilhan
Mimizan-Plage
Mimizan
St Paul-en-Born
Lüe
Labouheyre
Commensacq
Trensacq
Ft de Mimizan
Escource
Écomusée de Marquèze
Sabres
Cap-de-Pin
Solférino
Bias
Phare de Contis
Contis-les-Bains
Mézos
Onesse-et-L.
Luglon
St Julien-en-Born
Lit-et-Mixe
Cap-de-l'Homy
Uza
Laharie
Morcenx
Garein
Lévignacq
Arengosse
Lespéron
Souquet
Ygos-St Saturnin
St Girons-Plage
St Girons-en-Marensin
Villenave
Geloux
Ousse-Suzan
Etang de Léon
Linxe
Vielle-St Girons
Rion-des-Landes
Beylongue
Huchet
Léon
Castets
Taller
St Martin-d'Oney
St Yaguen
Moliets-Plage
Moliets-et-Maa
Messanges-Plage
Laluque
Lesgor
Tartas
Campagne
Meilhan
Vieux-Boucau-les-Bains
Azur
Magescq
Herm
Gourbera
N.-D. de Buglose
Pontonx-s.-l'A.
Le Leuy
Buglose
St Jean-de-Lier
Onard
Gouts
Souprosse
Soustons
Berceau de St Vincent-de-Paul
Préhacq-les-Bains
Louer
Poyanne
Laurède
Mugron
Toulouzette
Cauna
Le Penon
Seignosse
St Paul-les-D.
Gamarde-les-Bains
Montaut
St Geours-de-Maremne
Tosse
Dax
Hinx
Montfort-en-Ch.
Audignon
Adour
Landes
40
35

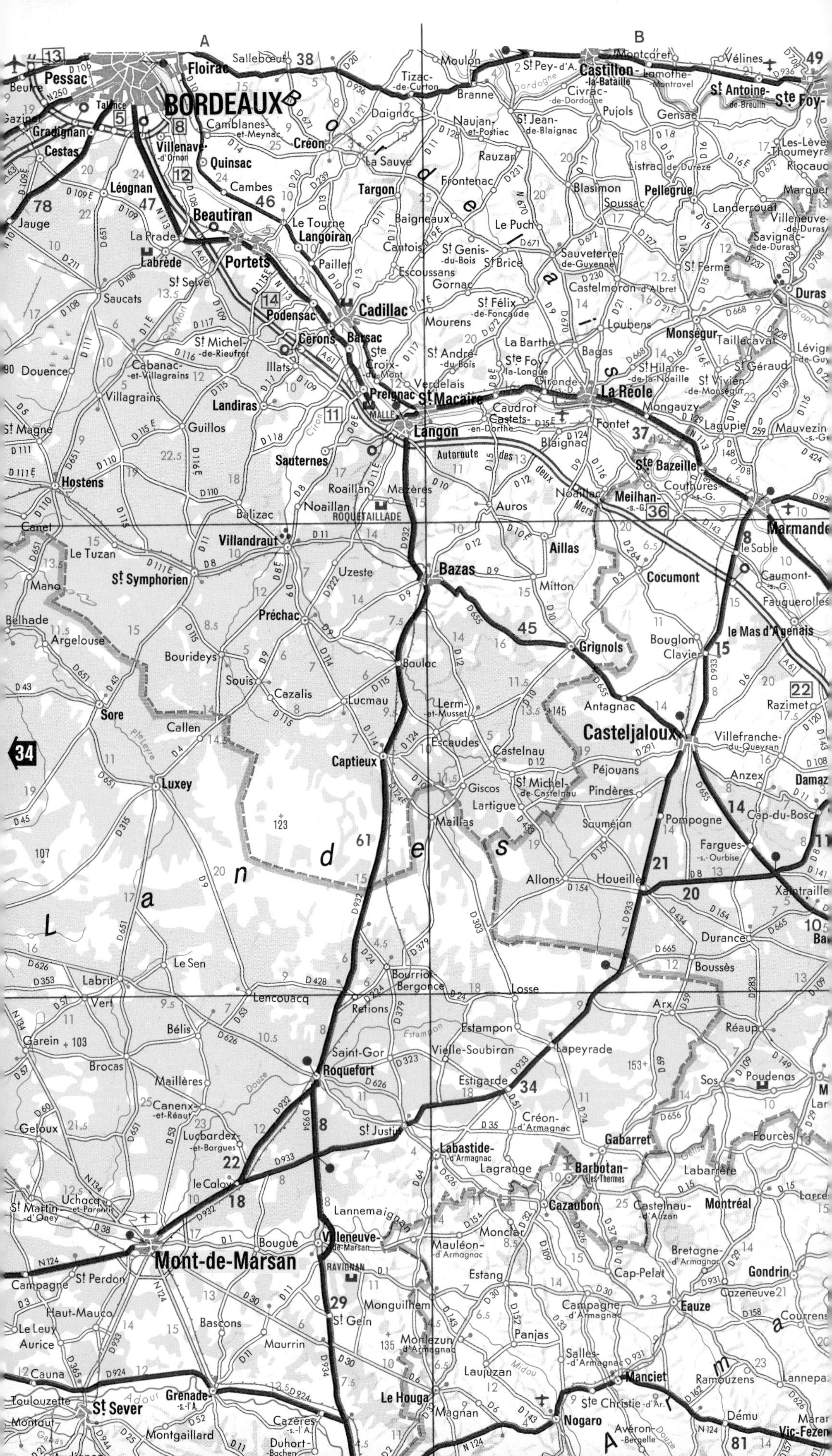

A
B
Salleboeuf
Moulon
St Pey-d'A.
Castillon-la-Bataille
Montcaret
Lamothe-Montravel
Vélines
St Antoine-de-Breuilh
Ste Foy-
Pessac
Beutre
Floirac
BORDEAUX
Talence
Gazinet
Gradignan
Cestas
Tizac-de-Curton
Branne
Civrac-de-Dordogne
Pujols
Gensac
Camblanes-et-Meynac
Daignac
Naujan-et-Postiac
St Jean-de-Blaignac
Villenave-d'Ornon
Créon
La Sauve
Rauzan
Quinsac
Listrac-de-Durèze
Les-Lèves-Thoumeyragues
Riocaud
Cambes
Frontenac
Blasimon
Pellegrue
Léognan
Targon
Soussac
Landerrouat
Jauge
Beautiran
Le Tourne
Langoiran
Baigneaux
Le Puch
Villeneuve-de-Duras
La Prade
Cantois
St Genis-du-Bois
St Brice
Sauveterre-de-Guyenne
Savignac-de-Duras
Labrède
Portets
Paillet
Escoussans
Gornac
Castelmoron-d'Albret
St Ferme
Duras
St Selve
Saucats
Podensac
Cadillac
Mourens
St Félix-de-Foncaude
Loubens
Monségur
Taillecavat
St Michel-de-Rieufret
Cérons
Barsac
La Barthe
Bagas
Douence
Cabanac-et-Villagrains
Illats
Ste Croix-du-Mont
St André-du-Bois
Ste Foy-la-Longue
St Hilaire-de-la-Noaille
St Géraud
St Vivien-de-Monségur
Villagrains
Landiras
Preignac
St Macaire
Verdelais
Caudrot
Castets-en-Dorthe
Gironde-s-D.
La Réole
Mongauzy
Lagupie
St Magne
Guillos
Malle
Langon
Fontet
Blaignac
Mauvezin-s-G.
Sauternes
Autoroute des deux Mers
Ste Bazeille
Hostens
Roaillan
Mazères
Noaillac
Meilhan-s.-G.
Couthures-s.-G.
Balizac
Noaillan
Roquetaillade
Auros
Marmande
Canet
Villandraut
Aillas
le Sable
Le Tuzan
St Symphorien
Bazas
Mitton
Cocumont
Caumont-s.-G.
Mano
Uzeste
Fauguerolles
Belhade
Préchac
Argelouse
Bourideys
Grignols
Bouglon
Clavier
le Mas d'Agenais
Souis
Cazalis
Baulac
Lucmau
Lerm-et-Musset
Antagnac
Razimet
Sore
Callen
Escaudes
Casteljaloux
Villefranche-du-Queyran
Captieux
Castelnau
Péjouans
Anzex
Damaz
Luxey
Giscos
St Michel-de-Castelnau
Pindères
Lartigue
Maillas
Pompogne
Cap-du-Bosc
Sauméjan
Fargues-s.-Ourbise
L
a
n
d
e
s
Allons
Houeillès
Xaintrailles
Durance
Le Sen
Bourriot-Bergonce
Boussès
Labrit
Vert
Lencouacq
Losse
Arx
Retjons
Garein
Bélis
Estampon
Réaup
Saint-Gor
Vielle-Soubiran
Lapeyrade
Brocas
Roquefort
Maillères
Estigarde
Poudenas
Sos
Canenx-et-Réaut
Geloux
Lucbardez-et-Bargues
St Justin
Créon-d'Armagnac
Gabarret
Fourcès
Labastide-d'Armagnac
Lagrange
Barbotan-les-Thermes
Labarrère
le Caloy
Uchacq-et-Parentis
St Martin-d'Oney
Lannemaignan
Cazaubon
Castelnau-d'Auzan
Montréal
Larroque
Villeneuve-de-Marsan
Bougue
Monclar
Mont-de-Marsan
Mauléon-d'Armagnac
Bretagne-d'Armagnac
Ravignan
Campagne
St Perdon
Estang
Cap-Pelat
Gondrin
Cazeneuve
Monguilhem
Haut-Mauco
Bascons
St Gein
Campagne-d'Armagnac
Eauze
Le Leuy
Aurice
Maurrin
Monlezun-d'Armagnac
Panjas
Courrensan
Cauna
Laujuzan
Salles-d'Armagnac
Manciet
Ramouzens
Lannepax
Toulouzette
St Sever
Grenade-s.-l'A.
Le Houga
Magnan
Ste Christie-d'Ar.
Nogaro
Dému
Vic-Fezensac
Montaut
Montgaillard
Cazères-s.-l'A.
Duhort-Bachen
Avéron-Bergelle
A
r
m
a
Adour
Midou
Douze
Dordogne
Garonne
Ciron
34

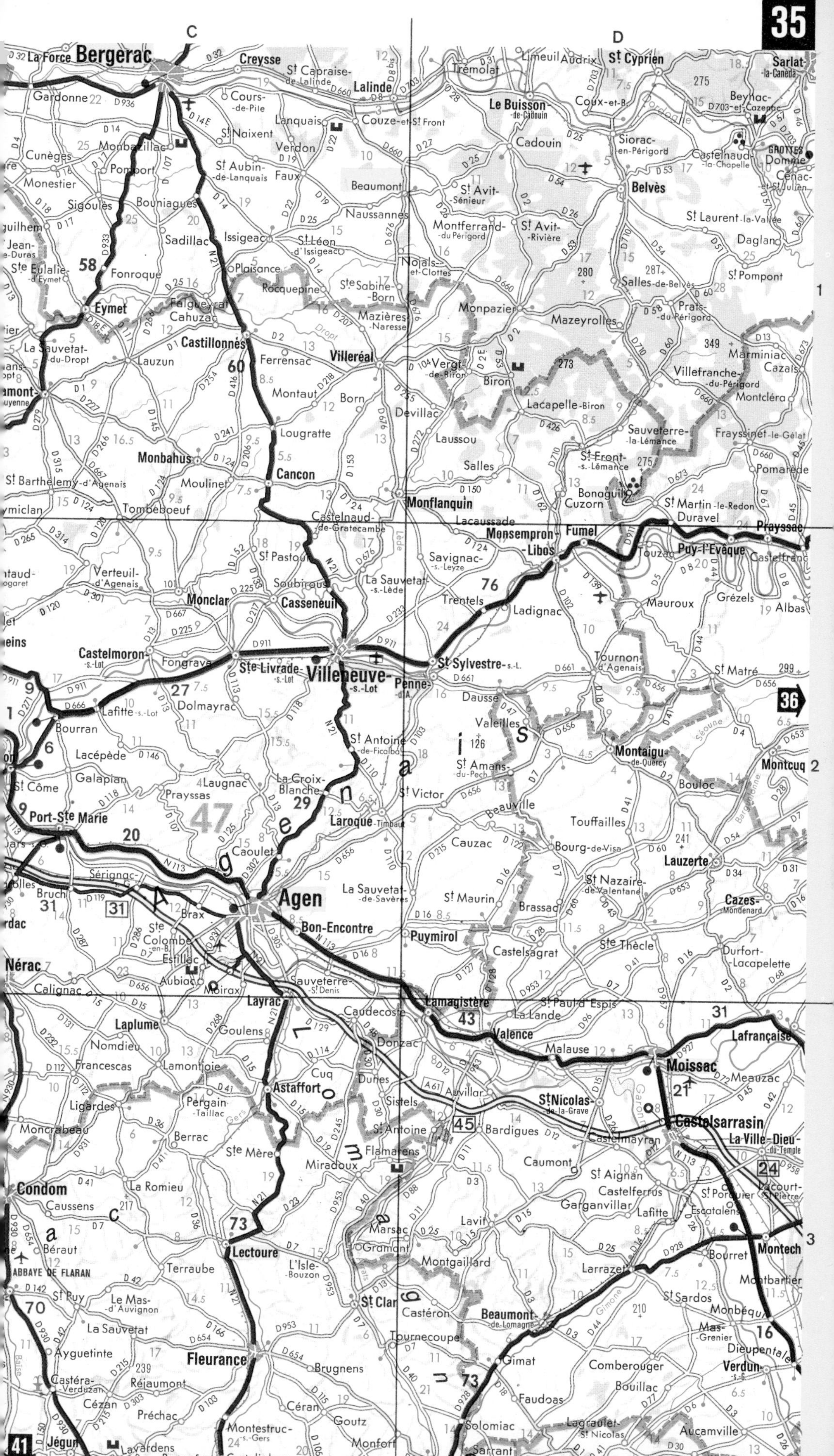
C
D
La Force
Bergerac
Creysse
St Capraise-de-Lalinde
Lalinde
Trémolat
Limeuil
Audrix
St Cyprien
Sarlat-la-Canéda
Gardonne
Cours-de-Pile
Lanquais
Couze-et-St Front
Le Buisson-de-Cadouin
Coux-et-B.
Beynac-et-Cazenac
St Naixent
Monbazillac
Cunèges
Verdon
Cadouin
Siorac-en-Périgord
Castelnaud-la-Chapelle
Domme
Pomport
St Aubin-de-Lanquais
Faux
Cénac-et-St Julien
Monestier
Beaumont
St Avit-Sénieur
Belvès
Sigoulès
Bouniagues
Naussannes
St Laurent-la-Vallée
Montferrand-du-Périgord
St Avit-Rivière
Sadillac
Issigeac
St Léon-d'Issigeac
Daglan
Ste Eulalie-d'Eymet
Fonroque
Plaisance
Nojals-et-Clottes
Salles-de-Belvès
St Pompont
Rocquepine
Ste Sabine-Born
Eymet
Falgueyrat
Cahuzac
Monpazier
Prats-du-Périgord
Mazières-Naresse
Mazeyrolles
La Sauvetat-du-Dropt
Castillonnès
Villeréal
Marminiac
Cazals
Lauzun
Ferrensac
Vergt-de-Biron
Biron
Villefranche-du-Périgord
Montaut
Born
Lacapelle-Biron
Montcléra
Devillac
Lougratte
Laussou
Sauveterre-la-Lémance
Frayssinet-le-Gélat
Monbahus
Salles
St Front-s.-Lémance
Pomarède
Cancon
Moulinet
St Barthélemy-d'Agenais
Bonaguil
Cuzorn
Monflanquin
St Martin-le-Redon
Duravel
Tombeboeuf
Castelnaud-de-Gratecambe
Lacaussade
Monsempron-Libos
Fumel
Prayssac
Puy-l'Évêque
Touzac
Castelfranc
St Pastour
Savignac-s.-Leyze
Verteuil-d'Agenais
Soubirous
La Sauvetat-s.-Lède
Grézels
Albas
Monclar
Casseneuil
Trentels
Ladignac
Mauroux
Castelmoron-s.-Lot
Fongrave
Ste Livrade-s.-Lot
Villeneuve-s.-Lot
St Sylvestre-s.-L.
Penne-d'A.
Tournon-d'Agenais
St Matré
Lafitte-s.-Lot
Dolmayrac
Dausse
Valeilles
Bourran
St Antoine-de-Ficalba
Montaigu-de-Quercy
Montcuq
Lacépède
St Amans-du-Pech
Galapian
Laugnac
La Croix-Blanche
St Victor
Bouloc
St Côme
Prayssas
Beauville
Port-Ste Marie
Laroque-Timbaut
Touffailles
Caoulet
Cauzac
Bourg-de-Visa
Lauzerte
Sérignac-s.-G.
St Nazaire-de-Valentane
Bruch
Agen
La Sauvetat-de-Savères
St Maurin
Brassac
Cazes-Mondenard
Brax
Bon-Encontre
Ste Colombe-en-B.
Puymirol
Castelsagrat
Ste Thècle
Nérac
Estillac
Durfort-Lacapelette
Aubiac
Moirax
Sauveterre-St Denis
Calignac
Layrac
Lamagistère
St Paul-d'Espis
La Lande
Laplume
Caudecoste
Valence
Lafrançaise
Goulens
Malause
Nomdieu
Donzac
Moissac
Francescas
Lamontjoie
Meauzac
Cuq
Dunes
Astaffort
Auvillar
Ligardes
Pergain-Taillac
Sistels
St Nicolas-de-la-Grave
Castelsarrasin
Moncrabeau
Berrac
St Antoine
Bardigues
Castelmayran
La Ville-Dieu-du-Temple
Ste Mère
Flamarens
Caumont
Miradoux
St Aignan
Lacourt-St Pierre
Condom
La Romieu
Castelferrus
Caussens
Garganvillar
St Porquier
Lafitte
Escatalens
Béraut
Lectoure
Marsac
Lavit
Montech
Gramont
Bourret
Abbaye de Flaran
Terraube
L'Isle-Bouzon
Montgaillard
Larrazet
Montbartier
St Puy
Le Mas-d'Auvignon
St Clar
St Sardos
Castéron
Beaumont-de-Lomagne
Monbéqui
La Sauvetat
Tournecoupe
Mas-Grenier
Ayguetinte
Fleurance
Brugnens
Gimat
Comberouger
Dieupentale
Castéra-Verduzan
Réjaumont
Verdun-s.-G.
Bouillac
Faudoas
Cézan
Céran
Préchac
Goutz
Solomiac
Lagraulet-St Nicolas
Aucamville
Montestruc-s.-Gers
Jégun
Lavardens
Monfort
Sarrant
Roquefort
Castelialoux
GROTTES
Dropt
Lède
Séoune
Barguelonne
Garonne
Gers
Gimone
Baïse
Lot
Agenais
Lomagne
47
36
41
1
2
3

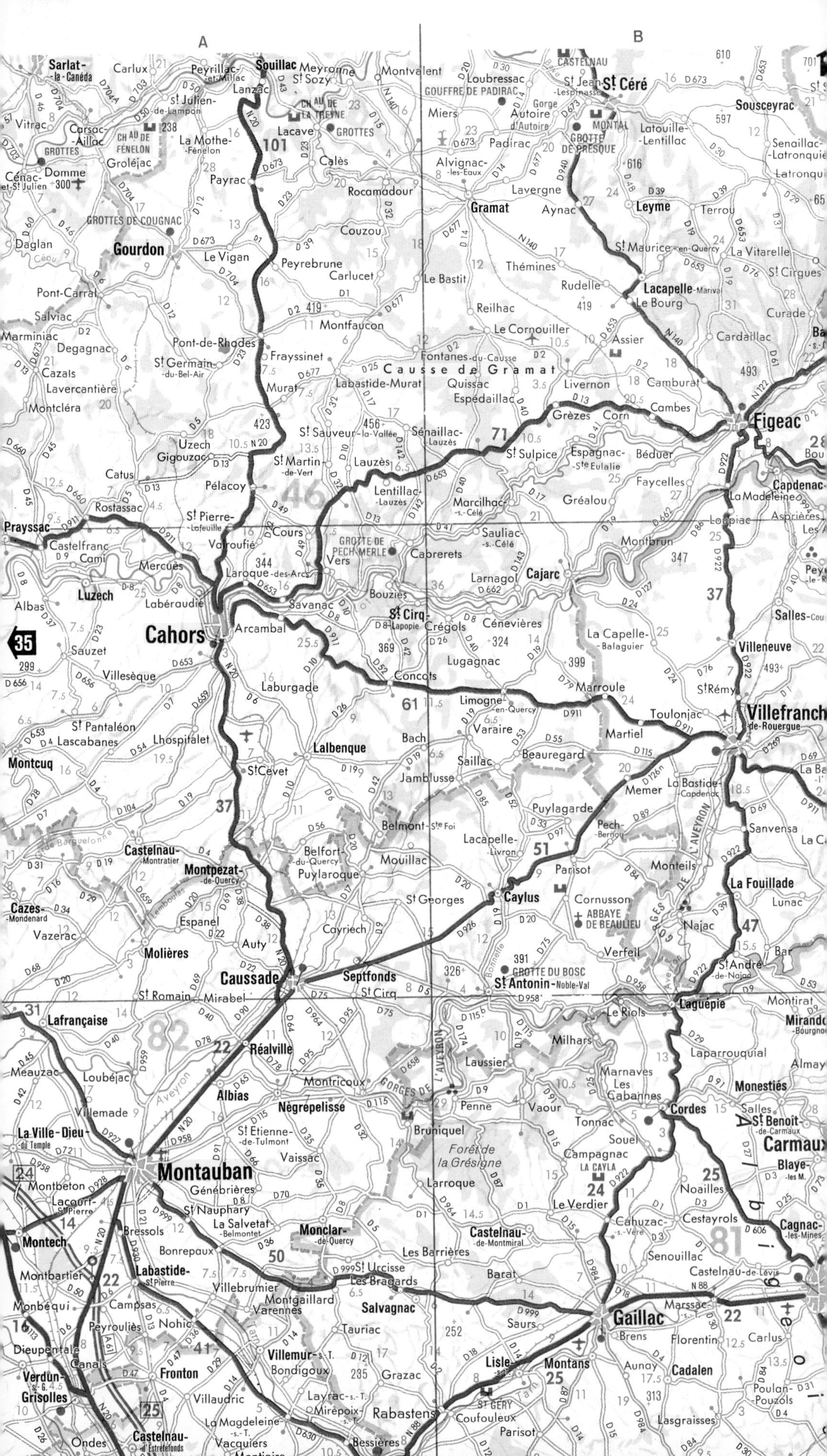

A
B
Sarlat-la-Canéda
Carlux
Peyrillac-et-Millac
Souillac
Meyronne
St Sozy
Montvalent
Loubressac
GOUFFRE DE PADIRAC
CASTELNAU
St Jean-Lespinasse
St Céré
Sousceyrac
Lanzac
St Julien-de-Lampon
CH AU DE LA TREYNE
Miers
Autoire
Gorge d'Autoire
MONTAL
GROTTE DE PRESQUE
Latouille-Lentillac
Senaillac-Latronquière
Latronquière
Vitrac
Carsac-Aillac
CH AU DE FÉNELON
La Mothe-Fénelon
Lacave
GROTTES
Padirac
GROTTES
Groléjac
Domme
Cénac-et-St Julien
Calès
Alvignac-les-Eaux
Payrac
Rocamadour
Gramat
Lavergne
Aynac
Leyme
Terrou
GROTTES DE COUGNAC
Couzou
St Maurice-en-Quercy
La Vitarelle
Daglan
Gourdon
Le Vigan
Peyrebrune
Carlucet
Le Bastit
Thémines
St Cirgues
Rudelle
Lacapelle-Marival
Le Bourg
Pont-Carral
Curade
Salviac
Montfaucon
Reilhac
Marminiac
Degagnac
Cazals
Pont-de-Rhodes
St Germain-du-Bel-Air
Frayssinet
Le Cornouiller
Assier
Fontanes-du-Causse
Cardaillac
Causse de Gramat
Lavercantière
Murat
Labastide-Murat
Quissac
Livernon
Camburat
Espédaillac
Montcléra
Cambes
Grèzes
Corn
Figeac
Uzech
Gigouzac
St Sauveur-la-Vallée
Sénaillac-Lauzès
St Sulpice
Espagnac-Ste Eulalie
Béduer
St Martin-de-Vert
Lauzès
Catus
Pélacoy
Lentillac-Lauzès
Marcilhac-s.-Célé
Faycelles
Capdenac
La Madeleine
Gréalou
Rostassac
St Pierre-Lafeuille
Asprières
Loupiac
Prayssac
Cours
Sauliac-s.-Célé
GROTTE DE PECH MERLE
Castelfranc
Vaufoué
Cabrerets
Montbrun
Cami
Mercuès
Vers
Laroque-des-Arcs
Cajarc
Larnagol
Luzech
Bouziès
Albas
Labéraudie
Savanac
St Cirq-Lapopie
Crégols
Cénevières
Salles-Cou
Cahors
Arcambal
La Capelle-Balaguier
Villeneuve
Sauzet
Lugagnac
Villesèque
Concots
Marroule
St Rémy
Laburgade
Limogne-en-Quercy
Toulonjac
Villefranche-de-Rouergue
St Pantaléon
Lascabanes
Lhospitalet
Varaire
Martiel
Bach
Montcuq
Lalbenque
Saillac
Beauregard
St Cevet
Jamblusse
La Bastide-Capdenac
Memer
Puylagarde
Belmont-Ste Foi
Pech-Bernou
Sanvensa
Castelnau-Montratier
Belfort-du-Quercy
Lacapelle-Livron
Montpezat-de-Quercy
Mouillac
Puylaroque
Parisot
Monteils
La Fouillade
Cazes-Mondenard
Caylus
Lunac
St Georges
Cornusson
ABBAYE DE BEAULIEU
Vazerac
Espanel
Cayriech
Najac
Molières
Auty
Verfeil
GROTTE DU BOSC
Caussade
Septfonds
St Antonin-Noble-Val
St André-de-Najac
St Romain
Mirabel
St Cirq
Laguépie
Montirat
Lafrançaise
Réalville
Le Riols
Milhars
Laparrouquial
Laussier
Meauzac
Loubéjac
Albias
Montricoux
GORGES DE L'AVEYRON
Marnaves
Les Cabannes
Monestiés
Villemade
Nègrepelisse
Penne
Vaour
Cordes
Salles
St Benoît-de-Carmaux
Carmaux
La Ville-Dieu-du-Temple
St Etienne-de-Tulmont
Bruniquel
Tonnac
Souel
Vaissac
Forêt de la Grésigne
Campagnac
LA CAYLA
Blaye-les-M.
Montauban
Montbeton
Génébrières
Larroque
Noailles
Lacourt-St Pierre
St Nauphary
Le Verdier
Cestayrols
Montech
Bressols
La Salvetat-Belmontet
Monclar-de-Quercy
Castelnau-de-Montmiral
Cahuzac-s.-Vère
Cagnac-les-Mines
Senouillac
Bonrepaux
Les Barrières
Castelnau-de-Lévis
Montbartier
Labastide-St Pierre
St Urcisse
Les Bragards
Barat
Villebrumier
Monbéqui
Montgaillard
Varennes
Salvagnac
Marssac-s.-T.
Campsas
Gaillac
Nohic
Peyrouliès
Tauriac
Saurs
Brens
Florentin
Carlus
Dieupentale
Canals
Villemur-s.-T.
Bondigoux
Grazac
Lisle-s.-T.
Montans
Aunay
Cadalen
Verdun-s.-G.
Fronton
Grisolles
Villaudric
Layrac-s.-T.
Mirepoix-s.-T.
Rabastens
ST GERY
Coufouleux
Poulan-Pouzols
La Magdeleine-s.-T.
Lasgraisses
Parisot
Ondes
Castelnau-d'Estrétefonds
Vacquiers
Bessières
Montjoire
Albigeois

C
D
Aurillac
Ytrac
Arpajon-s.-Cère
Sansac-de-Marmiesse
Le Rouget
St Mamet-la-Salvetat
Roannes-St Mary
Vezac
Carlat
Labrousse
Raulhac
Mur-de-Barrez
Brommat
Pierrefort
Paulhenc
Ste Marie
Oradour
BGE DE GRANDVAL
Fridefont
BGE DE LANAU
PONT DE TRÉBOUL
Cantoin
Chaudes-Aigues
BGE DE SARRANS
Lieutadès
St Juéry
Fournels
Ste Geneviève-s. Argence
Chauchailles
Boisset
Marcolès
La Feuillade-en-Vézie
Lacapelle-del-F.
Leucamp
Lacroix-Barrez
GORGES DE LA TRUYÈRE
Lacalm
La Chaldette
Leynhac
Labesserette
La Terrisse
Grandvals
Calvinet
Junhac
Montsalvy
St Hippolyte
Cassuejouls
St Constant
Huparlac
Malbouzon
BARRAGE DE COUESQUE
St Amans-des Cots
Laguiole
St Urcize
Cassaniouze
BGE DE LA SELVES
Massif de l'Aubrac
Plateau de la Viadène
Nasbinals
Marchastel
Vieillevie
GORGES DU LOT
Entraygues-sur-T.
CASCADE DE DEROC
Gd-Vabre
Sénergues
Les Bessades
Aubrac
Conques
Le Cayrol
St Chély-d'Aubrac
Decazeville
C. de Bonnecombe
Firmi
St Cyprien-s.-D.
Estaing
Salgues
Cransac
Villecomtal
Espalion
Prades-d'Aubrac
Nauviale
Muret-le-Ch.
St Côme-d'Olt
BGE DE CASTELNAU-LASSOUTS
Les Hermaux
Auzits
Rodelle
Aurelle-Verlac
St Christophe-Vallon
Bounac
Montbazens
CH. AU DE BOURNAZEL
Marcillac-Vallon
Lassouts
St Geniez-d'Olt
Roussennac
Valady
Bezonne
Bozouls
Gabriac
St Pierre-de-Nogaret
Goutrens
Salles-la-Source
Cruéjouls
St Laurent-d'Olt
Rignac
Clairvaux-d'Aveyron
Causse du Comtal
Coussergues
Belcastel
Sébazac-Concourès
St Saturnin-de-Lenne
Onet-le-Ch.
Palmas
Campagnac
Bertholène
Laissac
Vimenet
Causse de Séverac
Le Pas
Agen-d'Aveyron
Colombiès
Moyrazès
Rodez
Séverac-l'Église
Recoules-Prévinquières
Sévérac-le-Château
Luc
Le Vibal
Rieupeyroux
Ségur
Vézins-de-Lévézou
Baraqueville
La Primaube
Flavin
R. de Pont-de-Salars
Jouels
Pont-de-Salars
Carcenac-Peyralès
Calmont
Prades-Salars
Viarouge
Sauveterre-de-Rouergue
Bois-du-Four
Camboulazet
Naucelle
Curan
Boyne
Camjac
Lac de Pareloup
Salmiech
Arvieu
Tauriac-de-Naucelle
Cassagnes-Bégonhès
Salles-Curan
St Beauzély
La Cresse
VIADUC DU VIAUR
Ségala
Bouloc
Aguessac
Tanus
Durenque
St Germain
Tréban
La Selve
Millau
Montjaux
Lédergues
Villefranche-de-Panat
Candas
Lacapelle-Pinet
Lestrade-et-Thouels
St Georges-de-Luzençon
Réquista
St Rome-de-Tarn
St Jean-Delnous
Le Truel
St Victor-et-Melvieu
St Rome-de-Cernon
St Julien-Gaulène
Valence-d'Albigeois
Broquiès
Lapanouse-de-Cernon
La Cavalerie
Sérénac
Tiergue
St Izaire
Roquefort-s.-Soulzon
Ambialet
Trébas
Coupiac
St Affrique
Lauras
Causse du Larzac
Martrin
Plaisance
Vabres-l'Abbaye
Villefranche-d'Albigeois
St Juéry
St Jean-et-St Paul
Alban
St Sernin-s.-Rance
Versols-et-Lapeyre
St Pierre
St Félix-de-Sorgues
Fondamente
Teillet
St Jean-de-Jeannes
Sylvanès
Gissac
Le Travet
BGE DE RASSISSE
Montagnol
Camarès
Belmont-s.-R.
Le Clapier
Fayet
Cenomes
12
37
1
2
3

A
B
31
36
Loubaresse
Fridefont
La Garde
Mts de la Margeride
Fraissinet-Chazalais
St Léger-du-Malzieu
Le Malzieu-Ville
Esplantas
St Préjet-d'Allier
Chanaleilles
Chambon-le-Château
Alleyras
Le Bouchet-St Nicolas
Cayres
Costaros
St Martin-de-Fugères
Goudet
Alleyrac
Arlempdes
Salettes
St Haon
La Sauvetat
Landos
Issarlès
La Chapelle-Graillouse
St Paul-de-Tartas
Coucouron
Pradelles
St Juéry
Fournels
St Chély-d'Apcher
Ancette
St Bonnet-de-Montauroux
Laval-Atger
Grandrieu
Auroux
St Alban-s Limagnole
Rimeize
Fontans
La Fage-Montivernoux
Le Fau-de-Peyre
Roc de Fenestre
Langogne
Lanarce
Barrage de Naussac
Aumont-Aubrac
St Denis-en-M.
Serverette
La Villedieu
Pierrefiche
St Flour-de-Mercoire
Malbouzon
Javols
Estables
Couffinet
Marchastel
La Baume
St Amans
Signal de Randon
Lac de Charpal
Chaudeyrac
Luc
St Etienne-de-L.
Rieutort-de-Randon
Châteauneuf-de-Randon
Le Cheylard-l'Evêque
Viaduc de la Crueize
Lachamp
Montbel
St Laurent-les-B.
La Bastide-Puylaurent
Borne
Gévaudan
C. de Bonnecombe
Marvejols
Chastel-Nouvel
Laubert
Pelouse
Chasseradès
Les Salces
Les Hermaux
Chirac
Barjac
Badaroux
Mende
Lanuéjols
Bagnols-les Bains
Mgne du Goulet
Le Bleymard
Altier
Thines
St Pierre-de-Nogaret
St Germain-du-Teil
Chanac
Balsièges
Brenoux
Mont Lozère
Pied-de-Borne
La Mothe
La Canourgue
St Laurent-d'Olt
Causse de Sauveterre
Champerboux
C. de Montmirat
Sauveterre
Mt Finiels
Pic Cassini
Finiels
Villefort
Vielvic
La Tieule
Molines
Ispagnac
Ste Enimie
Runes
Le Pont-de-Montvert
Ponteils-et-
Laval-du-Tarn
Prades
Blajoux
Génolhac
Point Sublime
La Caze
Florac
Montagne du Bougès
Cévennes
Vialas
Le Massegros
La Malène
St Maurice-de Ventalon
Chamborigaud
Aujac
Les Vignes
Gorges du Tarn
Causse Méjean
Cassagnas
St Privat
St Laurent-de-Trèves
Ste Cécile-d'A.
La Borie
Les Vanels
Barre-des-Cévennes
Le Collet-de-D.
Le Martinet
Aven Armand
Fraissinet-de-Fourques
Rousses
St Germain-de-Calberte
La Gd Combe
Boyne
Le Truel
Gorges de la Jonte
Le Pompidou
Le Rozier
Veyreau
Dargilan
Grotte de Dargilan
Meyrueis
Ste Croix-Vallée-Française
St Etienne-Vallée-Française
La Cresse
Montpellier-le-Vieux
Causse Noir
Parc des Cévennes
Corniche des Cévennes
St André-de-Valborgne
La Roque-Ste Marguerite
Lanuéjols
Mt Aigoual
Montagne de l'Aigoual
Bramabiau
Saumane
Mialet
Alès
L'Estréchure
St Jean-du-Gard
Le Mas Soubeyran
Causse du Larzac
Trèves
Lespérou
Valleraugue
St Christol-lès-
Cantobre
Dourbies
Soudorgues
Anduze
Nant
St Jean-du-Bruel
St André-de-Majencoules
Col de l'Asclié
Lasalle
Colognac
Durfort-et-St Martin-de-S.
Attuech
Lézan
La Cavalerie
Sauclières
Le Vigan
Avèze
Monoblet
St Hippolyte-du-Fort
Canaules-et-Argentières
L'Hospitalet-du-Larzac
Alzon
Arre
Sumène
La Cadière-et-Cambo
Villesèque
Savignargues
La Blaquererie
Montdardier
Ganges
Sauve
Quissac
La Couvertoirade
Vissec
Blandas
Grotte des Demoiselles
Cornus
Cirque de Navacelles
Soutayrol
St Bauzille-de-Putois
Pompignan
Fondamente
Le Caylar
Le Cros
Brissac
Corconne
Les Rives
St Michel
St Maurice-Navacelles
Madières
Gorges de la Vis
Séranne
St Etienne-d'Issensac
Claret
Vacquières
Le Clapier
Pas de l'Escalette
St Jean-de-Buèges
Causse-
Frouzet
N.-Dame-de-Londres

C
D
Mt Mézenc 1754
Les Estables
Borée
Arcens
Prévenchères
St Martial
Sources de la Loire
Gerbier-de-Jonc 1551
Lachamp-Raphaël
CASCADES DU RAY-PIC
Usclades-et-Rieutord
Burzet
Suc du Pal 1405
Les Nonières
St Julien-Labrousse
Chalençon
GORGES DE L'EYRIEUX
Le Cheylard
St Barthélemy-le-Meil
Dornas
Albon
Mézilhac
St Sauveur-de-Montagut
St Pierreville
Laviolle
St Joseph-des-Bancs
Antraigues
Juvinas
Montpezat-sous-Bauzon
Thueyts
St Pierre-de-Colombier
Pont-de-Labeaume
Vals-les-Bains
CHAU DE BOULOGNE
St Andéol-de-Vals
Gourdon
C. de l'Escrinet
Barnas
Neyrac-les-B.
Lalevade-d'A.
Labégude
Jaujac
Aubenas
St Étienne-de-Fontbellon
Lachapelle-sous-Aubenas
Vesseaux
St Privat
Lussas
St Julien-du-Gua
C. de la Fayolle
Privas
Vernoux-en-V.
Silhac
St Michel-de-Chabrillanoux
Les Ollières-s.-Eyrieux
Flaviac
Chomérac
Coirons
St Vincent-de-Barrès
Berzème
Darbres
Mirabel
St Jean-le-Centenier
Sceautres
St Martin-l'Inférieur
Rochemaure
BARRAGE DE ROCHEMAURE
Meysse
Cruas
Baix
Le Pouzin
La Voulte-s.-R.
St Fortunat-s.-E.
St Laurent-du-Pape
Charmes-s.-R.
Beauchastel
Valence
Portes-lès-Valence
BARRAGE DE CHARMES
Beaumont-lès-V.
Etoile-s.-R.
Chabeuil
Montmeyran
Fiancey
Montoison
Livron-s.-Drôme
Allex
Loriol-s.-Drôme
BARRAGE DE LORIOL
Grane
Crest
Clousclat
Saulce-s.-Rhône
Ft de Marsanne
Marsanne
Roynac
La Coucourde
Sauzet
Cléon-d'Andran
Puy-St Martin
St Marcel-lès-Sauzet
Pont-de-Barret
St Gervais-s.-R.
La Bâtie-Rolland
Montélimar
La Bégude-de-Mazenc
Gougne
Le Teil
Alba
Villeneuve-de-Berg
Largentière
Montréal
Vogué
Uzer
BALAZUC
St Maurice-d'Ardèche
St Maurice-d'Ibie
DÉFILÉ DE RUOMS
Joyeuse
Lablachère
St Alban-Auriolles
Payzac
Ruoms
Pradons
Lagorce
Mgne de Berg
St Thomé
Viviers
DÉFILÉ DE DONZÈRE
Donzère
Espeluche
Allan
Le Colombier
Malataverne
Aleyrac
Roche-St Secret-Béconne
Salles-sous-Bois
Réauville
Taulignan
Grignan
BOIS DE PAIOLIVE
Vallon-Pont-d'Arc
Salavas
St Remèze
St Montant
BARRAGE
Les Granges-Gontardes
La Garde-Adhémar
Chamaret
Pierrelatte
Grillon
Valréas
PONT D'ARC
AVEN DE MARZAL
Labastide-de-Virac
Bidon
Bourg-St Andéol
Montségur-s.-Lauzon
St Paul-Trois-Châteaux
Tricastin
Centre Atomique
Beaulieu
Vagnas
AVEN D'ORGNAC
AVEN DE LA FORESTIÈRE
CANYON DE L'ARDÈCHE
Barjac
Orgnac-l'Aven
St André-de-Cruzières
St Martin-d'Ardèche
St Just
St Restitut
BARRAGE ANDRÉ BLONDEL
Lapalud
Visan
St Maurice-s.-E.
Tulette
Gagnières
GROTTE DE LA COCALIÈRE
St Sauveur-de-Cruzières
Laval-St Roman
Suze-la-Rousse
ST BLAISE (FOUILLES)
Bollène
Buisson
St Ambroix
St Jean-de-Maruéjols-et-Avejan
Rochegude
Pont-St Esprit
CHARTREUSE DE VALBONNE
Lamotte-du-Rh.
Rochegude
Ste Cécile-les-Vignes
Roaix
Cairanne
Les Mages
Allègre
Goudargues
St Laurent-de-Carnols
Mondragon
Mornas
Sérignan-du-Comtat
Les Fumades-les-Bains
St Gervais
Piolenc
Sablet
Salindres
Navacelles
Centre Atomique de Marcoule
Camaret-s.-Aigues
Gigondas
Lussan
Verfeuil
Bagnols-s.-Cèze
Orange
Vacqueyras
Brouzet-lès-Alès
St Marcel-de-Careiret
Sabran
Chusclan
Jonquières
Beaumes-de-Venise
Cavillargues
Tresques
Orsan
Codolet
Caderousse
Aubignan
St Just-et-Vacquières
Seynes
Connaux
Laudun
Autoroute du Soleil
Courthezon
Sarrians
Comtat
Monteils
St Laurent-la-Vernède
St Victor-la-Coste
St Laurent-des-Arbres
Châteauneuf-du-Pape
Carpentras
St Quentin-la Poterie
Vallabrix
Roquemaure
Bédarrides
Vézénobres
St Maurice-de-Cazevieille
Baron
Serviers-et-Labaume
St Hippolyte-de-Montaigu
Pouzilhac
Sauveterre
Sorgues
Monteux
Arpaillargues-et-Aureillac
Uzès
Collorgues
Flaux
Tavel
Pujaut
Boucoiran-et-Nozières
Moussac
Valliguières
Rochefort-du-Gard
Villeneuve-lès-Avignon
Entraigues-s.-Sorgues
St Chaptes
la Languedocienne
Le Pontet
Velleron
Aigremont
Collias
St Saturnin-lès-Avignon
St Geniès-de-Malgoires
GORGES DU GARDON
Sanilhac-et-Sagriès
PONT DU GARD
Remoulins
Le Thor
La Calmette
Dions
Cabrières
St Bonnet-du-G.
Domazan
Avignon
Montfavet
Châteauneuf-de-Gadagne
St Mamert-du-Gard
Gajan
Poulx
St Gervasy
Théziers
Barbentane
Rognonas
Caumont-s.-Durance
Montfrin
Aramon
ST MICHEL DE FRIGOLET
Châteaurenard
Meynes
Boulbon
Graveson
Noves
Cabannes
St Pierre-de-V.
Marguerittes
Comps
Vallabrègues
St Andiol
Montpezat
Redessan
Jonquières-et-St Vincent
Maillane
Eyragues
Cavaillon
Clarensac
Nîmes
Manduel
Beaucaire
Tarascon
Mollégès
Plan-d'Orgon
Garrigues
38

A
B
Montélier
Bouvante-le-Haut
Peyrus
Léoncel
Chabeuil
Combovin
Font d'Urle
GROTTE DE LA LUIRE
Vassieux-en-Vercors
C. de la Bataille
Rousset
Omblèze
F.t de Lente
F.t du Vercors
C. de Rousset
St Julien-en-Quint
Plan-de-Baix
Gigors-et-L.
L'Escoulin
Chamaloc
Beaufort-s.-G.
Ste Croix
Die
Les Planeaux
Crest
Aouste-s.-Sye
Saillans
Vercheny
Pt de Quart
Dôme de Glandasse
Châtillon-en-Diois
F.t de Saou
Barnave
Recoubeau-Jansac
St Benoit-en-Diois
Saou
Le Veyou
Col de la Chaudière
Luc-en-Diois
Poyols
LE CLAPS
Pont-de-Barret
Bourdeaux
St Nazaire-le-Désert
Diois
Monestier-de-Clermont
Gresse-en-V.
St Michel-les Portes
Gd Veymont
Mt Aiguille
Roissard
Clelles
Chichilianne
Marcieu
La Mûre
Mayres-Savel
St Sébastien
Valbonnais
Entrai
La Salle-en-B.
Notre Dame de la Salette
Les Côtes-de-Corps
Cordéac
Mens
Trièves
Pellafol
Obiou
Lalley
Tréminis
St Disdier
Gd Ferrand
C. de Menée
Menée
C. de la Croix Hte
Agnières-en-Dévoluy
St Etienne-en-D.
Dévoluy
Glandage
Lus-la-Croix-Hte
Crête des Aiguilles
Super-Dévoluy
C. du Festre
La Cluse
P. de Bure
Boulc
Bonneval-en-Diois
Bochaine
Miscon
Lesches-en-D.
Le Pilhon
St Julien-en-Beauchêne
Montbrand
La Faurie
Montmaur
Beaurières
La Beaume
Buech
C. de Cabre
St Pierre-d'Argençon
Aspres-s.-Buech
Veynes
Céüze
Dieulefit
Bouvières
Bellegarde-en-Diois
Chalançon
Establet
Valdrôme
Aspremont
Oze
La Paillette
C. la Sauce
La Motte-Chalançon
La Charce
La Piarre
Chabestan
Le Saix
Roche-St Secret-Béconne
Cornillon-s.-l'Oule
Montmorin
Barcillonnette
Villeperdrix
St Ferréol-Trente-Pas
Rémuzat
L'Epine
Serres
Savournon
Rousset-les-Vignes
Sahune
Curnier
Rosans
Eygues
Les Pilles
Trescléoux
Ventavon
Nyons
Ste Jalle
Bellecombe-Tarendol
Montjay
Eyguians
Laragne-Montéglin
Sigoyer
Laux-Montaux
Orpierre
Le Poët
Mirabel-aux-Baronnies
Ste Euphémie-s.-O.
Laborel
St Maurice-s.-E.
Propiac
Le Buis-les-Baronnies
Puyméras
St Auban-s.-l'O.
C. de Perty
Pomet
La Combe
Mison
Buisson
Faucon
Eygaliers
Mévouillon
Eygalayes
Salerans
Roaix
Ribiers
Vaison-la-Romaine
Mollans-s.-O.
Lachau
Entrechaux
Toulourenc
Séderon
Sisteron
Mt Ventoux
Dentelles de Montmirail
Sablet
Montbrun-les-B.
Les Omergues
St Vincent-s.-J.
Noyers-s.-J.
Malaucène
Jabron
Gigondas
Le Tay
Vacqueyras
LE BARROU
Mgne de Lure
Beaumes-de-Venise
Bédoin
Aurel
Ferrassières
Aubignan
Crillon-le-Brave
St Estève
Sault
St Trinit
Saumane
Les Chabannes
Cruis
Mazan
Monieux
Revest-du-Bion
Mallefougasse-Augès
Villes-s.-Auzon
Carpentras
GORGES DE LA NESQUE
St Jean
Lardiers
Banon
Ongles
St Etienne-
Peyruis
Malemort-du-C.
St Christol
Monteux
St Didier
Pernes-les-Fontaines
Venasque
Méthamis
Sigonce
Les Mées
Simiane-la-Rotonde
Limans
Forcalquier
La Roque-s.-P.
Lurs
Ganagobie
Velleron
Mts de Vaucluse
la Sorgue
Murs
St Saturnin-d'Apt
Mane
Saumane-de-V.
ABBAYE DE SÉNANQUE
Fontaine-de-Vaucluse
Oppedette
Vachères
La Brillanne
Le Thor
Rustrel
CANYON D'OPPEDETTE
St Michel-l'Observatoire
St Maime
L'Isle-s.-la-S.
FONTAINE DE VAUCLUSE
Gordes
Villars
CHAU DE SAUVAN
Roussillon
Viens
Volx
Apt
Reillanne
Goult
Cavaillon
Saignon
Céreste
Coulon
Robion
Buoux
Manosque
Ménerbes
Bonnieux
Castellet
Durance
Plateau
Lacoste
Vitrolles
Oppède-le-Vieux
84
37
96
125
104
4
11
31
34
53
22
10
15
14
17

C
D
32
39
Massif du Pelvoux
PARC DES ECRINS
Valgaudemar
Champsaur
Queyras
PARC DU QUEYRAS
Massif du Parpaillon
Massif des Trois Evêchés
Mgne de la Blanche
Mgne du Cheval Blanc
Alpes de Provence
05
04
Briançon
Cervières
Bric Froid
Gd Glaiza
C. d'Izoard
Gd Pic de Rochebrune
Aiguilles
Abriès
Ristolas
Arvieux
Château-Queyras
Molines-en-Q.
Fontgillarde
St Véran
Ceillac
N.-D. DE CLAUSIS
Tête des Toillies
Pelvoux
Ailefroide
Serre-Chevalier
St Martin-de-Queyrières
Vallouise
Les Vigneaux
Argentière-la-Bessée
P. du Béal Traversier
La Roche-de-Rame
Fressinières
St Crépin
Mont Dauphin
Guillestre
Tête de Couleau
St Clément
Châteauroux
La Raille
Pte de la Font-Sancte
Maljasset-Maurin
Vars
Les Claux
P. de Chabrières
P. St André
Crévoux
C. de Vars
Aig. de Chambeyron
Gde Serenne
Valsenestre
Le Désert
Pic d'Olan
Les Bans
Villar-Loubière
La Chapelle-en-Valgaudemar
Pic de Pétarel
St Firmin
pntes de Rougnoux
Vx Chaillol
Champoléon
Orcières
St Bonnet
Chabottes
Pont-du-F.
Ancelle
Gde Autane
Mourre Froid
St Laurent
La Rochette
Bayard
Chabrières
Le Villard
Embrun
La Bâtie-Neuve
Gap
La Bâtie-Vieille
Chorges
Savines-le-Lac
Les Orres
Les Orres-Pramouton
St Paul
Meyronnes
Condamine-Ch.
Larche
Tête de Moïse
Gd Bérard
Tête de Siguret
Jausiers
C. de Larche
Argentera
Valserres
Théus
Les Demoiselles Coiffées
Espinasses
BARRAGE DE SERRE-PONÇON
Le Sauze
Tallard
Le Pouzenc
La Bréole
Gigors
Bréziers
Le Lauzet-Ubaye
Méolans-Revel
Barcelonnette
Saulce
Turriers
Le Caire
Selonnet
Seyne
Bernardez
Pra-Loup
Uvernet-Fours
Le Sauze
Super-Sauze
Tête de l'Enchastraye
Pic des 3 Évêques
le Mourre Haut
C. de Restefond
Le Pra
La Motte
Bayons
Gde Séolane
Fours
C. d'Allos
Tête de l'Estrop
Trois Évêchés
St Dalmas-le-Selvage
Clot Ginoux
Barles
Les Monges
Verdaches
CLUES DE VERDACHES
Blayeul
Mt Pelat
C. de la Cayolle
St Etienne-de-Tinée
Allos
Lac d'Allos
Mourre Gros
St Geniez
Authon
Rocher de Dromon
Col de Fontbelle
CLUES DE BARLES
Prads
Bollofre
Le Castellard-Mélan
La Javie
M. du Carton
C. des Champs
Entraunes
Colmars
Le Denjuan
St Martin-d'Entraunes
Thoard
Le Brusquet
la Bigue
Beauvezer
Péone
Volonne
Château-Arnoux
Digne
Thorame-Basse
Thorame-Hte
le Grand Coyer
Guillaumes
Valberg
Malijai
Mallemoisson
Tartonne
Lambruisse
St-Michel-Peyreso
Cime de Barrot
Bédejun
Méailles
Daluis
Châteauredon
CLUE DE CHABRIÈRES
Le Fugeret
GORGES DE DALUIS
Mézel
Chaudron-Norante
Puget-Théniers
Puimichel
C. des Robines
St André-les-Alpes
Annot
Entrevaux
Les Scaffarels
Barrême
Estoublon
Vergons
Rouaine
Col de Toutes-Aures
Castellet-St Cassien
Bras-d'Asse
Senez
Ubraye
Collongues
La Bégude-Blanche
Val-de-Chalvagne
BARRAGE DE CASTILLON
Demandolx
Briançonnet
Puimoisson
C. des Lèques
Castellane
St Auban
Le Mas
Moustiers-Ste Marie
Mourre de Chanier
BARRAGE DE CHAUDANNE
Roumoules
La Foux
Riez
C. de Luens
Rougon
Valderoure
Thorenc

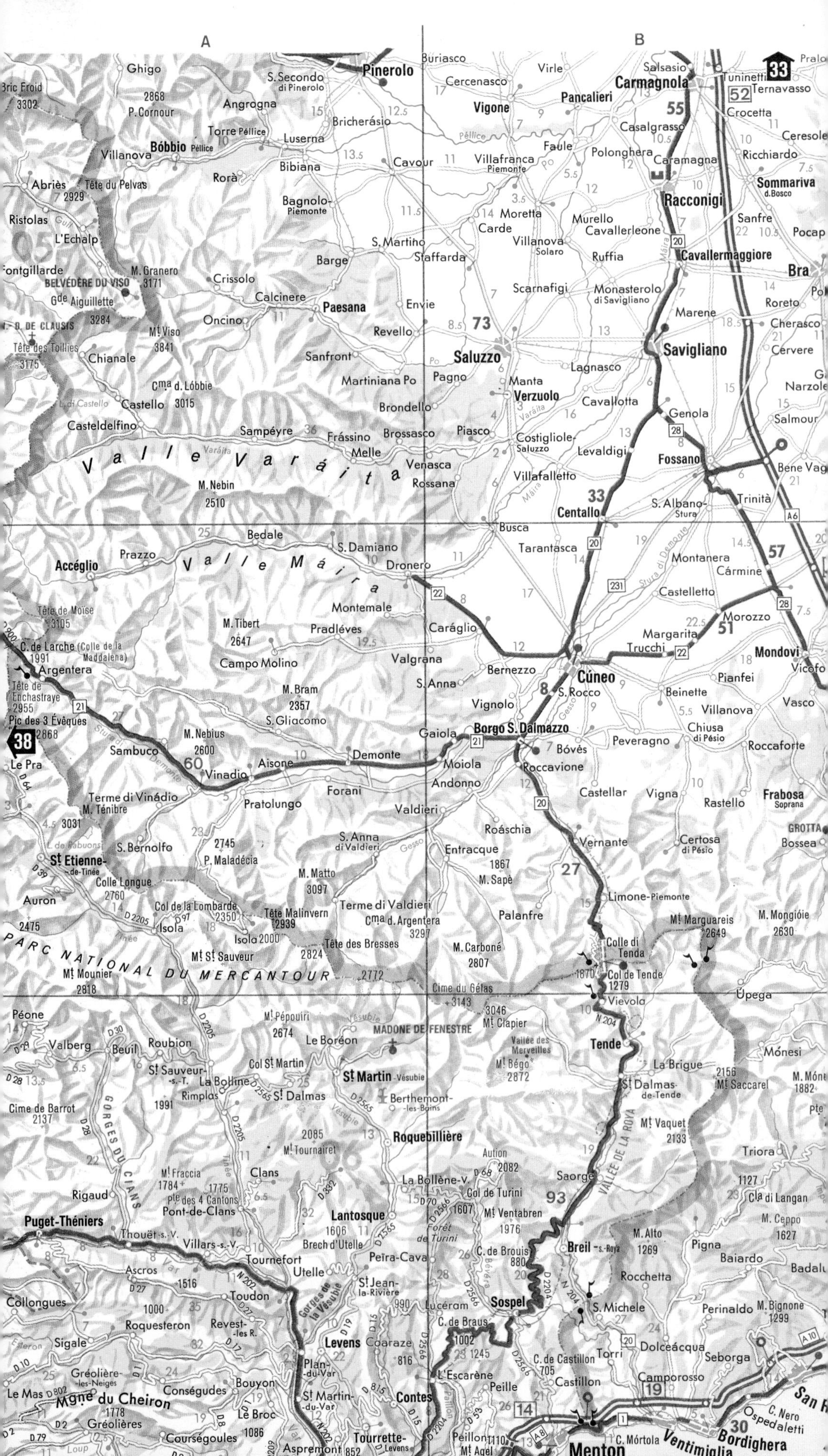

A
B
33
38
Pinerolo
Carmagnola
Racconigi
Cavallermaggiore
Bra
Savigliano
Saluzzo
Verzuolo
Fossano
Centallo
Cúneo
Mondovì
Borgo S. Dalmazzo
Dronero
Valle Varáita
Valle Máira
Vigone
Pancalieri
Paesana
Bóbbio
Accéglio
Argentera
Vinadio
Demonte
Limone-Piemonte
Colle di Tenda
Tende
St Etienne-de-Tinée
Auron
Isola
PARC NATIONAL DU MERCANTOUR
St Martin-Vésubie
Roquebillière
Lantosque
Puget-Théniers
Levens
Contes
Sospel
Breil-s.-Roya
Menton
Ventimiglia
Bordighera
Mgne du Cheiron
VALLÉE DE LA ROYA
GORGES DU CIANS
Mt Viso 3841
BELVÉDÈRE DU VISO
MADONE DE FENESTRE

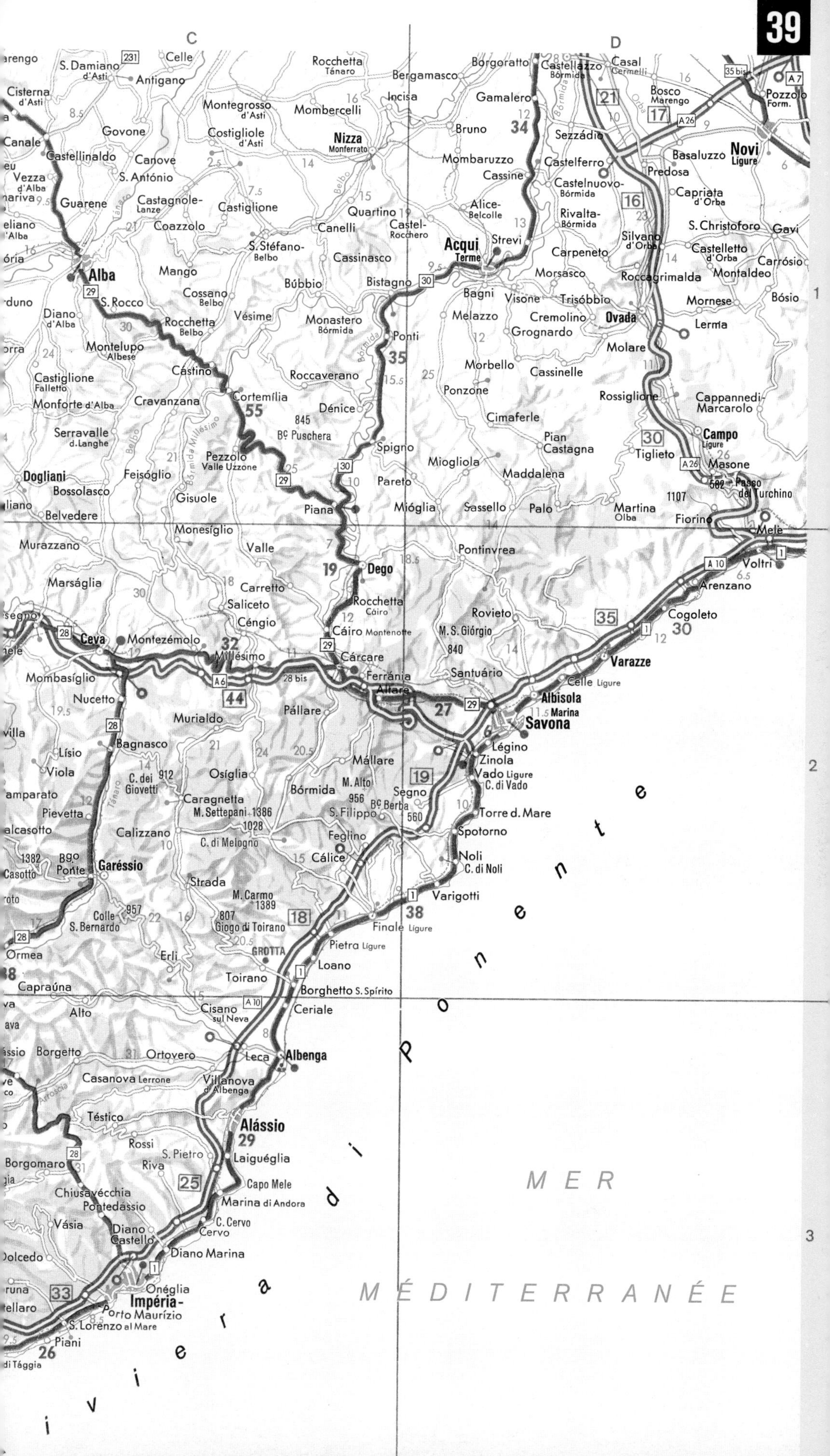
C
D
1
2
3
S. Damiano d'Asti
Antignano
Celle
Cisterna d'Asti
Canale
Castellinaldo
Govone
Canove
S. António
Vezza d'Alba
Guarene
Castagnole-Lanze
Coazzolo
Castiglione
Montegrosso d'Asti
Costigliole d'Asti
Rocchetta Tánaro
Mombercelli
Bergamasco
Incisa
Nizza Monferrato
Borgoratto
Gamalero
Castellazzo Bórmida
Casal Cermelli
Bosco Marengo
Pozzolo Form.
Bruno
Mombaruzzo
Cassine
Sezzádio
Castelferro
Basaluzzo
Novi Ligure
Predosa
Castelnuovo-Bórmida
Capriata d'Orba
Rivalta-Bórmida
Quartino
Canelli
Castel-Rocchero
Alice-Belcolle
Strevi
Acqui Terme
S. Stéfano-Belbo
Cassinasco
Carpeneto
Silvano d'Orba
S. Christoforo
Gavi
Castelletto d'Orba
Carrósio
Montaldeo
Roccagrimalda
Morsasco
Alba
Mango
Búbbio
Bistagno
Cossano Belbo
S. Rocco
Diano d'Alba
Bagni
Visone
Trisóbbio
Mornese
Bósio
Melazzo
Cremolino
Ovada
Lerma
Grognardo
Molare
Rocchetta Belbo
Vésime
Monastero Bórmida
Montelupo Albese
Ponti
Castino
Morbello
Cassinelle
Castiglione Falletto
Roccaverano
Ponzone
Monforte d'Alba
Cravanzana
Cortemília
Dénice
845
Bc Puschera
Cimaferle
Rossiglione
Cappannedi-Marcarolo
Serravalle d.Langhe
Spigno
Pian Castagna
Campo Ligure
Tiglieto
Pezzolo Valle Uzzone
Miogliola
Maddalena
Masone
Dogliani
Feisóglio
Pareto
Passo del Turchino
Bossolasco
Gisuole
Piana
Mióglia
Sassello
Palo
Martina Olba
1107
Fiorino
Belvedere
Monesíglio
Mele
Murazzano
Valle
Pontinvrea
Dego
Voltri
Marságlia
Carretto
Arenzano
Saliceto
Rocchetta Cáiro
Rovieto
Céngio
Cogoleto
Cáiro Montenotte
M. S. Giórgio
840
Ceva
Montezémolo
Millésimo
Cárcare
Varazze
Santuário
Mombasíglio
Ferránia
Altare
Celle Ligure
Nucetto
28 bis
Albisola Marina
Pállare
Savona
Murialdo
Bagnasco
Légino
Zinola
Mállare
Lísio
Viola
Osíglia
Vado Ligure
C. di Vado
C. dei Giovetti
912
M. Alto
956
Bórmida
Segno
Caragnetta
M. Settepani
1386
Bc Berba
560
Pievetta
S. Filippo
Torre d. Mare
1028
Calizzano
C. di Melogno
Feglino
Spotorno
1382
Bgo Ponte
Garéssio
Cálice
Noli
C. di Noli
Strada
M. Carmo
1389
Varigotti
Colle S. Bernardo
957
807
Giogo di Toirano
Finale Ligure
Ormea
Erli
GROTTA
Pietra Ligure
Loano
Toirano
Capraúna
Borghetto S. Spírito
Alto
Cisano sul Neva
Ceriale
Borgetto
Ortovero
Leca
Albenga
Casanova Lerrone
Villanova d'Albenga
Téstico
Alássio
Rossi
S. Pietro
Laiguéglia
Borgomaro
Riva
Capo Mele
Chiusavécchia
Pontedassio
Marina di Andora
Vásia
Diano Castello
C. Cervo
Cervo
Diano Marina
Onéglia
Impéria-Porto Maurízio
S. Lorenzo al Mare
Piani
Riviera di Ponente
MER
MÉDITERRANÉE
A 7
A 26
A 10
A 6

A
B
Gouf de Cap
Côte d' Argent
Bouc
BARRE DE L'ADOUR
Phare de la Pointe St Martin
R. de la Vierge
Anglet
Biarritz
Golfo de Vizcaya
Bidart
Arcan
Arbon
34
Guéthary
14
St Jean-de-Luz
Ahetze
Capo Higuer
Ciboure
St Pée
Fuenterrabía
Urrugne
13
Ascain
Pasajes de San Pedro
Pasajes de San Juan
SAN SEBASTIÁN
Ulía
18
Irún
Hendaye
Behobia
Sare
Col de St Ignace
Lezo
422
La Rhune
900
Dancharinea
Ondárroa
Saturrarán
Punta Isarria
Guetaria
Igueldo
Alza
Pasajes
Rentería
28
12
Motrico
Zumaya
Zarauz
Orio
19
Igara
Añorga
Oyarzun
Vera de Bidasoa
Zugarramurdi
Deva
Meagas
Usurbil
Astigarraga
Urda
Larruscain
Iciar
26
Aizarnazábal
Casarte
Oria
Hernani
Lesaca
Echalar
Gorrines
Cestona
Aya
Urnieta
Berriazaun
Mendaro
Aizarna
Andaiza
Andoain
Yanci
Alzola
Lasao
Cizúrquil
Aduna
Monte Adarra
817
Articuza
Aranaz
Azpilc
Elgóibar
Madariaga
Asteasu
Villabona
Arano
Goizueta
Sumbilla
Navarte
Oyeregui
Oronoz-Mugaire
Arrayoz
Eibar
Azcoitia
Azpeitia
470
Alto de Vidania
Anoeta
Amasa
20
Ecaitza
1034
Elgorriaga
Elizondo
Placencia
SANT. DE SAN IGNACIO DE LOYOLA
Regil
Hernialde
Berrobi
Elduayen
Zubieta
Ituren
Santesteban
Ciga
Urrestilla
Vidania
Tolosa
Berástegui
Oiz
89
Nuarbe
Goyaz
Albistur
Ibarra
490
Puerto San Antón
Donamaría
Urroz de S.
Beizama
Gaztelu
494
Puerto Urto
Saldías
Labayen
Berroeta
Almandoz
Vergara
Lizarza
547
Ezcurra
Alto de Ezcurra
Anzuola
Villarreal
Zumárraga
Izcateguieta
Alegria de Oria
Oreja
Areso
Leiza
Erasun
Puerto Velate
San Prudencio
500
Pto de Descarga
Legorreta
Gorriti
571
Alto de Huici
836
Zubillaga
Astigarreta
Villafranca de Oria
Alzaga
Amezqueta
Huici
Arraras
Legazpia
Arama
Bedayo
Arriba
Beruete
Oroquieta
Venta de Ulzama
Oñate
Ormáiztegui
Beasain
Abalcisqueta
Betelu
700
Elzaburu
Arraitz
Lazcano
Zaldivia
Uztegui
Echarri
Lanz
Mutiloa
Txindoqui
1341
Inza
Puerto de Azpiroz
Aldaz
Auza
Iraizoz
Eugi
Bríncola
Cerain
Idiazábal
42
Ataun
Errazquin
Lecumberri
Ichaso
Jaunsaras
Larrainza
Urrizola
Arizu
Irag
Segura
Sierra de Aralar
64
Alona
1298
Araoz
Cegama
SANT. DE SAN MIGUEL EXCELSIS
Astiz
Echalecu
Beunza
Olagüe
Egozcue
Etulain
Aránzazu
SANT. DE NA SA DE ARÁNZAZU
Astigarraga
Puerto de Lizarrusti
615
Latasa
Aróstegui
Esain
Aitzgorri
1544
Aritzalde
640
Puerto de Echegarate
Oderiz
Iraneta
Villanueva
Eguiarreta
Muzquiz
Erice
Eguaras
Anocibar
Ciaurriz
Ostiz
Larra
Sierra Urquilla
Araquil
Aguinaga
Irurzun
Cía
Nuin
Usi
Sarasibar
Osacain
Aspuru
Narvaja
Lacunza
Echarri Aranaz
Arruazu
Erroz
Larumbe
Marcalain
Gordoa
Otalar
Alsasua
Arbizu
Beriain
1494
20
50
Echarren
Ochovi
Erice
Arístregui
Sorauren
Arraya
Bacaicoa
Ollo
Orrio
Oricain
Arre
Heredia
Zalduendo
Albéniz
Ciordia
Iturmendi
Torrano
Arteta
Lete
Oteiza
Berrioplano
Huarte
45
Eguilaz
San Román
Lizarraga
Anoz
Olza
Asiain
Arazuri
Zuazo
Olbarguren
Sierra de Urbasa
Sierra de Andía
Goñi
17
Egüés
Arrieta
Salvatierra
Vicuña
Puerto Lizarraga
1080
8
PAMPLONA
Gaceo
Langarica
Opacua
Sierra
Munárriz
Aranza
Orarbia
Cizur Mayor
Gazólaz
Aranguren
Acilu
Eguileor
Puerto Opacua
1020
Puerto de Urbasa
920
Baquedano
Echauri
Cizur Menor
Mutilva
Guereñu
Gollano
Guembe
Izurzu
Círiza
Paternáin
Tajonar
Zolina
Onraita
Iturrieta
Larraona
Zudaire
Iturgoyen
Vidaurreta
Larraya
Esparza
Noáin
Róitegui
Eulate
Artaza
Lezaun
Salinas de Oro
Undiano
Galar
Arlegui
San Martín
MON. DE IRANZU
Astrain
Alda
Ibisate
Peñas de Ulibarri
Artabia
Echávarri
Azcona
Arzoz
Belascoain
Beriáin
Torres
Cicujano
Maeztu
San Vicente de Arana
Narcué
Galdeano
Estenoz
Alto del Perdón
680
Subiza
Apellániz
Gastiain
Ulibarri
Amillano
Abarzuza
Arizala
Echarren de Guirguillano
Legarda
Uterga
Biurrun
Tiebas
Atauri
Oteo
Orbiso
Galbarra
Viloría
Eraul
Pantano Alloz
Garisoain
Guirguillano
45
Muruzábal
Campanas
Corres
Zúñiga
Ollogoyen
Ganuza
Arteaga
Bearin
Alloz
Artazu
Obanos
Adios
Sierra
Antoñana
Metauten
Zubielqui
Estella
Murillo
Grocín
Mañeru
Puente la Reina
EUNATE
Ucar
Tirapu
Unzue
Acedo

C
D
1
2
3
Soustons
St Paul-lès-D.
Dax
Gamarde-les-Bains
Montfort-en-Ch.
Audignon
St Aubin
Dumes
Doazit
Seignosse
Tosse
St Geours-de-Maremne
Saubusse
Tercis-les-Bains
Baigts
Castelnau-Chalosse
St Cricq-Chalosse
Hagetmau
Soorts-Hossegor
St Vincent-de-Tyrosse
Josse
Bénesse-lès-Dax
Clermont
Ozourt
Donzacq
Gaujacq
Brassempouy
Hossegor
Bénesse-Maremne
Pomarez
Capbreton
St Lon-les-Mines
St Jean-de-Marsacq
Cagnotte
Pouillon
Estibeaux
Arsague
Amou
Nassiet
Monségur
Castaignos-Soulens
Monget
Saubrigues
St Etienne-d'Orthe
Orx
St Martin-de-Hinx
Port-de-Lanne
Bélus
Habas
Tilh
Ossages
Sault-de-Navailles
St André-de-Seignanx
Peyrehorade
Biarrotte
Puyoô-Bellocq-Ramous
Hagetaubin
St Martin-Seignanx
Quartier-Neuf
St Laurent-de-Gosse
Sames
Sorde-l'Abbaye
Bellocq
Baigts-de-Béarn
Orthez
St Barthélemy
Berenx
Guiche
Bidache
Carresse-Cassaber
Castétis
Arthez-de-Béarn
Adour
Urt
Bardos
Came
St Dos
Salies-de-Béarn
Argagnon
Mouguerre
Escos
Laà-Mondrans
Maslacq
Briscous
Oraàs
l'Hôpital-d'Orion
Lacq
Artix
Labastide-Clairence
Bergouey-Viellenave
Arance
Loubieng
Lagor
Mourenx
Arraute-Charritte
Sauveterre-de-Béarn
Noguères
Ilharre
Laàs
Ville-Neuve
Hasparren
Masparraute
Narp
Autevielle-St M.-B.
Osserain-Rivareyte
Vielleségure
Lahourcade
Abos
Pays Basque
GROTTES
Isturits
Béguios
Rivehaute
Bastanès
Monein
Cambo-les-B.
La Place
St Esteben
Aïcirits
Domezain-Berraute
Nabas
Navarrenx
Itxassou
Louhassoa
Méharin
St Palais
Aroue-Ithorots-Olhaiby
Lucq-de-Béarn
Gurs
Hélette
Undurein
Saucède
Artzamendi
Iholdy
Uhart-Mixe
Lohitzun-Oyhercq
Moncayolle-Larroy-Mendibieu
Cardesse
Irissarry
Bidarray
l'Hôpital-St Blaise
Verdets
Larceveau-Arros-Cibits
Mauléon-Licharre
Chéraute
Orin
Ossès
Oloron-Ste Marie
C. d'Osquich
Esquiule
Jaxu
St Just-Ibarre
Musculdy
Gotein-Libarrenx
Barcus
Gorramendi
Agnos
Lacarre
Féas
St Etienne-de-Baïgorry
St Jean-Pied-de-Port
St Jean-le-V.
Garaybie
Trois-Villes
Val-du-Gave-d'Aspe
Hosta
Ft des Arbailles
Asasp-Arros
Puerto Izpegui
Mendive
P. de Zaboze
Tardets-Sorholus
Lanne
Aramits
St Christau
Eysus
Banca
P. des Vautours
Laguinge-Restoue
Arette
Lurbe-St Christau
Pic Mail
Arneguy
Montory
Issor
41
Les Aldudes
Esterençuby
Lacarry-Arhan-Charitte-le-H.
Escot
Valcarlos
Licq-Athérey
Sarrance
Urepel
Pic des Escaliers
C135
Pic Occabé
FORÊT D'IRATY
Larrau
Ste Engrâce
Bedous
Iztenbeguy
Onzanzurrieta
Puerto de Ibañeta
P. d'Orhy
Accous
RONCESVALLES
Pic Bizkarze
GORGES DE KAKOUETTA
GOUFFRE DE LA PIERRE ST MARTIN
Vallée d'Aspe
Espinal
Burguete
Orbara
Orbaiceta
Pantano de Irabia
Port de Larrau
Pic d'Anie
Lescun
Viscarret
Garralda
Villanueva de Aézcoa
Sierra de Abodi
Portillo de Eraice
N134
Mezquíriz
Arive
Garayoa
Alto Laza
Venta de Arracos
Meseta de los Tres Reyes
Arrieta
Izalzu
Uztárroz
C137
Oroz-Betelu
Aburrea Baja
Aburrea Alta
Ochagavía
P. de Labigouer
Escároz
Jaurrieta
Isaba
Azparren
Oronz
Arce
Muniain
Esparza del Salazar
Valle del Roncal
Pirineos
Elcoaz
Ibilcieta
Urzainqui
Forca
Sierra de Labia
Sarries
Arangozqui
Ayechu
Igal
Roncal
Visaurin
Itoiz
Izal
Garde
Ongonz
Adoain
Güesa
Vidangoz
Valle de Hecho
Aoiz
Gallues
Iciz
Siresa
Villaveta
Eparaz
Uscarrés
Ansó
Guindano
Hecho
Aós
Murillo
Zabalza
Ustés
Valle de Ansó
Valle del Esca
Artaiz
Artajo
Imirizaldu
Urdués
Ardanaz
Turrillas
Burgui
Aragüés del Puerto
Zuazu
Artieda
Sansoáin
Navascués
Urbicain
Jasa
Ripodas
Iso
Indurain
San Vicente
Lecaun
Aldunate
Tabar
Domeño
Bigüezal
Salvatierra de Esca
Villarreal de la Canal
Embún
Sierra de Leire
Lumbier
MON. DE SAN SALVADOR DE LEYRE
Sigüés
Asoberal
Biniés
Izco
Nardues
N240
Rio Aragón Subordán
Rio Estarrun
Ibon de Estanes
Lauhibar
Saison
Gave de Mauléon
Gave d'Oloron
Bidouze
Nive
Luy
Louts
N124
N117
A63
A64
D933
D936
D918
1080
1020
1459
1056
1570
1456
1656
2017
1573
1923
1499
1409
2504
1578
2434
2175
2020
2390
2669
1785
1624
1559
1478
1215
1078
761
476
392
192
176
587
926
660
795
557
944
1250
1188
14
15
32
55
56
64
75
91

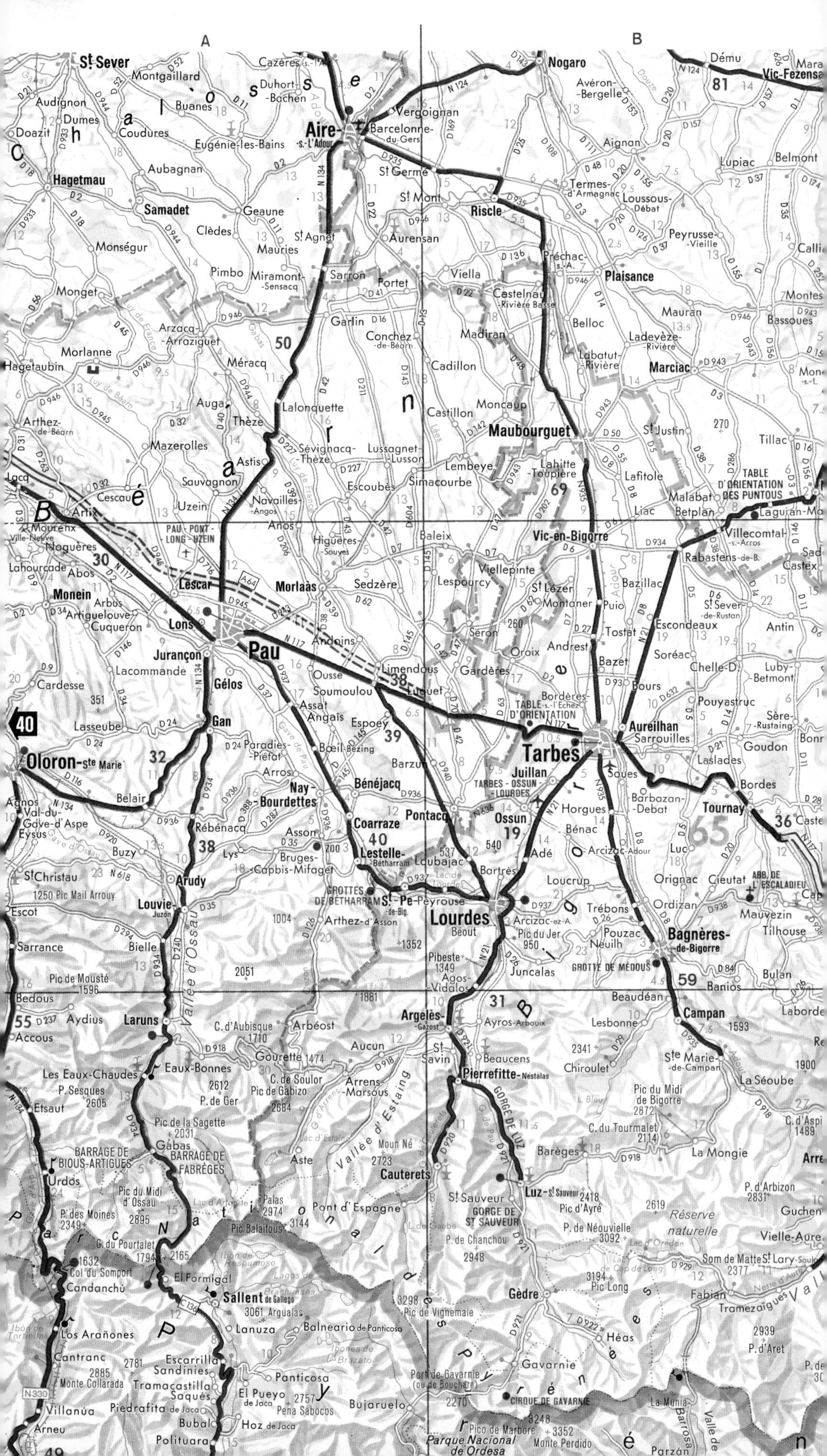

A
B
St Sever
Montgaillard
Cazères-s.-l'A.
Nogaro
Dému
Vic-Fezensac
Audignon
Dumes
Doazit
Buanes
Duhort-Bachen
Vergoignan
Aire-s.-L'Adour
Barcelonne-du-Gers
Avéron-Bergelle
Coudures
Eugénie-les-Bains
Aignan
Hagetmau
Aubagnan
St Germé
Termes-d'Armagnac
Loussous-Débat
Lupiac
Belmont
Samadet
Geaune
St Mont
Riscle
Peyrusse-Vieille
Monségur
Clèdes
Mauries
St Agnet
Aurensan
Préchac-s.-A.
Plaisance
Pimbo
Miramont-Sensacq
Sarron
Portet
Viella
Monget
Castelnau-Rivière Basse
Montesquiou
Garlin
Conchez-de-Béarn
Madiran
Belloc
Mauran
Bassoues
Arzacq-Arraziguet
Ladevèze-Rivière
Morlanne
Méracq
Labatut-Rivière
Marciac
Hagetaubin
Cadillon
Lalonquette
Moncaup
Castillon
Auga
Thèze
Maubourguet
St Justin
Tillac
Arthez-de-Béarn
Mazerolles
Sévignacq-Thèze
Lussagnet-Lusson
Lahitte-Toupière
Lafitole
Astis
Lembeye
Sauvagnon
Simacourbe
Lacq
Cescau
Escoubès
TABLE D'ORIENTATION DES PUNTOUS
Artix
Uzein
Navailles-Angos
Malabat
Betplan
Laguian-Mazous
Mourenx
Liac
Ville-Neuve
Noguères
PAU-PONT-LONG-UZEIN
Anos
Higuères-Souyes
Baleix
Vic-en-Bigorre
Villecomtal-s.-Arros
Lahourcade
Abos
Rabastens-de-B.
Castex
Lescar
A64
Morlaàs
Sedzère
Vielleponte
Lespourcy
St Lézer
Bazillac
St Sever-de-Rustan
Monein
Arbus
Artiguelouve
Montaner
Puio
Cuqueron
Lons
Pau
Andoins
Séron
Tostat
Escondeaux
Antin
Jurançon
Limendous
Oroix
Andrest
Soréac
Luby-Betmont
Lacommande
Ousse
Gardères
Bazet
Chelle-D.
Cardesse
Gélos
Soumoulou
Luquet
Bours
Pouyastruc
Sère-Rustaing
Assat
Angaïs
TABLE-s.-l'Echez-D'ORIENTATION
Bordères
Aureilhan
Sarrouilles
Goudon
Lasseube
Gan
Espoey
Tarbes
Laslades
Oloron-Ste Marie
Paradies-Piétat
Boeil-Bezing
Barzun
Juillan
Soues
Bordes
Arros
TARBES-OSSUN-LOURDES
Barbazan-Debat
Tournay
Agnos
Belair
Nay-Bourdettes
Bénéjacq
Pontacq
Ossun
Horgues
Val-du-Gave-d'Aspe
Eysus
Rébénacq
Asson
Coarraze
Bénac
Buzy
Lys
Bruges-Capbis-Mifaget
Lestelle-Bétharram
Loubajac
Adé
Arcizac-Adour
Luc
St Christau
Bartrès
Loucrup
Orignac
Cieutat
ABB. DE L'ESCALADIEU
1250 Pic Mail Arrouy
Arudy
GROTTES DE BÉTHARRAM
St-Pé-de-Big.
Peyrouse
Trébons
Ordizan
Mauvezin
Escot
Louvie-Juzon
Arthez-d'Asson
Lourdes
Béout
Arcizac-ez-A.
Pouzac
Bagnères-de-Bigorre
Tilhouse
Sarrance
Bielle
Pic du Jer
Neuilh
Pibeste
GROTTE DE MÉDOUS
Pic de Mousté
Agos-Vidalos
Juncalas
Bulan
Banios
Bedous
Beaudéan
Laborde
Aydius
Laruns
Argelès-Gazost
Ayros-Arbouix
Campan
Accous
C. d'Aubisque
Arbéost
Lesbonne
Gourette
Aucun
St Savin
Beaucens
Chiroulet
Ste Marie-de-Campan
Les Eaux-Chaudes
Eaux-Bonnes
C. de Soulor
Pic de Gabizo
Arrens-Marsous
Pierrefitte-Nestalas
La Séoube
P. Sesques
P. de Ger
GORGE DE LUZ
Pic du Midi de Bigorre
Etsaut
Vallée d'Ossau
Vallée d'Estaing
C. d'Aspin
Pic de la Sagette
C. du Tourmalet
Gabas
Moun Né
Barèges
La Mongie
BARRAGE DE BIOUS-ARTIGUES
BARRAGE DE FABRÈGES
Aste
Cauterets
Luz-St Sauveur
Urdos
Pic du Midi d'Ossau
Palas
St Sauveur
Pic d'Ayré
P. d'Arbizon
Pont d'Espagne
GORGE DE ST SAUVEUR
P. de Néouvielle
Réserve naturelle
Guchen
P. des Moines
Pic Balaïtous
P. de Chanchou
Vielle-Aure
C. du Pourtalet
Col du Somport
El Formigal
Som de Matte
St Lary-Soulan
Candanchú
Sallent de Gallego
Pic Long
Fabian
Gèdre
Tramezaïgues
Pic de Vignemale
Argualas
Lanuza
Balneario de Panticosa
Los Arañones
Héas
P. d'Aret
Cantranc
Gavarnie
Escarrilla
Sandinies
Panticosa
Port de Gavarnie (ou de Boucharo)
Monte Collarada
Tramacastilla
Saqués
El Pueyo de Jaca
Pena Sabocos
CIRQUE DE GAVARNIE
La Munia
N330
Villanúa
Piedrafita de Jaca
Bujaruelo
Bubal
Pico de Marbore
Monte Perdido
Arneu
Hoz de Jaca
Polituara
Parque Nacional de Ordesa
Parzán
Chalosse
Armagnac
Bigorre
Béarn
Pyrénées
Nat. Parc
Pyrénées
Valle de Barrosa

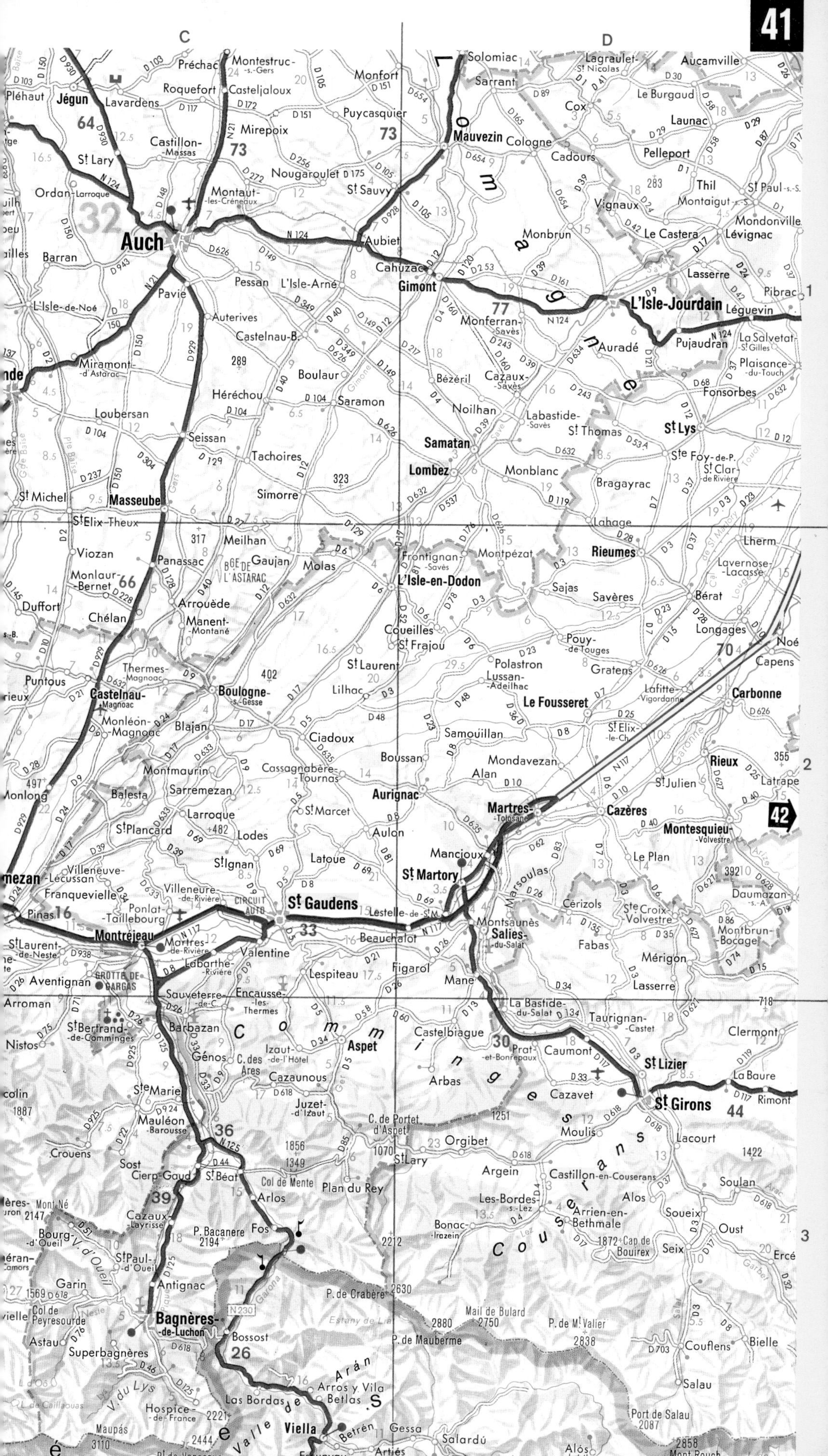
C
D
Solomiac
Lagraulet-St Nicolas
Aucamville
Préchac
Montestruc-s.-Gers
Monfort
Sarrant
Le Burgaud
Pléhaut
Jégun
Lavardens
Roquefort
Casteljaloux
Cox
Launac
Puycasquier
Mirepoix
Mauvezin
Cologne
Castillon-Massas
Pelleport
St Lary
Cadours
Nougaroulet
St Sauvy
Thil
Ordan-Larroque
Montaut-les-Créneaux
Vignaux
Montaigut-s.-S.
St Paul-s.-S.
Mondonville
Auch
Aubiet
Monbrun
Le Castera
Lévignac
Barran
Cahuzac
Gimont
Pessan
L'Isle-Arné
Lasserre
Pibrac
L'Isle-de-Noé
L'Isle-Jourdain
Léguevin
Pavie
Auterives
Monferran-Savès
Castelnau-B.
Aurade
Pujaudran
La Salvetat-St Gilles
Miramont-d'Astarac
Boulaur
Bézéril
Cazaux-Savès
Plaisance-du-Touch
Hérechou
Saramon
Fonsorbes
Loubersan
Noilhan
Labastide-Savès
St Thomas
St Lys
Seissan
Tachoires
Samatan
Lombez
Monblanc
Ste Foy-de-P.
St Clar-de Rivière
Bragayrac
St Michel
Masseube
Simorre
StElix-Theux
Lahage
Viozan
Meilhan
Gaujan
Molas
Frontignan-Savès
Montpézat
Rieumes
Lherm
Panassac
BGE DE L'ASTARAC
L'Isle-en-Dodon
Lavernose-Lacasse
Monlaur-Bernet
Sajas
Savères
Bérat
Duffort
Arrouède
Chélan
Manent-Montané
Coueilles
St Frajou
Pouy-de-Touges
Longages
Noé
Capens
St Laurent
Polastron
Gratens
Thermes-Magnoac
Lussan-Adeilhac
Puntous
Castelnau-Magnoac
Boulogne-s.-Gesse
Lilhac
Le Fousseret
Lafitte-Vigordane
Carbonne
Monléon-Magnoac
Blajan
Ciadoux
Samouillan
St Elix-le-Ch.
Boussan
Mondavezan
Rieux
Montmaurin
Cassagnabère-Tournas
Alan
Latrape
Monlong
Balesta
Sarremezan
Aurignac
St Julien
Martres-Tolosane
Cazères
Larroque
St Marcet
Montesquieu-Volvestre
St Plancard
Lodes
Aulon
Mancioux
Le Plan
Latoue
St Ignan
St Martory
Marsoulas
Villeneuve-Lécussan
Villeneuve-de-Rivière
Daumazan-s.-A.
Franquevielle
Cérizols
Ste Croix-Volvestre
Pinas
Ponlat-Taillebourg
CIRCUIT AUTO
St Gaudens
Lestelle-de-St M.
Montsaunès
Montbrun-Bocage
Montréjeau
Salies-du-Salat
St Laurent-de-Neste
Mazères-de-Rivière
Valentine
Beauchalot
Fabas
Mérigon
Labarthe-Rivière
GROTTE DE GARGAS
Aventignan
Lespiteau
Figarol
Mane
Lasserre
Arroman
Sauveterre-de-C.
Encausse-les-Thermes
La Bastide-du-Salat
Taurignan-Castet
St Bertrand-de-Comminges
Clermont
Nistos
Barbazan
Castelbiague
Izaut-de-l'Hôtel
Aspet
Prat-et-Bonrepaux
Caumont
Génos
C. des Ares
St Lizier
Cazaunous
Arbas
La Baure
Ste Marie
Cazavet
St Girons
Rimont
Juzet-d'Izaut
C. de Portet d'Aspet
Mauléon-Barousse
Moulis
Lacourt
Orgibet
Crouens
Sost
St Lary
Argein
Castillon-en-Couserans
Cierp-Gaud
St Béat
Col de Mente
Plan du Rey
Soulan
Arlos
Les-Bordes-s.-Lez
Alos
Mont Né
Cazaux-Layrisse
P. Bacanere
Fos
Bonac-Irazein
Arrien-en-Bethmale
Soueix
Bourg-d'Oueil
V. d'Oueil
Oust
St Paul-d'Oueil
Cap de Bouirex
Seix
Ercé
Garin
Antignac
P. de Crabère
Col de Peyresourde
Bagnères-de-Luchon
Mail de Bulard
P. de Mt Valier
Astau
Bossost
P. de Mauberme
Couflens
Bielle
Superbagnères
Estany de Lia
Salau
V. du Lys
Arros y Vila
Betlas
Hospice-de-France
Las Bordas
Valle de Arán
Port de Salau
Maupás
Viella
Betrén
Gessa
Salardú
Alós de Isil
Mont Rouch
P. de Venasque
Escunyau
Artiés
Lomagne
Comminges
Couserans
42
1
2
3

A
B
25
Castelnau-d'Estretefonds
Ondes
Grenade
Bouloc
La Magdeleine-s.-T.
Vacquiers
Montjoire
Mirepoix-s.-T.
Bessières
Lapeyre
Bazus
Cepet
St Sulpice
Giroussens
Roqueserière
Gemil
Azas
Montastruc-la-Conseillère
Montberon
Merville
Montaigut-s.-S.
Seilh
Mondonville
Aussonne
Castelmaurou
Gragnague
St Jean
L'Union
St Roch
Cornebarrieu
Blagnac
Pibrac
TOULOUSE-BLAGNAC
Colomiers
Léguevin
TOULOUSE
Beaupuy
Montrabé
Verfeil
Garrigues
Le Ramel
Bourg-St Bernard
La Salvetat-St Gilles
Tournefeuille
Plaisance-du-Touch
TOULOUSE-FRANCAZAL
Fonsorbes
Cugnaux
Portet-s.-G.
Villeneuve-Tolosane
Roques
Seysses
Pinsaguel
Ramonville-St A.
Labège
Pechbusque
Castanet-Tolosan
Vallesvilles
Lanta
Lauzerville
Tarabel
Fourquevaux
Lacroix-Falgarde
Aureville
Muret
Montgiscard
Baziège
Varennes
Villenouvelle
Montbrun-L.
Vernet
Venerque
Lagardelle-s.-L.
Noueilles
Crépiac
St Léon
Gardouch
Les Flambans
Lavernose-Lacasse
Longages
Noé
Miremont
Lagrâce-Dieu
Auterive
Nailloux
Capens
St Sulpice-s.-L.
Caujac
Cintegabelle
ABBAYE DE BOULBONNE
Lézat-s.-L.
Esperce
St Quirc
Calmont
Latrape
St Ybars
Gaillac-Toulza
Mazères
Saverdun
Castagnac
Justiniac
Brie
Le Fossat
Le Vernet
St Martin-d'Oydes
Bonnac
Villeneuve-du-Paréage
Daumazan-s.-A.
Carla-Bayle
Campagne-sur-A.
Artigat
Pailhès
Escosse
Pamiers
St Amadou
Sabarat
Vernioille
Le Mas-d'Azil
GROTTE
Clermont
Varilhes
Sarguet
Montagne du Plantaurel
Durban-s.-Arize
Rimont
La Bastide-de-Sérou
Montels
St Félix-de-Rieutord
Dalou
St Jean-de-Verges
St Martin-de-Caralp
C. des Marrous
Foix
St Pierre-de-R.
Burret
Brassac
Massif de l'Arize
Pays de Foix
Prayols
Montgaillard
C. de Port
Amplaing
Celles
Nalzen
Saurat
Massat
Mercus-G.
Ercé
Bédeilhac-et-Aynat
Tarascon-s.-Ariège
Pic des 3 Seigneurs
GROTTES
Niaux
Ussat-les-Bains
Cazenave
Bielle
Aulus-les-B.
Suc-et-Sentenac
Vicdessos
Auzat
Siguer
Les Cabannes
Vallée de l'Aston
Lordat
P. de Turguilla
L'Artigue
Cayanes
Parisot
Lasgraisses
Briatexte
Graulhet
Laboutarié
Réalm
Les Cambards
Lavaur
Brousse
Cabanès
Lacougotte-Cadoul
St Paul-Cap-de-Joux
Guitalens
Prades
St André
Vielmur-s.-Agout
Vendine
Algans
Semalens
Cadix
Puylaurens
Soual
Caraman
Auriac-s.-Vendinelle
Auvezines
Blan
Toutens
Montégut-Lauragais
En Calcat
Lagardiolle
Revel
St Félix-L.
Vaux
Sorèze
Vallègue
Les Cassés
St Ferréol
Les Cammazes
Villefranche-de-Lauragais
Labecède-L.
BGE DE LA GARBELLE
Avignonet-L.
Peyrens
Saissac
Labastide-d'A.
St Papoul
Castelnaudary
St Michel-de-Lanès
Salles-s.-l'Hers
Mas-Stes Puelles
Villespy
Villepinte
Villeneuve-la-Comptal
Fendeille
Pexiora
Bram
La Louvière-L.
Autoroutes des Deux Mers
Pech-Luna
Villasavary
Belpech
Gaja-la-Selve
Fanjeaux
Montréal
Plaigne
Lasserre-de-Prouille
La Bastide-de-Lordat
St Gaudéric
Belvèze-du-Razès
Bessous
Escueillens-et-St Just-de-B.
Vals
Mirepoix
Lauraguel
Besset
Coutens
Moulin-Neuf
Peyrefitte-du-Razès
Loupia
Vira
La Bastide-de-Bousignac
Camon
Dun
St Benoit
Ajac
Castelreng
Ventenac
Léran
Lieurac
Chalabre
Bouriège
Rappy
Laroque-d'Olmes
Leychert
Ste Colombe-s.-l'H.
Lavelanet
Rouvenac
Puivert
Montferrier
Nébias
Fougax-et-B.
Bélesta
Fontaine de Fontestorbes
Montségur
Pays de Sault
Coudons
Ginoles
Les-Monts-d'Olmes
Joucou
P. de St Barthélemy
Belcaire
Espezel
GORGES DU REBENTY
Marsa
Axiat
Prades
Aunat
Bestiac
La Fajolle
Fontanès-de-Sault
Luzenac
P. de Serembarre
GORGES DE L'AUDE
Usson-les-B.
Rouze
Ax-les-Thermes
Lavail
Montmija
Port de Paillières
Le Bousquet
Toulousain
Lauragais
09
41

C D

Le Travet
St Jean-de-Jeannes
Bge de Rassisse
Gissac
Camarès
Montagnol
Le Clapier
Belmont-s.-R.
St Sever-du-Moustier
Fayet
Cenomes
Ceilhes-de-Rocozels
Le Masnau-Massuguiès
Mounès-Prohencoux
St Pierre-de-Trivisy
Tauriac-de-Camarès
Lacaze
Chau Viane
Brusque
Montredon-Labessonnié
Avène
Moulin-Mage
Arnac-s.-Dourdou
Mélagues
Truscas
Lacaune
La Trivalle
Vabre
Espérausses
Murat-s.-Vèbre
Le Bouquet-d'Orb
Nages
Graissessac
Lacrouzette
Ferrières
Castelnau-de-Brassac
Plaisance
Burlats
Sidobre
Mts de Lacaune
Bge de Laouzas
St Gervais-s.-Mare
Brassac
Lamontélarié
Cambon-et-Salvergues
Parc Naturel du Caroux
La Tour-s.-Orb
La Fontasse
St-Salvy-de-la-B.
Le Bez
La Salvetat-s.-A.
Bédarieux
Castres
Boissezon
Bge de la Raviège
Fraisse-s.-A.
Villemagne
Lamalou-les-B.
Hérépian
Noailhac
Le Rialet
Anglès
Le Soulié
Haut Languedoc
Mts de l'Espinouse
Le Poujol-s.-Orb
Caussiniojouls
Olargues
Vieussan
C. du Cabaretou
Le Vintrou
St Etienne-d'Albagnan
St Nazaire-de-Ladarez
Pont-de-Larn
Rouairoux
Roquebrun
Mazamet
Aussillon
Parc du
St Amans-Valtoret
Labastide-Rouairoux
St Pons
Riols
Berlou
St Amans-Soult
Courniou
Lacabarède
St Geniès-le-Bas
Montagne Noire
Albine
Pic de Nore
Pierrerue
Cessenon
Pradelles-Cabardès
Peyrefiche
Rieussec
St Chinian
Assignan
Murviel-lès-Béziers
Lespinassière
Ferrals-les-Montagnes
St Jean-de-Minervois
Cébazan
Mas-Cabardès
Citou
Villespassans
Puisserguier
Cazouls-lès-Béziers
Cuxac-Cabardès
Grotte
Cabrespine
Minerve
St Julien-des-M.
Cruzy
Lignan-
Lastours
Limousis
Aigues-Vives
Quarante
Maureilhan
Caunes-Minervois
Cesseras
Azillanet
Capestang
Montady
La Livinière
Siran
Bize-Minervois
Villeneuve-Minervois
Rieux-Minervois
Ouveillan
Oppidum d'Ensérune
Peyriac-Minervois
Villegly
Azille
Olonzac
Pouzols-M.
Nissan-lez-Ensérune
Pezens
Villegailhenc
Conques-s.-Orbiel
Laure-M.
Minervois
Homps
Roubia
Ventenac-d'Aude
Sallèles-d'Aude
Cuxac-d'Aude
Lespignan
Carcassonne
Laredorte
St Marcel-sur-A.
Cité
Trèbes
Puichéric
Marcorignan
Coursan
Salles-d'Aude
Fleury
Marseillette
Lézignan-c.
Villedaigne
Narbonne
Barbaira
St Couat-d'A.
Vinassan
Capendu
Moux
Ornaisons
Bizanet
St Pierre-s.-Mer
Palaja
Fontcouverte
Leuc
Monze
Ferrals-les-Corbières
Montagne de la Clape
Narbonne-Plage
Villefloure
Fabrezan
Rouffiac-d'Aude
Montlaur
Ste Marie
Bages
Mas-des-Cours
Chapelle des Auzils
Ladern-s.-Lauquet
Serviès-en-Val
Thézan-des-C.
Montséret
Abbaye de Fontfroide
Gruissan
St Hilaire
Lagrasse
St Laurent-de-la-Cabrerisse
Peyriac-de-Mer
Gruissan-Plage
Labastide-en-Val
St Pierre-des-Champs
Donos
Coustouge
Portel-des-C.
Buc
Talairan
Caunette-s.-Lauquet
Sigean
Corbières
Villerouge-Termenès
Villardebelle
Port-la-Nouvelle
Montjoi
Vignevieille
Albas
Chau de Termes
Valmigère
Durban-Corbières
Villeneuve-les-Corbières
Serres
Arques
Mouthoumet
Davejean
Fraissé-des-Corbières
Laroque-de-Fa
St Jean-de-Barrou
Les Cabanes-de-Lapalme
Auriac
Maisons
La Franqui-Plage
Rennes-les-Bains
Cap Leucate
Leucate
Treilles
Massac
Leucate-Plage
Bugarach
Soulatgé
Tuchan
Les Cabanes de Fitou
Chau de Peyrepertuse
Opoul-Périllos
Cubières-s.-Cinoble
Gorges de Galamus
Duilhac
Paziols
Roussillon
St Louis-et-Parahou
Chau de Quéribus
Padern
Port-Leucate
Vingrau
Fort
Caudiès-de-Fenouillèdes
Fenouillèdes
Salses
Lydia
Puilaurens
St Paul-de-Fenouillet
Maury
Tautavel
Port-Barcarès
Grau-St Ange
Gincla
Estagel
Le Barcarès
Montfort-s.-Boulzane
Ansignan
Rivesaltes
St Laurent-de-la-Salanque
Latour-de-France
Baixas
Pia
Rabouillet
Sournia
Plaine du
Perpignan-Rivesaltes
Bompas
Ste Marie
Trévillach
Perpignan
Canet-en-Roussillon-St N.

43

1 2 3

A
B
Les Rives
884
Le Clapier
La Roqueredonde
PAS DE L'ESCALETTE
St Maurice-Navacelles
St Pierre-de-la-Fage
Soubès
La Vacquerie-et-St Martin-de-Castries
Séranne
St Jean-de-Buèges
Causse-de-la-Selle
St Étienne-d'Issensac
Frouzet
N.-Dame-de-Londres
RAVIN DES ARCS
Valflaunès
Vacquières
St Martin-de-Londres
Pic St Loup
658
Tréviers
Ste Croix-de-Quintillargues
St Bauzille-de-Montmel
Galargues
Salces
St Privat
Lodève
St Guilhem-le-Désert
GROTTE DE CLAMOUSE
Puéchabon
Viols-le-Fort
Les Matelles
St Drézéry
Lunas
Le Puech
St Jean-de-la-Blaquière
Arboras
St Jean-de-Fos
Aniane
34
St Gély-du-Fesc
Assas
Le Bouquet-d'Orb
697
Lagamas
Prades-le-Lez
Castries
Octon
St Félix-de-Lodez
Gignac
Grabels
Vendargues
La Tour-s.-Orb
St André-de-Sangonis
Montpellier
Castelnau-le-Lez
Lansargues
BE DE SALAGOU
Clermont-l'Hérault
St Bauzille-de-la-Sylve
St Paul-et-Valmalle
RUINES ROMAINES
Candillargues
Bédarieux
Salasc
Mourèze
CIRQUE DE MOURÈZE
Nébian
Murviel-lès-M.
Celleneuve
VIGNOGOUL
St Jean-de-Védas
Mauguio
MONTPELLIER-FRÉJORGUES
Pézènes-les-Mines
Vendémian
339
Pignan
Faugères
Cabrières
Plaissan
Cournonterral
Fabrègues
Lattes
Pérols
Caussiniojouls
Neffiès
Paulhan
Bélarga
304
Carnon-Plage
Laurens
Caux
St Pargoire
Montbazin
Autodrome
Villeneuve-lès-Maguelonne
Palavas-les-Flots
Gabian
Roujan
St Pons-de-Mauchiens
Gigean
Mireval
Maguelonne
Golfe
d'Aigues-Mortes
Lézignan-la-Cèbe
Villeveyrac
Poussan
Montagne de la Gardiole
St Geniès-le-Bas
Pouzolles
ABBAYE DE VALMAGNE
Montagnac
Magalas
Alignan-du-Vent
Pézenas
Loupian
Bouzigues
Frontignan
Espondeilhan
La Languedocienne
Mèze
Balaruc-les-B.
Murviel-lès-Béziers
Servian
Valros
Bassan
St Thibéry
Etang de Thau
Sète
Corneilhan
Lignan-s.-O.
Boujan-s.-Libron
Montblanc
Florensac
Phare du Mt St Clair
Maureilhan
Béziers
Bessan
Marseillan
Languedoc
Montady
Villeneuve-lès-B.
Vias
Agde
Marseillan-Plage
Port-Ambonne
Le Cap-d'Agde
Nissan-lez-E.
Sauvian
Portiragnes
Sérignan
Le Grau-d'Agde
La Tamarissière
Phare de l'Ilot Brescou
Lespignan
Vendres
Sérignan-Plage
Valras-Plage
Plaine du Languedoc
Fleury
Cabanes-de-Fleury
St Pierre-s.-Mer
Go
du
P. de Turguilla
2527
Cayanes
L'Artigue
Ax-les-Thermes
Lavail
Montmija
Orlu
Port de Pailléres
Rouze
Usson-les-B.
Le Bousquet
Bains-d'Escouloubre
Montcalm
3080
P. de Malcaras
2865
2095
2023
Bonascre-Le Saquet
Quérigut
Tute de l'Ours
2255
Mérens-les-Vals
Le Roc Blanc
2543
BARRAGE DE PUYVALADOR
Réal
P. de Siguer
2903
Pt de Bouet
2309
El Serrat
2615
P. d'Ascobès
2779
Formiguères
P. de Casamanya
2702
SANT JOAN DE CASELLAS
Soldeu
L'Hospitalet-près-l'A.
Areo
Arinsal
Tor
Noris
Ordino
Canillo
C. de Puymorens
1915
2921
P. Carlit
Les Angles
Railleu
BARRAGE DE MATEMALE
ANDORRA
La Massana
BARRAGE
Col de la Quillane
1714
Aynet de Besán
Alins
Saloria
2789
Andorra-la-Vella
Anyos
46
Encamp
Port d'Envalira
2407
Pas de la Case
2091
Porté-Puymorens
2204
Les Escaldes
Santa Coloma
La Porteille-Blanche
2517
Font-Romeu
Odeillo-Via
Mont-Louis
C. de la Perche
1577
Sant Juliá de Lória
2905
P. de Campcardos
Latour-de-Carol
Llivia
Eyne
Saillagouse
Ars
Farga de Moles
Marangés
Guils de Cerdaña
Ur
Llo
Sex
Solanell
San Joan Fumat
Arcabell
Puigcerdá
Bourg-Madame
Cerdagne
2861
Bolvir
Ger
Sant Andreu
Castellbo
Bescarán
Llés
Prullans
Olopte
Astoll
Caixans
Urgt
Nuria
Pallerois
Estimariu
Isobol
Prats i Sansor
Puigmal 2910
Seo de Urgel
Castellciutat
Martinet
Bellver
Alp
Guils
Arabell
Alás
Pont de Bar
Toloriu
Montellá
Urús
Das
La Molina
Caralps
Dorria
Ventolá
Adrall
Serch
Ortedó
Pto de Tosas
1800
Parroquia de Ortó
Arfá
Querforadat
Planoles

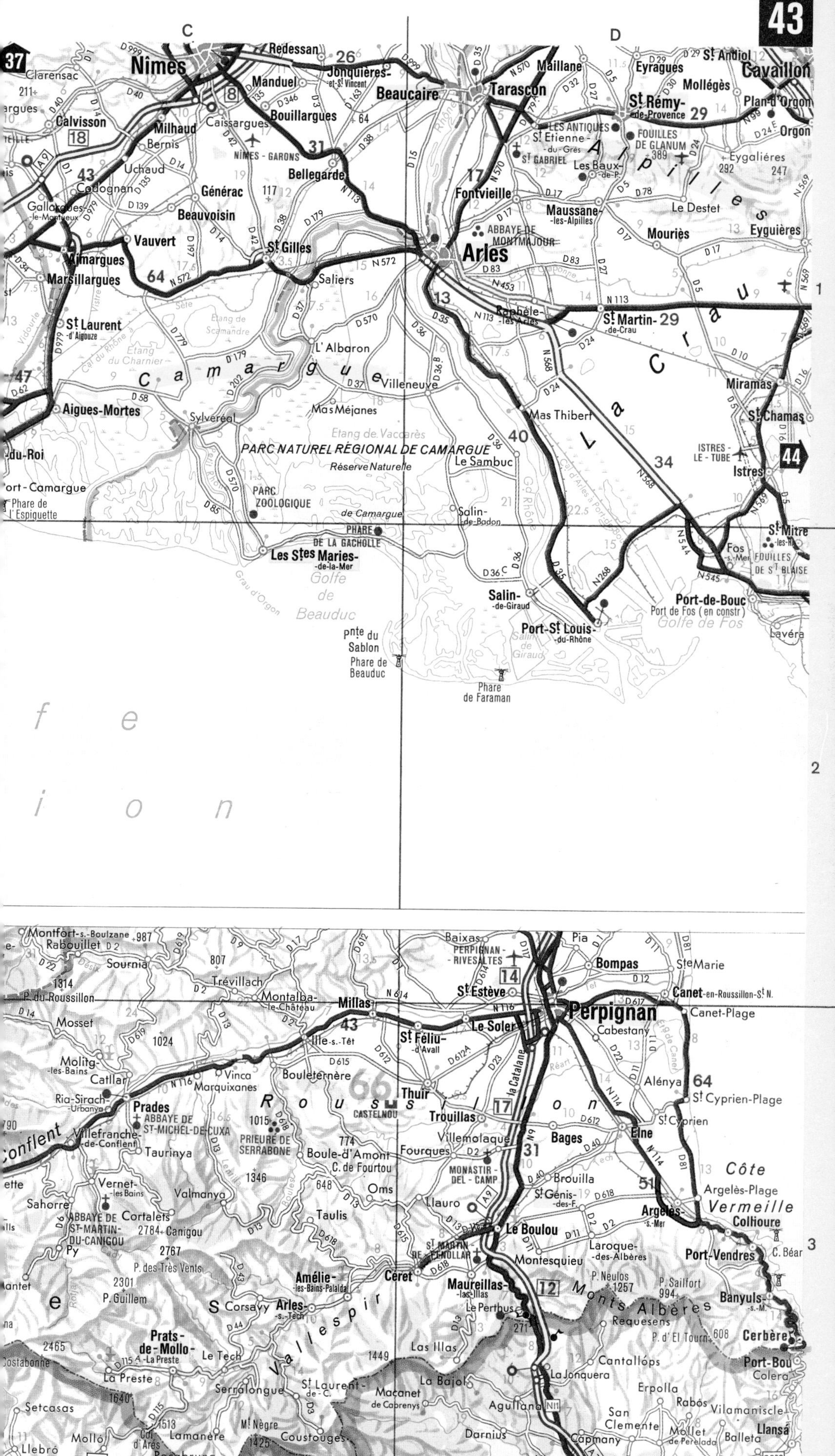
C
D
37
Nîmes
Redessan
26
Jonquières-et-St Vincent
Manduel
Beaucaire
Tarascon
Maillane
Eyragues
St Andiol
Cavaillon
Mollégès
Plan-d'Orgon
Orgon
St Rémy-de-Provence
29
LES ANTIQUES
FOUILLES DE GLANUM
St Etienne-du-Grès
St GABRIEL
Les Baux-de-P.
Alpilles
Eygaliéres
Le Destet
Clarensac
Calvisson
18
Milhaud
Caissargues
8
Bouillargues
Bernis
Uchaud
NÎMES - GARONS
31
Bellegarde
43
Codognan
Générac
Beauvoisin
Gallargues-le-Montueux
Vauvert
St Gilles
Aimargues
Marsillargues
64
Saliers
Fontvieille
17
Maussane-les-Alpilles
ABBAYE DE MONTMAJOUR
Mouriès
Eyguières
Arles
13
Raphèle-les-Arles
St Martin-de-Crau
29
La Crau
Miramas
St Chamas
Istres
ISTRES - LE - TUBE
44
St Laurent-d'Aigouze
47
Aigues-Mortes
Camargue
L' Albaron
Villeneuve
Mas Méjanes
Etang de Scamandre
Etang du Charnier
Sylvéréal
Etang de Vaccarès
PARC NATUREL RÉGIONAL DE CAMARGUE
Réserve Naturelle
Le Sambuc
Mas Thibert
40
34
-du-Roi
Port-Camargue
Phare de l' Espiguette
PARC ZOOLOGIQUE
de Camargue
Salin-de-Badon
PHARE DE LA GACHOLLE
Les Stes Maries-de-la-Mer
Golfe de Beauduc
Grau d'Orgon
Pnte du Sablon
Phare de Beauduc
Phare de Faraman
Salin-de-Giraud
Port-St Louis-du-Rhône
St Mitre-les-R.
Fos-s.-Mer
FOUILLES DE St BLAISE
Port-de-Bouc
Port de Fos (en constr)
Golfe de Fos
Lavéra
1
2
3
f e
i o n
Montfort-s.-Boulzane
Rabouillet
Sournia
Trévillach
Montalba-le-Château
Baixas
PERPIGNAN - RIVESALTES
14
Pia
Bompas
Ste Marie
Canet-en-Roussillon-St N.
St Estève
Perpignan
Canet-Plage
P. du Roussillon
Mosset
Millas
43
Le Soler
Cabestany
Ille-s.-Têt
St Féliu-d'Avall
Molitg-les-Bains
Catllar
Vinca
Marquixanes
Bouleternère
Thuir
CASTELNOU
Roussillon
Alénya
64
St Cyprien-Plage
St Cyprien
Ria-Sirach-Urbanya
Prades
ABBAYE DE ST-MICHEL-DE-CUXA
PRIEURÉ DE SERRABONE
Trouillas
17
Elne
Bages
Villemolaque
Conflent
Villefranche-de-Conflent
Taurinya
Boule-d'Amont
C. de Fourtou
Fourques
31
MONASTIR-DEL-CAMP
Brouilla
Côte Vermeille
Argelès-Plage
Vernet-les Bains
Sahorre
Valmanya
Oms
Taulis
Llauro
St Génis-des-F.
51
Argelès-s.-Mer
Collioure
ABBAYE DE ST-MARTIN-DU-CANIGOU
Cortalets
2784 Canigou
Py
2767
P. des Très Vents
Le Boulou
Laroque-des-Albères
Port-Vendres
C. Béar
ST MARTIN-DE-FENOLLAR
Montesquieu
P. Guillem
Amélie-les-Bains-Palalda
Céret
Maureillas-las-Illas
12
P. Neulos 1257
P. Sailfort 994
Banyuls-s.-M.
Monts Albères
Corsavy
Arles-s.-Tech
Vallespir
Le Perthus
Requesens
P. d' El Tourn
Cerbère
Prats-de-Mollo-La Preste
Le Tech
La Preste
Serralongue
St Laurent-de-C.
Las Illas
La Bajol
Cantallops
La Jonquera
Port-Bou
Colera
Costabonne
Maçanet de Cabrenys
Agullana
Erpolla
Rabós
Vilamaniscle
Setcasas
Lamanère
Mt Nègre
Coustouges
Darnius
San Clemente
Mollet de Perelada
Balleta
Llansá
Molló
Col d' Arès
Rocabruna
Llebró
Llanás
Baget
Capmany
Masarach
Garriguella
Viure

A
B
Robion
Cavaillon
Plan-d'Orgon
Orgon
Ménerbes
Oppède-le-Vieux
Lacoste
Bonnieux
Buoux
FORT DE BUOUX
Castellet
Mourre Nègre
Vitrolles
Manosque
Ste Tulle
PARC DU LUBÉRON
Lubéron
Cucuron
Cabrières-d'Aigues
La Bastide-des-Jourdans
Corbières
Gréoux-les-B.
Durance
Mérindol
Lourmarin
Lauris
Grambois
Beaumont-de-Pertuis
Sénas
Mallemort
Charleval
ABBAYE DE SILVACANE
Cadenet
Ansouis
Villelaure
La Tour-d'Aigues
Mirabeau
Vinon-s.-V.
Lamanon
Pont-Royal
La Roque-d'Anthéron
CADARACHE CENTRE D'ETUDES NUCLÉAIRES
Pertuis
St Paul-lès-D.
Ginasservis
Eyguières
Salon-de-Provence
Lambesc
Rognes
Le Puy-Ste Réparade
Peyrolles-en-Provence
Jouques
La Verdière
La Barben
Meyrargues
Pélissanne
Chaîne de la Trévaresse
Rians
Esparron
St Cannat
Venelles
Grans
Lançon-Provence
Mgne Ste Victoire
Miramas
Eguilles
OPPIDIUM D'ENTREMONT
Vauvenargues
St Chamas
La Fare-les-Oliviers
Aix-en-Provence
BARRAGE DE BIMONT
Brue-Au
Ventabren
Le Tholonet
Puyloubier
Pourrières
Seillons-Source-d'Argens
Istres
Roquefavour
Les Milles
Le Canet
Ollières
Etang
Rognac
Berre-l'Etang
Luynes
St Maximin-la-Ste B.
St Mitre-les-Remparts
MARSEILLE-MARIGNANE
Vitrolles
Gardanne
Fuveau
Trets
Mt Aurélien
FOUILLES DE ST BLAISE
de Berre
Les Pennes-Mirabeau
Gréasque
Marignane
St Savournin
St Zacharie
Rougiers
Martigues
Gignac-la-N.
Chaîne de l'Etoile
Auriol
Lavéra
Châteauneuf-lès-Martigues
Notre-Dame
La Destrousse
Nans-les-Pins
L'Estaque
Roquevaire
La Ste Baume
Mazaugues
La Couronne
Chaîne de l'Estaque
Le Rove
Plan-de-Cuques
St Louis
La Rose
GROTTE
ST PILON
Carro
Ensuès-la-Redonne
Allauch
Mgne de la Ste Baume
C. Couronne
Sausset-les-Pins
Carry-le-Rouet
MARSEILLE
Camoins-les-B.
Aubagne
Gémenos
Signes
43
I. Ratonneau
Cuges-les-Pins
CHÂTEAU D'IF
Penne-s.-H.
Camp du Castellet
I. Pomègues
Chaîne de St Cyr
Roquefort
La Bédoule
CIRCUIT AUTOMOBILE
Pointe Rouge
Montredon
La Madrague
Mazargues
Cassis
Ceyreste
La Cadière-d'Azur
Le Beausset
Les Goudes
I. Maire
Callelongue
Mt Caume
Le Revest-les-E.
I. de Planier
les Calanques
La Ciotat
Les Lecques
St Cyr-s.-M.
B. de la Ciotat
Evenos
I. de Riou
Bec de l'Aigle
Bandol
Ollioules
Ile de Bendor
Sanary-s.-M.
La Seyne-s.-M.
Six Fours-les-P.
Tamaris
Les Sablettes
I. des Embiez
Le Brusc
NOTRE-DAME DU MAI
Cap Sicié
MER MÉDI

Riez
Roumoules
Montagnac-Montpezat
Les Salles-s.-V.
Aiguines
La Palud-s.-V.
Rougon
Trigance
GRAND CANYON DU VERDON
CORNICHE SUBLIME
Bauduen
Plan de Canjuers
Baudinard-s.-Verdon
Bge de Ste Croix
Lac de Ste Croix
Quinson
Bge de Quinson
Régusse
Moissac-Bellevue
Vérignon
Montmeyan
Aups
La Barre
CANYON DE L'ARTUBY
Les Plans
CAMP MILITAIRE DE CANJUERS
La Cabrière
Comps-s.-A.
C. de Luens
La Foux
Valderoure
Thorenc
Andon
Le Logis-du-Pin
C. de Valferrière
Mgne de Lachens
La Bastide
Escragnolles
St Lambert
Route Napoléon
Mons
St Vallier-de-Thiey
Brovès
Cabris
St Cézaire-s.-Siagne
Seillans
Fayence
Callian
Bargemon
Montferrat
Ampus
Callas
BARRAGE DE ST CASSIEN
Tanneron
Tavernes
Le Logis
Villecroze
Salernes
Barjols
Cotignac
Lentier
Draguignan
Flayosc
Bagnols-en-Forêt
Châteauvert
Correns
Montfort-s.-A.
Entrecasteaux
Lorgues
Trans-en-Provence
La Motte
Le Muy
ROCHERS DE ROQUEBRUNE
Mont Vinaigre
Pic de l'Ours
Esterel
Carcès
ABBAYE DU THORONET
Les Arcs
Puget-s.-Argens
Valescure
Agay
Le Val
Vins-s.-Caramy
Le Thoronet
Taradeau
Vidauban
Roquebrune-s.-Argens
Fréjus
St Raphaël
Boulouris
C. du Dramont
Cabasse
Les Muraires
Le Cannet-des-Maures
Brignoles
Le Luc
G. de Fréjus
La Celle
Montagne de la Loube
Flassans-s.-Issole
83
C. de Gratteloup
St Aygulf
Les Issambres
Besse-s.-I.
Plan-de-la-Tour
Val d'Esquières
La Roquebrussanne
Garéoult
Forcalqueiret
Gonfaron
La Garde-Freinet
Ste Maxime
Rocbaron
Carnoules
Pignans
Les Mayons
N. DAME DES ANGES
La Sauvette
Beauvallon
Port-Grimaud
Grimaud
G. de St Tropez
St Tropez
Méounes-Montrieux
Puget-Ville
C. de la Fourche
Massif des Maures
Cogolin
La Foux
Gassin
Plage de Tahiti
Plage de Pampelonne
Collobrières
CHARTREUSE DE LA VERNE
Cuers
Ramatuelle
Pierrefeu-du-Var
La Môle
La Croix-Valmer
C. Camarat
Laquina
Solliès-Pont
C. Cartaya
La Farlède
Bormes-les-Mimosas
Cavalaire-s.-M.
C. Lardier
Rayol-Canadel-s.-M.
La Crau
La Londe-les-Maures
Cavalière
C. Nègre
Le Lavandou
La Garde
Toulon
Hyères
Salins d'Hyères
Port-de-Miramar
Cabasson
Rade de Bormes
C. Bénat
FORT DE BRÉGANÇON
Carqueiranne
Hyères-Plage
Rade d'Hyères
G. de Giens
La Capte
Giens
Iles d'Hyères
I. du Levant
Phare du Titan
Le Grand Avis
Héliopolis
Port-Cros
I. de Port-Cros
Presqu'île de Giens
Phare du Grand-Ribaud
Porquerolles
I. de Porquerolles
Cap d'Arme
PARC DE PORT-CROS
MÉDITERRANÉE
45

A
B
3
44
Gréolières
Coursegoules
Tourrette-Levens
Aspremont
Falicon
Colomars
Gattières
St Jeannet
Bramafan
Plan de Caussols
Gorges du Loup
Tourrette-s.-L.
Vence
Gourdon
St Paul
La Colle-s.-L.
Vallier-de-Thiey
Magagnosc
Grasse
Cabris
Villeneuve-Loubet
Valbonne
Biot
Mougins
Le Cannet
Mandelieu-la-Napoule
Cannes
Antibes
Juan-les-Pins
Golfe-Juan
Vallauris
Phare de la Garoupe
C. d'Antibes
Ile Ste Marguerite
Iles de Lérins
Ile St Honorat
Théoule-s.-M.
La Napoule
La Rague
G. de la Napoule
Miramar
Le Trayas
Agay
Phare d'Agay
C. du Dramont
Cagnes-s.-M.
Cros-de-Cagnes
St Laurent-du-Var
NICE - CÔTE - D'AZUR
NICE
St Isidore
Villefranche-s.-Mer
St Jean-Cap-Ferrat
C. Ferrat
Beaulieu-s.-Mer
Cap-d'Ail
Èze
La Turbie
Laghet
Mt Agel
Monte-Carlo
Monaco
Roquebrune-Cap-Martin
C. Martin
Menton
C. Mórtola
Ventimiglia (Vintimille)
Bordighera
C ô t e d' A z u r
MER
MER MÉDITERRANÉE
Marseille
Toulon
Nice
Genova
Livorno
Sardaigne (Porto-Torres)
Bastia
Cap Corse
Rogliano
Macinaggio
Centuri
Capo Bianco
Luri
Pino
Nonza
Erbalunga
Sisco
Miomo
Marine-de-Luri
Marine-de-Porticciolo
Marine-de-Pietracorbara
Marine-de-Sisco
Cima delle Follicce
Marine-d'Albo
Marinca
Pta Minervio
Patrimonio
St Florent
Golfe de Saint Florent
Pta de Curza
Désert des Agriates
Oletta
Col de Teghime
Murato
Nebbio
Rapale
Pietralba
Lama
Borgo
Vescovato
BASTIA PORETTA
LA CANONICA
Mariana-Plage
Casamozza
Etg de Biguglia
Castagniccia
Campile
Morosaglia
Piedicroce
Cervione
Moriani-Plage
San Nicolao
Folelli
Phare d'Alistro
Ponte-Leccia
Castifao
Francardo
Corte
Venaco
Calacuccia
GORGES DE TAVIGNANO
Asco
Balagne
Belgodère
Olmi-Cappella
Calenzana
Calvi
Lumio
Algajola
l'Ile Rousse
Phare de la Pietra
Corbara
Pta di/a Revellata
CIRQUE DE BONIFATO
Mte Cinto
Lozzi
Albertacce
Evisa
Ota
Porto
Piana
Les Calanche
Golfe de Porto
Capo Rosso
Osani
Girolata
Golfe de Girolata
Galeria
Golfe de Galeria
Capo di/a Morsetta
Pta Palazzo
Pta Rossa
Manso
Tuarelli
Niolo
2B

CORSE
Echelle 1 : 600 000
MÉDITERRANÉE
C
D
1
2
3
Ajaccio
AJACCIO - CAMPO - DELL'ORO
Pointe de la Parata
TOUR
Is Sanguinaires
CHÂTEAU DE LA PUNTA
Capo di Feno
Golfe d'Ajaccio
Golfe de Sagone
Nice
Toulon
Marseille
Sardaigne (Porto-Torres)
Pointe di Sette Nave
Sagone
Coggia
Rosazia
Salice
Arro
Sari-d'Orcino
Calcatoggio
Sarrola Carcopino
Mezzavia
Vero
Carbuccia
Bocognano
Tavera
Vizzavona
C. de Vizzavona
Ghisoni
Mte Renoso
Pta Petralina
Bastelica
Tolla
Ocana
Mte Giovanni
C. de Verde
Isolaccio di F.
Palneca
Ciamannacce
Cozzano
Zicavo
Frasseto
Corrano
Cauro
Porticcio
Sta Maria-Siché
Bisinao
Olivese
C. de la Vaccia
Verghia
Pta di a Castagna
La Castagna
Pila-Canale
Moca-Croce
Petreto-Bicchisano
Aullène
Quenza
Coti-Chiavari
STATION PRÉHISTORIQUE
C. di Muro
Filitosa
Sollacaro
Olmeto
Porto Pollo
Pta di Porto Pollo
Propriano
G. de Valinco
Arbellara
Gargiaca
Serra-di-Scopamène
CUCURUZZU (OPPIDIUM)
Zoza
Ste Lucie-de-Tallano
S. Gavino-di-Carbini
Levie
Zonza
Mte Calva
C. d'Ilarata
Forêt de l'Ospedale
Carbini
l'Ospedale
Sartène
Vignalella
Pte d'Ovace
C. de Bacino
l'Uomo di Cagna
Campomoro
Grossa
Pta di C. Senetosa
Tizzano
CAURIA
C. de Corallì
Roccapina
Monacia-d'Aullène
Pianottoli-Caldarello
Figari
Golfe de Figari
LA TRINITÉ (ERMITAGE)
C. de Feno
Bonifacio
C. Pertusato
Gurgazu
Pta Capicciola
I. de Cavallo
G. de Sta Manza
Golfe de Santa Giulia
Sotta
Palombaggia
Is Cerbicale
Piccovaggia
Pta di a Chiappa
Porto-Vecchio
Cala Rossa
I. de Pinarello
Conca
Favone
C. de Bavella
Aiguilles de Bavella
C. de Larone
l'Incudine
Pta Mozza
Solenzara
SOLENZARA
Solaro
Ventiseri
Mte Formicola
Pietrapola
Prunelli-di-Fiumorbo
Poggio-di-Nazza
St Antoine
Ghisonaccia
Calzarello
Aléria
Cateraggio
Etg d'Urbino
E. de Diana
2A

La France touristique

Une sélection des villes et sites les plus importants sur le plan touristique.

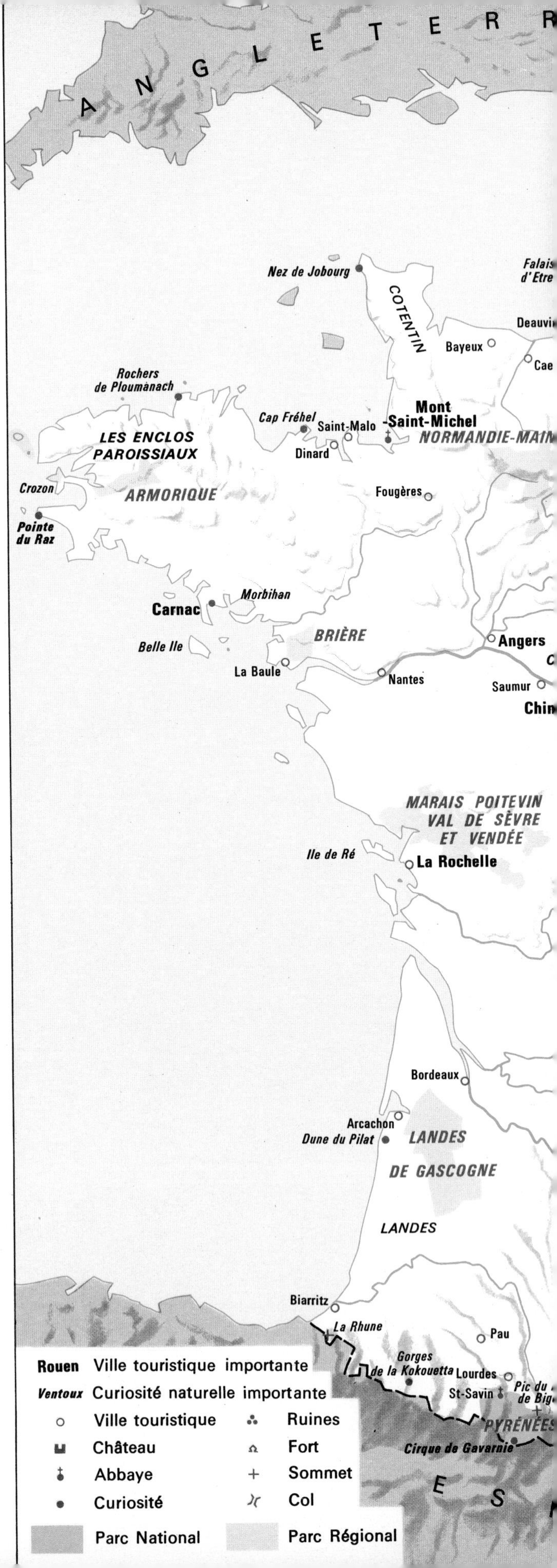

ANGLETERRE

Nez de Jobourg
COTENTIN
Bayeux
Rochers de Ploumanach
Cap Fréhel
Saint-Malo
Mont -Saint-Michel
NORMANDIE-MAINE
LES ENCLOS PAROISSIAUX
Dinard
Crozon
ARMORIQUE
Fougères
Pointe du Raz
Morbihan
Carnac
BRIÈRE
Angers
Belle Ile
La Baule
Nantes
Saumur
MARAIS POITEVIN VAL DE SÈVRE ET VENDÉE
Ile de Ré
La Rochelle
Bordeaux
Arcachon
Dune du Pilat
LANDES DE GASCOGNE
LANDES
Biarritz
La Rhune
Pau
Gorges de la Kokouetta
Lourdes
St-Savin
PYRÉNÉES
Cirque de Gavarnie

Rouen	Ville touristique importante		
Ventoux	Curiosité naturelle importante		
○	Ville touristique	∴	Ruines
▙	Château	⌂	Fort
‡	Abbaye	+	Sommet
●	Curiosité	)(	Col
▒	Parc National	░	Parc Régional

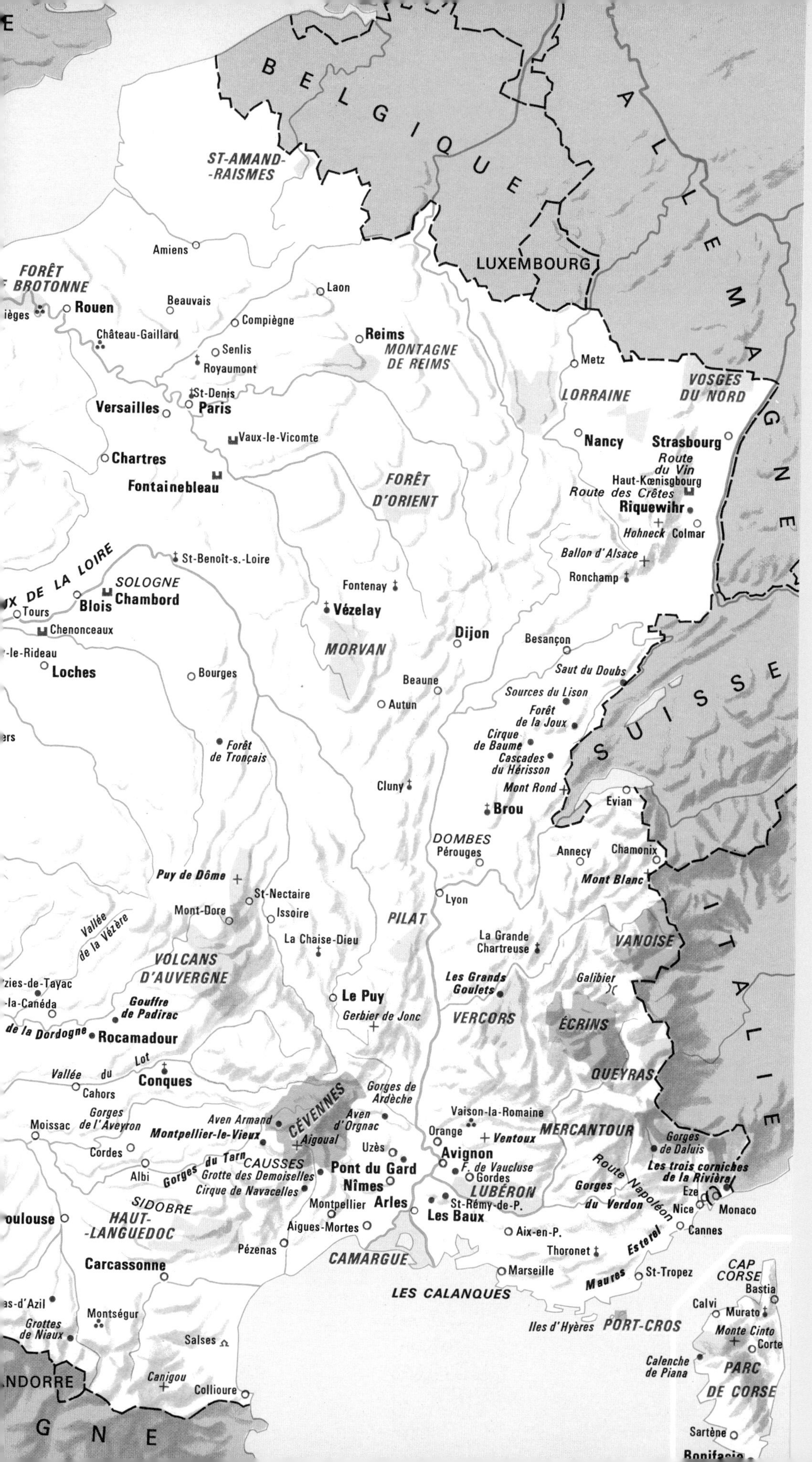

BELGIQUE
ALLEMAGNE
LUXEMBOURG
SUISSE
ITALIE
ST-AMAND-
-RAISMES
Amiens
FORÊT
BROTONNE
Rouen
Beauvais
Laon
Compiègne
Château-Gaillard
Reims
MONTAGNE
DE REIMS
Senlis
Royaumont
Metz
VOSGES
DU NORD
LORRAINE
St-Denis
Versailles
Paris
Vaux-le-Vicomte
Nancy
Strasbourg
Route
du Vin
Haut-Kœnisgbourg
Route des Crêtes
Riquewihr
Hohneck
Colmar
Chartres
Fontainebleau
FORÊT
D'ORIENT
Ballon d'Alsace
Ronchamp
St-Benoît-s.-Loire
SOLOGNE
Blois
Chambord
Tours
Chenonceaux
Fontenay
Vézelay
Dijon
Besançon
MORVAN
Loches
Bourges
Beaune
Autun
Saut du Doubs
Sources du Lison
Forêt
de la Joux
Cirque
de Baume
Cascades
du Hérisson
Forêt
de Tronçais
Cluny
Mont Rond
Brou
Evian
DOMBES
Pérouges
Annecy
Chamonix
Mont Blanc
Puy de Dôme
St-Nectaire
Mont-Dore
Issoire
Lyon
Vallée
de la Vézère
PILAT
La Chaise-Dieu
La Grande
Chartreuse
VANOISE
VOLCANS
D'AUVERGNE
Les Grands
Goulets
Galibier
Gouffre
de Padirac
Le Puy
Gerbier de Jonc
VERCORS
ÉCRINS
de la Dordogne
Rocamadour
Lot
Vallée du
Cahors
Conques
QUEYRAS
Gorges de
Ardèche
CÉVENNES
Aven Armand
Aven
d'Orgnac
Vaison-la-Romaine
Moissac
Gorges
de l'Aveyron
Montpellier-le-Vieux
Aigoual
Orange
Ventoux
MERCANTOUR
Gorges
de Daluis
Cordes
Uzès
Avignon
Albi
Gorges du Tarn
CAUSSES
Grotte des Demoiselles
Pont du Gard
F. de Vaucluse
Gordes
Les trois corniches
de la Rivièra
Cirque de Navacelles
Nîmes
LUBÉRON
Gorges
du Verdon
Route Napoléon
Eze
SIDOBRE
Montpellier
Arles
St-Rémy-de-P.
Les Baux
Nice
Monaco
HAUT-
-LANGUEDOC
Aigues-Mortes
Aix-en-P.
Cannes
Pézenas
Thoronet
Esterel
CAMARGUE
Carcassonne
Marseille
Maures
St-Tropez
CAP
CORSE
Bastia
LES CALANQUES
Calvi
Murato
Montségur
Grottes
de Niaux
Iles d'Hyères
PORT-CROS
Monte Cinto
Corte
Salses
Calenche
de Piana
PARC
DE CORSE
Canigou
Collioure
Sartène

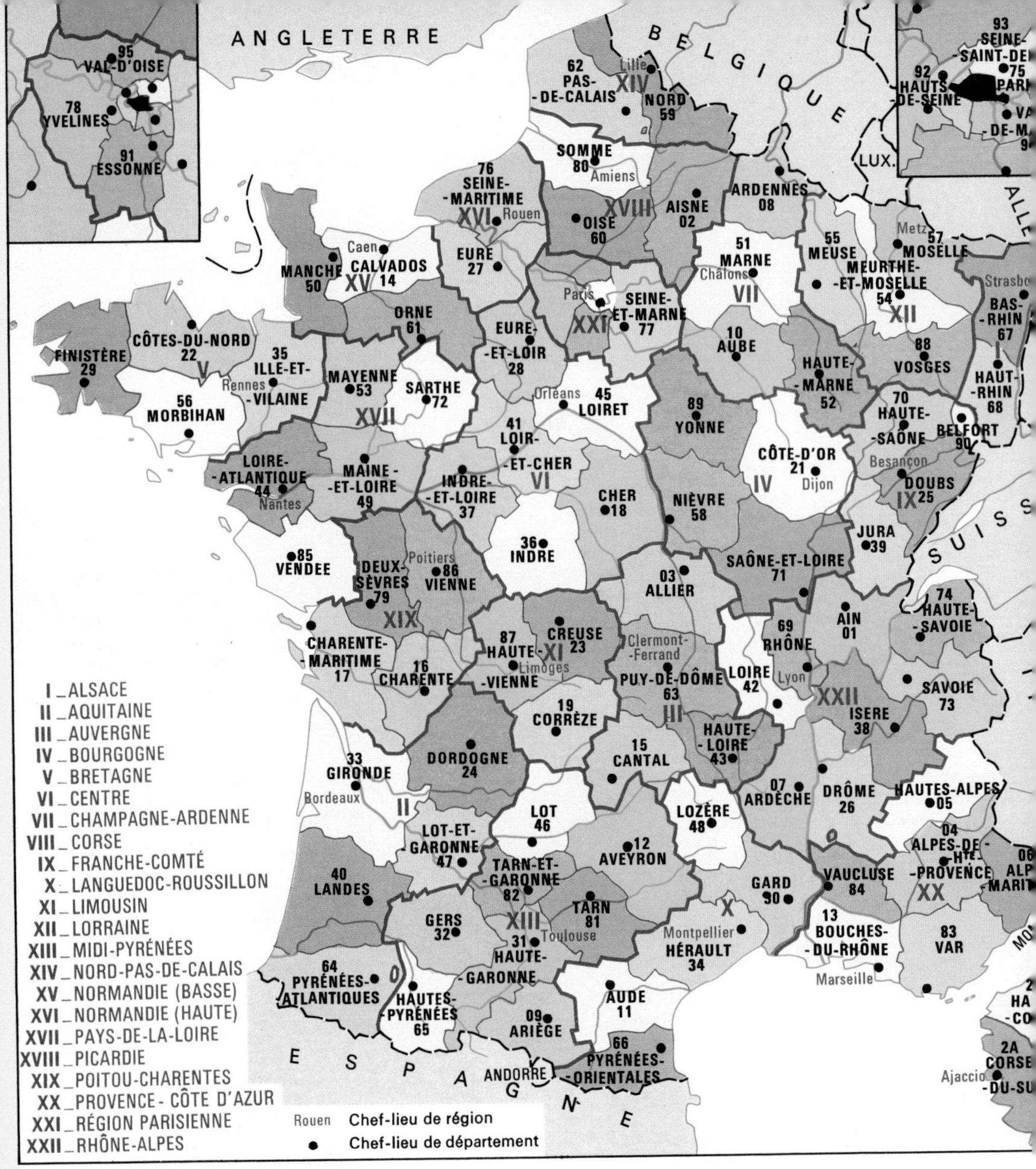

I _ ALSACE
II _ AQUITAINE
III _ AUVERGNE
IV _ BOURGOGNE
V _ BRETAGNE
VI _ CENTRE
VII _ CHAMPAGNE-ARDENNE
VIII _ CORSE
IX _ FRANCHE-COMTÉ
X _ LANGUEDOC-ROUSSILLON
XI _ LIMOUSIN
XII _ LORRAINE
XIII _ MIDI-PYRÉNÉES
XIV _ NORD-PAS-DE-CALAIS
XV _ NORMANDIE (BASSE)
XVI _ NORMANDIE (HAUTE)
XVII _ PAYS-DE-LA-LOIRE
XVIII _ PICARDIE
XIX _ POITOU-CHARENTES
XX _ PROVENCE - CÔTE D'AZUR
XXI _ RÉGION PARISIENNE
XXII _ RHÔNE-ALPES

Rouen Chef-lieu de région
● Chef-lieu de département

La France départementale avec ses régions administratives

La France des Provinces

La carte ci-contre présente les provinces françaises, telles qu'elles se répartissaient en 1789. De nos jours, les limites géographiques ne sont plus aussi rigoureuses.

de A à Z
la France touristique

Abbeville
80 - Somme 5 - B 1
Château de Bagatelle, élégante «folie» mil. XVIIIe (vis. ts les j. l'été; belles boiseries). Anc. collégiale Saint-Vulfran, XVe-XVIe, riche décor sculpté sur la façade; les vantaux du portail central sont dus aux célèbres huchiers picards. Musée Boucher de Perthes (préhistoire, archéologie, peinture, etc.). *Environs* • **Baie de Somme***, et circuits à travers le Vimeu. • Au S.-O., moulin de *Saint-Maxent.*

Aber-Wrac'h (L')
29 N - Finistère 8 - B 1
Petit port de pêche et station balnéaire ds un site sauvage à l'entrée de l'estuaire de l'Aber-Wrac'h. Centre nautique, écoles de voile. Vestiges de l'anc. couvent de Récollets Notre-Dame-des-Anges, fondé au XVIe. Nombreuses îles, récifs. *Environs* • 7 km S.-E., *château de Kerouartz* XVIIe, beaux jardins en terrasses (on vis.). • Excursions recommandées à l'O., presqu'île de Sainte-Marguerite, au N., *phare de la Vierge* (75 m, le plus haut d'Europe) au N.-E., grève Saint-Michel, etc.; c'est l'une des parties les plus sauvages de la «côte des abers» (voir **Saint-Renan***).

ABBAYES NORMANDES (route des)
76 - Seine-Maritime 5 - A 3 - 4 - D 3
A Rouen prendre la D. 982 qui, par la forêt de la Roumare, gagne à 11 km *Saint-Martin-de-Boscherville;* l'abbatiale Saint-Georges est un remarquable exemple de roman normand mil. XIIe; on visite aussi la salle capitulaire de 1170 (s'adr. au presbytère). La D. 982 continue par *Duclair,* église romane (nef XIe), gothique (chœur XIVe) et Renaissance (portail latéral), jusqu'à son embranchement, à 4,5 km, avec la D. 143 à g.; à 3,5 km, **Jumièges***. Regagner la D. 982 que l'on remontera N.-N.-O. jusqu'à la petite route qui conduit, à 1,5 km à dr., à l'abbaye bénédictine de **Saint-Wandrille***.

Saint-Martin-de Boscherville.
La salle capitulaire s'ouvre sur le cloître par 3 arcades cintrées, reposant sur des faisceaux de colonnettes aux chapiteaux historiés.

Abondance
74 - Haute-Savoie 26 - D 3
Station d'été et d'hiver. L'église, anc. abbatiale XIIIe, a un cloître XIVe décoré de 20 fresques fin XVe (restaurées); les bâtiments abbatiaux XVIIe l'entourent sur 3 côtés (musée d'art religieux).
Environs • 11,5 km E., par La Chapelle-d'Abondance, dominée par les Cornettes de Bise (2 438 m), *Châtel-d'Abondance,* station de sports d'hiver; en été, télécabine à Super-Châtel, télésiège au pic de Morclan (1 970 m), vaste panorama; on atteint ensuite le *Pas de Morgins* (1 375 m, frontière franco-suisse), puis *Morgins* ds un cadre superbe.

Agde
34 - Hérault 43 - A 2
Anc. cathédrale Saint-Étienne, fortifiée fin XIIe, en lave noire. Musée agathois (vis. ts les j.) : archéologie (découvertes sous-marines), coll. d'amphores, folklore, ethnographie. Joutes agathoises, première semaine d'août.
Environs • 7 km S.-E., *Cap-d'Agde,* ville nouvelle résidentielle et vacancière avec port de plaisance; centre naturiste international; très curieuse plage de sable noir (la Grande Conque); en mer, le fort de Brescou. • 4 km S.-O., *la Tamarissière* et *Grau-d'Agde,* petit port de pêche;

Agde : *au-dessus du quai de l'Hérault, l'imposante cathédrale Saint-Étienne, autrefois fortifiée, dresse sa masse de lave noire que dominent 2 grosses tours carrées.*

L'Aigle : *la tour flamboyante de l'église Saint-Martin richement ornée de gargouilles, dais, statues.*

AIGUEBELETTE (lac d')
73 - Savoie 32 - B 2
Long de 4 km du N. au S., très poissonneux (brochets, perches, truites, etc.), dominé par la montagne de l'Épine; il comporte sur ses rives plusieurs stations de villégiature; *Saint-Alban,* Lépin-le-Lac, *Aiguebelette,* La Combe-du-Lac. Tour du lac, 17 km. *Environs* • A l'O., col de la Crusille (582 m) vers *Saint-Genix.* • A l'E., col de l'Épine (beau panorama). • Au S., mont Grelle.

chapelle de l'Agenouillade XVIIe, entourée de pins.

Agen
47 - Lot-et-Garonne 35 - C 2
Installé ds 3 hôtels XVIe, le musée (ouv. ts les j. sauf mardi) possède 5 œuvres de Goya, des coll. de céramiques françaises et étrangères, et un marbre grec du Ve s. av. J.-C., la « Vénus du Mas ». La cathédrale Saint-Caprais (transept et chœur romans, nef gothique, voûtes XVIe) a des chapiteaux romans historiés. *Environs* • 9 km S.-O., *Aubiac;* remarquable église romane XIIe; le chœur carré flanqué de 3 absidioles est surmonté d'une tour également carrée formant lanterne; une autre tour carrée précède la nef; le château d'*Estillac* XIIIe-XVIe est un imposant exemple d'architecture militaire; ds le parc, cénotaphe avec gisant de Blaise de Montluc; à l'int., cuisines voûtées et appartements d'époque (vis. le dim. apr.-m.). • 9 km S., *Moirax,* église romane avec chœur carré couvert d'une coupole; stalles sculptées et boiseries XVIIe.

Agen : *le chevet roman est l'une des parties les plus remarquables de la cathédrale Saint-Caprais. Sur l'abside se greffent 3 chapelles rayonnantes, la médiane ornée d'une arcature sculptée.*

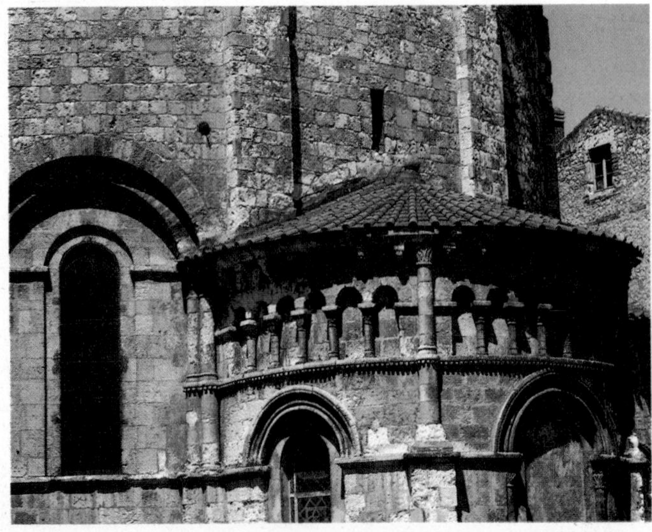

Aigle (L')
61 - Orne 10 - D 2
L'église Saint-Martin XVe-XVIe est flanquée de la tour de l'Horloge XIIe, flamboyante, richement sculptée, et d'une tour romane carrée. Le château, fin XVIIe, dû à Hardouin-Mansart, abrite le musée de cire de la Bataille de Normandie-Juin-44. Musée Louis Verrière (bois). *Environs* • Forêt de la Trappe et *abbaye de la Grande-Trappe* (cisterciens réformés); offices religieux publics.

Aigues-Mortes
30 - Gard 43 - C 1
Ds la solitude des étangs et des salines qui la séparent de la mer, la ville et ses remparts, jalonnés de 20 tours et de 11 portes, apparaissent commme une saisissante évocation du Moyen Age. L'enceinte, de plus de 1 500 m de périmètre, entoure la ville construite en damier, où l'on pénètre par la porte de la Gardette. La tour de Constance (vis. ts les j. l'été), beau donjon cylindrique surmonté d'une tour de guet, comporte une salle des Gardes et, à l'étage, une salle des Chevaliers, anc. prison; magnifique panorama. Les différentes portes de la ville ont des accès directs sur la campagne d'où

l'on a des vues superbes sur les remparts (en particulier de la route du *Grau-du-Roi*).
Environs • 3,5 km N., tour Carbonnière, XIIIe • Au S.-O., *Le Grau-du-Roi,* petit port de pêche coloré et animé, et **La Grande-Motte*** • A l'E., la **Camargue***, vers les **Saintes-Maries-de-la-Mer***.

château XVe • *Breteuil-sur-Noye,* vestiges XVIe et XVIIIe d'une anc. abbaye. • A l'O., *Conty,* église flamboyante.

Aime
73 - Savoie 32 - D 2
L'anc. basilique Saint-Martin XIe-XIIe, devenue musée lapidaire, est un remarquable témoignage de l'architecture pré-romane et romane en Savoie; à l'int., vestiges d'un édifice gallo-romain, et d'une église Ve-VIe avec crypte de la même époque.
Environs • 19 km S., **La Plagne***. Belles randonnées ds la Tarentaise.

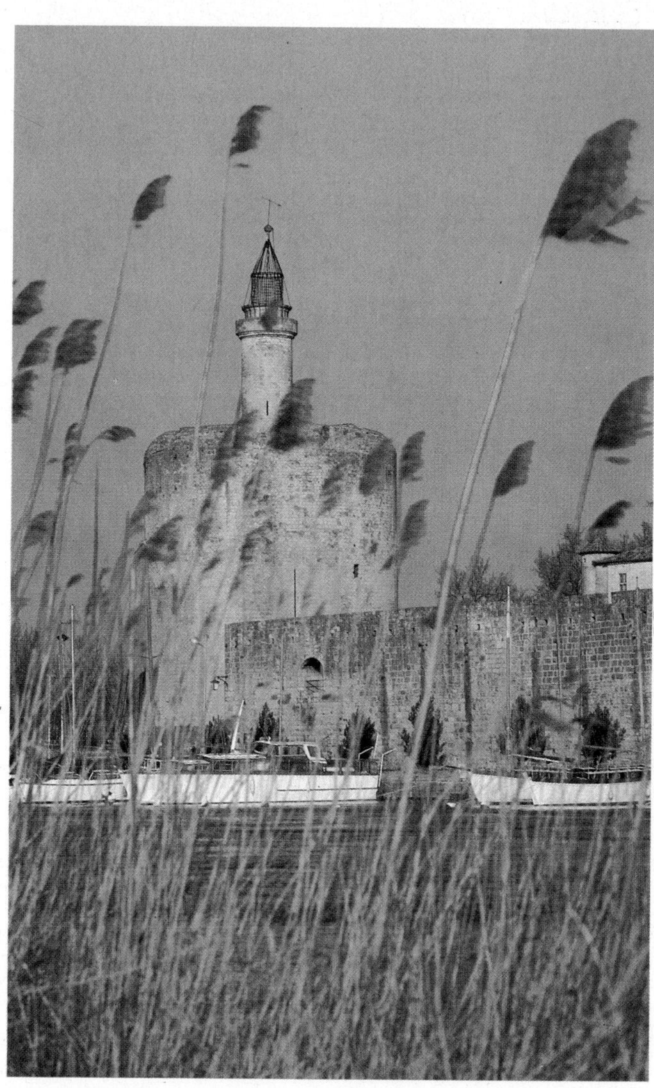

Aigues-Mortes : *la puissante tour de Constance d'où l'on peut accéder aux remparts. Elle portait autrefois un phare.*

Ailly-sur-Noye
80 - Somme 5 - C 2
Ds l'église XIXe, tombeau XVe, en schiste ardoisier, avec gisants et «deuillants», de Jean de Luxembourg († 1466) et de sa femme. Ex-voto en relief. Ecce homo polychrome XVIe.
Environs • Au S., *Folleville :* ds l'église, superbe décor sculpté flamboyant; tombeaux avec gisants de Raoul de Lannoy et sa femme, déb. XVIe, avec priants de François de Lannoy et sa femme XVIe; nombreuses œuvres d'art; ruines d'un

Ainay-le-Vieil (château d')
18 - Cher 24 - C 2
La «Carcassonne du Berry» (vis. ts les j. de Pâques au 30 nov. et à Mardi gras, les dim. de mi-févr. à Pâques). Flanquée de tours en poivrière, d'une poterne et de douves, l'enceinte octogonale XIVe a gardé son allure de forteresse médiévale; elle abrite un élégant corps de logis où le gothique flamboyant se pare des premières grâces de la Renaissance. Du chemin de ronde, belles vues. A l'int., oratoire Renaissance et grand salon (cheminée monumentale).
Environs • 4,5 km N.-O., *Drevant,* ruines romaines (théâtre, temple, thermes); fouilles archéologiques.

Aire-sur-l'Adour
40 - Landes 41 - A 1
Aux confins de la Chalosse et de l'Armagnac, cette petite ville est célèbre par ses marchés des «gras» (foies d'oies et de canards) en hiver. Anc. cathédrale XVe-XVIIIe; mobilier XVIIIe à l'int.
Environs • 2 km S., le Mas-d'Aire : église Sainte-Quitterie; remarquable portail gothique (le Jugement dernier); à l'int., chapiteaux historiés; ds la crypte, très beau sarcophage mérovingien en marbre blanc dit de sainte Quitterie IVe.

Aire-sur-la-Lys
62 - Pas-de-Calais 1 - C 3
Anc. place forte XVIIe-XVIIIe. Le bailliage, charmant édifice en brique et en pierre. Saint-Pierre, gothique et Renaissance (pèlerinage à Notre-Dame-Panetière). Saint-Jacques XVIIe. Maisons anc.

Aix-en-Provence
13 - Bouches-du-Rhône 44 - A 1
Les quartiers anc. de cette remarquable ville d'art ont gardé leur noblesse et leur élégance. Le cours Mirabeau, ombragé de platanes et bordé de superbes hôtels aristo-

Ainay-le-Vieil : *dans le château médiéval, le logis Renaissance avec son élégante tour d'escalier.*

Aix-en-Provence : *dans le cours Mirabeau, ombragé de platanes et bordé de beaux hôtels, une fontaine d'eau chaude (34°) déjà connue des Romains. Le château de Vauvenargues domine le val de l'Infernat, face à la Sainte-Victoire ; Picasso y vécut et en décora les murs.*

cratiques XVIIIe, en est l'axe principal, à la fois élégant et animé.
• Quartier Saint-Jean-de-Malte : charmante place des Quatre-Dauphins, ornée d'une fontaine et encadrée d'hôtels anc. ; église Saint-Jean-de-Malte XIIIe et XIVe (nombreux tableaux XVIIe à l'int.) ; l'anc. prieuré de l'ordre de Malte abrite le riche musée Granet (vis. ts les j. sauf mardi) ; remarquables coll. archéologiques (oppidum d'Entremont) et salles de peinture italienne, hollandaise (3 Rembrandt), flamande (Rubens, Van Dyck) ; française XVIIIe et XIXe (Ingres, Géricault, Delacroix, Granet) ; salle de gravures et dessins de Cézanne ; le musée Paul-Arbaud (vis. mardi, jeudi, sam. apr.-m.) est consacré au folklore, à la peinture provençale, à la faïence et au félibrige.
• Quartier de la cathédrale : la cathédrale Saint-Sauveur XIIIe-XIVe est célèbre pour ses vantaux sculptés déb. XVIe, et le triptyque du *Buisson ardent,* de Nicolas Froment (v. 1476), l'un des chefs-d'œuvre de l'École provençale ; baptistère Ve, de plan octogonal, dont les 8 colonnes ont des chapiteaux corinthiens romains ; charmant cloître roman XIIe ; le musée des Tapisseries occupe l'anc. archevêché, superbe hôtel XVIIe-XVIIIe ; l'hôtel de ville moitié XVIIe (remarquable décoration int.) est flanqué de la tour de l'Horloge, anc. porte communale déb. XVIe ; rue Gaston-de-Saporta : hôtels XVIIIe, dont l'hôtel d'Estienne de Saint-Jean où est installé le musée du Vieil-Aix (ouv. ts les j. sauf lundi).
• Quartier de la Madeleine : l'église Sainte-Marie-Madeleine, dite aussi des Prêcheurs, XVIIe, possède le fameux *triptyque de l'Annonciation,* de l'École provençale XVe ; le Muséum d'histoire naturelle (ouv. ts les j. sauf mardi, sam. et dim.) occupe le superbe hôtel Boyer d'Eguilles fin XVIIe ; la place Albertas, en demi-lune, ornée d'une fontaine, est entourée d'hôtels XVIIIe (illumination l'été).
• Le pavillon de Vendôme, charmante « folie » XVIIIe aménagée en musée, a conservé son ordonnance et sa décoration d'époque (ouv. ts les j. sauf mardi). Au N., avenue Paul-Cézanne, pavillon Paul-Cézanne et atelier du peintre (vis. ts les j. sauf mardi). A la sortie O. de la ville, fondation Vasarely, conçue sur les plans de l'artiste (1973-1976) ; musée et centre d'études.
Environs • 6 km S.-O. *Les Milles :* château de Lenfant XVIIIe, au milieu d'un beau parc. • 3 km N., *oppidum d'Entremont,* anc. capitale des Salyens, détruite en 123 av. J.-C. ; les fouilles ont permis la découverte de remarquables sculptures aujourd'hui au musée Granet. (Visite tous les jours sauf mardi.) • Circuit de la *montagne Sainte-Victoire* par la route Paul-Cézanne ; à 6 km, *Le Tholonet,* château des Gallifet XVIIIe ; on passe devant la stèle et le médaillon de Paul Cézanne ; la route continue vers *Puyloubier* (musée de la Légion étrangère), d'où l'on peut monter en 4 h (jalons bleus) à la *montagne Sainte-Victoire,* par le pic des Mouches et les crêtes, ou atteindre l'ermitage de Saint-Ser ; à *Pourrières,* prendre la route au N. jusqu'à Puits-de-Rians (7 km) et rejoindre *Aix* en passant par *Vauvenargues :* l'imposant château XVIe-XVIIe appartint à Picasso ; sa tombe est sur la terrasse (on ne vis. pas) ; de nombreux sentiers permettent l'escalade de la *Sainte-Victoire* jusqu'à la Croix de Provence (945 m, très belle vue).

Aix-les-Bains
73 - Savoie 32 - B 1
Station thermale et centre de villégiature renommé, au-dessus du lac du Bourget. L'hôtel de ville occupe l'anc. château déb. XVIe. Musée lapidaire ds les vestiges IIe ou IIIe du temple romain de Diane. L'arc de Campanus IIIe ou IVe était un tombeau. Ds les thermes nationaux XIXe-XXe, restes de bains romains ; vastes grottes (vis. ts les j. l'été). Musée du Docteur-Faure : bel ensemble d'œuvres de Corot, Degas, Cézanne et des impressionnistes.
Environs • 2 km S., Tresserve, sur la crête des collines surplombant le lac. • A l'E., *mont Revard* par route à 22 km. • Au N., *gorges du Sierroz* (vis. ts les j. l'été), parcours très pittoresque à pied ; une galerie conduit à la cascade souterraine de *Grésy.*

Ajaccio
2 A - Corse 45 - C 3
Sur la côte N. d'un golfe profond de 14 km entouré de montagnes, Ajaccio est la « ville impériale ». Maison Bonaparte, où naquit Napoléon (vis. ts les j. sauf dim.). Musée napoléonien au 1er ét. de l'hôtel de ville (vis. ts les j. sauf dim.). Musée Fesch, importantes coll. de peinture italienne du XIVe au XVIIIe : Botticelli, Cosimo Tura, Titien, Véronèse, etc. Le palais Fesch où est installé le musée abrite la chapelle impériale (1858) ; ds la crypte, caveau de la famille Bonaparte. Sur la place De-Gaulle, statue équestre de Napoléon entouré de ses 4 frères. Le port, dominé par la citadelle XVIe (on ne vis. pas), offre de nombreuses vues sur le golfe. La cathédrale est un édifice à coupole de style vénitien XVIe. Place d'Austerlitz : grotte et monument de Napoléon.
Environs • 12 km O., *pointe de la Parata* par le rivage N. du golfe (plusieurs belles plages) ; de la pointe, piton rocheux haut de 60 m couronné par une tour, vaste panorama ; en face : *îles Sanguinaires.* • 13 km N., *château de la Punta*

fin XIXᵉ (vis. ts les j.); à l'int., coll. de peintures et mobilier XVIIIᵉ; panorama. • *Chiavari :* 17 km S. par la route longeant le *golfe d'Ajaccio;* parcours pittoresque et vues superbes : plage de *Porticcio, pointe de Sette Nave, port de Chiavari* que domine le village de *Coti-Chiavari* (vue splendide sur le golfe).

Albert
80 - Somme 5 - D 1
Basilique Notre-Dame-de-Brebières fin XIXᵉ-XXᵉ; clocher de 70 m surmonté d'une Vierge dorée. Ds tte la région, nombreux monuments, cimetières, mémorial de la guerre de 1914-1918.
Environs • Au N.-E., *Pozières :* cimetière britannique et monument des 14 960 disparus de la bataille de la Somme 1916-1918. • Au N., monument britannique de *Thiepval,* cimetière franco-anglais; à *Beaumont-Hamel,* parc commémoratif terre-neuvien (des tranchées ont été conservées). • Cimetière britannique et monument commémoratif à *Longueval,* 11 km E.

Albertville
Voir **Conflans*** 32 - C 1

Albi
81 - Tarn 36 - B 3
L'une des plus belles villes d'art de France. • La cathédrale Sainte-Cécile, dont l'énorme vaisseau de brique domine les vieux quartiers au-dessus du *Tarn,* est un magnifique exemple de gothique méridional fin XIIIᵉ-déb. XIVᵉ, que couronne une tour donjon de 78 m; on y pénètre par un porche flamboyant très ouvragé, déb. XVIᵉ, dit le « Baldaquin »; l'int. est divisé par un superbe jubé en pierre, le plus vaste de France (v. 1500), dont la porte centrale s'ouvre sur le chœur du chapitre (gardien, entrée payante); ceinturé par un double rang de stalles en bois sculpté, il est entouré d'une clôture en pierre très richement sculptée; à l'ext., statues polychromes de prophètes et personnages de l'Ancien Testament; une vaste peinture murale, *le Jugement dernier* (fin XVᵉ), occupe le revers de la façade derrière le maître-autel; chapelles et voûtes sont également décorées (vis. guidées de l'int. illuminé, l'été ts les soirs). • Anc. résidence archiépiscopale, le palais de la Berbie, imposante forteresse XIIIᵉ-XIVᵉ-XVᵉ, comporte des salons XVIIᵉ et une chapelle XIIIᵉ (peintures XVIIᵉ); il abrite le musée Toulouse-Lautrec (vis. ts les j.), qui comprend plus de 800 œuvres du peintre (né à Albi à l'hôtel du Bosc, on vis.) et des salles d'art contemporain. Jardins en terrasses au-dessus du Tarn (panorama sur la rivière, le fg de la Madeleine, le Pont-Vieux et le pont du 22-Août, d'où l'on a une vue superbe sur la cathédrale et la ville, mises en valeur, l'été, par un spectacle Son et Lumière). • La collégiale Saint-Salvi XIIᵉ-XVᵉ a des chapiteaux romans et une galerie de cloître XIIIᵉ. Maison Enjalbert, en bois et brique XVᵉ; hôtel Reynès ou maison des Viguiers, Renaissance toulousaine, en brique et pierre. Musée Lapérouse.

Alençon
61 - Orne 10 - C 3
L'église Notre-Dame XVᵉ-XVIIIᵉ a un beau porche flamboyant déb. XVIᵉ, richement décoré et, à l'int., des vitraux XVIᵉ. Maison d'Ozé XVᵉ. Musée régional d'Histoire, d'Art et d'Archéologie. Musée de Peinture à l'hôtel de ville : peintures du XVIIᵉ au XIXᵉ (fermé le lundi); remarquables salles de dentelles. Près du palais de justice, vestiges du château XIVᵉ-XVᵉ. École dentellière : salles d'expositions et de vente ouv. ts les j. sauf dim. et lundi en hiver.
Environs • Au S.-E., *forêt de Perseigne* (pittoresque vallée d'Enfer). • Au N., *forêt d'Écouves* (**Sées***). • Au S.-O., les « *Alpes mancelles* », par le *mont des Avaloirs* et la corniche du Pail, *Saint-Céneri-le-Gérei* (église romane, fresques du XIIᵉ et XIVᵉ; vieux pont), *Saint-Léonard-des-Bois* ds un cirque d'escarpements rocheux.

Aleria
2 B - Corse 45 - C 2
On y a mis au jour, sur un vaste plateau, les substructions d'une ville antique, grecque puis romaine. Le musée Jérôme-Carcopino, ds le fort de Matra (vis. du musée et des fouilles ts les j.), expose les objets découverts ds le site et qui sont d'une importance capitale pour l'art et l'histoire de la Corse et de la Méditerranée.
Environs • Au N., *étang de Diana* (île de coquilles d'huîtres romaines). • Au N.-O., *gorges de Tavignano* (voir **Corte***). • A l'O., vers *Ghisoni* et **Vivario***, gorges du *Fium Orbo, défilé de l'Inzecca.* • Au S., *Ghisonaccia,* capitale de la très fertile plaine orientale; *Prunelli-di-Fiumorbo* (village perché, panorama) et *Pietrapola,* station thermale.

Alès
30 - Gard 37 - B 3
Une importante opération d'urbanisme a transformé la ville en détruisant les vieux quartiers derrière l'anc. cathédrale Saint-Jean XVIIIᵉ.

Albi : ***superbe vaisseau de brique rouge, la cathédrale Sainte-Cécile se dresse au-dessus de la ville comme un symbole des luttes sanglantes de l'hérésie albigeoise. Le baldaquin offre un contraste saisissant avec l'ensemble du monument par sa blancheur et sa richesse ornementale.***

Alise-Sainte-Reine : ***Vercingétorix, pour résister à César, entoura Alésia d'une double ligne de fortifications dont on voit ici les vestiges.***

(nombreux tableaux à l'int.). Beaux jardins du Bosquet autour du fort bâti par Vauban. Le château du Colombier entouré d'un parc abrite le musée (ouv. ts les j.).
Environs • 11 km N.-E. à *Salindres, château de Rousson* déb. XVIIe (vis. ts les j. Pâques à nov.). • 16 km S.-O., **mas Soubeyran***, musée du Désert; à 3 km N.-O. du mas, près de *Mialet,* ds le parc nat. des Cévennes, grottes de Trabuc-Mialet (circuit int. éclairé).

Alise-Sainte-Reine
21 - Côte-d'Or 19 - C 2
C'est probablement sur le plateau qui couronne le mont Auxois (428 m) que se trouvait — comme les fouilles le confirment — l'oppidum d'Alésia où César défit Vercingétorix en 52 av. J.-C. La statue colossale du chef gaulois domine le plateau. Vestiges de l'enceinte gauloise, basilique à 3 nefs, temple, monument à crypte, maisons et boutiques gallo-romaines, basilique chrétienne Ve-VIIIe et sa nécropole. Église Saint-Léger. Fontaine Sainte-Reine. Fouilles du village gaulois d'Encuriot. Le musée conserve les objets trouvés au cours des fouilles.
Environs • 5 km N., château de **Bussy-Rabutin***. • 8 km S.-E., **Flavigny-sur-Ozerain***.

Allevard
38 - Isère 32 - C 2
Ds un beau site alpestre à 475 m d'alt., centre de cure thermale (établissement thermal, casino, magnifique parc).
Environs • 11 km N.-E., chartreuse de Saint-Hugon XVIIe, ruines pittoresques ds un beau site forestier (propriété privée); anc. forges des chartreux. • A l'E., route du Collet, par la D. 525 A et la D. 109, vues superbes; centre de sports d'hiver, *Le Collet-d'Allevard* (1 450 m) domine un vaste panorama. • 11,5 km O., Brame-Farine, longue arête séparant, à 1 210 m d'alt., la vallée du *Bréda* du *Grésivaudan;* magnifique panorama. • 17 km S., *Le Curtillard,* station d'été et de sports d'hiver à 1 012 m; *Fond-de-France,* 1 105 m (chalet-hôtel); par un sentier, ascension en 3 h 1/2, aux *Sept-Laux* (2 187 m), vaste plateau occupé par 9 lacs ds un site sauvage; le massif d'*Allevard* et des *Sept-Laux* comporte de nombreuses excursions ou ascensions.

ALPILLES (Les)
13 - Bouches-du-Rhône 43 - D 1
Cette chaîne calcaire, située au cœur de la Provence entre **Avignon*** et **Arles***, est riche en monuments et sites très divers. 2 itinéraires proposés : 1) De **Saint-Rémy*** à l'O., vers *Saint-Étienne-du-Grès,* la charmante chapelle romane **Saint-Gabriel*** et *Fontvieille* (voir abbaye de **Montmajour***); au S. les imposantes ruines gallo-romaines des aqueducs de Barbegal et de la Meunerie; par *Maussane,* gagner **Les Baux***; prendre ensuite la très belle D. 5 qui traverse les *Alpilles* et longe *les Antiques* et *Glanum* pour regagner **Saint-Rémy***. 2) A *Maussane* prendre à l'E. la D. 78 jusqu'au *Destet,* où la D. 24 conduit, par le mas de Montfort, au village d'*Eygalières,* très apprécié des peintres, ds un site superbe au flanc d'un coteau; chapelles Saint-Laurent et des Pénitents, hôtel des Bruno-Isnard; à 1,5 km N., mas de la Brûne, Renaissance (hôtel); 1 km E., chapelle Saint-Sixte XIIe, typiquement provençale, entourée de cyprès; d'*Eygalières,* on rejoint *Orgon* (église XIVe, avec chapelles XVIIe), dominé par les ruines d'un château et la chapelle Notre-Dame-de-Beauregard; magnifique panorama.

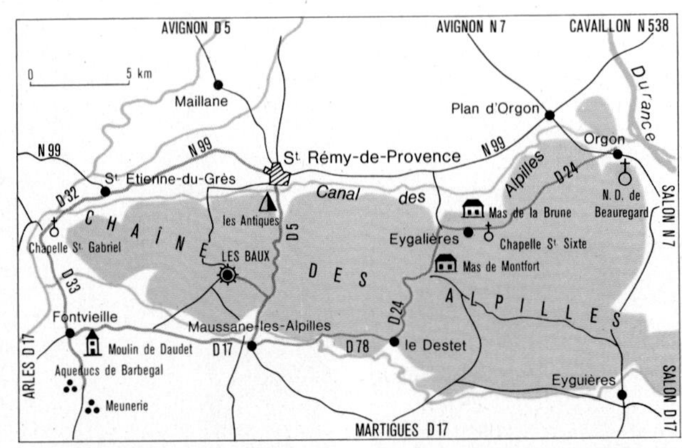

Alouettes (mont des)
85 - Vendée 22 - D 1
L'un des points culminants des hauteurs de Gâtine, immense panorama. 3 moulins à vent, calvaire et chapelle néo-gothique de style « troubadour » 1823. C'est un des hauts lieux de la chouannerie vendéenne.
Environs • 2,5 km S., *Les Herbiers,* ds un site accidenté du Bocage, priorale Saint-Pierre XVe en granit; à 7 km S.-O., La Grènetière, anc. abbaye Notre-Dame, fondée au XIIe, vestiges de l'église et des bâtiments conventuels (restes d'une galerie romane du cloître couverte en charpente, salle capitulaire, dortoir des moines, tours de défense, etc.). • 10 km E., château du Puy-du-Fou fin XVIe. Son et Lumière : « Ce soir la Vendée. »

Alpe-d'Huez (L')
38 - Isère 32 - C 3
A 1 860 m d'alt., station d'été et de sports d'hiver de réputation mondiale, par la beauté du site et son ensoleillement exceptionnel. Important centre d'ascensions, notamment ds le massif des *Grandes-Rousses.*
Environs • *Pic du lac Blanc* (panorama immense), par le téléférique (3 350 m); lac Blanc par télésiège et, à 30 mn à pied, dôme des Petites-Rousses (belle vue). • D'Oz (830 m), bâti sur un promontoire, ascension au *pic de l'Étendard* (3 468 m). • Nombreuses excursions à partir du **Bourg-d'Oisans*.**

Amance
54 - Meurthe-et-Moselle 13 - C 2
Entre le Petit-Mont d'Amance (379 m) à l'O., et le Grand-Mont d'Amance (410 m) à l'E. Élégante église XVe. Du Grand-Mont, vaste panorama.
Environs • 1 km S., Laître-sous-Amance, intéressante église XVIe qui a conservé des murs romans et un portail sculpté également roman déb. XIIe.

Ambazac
87 - Haute-Vienne 24 - A 3
L'église XIIe et XVe possède 2 chefs-d'œuvre : une châsse reliquaire fin XIIe en forme d'église, travail d'orfèvrerie en cuivre orné d'émaux et de pierreries, et une dalmatique byzantine XIIe (s'adr. au presbytère).
Environs • 6 km N., *Saint-Sylvestre :* ds l'église, reliquaire de saint Junien, en argent doré XIIIe et chef-reliquaire de saint Étienne de Muret, en argent repoussé XVe; à 2 km N.-E., ruines de l'abbaye de Grandmont. • 13 km N.-O., *Compreignac :* l'église XIIe et XVe offre le type caractéristique des églises fortifiées du Limousin. • Excursions recommandées aux *monts d'Ambazac,* au N.-O. (beaux panoramas).

Ambialet : ***cet ancien village fortifié, accroché à une étroite crête rocheuse, étire ses maisons sur toute la longueur de la presqu'île formée par l'un des méandres les plus resserrés du Tarn.***

Ambert
63 - Puy-de-Dôme 31 - B 2
Église fin XVe, maisons XVe et XVIe. Hôtel de ville en rotonde.
Environs • 4 km E., ds le val de Laga : *moulin Richard de Bas* où la fabrication du papier continue à se faire à la main (vis. ts les j.); musée historique du papier. • Excursions recommandées à travers les *monts du Livradois* et du *Forez,* notamment à *Valcivières* ds un cirque de montagnes boisées parcourues d'eaux vives; gagner **Montbrison*** par le *col de la Croix-de-l'Homme-Mort* (1 163 m), vue superbe sur le *bassin du Forez,* les *monts du Lyonnais,* le *massif du Pilat* et les *Cévennes.* • 16 km S., *Arlanc,* musée de la Dentelle à la main, église Saint-Pierre, romane.

Ambialet
81 - Tarn 36 - C 3
Site extraordinaire; le village, construit sur l'isthme de l'un des méandres du *Tarn,* est dominé par une crête rocheuse où s'étagent les ruines du château, l'église romane et, au sommet, l'anc. monastère Notre-Dame-de-l'Oder.
Environs • La descente du *Tarn,* d'Ambialet à **Albi*** (29 km), est particulièrement pittoresque. • En amont d'Ambialet, presqu'île et village de Courris.

Ambierle
42 - Loire 25 - B 3
L'église fin XVe possède une œuvre remarquable de la même époque : le triptyque sculpté et peint, à Beaune, ds le style flamand, ornant le maître-autel; stalles et vitraux également XVe. Musée forézien (ouv. ts les j.) consacré à la vie paysanne et artisanale.
Environs • La côte roannaise (vins rosés) mérite l'excursion : 6 km S., *Saint-Haon-le-Châtel,* vieux bourg fortifié, maisons XVe et Renaissance, anc. prévôté; ds l'église XIIe-XVIIe, mobilier typiquement forézien, statues d'art populaire, retables, etc.; *Renaison, Saint-André-d'Apchon* (église XVIe ornée de vitraux Renaissance). • Au S.-E., **Roanne*.** • Au N., *La Pacaudière :* Le Petit-Louvre est un anc. relais de poste XVIe; à 1 km O., Crozet, anc. bourg fortifié, est dominé par un donjon XIIe; maisons XIVe, XVe et Renaissance.

Amboise
37 - Indre-et-Loire 17 - D 2
Le château, qui domine la ville, fut l'une des plus belles et des plus anc. résidences royales du val de Loire (vis. ts les j.; Son et Lumière l'été). Flanqué de l'énorme tour des Minimes (à l'int. curieuse rampe en hélice que pouvaient gravir les cavaliers), l'élégant logis du Roi fin XVe renferme à l'étage la salle des États, et, au-dessous, la salle des Gardes. Au bord de la terrasse

(vue sur la Loire) chapelle Saint-Hubert, joyau de l'art gothique flamboyant, fin XVe : porche sculpté, décoration int.
• En ville, curieux souterrains de l'anc. couvent des Minimes dits «greniers de César» XVIe : église Saint-Denis, de style roman angevin XIIe (chapiteaux historiés); musée de la Poste (vis. ts les j. sauf mardi), ds l'hôtel de Joyeuse déb. XVIe, documentation sur les maîtres de poste, les postillons et les diligences. Sur la promenade du Mail, fontaine monumentale du peintre Max Ernst (1968).
Environs • A 600 m du château, par la rue Victor-Hugo, le Clos-Lucé, élégant manoir XVe où Léonard de Vinci vécut ses dernières années et mourut en 1519 (vis. ts les j. sauf janv.); exposition des maquettes de ses inventions, réalisées par I.B.M. d'après ses croquis.
• 3 km S.-O., *pagode de Chanteloup,* «chinoiserie» édifiée en 1775 pour Choiseul, vestige de la splendide propriété du ministre de Louis XV, haute de 44 m, elle comporte 6 étages en retrait les uns sur les autres; du sommet, panorama sur la vallée de la *Loire* et la *forêt d'Amboise* (5 000 ha).

Amboise : ***au bord de la Loire, le château Renaissance et son énorme tour des Minimes (dite aussi des Cavaliers) célèbre par sa rampe.*** ◄

A 3 km, la pagode de Chanteloup offre, au sommet de ses 149 marches, une belle vue sur les environs. ▲

Amiens
80 - Somme 5 - C 2
Capitale de la Picardie, Amiens est célèbre pour sa cathédrale. Mais il ne faut pas manquer de visiter les hortillonnages, jardins maraîchers, délimités par des «rieux», qu'alimentent les nombreux bras de la *Somme* et de l'*Avre;* sur ces petits canaux, circulent les barques servant au transport des légumes, des fruits et des fleurs; marché au bord de l'eau.
• Notre-Dame XIIIe-XVe est l'une des plus belles cathédrales gothiques; la façade offre un exceptionnel ensemble de sculptures, notamment, au portail central, le fameux «Beau Dieu d'Amiens» et les statues des prophètes et des Apôtres; le portail de g. est consacré à saint Firmin, celui de dr. à la «Mère de Dieu» (épisodes de la vie de la Vierge); au trumeau de la porte du croisillon S., célèbre «Vierge dorée»; la nef, longue de 145 m, est l'une des plus hautes de France (42,30 m); voir surtout les 110 magnifiques stalles sculptées XVIe et la clôture du chœur XVe-XVIe. • Ds l'hôtel des Trésoriers de France XVIIe, musée d'Art et d'Histoire régionale. Musée de Picardie : coll. archéologique, primitifs picards XVe-XVIe, peintures hollandaises et flamandes (Frans Hals, Ruysdael, Teniers), françaises XVIIIe (Fragonard, Hubert Robert, Chardin), XIXe (Delacroix, Corot) et XXe.
• Églises Saint-Leu XVe-XVIe et Saint-Rémy (imposant mausolée du connétable de Lannoy XVIIe). Anc. abbaye des prémontrés Saint-Jean, aux élégants bâtiments en pierre et en brique, construits autour d'un cloître classique XVIIe. Anc. bailliage de style flamboyant, orné de médaillons Renaissance, la maison du Sagittaire de 1591, somptueusement décorée. • Au parc zoologique de la Hotoie, tracé au XVIIe, importantes coll. d'animaux et d'oiseaux aquatiques.

Ancenis
44 - Loire-Atlantique 16 - D 2
Petite cité pittoresque aux maisons anc. (rue du Château, rue des Tonneliers, Basse-Grande-Rue, place des Halles). Château XVe-XVIe avec pavillons XVIIe (vis. juillet-août). *Environs* • 3 km S., *Liré :* musée Joachim-du-Bellay; vignobles produisant le muscadet; à 9 km O., *Champtoceaux,* ds un site remarquable dominant la *Loire* et ses îles; de la promenade du Champalud, derrière l'église, beau panorama. • 9 km O., *Oudon,* «tour d'Oudon», beau donjon XIVe-XVe où alternent le calcaire et le schiste.

Ancy-le-Franc
89 - Yonne 19 - C 2
C'est l'un des plus beaux châteaux Renaissance de Bourgogne. Construit en 1555 sur les plans de l'Italien Serlio, d'une imposante simplicité, il se compose de 4 corps de bâtiments reliés par des pavillons d'angle. La cour int. carrée offre une décoration de pilastres composites encadrant des niches et des plaques de marbre noir. Les appartements reflètent, par leur somptuosité et leur raffinement, l'influence de la seconde Renaissance inspirée par l'Italie (vis. ts les j. sauf mardi 1er mars au 30 nov.).

Andelys (Les)
Voir **Château-Gaillard** * 5 - A 3

Andilly
52 - Haute-Marne 20 - A 1
Important site gallo-romain (ouv. ts les j. l'été). Une « mansio », établissement de relais commercial, religieux, et de loisirs (Ier-IIe) a été mis au jour, notamment des thermes. Une nécropole mérovingienne a livré de nombreux objets, armes, outils, etc., déposés ds le musée des fouilles.

Andlau
67 - Bas-Rhin 14 - A 3
Village typiquement alsacien. Église XVIIe avec porche roman orné de curieuses sculptures archaïques : la Création et le Paradis terrestre; au-dessus, le Christ entre saint Pierre et saint Paul et scènes de chasse; l'int., de structure romane, a été remanié au XVIIe ; crypte XIe. Bâtiments conventuels XVIIe-XVIIIe. Maisons anc.
Environs • 9 km O., le *Hohwald,* centre de villégiature entouré de magnifiques forêts, par la gorge boisée de l'Andlau (D. 425). • Ascension de l'Ungersberg (901 m, panorama), au S.-O.

Andorre
Principauté d'**Andorre** 43 - A 3
On pénètre en Andorre par la N. 20 qui franchit le *Port d'Envalira* (2 407 m, vaste panorama). Le refuge d'Envalira est le centre de nombreuses excursions vers le cirque des Pessons, jalonné de 42 lacs reliés par des torrents. Crête des Pessons (2 500-2 800 m). • De *Soldeu* (station de sports d'hiver, télésiège et téleski), les excursions sont également nombreuses. Sant Bartomeu est typique des petites chapelles romanes andorranes; à l'int., curieux témoignages d'art populaire. La route longe le Valira de l'Orien et atteint la chapelle *Sant Joan de Casellas,* XIe, sur un à-pic au-dessus de la rivière; à l'int., intéressantes œuvres d'art. Après *Canillo :* chapelle Notre-Dame-de-Méritxell, XIIIe-XVIIIe; à l'int. retable baroque et populaire Vierge de Méritxell. La route s'élève au-dessus de la gorge de Valira et aborde le bassin verdoyant d'*Encamp.* • A *Andorre-la-Vieille,* capitale de la république des vallées d'Andorre, église romane et Casa de la Vall (maison de la Vallée) XVIe, siège du gouvernement (vis. ts les j. sauf dim. apr.-m.). Excursions recommandées à *Ordino* (maisons anc.), par les gorges de Sant Antoni et *La Massana,* et à La Cortinada (église romane San Marti, reconstruite aux XVIIe-XVIIIe); *El Serrat* est le point de départ de belles ascensions en montagne. D'Andorre-la-Vieille la route continue au S. vers *Santa Coloma,* dont l'église préromane, avec clocher cylindrique, est remarquable (à l'int. Vierge des Remèdes, XIIe), et *Sant Julia de Loria,* avant d'atteindre la frontière espagnole.

Anduze
30 - Gard 37 - B 3
Anc. place forte, aux rues tortueuses et étroites. Tour de l'Horloge (1320). Château XVIe-XVIIe. Anc. parc du couvent des Cordeliers (arbres exotiques, magnifiques bambous).
Environs • 2 km N., parc de Prafrance (vis. ts les j.) : arbres exotiques, serres, bassins de lotus, magnifique allée de bambous et de séquoias, sur 400 m de long. • 8 km N.-O., musée du Désert au **mas Soubeyran ***.

Anet (château d')
28 - Eure-et-Loir 11 - A 2
Du superbe château Renaissance, construit par Philibert Delorme pour Diane de Poitiers, favorite de Henri II, il ne reste que le portail monumental surmonté de la *Diane couchée,* de Benvenuto Cellini (original au Louvre), la façade d'entrée, la chapelle ornée de bas-reliefs de Jean Goujon et des bâtiments XVIe (vis. ts les j. sauf mardi). Magnifique tombeau en marbre blanc et noir ds la chapelle funéraire de Diane de Poitiers.

Angers
49 - Maine-et-Loire 17 - A 2
L'anc. capitale de l'Anjou est une ville d'art qui comporte plusieurs musées, églises et monuments importants. • Le plus remarquable est le château, énorme construction féodale flanquée de 17 tours rondes qui domine la *Maine* et les vieux quartiers environnants (vis. ts les j.). ; il abrite le musée des Tapisseries, le plus riche du monde; les œuvres sont présentées ds différents bâtiments (vis. guidée avec écouteurs individuels); ds la cour int., chapelle Sainte-Geneviève déb. XVe, voûte ouvragée (clés sculptées) remarquable, et Logis royal; la Grande Galerie a été construite en 1954 pour présenter la fameuse tenture de l'*Apocalypse,* chef-d'œuvre de la tapisserie médiévale. Le logis du Gouverneur XVe-XVIIIe expose plusieurs tapisseries des XVe, XVIe et XVIIe. • Cathédrale Saint-Maurice XIIe-XIIIe, belle nef (la plus large de toutes les cathédrales françaises), remarquable ensemble de vitraux dernier tiers XIIe (nef), XIIIe et XVIe (chœur), XVe (croisillons S. et N.); riche trésor (vis. juil.-août, sauf mardi). Entre la cathédrale et le château, quartier de la Cité. Autour de la place du Ralliement, à dr. du chevet, nombreuses maisons anc. • Ds le logis Pincé, Renaissance, musée Turpin-de-Crissé (vis. ts les j.), archéologie et art de la Renaissance, salles chinoise et japonaise, salles de gravure (Dürer). Maison d'Adam XVe, en bois et en brique avec consoles sculptées. L'anc. évêché a des parties XIe et XIIe; à l'int. vaste salle synodale; en face, 2 maisons à colombage XVe et XVIe. Maisons anc. rues de l'Oisellerie, Saint-Laud, des Poëliers, David-d'Angers. Musée des Beaux-Arts au logis Barrault fin XVe : sculpture, peinture et galerie David d'Angers (vis. ts les j. sauf mardi). Saint-Serge a un remarquable chœur de style gothique angevin déb. XIIIe. • Sur la rive dr. de la Maine : hôpital Saint-Jean XIIe-XIIIe, l'un des plus beaux établissements hospitaliers du Moyen Age; il abrite un musée archéologique et, ds la grande salle des malades, le *Chant du Monde,* suite de 10 tapisseries de Lurçat formant un ensemble de 80 m de long; cloître avec galeries XIIe et Renaissance. Ds l'anc. cellier des greniers Saint-Jean, musée du Vin. Le quartier de la Doutre conserve plusieurs maisons à pans de bois, notamment autour de l'église de la Trinité fin XIIe (belles portes romanes); un escalier descend à la crypte de Notre-Dame-du-Ronceray, anc. abbatiale; la place de la Laiterie comporte plusieurs hôtels du XVe au XVIIIe.

Amiens : ***dans la cathédrale, l'une des belles sculptures que l'on peut voir sur le pourtour du chœur, et qui représente l'arrestation et le martyre de saint Firmin (fin XVe).***

Angers : *2 des 17 tours du château féodal.* ▲ *Maison d'Adam.* ▼

Angoulême : *la cathédrale Saint-Pierre.* ▼

Environs • 6 km S., *Les Ponts-de-Cé,* église XIIe et XVe ; donjon pentagonal d'un château XVe ; à 9 km S.-E., château de **Brissac*.** • 16,5 km S.-O., château de **Serrant*.** • 16,5 km N.-O., château du *Plessis-Macé* XVe : l'enceinte, flanquée de tours, entoure une élégante résidence Renaissance ; la chapelle est un chef-d'œuvre de style flamboyant (vis. ts les j. sauf mardi).

Angoulême
16 - Charente 29 - B 1

Bâtie sur un large promontoire, la ville domine un immense horizon que l'on peut admirer de la promenade des remparts, flanquée de tours rondes et de bastions. Cathédrale Saint-Pierre déb. XIIe, façade romane très restaurée au XIXe, ornée selon une composition géométrique ; 75 statues et bas-reliefs occupent arcatures et médaillons. L'anc. évêché XIIe-XVe abrite le musée municipal. De l'anc. château comtal, il ne reste que 2 tours : la tour Lusignan fin XIIIe et la tour de Valois fin XVe. Le vieil Angoulême est pittoresque : rues de Beaulieu, du Soleil, de Turenne, François-Ier, ses hôtels, etc. Musée de la Société archéologique et historique de la Charente.

Environs • 5 km S.-E., par *Puymoyen* (église XIIIe), excursion recommandée ds le vallon des Eaux-Claires, bordé de falaises creusées de grottes. • 9 km E., par Magnac-sur-Touvre et *Touvre* (église romane), *sources de la Touvre* (« gouffre » impressionnant). • 4 km O., *Saint-Michel-d'Entraygues,* belle église romane octogonale à coupole et 8 absidioles. • 8 km S.-O., vestiges de l'abbaye de *La Couronne* (propriété privée) : on accède librement aux ruines de la remarquable abbatiale XIIe-XIIIe. • 17 km N., par *Montignac, Saint-Amant-de-Boixe :* ds l'église (nef romane, chœur gothique), intéressantes peintures murales déb. XIVe. • 22 km N.-E., par la *forêt de Braconne, château de La Rochefoucauld,* XIIe-XVIe, vaste quadrilatère flanqué de tours ; les 2 ailes Renaissance offrent sur la cour 3 étages d'élégantes galeries couvertes et un remarquable escalier (on vis.) ; la vallée de la *Tardoire,* au S., possède de nombreuses grottes et curiosités naturelles, dont les grottes de Rancogne (on vis.), à 11 km N.-E., de *La Rochefoucauld, Chasseneuil,* grand mémorial de la Résistance (cimetière et crypte).

Anjony (château d')
15 - Cantal 30 - C 3

Robuste donjon carré XVe, flanqué de 4 tours d'angle, le château (vis. ts les apr.-m. de Pâques à la Toussaint) domine le vallon de Tournemire. Salle des Preux, entièrement peinte de fresques XVIe, illustrant la légende des Neuf-Preux. Chapelle fin XVe, peinte à fresque de scènes de la Passion.

Environs • 1 km E., *Tournemire :* l'église renferme d'intéressantes œuvres d'art. • 4 km O., *Saint-Cernin-du-Cantal :* église romane ; à l'int. boiseries XVe.

Annecy
74 - Haute-Savoie 32 - C 1

A l'extrémité N. du lac d'Annecy, la ville est dominée par son château, imposante forteresse XIIe, XIVe et XVe hérissée de tours ; beau logis seigneurial XVIe, musée, salles d'archéologie, de sculpture et d'art populaire. Ds le vieil Annecy, les rues à arcades, les canaux, les hôtels et maisons anc. sont très pittoresques. Cathédrale Saint-Pierre, anc. église des Franciscains XVIe. Palais de l'Isle, ensemble de constructions du XIIe au XVIe, sur une île du canal du Thiou ; le pont des Amours traverse le charmant canal du Vassé ; jardin public, en terrasse arrondie sur le lac ; en face, île des Cygnes. Plage (installations sportives, locations de bateaux, etc.). A 1 km S., nouveau monastère de la Visitation et basilique Saint-François-de-Sales (1930, châsses du saint et de sainte Jeanne de Chantal) ; musée ; vaste panorama.

Environs • 11,5 km O., *gorges du Fier* et *château de Montrottier* XIIIe-XIVe (vis. ts les j. de Pâques à mi-oct.) ; importantes coll. d'armes, céramiques, sculptures, etc. • 17 km S.-O., *Rumilly,* ville anc., nombreuses maisons ou hôtels XVIe et XVIIe ; pont. XVIe ; à 1 km E., chapelle de Notre-Dame-de-l'Aumône, XIIIe, vestiges d'un prieuré. • Par la D. 41 au S., circuit du *Semnoz :* la route des Crêtes domine de magnifiques panoramas, notamment au Crêt de Châtillon (1 704 m). • 14 km N.-E., *Thorens-Glières,* château XVe (vis. ts les j. saison sauf mardi) ; coll. de tableaux et d'objets d'art, souvenirs salésiens ; à 1,5 km, chapelle de Sales à l'emplacement du château où naquit saint François de Sales en 1567 ; par une route forestière, *plateau des Glières,* camp retranché de la Résistance, défendu en mars 1944 contre les Allemands ; imposant monument commémoratif par Gilioli (1973). • 9 km S.-E., par la belle route du tour du lac, *Menthon-Saint-Bernard,* dominé par un château XIIIe-XVe ; *Talloires,* agréable station de villégiature sur le lac ; l'ancienne abbaye bénédictine XIe a été transformée en hôtel.

Annonay
07 - Ardèche 31 - D 3
Le quartier du château, les anc. portes de l'enceinte, les rues étroites et les vieilles maisons méritent la visite. Musée vivarois : salles d'archéologie, d'histoire et de folklore régionaux (souvenirs des Montgolfier). Voir le long de la Deûme le défilé des Fouines où les usines de tisserands se succédaient dans d'étroits passages rocheux.
Environs • 8 km E.-N.-E., *Champagne :* remarquable église romane à 2 coupoles; tympan sculpté au portail O. • 15 km N.-E., *Serrières :* vieux quartier pittoresque en amphithéâtre, dominé par une colline d'où le panorama est superbe; curieux musée des Mariniers.

Antibes
06 - Alpes-Maritimes 45 - A 1
Charmante vieille ville, typiquement méridionale. Ses rues étroites, son marché, ses vieilles maisons, le port, le château et les remparts audessus de la mer sont très pittoresques. L'anse Saint-Roch (port de plaisance) est dominée par l'imposant Fort-Carré fin XVIe. Le musée Picasso occupe le château Grimaldi (ouv. ts les j. sauf mardi en hiver), austère forteresse XVIe, avec tour carrée XIVe; ensemble exceptionnel d'œuvres du grand peintre; salles d'archéologie locale et d'art contemporain. Jouxtant le château, l'église XVIIe, anc. cathédrale, conserve des parties romanes; à l'int., intéressant *retable du Rosaire,* École niçoise déb. XVIe. Derrière l'église et le château, promenade Amiral-de-Grasse aménagée sur les remparts, vues superbes sur la côte, **Nice*** et les sommets des *Alpes.* Musée archéologique (fouilles locales terrestres et sousmarines) au bastion Saint-André.
Environs • Tour du *cap d'Antibes* par la plage de La Salis, la pointe Bacon (belle vue); du phare de la Garoupe, vaste panorama; ds la chapelle XIIIe et XIVe, coll. d'exvoto; la villa et le jardin botanique Thuret (centre de recherches agronomiques de Provence) possèdent de rares essences exotiques (vis. du jardin ts les j. sauf dim.); la tour du Graillon abrite un musée naval et napoléonien; l'ex-chemin des Sables mène ensuite à **Juan-les-Pins*** et *Golfe-Juan.*

Apt
84 - Vaucluse 38 - A 3
Église Sainte-Anne fin XIIe et XIVe, anc. cathédrale; à l'int. chapelle Sainte-Anne XVIIe, 2 cryptes VIIe et XIIe, trésor et nombreuses œuvres d'art. Le musée, installé ds un bel hôtel XVIIIe, possède une importante coll. de pots de pharmacie, de faïences; archéologie et art religieux.
Environs • Au S.-E., *Saignon* (église romane); anc. abbaye de Saint-Eusèbe (chapelle romane); vallée du *Coulon* et Grand-Lubéron (1 125 m, ascension en 2 h). • Au S., montagne du **Lubéron* :** 7,5 km par la pittoresque D. 113, *Buoux;* à 2 km, ruines de l'anc. *fort de Buoux;* vestiges du prieuré de Saint-Symphorien. • 9 km N., *Saint-Saturnin-d'Apt* dominé par les ruines de l'anc. château (chapelle romane).

Arbois
39 - Jura 26 - B 1
Maison familiale où Pasteur passa son enfance (musée, vis ts les j.). Église Saint-Just, romane, avec des parties archaïques. Musée local.
Environs • Au S.-E., *reculée des Planches,* grandiose hémicycle de rochers à pic; au fond, la grande source de la *Cuisance* sort des grottes des Planches (vis. ts les j. d'avril à fin oct.); au S., *cirque du Fer à Cheval;* la Châtelaine, petit village d'aspect anc., est dominée par les ruines d'un château fort XIe.

Arcachon
33 - Gironde 34 - C 1
Plage et station climatique sur la rive S. du *bassin d'Arcachon.* Audessus de la ville d'été, qui comporte une belle jetée promenade longeant la mer (casino, aquarium et musée marin), la ville d'hiver est composée de villas et de chalets disséminés ds la forêt. A l'E., port de pêche. A l'O., parc Péreire et plage des Abatilles.

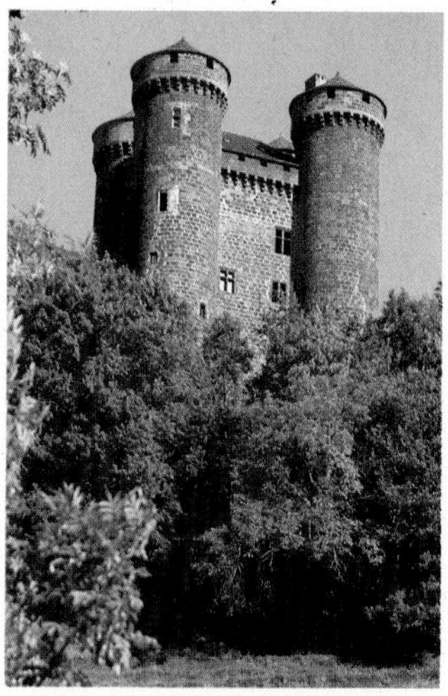

Anjony : ***massive construction, le château est bâti sur un rocher et domine la vallée de Tournemire.***

Annecy : ***les vieilles maisons au pied du château, se reflètent dans l'eau calme du canal de Thiou.*** ◀

Antibes : ***dans le vieux quartier, autour de l'église et du château.*** ▼

Arcachon : ***en bordure de la forêt landaise, la dune du Pilat.*** ▲

L'étang de Cazaux et de Sanguinet qui s'étend sur 5 750 ha. ◀

Environs • Circuit du *bassin d'Arcachon;* on peut atteindre le *Cap-Ferret* soit en bateau (traversée 40 mn), soit par la route (63 km) par *Taussat, Andernos* et *Arès.* • Au S., par *Le Moulleau* et *Pyla-sur-Mer,* la route côtière mène (9 km) au pied de la grande *dune du Pilat,* la plus élevée d'Europe (105 m) que l'on peut gravir jusqu'à la crête (montée assez pénible). • 18 km S., *Cazaux,* village de résiniers, au N. de l'*étang de Cazaux et de Sanguinet* (location de bateaux, voile, natation, pêche, camping). • Le *Parc naturel régional des landes de Gascogne* occupe une superficie de 206 000 ha entre Arcachon et **Mont-de-Marsan*** (voir **Sabres***). • La D. 83 jusqu'à *Biscarrosse-Plage,* la D. 652 par *Sanguinet,* la D. 46 de Sanguinet à *Parentis-en-Born* et l'*étang de Biscarrosse* permettent de traverser les paysages les plus typiques des *Landes.*

Arc-et-Senans
25 - Doubs 26 - B 1

L'un des ensembles architecturaux les plus originaux du XVIIIe. La Saline royale de Chaux fut conçue par Ledoux comme une « ville industrielle idéale », aujourd'hui Centre de Recherches sur le Futur. Seule une partie a été exécutée, de 1775 à 1779. L'entrée monumentale est flanquée en hémicycle des bâtiments des ouvriers et des commis; ds l'axe, pavillon du directeur encadré par les pavillons des Sels. *Environs* • Au N.-O., *forêt de Chaux* (20 000 ha) traversée d'O. en E. par la route forestière du Grand-Contour.

Arcs (Les)
73 - Savoie 32 - D 2

Important complexe de sports d'hiver, de création récente (accès par *Bourg-Saint-Maurice*), c'est un intéressant témoignage d'architecture de montagne contemporaine; 3 stations sont étagées entre la vallée de l'Isère et le mont Pourri : Arc-1600, Arc 1800 et Arc-2000. *Environs* • 11 km N., de *Bourg-Saint-Maurice,* fort de la Plate (1 995 m, belvédère, vaste panorama).

Argelès-Gazost
65 - Hautes-Pyrénées 41 - B 3

Station thermale et de villégiature. La vieille ville, étagée autour de la tour Mendaigne, est pittoresque. Châteaux de Vieuzac, donjon XVIe au N., et d'Ourout XVe-XVIe au S. *Environs* • Le « tour de la vallée » par *Saint-Savin, Pierrefitte-Nestalas,* retour par Beaucens et Préchac, est recommandé; *Saint-Savin* (3 km S.) a une église, anc. abbatiale bénédictine XIIe, fortifiée au XIVe, avec porte romane et tympan sculpté; la salle capitulaire abrite un petit musée d'art religieux; de la terrasse, vaste panorama. • 12 km S.-O., *Arrens,* l'une des entrées du *Parc national des Pyrénées occidentales;* église XVe avec enceinte crénelée; à 500 m, chapelle de Pouey-Laün XVIIIe; à l'int. riche décoration de bois sculpté; excursions recommandées ds la haute vallée d'Arrens, vues magnifiques sur le *Balaïtous* (3 146 m) et le glacier du lac Néous.

Arc-et-Senans : ***pavillon du Sel; la beauté de la pierre est exaltée par l'originalité de l'architecture.***

Argelès-Gazost : ***autrefois important centre religieux du pays de Bigorre, Saint-Savin est un agréable lieu de séjour et conserve une intéressante église abbatiale.***

Argentan
61 - Orne 10 - B 2
L'église Saint-Germain XVe-XVIIe est dominée par 2 tours, XVIIe et Renaissance; beau porche latéral XVe. Anc. château XIVe flanqué de 2 tours carrées, donjon XIIe (panorama). Église Saint-Martin, de style flamboyant déb. XVIe. A l'abbaye bénédictine, exposition et démonstration du « point d'Argentan » dont les moniales ont l'exclusivité.
Environs • 9 km O., *Écouché* (remarquable église Renaissance); vallée de l'*Orne* vers *Putanges,* sites pittoresques de Mesnil-Glaise et de la Courbe de l'Orne. • 14 km E., château et écuries XVIIIe de *Haras du Pin* (vis ts les j.). • 10 km S., *Saint-Christophe-le-Jajolet* (pèlerinage le dernier dim. de juil., bénédiction des voitures); à 1 km S., château de Sassy, XVIIIe, avec 3 étages de terrasses.

Argentat
19 - Corrèze 30 - B 3
Petite ville anc., en terrasse au-dessus de la Dordogne. Le quartier de l'Escondamine est pittoresque; sur le port bordant la *Dordogne,* vieilles maisons à terrasses et balcons de bois.
Environs • 6 km N.-O., *Saint-Chamant :* église avec portail roman et clocher XVe à hourds. • *Gorges de la Dordogne,* château du Gibanel XIIIe-XIXe (hôtel); 13 km N.-E., *barrage de Chastang,* haut de 85 m et long de 300. • 8 km S.-E., *barrage de Hautefage;* la Maronne forme un vaste plan d'eau sinueux de 7 km; à 13 km E., ds une boucle encaissée de la Maronne, au milieu d'une végétation touffue, les *tours de Merle* XIIe-XVe forment un extraordinaire ensemble de ruines, ds un site superbe (vis. ts les j.; Son et Lumière l'été); de la D. 13 vue plongeante.

Argent-sur-Sauldre : ***le château de Blancafort, au bel appareillage de briques roses, avec ses tours coiffées en poivrières; entouré de jardins à la française, il a grande allure.***

Argentière
74 - Haute-Savoie 26 - D 3
Centre de villégiature, de sports d'hiver et d'ascensions.
Environs • 4 km N.-E., Le Tour, départ du télécabine du col de Balme : jusqu'à Charamillon (1 850 m), puis au col frontière de Balme (2 190 m, vaste panorama). • Téléfériques de Lognan et des Grands-Montets; le téléférique de Lognan accède à la Croix de Lognan (1 972 m) d'où part celui de l'Aiguille des Grands-Montets (3 260 m); splendide panorama. • Par la N. 506 et un défilé sauvage, à 11 km N., *col des Montets* (1 461 m), puis descente par la vallée de l'Eau-Noire, vers *Vallorcine* et la frontière franco-suisse.

Argenton-sur-Creuse
36 - Indre 24 - A 2
Bordées de vieilles maisons coiffées d'ardoise, à loggias et galeries de bois, les rives de la *Creuse* sont pittoresques; on en a une belle vue du Pont-Vieux. La chapelle Saint-Benoît XVe-XVIe (vaste panorama) et la chapelle Notre-Dame XVe valent la visite.
Environs • 2 km N., *Saint-Marcel* occupe l'emplacement d'une ville gallo-romaine dont on a mis au jour plusieurs vestiges (thermes, amphithéâtre, nymphée, etc.); église XIIe et XIVe, crypte romane, peintures murales XVIe et XVIIe; petit musée archéologique. • Les vallées de la *Bouzanne,* au N.-E., et de la *Creuse,* au S.-E., constituent d'intéressantes excursions.

Argent-sur-Sauldre
18 - Cher 18 - C 2
Château XVe à grosses tours rondes.
Environs • 8 km S.-E., *Blancafort :* château XVe en brique avec donjon carré; pavillons XVIIe; jardin à la française (vis. ts les j. de mars à nov.).

Arlempdes
43 - Haute-Loire 37 - B 1
Curieux village fortifié, dominé par les ruines d'un château féodal XIIe-XVe, au-dessus des gorges sauvages de la *Loire.* Le site est l'un des plus impressionnants du Velay. Petite église romane, portail à colonnettes et clocher mur à 4 arcades.

Arles
13 - Bouches-du-Rhône 43 - D 1
L'une des villes de France les plus riches en monuments romains et médiévaux. • La place de la République (au centre, obélisque romain) est bordée par l'imposant hôtel de ville fin XVIIe, avec beffroi de 1555, le Musée lapidaire païen (très riche en antiquités gallo-romaines) et l'église Saint-Trophime XIe, XIIe, XIVe et XVe dont le portail monu-

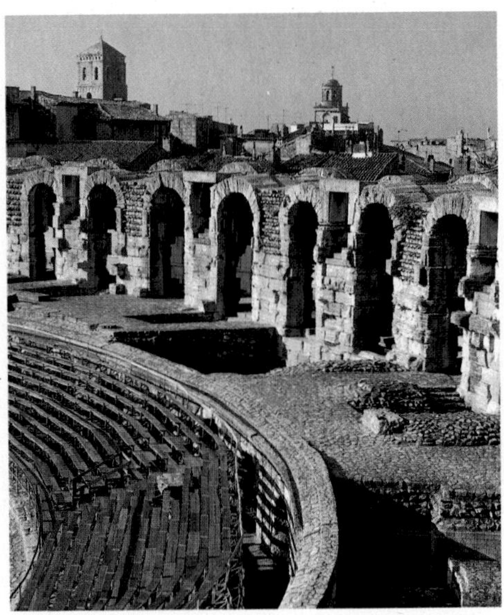

Arles : ***le clocher central octogonal, à 2 étages, de Saint-Honorat, l'église des Alyscamps, est la plus remarquable tour romane de Provence.*** ◀

Les Arènes, théâtre de corridas renommées. ▲

mental inspiré de l'antique est l'un des chefs-d'œuvre de l'art roman ; l'int. haut (20 m) et étroit possède de nombreuses œuvres d'art. Le cloître (entrée rue du Cloître) : les galeries N. (musée d'art sacré) et E. romanes sec. moitié XIIe, les piliers d'angle sont ornés en relief de statues d'apôtres d'inspiration antique; superbes chapiteaux historiés; les galeries S. et O. sont gothiques XIVe. • Le Museon Arlaten, fondé par Mistral ds le bel hôtel de Laval-Castellane déb. XVIe, est consacré à l'art, à l'ethnographie provençale et au félibrige; la chapelle renferme le Musée lapidaire chrétien (importantes coll. de sarcophages); on accède aux crypto-portiques romains (110 m de long sur 76 de large). Le musée Réattu, qui occupe l'anc. grand prieuré de Malte, a d'intéressantes coll. de peintures XVIIe et XVIIIe, et des salles d'art contemporain (exceptionnel ensemble de 57 dessins et gouaches de Picasso); section d'art photographique. • A proximité, les thermes de Constantin, dits palais de la Trouille, offrent d'imposants vestiges déb. IVe. L'amphithéâtre déb. IIIe (les Arènes) dont les gradins couvrent 12 000 m^2 pouvait contenir 26 000 spectateurs; transformé en quartier fortifié au Moyen Age il en subsiste 3 tours. En grande partie ruiné, le théâtre antique avait près de 104 m de diam. ; il en reste 2 belles colonnes corinthiennes avec leur entablement, et l'orchestre. Le bd Émile-Combes est dominé par d'importants vestiges des remparts romains (Ier av. J.-C.). L'allée des tombeaux est le seul reste de la vaste et riche nécropole romaine des Alyscamps, ou Champs-Élysées; elle conduit à l'église Saint-Honorat XIIe, avec chapelles du XVe au XVIIe, par la chapelle Saint-Accurse XVIe et la chapelle des Porcelets fin XVe. • Ds le fg de Trinquetaille, sur la rive dr. du Rhône, ont été mis au jour les vestiges d'un quartier commerçant romain fin Ier.
Environs • 4 km N.-E., abbaye de **Montmajour*** et les **Alpilles***. • Au S.-E., vaste plaine de la *Crau*. • Au S.-O., **Saint-Gilles*** et la **Camargue***.

Arles-sur-Tech
66 - Pyrénées-Orientales 43 - C 3
L'abbatiale Sainte-Marie XIe est l'une des plus anc. églises du Roussillon; le portail appartient à l'église antérieure IXe; sculptures XIe sur la façade; à g., sarcophage IVe, dit la « Sainte Tombe » ; à l'int., retable mil. XVIIe et 2 bustes reliquaires en argent XVe (s'adr. à la sacristie). Cloître gothique XIIIe avec chapiteaux à feuillages stylisés.
Environs • 7,5 km S.-O., Montferrer, église romane; belle vue sur le *Vallespir* et le **Canigou***. • La D. 115 longe le *Tech* au S.-O., par le Pas du Loup, et atteint le haut Vallespir; *Serralongue,* église romane (porte ornée de pentures et verrou signé); du Pas du Loup, la D. 3 atteint, à 9 km S., *Saint-Laurent-de-Cerdans,* puis *Coustouges :* église romane mil. XIIe, remarquable portail sculpté; à 2 km S., chapelle Notre-Dame-du-Pardon (1966).

Armorique
(Parc naturel régional d')
Voir : **Brasparts* Huelgoat*, Menez-Hom*, Crozon*, Ouessant***.

Arnay-le-Duc
21 - Côte-d'Or 19 - C 3
Petite ville anc. sur un promontoire dominant l'Arroux. Église Saint-Laurent XVe et XVIe, remarquable plafond Renaissance à caissons; nef voûtée en berceau « à la Philibert Delorme ». Derrière le chevet, tour de la Motte-Forte XVe. Maisons anc. (manoir de Sully XVIe).
Environs • 7 km O., source romaine de Maizières (établissement thermal).

ARMAND (aven)
48 - Lozère 37 - A 2
L'un des sites les plus extraordinaires des Causses (vis. ts les j. des Rameaux à sept.). Découvert et exploré en 1897, l'abîme, où l'on accède par un funiculaire électrique, a 200 m de profondeur. Ds la grande salle, la « forêt vierge » est formée de plus de 400 stalagmites dont l'une atteint 30 m de haut.

Arques-la-Bataille
76 - Seine-Maritime 5 - A 2
L'église, de style gothique flamboyant, possède un magnifique jubé de 1540 et une clôture du chœur en pierre très ouvragée. Sur un étroit promontoire, ruines de l'anc. château des ducs de Normandie, vestiges de la chapelle et du donjon XIIIe.
Environs • Forêt d'Arques, au N.-E. (972 ha), riches hêtraies; monument commémoratif de la bataille d'Arques (1589).

Arras
62 - Pas-de-Calais 5 - D 1
La Grand-Place et la place des Héros, ou «petite place», constituent un remarquable ensemble architectural flamand XVIIe. L'hôtel de ville XVe et le beffroi XVIe ont été reconstruits après 1918. L'abbaye de Saint-Vaast est le plus important ensemble monastique XVIIIe en France; l'abbatiale devenue cathédrale possède de nombreuses œuvres d'art; les bâtiments abbatiaux abritent le musée (ouv. ts les j. sauf mardi) où l'on admirera le petit cloître, dit «cour du Puits» (sculptures romanes et gothiques, dalles funéraires XIIe-XVIe), le réfectoire (Ecole de peinture d'Arras XIXe) et le grand cloître; à l'int. : sculptures du Moyen Age, peintures italiennes, hollandaises, flamandes et françaises du XVIe au XIXe (2 triptyques de Jean Bellegambe), salle d'art moderne et coll. de porcelaines. Voir aussi l'Ostel des Poissonniers (1710), la citadelle XVIIe et la basse-ville, intéressant exemple d'urbanisme du XVIIIe, dont le centre est la place Victor-Hugo. Notre-Dame-des-Ardents, moderne.
Environs • 13 km N., **Notre-Dame-de-Lorette***. • 10 km N., *mémorial canadien de Vimy* (1936).

Arreau
65 - Hautes-Pyrénées 41 - B 3
Principal centre de la vallée d'Aure. Vieilles maisons XVe et XVIe (maison Valencia-Labat, ou des Lys XVIe, à pans de bois). Églises Notre-Dame XVe-XVIe et Saint-Exupère (portail roman à chapiteaux sculptés et tour XIe).
Environs • Excursions recommandées au rocher de Hillère (école d'escalade), la Hourquette d'Arreau, Jézeau (église XIIe et XVIe, intéressantes œuvres d'art à l'int.). • Au S., la D. 929 remonte la haute *vallée de la Neste d'Aure,* comprise ds le *Parc national des Pyrénées occidentales,* par Cadéac-les-Bains (église XVIe, porte romane), *Saint-Lary* (station de sports d'hiver), *Tramezaygues,* et *Fabian;* à 14 km N.-O., le *lac de Cap-de-Long* (2160 m), ds un site grandiose dominé par le *Néouvielle* (3092 m); excursions (avec guides) ds la *réserve naturelle de Néouvielle.*

Arromanches-les-Bains
14 - Calvados 4 - B 3
Port de pêche et station balnéaire. Les Alliés y construisirent, dès le 6 juin 1944, le port Winston qui, long de 12 km, permit le débarquement de plus d'un million de soldats et de tonnes de matériel (20000 par jour env.); il en subsiste quelques vestiges. Musée du Débarquement (vis. ts les j.) : dioramas, maquettes, plans-reliefs, films, etc.

Ars-sur-Formans
01 - Ain 25 - D 3
Lieu de pèlerinage très fréquenté (surtout le 4 août) au «curé d'Ars», saint Jean-Baptiste-Marie Vianney. Son presbytère (vis. ts les j.) et sa modeste église rustique ont été conservés intacts; à cette dernière a été accolée une prétentieuse basilique en rotonde qui renferme la châsse en bronze doré du saint. Vaste basilique souterraine en béton (1959-1961).
Environs • 8 km N.-O., près de Fareins, château de Fléchères (vis. l'été), intéressant exemple d'architecture résidentielle XVIIe; beaux appartements (précieux mobilier XVIIe, plafonds peints).

Arras : ***le beffroi de l'hôtel de ville, haut de 75 m, abrite un carillon célèbre.***

Asnières
92 - Hauts-de-Seine 11 - C 1
Pittoresque cimetière des Chiens dans l'île des Ravageurs, plus de 100000 animaux y sont enterrés (vis. ts les j. sauf dim. matin).
Environs • L'intéressant château de Saint-Ouen (vis. apr.-m. sauf mardi) est l'un des rares exemples de l'architecture de la Restauration; remarquables salons de réception (petit musée). • A Courbevoie, le musée Roybet-Fould (ouv. les merc., jeudi, sam., dim. apr.-m.) a d'intéressantes coll. d'histoire locale, et surtout un ensemble d'œuvres de Carpeaux.

Asnières-sur-Vègre
72 - Sarthe 17 - B 1
Charmant village sur la rive dr. de la *Vègre* que franchit un pittoresque pont en dos-d'âne XIVe. L'église romane XIe, avec chœur gothique, renferme un précieux ensemble de peintures murales XIIe, déb. XIIIe et XIVe (Vie du Christ, Vierge à l'Enfant, curieuse scène de l'Enfer).
Environs • 3 km N., sur la route de *Poillé,* château de *Verdelles,* d'aspect féodal quoique fin XVe, déb. XVIe (vis. ts les j.). • Au S.-O., abbaye de **Solesmes***.

Assy (plateau d')
74 - Haute-Savoie 32 - D 1
Station climato-thérapique à

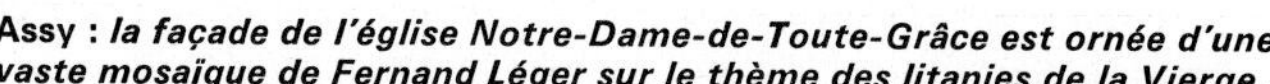

Assy : ***la façade de l'église Notre-Dame-de-Toute-Grâce est ornée d'une vaste mosaïque de Fernand Léger sur le thème des litanies de la Vierge.***

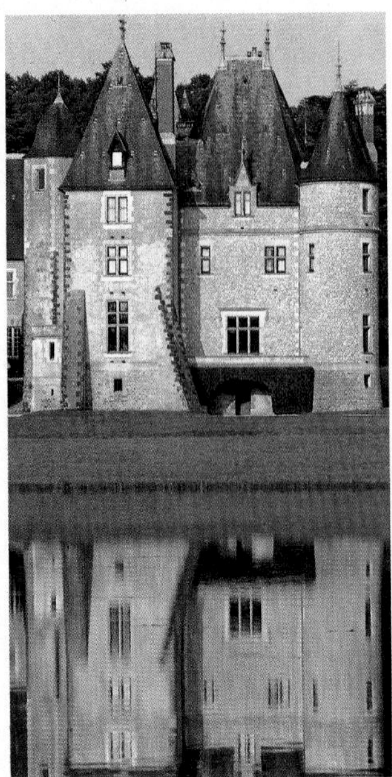

Aubigny-sur-Nère : *le château de la Verrerie, construit par les Stuarts, au bord de la Nère.*

1 032 m ds un paysage grandiose. Notre-Dame-de-Toute-Grâce (1950) a été l'un des premiers témoins de la renaissance de l'art religieux moderne; construite par l'architecte Novarina, elle abrite des œuvres de Lurçat (vaste tapisserie, dans le chœur), Rouault, Bazaine, Chagall, Bonnard, Matisse, etc.; sur la façade, mosaïque monumentale de Fernand Léger.
Environs • Excursion recommandée au *lac Vert* (1 368 m).

Aubenas
07 - Ardèche 37 - C 1
Le château est une forteresse massive du XIIe au XVe, remaniée XVIIe-XVIIIe flanquée de 4 tours et d'un donjon; la cour int. Renaissance est entourée de galeries à jours superposées; ds les salons (mairie), élégantes boiseries XVIIIe. L'anc. chapelle Saint-Benoît, édifice hexagonal XVIIIe abrite le tombeau monumental du maréchal d'Ornano et de sa femme (1632). Excellent centre d'excursions.
Environs • Haute vallée de l'*Ardèche,* au N.-O., par *Labégude* (voir **Vals-les-Bains***), *Thueyts* (très beau site), *Mayres* et le col de la Chavade. • Au S., la moyenne vallée, vers **Vallon-Pont-d'Arc*** par *Vogüé, Balazuc* et **Ruoms***. • 17 km S.-E., *Villeneuve-de-Berg,* anc. place forte, vieilles maisons, hôtels à tourelles Renaissance; à 4 km N., au mas du Pradel, musée Olivier-de-Serres et à 7 km N., *Mirabel :* village fortifié, avec donjon, enceinte et tours, tassés au pied d'une falaise basaltique.

Aubeterre-sur-Dronne
16 - Charente 29 - B 2
Alba terra, ou « terre blanche », le petit bourg anc. aux rues étroites et pentues est accroché à une falaise de craie, dominant la vallée de la *Dronne,* qui porte les ruines d'un château XIVe-XVe (beau panorama). Église Saint-Jean XIIe, curieux édifice monolithe taillé ds le roc; ds une abside, reliquaire monolithique; ermitage du VIe, nécropole avec sépulcres creusés ds le roc. L'église Saint-Jacques XIIe a une belle façade romane et des chapiteaux historiés.
Environs • 4 km S., *Bonnes,* sur la *Dronne :* château XVIe, église XIIe, XIVe et XVe (fonts baptismaux XIIe); à 5 km S., *Saint-Aulaye,* au-dessus de la *Dronne;* église romane du XIIe; foires importantes.

Aubigny-sur-Nère
18 - Cher 18 - C 2
Le château des Stuarts XVe-XVIe (mairie) est entouré de jardins XVIIe, agrémentés de charmilles et de cabinets de verdure. Ds l'église Saint-Martin XIIe, XIIIe et XVe, intéressantes œuvres d'art (statues, bâtons de confrérie, etc.). Maisons solognotes à pans de bois, déb. XVIe.
Environs • 11 km S.-E., au bord d'un étang, *château de la Verrerie,* XVe-XVIe (vis. ts les j. de fév. à déc.) : pittoresque pavillon d'entrée à tourelles, élégante galerie Renaissance à arcades ornées de médaillons, chapelle XVe.

Aubrac
12 - Aveyron 36 - D 1
Petite station estivale, bon centre d'excursions. Vestiges de l'anc. « dômerie » des moines chevaliers qui, au XIIe, escortaient les pèlerins de Saint-Jacques-de-Compostelle.
Environs • Au N.-E., *Nasbinals* (église romane), *Saint-Urcize* (église à déambulatoire XIIe, nef XIIIe-XIVe, clocher à peigne); à 22,5 km N., *Chaudes-Aigues,* station thermale, très anc. système d'utilisation de l'eau chaude; église flamboyante et Renaissance. • Très belles excursions ds le *massif de l'Aubrac.* • Au S.-O., très beaux paysages vers le *Lot* et **Espalion***. • A l'E., par le lac des *Salhiens* et la *cascade de Déroc,* puis au S.-E., route très pittoresque par le col de *Bonnecombe,* vers *Saint-Germain-du-Teil* et *La Canourgue* (voir **Marvejols***).

Aubusson
23 - Creuse 30 - C 1
Centre français de la tapisserie, ds le site pittoresque de l'étroite vallée de la *Creuse.* Expositions permanentes à l'hôtel de ville et à la maison du Vieux-Tapissier XVe (reconstitution d'un atelier et démonstrations). Maisons anc., vestiges du château.
Environs • 10 km S., *Felletin :* bâtie en granit, la ville, qui est également un centre de tapisserie, conserve plusieurs maisons XVIe, églises du Moûtier XIIe-XVe et Notre-Dame-du-Château XVe-XVIe; excursion recommandée ds la vallée de la *Creuse;* la D. 23 conduit au vaste plateau de **Millevaches*** (981 m), qui offre d'immenses panoramas.

Auch
32 - Gers 41 - C 1
Un escalier monumental de 200 marches dominé par la statue de d'Artagnan relie la ville basse, sur le *Gers,* à la ville haute, couronnée par la cathédrale Sainte-Marie, fin XVe-XVIe-XVIIe; ds le chœur, remarquable ensemble de 113 stalles sculptées, les plus belles de France (visite toute l'année); clôture du chœur en pierre et marbre, déb. XVIIe, Mise au tombeau à 12 personnages en pierre déb. XVIe; ds les chapelles de l'abside, vitraux Renaissance. Ds le vieux quartier

Auch : *important carrefour à l'époque romaine, la ville est bâtie au cœur du pays gascon, en amphithéâtre au-dessus du Gers. Au fond, la cathédrale Sainte-Marie.*

en contrebas de la cathédrale, les rues étroites, dites «pousterles», sont bordées de maisons anc. Le musée des Jacobins, ds l'anc. couvent; archéologie, traditions populaires et important ensemble de céramiques péruviennes et d'objets précolombiens.
Environs • 24 km S.-O., *Mirande* a un charmant musée des petits maîtres, des primitifs italiens à la fin XIXe. • 18 km N.-O., *Jegun,* intéressante église romane et gothique; à 5 km E., *Lavardens,* village fortifié sur un promontoire dont la pointe est occupée par un grand château XVIe-XVIIe (on vis.). • 25 km E., *Gimont,* anc. bastide; ds l'église gothique, reconstruite au XVIIe, belles œuvres d'art.

Audierne
29 S - Finistère 8 - B 3
Important port de pêche sur l'estuaire du Goyen ds un site séduisant. «La Chaumière», reconstitution d'un intérieur breton XVIIe-XVIIIe (vis. ts les j. juin à mi-sept.).
Environs • 4,5 km O., chapelle de *Saint-Tugen* déb. XVIe, à l'int., mobilier remarquable; la D. 784 continue, à travers les landes dénudées, vers *Plogoff, Cléden-Cap-Sizun* (église intéressante) et la pointe du **Raz***. • Au S.-E. s'allonge en arc de cercle la vaste *baie d'Audierne; Plouhinec* et *Plozévet* ont de belles églises. • 6 km N.-E., *Pont-Croix,* petite ville anc.; église Notre-Dame-de-Roscudon, belle nef XIIIe et superbe flèche de pierre de 67 m (pardon le 15 août).

Aulnay-de-Saintonge
17 - Charente-Maritime 23 - A 3
Chef-d'œuvre de l'art roman poitevin, l'église XIIe est entourée d'un cimetière rustique. Le chevet, dominé par le clocher élancé, est la partie la plus harmonieuse. Remarquer le décor sculpté des fenêtres de l'abside centrale et des portails.

Aulnay : *chapiteau surmontant l'une des colonnes de droite du portail du transept Sud.*

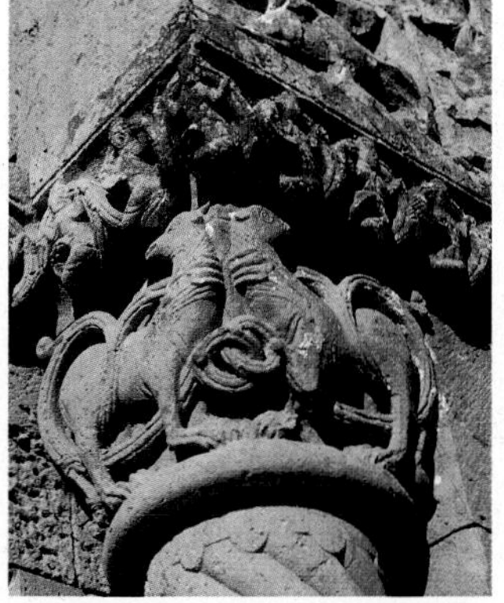

A l'int., chapiteaux historiés.
Environs • 7 km N.-O., château de **Dampierre-sur-Boutonne***.

Aulus-les-Bains
09 - Ariège 42 - A 3
Station thermale et de sports d'hiver (Aulus-Col de la Trappe et Guzet-Neige) ds un site verdoyant encadré de magnifiques escarpements boisés.
Environs • Excursions recommandées à la superbe cascade d'Arse, la cascade de Fouillet, le Tuc de Caïzardé, les lacs du Garbet et de Bassiès, etc. • La *vallée du Garbet* conduit, par *Ercé* (ascension recommandée au pic de Géou, 1 669 m, magnifique panorama), à *Oust* (embranchement pour **Seix*** et la *vallée du Salat*) et à *Soueix.*

Auray
56 - Morbihan 15 - D 1
Petite ville anc. Le quartier Saint-Goustan, sur la rive g. du Loch, a conservé son aspect d'autrefois : maisons XVe, église Saint-Goustan avec porche XVIe. Sur la rive dr., l'église Saint-Gildas présente un curieux mélange des styles gothique et Renaissance. Chapelle du Père Éternel XVIIe. De la promenade du Loch, vaste panorama.
Environs • 4 km S.-E., *Saint-Avoye,* pittoresque hameau, la chapelle mil. XVe a une remarquable charpente mil. XVIe et un jubé en bois sculpté Renaissance; le site est d'une mélancolique grandeur sauvage; près du *Bono,* allée couverte du Rocher. • 13,5 km S., *Locmariaquer,* mégalithes fameux de la table des Marchands et du Men-er-Hroëch (pierre de la Fée), menhir géant de 20,30 m aujourd'hui brisé; un service de vedettes permet de visiter le golfe du **Morbihan*** et la rivière d'Auray. • 14 km O., *Belz;* à 1,5 km O., *Saint-Cado,* à l'extrémité d'une presqu'île sur la *rivière d'Étel :* chapelle Saint-Cado, en partie romane; œuvres d'art à l'int.

Aurillac
15 - Cantal 30 - C 3
La vieille ville, autour de l'hôtel de ville, possède d'intéressantes maisons anc. (maison des Consuls XVIe, rue du Collège). Anc. abbatiale Saint-Géraud XIVe-XVe reconstruite en style gothique aux XVIIe et XIXe; ds la chapelle Saint-Géraud XVe, chapiteaux romans, châsse du saint. Château Saint-Étienne (école technique), donjon XIe, bâtiments XVIe-XVIIe; de la terrasse, belle vue. Les musées J. B. Rames, géologie et préhistoire régionale, et H. de Parieu, œuvres du XVIIe au XXe (vis. ts les j. sauf dim. matin et mardi).

Aurillac : *le puy Mary, vu de l'une des vallées verdoyantes qui coupent l'Auvergne volcanique.*

Environs • Au N.-E., superbe parcours touristique par la D. 17 qui remonte la *vallée de la Jordanne* et la *vallée de Mandailles,* par Belliac, *Lascelle* (église XIIe), Mandailles, ds un cirque de pâturages et de forêts, et le Pas de Peyrol; ascension du *puy Mary* (1 787 m) en 30 mn, table d'orientation, vaste panorama.

Autun
71 - Saône-et-Loire 25 - C 1
La cathédrale Saint-Lazare XIIe est l'un des plus remarquables édifices religieux romans; au portail principal, tympan du Jugement dernier, chef-d'œuvre de la sculpture monumentale romane bourguignonne; il est signé Gislebert, également auteur des chapiteaux et du portail N. du transept; ds la 3e chapelle N., *Martyre de saint Symphorien,* par Ingres (1834). L'hôtel Rolin XVe abrite le musée Rolin (vis. ts les j. sauf mardi); il possède, outre des coll. d'archéologie préhistorique, gallo-romaine et médiévale (statues romanes du tombeau détruit de saint Lazare), l'une des plus belles œuvres de la peinture française du XVe, la *Nativité* du Maître de Moulins. Musée lapidaire ds l'anc. chapelle Saint-Nicolas, XIIe. Ruines du théâtre romain. La porte d'Arroux et la porte Saint-André, ttes deux du IIIe, appartenaient à l'enceinte romaine dont il reste des fragments.
Environs • 16,5 km N.-E., *Sully :* le château XVIe, les jardins et les communs constituent un magnifique ensemble de la Renaissance

Autun : *au pied de la cathédrale Saint-Lazare, la ville garde de remarquables témoignages de son passé ; les vestiges de l'occupation romaine se mêlent aux monuments du Moyen Age.*

bourguignonne (visite extérieur seulement du château); au S. de *Sully,* en forêt, ruines pittoresques du Val-Saint-Benoît XIIIe, chapelle XVe. • Parcours recommandé d'*Autun* à **Château-Chinon*** par les gorges de la Canche, rocheuses et boisées, le *Haut-Folin* (v. **Château-Chinon***), la forêt de Saint-Prix et *Arleuf.*

Auvers-sur-Oise
95 - Val-d'Oise 11 - C 1
Ce petit village typique d'Ile-de-France doit son renom aux peintres Daubigny, Cézanne, Pissarro, etc., et surtout à Van Gogh qui s'y installa en mai 1890; il s'y suicida le 27 juillet et repose au cimetière aux côtés de son frère Théo. Imposante église XIIe et déb. XIIIe. Place de la Mairie, l'auberge Ravoux, où Van Gogh mourut, et qui porte auj. son nom. Ds le parc communal, statue du peintre, par Zadkine (1961).

Auxerre
89 - Yonne 19 - B 1
La cathédrale Saint-Étienne XIIIe-XVIe de style gothique champenois a, en façade, 3 beaux portails sculptés (voir les bas-reliefs des piédroits); l'int., principalement le chœur, est d'une parfaite harmonie de lignes; superbe ensemble de vitraux XIIIe; ds la crypte du XIe, fresque du XIe «le *Christ à cheval*». Anc. abbatiale St-Germain XIIIe-XIVe (vis. ts les j.), cryptes du IXe dont les peintures murales (vie de saint Étienne) comptent parmi les plus anc. de France (v. 850); les bâtiments abbatiaux abritent les musées d'Auxerre : musée lapidaire et musée Leblanc-Duvernoy; peinture ancienne, sculptures, tapisseries, etc. (Vis. ts les j.) Maisons anc. rue de l'Horloge, place Char-

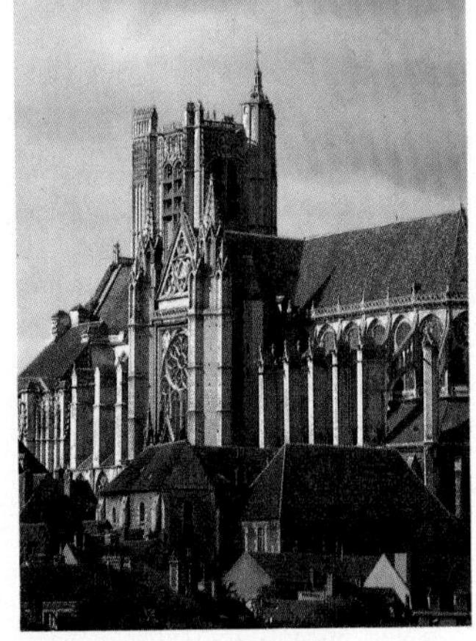

Auxerre : *la cathédrale Saint-Étienne célèbre par ses vitraux et sa sculpture.*

les-Surugue, place Robillard, rue de Paris, rue Sous-Murs, rue Joubert. La maison du Coche d'Eau XVIIe est aménagée en Centre régional d'art populaire et d'artisanat (ouv. ts les j.).
Environs • Au S., **Gy-l'Évêque***; **Escolives-Sainte-Camille***. • Au S.-E., *Saint-Bris-le-Vineux,* église XIIIe et Renaissance, mobilier XVe-XVIe; anc. maison des Templiers XIIe; Irancy, au milieu des vignes et des cerisiers, *Vincelottes* et *Vincelles,* jolis villages sur l'*Yonne, Cravant* (voir **Vermenton***), au confluent de la *Cure* et de l'*Yonne,* église XVe et Renaissance; suivre la belle vallée de l'*Yonne* par sa rive gauche jusqu'à *Mailly-le-Château* (église gothique); traverser l'*Yonne* (pont XVe), *rochers du Saussois* (école d'escalade), *Châtel-Censoir* (collégiale Saint-Potentien, beau chœur roman XIe, 2 portails Renaissance, chapiteaux romans archaïques, sacristie XIIIe, salle capitulaire XIIe); château de Faulin XIVe-XVe, enceinte flanquée de tours et entourée de fossés;. **Clamecy*.**

Auxonne
21 - Côte-d'Or 20 - A 3
Anc. place forte sur la *Saône.* L'église XIIIe-XIVe, de style gothique bourguignon, a une tour romane et un porche Renaissance. Anc. arsenal fin XVIIe (halles). Sur la place d'Armes, hôtel de ville gothique, en brique fin XVe; au centre, statue de Napoléon qui, lieutenant d'artillerie, fut en garnison à Auxonne (1788-1791). Musée Bonaparte (vis. les apr.-m. l'été sauf jeudi). Château XVe-XVIe, il reste plusieurs vestiges et 5 grosses tours. *Environs* • 18 km S.-O., *Saint-Jean-de-Losne :* église XVe-XVIe avec portail intéressant; à l'int. majestueuse chaire de marbre rouge ornée de statues déb. XVIIe. • 13,5 km E.-N.-E., *Montmirey-le-Château,* vastes ruines d'un château féodal détruit fin XVe; à 7 km N., *Pesmes :* remarquable église XIIIe-XIVe; à l'int. chapelle d'Andelot, somptueux décor Renaissance et tombeau à personnages des frères d'Andelot XVIe; chapelle du Saint-Sépulcre richement sculptée.

Auzon
43 - Haute-Loire 31 - A 2
Anc. bourg fortifié sur un éperon rocheux. L'église romane a un vaste porche à arcades dit «ganivelle», flanqué de 2 escaliers latéraux et orné de chapiteaux historiés; à l'int. tribune en bois et chapelle à 2 étages XIVe décorés de curieuses peintures. Nombreuses œuvres d'art. Ds la chapelle haute, dédiée à saint Michel et aux Anges, fresques d'une grande rareté iconographique.

Avallon
89 - Yonne 19 - B 2
Construite sur un promontoire granitique, la ville, autrefois fortifiée, a gardé son aspect anc. L'église Saint-Lazare, de style roman bourguignon mil. XIIe, possède 2 portails aux voussures richement sculptées; celui du centre, très mutilé, a conservé une statue colonne (prophète). La porte de l'Horloge, surmontée d'une tour du XVe, est un vestige de l'anc. château fort; elle est flanquée d'une tourelle d'où l'on gagne la salle des Échevins XVe. Intéressantes maisons anc., grenier à sel XVe. De la promenade des Petits-Terreaux, panorama. Tour des remparts. Musée : archéologie, peinture XIXe et XXe. Du parc des Chaumes, à 500 m E., belle vue sur la ville.
Environs • La vallée du *Cousin,* d'O. en E. de *Pontaubert* (église, roman bourguignon) à *Cussy-les-Forges.* • Au S.-E., sur la D. 10, Marrault (église rustique). • Excursions au S., ds le **Morvan***; **Quarré-les-Tombes***; *La Pierre-qui-Vire.* • Au N.-O., vallée de la *Cure, Cravant;* **Vermenton***; *grottes d'Arcy-sur-Cure* (vis. ts les j. des Rameaux à oct.); manoir de Chastenay, importantes coll. de peintures sur bois (vis. ts les j. sauf lundi l'été). • Au N.-E., *Montréal,* bourg fortifié sur une butte isolée, belle église XIIe (magnifiques stalles sculptées XVIe, grand retable anglais en albâtre XVe), panorama.

Avesnes-sur-Helpe
59 - Nord 6 - B 1
Anc. place forte, étagée au-dessus de la rive g. de l'*Helpe majeure.* La Grand-Place est bordée de vieilles maisons à hauts toits d'ardoise; hôtel de ville en pierre bleue de Tournai XVIIIe et collégiale Saint-Nicolas XVIe. *Spécialités :* la boulette d'Avesnes (fromage); le fromage de Maroilles est fabriqué dans toute la région.
Environs • A l'E., vallée de l'*Helpe,* **Liessies***. • A l'O., *forêt de Mormal,* **Le Quesnoy***.

Avignon
84 - Vaucluse 37 - D 3
Le palais des Papes, à la fois forteresse et résidence, est le monument le plus important de la ville, l'une des plus belles cités d'art de France. Il comprend au N. le palais de Benoît XII (ou palais Vieux) mil. XIVe et, au S., le palais de Clément VI (ou palais Neuf) plus fastueux et élégant. Entre les deux s'étend la cour d'honneur où se donnent les principales représentations du festival d'Avignon (vis. ts les j.). Ds le palais Vieux, l'aile du Consistoire est occupée par la

Avallon : ***un des vieux hôtels à découvrir en flânant dans la ville.***

grande salle du Consistoire (tapisseries XVIIIe) et, au-dessus, par le Grand Tinel ou salle des Festins, longue de 48 m, où sont exposées les fresques de Simone Martini provenant du portail de la cathédrale; les 2 chapelles superposées de la tour Saint-Jean sont décorées de fresques XIVe par Matteo Giovanetti de Viterbe; la chambre du Pape, ds la tour des Anges, et la chambre du Cerf, ds la tour de la Garde-Robe, sont également ornées de fresques pleines de charme, oiseaux, écureuils et pampres de vignes, scènes de chasse, de pêche, cueillette de fruits, etc. Ds le palais Neuf, la chapelle Clémentine, ou Grande Chapelle, vaste nef aussi large (15 m) que haute (19 m) est reliée par le Grand Escalier à la salle de la Grande Audience, longue de 52 m et divisée en 2 nefs. • Le palais domine une vaste place bordée par l'hôtel des Monnaies, avec une belle façade XVIIe richement ornée, et par le Petit Palais, anc. résidence épiscopale XIVe-XVe, musée de peinture et de sculpture du Moyen Age à la Renaissance : un ensemble de 350 tableaux provenant notamment de la coll. Campana (Écoles italiennes du XIIe au XVIe) et du musée Calvet (l'École d'Avignon). La cathédrale Notre-Dame-des-Doms, romane transformée aux XIVe, XVe et XVIIe (ds la sacristie, tombeau de Jean XXII déb. XIVe), s'appuie sur le rocher des Doms, aménagé en jardin, d'où l'on a une vue magnifique sur le *Rhône,* **Villeneuve-lès-Avignon***, les **Alpilles***, le **Ventoux***, etc. Sur le *Rhône,* pont Saint-Bénézet, le célèbre « pont d'Avignon », XIIe, flanqué d'une chapelle romane.
• Plusieurs églises valent la visite, Saint-Agricol XIVe : à l'int., beau retable Renaissance des Doni. Saint-Pierre XIVe-XVIe : portes avec vantaux Renaissance sculptés; à l'int. le chœur offre un bel ensemble de boiseries XVIIe encadrant des peintures. Saint-Symphorien XVIIe, façade XVe. Saint-Didier XIVe, de style gothique méridional : à l'int. important retable de Notre-Dame-du Spasme fin XVe, l'une des premières œuvres de la Renaissance en France, fresques XIVe dans la chapelle en face de l'entrée. Chapelle des Pénitents Noirs, façade XVIIIe, richement ornée. • Les vieux quartiers comportent un grand nombre d'hôtels dont plusieurs remarquables, notamment ceux du quartier de la Banasterie, derrière Notre-Dame-des-Doms : rue du Four (n° 5, hôtel de Galléans, fin XVIIe), rue Arnaud-de-Fabre, rue de la Croix, rue de la Banasterie (n° 13, hôtel Palun ou de Châteaublanc fin XVIIe), rue Peyrolerie. Quartier des Halles : rue du Vieux-Sextier (façades Louis XV), rue Rouge et place du

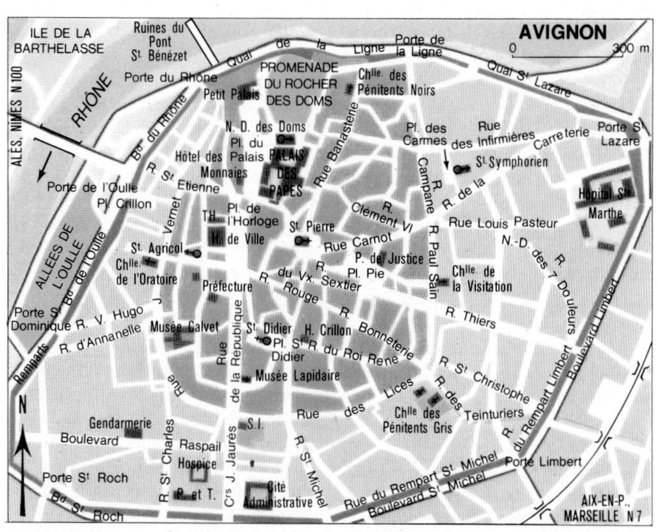

Avignon : ***le château des Papes, l'un des monuments les plus célèbres du monde. A ses pieds le quartier de la Balance, en pleine rénovation.***

Change. Quartier Saint-Didier : rue du Roi-René (n° 7, hôtel de Berton de Crillon déb. XVIIe, suivi de plusieurs autres non moins remarquables), rue de la Masse. Quartier des Cordeliers : rue des Teinturiers où de grandes roues de moulins baignent dans la *Sorgue* sous des platanes, rue des Lices, rue des Trois-Faucons. Au-delà de Saint-Agricol : quartier des Fusteries, nombreux hôtels XVIIe-XVIIIe rue de la Petite-Fusterie. La rue Joseph-Vernet est également bordée de riches hôtels XVIIe-XVIIIe : celui de Villeneuve-Martignon abrite le musée Calvet, l'un des plus riches de France (ouv. ts les j. sauf mardi); les salles de peinture (primitifs avignonnais, ensembles de Joseph Vernet, Hubert Robert, salons Louis XV, toiles XIXe et XXe) sont particulièrement remarquables; importante coll. de ferronnerie et galeries de préhistoire. Le Musée lapidaire est installé ds l'anc. chapelle du Collège XVIIe. Ces 2 musées sont en cours de réorganisation.
Environs • 2,5 km N.-O., par l'île de la Barthelasse, **Villeneuve-lès-Avignon*** et les Angles (beau panorama).

Avioth
55 - Meuse 7 - A 3
Ce petit village a une superbe église XIVe-XVe, au décor sculpté très raffiné; ds le chœur, fermé par une clôture XVe en pierre, tabernacle pyramidal et trône de la Madone XVe. A côté de l'église, près de la porte du cimetière, la *Recevresse* petit monument XVe hexagonal à 3 étages ornés, unique en France, destiné à recevoir les offrandes des pèlerins.

Avranches
50 - Manche 9 - D 2
La principale curiosité de la ville est le jardin des Plantes (ouv. ts les j.); de la terrasse (table d'orientation), panorama splendide sur la baie du Mont-Saint-Michel; très belle vue également de la place Daniel-Huet, ou plate-forme de la sous-préfecture. Ds l'anc. palais épiscopal, musée (célèbre coll. des manuscrits du Mont-Saint-Michel VIIIe-XVIe). A la sortie de la ville, sur la N. 176, grandiose monument au général Patton et à la IIIe armée américaine.

Ax-les-Thermes
09 - Ariège 42 - B 3
Station thermale ds un vaste bassin montagneux, centre d'excursions, l'été, et de sports d'hiver grâce aux installations du *plateau du Saquet* (au S. par la N. 20, téléférique, télésiège des Campels). Du plateau, ascension, en 1 h env., de la *Tute de l'Ours* (2 259 m, vaste panorama).
Environs • Au N. : col et signal de Chioula (1 507 m, vaste panorama); par le col de Marmare (1 360 m), on gagne la route des Corniches, très sinueuse mais pittoresque; par le col des Sept-Frères et la D. 20, *gorges du Rebenty.* • Au S.-E., par Orgeix et *Orlu,* usine hydro-électrique et anc. forge d'Orlu, dominée par l'impressionnante cascade de Groles, haute de 300 m; un sentier conduit au *lac de Naguilles* et au barrage d'Orlu-Naguilles ds un site magnifique. • Au S., la N. 20 suit les gorges de l'Ariège par *Mérens-les-Vals;* elle s'élève ensuite en lacets, passe près des cascades des Bezines, et atteint *L'Hospitalet-près l'Andorre* (1436 m); on continue de longer l'*Ariège* que l'on quitte pour la montée en lacets du *col de Puymorens* (1 915 m), importante station de sports d'hiver; la N. 20 descend en corniche, puis, par de larges virages, sur *Porta,* d'où l'on peut faire l'ascension du *pic Carlit* (2 921 m).

Azay-le-Ferron (château d')
36 - Indre 23 - D 1
Entouré de jardins à la française, le château, qui comprend des bâtiments du XVe au XVIIIe (vis. ts les j. sauf mardi l'été), abrite une remarquable rétrospective du mobilier et de la décoration du XVIe au XIXe.
Environs • 12 km S.-E., **Mézières-en-Brenne*.** • 12 km O., *Preuilly-sur-Claise,* église romane XIe-XIIe, hôtels XVIe-XVIIe; sur une colline, ruines du château et de la collégiale Saint-Melaine XIIe; à 4 km S.-O., Boussay, château XVIIe-XVIIIe avec tours XVe (vis. ext. seulement); ds l'église XIIe-XVe intéressants tombeaux seigneuriaux.

Azay-le-Rideau (château d')
37 - Indre-et-Loire 17 - C 3
Ds un charmant décor de verdure et d'eau, le château, construit déb. XVIe ds un style encore gothique et féodal, abrite de beaux appartements meublés et décorés ds le goût de la Renaissance. (Vis. ts les j. Son et Lumière l'été.) L'église Saint-Symphorien XIIe et XVIe a une façade carolingienne curieusement appareillée, ornée de 14 statuettes archaïques disposées sur 2 étages.
Environs • 2,5 km N.-O., château de l'Islette, mil. XVIe (on ne vis. pas). • 6,5 km E., *château de Saché* (vis. ts les j.), construit au XVIe, remanié au XVIIIe; Balzac y a écrit plusieurs romans, on visite sa chambre et le petit musée qui lui est consacré; à 4 km N.-E., *manoir de Vonne,* charmante construction fin XVIe à hauts toits d'ardoise et lucarnes sculptées. • 6,5 km S.-E., *Villaines-les-Rochers,* pittoresque village de vanniers (expositions, visites d'ateliers).

Azay-le-Rideau : ***Balzac vécut au château de Saché; les fenêtres s'ouvrent sur la vallée de l'Indre.***

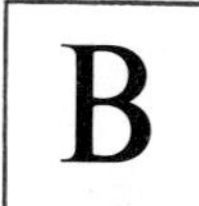

Baccarat
54 - Meurthe-et-Moselle 13 - D 3
Sa cristallerie, fondée en 1764, est célèbre. Musée du Cristal (vis. ts les j. l'été, l'apr.-m.) : expositions de pièces anc. et modernes. L'église est l'une des réalisations les plus originales de l'art religieux contemporain (1957). Tour des Voués XIVe.

Bagnères-de-Bigorre
65 - Hautes-Pyrénées 41 - B 2
Station thermale et estivale. La vieille ville a gardé son caractère d'autrefois, notamment rue des Thermes (vestiges d'un cloître fin XIIe, maison en marbre XVIIe), rue de l'Horloge (tour des Jacobins XVe), rue et place du Vieux-Moulin (maison dite de Jeanne d'Albret, Renaissance). Église Saint-Vincent XVe-XVIe. Musée Salies : coll. de peintures anc., d'archéologie et de numismatique.
Environs • Excursion au mont Bédat (863 m, 1 h de montée) : table d'orientation, belle vue, grottes du Bédat. • 13 km N.-E., anc. *abbaye de L'Escaladieu :* église XIIe, remaniée au XVIIe, en partie ruinée; salle capitulaire fin XIIe; à 3,5 km E., *château de Mauvezin* XIIIe-XIVe : anc. forteresse de Gaston Phébus ds un site superbe (vis. ts les j. l'été); ds le donjon, petit musée de l'« Escolo Phébus ». • 2 km S., ds le parc du château de Médous, *grotte de Médous,* l'une des plus riches des Pyrénées en concrétions (vis. ts les j. d'avr. à oct.); la route continue sur *Beaudéan* (église XVIe), *Campan* (église XVIe, remarquables boiseries XVIIIe à l'int.) et *Sainte-Marie-de-Campan,* où la N. 618 se divise en 2 branches : au S.-E., par les carrières de marbre de Payolle, *col d'Aspin* (1 489 m, table d'orientation) et **Arreau*; au S.-O.,** *La Mongie,* station de sports d'hiver ds un vaste cirque, à 1 800 m d'alt., et *col du Tourmalet* (2 115 m), où s'embranche la route (à péage, ouv. de juil. à sept.) du *pic du Midi de Bigorre* : le sommet (2 865 m) est occupé par une tour-relais de la télévision; sur une terrasse en contrebas, observatoire et institut de physique du globe du pic du Midi (vis. par groupes ts les j.).

Bagnères-de-Luchon (ou Luchon)
31 - Haute-Garonne 41 - C 3
Station thermale et estivale. Les allées d'Etigny, longues de 600 m, en constituent l'axe; elles aboutissent au S. au parc des Quinconces. Le vieux quartier, autour de l'église néo-romane, a conservé son caractère de village pyrénéen. Dans l'hôtel Lassus-Nestier (XVIIIe), intéressant musée du pays de Luchon (histoire et épigraphie romaines). De la terrasse, à 780 m, belle vue sur la ville et la vallée.
Environs. Luchon est un centre d'excursions réputé. • 1,5 km E., Montauban : église XIIIe avec crypte romane; très belles cascades. • 6 km N.-O., Saint-Aventin : remarquable église fin XIe avec 2 clochers carrés, portail à chapiteaux historiés et tympan sculpté; à l'int., intéressantes œuvres d'art, cuve baptismale romane, grille XIIe, retable XIIIe, Christ en croix XVIe, etc. • 18 km S.-O., par les *vallées de la Pique et du Lys, Superbagnères,* à 1 800 m d'alt. : station de sports d'hiver très renommée; panorama magnifique, excursions recommandées aux lacs d'Espingo et d'*Oô*, très beau site. • 10,5 km S.-E., *Hospice de France* (1 385 m), par la vallée de la *Pique* et la route de l'Hospice; excursions aux ports de *Vénasque* (2 448 m) et de la Picarde. • *Val d'Aran* : circuit d'env. 60 km S.-E. dont une partie en territoire espagnol, par le col du Portillon, *Bosost* (église romane), *Viella* : chef-lieu du val d'Aran, qui communique avec la Catalogne par le port de la Bonaigue (2 072 m), et le tunnel de Viella, long de 5 km.

Bagnoles-de-l'Orne
61 - Orne 10 - B 2
Forme avec Tessé-la Madeleine une importante station thermale ds la vallée de la Vée rocheuse et boisée.
Environs • Belles promenades ds les gorges de la Vée, aux rochers du « Saut du Capucin » (sentier fléché), à l'ancien abri Janolin (232 m) qui domine la Vée ds un beau parc, etc. • Au N.-O., *forêt d'Andaine* ds le parc naturel régional Normandie-Maine. • 3 km S., château de *Couterne,* en brique rose XVIe, agrandi au XVIIIe, entouré d'eau (on ne vis. pas). • 17 km S.-O., château de **Lassay***.

Bagnols-sur Cèze
30 - Gard 37 - D 3
Très intéressant musée d'art moderne à l'hôtel de ville (vis. ts les j.); œuvres de Renoir, Berthe Morisot, Pissarro, Signac, Van Dongen, Matisse, Marquet, Bonnard, Maillol, etc. Au S. remarquable ensemble résidentiel moderne.
Environs • 6 km E., centre atomique de *Marcoule* (pavillon de documentation). • 17 km N.-O., *Goudargues,* vestiges d'une abbaye, chapelle et église romanes; église paroissiale XIIe; très belles sources; magnifiques gorges de la *Cèze* en direction de *Barjac.*

Bailleul
59 - Nord 1 - D 2
Détruite durant la Première Guerre mondiale, la ville a retrouvé son beffroi (magnifique panorama), ses églises, son école dentellière et ses maisons en brique jaune de style flamand. Musée Benoît-de-Puydt : importantes coll. de céramiques, tapisseries flamandes, dentelles.
Environs • *Mont Noir* (6 km N.).

Balleroy (château de)
14 - Calvados 4 - A 3
Belle construction de style Louis XIII ds un superbe cadre de parterres, de pavillons et d'avenues (vis. ts les j. sauf merc.); à l'int. riche décoration. Ds les communs, le seul musée au monde consacré au ballon et à l'aérostation.

Bandol
83 - Var 44 - B 2
Agréable station balnéaire le long d'une baie, au pied de hautes pentes boisées. En face (liaison par vedettes ttes les 30 mn), île de *Bendor,* propriété privée, centre touristique, culturel et sportif; musée de la Mer et musée du Vin.
Environs • 4 km S.-E., *Sanary-*

BAIE DE SOMME
80 - Somme 5 - B 1
Elle offre à marée basse d'immenses bancs de sable prolongés par les grèves, recouverts seulement par les grandes marées; ces « mollières » servent de refuge aux oiseaux de mer et de pâturages aux moutons de prés-salés. Pêche à pied le long des chenaux. Chasse au gibier d'eau en canots ou à partir des « hutteaux ». • La baie peut être traversée à pied de **Saint-Valery-sur-Somme*** au **Crotoy*** entre 2 marées (3 km de ligne dr., 1 h env. de parcours). • Le parc du *Marquenterre,* en bordure de la baie, à l'O. de **Rue***, permet de découvrir les oiseaux de mer et de marais, fréquentant la côte picarde. Le paysage environnant, dunes et prés-salés, est jalonné de miradors d'où l'on peut suivre leurs évolutions.

sur-Mer; Le Brusc, ds un site superbe au S. de la baie de Sanary; l'île des *Embiez* abrite un important centre de motonautisme. • 7,5 km N., *La Cadière-d'Azur,* vieux village provençal perché sur une colline escarpée; intéressantes chapelles de pénitents (œuvres d'art et mobilier liturgique XVIIIe); à 2 km N.-E., Le Castellet, curieux village fortifié au sommet d'un piton rocheux, vaste panorama. • 9 km N.-O., *Saint-Cyr,* station balnéaire; à 2 km *Les Lecques,* musée de Tauroetum (mosaïques Ier s., objets gallo-romains); à 7 km O., *La Ciotat,* importants chantiers de construction navale.

BALLON D'ALSACE
68 - Haut-Rhin, 88 - Vosges, 90 - Territoire de Belfort 20 - D 1
La route la plus pittoresque est la N. 465 qui, de **Belfort***, remonte en lacets la vallée de la *Savoureuse* par *Giromagny,* à travers d'impressionnants paysages forestiers et rocheux, puis de vastes pâturages. Du col du Ballon (1 178 m) on atteint, à pied, en 10 mn, le *Ballon d'Alsace* (1 242 m), d'où le panorama est grandiose. 2 itinéraires de descente : 1) en continuant au N. la N. 465 par le monument des Démineurs, le Plain du Canon et *Saint-Maurice-sur-Moselle.* 2) au S.-E. par la D. 466, le *lac d'Alfeld,* l'un des plus beaux des Vosges, et le lac de Sewen, Kirchberg (église romane), Niederbruck (colossale *Vierge à l'Enfant,* par Bourdelle) et *Masevaux.*

Banyuls-sur-Mer
66 - Pyrénées-Orientales 43 - D 3
Port de pêche et station balnéaire. Le quartier des pêcheurs et ses petites maisons bariolées s'étagent sur le promontoire escarpé de la pointe Doune. Au laboratoire Arago, important aquarium (vis. ts les j.) : faune méditerranéenne. Une jetée relie le rivage à l'île Grosse (monument aux morts par Maillol) et partage le port de plaisance. Célèbre « vin de Banyuls ».
Environs • Excursion recommandée, au N.-O. de Banyuls à **Collioure*** par la route des Crêtes et le balcon de Madeloc. • 3,5 km S.-O., par Puig-del-Mas, on atteint le mas où vécut le sculpteur Maillol († 1944); la statue *la Méditerranée* surmonte sa tombe. • Au S., la N. 114, tracée en corniche, domine le cap Rederis, le cap et la plage de Peyrefite, le cap Canadell, et descend ensuite sur *Cerbère* et *Port-Bou* (douanes française et espagnole).

Barbezieux
16 - Charente 29 - B 2
L'église Saint-Mathias (nef XIe, façade XVIIIe) et l'anc. château mil. XVe, occupé par le musée et le théâtre, ajoutent au charme provincial de cette petite cité saintongeaise.
Environs • 15 km E., *Blanzac* : église XIIe-XIIIe, façade et portail élégamment sculptés; à 3 km N., *manoir du Maine-Giraud* où vécut Alfred de Vigny (musée); à 9 km E. de *Blanzac,* excursion recommandée à l'abbaye de Puyperoux : l'abbatiale romane a plusieurs chapiteaux historiés; les amateurs d'insolite iront voir, à 15 km N.-E., le *château de la Mercerie,* construit à partir de 1930 à l'imitation, très libre, du Grand Trianon; cette immense construction, qui englobe plusieurs bâtiments diversement décorés et meublés (vis. apr.-m.), est entourée d'un domaine de 400 ha comprenant un arboretum. • 29 km S.-E., *Montmoreau* : château XVe (chapelle romane XIIe) et église romane XIIe à nef unique, coupole et porte polylobée.

Barbizon
77 - Seine-et-Marne 11 - D 3
L'anc. village des peintres de l'école de Barbizon, entre 1830 et 1850, est devenu un bourg résidentiel et touristique. Maisons de Millet et de Théodore Rousseau (vis. tous les jours sauf le mardi), sans autre intérêt que le cadre, à peu près inchangé. Anc. auberge du *Père Ganne,* autrefois décorée par de nombreux artistes (vis. ts les j. sauf mardi). Petit musée local.
Environs • On peut gagner **Fontainebleau*** par la très belle futaie du Bas-Bréau (9 km). • 4 km N., *Chailly-en-Bière,* église XIIIe-XIVe; Millet, qui peignit près de Chailly son célèbre *Angelus,* et Théodore Rousseau sont enterrés au cimetière. • 6 km E., *Fleury-en-Bière,* château XVIe, en brique et pierre, flanqué d'une puissante tour, entouré de douves (vis. du parc sur demande); église romane.

Barcelonnette 38 - D 2
04 - Alpes-de-Haute-Provence
Ds un cadre montagneux, la ville, située à 1 133 m d'alt., a conservé son aspect d'anc. bastide. Place Manuel, la tour Cardinalis, clocher XVe. Au musée Chabrand, coll. de tous les oiseaux d'Europe. Imposantes villas des « Barcelonnettes » (habitants de la cité ayant fait fortune au Mexique).
Environs • *Le Sauze,* à 4 km S.-E., station estivale et de sports d'hiver de *Super-Sauze* (1 500 m) • *Col d'Allos,* au S. par le pont du Fau et les gorges de la Malune; la route s'élève entre de sombres massifs forestiers jusqu'au refuge du col d'Allos (2 220 m, table d'orientation), puis au *col d'Allos* (2 250 m) d'où elle descend en lacets (trajet très pittoresque), vers La Foux (à 1 km, église romane Notre-Dame-de-Valvert), puis continue, après *Allos,* en longeant le *Verdon,* sur *Colmars,* anc. place forte XVIIe, station estivale et de sports d'hiver (1 259 m). • *Col de la Cayolle* (2 326 m), au S.-E., par la vallée du *Bachelard* et *Fours;* après le col, la route descend par la vallée du Var sur *Entraunes, Saint-Martin-d'Entraunes* (1 055 m, église intéressante) et *Guillaumes,* d'où l'on peut gagner la station de sports d'hiver de *Valberg* (1 700 m).

Barèges
65 - Hautes-Pyrénées 41 - B 3
Station thermale et station de sports d'hiver réputée, à 1 240 m d'alt., sur la route du Tourmalet. Son équipement en téléfériques, télésièges, crémaillères, etc., permet de nombreuses ascensions ds les massifs environnants.
Environs • Au S., pic d'Ayré (2 418 m) par funiculaire. • A l'E., La Laquette (1 715 m) par télécabine. • 11 km E., *col du Tourmalet* (2 115 m), le plus haut des Pyrénées; à 5,5 km au N., *pic du Midi de Bigorre* (voir **Bagnères-de-Bigorre***). • 7,5 km S.-O., **Luz-Saint-Sauveur*.**

Barfleur
50 - Manche 3 - D 2
Port de pêche et station balnéaire, à l'extrémité N.-E. du Cotentin, sur une côte sauvage et rocheuse balayée par les vents; la ville est bâtie autour d'une anse, bordée de maisons de granit; église XVIIe.
Environs • 4 km N., *pointe de Barfleur,* phare de *Gatteville.* • Au S., *Réville,* église romane et flamboyante, sur une butte, au milieu d'un cimetière rustique; *Saint-Vaast-la-Hougue,* port de pêche sur une presqu'île entre 2 baies : une digue relie à la plage le fort de la Hougue, dû à Vauban.

Bar-le-Duc
55 - Meuse 13 - A 2
Ville active (ses confitures de groseilles sont célèbres), elle a de beaux témoins du passé. La Ville-Haute, qui a conservé son aspect anc., est dominée par l'anc. Château-Neuf

XVIe-XVIIe qui abrite la Chambre des comptes et le musée du Barrois. Ds la rue des Ducs-de-Bar, hôtels aristocratiques aux façades sculptées. La Ville-Basse englobe le vieux quartier du Bourg; la rue du Bourg possède de nombreuses maisons XVIIe-XVIIIe. Église Notre-Dame XIIIe-XIVe. Anc. collège Gilles de Trèves : la cour est entourée d'imposants bâtiments XVIe-XVIIe comportant une galerie Renaissance. Église Saint-Antoine XIVe-XVe, construite en partie sur un canal; à l'int. fresques XIVe-XVe. Saint-Étienne XIVe possède le chef-d'œuvre de Ligier Richier, l'impressionnant *Squelette* décharné au-dessus du mausolée du cœur de René de Chalon (mil. XVIe). *Environs* • La route de *Bar-le-Duc* à **Verdun*** a été dénommée la «Voie sacrée» (1914-1918). • 16 km S.-E., *Ligny-en-Barrois :* petite cité anc., la porte Dauphine mil. XVIIIe demeure le seul témoin des embellissements du roi Stanislas de Pologne, duc de Lorraine; ds l'église Notre-Dame XIIe-XVIIe, chapelle du bienheureux Pierre de Luxembourg († 1387); tour du Luxembourg (on vis.).

Barneville-Carteret : ***un cap de rochers schisteux surplombe la plage; le sentier des Douaniers, tracé en corniche, permet d'en faire le tour.***

Barles 38 - C 2
04 - Alpes-de-Haute-Provence
Petit village escarpé, sur la route de **Digne*** à *Seyne* par les vallées de la *Bléone* et du *Bès*. Les *clues de Barles,* au S. du village, sont étroites et sauvages, les parois rocheuses verticales enserrent le torrent et la route; la *clue de Verdaches* entre Barles et Verdaches est plus verdoyante.
Environs • Au N.-E., *Seyne-les-Alpes,* église romane (portails gothiques), l'une des plus remarquables de la région; la citadelle est caractéristique de l'architecture militaire du XVIIe.

Barneville-Carteret
50 - Manche 3 - C 3
Carteret, petit port sur l'estuaire de la Gerfleur, a une agréable plage. Belle excursion autour du *cap de Carteret* dont les falaises schisteuses portent un phare et un sentier de corniche; point de vue de la roche Biard (table d'orientation). *Barneville* a une église romane fin XIe avec tour XVe à mâchicoulis.
Environs • 1,5 km S. *Barneville-plage* • 8,5 km S.-E., *Portbail;* à 150 m de l'église Notre-Dame XIe, vestiges d'un baptistère paléochrétien hexagonal VIe-VIIe.

Barr
67 - Bas-Rhin 14 - A 3
La Folie Marco mil. XVIIIe a conservé son décor d'époque où sont présentées d'intéressantes coll. de meubles anciens, faïences, porcelaines d'Alsace, étains, etc. (vis. ts les j. l'été sauf mardi). Place de l'Hôtel-de-Ville, ensemble architectural typiquement alsacien.
Environs • Vestiges des châteaux féodaux d'Andlau et de Spesbourg à l'O., de Lansberg au N.-O. • 3 km N.-O., château de Truttenhausen mil. XVIIIe.

Barre-des-Cévennes
48 - Lozère 37 - B 2
Village pittoresque. Anc. priorale de l'Assomption-Notre-Dame d'origine romaine (XIIe). Château féodal. Belle vue.
Environs • Bon centre d'excursions vers la Corniche des **Cévennes*** et la Valfrancesque, ou «vallée française», curieux pays de schistes noirâtres, mais verdoyant; le Gardon du Mialet, qui le traverse, est serré entre la Chaîne française au N.-O. et la Serre de Lansuscle au S.-E.

Bar-sur-Aube
10 - Aube 12 - D 3
Deux églises valent la visite. Saint-Pierre, de style gothique bourguignon primitif, fin XIIe, pourvue d'un halloy, galerie de bois XIVe a servi de halles. Saint-Maclou fin XIIe-XVe (désaffectée). Ds la chapelle de l'hôpital, groupe sculpté de l'Éducation de la Vierge, de l'École champenoise déb. XVIe.
Environs • Au S.-E., *Bayel,* l'église possède 2 chefs-d'œuvre de la sculpture champenoise : une Vierge à l'Enfant, déb. XIVe, et la *Pietà* du Maître de la Sainte-Marthe, déb. XVIe; on peut visiter la Cristallerie, fondée en 1666; à 6,5 km S., *Clairvaux,* l'anc. abbaye est devenue maison centrale de détention; on peut seulement visiter la chapelle Sainte-Anne et voir la façade XVIIIe de la cour d'honneur. • A l'E., **Colombey-les-Deux-Églises*** : le général De Gaulle qui mourut à «La Boisserie» (on peut visiter) est enterré au cimetière; une haute croix de Lorraine (44 m) en granit rose a été élevée à proximité; belle excursion ds la haute vallée de la *Blaise,* de *Juzennecourt* à *Doulevant-le-Château.* • A l'O., *forêt d'Orient,* parc naturel régional (voir **Brienne-le-Château***).

Bassoues
32 - Gers 41 - B 1
Le splendide donjon carré XIVe, haut de 38 m, de l'anc. château fort des archevêques d'Auch, domine le village, petite bastide établie sur une colline. C'est un des mieux conservés du Midi; le raffinement de la construction et les aménagements int. dénotent un réel souci du confort (on vis.); belles salles voûtées d'ogives. Au sommet, très belle vue jusqu'aux Pyrénées. Église Notre-Dame XIVe. Vieille halle en bois, maisons anc. Ds le cimetière, basilique Saint-Fris (ou Pris) XVIe, rebâtie fin XIXe; sous le chœur, une vaste crypte abrite le sarcophage du saint.

Bastia
2 B - Corse 45 - A 2
Ville active, métropole économique de la Corse. La place Saint-Nicolas, longue de 300 m, borde le Nouveau Port (statue de Napoléon). Le vieux port est dominé par la ville anc. aux ruelles étroites et tortueuses. Somptueusement décorées au XVIIIe, l'église Saint-Jean-Baptiste XVIIe et la chapelle de la Conception déb. XVIIe (intéressantes œuvres d'art) en sont les principaux monuments. Au S., promontoire escarpé de la citadelle, enfermée ds son enceinte fortifiée; ds l'anc. palais des Gou-

Bastia : ***le Vieux-Port au décor pittoresque; la haute façade de Saint-Jean-Baptiste domine les maisons et les ruelles étroites.***

Les Baux de Provence : ***le site est l'un des plus impressionnants de Provence. Les ruines s'y confondent avec les roches arides.*** ▲

De nombreux hôtels s'y parent des grâces décoratives de la Renaissance, tel cet escalier orné de motifs quadrilobés. ▼

verneurs génois XIVe-XVIe, musée d'ethnographie corse, archéologie sous-marine (vis. ts les j. sauf dim. de novembre à Pâques); mémorial des régiments corses (173e et 373e R.I.). Au chevet de l'anc. cathédrale Sainte-Marie XVIIe, chapelle Sainte-Croix XVe, décorée de stucs dorés Louis XV; on y vénère le *Christ des Miracles.* Bastia-Plage, à 6 km S., est un important complexe touristique.
Environs • Point de départ pour le **cap Corse***, au N. • A l'O., **Saint-Florent***, par le *col de Teghime* et *Patrimonio,* au milieu des vignes. • Au S.-O., par le *défilé de Lancone, Murato,* petite église pisane polychrome de San Michele. • Au S., église romane de la **Canonica***.

Bastie d'Urfé (château de La)
42 - Loire 31 - B 1
Le plus remarquable édifice de la Renaissance ds le *Forez* (vis. ts les j.). Sur la cour d'honneur, galerie à 2 étages sculptée et décorée, dans le goût italien. Au rez-de-chaussée du corps de logis central, curieuse «grotte» de rocailles recouverte de cailloutis polychromes avec des figures mythologiques en relief. Ds la chapelle, plafond à caissons, décoré de scènes bibliques. Au 1er ét., beaux plafonds peints, meubles et tapisseries XVIe-XVIIe.
Environs • 4 km S. de *Boën,* château de Goutelas fin XVIe, dominant en terrasse la plaine du *Forez* (vis. apr.-m. en saison sauf merc.).

Bastide-Puylaurent (La)
48 - Lozère 37 - B 1
Station estivale dans un site verdoyant.
Environs • 8 km E., par la D. 4 longeant la crête des Cévennes à travers des paysages superbes, *Saint-Laurent-les-Bains,* petite station thermale à 850 m alt.; excursion à la trappe de Notre-Dame-des-Neiges au cœur d'un cirque montagneux; bâtiments modernes; (vis. les apr.-m. sauf dim.).

Batz (île de)
voir **Roscoff*** 8 - C 1

Baule (La)
44 - Loire-Atlantique 16 - B 2
L'une des plages les plus fréquentées de l'Océan; la digue de mer est bordée d'hôtels et de villas. La Baule-les-Pins est aménagée ds la superbe pinède du bois d'Amour.
Environs • 3 km O., *Le Pouliguen,* le quai du port est bordé de vieilles maisons pittoresques, plage; à 2,5 km, pointe de Pen-Château : la corniche de la Grande-Côte conduit, au pied de falaises très

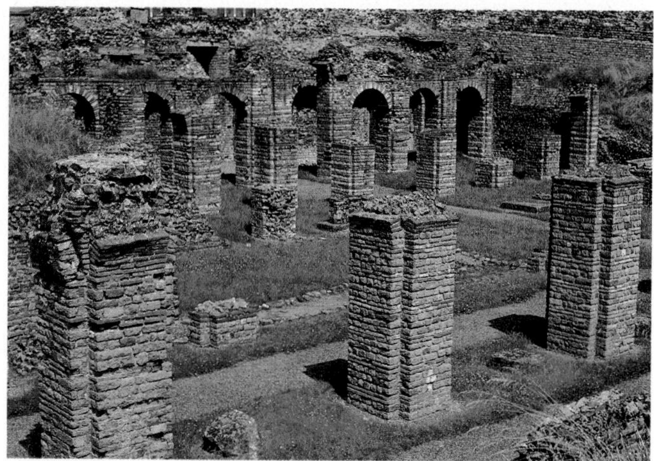

Bavay : ***les cryptoportiques, qui soutenaient des galeries marchandes, constituent la partie la plus évocatrice de l'ancienne cité romaine.***

découpées, à *Batz-sur-Mer,* anc. bourg de paludiers, dont l'église Saint-Guénolé XVe-XVIe, en granit, est dominée par une tour de 60 m; ruines de la chapelle Notre-Dame-du-Mûrier XVe-XVIe; au N.-O., *Le Croisic* conserve, notamment sur le port, de belles maisons XVIIe-XVIIIe : le petit château d'Aiguillon XVIe abrite la mairie et le musée naval; belle église Notre-Dame-de-Pitié fin XVe, en granit; une route en corniche fait le tour de la *pointe du Croisic.* • De Saillé, au N.-O., la D. 92 traverse les marais salants et atteint *La Turballe,* port sardinier animé.

Baume-les-Messieurs (abbaye de)
39 - Jura 26 - B 1
Fondée au VIe, l'abbaye conserve, parmi des bâtiments XVe-XVIe, une superbe abbatiale romane XIIe, façade XVe ornée de statues de l'École bourguignonne; nef XIIe-XIIIe, en partie dallée de pierres tombales; chœur XIIIe-XVe avec maître-autel surmonté d'un superbe retable flamand à volets, sculpté et peint. Chapelle de Chalon à g. du chœur : remarquable statue de saint Paul, en pierre XVe, tombeaux de la famille Chalon. Musée d'artisanat. *Environs* • 3 km S., *cirque de Baume;* on vis. les grottes, au fond d'un cirque grandiose aux falaises à pic.

Baux-de-Provence (Les)
13 - Bouches-du-Rhône 43 - D 1
Le bourg, aujourd'hui en ruine, occupe un promontoire dénudé des **Alpilles***, de 900 m de long sur 200 de large (panorama remarquable). Il comprend plusieurs maisons de la Renaissance, notamment l'hôtel de Manville (hôtel de ville et musée) Grande-Rue, la maison Porcelet place de l'Église, le manoir de la Tour de Brau XIVe (musée lapidaire), etc. Ds l'église Saint-Vincent XIIIe-XVe se célèbre, la nuit de Noël, la pittoresque fête du pastrage (des bergers) avec offrande de l'agneau. En face, chapelle des Pénitents Blancs XVIIe. Le Plan du Château est dominé par les ruines fantastiques du château féodal (énorme donjon XIIIe, plusieurs tours, chapelle Sainte-Catherine, etc.). Sur un rocher, curieux relief sculpté des Trimaïé (les Trois-Maries). Au pied des Baux, gorge rocheuse du val d'Enfer, grotte des Fées et rochers des Portalets, anc. habitations troglodytiques. Ds le vallon de la Fontaine, élégant pavillon de la reine Jeanne, de style Renaissance.
Environs • 9 km S.-O., *Fontvieille* et le moulin de Daudet (voir abbaye de **Montmajour***), à 2 km S., aqueducs romains de Barbegal et de Meunerie. • 4 km S., *Maussane;* à 6 km S.-E., *Mouriès* et le château de Joyeuse-Garde. • 4 km S., Paradou; à 2 km S., restes du château de Saint-Martin-de-Castillon, chapelle St-Jean. • Au N.-N.-E. et N.-E., les **Alpilles*, Saint-Rémy-de-Provence***, *Eygalières,* charmant vieux village.

Bavay
59 - Nord 2 - B 3
Les fouilles y ont mis au jour les vestiges de la ville romaine de Bagacum : un vaste ensemble mil. IIe apr. J.-C. comprenant une enceinte rectangulaire bordée de boutiques avec cryptoportiques. Musée archéologique.

Bayeux
14 - Calvados 4 - A 3
La cathédrale Notre-Dame XIIIe est l'un des plus remarquables exemples du gothique normand; les flèches des tours de façade s'élèvent à 75 m, la tour centrale à 80 m; crypte XIe, trésor et salle capitulaire XIIe-XIIIe (vis. ts les j.). L'anc. évêché face au bas-côté dr. de la cath. abrite la *tapisserie de la reine Mathilde,* fin XIe; en réalité, une broderie de 69,55 m sur 50 cm, racontant la conquête de l'Angleterre par les Normands (vis. ts les j.); elle sera transférée en 1982 dans l'anc. séminaire XVIIIe restauré. L'anc. évêché est également occupé par le musée Baron-Gérard et le palais de justice; anc. chapelle Renaissance, octogonale, dont le plafond est très beau. Intéressantes maisons anc. : maison du Gouverneur XVe-XVIIe (la plus remarquable), maison XIVe (O.T.), hôtel d'Argouges XVe-XVIe, etc.

Bayeux : ***la « tapisserie » est une véritable « bande dessinée »; les Anglais y ont des moustaches et les Normands la nuque rasée.***

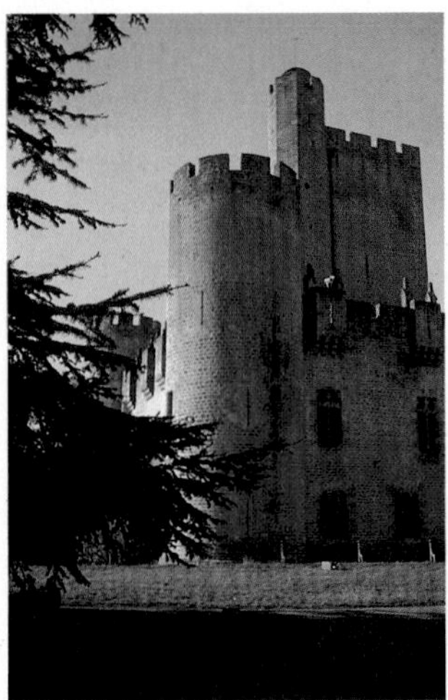

Bazas : ***château de Roquetaillade, construit au XIVe refait au XIXe.***

Environs • 3 km N., Vaux-sur-Aure; à 4 km N.-O., anc. manoir fortifié d'Argouges, restes de remparts et douves, beau logis Renaissance fin XVe. • 1,5 km S.-O., *Saint-Loup-Hors,* église XIIe-XIVe, superbe tour romane • 9 km S., *abbaye de Mondaye,* fondée au déb. XIIe, bâtiment XVIIe-XVIIIe; l'église XVIIIe possède l'un des rares ensembles décoratifs classiques de Normandie (accès libre).

Bayonne
64 - Pyrénées-Atlantiques 40 - C 1
Anc. place forte sur l'*Adour,* Bayonne a conservé ses quais, ses vieilles rues et ses remparts. La cathédrale Sainte-Marie XIIIe-XIVe, l'une des plus belles du Sud-Ouest (flèches XIXe), a un cloître mil. XIIIe aux arcades élancées. Le quartier qui l'entoure comporte plusieurs rues intéressantes, aux maisons anc. La rue du Port-Neuf, bordée d'arcades basses, est la plus fréquentée. Le pont Saint-Esprit, sur l'*Adour,* offre un superbe panorama de la ville et des quais. 2 musées sont à voir. Le Musée basque (ouv. ts les j. sauf dim. et fêtes), installé ds une maison XVIe, est un passionnant musée régionaliste; reconstitutions d'intérieurs, de boutiques d'artisans; salles consacrées à la danse, au théâtre, à la pelote, aux traditions et coutumes basques. Le musée Bonnat (vis ts les j. sauf mardi) abrite surtout les très riches collections du célèbre peintre académique (œuvres de Van Dyck, Rubens, Rembrandt, Greco, Ingres, Degas, Goya, etc.). La promenade des remparts, bien aménagée, est recommandée.
Environs • 6 km N.-O., *barre de l'Adour,* modifiée par la construction, en 1967, d'une jetée de 1 100 m à la pointe N. de l'embouchure du fleuve; la route longe ensuite la côte en direction de **Biarritz*** par le bois et le lac de Chiberta et la plage de la Chambre d'Amour. • 7 km S.-E., la Croix de Mouguerre (table d'orientation, belle vue); de *Mouguerre,* la route impériale des Cimes, sinueuse, permet de nombreuses vues sur les Pyrénées (voir **Hasparren***).

Bazas
33 - Gironde 35 - B 2
Bâtie sur une colline en promontoire au-dessus de la vallée, la ville est dominée par l'imposante cathédrale Saint-Jean-Baptiste XIIIe-XIVe; remarquables portails sculptés XIIIe. La place de la République est bordée de maisons à arcades XVe-XVIe. Du jardin de l'anc. évêché, en terrasse sur le rempart, panorama sur la verdoyante vallée de la Beuve.
Environs • 11 km N.-O., à *Mazères, château de Roc-Taillade,* déb. XIVe, restauré par Viollet-le-Duc qui en a fait une curieuse restitution médiévale (vis. durant les vacances de Pâques et du 15 juin au 15 oct. ts les j.; hors-saison, les dim. et fêtes). • 10 km O., *Uzeste,* intéressante église gothique avec portail sculpté; à l'int., tombeau mutilé de Clément V († 1314); à 5 km N.-O., *Villandraut,* imposantes ruines du château fort XIVe. • Au S.-O., vallée et gorges du *Ciron,* ruines de plusieurs châteaux; descente du Ciron en canoë entre *Beaulac* et *Villandraut.*

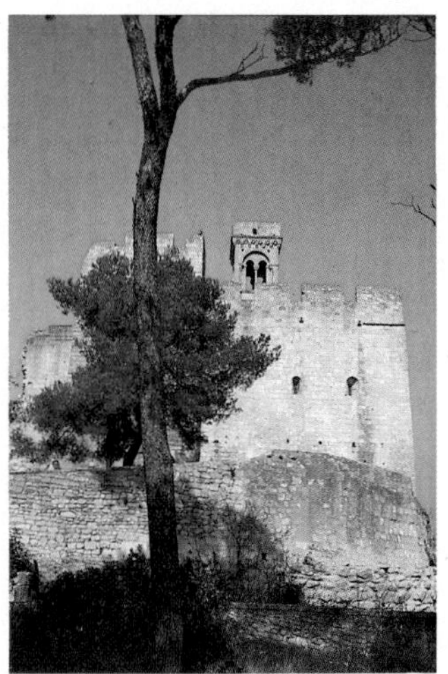

Beaucaire : ***le donjon, seul vestige du château démantelé.***

Beaugency : ***centrale nucléaire de Saint-Laurent-des-Eaux, installée sur une île artificielle.***

Beaucaire
30 - Gard 43 - D 1
Le château fort XIIIe-XIVe et son magnifique donjon triangulaire à éperon, bâti sur un rocher escarpé, dominent le Rhône; magnifique panorama (vis. ts les j.). Église Notre-Dame-des-Pommiers déb. XVIIIe; à l'ext., frise romane sculptée représentant des épisodes de la Passion. Musée lapidaire. Musée du Vieux-Beaucaire, installé ds une maison XVe (vie et mœurs de la Provence d'autrefois).

Beaugency
45 - Loiret 18 - B 1
Agréable petite ville au bord de la *Loire.* Pittoresque pont à 22 arches. Le vieux quartier est évocateur des cités provinciales d'autrefois. On y visitera le donjon, ou tour de César, XIe, le château XVe (musée des Arts et Traditions populaires de l'Orléanais), la tour Saint-Firmin XVIe et l'église Notre-Dame, anc. abbatiale XIIe. Maison des Templiers XIIe à façade romane, rue du Puits-de-l'Ange, et hôtel de ville XVIe. Sur le quai, bâtiments abbatiaux XVIIIe; terrasse du Petit-Mail.
Environs • 7 km N.-E., *Meung-sur-Loire;* le château XVIIe-XVIIIe avec parties XIIIe (on ne vis. pas) et la belle église Saint-Liphard XIe-XIIIe composent un ensemble pittoresque; maisons anc.; plages sur la Loire. • 9 km S.-O., *Saint-Laurent-des-Eaux,* centrale nucléaire. • 16 km O., château de **Talcy***.

Beaulieu-sur-Dordogne
19 - Corrèze 30 - B 3
L'église, anc. abbatiale bénédictine, de style roman limousin, a un portail sculpté qui est l'une des plus belles œuvres de la sculpture romane languedocienne (Jugement dernier, au tympan); à l'int., stalles XVIIIe, riche trésor. Anc. chapelle des Pénitents XIIe et XVe. Maisons XIVe et XVe.
Environs • 8 km S., *Bretenoux;* le *château de Castelnau,* à 2 km S.-O., est l'une des plus belles forteresses médiévales (vis. ts les j.); donjon de 62 m, enceintes XIVe-XVe, logis seigneurial XVIIe; au pied du château, église de Prudhomat. • A l'E., *gorges de la Cère,* pittoresques et sauvages.

Beaumont-du-Périgord
24 - Dordogne 35 - C 1
Anc. bastide XIIIe avec place centrale en partie entourée de « cornières », vestiges de remparts (double porte fortifiée). Église fortifiée fin XIIIe flanquée de 4 tours et entourée d'un chemin de ronde.
Environs • 3 km N., *château de Bannes* XVIe, flanqué de tours imposantes; on y accède par un pont-levis et un châtelet à créneaux et mâchicoulis (on ne visite pas, propriété privée); ds la salle des Gardes, magnifique cheminée Renaissance; chambre dite de Henri IV (peintures murales). • 7 km N.-O., *Couze-et-Saint-Front* : églises XIe-XIIe, habitations troglodytes; à 3 km O., *château de Lanquais,* gothique et Renaissance; intéressant mobilier Louis XIII (vis. ts les j. de Pâques au 1er nov. sauf mardi).

Beaulieu-sur-Dordogne : ***tympan du portail méridional de Saint-Pierre; le Christ en majesté accueille les élus au jour du Jugement dernier.***

Beaune
21 - Côte-d'Or 25 - D 1
Ville d'art entourée d'une ceinture de remparts flanquée de grosses tours. L'hôtel-Dieu mil. XVe (vis. ts les j.) est un remarquable témoignage d'architecture et de décoration gothique flamandes; la cour d'honneur, avec son puits, ses galeries de bois et ses immenses toitures de tuiles vernissées polychromes, la grande salle des malades (72 m de long), la cuisine (visite avec le guide), et la pharmacie XVIIIe, en sont les éléments principaux; le musée conserve l'un des chefs-d'œuvre de la peinture flamande du XVe : le polyptique du *Jugement dernier,* par Rogier Van der Weyden. Collégiale Notre-Dame, de style roman bourguignon, peintures murales du XVe; dans le chœur, admirables tapisseries flamandes du XVe évoquant la vie de la Vierge (vis. des Rameaux à déc.); cloître roman; bâtiments du chapitre. Dans l'ancien hôtel des ducs de Bourgogne, remarquable musée du Vin. Le vieux Beaune comporte des hôtels et maisons XVe et XVIe.
Environs • 6 km S., Archéodrome sur la A. 6. • Excursion à travers le vignoble de « la Côte », au S.-S.-O., par la N. 74 et la D. 973, Pommard, *Volnay, Meursault,* Chassagne-Montrachet, etc.; à 5 km O., *château de La Rochepot* (vis. ts les j. sauf mardi de mars à nov.);

Beaune : ***la cour de l'hôtel-Dieu, hospice tenu par des religieuses et dont l'aspect et l'usage n'ont pas changé depuis sa construction.***

construit au XIIe, remanié au XVe, restauré au XIXe, il est flanqué de tours coiffées de tuiles vernissées, formant mosaïque. • 18 km E.-N.-E., *abbaye de Cîteaux* (voir **Nuits-Saint-Georges***).

Beauregard (château de)
41 - Loir-et-Cher 18 - A 2
Construit au XVIe, remanié et agrandi au XVIIe (vis. ts les j.), il est célèbre pour sa splendide galerie de portraits, déb. XVIIe, qui comprend 363 personnages historiques. Lambris peints d'emblèmes et de devises, plafond à poutres décorées et carrelage en faïence de Delft. Le cabinet des Grelots est entièrement décoré de boiseries en chêne sculpté et doré et de peintures sur bois XVIe. Beau plafond à caissons. *Environs* • 12,5 km S.-O., **Fougères-sur-Bièvre***.

Beauvais
60 - Oise 5 - C 3
La magnifique cathédrale Saint-Pierre dont seul le chœur XIIIe-XIVe, le plus élevé jamais construit (48,20 m sous voûte), a été achevé, domine la ville reconstruite depuis la guerre; les façades flamboyantes du transept sont d'une grande richesse décorative; à l'int. vitraux des XIIIe, XIVe et XVIe; riche trésor. La Galerie nationale de la Tapisserie. La cathédrale primitive, ou Basse Œuvre, du Xe, est appuyée au transept. L'anc. palais épiscopal fin XVe (imposante porte fortifiée XIVe) abrite le palais de justice et le musée (intéressantes peintures XVIe). L'église Saint-Etienne, au S. de la ville, est romane et gothique avec un beau chœur flamboyant; verrières XVIe.
Environs • Vallées de l'*Epte* et du *Thérain*.

Bec-Hellouin (abbaye du)
27 - Eure 4 - D 3
Fondée au XIe, l'abbaye, occupée par des bénédictins (on vis.), est dominée par l'imposante tour Saint-Nicolas XVe; cloître et réfectoire XVIIe; monumental escalier d'honneur. Ds le bourg l'église XIVe et XVIe renferme plusieurs statues de pierre XVIIe. Musée de l'Abbatiale (histoire de l'automobile).

BELLE-ILE-EN-MER
56 - Morbihan 15 - D 2
La plus importante des îles bretonnes. Petite ville fortifiée, *Le Palais* est dominé par une puissante citadelle fin XVIe renforcée par Vauban; à l'int. musée historique. 1 km S.-E., plage de Ramonette. 6,5 km N.-O., *Sauzon,* agréable port de pêche. Principales excursions : de Sauzon, à 2 km N.-O., *pointe des Poulains,* fort Sarah-Bernhardt, magnifique panorama; à 2,5 km S.-O., *grotte de l'Apothicairerie,* l'une des plus extraordinaires curiosités naturelles de Bretagne. Le *Grand-Phare, aiguilles de Port-Coton,* au S., *Port-de-Goulphar,* très pittoresque; plage et falaises de Port-Donnant; toute cette partie de l'île est d'une grandiose et sauvage beauté.

Belfort : ***le fameux lion, en grès rouge des Vosges, a été élevé pour rappeler et symboliser la volonté de résistance et la force de la ville en 1870; il s'appuie au rocher.***

Bego (mont) 39 - B 3
Voir : **Merveilles*** (vallée des).

Belfort
90 - Territoire de Belfort 20 - D 2
La ville, traversée par la Savoureuse, où l'on visitera le vieux quartier, l'hôtel de ville fin XVIIIe, l'église Saint-Christophe XVIIIe est dominée par le fameux *Lion de Belfort,* de Bartholdi, en grès rouge, long de 22 m et haut de 11; il s'appuie au rocher au-dessus duquel se dresse la citadelle; panorama; les musées d'art et d'histoire (vis. ts les j. sauf mardi). A la sortie N.-E. de la ville, camp retranché du Vallon, enceinte fortifiée, flanquée des forts de la Justice et de la Miotte (panorama).
Environs • 7,5 km N.-O., étang et stade nautique de *Bas-Evette.*

Bellegarde-sur-Valserine
01 - Ain 26 - B 3
Important centre d'excursions.
Environs • Vallée de la *Valserine,* 3,5 km N.-O., curieuse «perte de la Valserine», barrage calcaire creusé de couloirs et de marmites (oulles) où coule la rivière; 15 km N., à *Chézery* commence le *défilé de Sous-Balme,* site très impressionnant de grandeur sauvage; à 12 km N. *Lelex* est une station de sports d'hiver et de villégiature (898 m) d'où l'on peut gagner, par *Mijoux,* le *col de la Faucille* (1 323 m); vues exceptionnelles sur le massif du **Mont-Blanc***. • Au S., 14 km, par *Billiat : barrage de Génissiat,* chef-d'œuvre de la technique moderne, construit de 1937 à 1947 (on vis. l'usine sur autorisation de la Cie nat. du Rhône). • 12 km E., *défilé de l'Écluse,* magnifique cluse séparant le *Grand Crêt d'Eau* (1 624 m) de la montagne de Vuache (1 111 m).

Bellême
61 - Orne 10 - D 3
Vieux bourg pittoresque groupé sur un promontoire; la porte fortifiée XVe, dite «le Porche», flanquée de 2 tours, est le seul vestige de l'ancien château XVe; la rue Ville-Close est bordée d'hôtels XVIIe et XVIIIe (n° 26, hôtel de Bansard des Bois). Église Saint-Sauveur XVIIe, richement décorée.
Environs • Bon centre d'excursions ds le Perche vers **Mortagne-au-Perche*** et **Nogent-le-Rotrou***. • Au N.-O., *forêt de Bellême* (étang de la Herse, chêne de l'École, château des Feugerets XVIe, etc.). • Au S.-E., *Saint-Cyr-la-Rosière,* remarquable Mise au tombeau XVIIe en terre cuite polychrome, ds l'église; à 500 m S., manoir de l'Angenardière, d'aspect féodal, XVe-XVIe; à 1 km E., Sainte-Gau-

BELVAL (forêt de)
08 - Ardennes 6 - D 3
Au S. de **Sedan***; accès par Belval-Bois-des-Dames, parc de vision de 1 100 ha, parsemés d'étangs; circuit en voiture sur 6,5 km. 4 points d'arrêts facultatifs, notamment sur la digue du Grand-Étang; 2 miradors d'observation; bisons, élans, cerfs, chevreuils, sangliers, mouflons, cols-verts, hérons, etc. (Ouv. les j. de vacances scolaires.)

burge, église gothique, transformée en musée régional (vis. l'été), intéressantes œuvres d'art. • 8 km N.-E., *Colonard-Corubert,* manoir du Courboyer XVe, en pierre blanche, flanqué d'une grosse tour ronde et d'échauguettes; l'un des plus caractéristiques « manoirs percherons ».

Belley
01 - Ain 32 - B 1
Anc. capitale du Bugey. Cathédrale Saint-Jean, néo-gothique mil. XIXe sauf le chœur déb. XVe; à l'int., rosaces XIVe et XVe. Palais épiscopal, par Soufflot (1775).
Environs • 8,5 km S., fort de Pierre-Châtel sur un roc dominant le Rhône de 180 m (on ne vis. pas); magnifique défilé de Pierre-Châtel (N. 521 B); *Yenne* a une église intéressante avec façade XIIe; portail et culs-de-lampe sculptés; stalles gothiques en bois sculpté aux armes de Savoie.

Belvès
24 - Dordogne 35 - D 1
Vieux bourg pittoresque sur une colline dominant la vallée de la Nauze. Église XIVe et XVIe, beffroi XVe et vieilles halles en bois. Nombreuses maisons gothiques et Renaissance.

Bénévent-l'Abbaye
23 - Creuse 24 - B 3
Remarquable église romane, anc. abbatiale mil. XIIe, surmontée de 2 clochers et de coupoles. Vestiges XIVe et XVe de l'abbaye.
Environs • 6 km N., *La Grand-Bourg :* église XIIe et XVIe avec chaire ext.; sur le portail N., chapiteaux sculptés formant frise; intéressantes œuvres d'art à l'int.; trésor (reliquaires). • Au S.-E., puy de Goth (541 m), magnifique panorama.

Bergerac
24 - Dordogne 29 - C 3
L'hôtel de ville renferme le remarquable musée du Tabac, unique en France (vis. ts les j. apr.-m. sauf lundi).
Environs • 7 km E., château de Grateloup. • 3 km N.-O., château de Guarrigue, curieux pastiche gothique et Renaissance construit fin XIXe par le tragédien Mounet-Sully (hôtel). • 6 km S., *château de Monbazillac :* superbe construction XVIe, flanquée de 4 tours et couronnée de mâchicoulis surmontés de belles lucarnes sculptées, dominant les vignobles (accès libre ds la cour et sur la terrasse, vis. int. du château ts les j.).

Bergues
59 - Nord 1 - C 2
Pittoresque cité flamande, ceinturée de remparts XVIIe entourés d'eau. Elle a conservé son caractère de place forte. La Grand-Place est dominée par un beffroi de 54 m (reconstruit après 1944). L'anc. mont-de-piété XVIIe abrite le musée (peintures flamandes et françaises XVe-XVIIe). Vestiges imposants de l'abbaye de Saint-Winoc XIe. Porte monumentale XVIIIe et 2 tours.
Environs • 13 km E., *Hondschoote,* hôtel de ville Renaissance espagnole (1606); église halle; à 500 m, le « Nordmolen », l'un des moulins à vent le plus anc. d'Europe (XIIe); les pittoresques « moëres » (marais) en longeant le *canal de la basse Colme,* puis jusqu'au village des *Moëres* (N.-O. de *Hondschoote).*

Bernay
27 - Eure 10 - D 1
Église Sainte-Croix XIVe-XVe, intéressantes œuvres d'art à l'int. Basilique Notre-Dame-de-la-Couture XVe. L'hôtel de ville, la poste et les tribunaux occupent l'anc. abbaye XVIIe dont l'abbatiale est du XIe; musée ds le logis abbatial XVIIe, bâti en damier de pierres et de briques. Intéressantes maisons anc., chapelle de l'hospice XVe et XVIe.
Environs • 11 km S.-O., château de *Broglie* XVIIIe (on ne vis. pas). • 13 km S.-E., château de *Beaumesnil* XVIIe, l'un des plus imposants de Normandie (vis. du parc). • A l'E., *Beaumont-le-Roger,* église XIVe, XVe, XVIe; ruines du prieuré de la Trinité et de l'église XIIIe (on vis.). • 11 km N.-E., *Nassandres* (chapelle Saint-Éloi).

Besançon
25 - Doubs 20 - B 3
Capitale de la Franche-Comté, ceinturée par une boucle du Doubs que dominent, au N. le fort Griffon et ses défenses, au S.-E. la citadelle, œuvre magistrale de Vauban, à 118 m au-dessus du *Doubs* (vis. ts les j.). Cathédrale Saint-Jean XIIe-XIVe, de plan décentré; à l'int., intéressantes œuvres d'art, célèbre *Vierge aux Saints,* de Fra Bartolommeo déb. XVIe. • Par la porte Noire (romaine IIe), square archéologique Castan (vestiges romains). Grande-Rue : au 138, maison natale de Victor-Hugo; majestueux palais Granvelle, Renaissance mil. XVIe, avec une cour int. carrée, entourée d'arcades (musée d'histoire régionale, on visite tous les j. sauf mardi); belles maisons XVIe, XVIIe et XVIIIe. La préfecture, anc. hôtel des Intendants, est l'un des plus beaux monuments néo-classiques fin XVIIIe. Hôpital Saint-Jacques, magnifique grille XVIIIe,

Besançon : ***Victor Hugo l'appelait la « vieille ville espagnole ». Le progrès l'a touchée, mais elle garde de beaux souvenirs du passé. On voit, à gauche, les tours rondes de la porte Rivotte.***

Beynac : *sur un rocher, au-dessus de la vallée, le formidable château, véritable nid d'aigle, dresse ses murailles à pic, gardiennes d'un des sites les plus saisissants du Périgord. La Dordogne, à la Roche-Gageac, étire ses eaux calmes entre des rives verdoyantes.*

élégante chapelle de style Louis XV. • Le musée des Beaux-Arts, récemment modernisé, est l'un des plus riches de France : coll. archéologiques; peintures des Écoles flamandes, allemandes (Cranach), italiennes (le Tintoret, Titien, Bellini), françaises XVIIe (La Tour) et XVIIIe; remarquable ensemble d'œuvres de Fragonard, Boucher, Hubert Robert; salle Courbet; salles de peintures contemporaines (Bonnard, Matisse, Picasso, Signac, etc.); riche cabinet de dessins (vis. ts les j. sauf mardi). • Le quai Vauban est bordé de maisons XVIIe. Par le pont Battant (belle vue), on gagne sur la rive dr. du *Doubs* le quartier de Battant, transformé par Vauban en un formidable ouvrage fortifié; église Sainte-Madeleine XVIIIe; derrière le port Griffon, pittoresque promenade des Glacis. Également sur la rive dr. casino et Bains salins de la Mouillère.

Environs • A l'E., plateau de Brégille (belle vue sur Besançon) par funiculaire. • 5,5 km S.-E., chapelle des Buis (panorama). • 4,5 km S. et 30 mn à pied, *Beure* et le Bout-du-Monde, curieux hémicycle de rochers; vestiges de l'abbaye de Gouailles fondée au XIIe. • 13 km N., *Voray-sur-l'Ognon,* imposante église XVIIIe. • Au N.-E., *forêt de Chailluz.*

Besse-en-Chandesse
63 - Puy-de-Dôme 30 - D 2

Pittoresque petite ville anc. dont les rues étroites sont bordées de maisons en lave noire; la rue de la Boucherie a conservé les éventaires de pierre des anc. boucheries. Logis XVe-XVIe avec tourelles d'escalier et portes sculptées, dit maison de la reine Margot. Église Saint-André, anc. collégiale avec nef romane XIe et curieux chapiteaux historiés. Beffroi XVe.

Environs • *Super-Besse* est une station de sports d'hiver à 1 300 m d'alt. située ds le cirque de la Biche. • *Lac Pavin; lac de Bourdouze* (1 170 m); et *lac de Montcineyre* que domine le puy de Montcineyre (1 333 m). • 8 km N.-E., *grottes de Jonas,* anc. habitations troglodytes; des escaliers relient les différents étages; remarquable escalier à vis, peintures murales rustiques fin XVe ds la chapelle.

Béziers : *l'Orb, qu'enjambe le Pont-Vieux, coule, pacifique, au pied de la ville dominée par l'ancienne cathédrale Saint-Nazaire. La ville est un important centre de commerce des vins.*

Bétharram (Notre-Dame-de-)
64 - Pyrénées-Atlantiques 41 - A 2
A *Lestelle-Bétharram.* L'église XVIIe (à l'int. importante décoration d'époque) est le siège d'un important pèlerinage à la Vierge. Couvent XVIIe et chapelle moderne Saint-Michel-Garicoïts (châsse du saint).
Environs • Au S.-E., *grottes de Bétharram* (vis. ts les j. l'été); des salles supérieures un escalier de 270 marches conduit, à 80 m de profondeur, aux salles inférieures et à la rivière souterraine que l'on suit en bateau sur 300 m.

Béthune
62 - Pas-de-Calais 1 - D 3
Anc. place forte à la Vauban. Grand-Place et beffroi XIVe.

Beynac-et-Cazenac
24 - Dordogne 35 - D 1
Beynac est dominé par une falaise de 150 m, au-dessus de la *Dordogne,* qui porte un imposant château XIIIe, XIVe et XVIe (vis. mars à nov.); chapelle XIIIe-XIVe (église paroissiale). Sur la rive opposée manoir de Fayrac XVe-XVIe.
Environs • 3 km S., ruines féodales XIIIe, XIVe et XVe du *château de Castelnaud.* • 2 km S.-E., château de Marqueyssac XVIIIe. Au S.-O., sur la rive g. de la *Dordogne,* château des Milandes, Renaissance avec chapelle XVe, où Joséphine Baker installa une communauté internationale d'enfants.

Bèze
21 - Côte-d'Or 20 - A 2
Anc. bourg fortifié XIIIe. L'église, anc. abbatiale, reconstruite au XVIIIe, a conservé, de l'édifice roman primitif, le transept surmonté du clocher. Maison XIIIe avec façade à baies ogivales. source vauclusienne de la Bèze.
Environs • 11 km N.-E., *Fontaine-Française,* château d'une noble ordonnance classique (on ne vis. pas); beaux jardins à la française et vaste parc.

Béziers
34 - Hérault 43 - A 2
Les allées Paul-Riquet forment le centre de la ville; elles aboutissent au théâtre, l'un des rares monuments de style Restauration (1844). Pittoresque Plateau des Poètes, jardin public orné de la fontaine du Titan. Le vieux Béziers (intéressantes vieilles maisons) est dominé par l'anc. cathédrale Saint-Nazaire XIIIe-XIVe; la façade O., fortifiée, donne sur une terrasse d'où le panorama est superbe; crypte romane. Musée lapidaire ds le cloître XIVe. Musée des Beaux-Arts : peintures italiennes, allemandes et françaises du XIVe au XIXe. Musée du Vieux-Biterrois (archéologie sous-marine) et musée du Vin. Église Saint-Jacques, intéressante abside romane XIIe inspirée de l'antique.
Environs • 15 km S.-E., *Valras-Plage.* • 13 km O., **Ensérune***.

Biarritz
64 - Pyrénées-Atlantiques 40 - B 1
La promenade des plages permet de découvrir les sites les plus célèbres de Biarritz par la côte et la plage des Basques, la perspective Miramar, l'anse rocheuse du Port-Vieux, l'esplanade (musée de la Mer, aquarium) et le rocher de la Vierge, l'Atalaye, le port des Pêcheurs et la Grande Plage (casinos). Celle-ci se développe vers le N.-E. jusqu'à l'hôtel du Palais, à l'emplacement de la résidence de Napoléon III, et la pointe Saint-Martin (phare). Le vieux village, autour de la rustique église Saint-Martin mil. XVIe, a gardé des coins pittoresques. Son et Lumière l'été.
Environs • Au S., par les avenues Kennedy et du Bois-de-Boulogne, lac Mouriscot, ou de la Négresse, entouré de bois et de pelouses. • 7 km N.-E., par la Chambre d'Amour et le bois de Chiberta, *barre de l'Adour* (voir **Bayonne***). • 8 km E., **Bayonne*** par *Anglet* (église XIIIe). • 8,5 km S.-E., *Arcangues :* église XVIe, int. basque avec galeries de bois sculpté, ds le chœur, décoration XVIIIe. • Au S.-O., par la route côtière, *Bidart,* (à 5 km E., *Arbonne,* village basque typique), *Guéthary* (église Saint-Nicolas XVIIe) et **Saint-Jean-de-Luz***.

Bienassis (château de)
22 - Côtes-du-Nord 9 - B 2
Superbe construction en granit rose XVIe-XVIIe (vis. ts les j. sauf dim.). On y accède par une porterie à tourelles ouverte ds un mur crénelé flanqué de 2 pavillons. Les appartements sont remarquablement meublés.
Environs • A l'O., le *Val-André* (belle plage de 2 km), pointe de *Pléneuf, île du Verdelet.* Au N., côte et cap d'*Erquy,* superbes falaises de grès mauve.

Billom
63 - Puy-de-Dôme 31 - A 1
Cette petite ville eut du XIIIe au XVIe son université. Sur la rive g. de l'Angaud, quartier clos bâti autour de l'église Saint-Cerneuf; le chœur roman voûté fin XIIIe, l'un des plus anc. d'Auvergne, est construit sur une crypte fin XIe; intéressantes œuvres d'art (grille XIIe, tombeaux). La rue des Boucheries a gardé plusieurs vieilles maisons. Voir aussi : maison de l'échevin XVIe, maison du chapitre, beffroi, etc.
Environs • 6 km N.-N.-E., Glaine-Montaigut église romane XIe; le chœur XIIe conserve de beaux chapiteaux. • 10 km S.-E., château de *Mauzun* XIIe-XVIe : ses ruines imposantes, hérissées de 14 tours, dominent un magnifique panorama (on vis.).

Biot
06 - Alpes-Maritimes 45 - A 1
Ds l'église, 2 retables de l'École des primitifs niçois XVe. A 2 km, mas Saint-André : musée Fernand-Léger (ouv. ts les j. sauf mardi); sur la façade mosaïque polychrome de 400 m^2; l'int. offre un panorama de l'œuvre du peintre : tableaux, tapisseries, sculptures, céramiques, etc.; sur la terrasse : le *Jardin des enfants,* groupe de céramique polychrome.
Environs • 9 km O., *Valbonne,* sur plan régulier rectangulaire avec une place centrale entourée d'arcades.

Biot : *la façade du musée Fernand-Léger est occupée par une grande céramique-mosaïque sur le thème du sport; ses couleurs éclatantes, typiques de l'œuvre du peintre, contrastent avec l'austérité du paysage.*

• 3 km N.-O., Notre-Dame-de-Brusc XIᵉ, construite sur un sanctuaire paléochrétien dont le baptistère a été dégagé ; des fouilles ont mis au jour des vestiges et des objets préhistoriques et une nécropole romaine.

Biron (château de)
24 - Dordogne 35 - D 1
Imposante et complexe construction de diverses époques, du XIᵉ-XIIᵉ au XVIIIᵉ, le château, situé à 236 m d'alt., domine un immense panorama (vis. ts les j.). La majeure partie des tours et de l'enceinte fortifiée est XVᵉ, les bâtiments d'habitation Renaissance XVIIᵉ et XVIIIᵉ. La chapelle XVᵉ et XVIᵉ (tombeaux monumentaux sculptés) est à 2 étages; l'ét. inf. sert d'église paroissiale.
Environs • Excursions recommandée, par *Lacapelle-Biron* (4 km S.), aux gorges de Gavaudun.

Biville
50 - Manche 3 - C 2
Le village, situé sur un plateau, domine l'immense grève sauvage de l'anse de *Vauville.* Ds l'église, sarcophage de marbre du bienheureux Thomas Hélie († 1257), but d'un pèlerinage.
Environs • 14 km S., petit port de *Diélette;* à 2,5 km S., *Flamainville :* le château mil. XVIIᵉ forme un imposant ensemble de bâtiments en granit autour de la cour d'honneur; on ne vis. que le parc jalonné de pièces d'eau; la promenade du *cap de Flamainville* est recommandée; du haut de la falaise vaste panorama.

Blasimon
33 - Gironde 35 - B 1
L'église Saint-Nicolas XIIᵉ-XIIIᵉ, anc. abbatiale, a une remarquable façade romane surmontée d'un clocher mur; le portail, également roman, est l'un des plus beaux de la région; ses voussures en arc brisé sont ornées de figures sculptées représentant une scène de chasse, des anges tenant les instruments de la Passion, et les Vices et les Vertus, d'une élégance très souple; ruines de la salle capitulaire, mil. XIIᵉ, et du cloître.
Environs • 2 km N., moulin de Labarthe, fortifié XIVᵉ, ds un site très pittoresque. • 6,5 km S., *Sauveterre-de-Guyenne,* bastide typique fin XIIIᵉ avec 4 portes fortifiées et une vaste place centrale, encadrée de cornières.

Blaye
33 - Gironde 29 - A 3
A l'O. de la ville, sur la Gironde, la citadelle XVIIᵉ couronne un plateau rocheux en falaise; on y accède par 2 portes monumentales; véritable petite ville, elle comprend la maison du commandant d'Armes (musée d'Histoire et d'Art du pays blayais), les ruines d'un château fort gothique, la place d'Armes, le couvent des Minimes XVIIᵉ, la tour de l'Aiguillette (panorama), etc. Face à la citadelle : fort Pâté, sur un îlot, et fort Médoc XVIIᵉ.
Environs • 14 km S.-E., *Bourg,* sur le rebord pittoresque d'une falaise au-dessus de la *Dordogne;* la ville haute, autrefois fortifiée, est dominée par le château de la citadelle XVIIᵉ, à l'E., de la terrasse du District, panorama sur le confluent de la *Dordogne* et de la *Garonne* (table d'orientation); 2,5 km en aval, Bec d'Ambès, port pétrolier; à 6 km E. de *Bourg,* grotte préhistorique de Pair-non-Pair (on vis.).

Blois : ***le grand escalier de l'aile François-Iᵉʳ sculpté, et orné de salamandres et de monogrammes.***

Blesle
43 - Haute-Loire 31 - A 2
L'une des plus pittoresques cités auvergnates. Ds l'église romane, Saint-Pierre, anc. abbatiale Xᵉ-XIᵉ, trésor intéressant, clocher Saint-Martin XIVᵉ; vestiges de l'enceinte avec donjon XIIIᵉ, l'anc. cour de l'abbaye (aujourd'hui place de la Mairie) est entourée de bâtiments XVᵉ (maisons des chanoinesses); la mairie occupe le logis abbatial XVIIIᵉ.
Environs • *Gorges de l'Allagnon* au N. (orgues du Babory) jusqu'à *Lempdes* (église romane), ruines du *château de Léotoing* (belle vue).

Blois
41 - Loir-et-Cher 18 - A 2
Le château, qui domine la *Loire,* a été construit en 4 étapes principales : XIIIᵉ, XVᵉ, Renaissance, XVIIᵉ (vis. ts les j. Son et Lumière l'été). On entre ds la cour d'honneur par l'aile Louis XII, en brique et pierre, fin XVᵉ; à l'angle N., la grande salle des États, XIIIᵉ, relie l'aile Louis XII à l'aile François Iᵉʳ, XVIᵉ, richement sculptée et ornée, célèbre pour son remarquable escalier à jour finement sculpté enfermé ds une tour octogonale. Fermant la cour à l'O., aile Gaston d'Orléans, de style classique, mil. XVIIᵉ. La chapelle Saint-Calais, déb. XVIᵉ, se raccorde, avec la galerie dite de Charles d'Orléans, à l'aile Louis XII. De la terrasse du Foix : belle vue sur la ville. L'int. comprend au 1ᵉʳ étage de l'aile François Iᵉʳ, les appartements de la reine et au 2ᵉ ceux d'Henri III où fut assassiné le duc de Guise en 1588. L'aile Louis XII renferme le musée d'Art religieux, et, au 1ᵉʳ étage, le musée des Beaux-Arts. Son et Lumière.
• La ville possède plusieurs monuments intéressants : église Saint-Nicolas, anc. abbatiale, romane et gothique; cathédrale Saint-Louis, reconstruite au XVIIIᵉ ds le style gothique (sous le chœur : vaste crypte Xᵉ-XIᵉ). L'anc. évêché XVIIIᵉ abrite l'hôtel de ville dont les jardins s'étendent en 2 longues terrasses. Le Vieux Blois est groupé autour de la place de l'Ave-Maria; ses rues sont bordées de maisons XVᵉ et XVIᵉ. Voir rue Saint-Honoré 2 beaux hôtels Renaissance : l'hôtel d'Alluye déb. XVIᵉ dont la cour int. est remarquable, et l'hôtel Denis-Dupont, déb. XVIᵉ. Le musée Robert-Houdin est consacré au célèbre illusionniste (on visite).
• Sur la rive g. de la *Loire,* anc. cimetière Saint-Saturnin, à galeries déb. XVIᵉ, musée lapidaire. A 500 m en amont du nouveau pont sur la *Loire,* un plan d'eau de 250 ha comporte un vaste complexe de sports nautiques.
Environs • Au S.-E., châteaux de **Beauregard*, Cheverny*,** *Villesavin, Herbault.* • A l'E., château de **Chambord*.** • Au N.-E., châteaux de **Ménars*** et **Talcy*.**

Bonaguil (château de)
47 - Lot-et-Garonne 35 - D 1
Les imposants vestiges de cette formidable forteresse constituent un exemple unique d'architecture militaire fin XVᵉ-déb. XVIᵉ. Le château (vis. mars à oct. illumination l'été) a 350 m de péri-

mètre et 13 tours, donjon XIIIe. Il offre des dispositions remarquables pour l'utilisation de l'artillerie. Musée archéol. et iconographique.

Bonifacio
2 A - Corse 45 - D 2
La vieille ville, ou ville haute, perchée sur un promontoire abrupt fortifié, est quadrillée de petites rues bordées de hautes maisons reliées par des arcs-boutants, souvent à pic sur la mer. Église Sainte-Marie-Majeure XIIe-XIIIe, maison du comte Cattacciolo (porte Renaissance) et, en face, maison Passano où habita Bonaparte (1795). La citadelle, à l'extrémité O. du promontoire, est occupée par la Légion Etrangère (on ne vis. pas). L'église Saint-Dominique est de style gothique méridional XIIIe-XIVe (vis. guidée). Une vieille rampe pavée descend au port; en retrait du promontoire, au fond d'un bras de mer encaissé, la Marine est le quartier le plus typique de Bonifacio; aquarium marin aménagé dans une grotte.
Environs • Visite des grottes marines (45 mn) notamment la grotte du Sdragonato. • Excursions recommandées à l'*ermitage de la Trinité* (6 km N.-O.), le *cap Pertusato* (à 5 km S. et 45 mn à pied) sémaphore et phare, vue magnifique sur Bonifacio et le détroit de Sardaigne. • Toute l'année, services quotidiens pour la Sardaigne.

Boquen (abbaye de)
22 - Côtes-du-Nord 9 - B 3
Fondée au XIIe à la lisière N. de la *forêt de Boquen*, réoccupée depuis 1936 par les moines. On y visite l'abbatiale romane, longue de 72 m, avec un chœur XIVe; ruines de la salle capitulaire XIIe.

Bordeaux
33 - Gironde 29 - A 3
Capitale de l'Aquitaine. • Le cœur de la ville est la place de la Comédie où s'élève le Grand-Théâtre, de style néo-classique, fin XVIIIe, l'un des plus remarquables du genre. A g., cours du 30-Juillet et vaste place des Quinconces, occupée au centre par le colossal monument des Girondins; sur la terrasse de l'E., colonnes rostrales de 21 m. A dr., par le quai Maréchal-Lyautey, place de la Bourse, magnifique ensemble architectural XVIIIe; intéressant musée de la Marine (provisoirement en fermeture). • La cathédrale Saint-André, principalement gothique XIVe-XVe (belle porte Royale sculptée XIIIe) est flanquée de la tour Pey-Berland XVe, haute de 48 m. Derrière la cathédrale, majestueux hôtel de ville, anc. palais de Rohan, fin XVIIIe; les ailes encadrant le jardin sont occupées, au S. par le musée d'Aquitaine (archéologie préhistorique et gallo-romaine), au N. par le musée des Beaux-Arts (vis. ts les j. sauf mardi). Le musée des Arts décoratifs est installé ds un charmant hôtel XVIIIe (vis. ts les j. sauf mardi). • Principales églises : Saint-Seurin fin XIIe, porche XIe, la crypte XIe (s'adr. au sacristain) abrite un remarquable dépôt lapidaire; Saint-Michel XVe (sous la tour clocher : curieux caveau des Momies) (on ne vis. plus); Sainte-Croix XIIe-XIIIe, façade romane originale, etc. • On verra également les ruines du palais Gallien, en réalité vestiges d'un amphithéâtre romain IIIe, et à l'entrée de la rue Saint-James la porte de la Grosse-Cloche XIIIe-XIVe (petite église Saint-Éloi, gothique).
Environs • Circuit du *Médoc*, au N.-O., sur la rive g. de la *Gironde*, riches vignobles (vins rouges réputés) et châteaux : *Château-Margaux*, de style néo-classique, dont les appartements ont conservé leur décor et leur mobilier Empire (vis. autorisée), château de *Beychevelle*, mil. XVIIIe, entouré de jardins en terrasse (visite des chais autorisée); (intéressant musée du Vin au châ-

Bonifacio : ***souvent en surplomb sur la mer, les vieilles maisons s'étirent sur une étroite falaise de calcaire blanc en un décor extraordinaire.***

Bordeaux : ***la cathédrale est l'une des belles œuvres du gothique, avec ses arcs-boutants hérissés de clochetons et ses chapelles rayonnantes.***

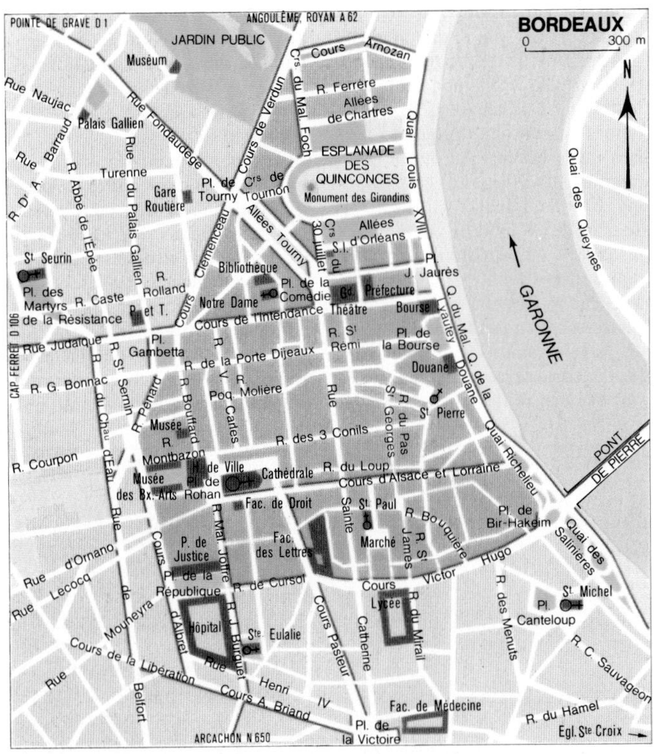

teau Mouton-Rothschild, à *Pauillac*, XVe et XVIIe-XVIIIe (vis. autorisée); les églises romanes de *Vertheuil* à 3 nefs couvertes d'ogives XVe et 2 clochers, beau portail sculpté, et *Saint-Laurent-de-Médoc* valent la visite.

Bormes-les-Mimosas
83-Var 44-C2
Bâti en amphithéâtre au pied des Maures, ce vieux village pittoresque et fleuri a des rues étroites coupées de poternes et de voûtes. Par la montée Belle-Vue on atteint la terrasse de l'anc. château des seigneurs de Fos XIIe-XIIIe d'où la vue est splendide.

Environs • 9,5 km, *fort de Brégançon* XVIe, résidence d'été du président de la République. • Au N., **Collobrières*** par la forêt domaniale du Dom et le col de Babaou. • A l'E., une petite route, ou corniche des Crêtes, relie Bormes, par le col de Caguo-Ven, au col du Canadel (15 km E.), au cœur du *massif des Maures.*

Bort-les-Orgues
19 - Corrèze 30 - C 2
Sur la rive dr. de la Dordogne dominée, à 3 km en aval, par les « orgues » de Bort, énormes colonnades de phonolithes de 80 à 100 m de haut. Nombreuses grottes ds les environs.

Bormes-les-Mimosas : *à la fois proche de la forêt du Dom et de la mer, typique petite ville provençale.*

A 2 km en amont : barrage de Bort, haut de 120 m, sur la *Dordogne*. En été, prom. en bateau au chât. de **Val***. *Environs* • Au S.-E., *gorges de la Rhue;* par Cournilloux (24 km de Bort), cascades de Gabacut. • Au S.-O., par *Champagnac* et, av. Sérandon à g., la route touristique des Ajustants suit les gorges de la

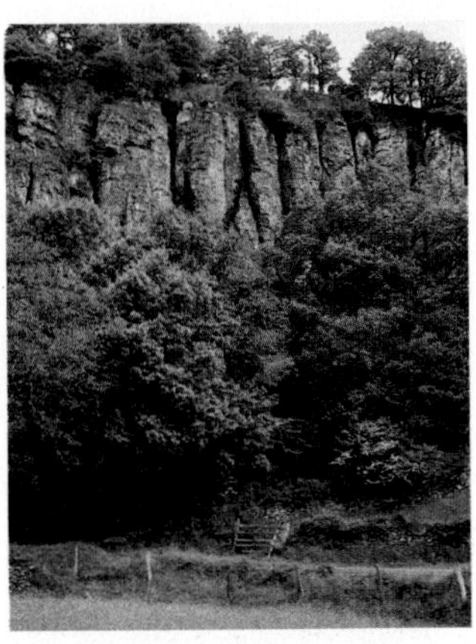

Bort-les-Orgues : *les coulées basaltiques en tuyaux d'orgue.*

Dordogne, rejoint la D. 682, franchit la Dordogne au pont de Saint-Projet et arrive à **Mauriac***. • 8 km O., *site de Saint-Nazaire;* sur un promontoire, la statue du saint et un calvaire dominent le confluent de la Dordogne et de la Diège, vue magnifique.

Bouges (château de)
36-Indre 24-B1
Le « Petit Trianon berrichon », mil. XVIIIe, entouré d'un parc et de jardins à la française, abrite une coll. de meubles XVIIIe dont plusieurs très précieux (vis. ts les j.). Ds les communs XVIIIe, vastes écuries : coll. de selles, de harnais et de voitures 1900.
Environs • 12 km S.-O., *Levroux*, collégiale Saint-Sylvain XIIIe, bâtie sur des ruines gallo-romaines; maison de bois XVe (personnages sculptés).

Boulogne-Billancourt
92 - Hauts-de-Seine 11 - C 2
Curieux jardins Albert-Kahn (forêt vosgienne, jardin anglais, jardin japonais, jardin à la française, verger, roseraie, vis. ts les j.). L'île Saint-Germain partiellement transformée en parc public. Musée Paul Landowski. Bibl. napoléonienne Paul-Marmottan (petit musée).

Boulogne-sur-Mer
62 - Pas-de-Calais 1 - B 2
Premier port de pêche de France et port de commerce. La haute ville présente une enceinte en quadrila-

tère, percée de 4 portes et flanquée de tours. Au centre, place Godefroy-de-Bouillon, hôtel de ville XVIIIᵉ, hôtel des Androuins XVIIIᵉ et beffroi gothique. Château XIIᵉ (on ne vis. pas). A la basilique Notre-Dame, crypte XIᵉ (pèlerinage célèbre à la Vierge). Musée (souvenirs de Napoléon et vases grecs). Visite des installations portuaires.
Environs • Suivre la corniche de la *côte d'Opale* jusqu'à **Calais*** par les caps *Gris-Nez* et *Blanc-Nez.* • 5 km N., colonne de la Grande-Armée, haute de 53 m (1841). • 5 km S., château de Pont-de-Briques XVIIIᵉ où résida Napoléon (petit musée).

Bourbon-Lancy
71 - Saône-et-Loire 25 - B 2
Station thermale. La vieille ville est étagée sur une colline. Maisons anc., porte et tour de l'Horloge; ds l'anc. église Saint-Nazaire XIᵉ-XIIᵉ, petit musée d'antiquités locales.
Environs • 7 km E., signal de *Mont;* du belvédère (472 m), panorama. • 6 km S., château de Saint-Aubin-sur-Loire sec. moitié XVIIIᵉ, d'une grande noblesse classique (vis. l'apr.-m. l'été); beaux appartements remarquablement décorés et meublés (tapisseries, boiseries); majestueux communs.

Bourbon-l'Archambault
03 - Allier 24 - D 2
Station thermale connue depuis l'Antiquité. Ruines imposantes du château reconstruit au XIVᵉ dont il reste, au N., 3 belles tours rondes (sur 24) réunies par une courtine, et au S. l'énorme tour Quiquengrogne surmontée d'un beffroi moderne. Église Saint-Georges, romane XIIᵉ, agrandie au XVᵉ et au XIXᵉ; chapiteaux et statues XVᵉ et XVIᵉ. Curieux moulin fortifié XIVᵉ au bord d'un étang.
Environs • 9 km E., *Saint-Menoux :* l'église XIIᵉ, anc. abbatiale bénédictine, est l'une des plus belles églises du Bourbonnais. • 10 km S.-O., *Ygrande :* église XIIᵉ, très belle flèche en pierre.

Bourboule (La)
63 - Puy-de-Dôme 30 - D 2
A 850 m d'altitude, ds la haute vallée de la *Dordogne,* station thermale et de sports d'hiver (massif du Sancy, voir **Le Mont-Dore***). Parc Fenêstre. Rocher des Fées (vues sur la ville et le site). Nombreuses ressources de grande ville d'eaux. Bon centre d'excursions.
Environs • 7 km N., par Murat-le-Quaire, puis chemin pédestre, la *Banne d'Ordanche* (1 515 m), magnifique panorama sur les volcans d'Auvergne et la vallée de la *Dordogne.* • 2,5 km E., puis sentiers, cascades de la Vernière et du Plat à Barbe. • 4,5 km S.-E., puis sentier, la roche Vendeix (1 130 m), beau panorama. • 7 km S., sentiers balisés, plateau de Charlannes (1 250 m), vues magnifiques sur les monts Dore et les monts du Cantal.

Bourdeilles (château de)
24 - Dordogne 29 - C 2
Bâti sur un promontoire, il comprend 2 édifices distincts : l'un XIVᵉ, entouré d'une enceinte et dominé par un donjon octogonal de 34 m; l'autre Renaissance, qui comporte à l'int. la salle marbrée (salle à manger) et la somptueuse chambre dorée (vis. ts les j.).
Environs • Vallée de la *Dronne.* • 5 km O., château de Maroitte fin XVIᵉ; 4,5 km S.-O., **Grand-Brassac*.**

Bourg-d'Oisans (Le)
38 - Isère 32 - C 3
Capitale de l'Oisans. Excellent centre d'excursions.
Environs • 14 km N.-E., **L'Alpe-d'Huez*.** • A l'E., la route des grands cols, autour du massif des *Grandes-Rousses,* par le barrage du *Chambon* (126 ha) sur la *Romanche,* important ouvrage de 90 m de haut, 294 m de long (1927-1935); la combe de Malaval, long défilé suivant la *Romanche* (cascades, échappées sur les glaciers); *La Grave,* importante station d'alpinisme au pied de *la Meije* (église XIIᵉ, entourée du cimetière, chapelle des Pénitents Blancs XVIIᵉ); **col du Lautaret***, 2 058 m; par le *col du Galibier,* **Saint-Michel-de-Maurienne***, et **St-Jean-de-Maurienne***, puis les cols de la *Croix-de-Fer* et du *Glandon,* jusqu'à *Rochetaillée.* • Au S.-E., **Saint-Christophe-en-Oisans,** *La Bérarde.*

Bourg-en-Bresse
01 - Ain 26 - A 3
L'église et le monastère de *Brou,* à la sortie de Bourg par la N. 75, furent édifiés au XVIᵉ. L'église est une véritable châsse de pierre ouvragée : le chœur, entouré de 74 stalles de chêne sculpté, aux vitraux de couleurs éclatantes, est séparé de la nef par un jubé de style flamboyant richement orné; il abrite les tombeaux, d'une ornementation exubérante, de Philibert

Boulogne : *dans le port animé, l'un des plus actifs de France.*

Bourdeilles : *la Dronne et son vieux pont gothique au pied des châteaux.*

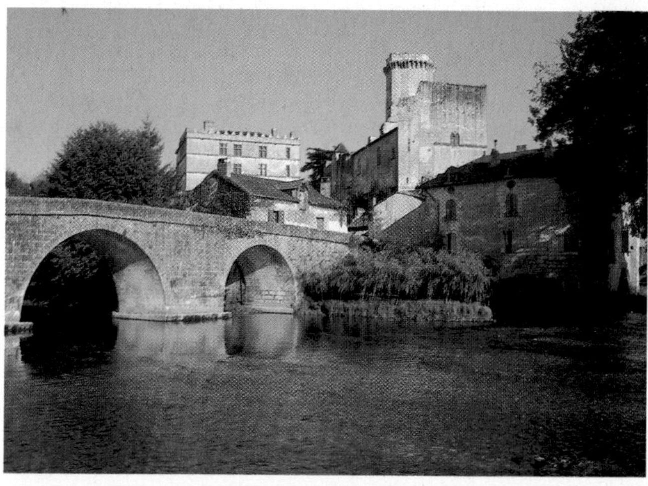

le Beau, duc de Savoie, sa femme Marguerite d'Autriche, sa mère Marguerite de Bourbon ; sur l'autel, grand retable flamand d'albâtre des *Sept Joies de la Vierge* XVIᵉ. Les bâtiments du monastère se répartissent autour de 3 cloîtres : musée de l'Ain (reconstitution d'une maison bressanne, mobilier, artisanat, folklore, etc.).
Environs • Par la N. 83, au S., à travers les *Dombes* parsemées d'étangs, *Saint-Paul-de-Varax* (église romane, charmant manoir XVᵉ en brique), *Villars-les-Dombes* (réserve naturelle départementale, parc zoologique) ; à 7 km de *Saint-Paul :* monastère de trappistes de Notre-Dame-des-Dombes.

Bourges
18 - Cher 18 - C 3
L'une des plus riches villes d'art de France. La cathédrale Saint-Étienne XIIIᵉ présente sur sa façade 5 portails qui comptent, surtout celui du centre, parmi les chefs-d'œuvre de la sculpture gothique ; à l'int. les vitraux XIIIᵉ aux chaudes tonalités bleues et rouges constituent un ensemble exceptionnel ; ds la crypte fin XIIᵉ (fermée dim. matin et mardi) fragments du jubé XIIIᵉ et gisant en marbre du duc de Berry XVᵉ, vitraux XIVᵉ. L'hôtel Jacques-Cœur (vis. ts les j. sauf mardi) est l'un des plus remarquables édifices civils gothiques du XVᵉ. L'hôtel Cujas, charmant édifice Renaissance déb. XVIᵉ, abrite le musée du Berry. L'hôtel Lallemant fin XVᵉ (façade Renaissance élégamment décorée), a des coll. archéologiques et régionales. Voir également la maison des Échevins, anc. hôtel de ville et plusieurs maisons anc. place Gordaine, rues Mirebeau, Pelvoysin (maison de Pelvoysin, Caisse d'épargne, façade gothique), rue des Arènes qui conduit à Saint-Pierre-le-Guillard XIIIᵉ (chapelles XVᵉ).
Environs • 16 km N.-O., *Mehun-sur-Yèvre,* ruines du château du duc Jean de Berry, XIVᵉ (petit musée) ; collégiale romane XIᵉ et XIIᵉ. • 12 km S.-E., *Plaimpied,* anc. abbaye, église romane (beaux chapiteaux historiés), bâtiments conventuels XVᵉ ; à 10 km S., ruines du château de Bois-Sir-Amé, déb. XVᵉ, où vécut Agnès Sorel.

Bourget-du-Lac (Le)
73 - Savoie 32 - B 1
Sur le lac du Bourget : plage, sports nautiques. Église XIIIᵉ et XVᵉ avec crypte carolingienne ; autour du chœur, belle frise sculptée en pierre, XIIIᵉ, représentant des épisodes évangéliques. Château prieuré avec galerie de cloître à double étage, XVᵉ, parc à l'italienne.

Bourg-en-Bresse : *cette gracieuse statuette, au geste maniéré, est l'une des dix statuettes, sibylles ou vertus, entourant le tombeau de Philippe le Beau, dans le chœur de l'église de Brou.* ▲

Dans le parc zoologique des Dombes, une image bucolique. ▲▲

Environs • Tour du *lac du Bourget* par l'abbaye de **Hautecombe***, *Conjux,* le canal de Savières, **Aix-les-Bains***. • Au N.-E., *Yenne* par le col du Chat (voir **Belley***).

Bourgonnière (château de la)
49 - Maine-et-Loire 16 - D 2
Construit au XIXᵉ ds un vaste parc ; du château XVᵉ il reste une tour cylindrique et un donjon à mâchicoulis. La chapelle (on vis.) est un élégant joyau Renaissance, renforcé de tourelles ; décoré à l'ext. de coquilles et de taus ; charmant portail délicatement sculpté, à l'int., nef couverte de voûtes en étoile à clés pendantes et blasons sculptés ; remarquables retables Renaissance de goût italien, déb. XVIᵉ ; banc seigneurial orné de curieux grotesques.
Environs • Au S.-O., près de *Bouzillé,* château de la Mauvaisinière, de style Louis XIII, sur un terre-plein entouré de douves.

Bourg-Saint-Andéol
07 - Ardèche 37 - D 2
La remarquable église romane abrite le sarcophage, sculpté au XIIᵉ, de saint Andéol, martyr du IIIᵉ. La chapelle Saint-Polycarpe, à côté de l'église, est la crypte mérovingienne d'une église disparue. Vestiges de l'hôtel Nicolaï, gothique et Renaissance mil. XVIᵉ. Un pensionnat occupe l'anc. palais des évêques de Viviers, belle façade gothique déb. XVIᵉ au-dessus du *Rhône.* Ds l'hospice, anc. couvent, cloître XVᵉ et XVIIᵉ, et chapelle fin XVIᵉ richement décorée. A 10 mn S.-O., fontaine de Tournes, surmontée d'un bas-relief monumental IIᵉ représentant Mithra immolant le taureau.

Bournazel (château de)
12 - Aveyron 36 - C 2
Superbe édifice Renaissance (vis. ext. seulement). 3 tours XVᵉ encadrent sa remarquable façade où se superposent colonnes doriques et ioniques. L'aile N. est de la première Renaissance, l'aile E. de la seconde. La sculpture ornementale inspirée de l'antique est d'une rare qualité.

Boussac
23 - Creuse 24 - C 2
Dressé sur un promontoire rocheux

BRAMABIAU
30 - Gard 37 - A 3
Le Bonheur, qui prend sa source au pied de l'*Aigoual,* s'enfouit dans le causse et, après un parcours souterrain de 700 m, jaillit ds un cirque rocheux d'aspect fantastique, dénommé l'Alcôve. Le bruit rappelle le beuglement du bœuf : «bramabiau», le bœuf qui brame (vis. de Pâques à mi-oct., suivant le niveau des eaux).

Bourges : ***les tourelles des chapelles, originalité du chevet de la cathédrale, dont les arcs-boutants soulignent l'élan harmonieux.***

l'anc. château XVe-XVIe est flanqué de tours imposantes d'où l'on embrasse un vaste panorama; l'int. (visite ts les j.) comporte une vaste salle des Gardes avec cheminée monumentale; tapisseries et meubles intéressants. Église XIIIe-XVe. Du pont de la Petite-Creuse, vue pittoresque sur le site.
Environs • 6 km S., Pierres-Jaumâtres, énormes blocs granitiques aux aspects fantastiques, à 595 m d'alt., au sommet du mont Barlot, ds un paysage dénudé; à 5 km S., *Toulx-Sainte-Croix,* sur une colline granitique à 655 m; vaste panorama; vestiges d'oppidum et d'enceintes successives; le village est très pittoresque; église romane XIIe en granit avec clocher porche isolé, abritant des sarcophages; tour hertzienne de 23 m (ascension recommandée, magnifique panorama).

Bozouls
12 - Aveyron 36 - D 2
Le «trou de Bozouls», profond canyon creusé par le Dourdou ds les grès rouges, est l'un des plus extraordinaires sites des Causses. Le bourg a conservé son aspect du Moyen Age. Église romane XIIe, avec chapelles XVe et XVIe. Maisons anc. au bord du précipice.

BREHAT (île de)
22 - Côtes-du-Nord 9 - A 1
Traversée par vedettes, de la *pointe de l'Arcouest,* en 10 mn. L'«île des fleurs et des rochers roses» a des côtes très découpées; falaises et rochers de granit rose contrastent avec la végétation méditerranéenne. Le bourg de Bréhat a une intéressante église gothique. Phare du Paon, au-dessus d'un extraordinaire chaos de rochers roses. Tour de l'île en vedette recommandé.

Brantôme
24 - Dordogne 29 - C 2
Sur une île, formée par les 2 bras de la *Dronne,* c'est l'une des villes les plus intéressantes du Périgord. L'anc. abbaye bénédictine, reconstruite au XVIIIe (superbe escalier — curieux musée), est dominée par un clocher roman isolé. Les falaises sont creusées de grottes parfois sculptées. Église XIIe et XIIIe; vestiges du cloître (charmante galerie fin XVe) et salle capitulaire. A l'extrémité de la promenade des Terrasses, pavillon Renaissance attenant à un pont coudé XVIe d'où l'on a une belle vue sur l'abbaye.
Environs • 11 km S.-O., château de **Bourdeilles*.** • 1 km E., dolmen de la Pierre-Levée. • 12 km N.-E., par *Champagnac-de-Belair, Villars;* à 4 km N.-E., belles grottes à concrétions, peintures et gravures préhistoriques (vis. ts les j. l'été); à 1 km N.-O. de *Villars,* château de Puyguilhem Renaissance, décoration sculptée (vis. ts les j. sauf mardi). • 8 km E. de *Villars, Saint-Jean-de-Côle,* église romane fin XIe (chapiteaux historiés romans, boiseries et stalles XVIe). • 22 km N., *Nontron :* ville pittoresque située sur un promontoire escarpé, d'où l'on a une vue magnifique; aux environs, pierre branlante de Saint-Estèphe, cascade du Chalard, etc.

Brasparts
29 S - Finistère 8 - C 2
Important ensemble paroissial, église mil. XVIe avec porche Renaissance orné de statues. Calvaire.
Environs • 6 km N., *montagne Saint-Michel* (380 m alt.), vaste panorama sur les *monts d'Arrée* et les *montagnes Noires;* le *parc naturel régional d'***Armorique*** couvre 70 000 ha; maison du Parc au domaine de Menez-Meur (centre d'accueil et d'information vis. ts les j.); maison des Techniques et Traditions rurales et maison de l'Apiculture à *Saint-Rivoal,* à 9,5 km N.-E. de la montagne Saint-Michel, aiguilles schisteuses escarpées du *roc Trévezel* (vaste panorama); à l'O. de la montagne Saint-Michel, la route du *Faou,* l'une des plus belles de Bretagne, traverse les *monts d'Arrée* par *Saint-Rivoal,* la *forêt du Cranou* et *Rumengol* (pardons à Notre-Dame-de-Tout-Remède le dim. de la Trinité et le 15 août.

Bressuire
79 - Deux-Sèvres 23 - A 1
Église Notre-Dame, romane avec chœur gothique fin XVIe, remarquable clocher Renaissance haut de 56 m. Les ruines du château

(on vis.), sur un promontoire rocheux, comprennent 2 enceintes, une barbacane et de nombreuses tours du XIe au XVe; l'enceinte int. XVe entoure les ruines des bâtiments d'habitation dominées par la tour du Trésor.
Environs • 17 km N., *Argenton-Château,* église avec portail roman, orné de voussures sculptées; à 2,5 km N.-E., ruines de granit rose du château d'Ébaupinay XVe.

Brest
29 N - Finistère 8 - B 2
Premier port de guerre français, sa rade est l'une des plus belles du monde. La ville anc. a été détruite en 1944. Le château, puissant ouvrage fortifié XIIe-XIVe-XVIe, domine le port et la ville; visite ts les jours sauf mardi du donjon et du musée naval. Le cours Dajot, prolongé par le jardin Kennedy, a été aménagé sur les remparts de Vauban (table d'orientation, vaste panorama). Musée des Beaux-Arts (vis. ts les j. sauf mardi) : école italienne XVIIe-XVIIIe, peinture néo- classique fin XVIIIe-XIXe, école de Pont-Aven et symbolisme. On peut visiter la partie anc. de l'arsenal de la Penfeld et le port militaire de Lannion. Tour de La Motte-Tanguy, XIVe : musée du Vieux-Brest.
Environs • Brest est un remarquable centre d'excursions pour le *goulet* et la *rade*, l'estuaire du *Conquet* (24 km O.), et la *pointe Saint-Mathieu* (ruines d'une vaste abbatiale XIIIe, portail XIVe et chapelle Notre-Dame-des-Grâces), la côte du *Léon* (de l'O. au N.), le bassin de l'*Elorn* (6 km E.) et ses remarquables monuments religieux, les *monts d'Arrée* (à l'E.), etc. • 8 km N., *Gouesnou* a l'une des plus belles églises (déb. XVIIe) de la région; porche latéral N. Renaissance, remarquablement sculpté.

Briançon
05 - Hautes-Alpes 32 - D 3
La plus haute ville d'Europe. La ville haute, anc. place forte à 1 326 m. d'alt., enfermée dans les remparts de Vauban, n'a pas changé depuis le XVIIe. Entre la porte de Pignerol et la porte d'Embrun, la vieille ville étend son lacis de rues étroites, traversé par la Grand-Rue où coule un ruisseau central, la «gargouille». L'église Notre-Dame, également bâtie par Vauban, fait partie du système défensif; derrière, table d'orientation. Imposante citadelle, ou fort du château (vis. guidée); sur la plate-forme supérieure, colossale statue de *la France,* par Bourdelle.
Environs • 6 km O., *Serre-Chevalier-Chantemerle,* importante station de sports d'hiver (téléférique, centre sportif remarquablement équipé, école d'escalade, etc.); la station sup. de Serre-Chevalier est à 2 483 m, table d'orientation, magnifique panorama. • Au N.-O., par la vallée de la *Guisane* et *Le Monétier-les-Bains,* le **col du Lautaret*.** • Au N., belle vallée de la *Clarée* jusqu'aux *chalets de Laval* par *Névache* (église XVe). • 12 km N.-E., *Montgenèvre,* station de sports d'hiver du *col de Montgenèvre* (1 854 m), télécabine pour la crête du Chalvet (2 630 m); après le col, douanes françaises et italiennes. • 21,5 km S.-E., par la gorge de Cerveyrette et *Cervières, col d'Izoard* (2 360 m, table d'orientation); après le col, la route traverse le cirque de roches rougeâtres de la Casse Déserte et atteint, après *Arvieux,* la bifurcation de l'Esteyère : à l'E., **Château-Queyras*,** la vallée du *Guil* et le pays du *Queyras;* au S.-O., les étroites gorges du *Guil,* ou combe du Queyras, *Guillestre* et **Mont-Dauphin*.**

Briançon : ***la plus haute ville d'Europe est dominée par les tours de l'église Notre-Dame, construite par Vauban au début du XVIIe. En arrière-plan, le superbe panorama des Alpes.***

Brie-Comte-Robert
77 - Seine-et-Marne 11 - D 2
Église Saint-Étienne XIIIe, remaniée aux XVe et XVIe : vitraux XIIIe (au chevet, XVe et XVIe; tombeau XIIIe ds le bas-côté N. Anc. hôtel-Dieu (façade gothique de la chapelle). Ruines du château.
Environs • 8 km N.-O., château de **Gros-Bois*.**

Brienne-le-Château
10 - Aube 12 - C 3
Le château fin XVIIIe est élégant et sévère (centre psychothérapique, on ne vis. pas). Ds l'anc. couvent des Minimes autrefois école militaire, où Bonaparte fut élève (1779-1784), petit musée Napoléon.
Environs • 2,5 km S., Brienne-la-Vieille, église avec nef XIIe, chœur et transept XVIe; portail roman. • Au N., *Rosnay-l'Hôpital,* belle église XIIe et XVIe avec crypte, statues et vitraux XVIe. • Au S., *forêt d'Orient,* parc naturel régional, jalonné de plusieurs étangs et retenues d'eau; le grand lac artificiel ou plan d'eau du Réservoir-Seine (pêche, plage, sports nautiques) a une réserve ornithologique rive N.-O.; belles fûtaies de chênes, hêtres, charmes; ds une vieille mai-

Brière : *l'une des chaumières typiques que l'on peut voir en parcourant cette insolite région.*

BRIÈRE (Parc régional de)
44 - Loire-Atlantique 16 - A 2 - 16 - B 2
L'une des régions les plus pittoresques de France. 44 000 ha de marais, prairies et tourbières — dont 15 000 pour la *Grande Brière* —, parsemés de rares agglomérations bâties sur des îlots granitiques, reliées par 100 km de canaux. De **Guérande***, la D. 51 conduit à *Saint-Lyphard* et à *La Chapelle-des-Marais,* d'où la D. 50 S.-E. traverse la *Grande Brière* par Camerun (habitat typique), Kerfeuille; *Saint-Joachim* sur l'étroite île de Pendille est relié par une route (1 km) à l'île de Fedrun, type parfait de village annulaire. Eco-musée de Kerhinet (village et int. paysan). Promenades en barque sur les canaux.

son champenoise, centre d'information touristique; pavillon Saint-Charles, centre d'initiation à la nature; bases nautiques à *Mesnil-Saint-Père* (école de voile, plage, équipement portuaire, etc.); centre équestre à Montreuil-sur-Barse.

Brignoles
83 - Var 44 - C 2
Le château ruiné des comtes de Provence domine le vieux quartier, aux rues étroites et tortueuses. Église Saint-Sauveur de style gothique provençal XVe-XVIe (beau portail roman). Le musée du Pays brignolais expose le sarcophage de la Gayole IIIe, le plus ancien monument chrétien de la Gaule parvenu jusqu'à nous.
Environs • 2,5 km S.-O., anc. abbaye de *La Celle* dont subsistent l'église romane (v. 1200) et des bâtiments conventuels XVIIe (hostellerie); vestiges de la salle capitulaire, du cloître, du réfectoire, etc. • 13 km S.-O., *montagne de la Loube,* ascension pittoresque, panorama; accès par route privée depuis la route de *La Roquebrussanne.*

Brignoles : *les collines entourant cet important centre viticole offrent des paysages typiquement provençaux; ici, un gisement de bauxite.*

Brigue (La)
06 - Alpes-Maritimes 39 - B 3
Charmante bourgade alpestre aux rues étroites, bordées de maisons en pierre verdâtre du pays. L'église Saint-Martin déb. XIIIe, avec un clocher de style lombard, possède, ds la chapelle des Lascaris, le retable de Notre-Dame-des-Neiges déb. XVIe encadré de rocaille, le *retable de la Nativité,* de Louis Brea, et plusieurs autres œuvres d'art.
Environs • 5 km N.-E., Notre Dame-des-Fontaines : bâtie à 866 m d'alt. au-dessus de 7 sources intermittentes; l'int. de la chapelle est entièrement décoré de peintures murales dues à Jean Canavesio fin XVe et représentent, ds un style expressionniste très « parlant », des scènes de la Vie et de la Passion du Christ en costumes de l'époque (clé à l'auberge Saint-Martin, place de l'Église).

Brionne
27 - Eure 10 - D 1
Dominée par les ruines d'un donjon carré XIIe, typiquement normand, l'église XIVe-XVe abrite de remarquables œuvres d'art provenant de l'abbaye du **Bec-Hellouin*.**
Environs • 6 km S.-E., *Harcourt,* château féodal XIVe entouré de fossés, remanié au XVIIe, arboretum (vis. ts les apr.-m. sauf mardi en sais.), conifères et essences exotiques.

Brioude
43 - Haute-Loire 31 - A 2
La basilique Saint-Julien est l'une des plus belles églises romanes auvergnates; on remarquera, à l'int., les chapiteaux historiés de la nef et des bas-côtés; peintures murales XIIe ds une chapelle de la tribune, ds le bas-côté g. Christ lépreux XVe, et. Vierge parturiente XVIe.
Environs • 9 km S.-E., *Lavaudieu :* de l'anc. abbaye bénédictine, il reste l'église (fresques XIVe ds la nef) et le cloître roman XIIe à 2 étages; ds le réfectoire, fresque du XIIIe et intéressantes œuvres d'art.

Brissac (château de)
49 - Maine-et-Loire 17 - A 2
A *Brissac-Quincé.* Superbe construction déb. XVIIe, c'est l'un des plus beaux châteaux de l'Anjou (vis. ts les j. sauf mardi). L'aile E., 2 tours XVe à mâchicoulis, comporte un haut pavillon à dôme de style Henri IV, mais à décoration

Brissac : ***c'est le maréchal de Cossé, duc de Brissac, qui construisit cette robuste et élégante demeure.***

Renaissance. A l'int., vastes appartements meublés ds le goût du XVIᵉ, nombreuses œuvres d'art.

Brive-la-Gaillarde
19 - Corrèze 30 - A 3
La vieille ville est entourée d'une ceinture de boulevards remplaçant les remparts. Église Saint-Martin, romane, avec une belle nef XIVᵉ. Musée Ernest-Rupin (fermé dim.) : archéologie préhistorique, gallo-romaine et médiévale; peintures du XVIᵉ au XIXᵉ; artisanat local. L'hôtel de Labenche est une élégante construction Renaissance.
Environs • 1,5 km et 5,5 km S., grottes de Saint-Antoine-de-Padoue (église et pèlerinage) et de Lamouroux. • 13 km E. *Aubazine,* église romane XIIᵉ; à l'int., tombeau de saint Étienne d'Obazine XIIIᵉ et armoire XIIᵉ, sans doute le meuble le plus anc. de France; bâtiments conventuels XVIᵉ-XVIIᵉ (orphelinat). • 11,5 km N., *Donzenac :* église romane; à l'int., précieuses œuvres d'art (reliquaire XIIIᵉ, pyxide émaillée XIIIᵉ, etc.); à 6 km N.-O., *Allassac :* église fortifiée XIIᵉ, tour de César IXᵉ et XIIᵉ; vestiges d'enceintes.

Brouage
17 - Charente-Maritime 28 - D 1
Cette petite ville ceinturée de remparts à la Vauban, dénommée l'« Aigues-Mortes de la Saintonge », fut jadis un port prospère; elle est aujourd'hui entourée de marais ou de pâturages (Son et Lumière l'été). On visitera l'enceinte (guide au bureau de tourisme), flanquée de 7 bastions dont 4 aux angles, la maison du Gouverneur, la poudrière, le magasin aux vivres fin XVIIᵉ, l'église Saint-Pierre, etc.
Environs • Au N.-E., *Moëze,* ds le cimetière, curieuse « croix hosannière » Renaissance, dite « temple de Moëze ».

Bruniquel
82 - Tarn-et-Garonne 36 - A 3
Vieux bourg pittoresque enserrant le château, dit de Brunehaut, XIIᵉ-XIVᵉ, situé sur le rebord d'une falaise au-dessus de l'*Aveyron.* A dr., un vaste bâtiment abrite l'anc. chapelle XIIᵉ; le bâtiment d'habitation possède une charmante galerie sculptée Renaissance, d'inspiration italienne, d'où la vue est superbe.
Environs • 5 km N.-E., *Penne,* ses vieilles maisons sont dominées par un énorme rocher calcaire couronné par les ruines d'un château fort; bâti sur l'isthme étroit d'un promontoire situé entre la rive g. de l'*Aveyron* et le ravin de « Cap de Biaou » (Tête-de-Bœuf), ce village est l'un des plus extraordinaires du Midi; la D. 115 pénètre ensuite ds les *gorges de l'Aveyron;* tracée d'abord sur la rive dr., la route passe sur la rive g. et atteint *Saint-Antonin-Noble-Val,* dont l'hôtel de ville est l'un des très rares édifices romans civils XIIᵉ; intéressantes maisons anc. (maison de l'Amour, hôtel Vaissière, ou maison des Sonnets XVIIIᵉ), et curieux quartier des tanneries; à 4 km N.-E., *grotte du Bosc* (on vis.); la D. 658, qui longe l'*Aveyron* à l'E. de *Saint-Antonin,* atteint, à 15 km, Varen, bourgade médiévale dont les vieilles maisons à colombage entourent l'église romane et un petit château prieural XIVᵉ-XVᵉ, puis *Laguépie,* au confluent du *Viaur* et de l'*Aveyron.*

Bruniquel : ***des ruines du château situé sur le bord d'une falaise à pic, à 100 m au-dessus de l'Aveyron, la vue est magnifique.***

Bugue (Le)
24 - Dordogne 29 - D 3
Sur la rive dr. de la *Vézère.* Grotte de Bara-Bahau (vis. ts les j., des Rameaux au 30 sept., les dim. en oct.) ornée de gravures préhistoriques.
Environs • 3 km S., *gouffre de Proumeyssac,* profond de 50 m, belles concrétions (vis. idem). • Nombreuses excursions ds les *vallées de la Vézère* et de la *Dordogne.*

Bussière (château de la)
45 - Loiret 18 - D 2
Entourée sur 3 côtés de larges douves ouvertes sur un vaste étang, cette construction XVIᵉ à chaînages de briques (vis. ts les j. de mars au 1ᵉʳ nov.) renferme ds ses appartements XVIIIᵉ un musée de la Pêche en eau douce; la lingerie et la cuisine ont conservé leur aspect et leurs ustensiles d'autrefois; ds les caves voûtées des communs, aquariums de poissons de rivières et d'étangs.
Environs • 12 km N.-E., *Châtillon-Coligny,* sur le Loing; il reste du château 3 étages de terrasses, l'orangerie XVIᵉ et un puits monumental attribué à Jean Goujon; ds l'église, intéressantes peintures XVIIᵉ. • 11 km E., *Rogny,* voir les sept écluses XVIIᵉ.

Bussy-Rabutin (château de)
21 - Côte d'Or 19 - C 2
Superbe construction XVIᵉ-XVIIᵉ flanquée de tours (vis. ts les j. sauf mardi). Les appartements ont conservé leur décoration mythologique ou allégorique XVIIᵉ : salle des Devises, salon des Grands Hommes de guerre, chambre de Mme de Sévigné ornée de 36 portraits de femmes dont plusieurs maîtresses royales, tour Dorée (important ensemble de peintures XVIIᵉ), galerie bibliothèque (nombreux portraits). Vaste parc de 34 ha en amphithéâtre; les jardins sont ornés de fontaines, pièces d'eau, statues, etc.
Environs • Excursions recommandées à **Alise-Sainte-Reine*** (Alésia) et **Flavigny-sur-Ozerain***.

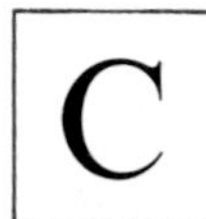

Cabourg
14 - Calvados 4 - B 3
L'une des plages les plus élégantes de la «Côte fleurie». La ville est dessinée en éventail sur plan régulier autour de la place du Casino. La belle digue promenade Marcel-Proust domine la mer.
Environs • La *Dives* sépare Cabourg de *Dives-sur-Mer* (église XIVe-XVe, belles halles en charpente XVe-XVIe). • Entre Cabourg et **Deauville***, plages de *Houlgate* (excursions aux falaises des Vaches-Noires, *Villers-sur-Mer,* Blonville-sur-Mer, Bénerville-sur-Mer (falaises).

Cadillac
33 - Gironde 35 - A 1
Sur la rive dr. de la *Garonne,* bastide rectangulaire fortifiée XIIIe. Imposant château des ducs d'Épernon, fin XVIe-déb. XVIIe, cité en 1630 comme un des plus beaux de France : à l'int., beaux plafonds peints et remarquables cheminées monumentales sculptées, en marbre polychrome (vis. ts les j. sauf mardi; en cours de restauration). Eglise Saint-Blaise XVe, à dr., chapelle funéraire des ducs d'Épernon (1606) dont le somptueux mausolée a été détruit à la Révolution.
Environs • 6 km N.-E., ruines imposantes du château de Benauge XIIe, XVe, XVIIe et XVIIIe.

Cadouin
24 - Dordogne 35 - D 1
Seul vestige de la fameuse abbaye cistercienne fondée en 1116, où l'on venait vénérer le saint suaire (déclaré faux en 1934), l'église mil. XIIe est de style roman poitevin. Cloître fin XVe-XVIe, élégamment orné, belles portes et clés de voûtes sculptées.
Environs • 6 km S.-O., *Saint Avit-Sénieur,* belle église fortifiée XIIe-XIIIe.

Caen
14 - Calvados 4 - B 3
Belle ville d'art. Le château, dégagé à la suite des destructions de 1944, est une puissante et vaste forteresse XIe, XIVe et XVe, entourée de fossés; à l'int. de l'enceinte chapelle Saint-Georges XIIe-XVe (mémorial des guerres normandes); Echiquier de Normandie et anc. donjon XIIe, XIIIe; musée des Beaux-Arts (primitifs flamands et italiens, peinture italienne XVIe-XVIIe, française XVIIe et XVIIIe, faïences, émaux et ivoires, important cabinet de 60 000 gravures) et musée de Normandie ds l'anc. logis des Gouverneurs (ouv. ts les j. sauf mardi).
• Ses églises font la gloire de Caen : l'abbaye aux Dames, ou église de la Trinité, fin XIe, et l'abbaye aux Hommes, ou église Saint-Étienne, XIe (abside à 3 étages renforcée d'arcs-boutants XIIIe-XIVe) sont de remarquables témoignages de l'art roman; les bâtiments conventuels XVIIIe de l'abbaye aux Hommes (hôtel de ville) conservent un magnifique ensemble de boiseries (visite tous les jours). Église Saint-Pierre XIIIe, XIVe, XVe et XVIe, dominée par une tour XIIIe-XIVe; le chevet XVIe est l'un des chefs-d'œuvre de la Renaissance normande, Église Saint-Sauveur : ses 2 nefs accolées, des XIVe et XVe, ont 2 absides polygonales, l'une flamboyante, l'autre Renaissance. Ruines pittoresques du Vieux-Saint-Étienne XIIIe-XIVe, ds un jardin; de Saint-Nicolas, romane fin XIe, entourée d'un cimetière romantique; de Notre-Dame-de-la-Gloriette, anc. église des jésuites XVIIe, etc.
• Sur le flanc O. de Saint-Pierre s'élève le bel hôtel d'Escoville, Renaissance; la cour intérieure est sculptée avec un élégant raffinement. Intéressantes maisons XVIIIe, quartier du Vieux-Saint-Sauveur : hôtel de Colomby XVIIe, 6, rue des Cordeliers; maison des Quatrans XIVe-XVIe, 31, rue de la Géôle. Maisons à pans de bois rue Saint-Pierre.
Environs • 10 km N.-N.-E., vers *Ouistreham* (église intéressante), château de Bénouville, imposante construction XVIIIe due à l'architecte Ledoux (on ne vis. pas). • 4,5 km N.-O., abbaye d'*Ardenne,* église, pavillon d'entrée et grange XIIIe occupés par 2 fermes.
• 10 km N.-O. : château de *Lasson,* Renaissance, façade élégamment sculptée (vis. autorisée); à 3 km N., *Thaon,* l'église romane XIe désaffectée est située dans un décor d'arbres et d'eaux vives; chapiteaux intéressants ds la nef (on vis.); à 2 km : château de **Fontaine-Henry.**
• 13 km N. : *La Délivrande,* basilique Notre-Dame, néo-gothique XIXe (pèlerinage très fréquenté), d'où l'on atteint par **Courseulles*** les plages du débarquement de juin 1944.

Caen : ***dans les jardins de l'hôtel de ville le chevet de l'abbaye aux Hommes, l'un des beaux monuments de l'art roman.***

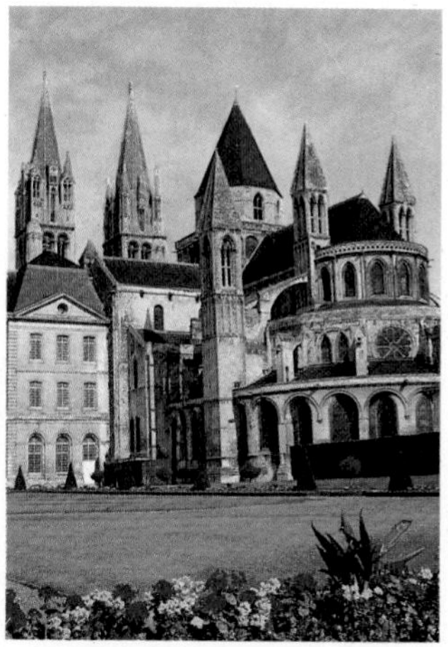

Cagnes-sur-Mer
06 - Alpes-Maritimes 45 - A 1
La vieille ville, bâtie sur une colline conique, très escarpée, est dominée par le musée, anc. château des Grimaldi XIVe-XVIIe qui a conservé un charmant patio à 2 étages de galeries (ouv. ts les j. sauf mardi); le musée de l'Olivier occupe le rez-de-chaussée, et les salles d'art méditerranéen moderne les ét. sup.; au 1er ét., ds la salle des fêtes, cheminée monumentale en stuc et plafond en trompe-l'œil, *la Chute de Phaéton,* par Carlone XVIIe. Une petite route à l'E. conduit au domaine des Colettes et à la maison de Renoir (ouv. ts les j. l'apr.-m., sauf mardi); on vis. l'oliveraie, où le peintre fit de nombreux tableaux; son atelier demeure inchangé.

Cahors
46 - Lot 36 - A 2
La vieille ville, entre le boulevard Gambetta et le *Lot,* est très pittoresque. La cathédrale Saint-Etienne est l'une des plus originales églises à coupoles du Sud-Ouest; nef romane augmentée de chapelles gothiques au XIIIe et façade XIVe; le portail N., roman, porte au tympan l'Ascension, chef-d'œuvre XIIe des ateliers languedociens de sculpture; à l'int., la 1re coupole et le chœur ont des peintures XIVe. Au S. de la cathédrale, cloître déb. XVIe et anc. archidiaconé Saint-Jean XVIe (remarquable façade sur cour ornée de sculptures). Hôtel de Roaldès déb. XVIe; église Saint-Urcisse, gothique XIIe-XIIIe (chapiteaux romans). Le quartier de la cathédrale et celui des Badernes, au S., comptent de nombreuses maisons anc., notamment rues du Dr-Bergounioux, de Lastié, Nationale, etc., et, au N., ds le quartier des Soubirous, rues du Château-du-Roi, des Soubirous, Saint-Barthélemy, etc. Église Saint-Bathélemy XVIe, clocher en pierre et brique. Palais Duèze XIVe, surmonté de la tour Jean-XXII. Barbacane XVe et tour Saint-Jean dite des «pendus».

Cahors : *sur le Lot, le très beau pont Valentré avec ses 3 tours à mâchicoulis et ses 7 arches.*

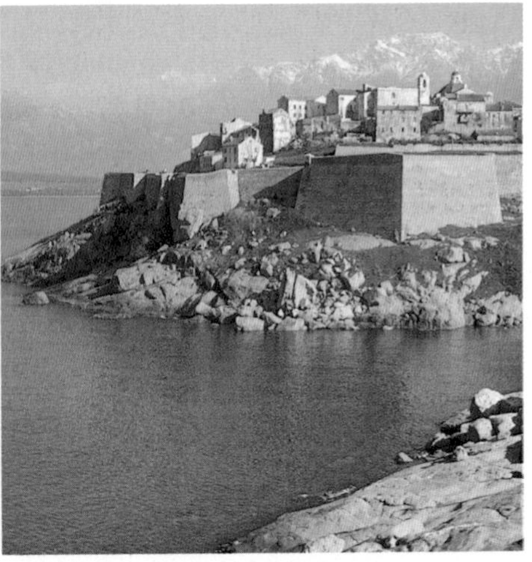

Calvi : *la citadelle génoise, ou Ville-Haute, avec ses remparts, sur un promontoire rocheux.*

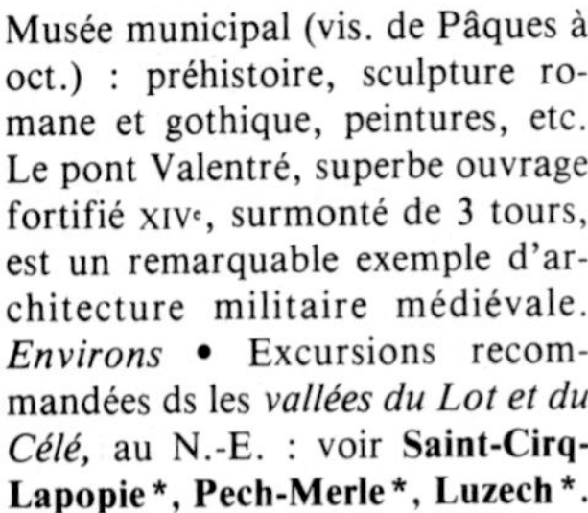

Musée municipal (vis. de Pâques à oct.) : préhistoire, sculpture romane et gothique, peintures, etc. Le pont Valentré, superbe ouvrage fortifié XIVe, surmonté de 3 tours, est un remarquable exemple d'architecture militaire médiévale. *Environs* • Excursions recommandées ds les *vallées du Lot et du Célé,* au N.-E. : voir **Saint-Cirq-Lapopie*, Pech-Merle*, Luzech*.**

Cajarc
46 - Lot 36 B 2
Vieux bourg dans un cirque de falaises rougeâtres. Vestiges du château XIIIe-XIVe. Maisons anc. A 700 m N., cascade de la Cogne. *Environs* • 4 km S., curieux gouffre de l'Anthouy; à 3 km S., gouffre de l'Oule. • 13 km S.-O., sur la rive g. du Lot, *Cénevières,* le château XIIIe, XVe et XVIe, se dresse à pic au-dessus de la rivière.

Calacuccia
2 B - Corse 45 - B 3
Entouré de châtaigneraies, le bourg occupe le centre du bassin du Niolo. Église Saint-Pierre-et-Paul (à l'int., Christ en bois d'un réalisme impressionnant), vieilles maisons et ruelles typiques.
Environs • Au N.-E., tour du lac du barrage de Calacuccia, sur le *Golo* (1968), au débouché du défilé de la *Scala di Santa Regina.* • Au N.-O., *monte Cinto* (2 710 m). • Au S.-O., pittoresque village de Casamaccioli : *forêt de Valdo-Niello* (de la maison forestière de Popajo, sentier vers le lac de Nico 1 743 m), col de Vergio.

Calais
62 - Pas-de-Calais 1 - B 2
Calais-Nord, ville maritime, reconstruite après 1945, comporte le port, les bassins et une ville nouvelle dominée par la citadelle mil. XVIe. Au S., la ville industrielle, Saint-Pierre ou Calais-Sud, a pour centre la place du Soldat-Inconnu où a été placé le fameux groupe des *Bourgeois de Calais,* de Rodin (1895). L'hôtel de ville, de style Renaissance flamande, a été reconstruit de 1910 à 1922. La plage est l'une des plus belles du nord de la France.
Environs • Rejoindre **Boulogne*,** en suivant la route de corniche de la *côte d'Opale* par les caps *Blanc-Nez* et *Gris-Nez.* • 10 km S., forêt de *Guînes* (785 ha).

Calvi
2 B - Corse 45 - B 3
La citadelle, ou Ville-Haute, cernée de remparts XIIIe-XVIe, occupe un promontoire rocheux s'avançant sur la mer; belle vue de l'angle N. L'église Saint-Jean-Baptiste XVIe en occupe le sommet; à l'int., nombreuses œuvres d'art. L'oratoire Saint-Antoine fin XVe abrite le trésor d'art religieux de Balagne : objets sacrés du XVe au XVIIIe (superbe coll. de vêtements liturgiques). Ds la Ville-Basse, la Marine offre avec ses quais plantés de palmiers, ses cafés et son port, un spectacle vivant et coloré. La chapelle Sainte-Marie XIVe garde des vestiges de la basilique paléochrétienne du IVe.
Environs • Par mer, grotte des Veaux-Marins (3 h aller et retour); **Porto*** (tte la journée) : le parcours permet de découvrir la côte déchiquetée, ses golfes et ses pointes. • 6 km S.-O., chapelle de la *Madona della Serra;* vaste panorama. • 18 km S.-E., forêt et *cirque de Bonifato.* • A l'E. la *Balagne* et ses églises; *Calenzana* (anc. collégiale XVIIIe, succédant à une église romane), Sainte-Restitute (sarcophage IVe, fresques XVe); *Montemaggiore,* grande église baroque (vue panoramique), église Saint-Rainier, romane, en granit noir et blanc; la route, très pittoresque, offre des vue superbes sur le golfe

Cambrai : *la haute façade baroque de la chapelle du séminaire, précédée de la statue de Fénelon.*

de *Calvi;* petit village perché de *Sant'Antonino; Corbara,* village pittoresque en éventail sur la montagne (église de l'Annonciation XVIIIe, ruines des castels de Guido et de Corbara) à 1,5 km, couvent dominicain : **L'Ile-Rousse***; on peut revenir à *Calvi* par *Algajola,* anc. bourgade fortifiée, dominée par une puissante citadelle XVIIe (plage renommée).

Camaret-sur-Mer
29 - Finistère 8 - A 2
A l'extrémité de la presqu'île de Crozon, ds un site magnifique; le port est protégé par la digue naturelle du Sillon, longue de 600 m, où s'élève la chapelle Notre-Dame-de-Rocamadour déb. XVIe; Musée historique et naval ds la tour de côte Vauban fin XVIIe.
Environs • 2 km O., pointe du Toulinguet (curieux rochers rougeâtres). • 1 km O., alignements de Lagadyar (143 menhirs de quartzite blanc). • 3 km S.-O., *pointe de Pen-Hir,* haute de 70 m, l'un des sites les plus impressionnants de Bretagne; en contrebas, rochers isolés des *Tas-de-Pois;* un sentier descend à la curieuse Salle Verte. • Au N.-E., la presqu'île fortifiée de *Roscanvel* protège la rade de **Brest***; elle se termine par la *pointe des Espagnols* (panorama superbe).

Cambo-les-Bains
64-Pyrénées-Atlantiques 40-C 1
Le bas Cambo, demeuré rustique, est séparé par la Nive du haut Cambo, résidentiel et hôtelier.
Sur la route de **Bayonne***, la somptueuse villa « Arnaga », construite par Edmond Rostand en style basque, a été transformée en musée (vis. en saison); superbes jardins à la française.
Environs • 5,5 km O., *Espelette :* église et cimetière typiquement basques; à 5,5 km S.-O., *Aïnhoa,* belles maisons XVIIe. • 4,5 km S., *Itxassou,* également typique, située à l'entrée du défilé étroit dit Pas de Roland; la route continue vers *Louhossoa,* église basque, et *Bidarray,* ds un cirque montagneux : vieux pont pittoresque XIIIe; grotte de Bidarray; par Saint-Martin-d'Arrossa on atteint, soit *Saint-Etienne-de-Baïgorry,* soit **Saint-Jean-Pied-de-Port***.

Cambrai
59 - Nord 6 - A 1
La cathédrale Notre-Dame XVIIIe abrite le tombeau de Fénelon. La chapelle du grand séminaire, anc. chapelle du collège des jésuites, présente, sur la place Saint-Sépulcre, une haute façade baroque très ornée; à l'int., musée d'Art sacré. Ds l'église Saint-Géry, su-

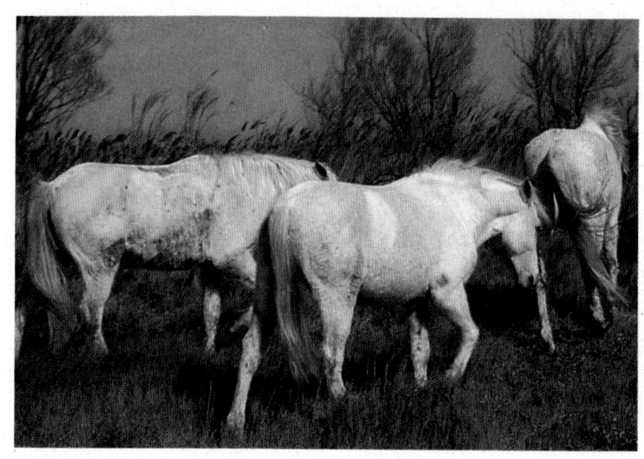

CAMARGUE (parc régional de)
13 - Bouches-du-Rhône 43 - C 1
85 000 ha comprenant la grande Camargue, l'île que forme le delta du *Rhône* avec le grand *étang de Vaccarès,* et la petite Camargue. Véritable paradis des oiseaux, la Camargue est occupée par les « manades », les troupeaux de chevaux surveillés par les gardians. 35 000 ha sont cultivés (rizières). La réserve biologique et botanique (15 000 ha) englobe l'*étang de Vaccarès* (interdit au public, accès réservé aux spécialistes et aux chercheurs). Plusieurs itinéraires. • D'**Arles***, par *Albaron, Méjanes,* centre d'élevage de chevaux, arènes et village résidentiel (location de chevaux). Des **Saintes***, par la digue à la mer (piste très mauvaise), le phare de la Gacholle et *Salin-de-Badon;* de là, la route longe au N. l'*étang de Vaccarès* par *Villeneuve* d'où l'on peut rejoindre, en longeant toujours l'étang, *Méjanes* puis au N., *Albaron.* • D'*Albaron,* prendre la direction des **Saintes*** par le mas de Cacharel, le long de l'étang. • Des **Saintes*** à **Aigues-Mortes*** prendre soit la N. 570 par le *parc zoologique* du Pont de Gau, soit la D. 38 par le Grand Radeau, le bac du Sauvage, et la D. 85 qui conduit à Sylvéréal sur le *Petit-Rhône.* C'est sur la rive g. du *Petit-Rhône,* entre la D. 85 et la N. 570, que la vie traditionnelle de la Camargue s'est le mieux conservée.

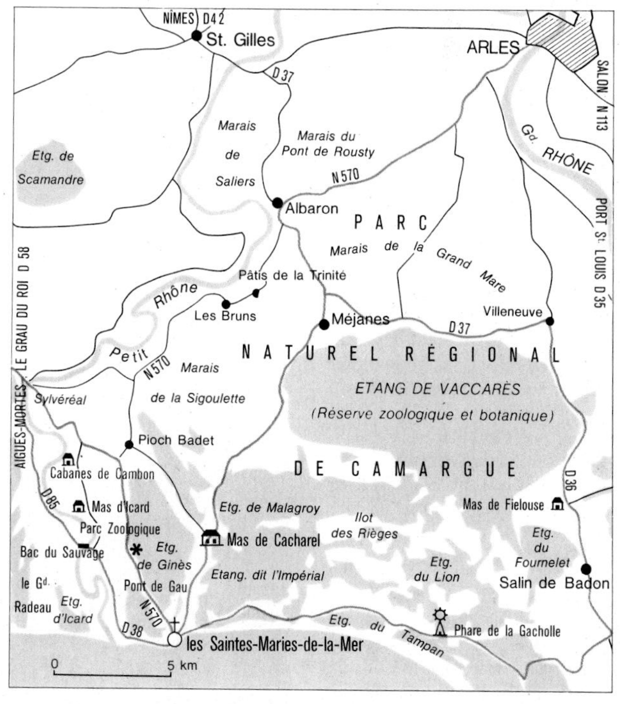

perbe jubé Renaissance en marbre rouge et noir, décoré de bas-reliefs et de statues. *Mise au tombeau,* de Rubens. Maisons anc. et hôtels XIIᵉ-XIIIᵉ : à dr. de la cathédrale, la «maison espagnole», à pans de bois fin XVIᵉ. Intéressant Musée municipal (peintures du XVIᵉ au XXᵉ, sculptures XVIᵉ et XVIIᵉ). Porte Notre-Dame déb. XVIIᵉ et porte de Paris fin XIVᵉ. La citadelle XVIᵉ, agrandie par Vauban, domine la ville; beau jardin public de 12 ha. *Environs* • 12 km S., ruines de l'abbaye de Vaucelles (XIIᵉ, XIIIᵉ, XVIIᵉ).

Cancale
35 - Ille-et-Vilaine 9 - C 2
Port de pêche renommé pour ses huîtres. De la tour (table d'orientation) de l'église Saint-Méen, vaste panorama. Maison des Bois sculptés (vis. l'été) : groupes allégoriques ou folkloriques naïfs sculptés par l'abbé Quémerais au siècle dernier. De la pointe de Crolles, vues superbes sur le port de la Houle, le rocher de Cancale et la petite île des Rimains qui porte un fort de Vauban.
Environs • 2 km N., *pointe du Grouin :* immense panorama, de la côte du *Cotentin* au *cap Fréhel.*

Cannes
06 - Alpes-Maritimes 45 - A 1
Cannes occupe une situation privilégiée, le long d'une rade que longe le boulevard de la Croisette bordé par les grands hôtels et les magasins de luxe. Le port est dominé par la vieille ville qui s'étage sur les pentes du Mont-Chevalier, le «Suquet». Le marché aux fleurs est l'un des plus pittoresques de la Côte. Super-Cannes, qui possède un observatoire (ascenseur ds la tour) offre des vues panoramiques sur toute la Côte et sur les Préalpes. Au Suquet, ds l'église N.-D.-de-l'Espérance XVIᵉ-XVIIᵉ, intéressantes œuvres d'art; en face, chapelle romane de style rustique; derrière, tour du Suquet, anc. tour de guet flanquée d'un bâtiment occupé par le musée de la Castre (coll. d'archéologie méditerranéenne du Moyen-Orient, Egypte, Extrême-Orient, art océanien, art précolombien, etc.).
Environs • Excursions aux îles de **Lérins*** (Son et Lumière l'été) par bateau, du port de Cannes.

Canocica (la)
2 B - Corse 45 - B 2
La plus importante église romane de Corse déb. XIIᵉ; son vaisseau rectangulaire, en marbre polychrome, est divisé en 3 nefs d'un style très dépouillé; la décoration sculptée de la porte occidentale est

CANIGOU (route et pic du)
66 - Pyrénées-Orientales 43 - C 3
L'ascension du Canigou (2 785 m), belle montagne pyramidale isolée, se fait le plus souvent de *Vernet-les-Bains* (2,5 km : abbaye de **Saint-Martin-du-Canigou***). C'est l'une des excursions les plus impressionnantes des Pyrénées; elle demande une journée environ. La route qui monte de *Vernet* au chalet hôtel des *Cortalets* (2 175 m), praticable en été seulement, reste difficile : sur 21 km, elle est étroite, en pente raide, et offre de nombreux virages serrés; des jeeps peuvent être louées au départ de *Prades,* de *Vernet* ou du col de Millères (850 m). Après ce dernier, la route gravit l'Escala de l'Ours, corniche dominant les gorges du Taurinya, puis traverse la forêt de Balatg (maison forestière - refuge 1 600 m). Du chalet hôtel des Cortalets, montée à pied du Canigou : plusieurs sentiers conduisent au sommet d'où la vue est superbe; le panorama s'étend sur tout le Roussillon, les Pyrénées, les Corbières, les Cévennes, etc.

CAP CORSE
2 B - Corse 45 - A 2
120 km de route en corniche. **Bastia***, *Erbalunga* (à Castello, église Santa Maria della Nevi IXᵉ, fresques XIVᵉ), *Rogliano* (ruines de 3 châteaux forts, couvent, tours fortifiées), *Ersa* (de là, aller à l'extrémité du cap : *Barcaggio* et l'îlot de la *Giraglia* en serpentine verte), *Centuri* (maisons peintes et toits de serpentine verte), *Pino* (église baroque), *Marinca* (à Canari, Santa Maria fin XIIᵉ, Saint-François, intéressantes œuvres d'art), *Nonza* (de la tour, vue étendue), **Saint-Florent***.

Cancale : ***une île rocheuse, réserve d'oiseaux de mer, face à la pointe du Grouin, sauvage et déchiquetée.***

La Canonica : ***l'ancienne cathédrale, élégante et sobre. Au premier plan, substructions de la cathédrale et du baptistère paléochrétiens.***

Carcassonne : *la cité constitue un ensemble fortifié unique au monde, avec ses 2 enceintes et ses 50 tours.*

influencée par l'art roman de l'Italie du Nord. A 50 m S., substructions d'une cathédrale paléo-chrétienne IVe-Ve et baptistère; à l'int., mosaïques symboliques, petit musée. A 500 m O., église romane San Parteo; l'abside déb. XIe est remarquablement sculptée. Les vestiges de l'église paléo-chrétienne antérieure et de la nécropole ont été dégagés en 1957-1958.

Carcassonne
11 - Aude 42 - C 2
La Cité de Carcassonne est la plus importante forteresse médiévale conservée en Europe. Elle a été restaurée au siècle dernier par Viollet-le-Duc. Successivement romaine, wisigothe (Ve) et féodale (XIIe-XIIIe), elle se compose de 2 enceintes elliptiques de 50 tours et 2 barbacanes et d'un château comtal également fortifié (vis. de l'enceinte int., du château et du musée ts les j.). L'embrasement de la Cité, le 14 juillet au soir, est un spectacle à ne pas manquer; illumination de la Cité tous les soirs. La basilique Saint-Nazaire a une nef romane fin XIe, un transept et un chœur gothique XIIIe-XIVe orné de 22 statues et de vitraux XIVe-XVe aux chaudes colorations; tombeau monumental de Pierre de Rochefort, mil. XIVe, «pierre du siège» (de Toulouse, XIIIe), pierre tombale de Simon de Montfort, et ds une chapelle adjacente, tombeau de l'évêque Radulphe, mil. XIIIe. La visite des lices permet de mieux comprendre le formidable système défensif de la Cité et de découvrir de larges panoramas sur la campagne environnante. Le château comtal, XIIe, abrite un musée archéologique.
• La ville basse, au pied de la Cité, a été fondée par Saint Louis (1247) sur plan régulier fortifié avec une place centrale et 2 vastes églises : Saint-Vincent, de style gothique méridional, déb. XIVe, et la cathédrale Saint-Michel fin XIIIe; riche trésor (ouv. l'été). Musée des Beaux-Arts : peintures hollandaise et française XVIIe-XVIIIe (Chardin), toiles surréalistes (Masson, Dali, Max Ernst, Bellmer, etc.).
Environs • 16 km N., *châteaux de Lastours,* sur 4 pitons d'une même crête se dressent les ruines déchiquetées des châteaux des seigneurs de Cabaret. • 18 km S., *Saint-Hilaire-de-l'Aude,* l'abbatiale fin XIIe-XIIIe conserve le sarcophage XIe de saint Hilaire; élégant cloître XIVe. • 27,5 km E., *Moux,* chapelle et tombeau (reproduction du «Squelette décharné» de Ligier Richier à Bar-le-Duc) du dramaturge Henry Bataille († 1922), ds un cadre romantique. • Circuit de la *Montagne Noire,* au N.-O. par *Montolieu* (vaste église gothique), *Saissac* (ruines d'un château XIVe, belle vue sur les Pyrénées), la «rigole» de la Montagne Noire et les *bassins de Lampy* (voir **Sorèze***); les forêts de Ramondens et de la Loubatière offrent de multiples promenades. • Circuit de la *haute vallée de l'Aude,* au S., par **Limoux***, *Alet-les-Bains, Couiza,* **Quillan***, les *gorges de Pierre-Lys* et de *Saint-Georges,* la *gorge de l'Aude* et le *Capcir.*

Carennac
46 - Lot 30 - B 3
Le bourg, très pittoresque, est groupé autour d'un anc. prieuré bénédictin où résida Fénelon. Église romane XIIe : au portail, remarquable tympan sculpté; à l'int., Mise au tombeau XVIe. Le cloître a une galerie romane et 3 gothiques.

Carennac : *la « mise au tombeau », œuvre expressive du début XVIe.*

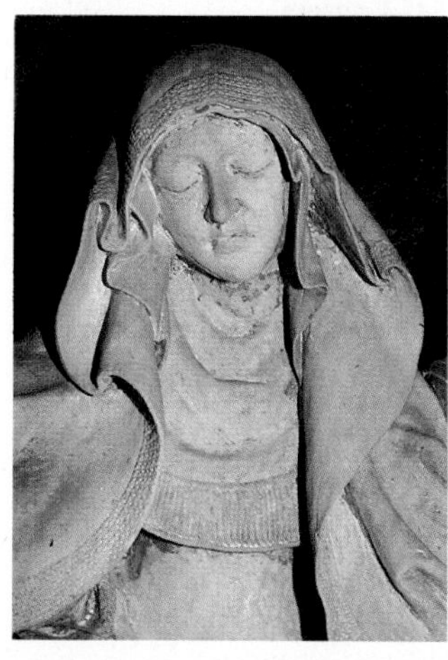

Carnac
56 - Morbihan 15 - D 2
Dressés au milieu des landes sauvages, les alignements de Carnac, ensemble mégalithique unique au monde, sont constitués par 3 groupements principaux : alignements du Ménec, le plus impressionnant (1 099 menhirs), de Kermario (1 029 memhirs), de Kerlescan (594 menhirs). Le tumulus Saint-Michel, couronné d'une chapelle, recouvre plusieurs chambres funéraires (vis. ts les j. en saison); voir ceux du Moustoir et de Kercado. A Carnac, église XVIIe, au porche surmonté d'un curieux baldaquin de pierre. Musée Miln-Le Rouzic (coll. préhistoriques). 1,5 km S.-O., *Carnac-Plage.*
Environs • Au N., abbayes Saint-Michel et Sainte-Anne de Kergonan (chants grégoriens). • 4 km E., *La Trinité-sur-Mer,* port de pêche et de plaisance, plage. • Entre *Plouharnel* et *Erdeven* (au N.-O.), dolmens et alignements.

Carnac : ***les fameux alignements dont la signification symbolique, sans doute liée au culte solaire, reste mystérieuse.***

Carpentras
84 - Vaucluse 38 - A 3
Cette cité provençale, anc. capitale du Comtat Venaissin, est riche en beaux monuments. • Au centre, place du palais, anc. cathédrale Saint-Siffrein XVe-XVIe de style gothique méridional; voir sur le portail S., flamboyant, la populaire « boule aux rats » ; à l'int. chapelle des reliques de saint Siffrein et du « saint Mors » ; ds le chœur, vitraux XVe, et monumentale « gloire » en bois doré; intéressantes œuvres d'art. • La façade du palais de justice, anc. palais épiscopal XVIIe, est une réduction de celle du palais Farnèse à Rome; à l'int. belles salles ornées de décorations XVIIe; ds la cour, arc de triomphe romain. Très curieuse synagogue XVIIIe (vis. ts les j.), la plus anc. de France; sanctuaire, four pour la fabrication des pains azymes, piscine pour les bains de purification. Musée Sobirats d'art décoratif ds un hôtel XVIIIe : ds l'anc. chapelle de la Visitation XVIIe, musée lapidaire. Au Musée des Beaux-Arts, intéressantes salles de peinture XVIIe, XVIIIe et XIXe (vis. ts les j. sauf mercr.). Au S. de la ville, hôtel-Dieu, imposant monument mil. XVIIIe ; la façade à fronton sculpté est couronnée de balustres et de pots à feu ; à l'int. (vis. en sem.) la pharmacie décorée de singeries comporte une importante coll. de pots de pharmacie et de faïences XVIe-XVIIe ; élégante chapelle, remarquable mobilier liturgique. La belle porte d'Orange, au N., est un vestige de l'enceinte médiévale. • Spécialité de berlingots.
Environs • 14 km N., curieuses *Dentelles de Montmirail,* étroites arêtes calcaires déchiquetées. • Au N., Beaumes-de-Venise, chapelle Notre-Dame-d'Aubune Xe.

Carrouges (château de)
61 - Orne 10 - B 2
Vaste quadrilatère des XVe, XVIe, XVIIe, entouré de douves, flanqué de tours et d'un donjon XIVe, en brique rouge avec encadrements de granit (vis. ts les j. sauf mardi), au cœur du Parc naturel régional. Somptueuses pièces d'apparat, escalier monumental (salon des Portraits). Belles cheminées de granit. Le « châtelet », XVIe, abrite une exposition des métiers d'art de basse Normandie.

Cassel
59 - Nord 1 - C 2
Vieille ville typiquement flamande, bâtie au sommet du mont Cassel. La Grand-Place est entourée de maisons à pignons, notamment l'hôtel d'Halluin fin XVIIIe et l'hôtel de la Noble Cour XVIe-XVIIe (Musée folklorique du mont Cassel, meubles flamands, faïences et porcelaines.) Sur la butte du château, monument aux 3 batailles de Cassel, statue équestre du maréchal Foch, table d'orientation et moulin à vent XVIIIe (reconstitué); vaste panorama sur le « pays plat ».
Environs • 8 km E., *Steenwoorde :* Grand-Place aux maisons peintes; 2 moulins à vent bien conservés. • 13 km N.-O., *Esquelbec,* château de brique XVIIe et église halle XVIe, aux curieux confessionnaux.

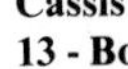

Cassis
13 - Bouches-du-Rhône 44 - B 2
Port de pêche provençal, très animé, au fond d'une baie encadrée de montagnes. La vieille ville, bâtie sur plan régulier au XVIIIe, et sa place Baragnon, sont très pittoresques. Musée municipal.
Environs • *La Ciotat* (voir **Bandol***), par la route de la Corniche des Crêtes (14 km), parcours offrant des vues de toute beauté. • L'excursion des *calanques* par bateau est très recommandée; des sentiers conduisent (tracés verts) à celles de Port-Miou, de Port-Pin, d'En-Vau encadrée de hautes falaises ds un site grandiose, etc.

Castellane 38 - D 3
04 - Alpes-de-Haute-Provence
Petite ville typiquement provençale sur la route Napoléon. Elle est dominée par le « Roc », gigantesque falaise à pic d'où l'on a une très belle vue. Un sentier derrière l'église longe les vestiges de l'enceinte médiévale (tour à éperon XIVe) et

Carpentras : ***la chapelle romane Notre-Dame d'Aubune, à Beaumes-de-Venise.***

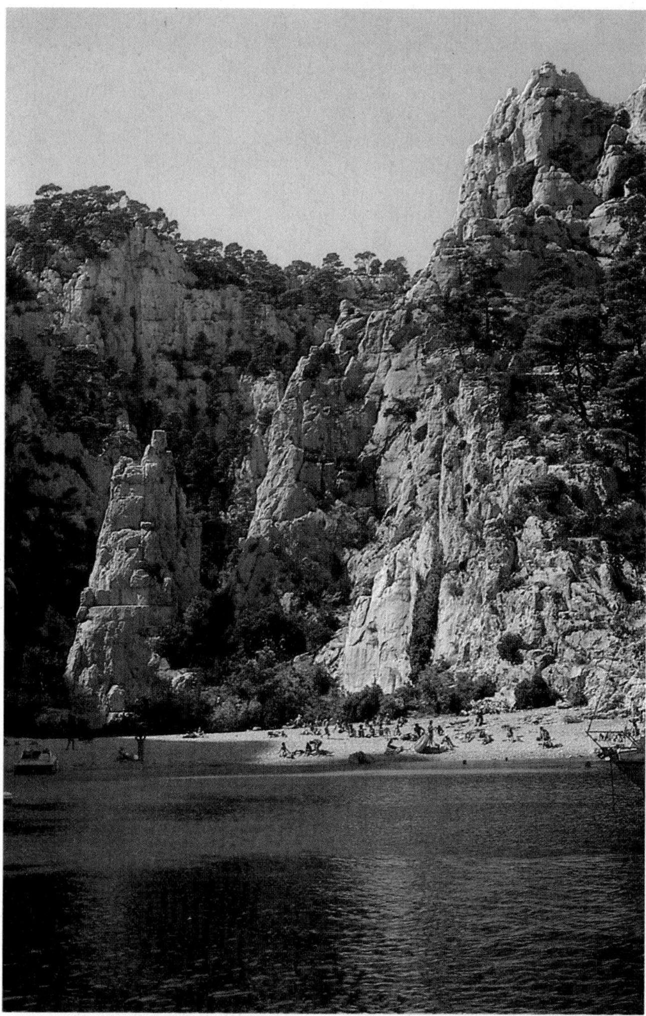

Cassis : *En-Vau, la plus belle des calanques, aux falaises déchiquetées, que l'on atteint à pied, du col de la Gardiole, par un sentier forestier.*

atteint la chapelle Notre-Dame-du-Roc XVIIe : vue plongeante sur Castellane et la région.
Environs • 6,5 km N.-E., *barrage de Castillon,* sur le *Verdon.* • Au N.-E., par le *col de Toutes-Aures* et *Les Scaffarels,* sur la route du col de *La-Colle-Saint-Michel, Annot,* gros bourg pittoresque; nombreux «chaos», rochers curieusement travaillés par l'érosion. • Au S.-O., gorges du **Verdon*.** 18 km N.-O., *Senez :* l'anc. cathédrale est l'un des plus remarquables exemples de roman provençal (v. 1200); ds la nef, superbe ensemble de 11 tapisseries XVIIe.

Castillon-en-Couserans
09 - Ariège 41 - D 3
Centre d'excursions recommandées. Le village est dominé par une butte couverte de sapins où un chemin de croix conduit à la chapelle romane Saint-Pierre, fortifiée (beau portail sculpté à colonnettes de marbre).
Environs • 1 km N., Audressein : curieuse église Notre-Dame-de-Tramezaygues gothique, avec clocher, mur à arcades et porche à 3 entrées XIVe-XVe et XVIe; décoré de fresques XVe-XVIe. • Au S., par *Bordes-sur-Lez* et *Arrien,* vallée de Bethmale, l'une des vallées pyrénéennes qui a le mieux conservé ses traditions; ne pas manquer la fête du 15 août à Ayet; la route remonte la vallée jusqu'au lac de Bethmale, très poissonneux, ds un magnifique paysage montagneux. • De *Bordes-sur-Lez,* dominée par le pic du Midi de Bordes (1 785 m), au S.-E. par la D. 4, haute *vallée du Lez* vers Sentein : l'église XVe-XVIe a une tour romane et des restes d'enceinte fortifiée; excellent centre d'excursions.

Castres
81 - Tarn 42 - C 1
La ville a 2 pôles d'intérêt : les bords de l'*Agout,* dont les maisons ont conservé leur aspect d'autrefois (illumination l'été) et le musée Goya (ouv. ts les j. sauf lundi). Celui-ci possède 2 portraits et un autoportrait du peintre, son plus grand tableau, *la Junte des Philippines,* et tout son œuvre gravé; salles d'art espagnol du XVe au XIXe. Musée Jaurès, ds l'anc. évêché, aujourd'hui hôtel de ville, construit par Mansart, mil. XVIIe, et précédé de jardins à la française. Nombreux hôtels XVIIe et XVIIIe.
Environs • 6 km S.-O., anc. chartreuse de Saix XVIe, entourée d'une enceinte fortifiée.

Castries (château de)
34 - Hérault 43 - B 1
Imposant château XVIe-XVIIe entouré de jardins à la française attribués à Le Nôtre (vis. ts les j. sauf lundi de fin mars à mi-déc.). Ds l'aile Renaissance, vaste salle des États du Languedoc, 32 m de long (magnifiques tapis, importante coll. de porcelaines et de reliures anc.). Les appartements de réception sont somptueux. Un aqueduc de près de 7 km amène l'eau des sources de Fontgrand.

Cateau (Le)
59 - Nord 6 - A 1
Sur la Grand-Place, l'hôtel de ville XVIIe abrite le musée Henri-Matisse né au Cateau (vis. apr.-m. sam. et dim.). Anc. palais des archevêques de Cambrai XVIIIe, entouré d'un jardin à la française. Église Saint-Martin, anc. abbatiale bénédictine XVIIe avec façade baroque richement décorée.

Caudebec-en-Caux
76 - Seine-Maritime 4 - D 3
L'église Notre-Dame, de style flamboyant XVe-XVIe, est dominée par une superbe tour avec flèche de 54 m; ds la chapelle de la Vierge, clé de voûte pendante monolithe de 4,30 m. Intéressantes maisons du XVe, maison des Templiers XIIIe (musée du Vieux-Caudebec).
Environs • 12 km N., *Yvetot,* curieuse église moderne sur plan circulaire; les murs sont remplacés par une immense verrière (1955).

Cauterets
65 - Hautes-Pyrénées 41 - B 3
Station thermale (935 m), entourée de hauts sommets neigeux, et station de sports d'hiver. Casino. Néothermes et thermes de Pauze-Vieux; à 1,5 km établissement de la Raillère (1 053 m) et des Griffons d'où l'on atteint, à 3,8 km, les thermes du Bois, à 1 147 m.
Environs • Excursions recommandées au *Pont d'Espagne* et au *lac de Gaube,* au S.-O.; au N.-O., Turon de Sacca (téléférique en 2 sections) et *Soum de Monné* (3e section), à 2 724 m; à l'O., pic de Péguère (2 552 m, panorama

magnifique); à l'E., col de Riou (1 949 m, table d'orientation); au S.-E., par le *lac de Gaube,* refuge Bayssélance, au pied du *Vignemale,* gave d'Ossoue et *Gavarnie* (voir **Luz-Saint-Sauveur***).

Cavaillon
84 - Vaucluse 38 - A 3
Petite ville typiquement provençale, capitale du melon. Principale curiosité : la synagogue, 1772-1774, décorée de boiseries, ferronneries et gypseries Louis XV ; l'ensemble est caractéristique de l'art comtadin XVIIIe ; petit musée consacré aux « quatre saintes communautés » israélites de Provence : Avignon, Carpentras, Cavaillon et L'Isle-sur-la-Sorgue (vis. ts les j.). Église Saint-Véran XIIe-XIIIe, de pur style roman provençal, agrandie aux XIVe et XVIIIe; à l'int. importante décoration de boiseries et de peintures XVIIe ; cloître roman. Musée archéologique ds la chapelle de l'anc. hôpital. Vestiges, délicatement ornés, d'un arc de triomphe romain. Du calvaire, vaste panorama, chapelle Saint-Jacques XIIe, remaniée aux XVIe-XVIIe ; vestiges d'un oppidum romain.
Environs • Bon centre d'excursions vers le **Lubéron*.**

Caylus
82 - Tarn-et-Garonne 36 - B 2
Petite ville en amphithéâtre dominée par les ruines d'un château XIVe-XVe. Ds l'église XIVe, grand Christ en bois par Zadkine (1954). Nombreuses maisons anc. le long de la Grande-Rue.
Environs • 7 km S.-E., *abbaye de Beaulieu;* l'admirable vaisseau cistercien mil. XIIe, d'un style très pur, et les bâtiments annexes abritent un centre d'art contemporain (coll. d'art contemporain, expositions l'été) ; à 3 km N., *château de Cornusson;* l'énorme forteresse déb. XVIe, avec double enceinte et fossés, est flanquée de 4 tours d'angle et d'un donjon (on ne vis. pas).

Céret
66 - Pyrénées-Orientales 43 - D 3
Le musée d'Art moderne (vis. ts les j. l'été, les mercr. et dim. l'hiver) témoigne des fréquents séjours à Céret de plusieurs artistes contemporains notamment Picasso (bel ensemble de céramiques), Braque, Matisse, Max Jacob, Marquet, Juan Gris, Chagall, Derain, Dufy, etc. Église XVIIIe à 3 coupoles. Vestiges des anc. remparts.
Environs • 8 km S.-O., *Amélie-les-Bains,* station thermale ds un cadre verdoyant ; excursions recommandées aux gorges du Mondony, à Palalda (village catalan typique, église romane XIIe), à Montbolo (576 m d'alt., au-dessus de la vallée du *Tech;* panorama, église romane), à Montalba ds un site superbe dominant des ravins sauvages, et aux gorges du Terme. • 8,5 km S., pic de Fontfrède (1 094 m), vaste panorama sur la Catalogne française et espagnole. • 8,5 km N.-E., *Le Boulou :* l'église a un portail roman et, à l'int., un retable XVIIe et des chapiteaux historiés XIIe ; à 3 km S., *Saint-Martin-de-Fenollar :* l'église, dite « la Mahut », est décorée de très originales peintures murales romanes déb. XIIe (clé à la maison voisine) ; de style rude et farouche, elles représentent, sur un fond de bandes de couleur, des scènes de la Vie de Jésus (curieuse Nativité).

Cerisy-la-Forêt
50 - Manche 4 - A 3
L'abbatiale XIe est l'un des plus beaux édifices romans de Normandie (vis. ts les j., son et lumière l'été) ; ds le chœur 44 stalles déb. XVe, lutrin XVIIIe, statues XVe-XVIe ; les bâtiments conventuels comprennent un logis mil XIIIe et une élégante chapelle XVe.
Environs • Au S.-E., forêt de Cerisy. • 6 km N.-E., à *Littry-la-Mine :* curieux petit musée de l'anc. mine à charbon de Littry.

Châalis (abbaye de)
60 - Oise 11 - D 1
Les ruines de l'abbatiale XIIIe et la chapelle de l'Abbé (voûtes décorées de peintures XVIe), imitée de la Sainte-Chapelle de Paris, sont les seuls vestiges de l'abbaye cistercienne fondée au XIIe. Le grand bâtiment abbatial XVIIIe, transformé en musée, renferme de belles collections d'antiquités, peintures et objets d'art, principalement de la Renaissance italienne. École française XVIIIe, souvenirs de J.-J. Rousseau (vis. de mars à fin oct. les dim., lundi, merc., sam. apr.-m.).
Environs • Ds la *forêt d'Ermenonville,* étangs, *mer de sable* (parc d'attractions), désert et zoo de Jean Richard (ouv. d'avril à nov.) ; au S., château et parc d'**Ermenonville*.**

Chablis
89 - Yonne 19 - B 1
Capitale du vignoble de la basse Bourgogne (vins blancs). Église Saint-Martin déb. XIIIe, sur le portail latéral pentures XIIIe et fers à cheval en ex-voto à saint Martin. Vieilles rues et maisons anc. Anc. chapelle de l'hôtel-Dieu XIIIe (caveau chablisien).
Environs • Au S.-O., *Courgis :* ds l'église, peintures murales XVIe, « Dict des Trois Morts et des Trois Vifs ». • Au N., *Ligny-le-Chatel* (voir **Pontigny***). • Au S.-E., belle vallée du *Serein* (voir **Noyers***).

Chabotterie (château de La)
85 - Vendée 22 - C 1
Au cœur du Bocage, manoir vendéen typique, fortifié, fin XVIe-déb. XVIIe. Le chef vendéen Charette y fut capturé en 1796 et retenu prisonnier avant d'être fusillé. Musée militaire des Guerres de Vendée.

Chaise-Dieu (La)
43 - Haute-Loire 31 - B 2
A plus de 1 000 m d'alt. l'imposante abbatiale Saint-Robert XIVe domine le bourg, étagé sur une colline ; la partie la plus remarquable est le chœur des moines (fermé mardi en hiver) ; 156 stalles sculptées fin XIVe, flamandes XVIe, et le tombeau de Clément VI ; sur la clôture N. du chœur, célèbre fresque XVe, *la Danse macabre;* jubé XVe à 3 arcatures et buffet d'orgues monumental, soutenu par 4 cariatides ; près du chevet, tour Clémentine mil. XIVe ; vestiges du cloître XIVe (d'où l'on accède à la salle de l'Écho) et restes de l'enceinte.
Environs • 19 km E., *Craponne-sur-Arzon :* église XVIe, intéressantes œuvres d'art ; à 9 km N., Suc de Medeyrolles, vaste panorama sur le *Velay,* l'*Auvergne* et le *Forez.*

Chalon-sur-Saône
71 - Saône-et-Loire 25 - D 1
La maison de la Photographie, ou musée Niepce, est installée ds un hôtel XVIIIe (vis. ts les j. sauf mardi). Musée Denon, ds un anc. couvent XVIIIe, coll. préhistoriques, gallo-romaines et médiévales ; salles de peintures (XVIe-XVIIe-XIXe). Anc. cathédrale Saint-Vincent XIIe-XVe, cloître XIVe et XVe.
Environs • Au N., côtes de

CÉVENNES (Corniche des)
48 - Lozère, 30 - Gard 37 - B 3
Au S. de **Florac***, prendre la N. 107, puis à 5,5 km la D. 583 par *Saint-Laurent-de-Trèves* et le col du Rey (992 m). Là, s'embranche la D. 9, route touristique dite Corniche des Cévennes qui, après le col de Faïsses (1 026 m), traverse le causse de l'Hospitalet et poursuit sur *Le Pompidou* et Saint-Roman-de-Tousque, village pittoresque ds un très beau site (700 m). La route passe plusieurs cols et descend, en lacets à travers des forêts de sapins, vers *Saint-Jean-du-Gard.*

Chaalis : *les ruines impressionnantes de l'abbatiale évoquent les splendeurs de cette construction superbe où, au début du XIIIe s., les cisterciens réalisèrent la première application du style gothique.*

Cauterets : *à 1 728 m d'altitude, le lac de Gaube, vaste nappe d'eau de 17 ha, occupe une vallée sauvage, fermée par le massif du Vignemale.*

Chablis : *« porte d'or » de la Bourgogne, cette paisible petite ville, connaît des marchés animés et colorés. Ses vins blancs sont réputés*

Châlon-sur-Saône : *cloître de l'église Saint-Vincent; au centre, un vieux puits à l'élégante ferronnerie.*

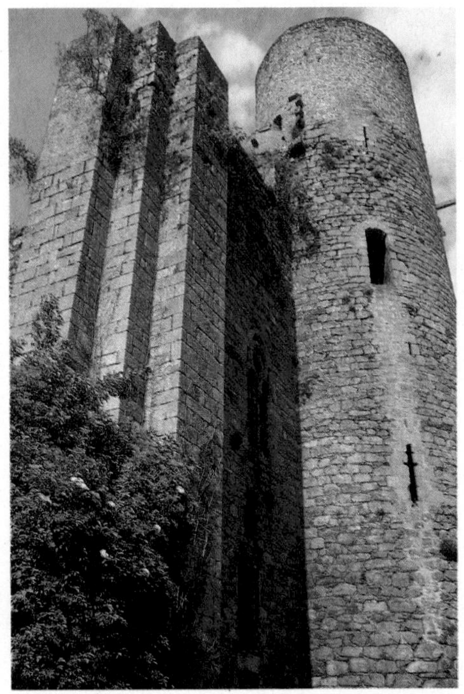

Châlus : *c'est de cette muraille impressionnante que partit la flèche qui tua Richard Cœur de Lion.*

CHALAIN (lac de)
39 - Jura 26 - B 2
Encadré de falaises abruptes, c'est le plus grand et le plus beau lac de la région; alimenté par les résurgences du lac de Narlay, il se déverse dans l'*Ain* par le Bief d'Œuf. Des vestiges d'une cité lacustre découverts ds le lac sont exposés au musée de **Lons-le-Saunier***.
Environs • Au S.-E., lacs de Chambly et du Val, *cascades du Hérisson* (en particulier l'Éventail et le Grand Saut), pic de l'Aigle, lacs de la Motte et de Narlay.

Beaune* et de Nuits (voir **Nuits-Saint-Georges***). • Au S., **Tournus***, **Mâcon*** et le *Beaujolais* (voir **Villefranche-sur-Saône***).

Châlons-sur-Marne
51 - Marne 12 - C 1
La cathédrale Saint-Étienne sec. moitié XIIIe possède un admirable ensemble de vitraux XIIIe, XIVe et XVIe. Notre-Dame-en-Vaux est l'une des plus belles églises XIIe en Champagne; à l'int. très beaux vitraux XVIe. Détruit au XVIIIe, le cloître est en partie reconstitué dans le musée du cloître Notre-Dame-en-Vaux où un grand nombre de statues-colonnes et de chapiteaux évoquent le bâtiment disparu. 2 autres églises intéressantes : Saint-Loup XVe et Saint-Alpin XIIe et XVIe (vitraux du XVIe). Musée municipal : sculptures champenoises, archéologie, imp. coll. de divinités hindoues XVIe-XVIIe. Musée Garinet, ds un charmant hôtel XVIIe (salons Louis XVI, Directoire, Restauration, etc.).
Environs • 8 km N.-E., Notre-Dame de l'**Épine***.

Chambéry : *l'un des éléphants de la célèbre et insolite fontaine; au fond, le Nivolet.*

Châlus
87 - Haute-Vienne 29 - D 1
Le château fin XIe, où fut tué Richard Cœur de Lion (vis. ts les j. l'été), conserve les ruines de l'énorme donjon dominant le village.
Environs • 8,5 km N.-O., château de Brie XVe; à l'int., beau mobilier Louis XVI (vis. les dimanches apr.-m. d'avr. à oct.). • 6,5 km S.-O., *Dournazac* : église romane à coupole et vestiges d'un prieuré; à 2 km N.-O., ds le vallon de la Petite-Dronne, château de Montbrun XIIe et XVe, flanqué de tours et dominé par un donjon carré (vis. ts les j. sauf mercr. Son et Lumière).

Chambéry
73 - Savoie 32 - B 2
Capitale de la Savoie, elle est dominée par le château ducal XIVe-XVe, agrandi au XVIIIe (vis. ts les j. l'été sauf dim. matin); Sainte-Chapelle, gothique (vitraux XVIe), concerts de carillon; tour de la Trésorerie XIVe. Le quartier environnant est intéressant (rues de la Juiverie et de la Trésorerie); les «allées», passages entre plusieurs rues, forment de pittoresques labyrinthes. La curieuse fontaine des Éléphants, le monument le plus populaire de la ville, a été élevée (mil. XIXe) à la mémoire du comte de Boigne qui vécut aux Indes. Musée savoisien (vis. ts les j. sauf mardi) ds l'anc. couvent des Franciscains : primitifs savoyards. Musée des Beaux-Arts (vis. idem) : éc. française

italienne et hollandaise. Cathédrale Saint-François-de-Sales XVe-XVIe; riche trésor. Beaux hôtels rue Croix-d'Or. Au N., sur la butte escarpée de Lemenc (panorama), Saint-Pierre-de-Lemenc XVe, ds la crypte, baptistère carolingien hexagonal à 6 colonnes antiques.
Environs • 2 km S., Les Charmettes, charmante propriété XVIIe où J.-J. Rousseau séjourna chez Mme de Warens (vis. ts les j. sauf mardi). • Route des vins.

Chambord : ***l'un des plus prestigieux châteaux de la Loire, couronné de son extraordinaire ensemble de cheminées, flèches et clochetons dont la richesse ornementale égale la variété.***

Chambord (château de)
41 - Loir-et-Cher 18 - A 2
Le plus vaste des châteaux de la Loire et le plus imposant ds son cadre forestier. Parc national cynégétique (5 500 ha dont 4 500 de bois et 620 réservés au public). Construit au déb. XVIe, son plan est féodal : un donjon central à 4 tours rondes et une enceinte; mais la richesse décorative de la Renaissance en a fait une somptueuse résidence royale. Le donjon abrite le magnifique escalier int. à double rampe surmonté d'une lanterne de 32 m qui domine, à l'ext., les terrasses hérissées de plus de 360 cheminées, flèches, lucarnes et clochetons sculptés (vis. ts les j. sauf mardi. Son et Lumière l'été). Le 1er ét. du donjon est occupé par les appartements de Louis XIV : chambre du roi et suite de salons décorés de tapisseries, meubles, portraits, etc. Les appartements de François Ier. situés ds la tour N.-E., et le corps de logis en retour sont en cours de réaménagement.

Chamonix - Mont-Blanc
74 - Haute-Savoie 32 - D 1
Importante station d'alpinisme et de sports d'hiver sur les 2 rives de l'*Arve,* au centre d'une vallée dominée par la chaîne des Aiguilles que couronne le **mont Blanc*** (4 807 m).
Environs • Par chemin de fer à crémaillère, montée (20 mn) au Montenvers (1 909 m); table d'orientation, petit parc zoologique d'animaux de montagne; vue panoramique sur la mer de Glace; le funiculaire du glacier descend à la grotte de la mer de Glace. • Planpaz (2 000 m, vue magnifique sur le *massif du Mont-Blanc)* et le *Brévent* (2 525 m), parcours extraordinaire par téléférique, en plein ciel. • *La Flégère,* par téléférique (1 930 m, vue sur le *massif du Mont-Blanc*); la télécabine de l'Index monte à 2 390 m au pied des Aiguilles-Rouges. • Téléférique de l'*Aiguille du Midi,* le plus haut du monde par le Plan de l'Aiguille où l'on change de cabine pour monter à 3 790 m d'un seul jet; de la plate-forme d'arrivée du téléférique, un ascenseur conduit au point culminant, 3 842 m, d'où le panorama sur le *massif du Mont-Blanc* est inégalable; par une galerie, on gagne la télécabine de la Vallée Blanche qui atteint la Pointe Helbronner à 3 452 m; descente, par le téléférique du col du Géant, sur *Courmayeur* en Italie.
• Chalet inférieur des *Bossons;* par télésiège du village des *Bossons,* station satellite de *Chamonix* (1 012 m), montée à 1 400 m; la visite à la grotte de Glace (murs translucides) est recommandée; *Les Houches :* le téléférique de Bellevue monte à 1 790 m au plateau de Bellevue (panorama) d'où part le télésiège du col de Voza-Prarion (voir **Saint-Gervais***).
• *Tunnel du Mont-Blanc :* de *Chamonix* par la voie express, on atteint les Pèlerins (1 274 m), où s'embranche la route d'accès au tunnel (à péage), la voie souterraine la plus longue du monde (11,6 km) qui débouche en territoire italien à 1 381 m.

Chamonix : ***le téléférique de l'aiguille du Midi, le plus haut du monde, monte à 3 842 m à travers des panoramas splendides, face au massif du Mont-Blanc.***

Champagnole
39 - Jura 26 - B 1
Station de villégiature et centre d'excursions.
Environs • Au N., les forêts de la Fresse et de la *Joux,* la plus belle sapinière de France (sapin Président, 230 ans; belvédères, itinéraire balisé). • Au N.-E., val de Mièges, curieux village fortifié de *Nozeroy* (église XVIe, tour de l'Horloge, ruines d'un château féodal); au S. source de l'Ain (résurgence) et moulin du Saut; église romane et gothique de Sirod; Perte de l'*Ain.*
• Au S.-E., moulin de *Syam,* gorges de la Langouette. • Au S., et au S.-O., région des lacs par la vallée de la Lemme (voir lac de **Chalain***).

Champ-de-Bataille (château du)
27 - Eure 10 - D 1
L'un des plus remarquables et des plus originaux de Normandie. Il est composé de 2 grandioses bâtiments jumeaux XVIIe reliés par des portiques. Beaux appartements (mobilier, objets d'art, etc. — vis. ts les j. l'été sauf mardi et merc.).
Environs • *Le Neubourg* (église XVIe) a donné son nom à une plaine monotone, jalonnée d'églises rurales intéressantes et de châteaux. • 25 km N., *Bourg-Achard.* • 18 km N.-N.-O., *Boissey-le-Châtel* (chât. de *Tilly*). • 15 km N.-O., **Brionne***; *Harcourt* (chât. féodal, remanié au XVIIe, arboretum).

Champlitte-et-le-Prélot
70 - Haute-Saône 20 - A 2
Église de style classique fin XVIIIe, à l'int. statues bourguignonnes XVe. Ds le château de Toulongeon XVIe, musée départemental d'histoire et de folklore, salons XVIIIe, coll. régionales. Maisons XVIe et XVIIe.

Champs (château de)
77 - Seine-et-Marne 11 - D 2
Cette sobre et élégante construction fin XVIIe, où vécut Madame de Pompadour, possède une suite de somptueux appartements XVIIIe, qui s'ordonnent autour d'une grande pièce ovale occupant le centre du château. Le parc est l'un des plus beaux jardins français du XVIIe (vis. ts les j. sauf mardi).
Environs • *Chelles,* site préhistorique, anc. capitale mérovingienne; musée Alfred-Bonno.

Chamrousse
38 - Isère 32 - B 3
Importante station de sports d'hiver (jeux Olympiques 1968) qui s'échelonne sur 4 paliers, entre 1 450 et 2 255 m; la plus élevée est la station supérieure du téléférique de la Croix de Chamrousse (vaste panorama).
Environs • A l'O., *Uriage,* station thermale, encadrée de montagnes boisées par les forêts de Prémol et de Saint-Martin; **Grenoble***.

Chantilly (château de)
60 - Oise 11 - C 1
Le Petit-Château, en contrebas du château néo-Renaissance construit à la fin du XIXe par Daumet pour le duc d'Aumale, est le seul reste des constructions du XVIe. L'ensemble est entouré de pièces d'eau et précédé d'une vaste terrasse. • Le château abrite le musée Condé dont les collections sont remarquables (vis. ts les j. sauf mardi); voir surtout la galerie du logis, le cabinet des Clouet (portraits XVIe), le Santuario (2 Raphaël et 40 miniatures de Fouquet), le cabinet des Gemmes (Diamant rose) et la Grande Galerie (peintures du XVIe au XIXe). • Ds le Petit-Château, somptueux appartement XVIIIe blanc et or du duc de Bourbon (salon des Singes, grande galerie des Actions de Monsieur le Prince); ds la chapelle, autel sculpté par Jean Goujon. • Ds le parc, jardin anglais et musée du Jeu de Paume (mil. XVIIIe), petit jardin dit «la Cabotière», charmante maison de Sylvie (1684), le Hameau, fin XVIIIe, est antérieur à celui de Trianon. • Non loin du château se dresse l'un des chefs-d'œuvre de l'architecture du XVIIIe : les Grandes Écuries, qui dominent le champ de courses (vis. les sam. et dim. apr.-m. de mars à oct.).
Environs • Au S., *forêt de Chantilly* (2 100 ha), beau site des étangs de Commelles et château de la Reine Blanche, de style troubadour (1826). • 10 km E., **Senlis***. • 4 km N., **Saint-Leu-d'Esserent***.

Chantilly : *la construction pseudo-Renaissance du duc d'Aumale, XIXe, enserre le Petit-Château XVIe de Jean Bullant qui se mire dans l'étang.*

Chaource
10 - Aube 19 - C 1
L'église XIIIe-XIVe possède une célèbre «Mise au tombeau», de 1515, à 8 personnages, caractéristique de l'École troyenne XVIe, et plusieurs statues ou œuvres d'art XVIe-XVIIe. Curieuses maisons anc. à piliers de bois.
Environs • 15 km N., par la forêt d'Aumont, *L'Isle-Aumont,* église à 2 nefs, l'une XIIe-XIIIe, l'autre XVe-XVIe, chœur carolingien Xe; sarcophages sculptés du Ve au IXe provenant d'une nécropole voisine; statues d'art populaire XVe-XVIe. • 11,5 km N.-E., *Rumilly-lès-Vaudes :* ds l'église XVIe retable de la Passion, en pierre, XVIe; château des Tourelles; manoir XVIe en pierre et bois.

Chapelle-d'Angillon (La)
18 - Cher 18 - C 3
Le château de Béthune (vis. ts les apr.-m. et le dim. matin) conserve des bâtiments XVe-XVIe et un donjon XIe.
Environs • 7,5 km S., par la forêt de Saint-Palais, ruines de l'abbaye de Loroy; abbatiale XIIIe, bâtiments monastiques et cloître XVIIe. • 11 km S.-E., *Henrichemont,* bâti sur plan régulier en 1608, a pour centre une vaste place d'où rayonnent 8 rues droites; à 4 km S.-E., *La Borne,* centre de poterie de grès (ateliers expositions); au S., par la D. 46, on atteint *Morogues* et le *château de Maupas* (voir **Sancerre***). • 21 km O., *Nançay,* Centre de recherches radioastronomiques : grand radiotélescope (vis. sur demande; une esplanade ouverte au public comporte des panneaux explicatifs).

Chapelle-en-Vercors (La)
26 - Drôme 32 - A 3
Incendié pendant les combats du *Vercors* (1944), le bourg a été reconstruit. Intéressant centre d'excursions dans le *Vercors* et la *forêt de Lente.*
Environs • 5 km N., *Les Baraques-en-Vercors,* impressionnant défilé des *Grands Goulets* par la D. 518 en corniche à flanc de rocher. • 9 km S., *grotte de la Luire,* curiosité géologique (salle Decombaz, cavité de 80 m de hauteur prolongée par un gouffre où coule le Vernaison) et haut lieu de la Résistance : les Allemands y massacrèrent, en 1944, les blessés du Maquis; la D. 518 continue vers le *col du Rousset* (1 411 m) à travers de magnifiques paysages sauvages; après le tunnel du Rousset, la route descend en lacets très sinueux sur *Chamaloc* et le bassin de **Die***. • A

l'O., *forêt de Lente* (voir **Vassieux-en-Vercors***).

Charavines-les-Bains
38 - Isère 32 - B 2
Station de villégiature à 800 m S. du *lac de Paladru* (390 ha, 5,5 km de long), très poissonneux, ds un site superbe.
Environs • Aux Grands-Roseaux et à La Neyre, vestiges d'habitations lacustres. • Plages à l'extrémité S. • Tour du lac par Pagetière, la rive O., *Paladru* et le hameau de Coletière. • 4 km N.-O., vestiges de la chartreuse de Silve-Bénite fondée au XIIe, restes du grand cloître et de l'anc. logis prioral.

Charité-sur-Loire (La)
58 - Nièvre 18 - D 3
Cette petite ville sur la *Loire* conserve les vestiges de l'anc. abbatiale romane Sainte-Croix-Notre-Dame XIe-XIIe : le chœur est d'une élévation grandiose (curieux chapiteaux historiés d'inspiration byzantine); transept et clocher carré avec portail roman muré, tympan sculpté; ds l'enceinte du monastère, ruines des bâtiments abbatiaux : grand logis abbatial XVe, anc. logis du prieur déb. XVIe, etc. Musée lapidaire régional. Nombreuses maisons anc. Intéressante promenade des remparts. Curieux pont de pierre à 10 arches, en dos d'âne, sur la *Loire*.

Charleville-Mézières
08 - Ardennes 6 - D 2
Mézières possède une belle église de style flamboyant, la basilique Notre-Dame-de-l'Espérance (pèlerinage à la Vierge noire), et des vestiges de remparts XIVe et XVIe. Le centre de Charleville est la place Ducale XVIIe, 23 pavillons en brique et pierre sur une galerie à arcades; le vieux moulin, anc. moulin banal 1626, abrite le musée de l'Ardenne et le musée Arthur-Rimbaud (maison natale 12, rue Thiers). Parc animalier. Du mont Olympe (205 m alt.), vaste panorama.
Environs • Circuit de la vallée de la *Meuse*, au N.; de *Charleville*, la D. 1 suit la *Meuse* sur sa rive g. par *Nouzonville* et *Braux*, où la route franchit la rivière; curieux rochers des Quatre-Fils-Aymon dominant *Château-Regnault; Monthermé* a une église XIIe-XVe fortifiée (cuve baptismale romane, fresques XVIe); nombreux rochers aux env. : roche à Sept-Heures (2 km N.), Longue-Roche (2,5 km N.-N.-O.), roche aux Sept-Villages et roche de Roma (3 et 4 km S.); de *Monthermé* à la frontière belge, à l'E., la D. 31 suit les magnifiques paysages forestiers de la vallée de la *Semoy;* revenant à *Monthermé*, reprendre la D. 1, qui continue à suivre la *Meuse* au N. vers *Laifour*, face aux rochers de Laifour, au pied de la formidable paroi rocheuse des *Dames de Meuse* à pic au-dessus de la rivière; le paysage est aussi impressionnant que grandiose; on peut poursuivre sur *Revin* et **Rocroi***.

Charlieu
42 - Loire 25 - C 3
Les vestiges de l'abbaye bénédictine valent la visite, notamment le portail de l'abbatiale, chef-d'œuvre de la sculpture romane bourguignonne XIIe et, sous le porche, le portail XIe dont le tympan est également sculpté; voir aussi (vis. ts les j.) le cloître fin XVe, la salle capitulaire, la chapelle et le logis abbatial XVIe, etc. Le cloître des Cordeliers, trapézoïdal fin XIVe-XVe est à 500 m O. Nombreuses maisons anc. (maison des Armagnacs XIIIe, maison des Anglais XVIe).
Environs • Le Brionnais compte plusieurs églises romanes d'une belle pierre dorée; au N.-O., *Iguerande* déb. XIIe (panorama); *Semur-en-Brionnais :* église de style clunisien, très beau clocher, château Saint-Hugues (donjon IXe); *Anzy-le-Duc*, l'une des plus belles églises de la région, portail sculpté, clocher-tour polygonal à 3 étages de baies; au N.-E., *Bois-Sainte-Marie*, église XIIe avec coupole et clocher carré; *Châteauneuf-sur-Sornin :* château en partie XVIe ds un cadre boisé, église romane mil. XIIe. • 12 km O., *La Bénissons-Dieu* vestige de l'abbaye cistercienne XIIe et gothique. • 22 km N.-N.-E., *La Clayette :* le château XIVe, très restauré, a conservé des communs flanqués d'une poterne fortifiée; ds la chapelle, fresques XVe-XVIe (vis. sur demande); au S.-E., montagne de Dun (708 m), magnifique panorama, vestiges d'un anc. oppidum.

Charroux
86 - Vienne 23 - C 3
Il reste d'importants vestiges de l'abbaye Saint-Sauveur, fondée sous Charlemagne, notamment la

La Charité-sur-Loire : ***Notre-Dame, remarquable témoignage de l'architecture romane bourguignonne.***

Charroux : ***à Civray, la façade de Saint-Nicolas dont les thèmes évoquent les traditions poitevines.***

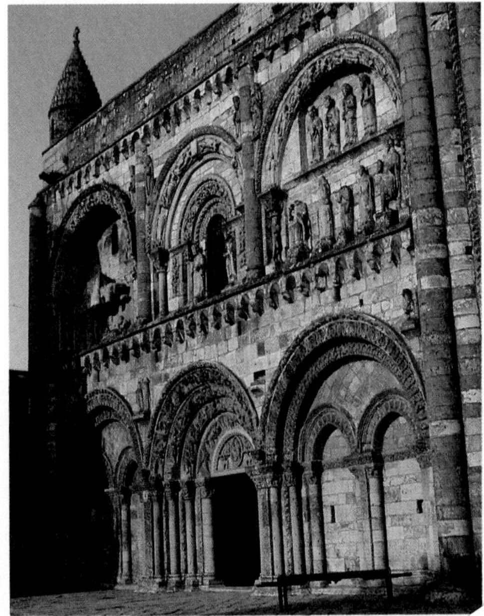

Chartres : *la cathédrale dresse haut ses flèches au-dessus de la ville. Au portail royal, l'une des célèbres statues-colonnes fin XIIe. Porte de gauche du portail Nord, l'Annonciation et la Visitation.*

superbe tour lanterne centrale romane XIe de l'église abbatiale (fermé le mardi). Un bâtiment XVe abrite un ensemble de sculptures XIIIe provenant surtout du grand portail de l'abbaye et 2 reliquaires XIIIe et XIVe.
Environs • 11 km O., *Civray;* église romane Saint-Nicolas XIIe; les décors sculptés de la façade et du chevet sont remarquables; maisons XVe et XVIe.

Chartres
28 - Eure-et-Loir 11 - A 3
La cathédrale Notre-Dame est le chef-d'œuvre de l'art gothique du déb. XIIIe; seule la façade est en grande partie romane, sec. moitié XIIe; son triple portail, dit «portail Royal», consacré à la glorification du Christ et dont les statues colonnes des embrasures sont célèbres, est l'une des plus belles œuvres de l'art roman. Les 2 façades du transept offrent chacune un triple portail décoré de sculptures : celles du portail N. sont consacrées à l'Ancien Testament (vers 1230), celles du porche S. (1225-1250) au Nouveau Testament. A l'int., les vitraux XIIe-XIIIe forment un ensemble exceptionnel; voir également les 2 roses du transept et celle de la façade. La clôture du chœur, en pierre sculptée XVIe, illustre, en 41 groupes de 200 figures environ, des scènes de la Vie du Christ et de la Vierge. La chapelle Saint-Piat, XIVe, abrite le trésor (ouv. en 1980 du Centre intern. du Vitrail). La crypte XIe, la plus vaste de France, en englobe une seconde du IXe (vis. ts les j.). • Ds l'anc. palais épiscopal, musée des Beaux-Arts (fermé le mardi), rare coll. d'émaux XVIe, tapisseries XVIe et intéressantes salles de peintures. En face du porche N. de la cathédrale, maison canoniale (fenêtres XIIIe); rue du Cardinal-Pie, anc. celliers du chapitre dits de Loëns, à 3 nefs XIIIe. • Chartres possède plusieurs maisons anc.; 35, rue des Écuyers,

curieux « escalier de la reine Berthe » élégante tourelle XVIe aux poutres sculptées; 12, rue des Grenets, hôtel de la Caige XVe ; 10, rue Noël-Ballay, maison de Claude Huvé, Renaissance; rue du Cheval-Blanc : hôtels Collin-d'Harleville et de Champrond, XVIe. • Églises Saint-Aignan XVIe, Saint-Pierre XIIe-XIIIe, avec une tour carrée Xe-XIe et à l'int. une remarquable série de vitraux XIVe et XVIe. Derrière Saint-André, XIIe (désaffectée), sur la rive dr. de l'Eure, curieuses rues anciennes de la Tannerie et de la Foulerie, bordées de lavoirs et de vieilles maisons pittoresques. • Les amateurs d'insolite iront voir, près du cimetière Saint-Chéron, l'étonnante maison de Raymond Isidore dit « Picassiette ».
Environs • 1,5 km S.-E., église Saint-Martin-au-Val XIe, vestiges d'un sanctuaire mérovingien ds la crypte. • Au N.-E., vallée de l'*Eure,* fraîche et verdoyante, par *Lèves, Jouy, Saint-Piat* (églises intéressantes) et le château de **Maintenon ***. Au S., plaine de la *Beauce,* vers **Illiers-Combray *** et **Châteaudun ***.

Château-Arnoux 38 - C 3
04 - Alpes-de-Haute-Provence
Le bourg est dominé par un pittoresque château fin XIVe. Église XVIIe.
Environs • 4 km S.-O., Saint-Auban; le belvédère de l'E.D.F., sur la *Durance,* domine les ouvrages de l'Escale, pont barrage mobile et digue de 445 m; à 6,5 km S., curieux rochers dits « pénitents des *Mées* ». • Près de *Peyruis* (10 km S.-O.), église Saint-Donat romane XIe. • Au S.-E., la N. 85 suit en direction de **Digne *** la belle vallée de la *Bléone* par *Malijai* (route Napoléon).

Châteaubriant
44 - Loire-Atlantique 16 - D 1
Les ruines de la forteresse féodale, ou Vieux-Château (porte XIIIe, chapelle XIIe-XIIIe, logis seigneurial fin XVe), sont dominées par un énorme donjon carré. Le Château-Neuf, Renaissance, est relié par une galerie à arcades, en brique, à un élégant pavillon carré à 2 étages d'arcades; il abrite le tribunal et la bibliothèque (vis. tous les jours). L'église Saint-Jean-de-Béré fin XIe; à l'int. la croisée du transept est en grès rouge, ou « roussard ».
Environs • 1,5 km E., sur la route de **Laval ***, monument national des Fusillés et Massacrés de la Résistance. • 16 km E., *Pouancé,* ruines, flanquées de 11 tours, du château féodal XIIIe et XIVe, dominant l'étang de Saint-Aubin; au S.-E., étang de Tressé.

Château-Chalon
39 - Jura 26 - B 1
Village bâti en nid d'aigle sur un escarpement rocheux, entouré des vignes qui ont fait sa réputation (le fameux « vin jaune »). Anc. porte, vestiges du château. Église rustique. Panorama.
Environs • 6 km E., impressionnant point de vue sur le cirque de *Ladoye* (belvédère).

Château-Chinon
58 - Nièvre 19 - B 3
Important centre touristique à travers le **Morvan ***, dont on embrasse le panorama, du Calvaire (609 m alt.), érigé sur les vestiges d'un oppidum gaulois et de l'anc. château féodal. Musée du Folklore et du Costume.
Environs • Au S., vers le *mont Beuvray* (vestiges de l'anc. oppidum gaulois de Bibracte, large panorama), en passant par *Arleuf* et *Saint-Prix* (circuit du *haut Folin,* route forestière); *mont Prénelay* (source de l'*Yonne*). • 19 km E., *Anost* (église intéressante); à 1,5 km belvédère de Notre-Dame-de-L'Aillant, superbe panorama. • 22 km N.-E., réservoir des **Settons *** par la D. 37. • 18 km N., *lac et barrage de Pannesière-Chaumard* sur l'*Yonne.*

Châteaudun
28 - Eure-et-Loir 18 - A 1
Bâti du XIIe au XVIe, le château a l'aspect ext. d'une forteresse, mais l'int. est celui d'une résidence seigneuriale raffinée (vis. ts les j. sauf mardi); où s'élèvent un donjon cylindrique XIIe, haut de 46 m, et la Sainte-Chapelle, de style flamboyant mil. XVIe (remarquables statues des ateliers de la Loire, XVe). La vieille ville, au pied du château, possède 3 églises remarquables : Saint-Valérien XIIe-XIIIe, la Madeleine, romane XIIe, Saint-Jean-de-la-Chaîne XIe-XVe, et Notre-Dame-du-Champdé, dont seule subsiste la façade fin XVe, élégamment sculptée.
Environs • 7 km E., Lutz-en-Dunois, église romane décorée de peintures murales XIIe-XIIIe. • 14 km N., *Bonneval,* anc. place forte sur le *Loir,* anc. abbaye de Saint-Florentin (visite ext. seulement), ruines de l'abbatiale fin XIIe; église Notre-Dame, gothique XIIIe. • Excursion recommandée le long de la vallée du *Loir,* au S.-O., surtout à partir de *Cloyes-sur-le-Loir,* jusqu'à **Vendôme ***.

Château-Gaillard
27 - Eure 5 - A 3
Ses ruines imposantes dominent la Seine et le site des *Andelys* notamment le Petit-Andely. Forteresse puissante, construite fin XIIe par Richard Cœur de Lion, le château se compose de deux enceintes entourant un robuste donjon cylindrique; il est séparé du plateau par un large fossé où s'ouvrent des casemates creusées ds le roc; la seconde enceinte, ou enceinte extérieure, est également entourée d'un fossé, et flanquée d'un ouvrage avancé triangulaire (vis. ts les j. du 15 mars au 15 oct. sauf mardi et mercr. mat.). Vaste panorama. Le Grand-Andely possède une belle église gothique dont la façade à 3 portails est flanquée de 2 tours; l'int. mêle le gothique au flamboyant et à la Renaissance, beau buffet d'orgue Renaissance en chêne sculpté, vitraux XVIe, stalles et statues XVe.

Château-Gaillard : ***les ruines de cette impressionnante forteresse, fin XIIe, dominent le site des Andelys et la courbe harmonieuse de la vallée de la Seine.***

Château-Gontier
53 - Mayenne 17 - A 1
La vieille ville, étagée sur la rive dr. de la *Mayenne,* est dominée par l'église Saint-Jean, romane XIe-XIIe (vestiges de peintures murales XIIe). De la promenade du Bout-du-Monde, vaste panorama. Intéressants hôtels XVIe, XVIIe et XVIIIe. Musée.
Environs • 7 km S.-O., sur la route de *Chemazé,* château de *Saint-Ouen* XVe-XVIe, flanqué d'une superbe tour carrée (on ne vis. pas). • Au S., entre la *Jaille-Yvon* et *Chambellay,* château du Percher, élégante construction fin XVe, comportant une curieuse tour d'escalier, chapelle déb. XVIe (on ne vis. pas); château du Bois-Montbourcher XVe, XVIIe et XIXe, au bord d'un vaste étang.

Châteauneuf-du-Faou
29 S - Finistère 8 - C 3
Centre d'excursions ds les *montagnes Noires,* très apprécié des pêcheurs (saumon et brochets).
Environs • A partir de *Laz* (8 km S.), on suit la route des crêtes (D. 41) : superbes panoramas. • 9,5 km E., près de *Spézet, chapelle Notre-Dame-du-Crann* (1535), bel ensemble de vitraux XVIe. • Au S., forêt du Laz et domaine départemental de Trévarez en Saint-Goazec, parc de 74 ha, sentiers balisés à travers bois, plantations de rhododendrons, azalées, etc.

Château-Queyras
05 - Hautes-Alpes 38 - D 1
Au centre du Parc naturel régional du Queyras, où un effort d'équipement remarquable se fait pour développer les sports d'hiver. Dominée par le fort Queyras (visite l'été) construit au XIIIe (superbe donjon de 16 m de haut), renforcé par Vauban puis au XIXe, l'agglomération se compose de 2 quartiers, l'un au pied du fort, l'autre sur la rive du *Guil.*
Environs • Au S., une route stratégique de 11 km conduit au *sommet Bucher* (2260 m, table d'orientation). • 11 km S.-E., par Ville-Vieille (église XVIe) et *Molines-en-Queyras,* vieux village pittoresque (sports d'hiver), **Saint-Véran***. • Au N.-E., par *Aiguilles,* charmante station de villégiature et de sports d'hiver (musée du Vieux-Queyras), et la vallée du *Guil,* on atteint *Abriès* (église romane, chapelle de pénitents) et *L'Echalp* (1677 m); une route étroite et en forte pente gagne le *belvédère* du cirque du *mont Viso* (2127 m), panorama grandiose. • Au N., col d'*Izoard,* vers **Briançon***. • Au S.-O., par la vallée du *Guil, Guillestre* et **Mont-Dauphin***.

Châteauroux
36 - Indre 24 - B 1
L'église Saint-Martial (chœur XIIIe, nef XVe, clocher Renaissance), le musée Bertrand (vis. ts les j. sauf lundi) et l'anc. église des Cordeliers XIIIe (exp. tempor.) sont ses principaux monuments; le musée abrite des coll. napoléoniennes et archéologiques, et des peintures ou souvenirs de personnalités régionales (George Sand).
Environs • 2 km sur la rive dr. de l'*Indre, Déols;* de la florissante abbaye, fondée au Xe, il ne reste que le beau clocher roman; l'église XIIe et XVe possède 2 cryptes mérovingiennes (tombeau de saint Ludre Ve). • Au S., belle forêt de Châteauroux, itinéraire fléché.

Château-Thierry
02 - Aisne 12 - A 1
La maison natale de La Fontaine est un charmant hôtel XVIe transformé en musée. Église Saint-Crépin XVe-XVIe. Vestiges imposants du château dont les remparts couronnent une butte (belle vue); la porte Saint-Jean XIVe, à la pointe E., est encadrée de 2 puissantes tours. Un peu plus bas, porte Saint-Pierre, également flanquée de tours. Ds la Grande Rue et la rue du Château des maisons XVIIe. Tour Balhan XVe-XVIe.
Environs • 4 km O., monument américain de la cote 204. • A 10 km N.-O., vaste cimetière américain du *Bois-Belleau* (2300 tombes), et cimetière allemand. • Au S.-O., les rives de la *Marne,* aux méandres harmonieux, entre Château-Thierry et *La Ferté-sous-Jouarre,* traversent d'agréables paysages verdoyants (voir **Jouarre***).

Châtelguyon
63 - Puy-de-Dôme 30 - D 1
Station hydrominérale réputée. La place Brosson sépare le quartier thermal (casoin, Grands Thermes, parc, équipement sportif du vieux bourg qui occupe une butte dominée par un calvaire (vaste panorama).
Environs • Vallée des Prades au N.-N.-O., vallée de Sans-Souci à l'O., et gorges d'Enval, au S., sont d'agréables buts de promenade. • 3 km O., château de Chazeron XIIIe, XIVe et XVe. (Vis. ext. seul. Son et Lumière l'été.) • A 7 km O.-S.-O. *Volvic* et ruines pittoresques du château de Tournoël (voir **Riom***). • 7 km N.-E., *château de Davayat,* gentilhommière Louis XIII entourée de jardins à la française; intéressantes collections à l'int. (vis. ts les j.); ds le village, superbe menhir de 4,66 m.

Châtellerault
86 - Vienne 23 - C 1
Ds la maison de Descartes XVIe (162, rue Bourbon) est installé un petit musée. De l'anc. château, il ne reste qu'un bâtiment à tourelle (musée). Pont Henri IV, à 2 tours et 9 arches, en pierre, déb. XVIIe.
Environs • 10 km O., château de *Scorbé-Clairvaux* fin XVe et XVIe, entouré de douves et précédé de majestueux communs XVIIe, avec orangerie et colombier. • Excursions recommandées, au N. et au S.-E., ds les vallées de la *Gartempe* et de la *Vienne.*

Châtel-Montagne
03 - Allier 25 - B 3
Majestueuse église de pur style roman auvergnat XIIe, construite en granit; remarquable porche à 2 étages et 3 séries de baies en plein cintre. Maisons XVe à tourelles.
Environs • L'ascension du puy du Roc (644 m) est recommandée : vaste panorama. • 6 km S., *Le Mayet-de-Montagne :* centre d'excursions ds les *monts de la Madeleine* couverts de landes, de bruyères et de forêts.

Châtillon-sur-Indre
36 - Indre 24 - A 1
Église Notre-Dame, anc. collégiale XIe-XIIe; le porche roman a de curieux chapiteaux historiés. Le donjon cylindrique XIe et un bâtiment XVe sont les seuls vestiges du château. Aménagements de loisirs.
Environs • 13 km S.-E., *Palluau-sur-Indre,* imposant château XIIe et XVe (vis. ts les j. l'été); tour Philippe-Auguste et chapelle décorée de fresques XVe; ds l'anc. église Saint-Laurent, peintures murales XIIe (célèbre Vierge à l'Enfant); à 4 km S.-E., *Saint-Genou,* remarquable église XIIe-XIIIe, anc. abbatiale, chœur de pur style roman berrichon; à 8 km E., château d'*Argy* XVe-XVIe (vis. ts les j. l'été), imposant donjon carré flanqué de tourelles; cour int. bordée d'une élégante galerie à 2 étages fin XVe.

Châtillon-sur-Seine
21 - Côte-d'Or 19 - C 1
L'attrait capital de cette petite ville anc. est, au musée (vis. ts les j.) installé ds la maison Philandrier, Renaissance, le magnifique vase de Vix (1,64 m, 208 kg), du VIe av. J.-C., découvert en 1953 au mont Lassois; provenant sans doute d'un atelier grec de l'Italie du Sud, c'est l'un des chefs-d'œuvre de l'Antiquité; le «trésor de Vix» comporte également des bijoux, des pièces de char, plusieurs objets en or et en bronze, etc. L'église Saint-Vorles est l'un des plus importants témoignages du premier art roman

fin xe. A 500 m E., source de la Douix ds un site pittoresque.
Environs • 7 km N., mont Lassois, Saint-Marcel, petite église romane XIIe, c'est au pied de la butte que fut trouvé le «trésor de Vix». • 15 km N., *Mussy-sur-Seine,* intéressante église XIIIe et XVe; à l'int., beau tombeau XIIIe, statues XIVe-XVe et Pietà déb. XVIe; mairie ds l'anc. château XVe et XVIIIe, des évêques de Langres; petit musée de la Résistance. • Au S.-E., *belle forêt* domaniale *de Châtillon* (8621 ha), ruines de l'*abbaye cistercienne du val des Choues,* fondée fin XIIe (on vis.).

lis (Son et Lumière l'été). • 6 km N.; Nohant; le château où vécut George Sand, demeuré inchangé (vis. ts les j. sauf mardi), renferme un petit musée; à 2 km N.-O., ds l'église de *Vicq,* remarquable ensemble de fresques romanes déb. XIIe; les paysages et les sites de la vallée de l'*Indre* ont été décrits ds les romans de George Sand; au N.-E., de Nohant, bois de Chanteloube où est située la «mare au Diable». • 25 km N.-E., *Lignières,* beau château XVIIe élevé par François Le Vau (vis. ext. seulement). • 17 km E., *Châteaumeillant,* belle église Saint-Genès, romane, prem. XIIIe. • 18 km O. *Neuvy-Saint-Sépulcre :* église circulaire, XIe-XIIe, bâtie sur le modèle du Saint-Sépulcre de Jérusalem.

Chaumont
52 - Haute-Marne 20 - A 1
La ville est située sur le rebord d'un plateau escarpé entre 2 vallées. Magnifique viaduc. Église Saint-Jean-Baptiste XIIIe et XVIe; à l'int., intéressantes œuvres d'art (Mise au tombeau fin XVe à 11 personnages très réalistes). Le vieux Chaumont mérite une flânerie; ses maisons anc., ses rues étroites et ses sites (ravin des Tanneurs) sont pittoresques. Le palais de justice conserve le donjon carré XIIe du château des comtes de Champagne, dit tour Hautefeuille (musée).

Chaumont-sur-Loire : ***un très beau parc aux cèdres centenaires donne au château un caractère particulier.***

CHAUSEY (îles)
50 - Manche 9 - C 1
Départ de **Granville*** ts les j. en saison par bateau (16 km en 1 h). Archipel granitique comptant à marée basse plus de 300 îlots. La grande île, seule, est habitée (55 h.); le village se compose de plusieurs maisons, d'un port, d'une école et de la chapelle des pêcheurs, à l'extrémité de l'île, fort (déclassé) et phare. Ruines d'un couvent de cordeliers fondé au XIVe.

Châtre (La)
36 - Indre 24 - B 2
Étagée au-dessus de la rive g. de l'*Indre,* cette petite ville possède de pittoresques quartiers anc. dont les maisons, notamment des tanneries, ont conservé leur aspect archaïque. Ds le donjon XVe du château, musée George-Sand et de la Vallée Noire (ouv. ts les j.).
Environs • 9 km N.-O., *Sarzay,* imposant château féodal XIIIe flanqué de 4 tours rondes à mâchicoulis moitié XIIe; à 5,5 km N.-E., Saint-Jeanvrin, église romane, tombeau avec «pleurants» de François de Blanchefort mil. XVIe. • 10 km S.-E., la Motte-Feuilly; ds l'église XVe-XVIe, tombeau de Charlotte d'Albret († 1514), épouse de César Borgia, qui habita le château XIVe-XVe aux tours rondes coiffées de hourds en bois et donjon hexagonal. • 14,5 km S., *Sainte-Sévère-sur-Indre,* anc. bourg fortifié, château XVIIIe, vestiges du donjon

Chaumont-sur-Loire (château de)
41 - Loir-et-Cher 18 - A 2
Sur la rive g. de la *Loire,* le château a l'aspect d'une imposante forteresse flanquée de 4 robustes tours à mâchicoulis. Le corps de logis O. et la tour d'Amboise mil. et fin XVIe appartiennent au gothique tardif, les bâtiments S. et E., les 3 autres tours et la chapelle à la Renaissance (vis. ts les j. sauf mardi). Les appartements comprennent notamment les chambres de Diane de Poitiers et de Catherine de Médicis. Écuries monumentales.

Chauvigny
86 - Vienne 23 - C 2
Dominée par un promontoire escarpé qui porte les ruines imposantes de 5 châteaux féodaux — le château baronnial (donjon XIIe), le

château d'Harcourt XIIIe et XVe, le château de Montléon XIIe et XVe, le château de Gouzon et la tour de Flins — cette petite cité pittoresque conserve, ds la ville haute, l'un des plus remarquables exemples de l'école romane poitevine : l'église Saint-Pierre XIIe dont on admirera l'abside et, à l'int., les célèbres chapiteaux historiés, d'un réalisme expressif. Ds la ville basse, église Notre-Dame, romane, XIe-XIIe.
Environs • 7,5 km N.-O., par *Bonnes* (2 églises romanes), *château de Touffou* XIIe, XIIIe et XVIe, en terrasse au-dessus de la *Vienne* (vis. l'été); à l'int., chambre des Quatre-Saisons, décorée de fresques XVIe. • 18 km S., *Civaux,* sur la rive g. de la *Vienne,* église XIIe, avec abside XIe, entourée d'un cimetière mérovingien.

Chavaniac-La Fayette (château de)
43 - Haute-Loire 31 - B 3
Cette belle construction déb. XVIIIe a vu naître La Fayette (1757). Un musée lui est consacré ainsi qu'à la guerre de l'Indépendance américaine (vis. ts les j. sauf mercr.).

Chemin des Dames
Voir **Laon***. 6 - B 3

Chenonceaux (château de)
37 - Indre-et-Loire 17 - D 3
L'un des plus harmonieux châteaux de la Loire, construit sur le *Cher* (vis. ts les j. ; Son et Lumière et promenades sur le *Cher* l'été). Sur la rive dr., encadrés par le jardin de Diane de Poitiers, à g., et celui de Catherine de Médicis, donjon cylindrique XVe et château de Bohier déb. XVIe. La grande galerie, qui s'appuie sur la façade S. du château de Bohier, est l'œuvre de Philibert Delorme; longue de 60 m, ses 2 étages reposent sur un pont de 5 arches qui enjambe le *Cher.* L'int. est décoré et meublé ds le style de la Renaissance.
Environs • 9,5 km E., sur le *Cher, Montrichard :* le faubourg de Nanteuil (église romane et gothique) conserve plusieurs maisons anc. (maison de l'Ave Maria XVIe, à 3 pignons, chancellerie XVe, etc.); église Sainte-Croix XIIe-XVe; le château fort, au-dessus de la ville, a un robuste donjon XIIe (vis. ts les j. l'été); à 7 km S.-E., ruines de l'abbaye d'Aiguevive, église XIIe (on ne vis. pas); à 10 km E. de *Montrichard,* château du **Gué-Péan***.

Chauvigny : ***les châteaux forts sont dominés par le clocher roman de Saint-Pierre; la ville haute est bâtie sur un éperon.***

Chenonceaux : ***ce joyau Renaissance exalte la beauté du cadre naturel et compose avec lui un ensemble harmonieux et équilibré.***

Cherbourg
50 - Manche 3 - C 2
Port de commerce, de plaisance Chantereyne et arsenal militaire. L'église de la Trinité, de style flamboyant XVe-XVIe, domine la vaste place Napoléon où s'élève la statue de l'Empereur. Le musée de peinture Thomas-Henry possède un important ensemble d'œuvres de J.-F. Millet (portraits). Le parc Emmanuel-Liais comporte de remarquables arbres et végétaux exotiques; musée d'Histoire naturelle et d'Ethnographie. Au fort du Roule (vaste panorama), musée de la Guerre et de la Libération (salle des Cartes).
Environs • Au N.-O., pointes de *Querqueville* et d'*Urville-Nacqueville* dont le charmant manoir XVIe (vis. ts les j. sauf mardi et vendr.) s'élève ds un cadre romantique • A l'E. château de *Tourlaville,* Renaissance, entouré de douves; on ne vis. que le parc (ts les jours), riche d'essences exotiques; à 6 km E., non loin de l'aérodrome, allée couverte : imposant monument mégalithique (16 m de long).

Cheverny (château de)
41 - Loir-et-Cher 18 - A 2
Construit ds le style classique du XVIIe, la richesse de sa décoration int. contraste avec la simplicité de l'ext. : un corps de logis rectangulaire relié par 2 ailes à 2 vastes pavillons carrés (vis. ts les j.). Les appartements sont somptueusement décorés et meublés, notamment, au 1er ét., où l'on accède par un magnifique escalier de pierre à l'appartement du Roi; la chambre du Roi en est l'élément principal. Ds les communs, musée de l'Équipage de Cheverny (2 500 trophées). Jardins à la française prolongés par le parc.
Environs • 9 km N.-E., *château de Villesavin* (vis. ts les j.), charmant édifice Renaissance construit en 1537; à 4,5 km E., *château d'Herbault,* Renaissance, remanié au XIXe; l'appareil de briques, en damier, contraste avec le tuffeau blanc et le gris de l'ardoise des toits (on ne vis. pas); à 3 km S., *Fontaine-en-Sologne,* église XIIe.

Chevreuse
78 - Yvelines 11 - B 2
Les ruines du château de la Madeleine et de l'imposant donjon XIIe (on vis.) dominent le bourg dont l'église a un clocher roman XIIe. La place des Halles a gardé son aspect villageois.

Cherbourg : ***reconstruit après la guerre de 1939-1945, le port abrite des embarcations de plaisance qui côtoient la flotille des chalutiers.***

Environs • La vallée de Chevreuse offre d'agréables excursions. • Au N., la vallée du Rhodon conduit à *Saint-Lambert* et à Port-Royal des Champs. • A l'O., **Dampierre*** et la haute vallée de l'*Yvette* (Levis-Saint-Nom, Notre-Dame-de-la-Roche, etc.); au S.-O. de **Dampierre***, les **Vaux de Cernay***. • Au S.-O., château de Breteuil, de style Louis XIII, entouré de superbes jardins; promenades botaniques ds le parc (vis. ts les j.). Histoire retracée par des personnages de cire. • A l'E., Saint-Rémy-lès-Chevreuse, la vallée de l'*Yvette,* la vallée de la Mérantaise, *Gif,* Bures, *Orsay.*

Cheylade
15 - Cantal 30 - D 3
La nef et les collatéraux de l'église XVIe sont couverts de lambris (XVIIIe) composés de 1 428 petits panneaux de chêne décorés de fleurs et d'animaux. Maison de la construction en haute Auvergne. *Environs* • 5 km N.-O., *Apchon,* encadré par 2 dykes volcaniques dont l'un porte les ruines imposantes du château ; vue magnifique sur la vallée de Cheylade et le *puy Mary;* à 5,5 km S., chapelle de la Font-Sainte, à 1 250 m d'alt. (processions solennelles et pèlerinages l'été) ; à 6 km N. d'*Apchon, Riom-ès-Montagnes,* vieux bourg, siège d'une anc. abbaye dont il reste l'église Saint-Georges, romane à coupole XIe-XIIe, porche XIIIe et clocher XIVe; remarquer la décoration ext. de l'abside; à 3 km N.-O., château de Saint-Angeau XIXe, avec tour XVe; à 2 km E., petits lacs des Bondes et de Roussilhou.

Chinon
37 - Indre-et-Loire 17 - C 3
Le château (vis. ts les j. sauf déc. et janv.), dont les imposants vestiges couronnent sur 400 m de long l'éperon abrupt qui domine la ville, se compose de 3 forteresses, séparées par de profonds fossés : le fort Saint-Georges, à l'E., en ruine; le château du Milieu, qui comprend le pavillon de l'Horloge (XIIe-XIVe), haut de 35 m, abritant le musée Jeanne-d'Arc, et les restes des Logis royaux XIIe - XIVe - XVe (Son et Lumière, 15 juin - 15 août) flanqués de la tour du Trésor XIIe; le château de Coudray, à l'O., aux puissantes tours (tour de Boissy, tour du Moulin), dominé par un donjon cylindrique XIIIe ou tour du Coudray, haut de 25 m. Des courtines S. du château, belle vue sur Chinon et la vallée de la *Vienne.* • Le vieux Chinon, fort pittoresque, est traversé d'O. en E. par la rue Voltaire, coupée d'étroites venelles et bordée de belles maisons XVe, XVIe et XVIIe; maison des États Généraux XVe; musées du Vieux Chinon, du vin et de la tonnellerie. Le Grand Carroi entouré de vieux logis à colombages et hauts pignons XVe (maison Rouge, en bri-

Cheverny : ***extérieurement, c'est le plus sévère des châteaux de la Loire; intérieurement, il possède des appartements d'une grande somptuosité.***

Chevreuse : ***les ruines du château de la Madeleine et son donjon rectangulaire; de la terrasse, vue très étendue sur toute la région.***

Chinon : *dans un site exceptionnel, la ville s'étire au bord de la Vienne, dominée par 3 forteresses distinctes perchées sur le rebord d'un escarpement et qui composent un ensemble défensif d'environ 4 ha.*

que et bois), était le cœur de la cité médiévale. L'église Saint-Maurice a une nef de pur style angevin XIIe. Du Grand-Carroi, en continuant vers l'E., on parvient à Saint-Étienne, de style flamboyant XVe (remarquable façade O.), puis à Saint-Mexme, dont il ne reste que la nef Xe et le narthex XIe encadré de 2 tours. A flanc de coteau, chapelle troglodyte Sainte-Radegonde VIe, Xe, XIIe, belles peintures murales XIIe représentant une chasse royale.
Environs • 7 km S.-O., près de *Seuilly, manoir de La Devinière,* maison natale de Rabelais (petit musée); à 2 km S.-O., *château du Coudray,* déb. XVe (on ne vis. pas); aux alentours, s'étend le «pays de Rabelais», campagne vallonnée et riante où l'écrivain situa les principales actions de Gargantua et de Pantagruel. • 8 km au N.-O., *Avoine;* sur la rive g. de la Loire, 4 km au N., *centrale atomique d'Avoine-Chinon,* mise en service en 1962 par l'E.D.F., première centrale nucléaire française destinée à la production industrielle d'énergie électrique; belvédère musée (maquettes et plans) permettant de voir les installations; vis. sur demande. • 8 km E., *Cravant-les-Coteaux;* ds l'église Xe-XIe-XIIe (piliers mérovingiens, nef carolingienne), désaffectée, musée archéologique.

Cholet
49 - Maine-et-Loire 16 - D 3
Au centre de la ville, la place Travot est bordée par le théâtre, l'hôtel de ville et l'église Notre-Dame néo-gothique fin XIXe. Musée d'histoire et d'ethnographie locales et des guerres de Vendée. Le jardin du Mail occupe la terrasse et les jardins de l'anc. château, au-dessus de la vallée de la Moine.
Environs • A 1 km N.-O., bois Lavau et château de Bois-Landry. • Pierre-du-Diable (1 km S.-O.), menhir de la Pochetière (3 km S.-E.), menhir du Grand-Champ et dolmen du Guil-au-Boin (2 km O.). • 4 km S.-E., barrage de Ribou, plage, piscine, sports nautiques, etc. • 10 km S.-O., *Mortagne-sur-Sèvre,* vestiges de remparts avec jardins en terrasse, ruines du château XIVe-XVe (tour du Trésor); à 6 km S.-E., *Saint-Laurent-sur-Sèvre :* la basilique (moderne) abrite les tombeaux de saint Grignion de Montfort († 1716) et de sœur Marie-Louise de Jésus. • 9,5 km N.-O., *Bégrolles;* à 1 km N. anc. abbaye bénédictine de Belle-Fontaine, fondée au XIe, occupée par les trappistes : logis abbatial Renaissance, église néo-gothique XIXe. • La D. 752 traverse le pays des *Mauges.*

Clairvaux-les-Lacs
39 - Jura 26 - B 2
Centre de villégiature et de séjour. Ds l'église, belles stalles sculptées XVe et importants tableaux XVIIe.
Environs • A 300 m S., grand lac de Clairvaux, plage, location de barques; petit lac, au pied de la butte de la Rochette (611 m) portant les ruines d'un château féodal. • 5 km N.-O., *Pont-de-Poitte* et Saut-de-la-Saisse. • 11 km N.-E., *Bonlieu* et lac de Bonlieu encadré de sapinières; au N., *cascades du Hérisson;* excursions recommandées ds la région des lacs (voir lac de **Chalain***).

Clamecy
58 - Nièvre 19 - A 2
Le vieux Clamecy mérite une longue flânerie; des rues pittoresques, bordées de maisons XVe (maison du Tisserand) et XVIe (hôtel de Bellegarde où est installé le musée), entourent l'église Saint-Martin XIIIe-XIVe (belle façade flamboyante). La médiocre église de Bethléem, en ciment armé (1927), évoque le temps où Clamecy abritait l'évêché de cette ville, occupée par les Turcs (XIIe-XVIIIe).
Environs • 16 km par la D. 33 S.-O., *Varzy,* belle église gothique; à l'int. triptyque de sainte Eugénie (1537); maisons anc. (maison Guiton XVe, hôtel des Échevins XVe-XVIe, etc.). Musée municipal.

Clécy
14 - Calvados 10 - B 1
Ce gros bourg est le principal centre d'excursions ds la «Suisse normande» qui comporte de nombreux sites pittoresques.
Environs • Promenades pédestres : au N., manoir de Placy XVIe, petit musée; pain de Sucre (panorama); au S.-E., croix de la Faverie, vue sur les rochers des Parcs, bords de l'*Orne* et pont du Vey, l'Éminence (panorama), la butte Saint-Clair, etc. • Au S.-E., par *Pont-d'Ouilly,* on atteint la curieuse *roche d'Oëtre* ds un site grandiose; c'est le paysage le plus «montagnard» de la «Suisse normande»; de la *roche d'Oëtre* on suit la vallée de l'*Orne*

CLAPS (site du)
26 - Drôme 38 - A 1
A la sortie de *Luc-en-Diois* (voir **Die***), la route passe sous le viaduc du Claps, ouvrage métallique de 210 m de long, haut de 60, et aborde le site du Claps, fantastique éboulis rocheux traversé par la *Drôme,* qu'elle domine ensuite en corniche, ménageant des vues impressionnantes.

jusqu'au pont de la *Forêt-Auvray.* • Au N. **Thury-Harcourt***. • A l'O. château de **Pontécoulant***.

Clères (château et parc zoologique de)
76 - Seine-Maritime 5 - A 2
Le château XIIIe-XIVe, avec donjon XIIe, restauré au XIXe, est entouré d'un beau parc zoologique; vastes volières. Le musée de l'Automobile (vis. ts les j.) possède une coll. complète de modèles en état de marche (le plus ancien est de 1876). Véhicules ou engins ayant participé à la bataille de Normandie. Parc d'attractions du Bocasse.

Clermont-en-Argonne
55 - Meuse 12 - D 1
Église Saint-Didier XVIe, avec 2 portails Renaissance. La chapelle Sainte-Anne XVIe, sur une colline dominant la *forêt de l'Argonne,* abrite un intéressant sépulcre du XVIe; panorama; table d'orientation. *Environs* • 6 km O., *les Islettes* d'où la D. 2, au S., conduit par la vallée de la *Biesme* (route de la Haute-Chevauchée), à l'ermitage de Saint-Rouin (chapelle ds un beau site du bois de Beaulieu), près des sources de la *Biesme* qui forment un chapelet d'étangs. • Bon centre d'excursions ds la *forêt d'Argonne,* au N.

Clermont-Ferrand
63 - Puy-de-Dôme 31 - A 1
Capitale de l'Auvergne, la vieille ville, entre la cathédrale et Notre-Dame-du-Port, a gardé son aspect d'autrefois; maisons anc. XVIe, XVIIe et XVIIIe; rue du Port, rue Pascal, place et rue du Terrail, rue des Chaussetiers (n° 3 : maison de Savaron déb. XVIe, cour avec tourelle d'escalier et 3 galeries gothiques), rue des Gras; n° 34, hôtel Fontfreyde ou « Maison des Architectes » XVIe, occupé par le musée du Ranquet (histoire et art local, souvenirs de Pascal). La cathédrale Notre-Dame, construite aux XIIIe-XIVe en pierre noire de Volvic, est le plus bel édifice gothique d'Auvergne (les 2 flèches et la façade sont fin XIXe); à l'int., fresques XIIIe et XVe; voir les verrières hautes du chevet et des chapelles rayonnantes. Notre-Dame-du-Port est un remarquable témoignage de l'architecture romane auvergnate du XIIe; le chevet est particulièrement remarquable; massive et trapue, elle possède à l'int. de magnifiques chapiteaux historiés; ds la crypte XIe, Vierge noire très vénérée. Au musée Bargoin, intéressantes coll. d'archéologie, sculpture et peinture, principalement XIXe. Voir ds le faubourg N. les curieuses fontaines pétrifiantes de Saint-Alyre.
Environs • 2 km, *Montferrand :* construite sur plan carré, avec 2 axes à angle droit, aboutissant aux 4 portes de l'enceinte, cette petite ville qui a conservé son aspect médiéval possède un remarquable ensemble de maisons gothique et Renaissance; église Notre-Dame-de-Prospérité XIIIe et XIVe; à l'int. boiseries sculptées XVIIe. • 15 km N., **Riom***. • Le circuit des puys, au N.-N.-O., est recommandé (voir **Puy-de-Dôme***). • 12 km S., par le *plateau de Gergovie,* table d'orientation et monument commémoratif de la victoire de Vercingétorix sur César (52 av. J.-C.); superbe panorama (700 m alt.); village pittoresque, *Opme* est dominé par l'anc. château des dauphins d'Auvergne, en lave noire XIIe et XIIIe, flanqué de 3 tours rondes et d'un donjon carré, modifié et agrandi au XVIIIe, superbes jardins en terrasses à 2 étages (vis. ext. seulement); à 2 km, Chanonat : le château de La Batisse XVIIIe a conservé 2 tours XVe; mobilier (vis. ts les j. en saison), beaux jardins à la française.

Clermont-Ferrand : *la fontaine d'Amboise, à l'architecture gothique et au décor Renaissance.*

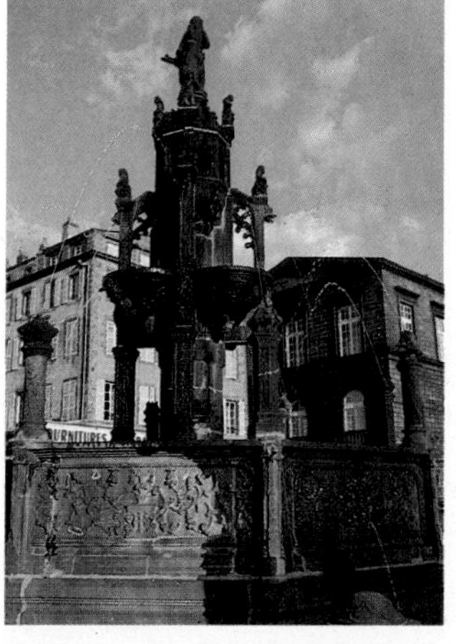

Clermont-l'Hérault
34 - Hérault 43 - A 1
Vieille ville dominée par les ruines d'un château féodal avec donjon et tours rondes. Église Saint-Paul gothique XIIIe-XIVe, abside et façade fortifiées. Ds la ville basse, anc. église Saint-Dominique fin XVIe. *Environs* • 2,5 km N., Lacoste, dominé par la colline de Belbezé (calvaire, belle vue); à 1 km, ruines de l'abbaye de Cornils. • 9 km N., puis 40 mn à pied, pic des Deux-Vierges (535 m alt.), chapelle Saint-Fulcran, magnifique panorama. • 8 km O., cirque de **Mourèze***.

Cléry-Saint-André
45 - Loiret 18 - B 1
La basilique Notre-Dame, de style flamboyant, est remarquable; à l'int., tombeau de Louis XI († 1483), surmonté d'une statue du roi représenté agenouillé. Belle chapelle Saint-Jacques, Renaissance, richement sculptée, et chapelle de Dunois-Longueville avec tombeau de Dunois († 1468).

Clisson
44 - Loire-Atlantique 16 - D 3
Le château offre un ensemble de ruines grandioses (vis. ts les j. sauf mardi). Précédée d'une entrée monumentale XVe, surmontée de mâchicoulis, la partie orientale est XIIIe-XIVe, la partie occidentale XVe. Sur la rive dr. de la Sèvre, quartier et église de la Trinité XIIe-XIIIe. Du viaduc franchissant la Moine (route de Poitiers), vue superbe sur le château et le site.
Environs • 19 km S.-E., ruines du château de **Tiffauges***.

Cluny
71 - Saône-et-Loire 25 - D 2
De l'une des plus célèbres abbayes de la chrétienté (aujourd'hui école d'Arts et Métiers), il reste une façade gothique XIVe, de vastes bâtiments XVIIIe, l'anc. farinier XIIIe, transformé en musée lapidaire (magnifiques chapiteaux romans), et la tour du Moulin XIVe. (Vis. ts les j. sauf mardi; audiovisuel l'été.) L'abbatiale Saint-Pierre-et-Saint-Paul XIe-XIIe, la plus vaste église du monde avant la construction de Saint-Pierre de Rome, a été également mutilée; seuls demeurent le croisillon droit du grand transept roman accompagné de 2 absidioles, le clocher de l'Eau-Bénite, octogonal, haut de 62 m, et la chapelle de Bourbon, joyau gothique finement ouvragé. Le palais abbatial XVe renferme le musée Ochier (visite tous les jours) qui

comporte une section lapidaire et des salles d'orfèvrerie, tapisseries, faïences, etc. Saint-Marcel a conservé un superbe clocher roman octogonal à flèche, mil. XIIe. Notre-Dame XIIIe est entourée de maisons romanes et gothiques.
Environs • 10 km N., *Taizé :* communauté monastique protestante d'esprit œcuménique; église romane XIIe, église de la Réconciliation (1962) partagée entre les cultes catholique et protestant; à côté, église orthodoxe; à 3,5 km N. *Cormatin,* le château, construit au XVIIe dans le style Renaissance, cour encadrée par 2 ailes (ne se visite pas), renferme une décoration int. d'une exceptionnelle richesse : boiseries, plafonds, mobilier, peintures du XVIe au XIXe. • 10 km N.-E., *Blanot,* pittoresque village médiéval, vieilles maisons en lave, église XIe et anc. prieuré clusinien, grottes; à 4 km N., mont Saint-Romain (579 m), magnifique panorama. • 12 km S.-E., Berzé-la-Ville, ds l'anc. chapelle, déb. XIIe, du château des Moines, peintures murales romanes (Christ en majesté, XIIe de 4 m de haut); Berzé-le-Châtel conserve les ruines d'un formidable château féodal. • 11 km S., *château de Saint-Point* où vécut Lamartine (voir **Mâcon***).

Cognac
16 - Charente 29 - A 1
La vieille ville, au bord de la Charente, comporte plusieurs rues et maisons anc., notamment Grande-Rue, rues des Cordeliers, Magdeleine, de l'Isle-d'Or (beaux hôtels XVIe-XVIIe), Saulnier, de Lusignan, etc. L'église Saint-Léger a une façade romane avec une grande rosace XVe. L'anc. château des Valois, où naquit François Ier, conserve d'intéressants vestiges XIIIe, XVe et XVIe (vis. ts les j.; sauf sam. et dim. hors saison). En face, porte Saint-Jacques déb. XVIe, flanquée de 2 grosses tours. Bordant le parc de l'hôtel de ville, le musée possède d'intéressantes coll. de peintures et d'arts décoratifs.
Environs • 4 km E., Saint-Brice, église X^e-XIe, château XIVe; à 1,5 km N.-E., remarquable église romane de Châtres, couronnée d'une file de 4 majestueuses coupoles et château de Garde-Épée, avec enceinte fortifiée XVIIe et porte monumentale. • 8 km E., Bourg-Charente, église romane à 3 coupoles; excursion recommandée ds la sinueuse vallée de la *Charente,* à l'E., par l'abbaye de Bassac : l'église, XIIIe, de style roman saintongeais, comporte un magnifique clocher XIIe; à l'int., imposant chœur des moines, orné d'un riche décor en pierre et marbre; stalles en bois sculpté déb. XVIIe.

Cluny : *le clocher de l'Eau-Bénite et celui de l'Horloge comptent parmi les rares vestiges de la magnifique et vaste abbatiale romane.*

Collioure
66 - Pyrénées-Orientales 43 - D 3
Port de pêche très pittoresque, apprécié des peintres, bâti autour d'une baie au pied de côteaux escarpés. Le vieux bourg fortifié est situé entre l'église, le fort du Miradou et le château; le quartier du Moure est traversé de rues étroites bordées de vieilles maisons. Dominant la baie sur un escarpement rocheux, château royal ou château des Templiers XIIe-XIVe, renforcé aux XVIe et XVIIe. Le système défensif de Collioure comprenait également le fort Saint-Elme, au S.-E. (on ne vis. pas) et le fort du Miradou, au N. (terrain militaire, accès interdit). L'église Notre-Dame-des-Anges et le port constituent un ensemble justement célèbre. L'église, en brique, flanquée d'une tour ronde, abrite un riche ensemble de retables XVIIe-XVIIIe dorés et sculptés de style baroque catalan.
Environs • 4 km S., ermitage Notre-Dame-de-Consolation fin XIIe, vaste panorama; par un sentier, ruines de l'abbaye de Valbonne XIIIe. • Le fort Saint-Elme domine le parcours sinueux (N. 114) qui descend sur *Port-Vendres,* d'où une petite route en corniche conduit, à 4 km E., au *cap et au fort Béar* (très belles vues). • Parcours recommandé de Collioure à **Banyuls*** par la route des Crêtes et le balcon de Madeloc (15 km par la D. 86), remarquables vues panoramiques.

Collobrières
83 - Var 44 - C 2
Vieux bourg, bâti sur un monticule dominé par les ruines d'une église XIIe-XVIe. Vieilles maisons.
Environs • 12 km E., *chartreuse de la Verne,* ds un site boisé et sauvage (vis. ts les j. sauf mardi), remarquable ensemble monastique édifié du XIIe au XVIIIe, en cours de restauration. • Au N., par le *col de la Fourche* (536 m), on atteint la chapelle *Notre-Dame-des-Anges* (779 m), le plus haut sommet des *Maures;* le sanctuaire X^e est flanqué de bâtiments pour les pèlerins et d'un petit cloître; magnifique panorama; une route forestière permet de rejoindre, à 11 km N., *Gonfaron.* • Au S., vers **Le Lavandou***, à travers le *massif des Maures :* très beau parcours.

Collioure : ***l'église Notre-Dame-des-Anges, le vieux quartier et le fort du Miradou, un ensemble typique du Roussillon méditerranéen.***

Collonges
19 - Corrèze 30 - A 3
Surnommée « la Rouge » à cause de son grès pourpre, cette petite ville anc. a conservé son caractère. Elle mérite une longue flânerie le long de ses rues étroites et mal pavées, bordées de maisons XVe, XVIe et XVIIe. Église romane, tympan et clocher de type roman limousin remarquables. Portes de ville XVe.
Environs • 10 km O., *Turenne;* ses vieilles maisons XVe-XVIe sont dominées par les ruines imposantes du château dont il reste 2 tours XIIIe et XIVe.

Colmar
68 - Haut-Rhin 21 - A 1
L'une des villes d'art les plus remarquables de France. Ses vieilles rues, ses maisons à pans de bois ou à façades sculptées ou peintes, ses monuments et son musée, constituent un ensemble d'un intérêt exceptionnel. Le musée d'Unterlinden (ouv. ts les j.), installé ds l'anc. couvent des Dominicaines, abrite le fameux *retable d'Issenheim,* de Grünewald (déb. XVIe), et plusieurs œuvres de l'École rhénane. • Au centre du quartier anc. nombreuses maisons typiques, 2 églises : Saint-Martin, dite la Cathédrale, XIIIe-XIVe; des Dominicains XIIIe-XVe, en grès jaune de style gothique rhénan avec cloître XIVe, à l'int. vitraux XIVe et *Vierge au buisson de roses,* chef-d'œuvre de Schongauer XVe; musée Bartholdi. Voir aussi rue des Têtes la maison des Têtes, ou *Kopfhaus,* la plus belle maison Renaissance de Colmar déb. XVIIe; la maison Pfister, typiquement alsacienne mil. XVIe, rue des Marchands (nombreuses maisons à pans de bois). • L'anc. douane est le centre du quartier des Tanneurs, récemment restauré, où l'on flânera place du Marché-aux-Fruits, Grande-Rue (maison des Arcades XVIIe), rue des Tanneurs sur la Lauch, quai de la Poissonnerie, rue Saint-Jean, etc. Les quais de la Lauch, entre le pont Saint-Pierre et la rue de Turenne, sont dénommés « la petite Venise ». Le quartier de la Krutenau, autrefois île fortifiée, est habité par des maraîchers (illuminations l'été); la rue de Turenne est bordée de belles demeures des XVIe-XVIIIe; rue de la Poissonnerie, anc. maisons de bateliers. • En août, foire aux vins d'Alsace. En automne, journées de la choucroute.

Combourg (château de)
35 - Ille-et-Vilaine 9 - C 2
Près d'un étang, le superbe château féodal XIe, XIVe et XVe, où Chateaubriand passa une partie de son enfance, dresse ses tours imposantes (vis. ts les j. sauf mardi l'été). Petit musée consacré à l'écrivain.
Environs • 5 km E., élégant château de Lanrigan XVIe, sur la façade riche décor sculpté (on ne vis. pas).

Commercy
55 - Meuse 13 - A 2
Magnifique château XVIIIe dominant une cour bordée de communs qui

Collonges : ***église fortifiée, au clocher à 2 étages carrés, surmontés de 2 étages octogonaux.***

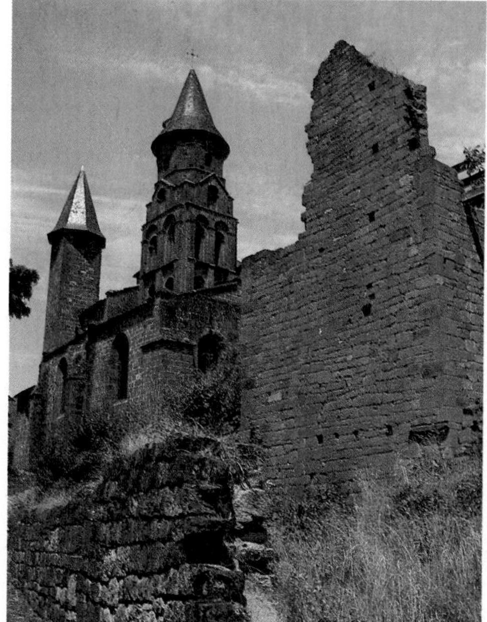

Colmar : ***maisons à pignon, encorbellement et poutres sculptées, l'Alsace de l'Ami Fritz.***

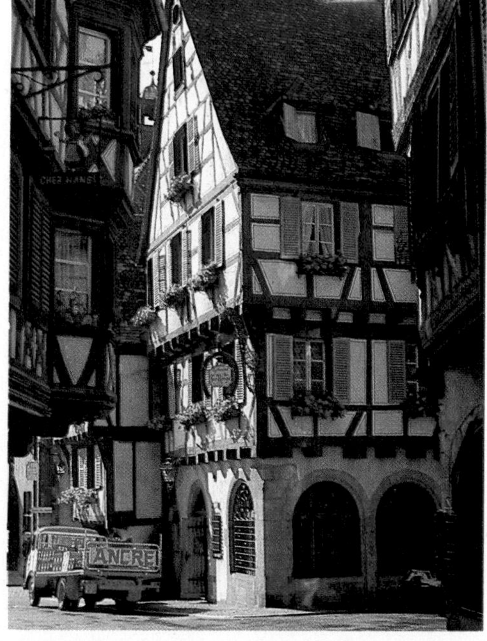

Compiègne : ***l'hôtel de ville, bel exemple d'architecture civile fin XIVe. A la lisière de la forêt de hêtres et de chênes, ruines gallo-romaines de Champlieu (IIe s.)***

s'ouvrent sur le Fer-à-Cheval, vaste hémicycle classique. Musée (à l'hôtel de ville) : intéressantes coll. de céramiques, et d'ivoires français et étrangers du XVIe au XIXe. *Spécialités.* Madeleines.
Environs • Excursion de la vallée de la *Meuse,* au N., *Lérouville* et *Sampigny,* jusqu'à **Saint-Mihiel***.

Compiègne
60 - Oise 5 - D 3
Reconstruit au XVIIIe, le château occupe un triangle de plus de 2 ha, entouré d'un vaste parc (vis. ts les j. sauf mardi) ; les appartements forment un ensemble où le XVIIIe s'harmonise avec l'Empire et le second Empire ; le musée du second Empire, et celui de l'Impératrice, le musée de la Voiture et du Tourisme complètent la visite. • En ville, on verra l'hôtel de ville, de style gothique flamboyant déb. XVIe (musée de la Figurine historique) et le musée Vivenel, ds l'hôtel de Songeons déb. XIXe (la plus importante coll. de vases grecs après le Louvre).

Concarneau : ***des filets, aussi bleus que l'Océan par beau temps, évoquent l'animation du port de pêche, en contraste avec la sévérité de la « Ville close » entourée de remparts XIVe.***

Environs • Encadrée par 3 rivières, prolongée par les *forêts de Laigue* et d'*Ourscamp,* jalonnée de sentiers balisés, la *forêt de Compiègne* couvre 14 500 ha; à 6,2 km N.-N.-E., *clairière de l'Armistice,* dalle commémorative, statue de Foch, wagon (reconstitué) où eut lieu la signature le 11 novembre 1918 (vis. ts les j.); à l'E. et S.-E., le *Vieux-Moulin* (anc. hameau de bûcherons), le mont Saint-Marc (130 m), le *mont Saint-Pierre* (141 m), les étangs de Saint-Pierre, *Saint-Jean-aux-Bois* (église déb. XIIIᵉ, salle capitulaire fin XIIᵉ, porte XVIᵉ), les ruines gallo-romaines de *Champlieu,* etc.

Concarneau
29 S-Finistère 15 - C 1
La Ville-Close est l'un des sites les plus remarquables de Bretagne. Bâtie sur un îlot de 300 m de long, ceinturée de remparts en granit flanqués de tours XVᵉ, remaniée par Vauban, elle est reliée à la place Jean-Jaurès par un pont (illuminé l'été); à l'int., très pittoresque musée de la Pêche. Tour des remparts recommandé. Le port est très animé, notamment aux heures de la criée au poisson, du départ ou du retour des pêcheurs.
Environs • Excursions recommandées aux *îles de Glénan* (important centre de navigation à voile) par bateau quotidien l'été.

Condé-en-Brie (château de)
02 - Aisne 12 - B 1
Du XIIᵉ, remanié aux XVIIᵉ-XVIIIᵉ (vis. ts les j. sauf mard.); à l'int., salle à manger et salle de musique, peintes en trompe-l'œil, grand salon Louis XV décoré par Oudry, boiseries, mobilier et nombreux objets d'art, tableaux XVIIIᵉ; chambre de Richelieu; anc. ateliers de Watteau et d'Oudry.
Environs • 11 km N.-E., *Dormans :* église avec restes romans et gothiques; château de style Louis XIII flanqué de 2 tours féodales; ds le parc, chapelle de la Reconnaissance, pseudo-gothique, commémorant les 2 batailles de la Marne; crypte et ossuaire; de la tour, vaste panorama.

Condom
32 - Gers 35 - C 3
L'anc. cathédrale, de style gothique méridional déb. XVIᵉ, a un portail flamboyant. L'anc. évêché possède un beau cloître flamboyant XVIᵉ; au 1ᵉʳ ét., le musée de l'Armagnac est consacré au folklore régional. Rues pittoresques, hôtels XVIᵉ-XVIIᵉ.
Environs • 8 km S., *abbaye de Flaran,* église à 3 nefs et cloître sec. moit. XIIᵉ (vis. en saison). • 4 km O., **Larressingle***; à 11 km O., *Montréal,* église déb. XIVᵉ, à l'int. fragment de mosaïque romaine IIIᵉ; ruines de l'église romane Saint-Pierre-de-Genens; à 2 km S.-O., Séviac, vestiges importants d'une somptueuse villa gallo-romaine couvrant plusieurs hectares; belles mosaïques. • 12 km E., *La Romieu,* vieux bourg fortifié, église gothique à 2 tours, cloître XIVᵉ, salle décorée de fresques XIVᵉ.

Conflans
73 - Savoie 32 - C 1
Faubourg d'*Albertville,* l'un des sites les plus extraordinaires de Savoie. Perchée sur une croupe rocheuse, cette anc. petite ville militaire est traversée de rues étroites à pentes raides bordées de maisons anc. jointes par des arcades. La porte de Savoie et la porte Tarine sont reliées par la Grande-Rue (rue Gabriel-Pelouze) où s'élèvent la tour Ramus XVᵉ, l'église déb. XVIIIᵉ et la maison Rouge XVIᵉ, en brique (musée savoyard : reconstitution d'intérieurs anc., art et folklore). Sur la terrasse de la Roche, surplombant la vallée, tour sarrasine d'où la vue est grandiose.
Environs • 11 km E., fort du Mont (1 120 m, vaste panorama). • 10 km N.-E., après *Ugine, gorges de l'Arly.* • 12,5 km O., par le *col de Tamié* (908 m), *abbaye de Tamié;* l'église XVIIᵉ est divisée en 3 parties : chœur des convers, chœur des moines, séparés par un jubé de bois sculpté, et sanctuaire.

Confolens
16 - Charente 23 - C 3
La vieille ville, pittoresque, se serre au confluent de la Vienne et du Goire; du Pont-Neuf, jolies vues, notamment sur le Pont-Vieux XVᵉ, jadis fortifié, qui enjambe la Vienne. Ruelles bordées de maisons anc., logis à pans de bois XVᵉ, hôtels XVIIᵉ-XVIIIᵉ (rue du Soleil, rue des Francs-Maçons). Anc. priorale Saint-Barthélemy : façade et nef romanes XIᵉ. En août, Festival folklorique international.

Condé-en-Brie : ***construit au XIIᵉ et remanié aux XVIIᵉ-XVIIIᵉ, le château a des appartements Louis XV décorés avec goût.***

Environs • 22 km S.-O., *Cellefrouin,* belle abbatiale romane Saint-Pierre XIᵉ, au style très pur; ds le cimetière voisin, lanterne des morts, romane. • 4,5 km N., *Saint-Germain-de-Confolens,* ds un site pittoresque; ruines du château médiéval, église romane; à 22 km N., *L'Isle-Jourdain,* étagée au-dessus de la Vienne. • 22 km N.-O., abbaye de la Réau (vis. ts les j. l'été sauf vendr.) : abbatiale XIIᵉ-XIIIᵉ, salle capitulaire XIIᵉ, bâtiments conventuels XVIIᵉ-XVIIIᵉ.

Conques
12 - Aveyron 36 - C 1
Le vieux bourg fortifié, de caractère médiéval, est situé en amphithéâtre

CONSOLATION (cirque de)
25 - Doubs 20 - C 3
L'un des plus beaux sites du Jura, profond de plus de 300 m, où prennent source le *Dessoubre* et le Lançot. Notre-Dame-de-Consolation, anc. couvent des Minimes XVIIᵉ (aujourd'hui petit séminaire), a une chapelle intéressante de style jésuite (à l'int. beau mausolée en marbre blanc et rouge). Sur le promontoire entre les « reculées » des 2 rivières, belvédère de la roche du Prêtre : vue splendide sur le cirque.

ds un site superbe sur la rive dr. de l'Ouche. Nombreuses maisons anc. aux toits de lauzes (château d'Humières, v. 1500) et vestiges de fortifications dont subsistent 3 portes. Sainte-Foy mil. XIe-fin XIIe est l'une des plus belles églises romanes de France; le tympan du grand portail représentant le Jugement dernier (v. 1140) compte parmi les chefs-d'œuvre de la sculpture romane du Midi (portail et façade illuminés l'été); l'int., très vaste, a des proportions harmonieuses; ds l'unique galerie de cloître conservée, petit musée lapidaire. A côté, salle du trésor, exceptionnel ensemble d'ouvrages d'orfèvrerie du IXe au XVe, dont la célèbre *Majesté de sainte Foy,* statue reliquaire fin IXe, tête Ve, reliquaire dit de «Pépin» (v. 1000), «A» de Charlemagne fin XIe, reliquaire dit «lanterne de Saint-Vincent» fin XIe, etc.

Corbeil-Essonnes
91 - Essonne 11 - C 2
La cathédrale Saint-Spire XIIe et XIVe abrite plusieurs œuvres d'art dont le gisant du comte Haymon XIVe, et le monument funéraire de Jacques Bourgoin XVIIe.
Environs • Au N., forêt de Sénart (2 600 ha); à la Faisanderie, anc. pavillon de chasse Louis XVI, parc national de sculpture contemporaine; l'élégante décoration XVIIIe de boiseries blanches et or de l'église de Brunoy vaut la visite.

Corbie
80 - Somme 5 - C 2
Le monastère, fondé en 657, fut l'un des plus importants du Moyen Age. De l'église Saint-Pierre, construite en style gothique, du XVIe au

XVIIe, il reste la nef qui renferme plusieurs œuvres d'art et une partie du trésor abbatial. L'anc. collégiale Saint-Etienne XIIIe a un portail sculpté : au tympan, «Couronnement de la Vierge».
Environs • Nombreux témoignages de la guerre de 1914-1918; au S., mémorial australien et canadien de *Villers-Bretonneux.*

Corbigny
58 - Nièvre 19 - B 3
Église Sainte-Seine, gothique flamboyant mil. XVIe et anc. abbaye bénédictine reconstruite au XVIIIe.
Environs • 13 km N., par Monceau-le-Comte, abbaye de Réconfort fondée au XIIIe, reconstruite au XVIIIe, très beau parc (on ne vis. pas).

Cordes
81 - Tarn 36 - B 3
Bourg fortifié, bâti en pyramide sur une colline conique dominant la

Conques : ***située sur le chemin de Saint-Jacques-de-Compostelle, la petite ville était un centre de pèlerinage à sainte Foy.*** ▲ ***On voit ici une des statues de la sainte.*** ◀

vallée du *Cérou.* Ses rues escarpées, ses portes fortifiées et ses maisons anc. composent un ensemble très pittoresque. Rue Droite, voir la maison du Grand-Écuyer XIVe, avec façade sculptée ornée de personnages et d'animaux, la maison du Grand-Veneur XIVe, celle du Grand-Fauconnier, avec une belle façade XIVe, où est installée la mairie, et la salle Yves Broyer, etc. Église XIVe et XVe. La halle XIVe a conservé sa charpente en bois sur 24 piliers de pierre octogonaux. Musée Charles-Portal. De la terrasse de la Bride, au sommet du village, vue sur la vallée du Cérou.
Environs • 15,5 km E. *Monestiès-sur-Cérou :* la chapelle de l'hôpital Saint-Jacques abrite plusieurs sculptures XVe, notamment une Mise au tombeau à 11 personnages et une Pietà à 8 personnages.

Corps
38 - Isère 38 - B 1
Vieux bourg, sur la route Napoléon. Bon centre d'excursions.
Environs • 15 km N., par *La Salette,* **Notre-Dame-de-la-Salette***. • 4,5 km O., à l'entrée du canyon où coule le *Drac,* barrage du *Sautet* (du type barrage voûte); un pont audacieux (arche unique de 86 m de portée) franchit le *Drac;* le tour du lac (circuit de 35 km) est recommandé. • Le *Dévoluy,* au S., par le barrage du Sautet : après la Posterle, la route et le torrent se glissent entre les hautes falaises calcaires;

des Payas, on peut faire l'ascension de l'*Obiou* (2 793 m), point culminant du *Dévoluy* (panorama magnifique; ascension difficile, pour excursionnistes expérimentés); la route remonte ensuite la Souloise et, par un étroit défilé, atteint *Saint-Disdier* ds un site verdoyant; sur le versant dr. de la vallée, chapelle XIIIᵉ dite la « Mère-Église »; de *Saint-Étienne-en-Dévoluy,* ds un vallon cultivé, entouré de falaises, on peut rejoindre la nouvelle station de Super-Dévoluy et faire de nombreuses excursions. • Le *Valgaudemar :* à 10 km S.-E., sur la route de **Gap***, prendre, vers *Saint-Firmin,* la rive dr. de la *Séveraisse,* route creusée ds les schistes cristallins; les villages sont particulièrement pittoresques; de *La Chapelle-en-Valgaudemar* (centre d'alpinisme), une petite route conduit au chalet hôtel du Gioberney, ds un site superbe (1 650 m).

Corte
2 B - Corse 45 - B 2
Bâtie sur une étroite colline, elle est dominée par une puissante citadelle XVᵉ : on en a une vue impressionnante du belvédère situé face au vieux château (on ne vis. pas); à l'opposé, la vue embrasse le vieux quartier, le *Tavignano* et son confluent avec la *Restonica.* Au pied de la citadelle, Palais national, place Gaffori, centre du vieux Corte, et église de l'Annonciation XVIIᵉ.
Environs • 2,5 km E., église et baptistère Saint-Jean IXᵉ et Xᵉ, remarquable témoignage d'art préroman. • S.-O., les *gorges de la Restonica* que l'on peut suivre en voiture (15 km). • A l'O., par sentiers, *gorges du Tavignano* (6 h 30 de marche jusqu'au col de la Rinella, 1 522 m d'alt.). • A l'E., la *Castagniccia* (voir **Piedicroce***). • Au S.-E., vers **Aleria***, vallée et *gorges de Tavignano.* • 18 km S., vers **Vizzavona***, par *Venaco, Vivario,* curieux village, au-dessus d'un cirque rocheux, de forêts et de torrents, ruines d'un fort génois; carrefour touristique important; au S.-E., *Ghisoni* et *défilé de l'Inzecca* vers *Ghisonaccia* (voir **Aleria***).

Côte-Saint-André (La)
38 - Isère 32 - A 2
La maison natale d'Hector Berlioz a été convertie en musée (vis. ts les j. sauf lundi). Vastes halles XVIᵉ. Église XIIᵉ-XVᵉ et château XVIIᵉ (aujourd'hui lycée).
Environs • 8 km S., ruines du château de Bressieux, isolées sur une butte et dominées par une tour d'où le panorama est grandiose; à 10 km S.-O., à Marnans : intéressante église romane.

Coucy-le-Château
02 - Aisne 6 - A 3
Anc. place forte, le bourg est bâti sur un promontoire dont l'extrémité porte les imposants vestiges du château des sires de Coucy, l'un des plus remarquables du Moyen Age (vis. ts les j. sauf le mardi). L'enceinte de la ville XIIIᵉ a conservé ses 3 portes dont la belle porte de Laon; porte de Soissons, petit musée historique. Église XIIᵉ-XIVᵉ.
Environs • Au N., *forêts de Coucy* et de *Saint-Gobain* (voir **La Fère***).

Coulommiers
77 - Seine-et-Marne 12 - A 2
Les douves, larges de 25 m, délimitent le rectangle où s'élevait le château XVIIᵉ, dont il ne reste que les 2 pavillons d'entrée et le vaste parc, dit des Capucins. Musée archéologique et folklorique ds l'anc. chapelle des Capucins XVIIᵉ. La ferme de l'hôpital, anc. commanderie des Templiers XIIᵉ-XIIIᵉ, abrite un pittoresque musée du papier. *Spécialité :* le fromage de Brie.
Environs • La vallée du *Grand-Morin* est l'une des promenades les plus agréables de cette région d'Ile-de-France, à l'E., vers *La Ferté-Gaucher;* au N.-O. et à l'O., vers **Meaux***. • Au N. et N.-E. vallée du *Petit-Morin* (voir **Jouarre***).

Courchevel
73 - Savoie 32 - D 2
Complexe de 3 stations de sports d'hiver : Courchevel-1550, Courchevel-1650-Moriond, et Courchevel-1850, le plus important de la région des *Trois-Vallées* (voir **Moûtiers-Tarentaise***). Équipement hôtelier et sportif de classe internationale. La télécabine des Verdons (2 072 m) et le téléférique de la Saulire (2 693 m) relient Courchevel à Méribel; magnifiques panoramas.

Courseulles-sur-Mer
14 - Calvados 4 - B 3
Station balnéaire à l'embouchure de la *Seulles.*
Environs • Châteaux de **Fontaine-Henry*** (S.), **Creully*** (S.-O.). • Au S.-E., vers *Riva-Bella,* la côte est jalonnée de petits rochers bas; *Bernières-sur-Mer* (église romane et gothique, clocher XIIIᵉ), *Saint-Aubin-sur-Mer, Langrune-sur-Mer, Luc-sur-Mer, Lion-sur-Mer* (Le Haut-Lion a un château avec élégant pavillon Renaissance), *Riva-Bella* et *Ouistreham* (église caractéristique des styles roman et gothique normands; belle façade romane).

Courtanvaux (château de)
72 - Sarthe 17 - D 1
A 1,5 km N.-O. de *Bessé-sur-Braye.* Belle construction XVᵉ-XVIᵉ, élevée sur une vaste terrasse, avec une poterne Renaissance monumentale, flanquée de 2 tours rondes à lucarnes richement sculptées; la cour int., en terrasse au-dessus du vallon, et la chapelle gothique composent un ensemble de grande allure; le corps principal, dit « grand château », comprend, au 1ᵉʳ ét., une superbe enfilade de salons décorés au XIXᵉ; souvenirs du roi de Rome et de la famille de Montesquiou (vis. ts les j. l'été).

Court d'Aron (château de la)
85 - Vendée 22 - C 2
Reconstruit au XIXᵉ ds le style Renaissance, il renferme de remarquables coll. d'art : préhistoire, archéologie grecque, romaine et médiévale, médailles, émaux et ivoires, Moyen Age et Renaissance, tapisseries des Flandres XVIᵉ (Triomphe des dieux, d'après Jules

Cordes : *juchée en pyramide au-dessus de la vallée du Cérou, la petite cité aux rues montantes, n'a guère changé depuis le Moyen Age; on y trouve encore un très bel ensemble de maisons gothiques.*

Coutances : ***le chevet de la cathédrale, dominée par sa remarquable tour-lanterne octogonale.***

La Couvertoirade : ***tour Nord des vieux remparts, élevés par les hospitaliers de Jérusalem au XIVe s.***

Romain). Cheminées monumentales XVIIe. Statue funéraire en marbre blanc de Suzanne Tiraqueau († 1627), peintures, sculptures, etc. (vis. ts les j. l'été).

Coutances
50 - Manche 9 - D 1
La cathédrale Notre-Dame, chef-d'œuvre du gothique normand XIIIe, domine la ville de ses deux clochers à flèches (77 m) ; la croisée du transept est surmontée d'une tour lanterne octogonale de 57 m dite « le Plomb ». Saint-Pierre XVe-XVIe a une énorme tour lanterne Renaissance octogonale. Saint-Nicolas XVIe-XVIIe a une tour XVIIIe. Le jardin public, conçu ds le style des jardins français du XVIIe, à étages superposés, est prolongé par un petit bois. Musée. Aqueduc XIIIe.
Environs • 12 km O., *Coutainville,* station balnéaire, belle plage de sable. • 10,5 km S.-O., *Regnéville-sur-Mer,* petit port et station balnéaire, ruines d'un château XIIIe.

Courvertoirade (La)
12 - Aveyron 37 - A 3
Isolé sur l'aride causse du **Larzac***, ce curieux bourg appartint d'abord aux Templiers (XIIe), puis aux Hospitaliers de Saint-Jean-de-Jérusalem (XIVe), qui l'entourèrent d'une puissante enceinte flanquée de 4 tours rondes percées de 2 portes. L'église forteresse, les vestiges du château, les maisons XVe et XVIe, en partie ruinées, dépayseront le visiteur et l'intéresseront par leurs singularités architecturales. Au S., Signal de la Couvertoirade, belle vue sur les Causses.

Crémieu
38 - Isère 32 - A 1
Le vieux Crémieu, entre l'hôpital et le château delphinal (on vis.), a conservé ses rues étroites et plusieurs maisons anc. L'hôtel de ville occupe un anc. prieuré d'augustins XVIe-XVIIe (cloître). L'église des Augustins XVe possède un mobilier intéressant. 3 portes subsistent de l'anc. enceinte. Les halles XIVe sont couvertes par un vaste toit de lauzes. Vue de la tour de l'Horloge.
Environs • Le massif rocheux, dénommé « île Crémieu », forme un pays fortement caractérisé ; au N. gorges d'Amby entre *Hières* et *Optevoz;* grottes de *la Balme* (vis. recommandée). • Ds la région, nombreux châteaux et manoirs ; la plupart sont au S.-O. : Mallein, Bienassis, Montiracle, Poisieu,

CRÊTES (route des)
68 - Haut-Rhin, 88 - Vosges 20 - D 1 13 - D 3
Ce magnifique parcours (route stratégique en 1914-1918), long de 77 km, est devenu l'une des plus remarquables réalisations touristiques des Vosges ; il va du *col du Bonhomme* (voir **Turckheim**)* à *Cernay.* La route des Crêtes passe par le col de Luschpach (panorama), le col du Calvaire, ou Calvaire de Luschpach ; à l'E., barrage du *lac Blanc* (1 054 m) ; observatoire Belmont (1 272 m), barrage du *lac Noir* (954 m), *col de la Schlucht* (voir **Gérardmer***). Le *Hohneck,* point culminant des Crêtes à 1 362 m, table d'orientation — vaste panorama sur la chaîne des hautes Vosges. La route traverse ensuite des pâturages de hauts chaumes et remonte au flanc du Rainkopf ; vue superbe sur la haute vallée de la Thur et le lac de *Wildenstein.* Cols du Herrenberg et d'Hahnenbrunnen (panorama). *Le Markstein,* 1 200 m alt., est une station estivale et de sports d'hiver réputée (panorama). La route des Crêtes, dominant toujours la vallée de la Thur, atteint le *Grand Ballon,* ou ballon de **Guebwiller*** ; après être passée au pied des ruines du château de Freundstein, la D. 431 atteint l'**Hartmannswillerkopf*** ou « **Vieil-Armand** » et descend en lacets sur *Cernay* (en juil. fête des Cigognes).

ruines du château de Ville, etc.

Crépy-en-Valois
60 - Oise 5 - D 3
Petite ville anc. dont le musée de l'Archerie, installé dans le vieux château de Valois, constitue la principale curiosité et qui abrite une coll. d'art sacré régional (vis. ts les j. sauf mardi du 15 mars au 15 nov.). Église Saint-Denis, nef romane et chœur XVIe, ruines de l'abbaye de Saint-Arnould XIIe, XIIIe, XIVe. Église Saint-Thomas : seule la façade, XIIe, est encore debout. Intéressantes maisons anc.
Environs • Excursion recommandée ds la vallée de l'*Automne.*

Crest
26 - Drôme 37 - D 1
Anc. ville forte, Crest est située au pied d'un escarpement rocheux qui porte un énorme donjon rectangulaire XIIe, haut de 45 m (vis. ts les j.) ; panorama. Le vieux Crest offre un dédale de passages voûtés et de « violes » (ruelles) très curieux, où les maisons anc. sont nombreuses.
Environs • Au S.-E., belle *forêt de Saou,* au fond d'un cirque. • A l'E., vallée de la *Drôme* (excursion recommandée) par *Aouste-sur-Sye, Saillans* (église romane), Pontaix et le défilé de Pontaix, **Die***; de *Saillans,* l'étroite, mais pittoresque D. 156 conduit, au S., par le *col de la Chaudière* (1 067 m), à *Bourdeaux* et *Dieulefit.*

Creully (château de)
14 - Calvados 4 - B 3
Le corps du bâtiment central XVe, flanqué d'une tourelle XVIe, est adossé à un donjon carré (vis ts les j.).
Environs • L'anc. prieuré de *Saint-Gabriel* (vis. ts les j.), fondé au XIe, comprend plusieurs bâtiments et une porte monumentale XIIe; vaste réfectoire voûté et logis du prieur, vestiges (chœur XIe-XIIe) de l'anc. chapelle; à 1 km S.-O., château de *Brécy,* mil. XVIIe avec portail monumental ouvragé; très beaux jardins en terrasses (vis. ts les j. sauf merc. en saison, dim. hors saison).

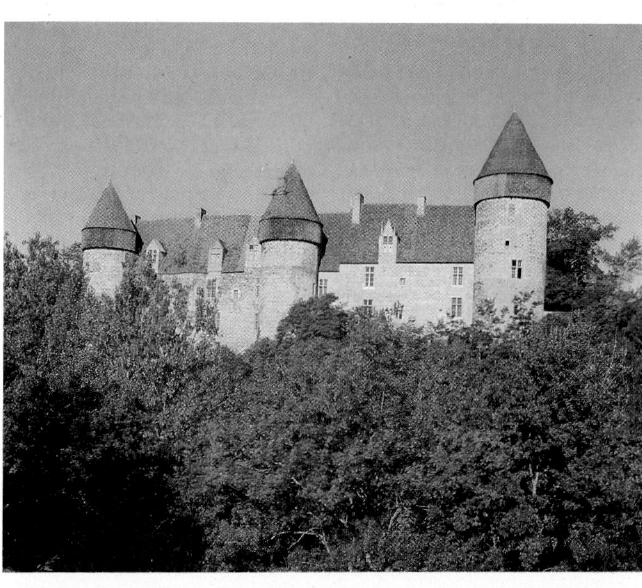

Culan : ***surgissant d'une végétation abondante, la puissante forteresse féodale flanquée de grosses tours rondes domine les gorges de l'Arnon.***

Cunault : ***portail de la remarquable église romane; au tympan, Vierge à l'Enfant encadrée par deux anges adorateurs (début XIIIe).***

Creusot (Le)
71 - Saône-et-Loire 25 - C 1
L'un des grands centres métallurgiques d'Europe. Le château de la Verrerie XVIIIe abrite un très original musée de l'Homme et de l'Industrie (ouv. ts les j. sauf lundi.)
Environs • Au S., vastes étangs de Torcy (plage, sports nautiques). • 18 km N.-E., près de *Couches,* château de Marguerite de Bourgogne XVe, dominé par un donjon et des tours à mâchicoulis Xe et XIIIe; chapelle (vis. ts les j. l'été).

Crozon
29 S - Finistère 8 - B 2
Au centre de la presqu'île de Crozon; ds l'église, superbe retable polychrome XVIe.
Environs • Au S., *grottes marines de Morgat* et *cap de la Chèvre* (vaste panorama); à 2 km N. plage de la Palue. • A l'O., *pointe de Dinan* et « château » de Dinan, énorme masse rocheuse reliée à la pointe par une arche naturelle d'aspect ruiniforme. • Au N.-O., **Camaret-sur-Mer*.**

Culan (château de)
18 - Cher 24 - C 2
Cet impressionnant château XIVe et XVe, dressé sur un rocher qui surplombe les gorges de l'*Arnon,* est épaulé de 3 tours rondes couronnées de hourds de bois (vis. ts les j.). Ds les appartements, beau mobilier XVe-XVIe et superbes tapisseries XVe, XVIe et XVIIe. De la terrasse, panorama sur la vallée de l'*Arnon.*

Cunault
49 - Maine-et-Loire 17 - B 3
L'église, XIe-XIIIe, est l'un des édifices romans les plus remarquables et les plus originaux du val de Loire; beau clocher; la façade O., fortifiée, présente un portail orné d'une Adoration de la Vierge, XIIIe; à l'int., 223 chapiteaux sculptés XIIe forment un ensemble exceptionnel; fragments de peintures murales XVe.
Environs • 1 km E., *Trèves,* église romane, donjon XVe. 3 km N.-O., *Gennes,* église Saint-Vétérin XIIe, XIIIe et XIVe, précédée d'un porche en charpente; anc. église Saint-Eusèbe, XIe-XIIe, nef XVe aux vestiges pré-romans; 7 km N.-O., au bord de la Loire, anc. *abbaye de Saint-Maur* (aujourd'hui collège), fondée au VIe (chapelle XIIe et bâtiments XVIIe); à 2 km S.-O., *château de Montsabert* XVe.

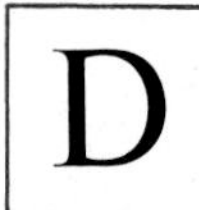

Dabo
57 - Moselle 14 - A 2
Station estivale, bon centre d'excursions, entouré de forêts couvrant 13 000 ha. Le curieux rocher de grès de Dabo (664 m) est couronné par une chapelle; table d'orientation, panorama magnifique.
Environs • N.-E., rocher du Nutzkopf (515 m), vaste panorama, et gorges du Grossthal; plus haut, vallée de la Zorn verdoyante et boisée. • A l'E., la vallée de la Mossig conduit à *Wasselonne,* dominé par les ruines d'un robuste château féodal. • Au S., cascade et *château du Nideck;* le donjon et une tour XIIIe-XIVe du château se dressent ds un site romantique; la cascade se jette du haut d'une muraille de porphyre; du belvédère, magnifique panorama; à 9 km au S., Niederhaslach (près d'*Oberhaslach*), église XIIIe-XIVe, élégant portail gothique sculpté (tympan et statuaire); à l'int., stalles fin XVIIIe; vitraux XIIIe-XIVe.

Dampierre (château de)
78 - Yvelines 11 - B 2
Le château, construit au XVIIe par Mansart, en brique et en pierre, est précédé d'une grille monumentale et d'une vaste cour d'honneur. (Vis. ts les j. sauf mardi du 1er avr. au 15 oct.) A l'int. les appartements XVIIIe doivent leur luxe souvent excessif et leurs surcharges décoratives au XIXe. Ds la salle des fêtes, l'*Age d'Or,* peinture de Ingres (1843-1849).
Environs • Excursion recommandée dans la haute vallée de l'Yvette (voir **Chevreuse***); à l'O., Levis-Saint-Nom, église XVe avec portail XVIe, intéressantes statues anc. à l'int.; l'anc. prieuré Notre-Dame-de-la-Roche (école d'horticulture) à 5 km, a une chapelle qui renferme les plus anc. stalles de France (XIIIe); l'église XVIe, du *Mesnil-Saint-Denis* vaut également la visite. • Au S., les **Vaux de Cernay***.

Dampierre-sur-Boutonne
(château de)
17 - Charente-Maritime 23 - A 3
C'est l'un des plus beaux châteaux de la Renaissance saintongeaise. Du déb. XVIe, il est flanqué de 2 grosses tours à mâchicoulis. La façade est ornée de 2 galeries superposées séparées par une frise sculptée; la galerie supérieure est couverte d'un plafond à clés pendantes et caissons sculptés. Ds les appartements, meubles, tapisseries des Flandres. Situé dans une île (vis. ts les j. sauf jeudi hors saison).
Environs • 7 km S.-E., **Aulnay-de-Saintonge***.

Dax
40 - Landes 34 - C 3
L'Adour divise la ville en 2 parties : sur la rive dr. le faubourg du Sablar, sur la rive g. la vieille ville, qui a conservé une partie de ses murailles gallo-romaines. Cathédrale Notre-Dame, de style classique fin XVIIe-XVIIIe; ds le croisillon g. a été remonté le portail des Apôtres XIIIe. L'hôtel de Saint-Martin d'Agès XVIIe abrite le musée de Borda : archéologie, arts et traditions populaires. La Fontaine chaude, portique à 3 arcades dominant un bassin, est alimentée par une source débitant 2 400 000 l à 64° par 24 h.
Environs • Par *Saint-Paul-lès-Dax* (ds l'église, abside XIIe, à l'ext. curieuse frise romane XIe), à 6 km N.-E., commune de *Saint-Vincent-de-Paul* où naquit le saint (1581) : la fermette de Ranquine a été aménagée en chapelle; chêne sous lequel le saint gardait son troupeau; église de style néo-byzantin (1864) et bâtiments divers; à 5 km N., *Notre-Dame-de-Buglose:* ds l'église Vierge en pierre XVe très vénérée; source miraculeuse; chapelle où saint Vincent-de-Paul célébra la messe; elle a été restaurée et transformée en style landais en 1966. • Les excursions ds la forêt landaise, au N. et au N.-O., sont recommandées : *étang de Soustons, Seignosse* et *l'étang Blanc,* etc.

Deauville
14 - Calvados 4 - C 3
La plage la plus fameuse de Normandie par sa brillante vie mondaine. Ses jardins fleuris en terrasses, ses « planches » et son casino, le bar du Soleil, les grands hôtels Normandy et Royal sont célèbres. La plage s'étend sur 3 km, du port de plaisance de Port-Deauville aux falaises de *Bénerville.*
Environs • Au S.-O. mont Canisy (panorama, golf, ruines du château de Lassay XVIIe). • Au S., Saint-Arnoult (ruines de l'église XIe-XVe). • A l'E., sur la rive dr. de la *Touques, Trouville,* plus paisible et familiale que sa voisine, a une belle plage de 1 km longée par la promenade des Planches; de la Corniche, belles vues sur la côte; le port est très animé (poissonnerie pittoresque, criée le matin).

Demoiselles (grotte des)
34 - Hérault 37 - B 3
A 6 km de *Ganges.* De la terrasse du site (panorama), un funiculaire monte jusqu'à la grotte (vis. ts les j.), énorme excavation dont la salle centrale dite « la cathédrale », haute de 48 m, est couverte de concrétions éclairées par transparence. Des escaliers conduisent au fond où une stalagmite géante forme une statue dite « la Vierge à l'Enfant ».

Demoiselles coiffées
Voir **Theus***. 38 - C 2

Die
26 - Drôme 38 - A 1
Petite ville célèbre pour sa « clairette », vin blanc champagnisé. L'anc. cathédrale Notre-Dame XIIe-XIIIe et XVIIe est précédée d'un clo-

Dieppe : ***station balnéaire, port de pêche et de commerce, la ville a un riche passé maritime. Ses quais sont toujours animés, notamment le quai Henri-IV qui borde l'avant-port.***

Dijon : *la façade de l'hôtel Aubriot présente une suite d'arcades cintrées et géminées.*

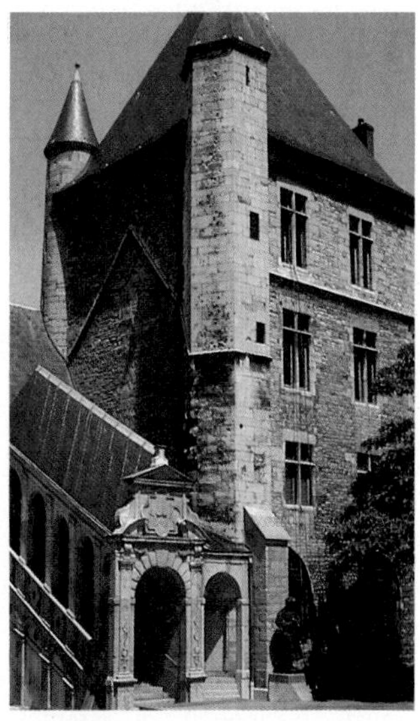

Dans l'ancien palais des ducs de Bourgogne, la tour de Bar et l'escalier de Bellegarde.

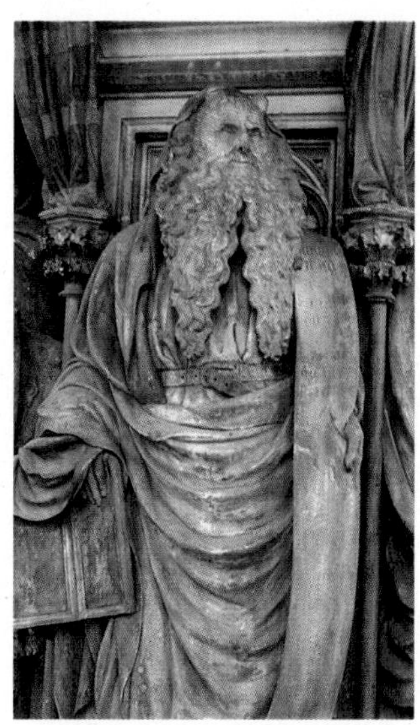

La puissante statue de Moïse orne le fameux « puits de Moïse » à la Chartreuse de Champmol.

cher porche (portail roman). Intéressantes maisons anc. (hôtel de Fontgalland, place de l'Horloge). Le palais de justice et la mairie occupent l'anc. évêché; ds la chapelle, belle mosaïque XIIe. La porte Saint-Marcel, vestige d'un arc de triomphe romain, est incorporée aux remparts dont certaines parties, au N., sont du IIIe.
Environs • 3 km S.-E., bains de Sallières et, à 3 km, anc. abbaye de Valcroissant (vestiges XIIe imposants); sources du Rays (4,5 km puis sentier) ds un site pittoresque (belle cascade). • Au N., magnifiques paysages du *Vercors* et *forêt de Lente* (voir **La Chapelle-en-Vercors*** et **Vassieux-en-Vercors***). • Au S.-E., par *Châtillon-en-Diois,* 2 excursions possibles : de *Menée,* vallée et cirque d'*Archiane,* magnifiques escarpements en amphithéâtre, d'où l'on peut faire l'ascension du *dôme du Glandasse* (2 045 m, vaste panorama); et par les gorges des Gas (parois lisses de 100 m de haut), vers *Glandage, Lus-la-Croix-Haute* (1 030 m), agréable station de villégiature. • Au S.-E., *Luc-en-Diois* (pittoresque foire à la lavande, le 19 sept.) et le **Claps***.

Dieppe
76 - Seine-Maritime 5 - A 2
Port de pêche et station balnéaire. La vieille ville est resserrée entre les bassins et le château XVIe-XVIIe qui domine la plage et abrite un très intéressant musée (vis. ts les j.) : curieuse coll. de portulans XVIe et XVIIe, archéologie, peintures, ivoires. L'église Saint-Jacques XIIIe-XIVe, ses œuvres d'art (frise du trésor 1524), l'oratoire de l'armateur Jehan Ango († 1551), est somptueusement ornée. Église Saint-Rémy XVIe-XVIIe, décoration Renaissance ds les chapelles du chevet.
Environs • Au S., **Arques-la-Bataille***. • A l'O., route de Pourville, à 2 km le musée militaire en plein air, souvenirs du raid du 19 août 1942. A 8 km le *manoir d'Ango* à **Varengeville***.

Digne
04 - Alpes-de-Haute-Provence 38 - C 3
La ville basse est traversée par le bd Gassendi qui aboutit à la curieuse Grande-Fontaine. Anc. cathédrale, la basilique Notre-Dame-du-Bourg déb. XIIIe, est l'une des plus imposantes églises romanes de Provence. La ville haute, aux rues tortueuses, est dominée par la cathédrale Saint-Jérôme fin XVe avec clocher beffroi XVIe-XVIIe.
Environs • 3,5 km S.-E., Bains de Digne, à 650 m d'alt. ds une gorge pittoresque. • 6 km N.-O., curieux village ruiné de Courbons, magnifique panorama sur les *Alpes de Provence.* • Au N.-E., grandiose et sauvage haute vallée de la *Bléone.* • 14 km S., par *Châteauredon,* la vallée de l'*Asse* forme la pittoresque *clue de Chabrières* entre d'étroites falaises calcaires, vers *Barrême.*

Dijon
21 - Côte-d'Or 19 - D 3
Capitale de la Bourgogne, c'est une remarquable ville d'art. • Le Palais des ducs et des Etats de Bourgogne, anc. résidence des ducs de Valois, est un monument composite XIVe-XVe et XVIIe qui abrite l'hôtel de ville et le musée. Des constructions médiévales, il ne reste que 2 tours : de Bar XIVe et de Philippe le Bon XVe (du sommet belle vue); tout le reste, dû aux plans de Mansart, est du XVIIe. Le musée des Beaux-Arts est d'une exceptionnelle richesse (vis. ts les j. sauf mardi); il englobe les différents bâtiments du palais sur la cour de Bar, les cuisines ducales, la tour de Bar, la « chapelle des Élus » et la grde salle gothique dite « salle des Gardes », où sont présentés les magnif. tombeaux sculptés de Jean sans Peur (XVe) et Philippe le Hardi (fin XVe), des tapisseries XVe-XVIe et les célèbres retables en bois doré, sculptés, volets peints par Broederlam fin XIVe; import. coll. de sculpt. (salles Rude et Pompon) et de peint., notamment de primitifs allemands, rhénans et flamands; peint. française XIXe-XXe; la coll. Granville d'art contemporain est la plus riche de province. • Autres musées : musée Magnin, mobilier et peintures du XVIe au XIXe, ds un hôtel XVIIe; Musée archéologique ds l'anc. abbaye bénédictine Saint-Bénigne XIIIe-XIVe. Musée de la vie bourguignonne, en projet, composé surtout de l'anc. coll. Perrin de Puycousin. Musée d'hist. naturelle et jardin bot. de l'Arquebuse. • Principales églises : cathédrale Saint-Bénigne XIIIe, crypte X^e^ (vis. ts les j.). Saint-Michel XVIe, superbe façade Renaissance, l'une des plus belles de toutes les églises françaises; Notre-Dame, de style gothique bourguignon, porche monumental à 3 baies et façade à 2 étages d'arcatures à colonnettes. Saint-Philibert XIIe (expo. temp. concerts) • Quartier anc. 1) de la place Rude (fontaine du Bareuzai ou Vendangeur), on gagne la rue des Forges aux maisons et

hôtels des XIIIe au XVIIIe (n° 34, hôtel Chambellan XVe, n° 40, hôtel Aubriot, remarquable façade XIIIe avec porte XVIIe, n° 38, maison Milsand mil. XVIe, façade richement ornée; rue Verrerie, rue de la Chouette (n° 8, hôtel de Vogüé, déb. XVIIe); rue Chaudronnerie (n° 8, maison des Cariatides 1603); rue Vannerie. La rue de la Préfecture est presque entièrement bordée d'hôtels XVIIIe. 2) place Bossuet, entourée d'hôtels parlementaires XVIIe-XVIIIe; au centre, église Saint-Jean XVe; place des Cordeliers (maisons typiquem. bourguignonnes); rue Charrue; rue Berbisey, etc. Le palais de justice, anc. parlement de Bourgogne, est un bel exemple d'architecture Renaissance, notamment la façade du XVIe; à l'int., la chapelle du Saint-Esprit a une très belle clôture sculptée et la Chambre dorée, déb. XVIe, un plafond à caissons sculptés et dorés. Par l'avenue Albert-Ier on atteint la chartreuse de Champmol fondée en 1383; le portail de l'anc. église (disparue) est orné de 5 statues très expressives fin XVe (la Vierge, Philippe le Hardi, son épouse, et leurs saints patrons); ds la cour, célèbre *puits de Moïse,* chef-d'œuvre de Claus Sluter (1395-1404), d'un réalisme vigoureux. *Environs* • 1,5 km O., vaste lac artificiel créé en 1964 (sports nautiques, plage). • 2 km O., *Talant :* église XIIIe, à l'int. tombes et saint Sépulcre XVIe; Fontaine-lès-Dijon : église fin XIVe. • 13 km N.-O., Val Suzon (voir **Saint-Seine-l'Abbaye***). • Au S., «côte de Nuits», par *Fixin, Gevrey-Chambertin, Vougeot* (voir **Nuits-Saint-Georges***). • Au S.-O., *château de Commarin* fin XIVe, XVIIe et XVIIIe (vis. ts les j. de Pâques au 1er nov. sauf mardi). • 13,5 km S.-S.-E., par *Fauverney, Rouvres-en-Plaine,* l'église XIIe-XIIIe abrite 3 magnifiques statues de l'École bourguignonne du XVe.

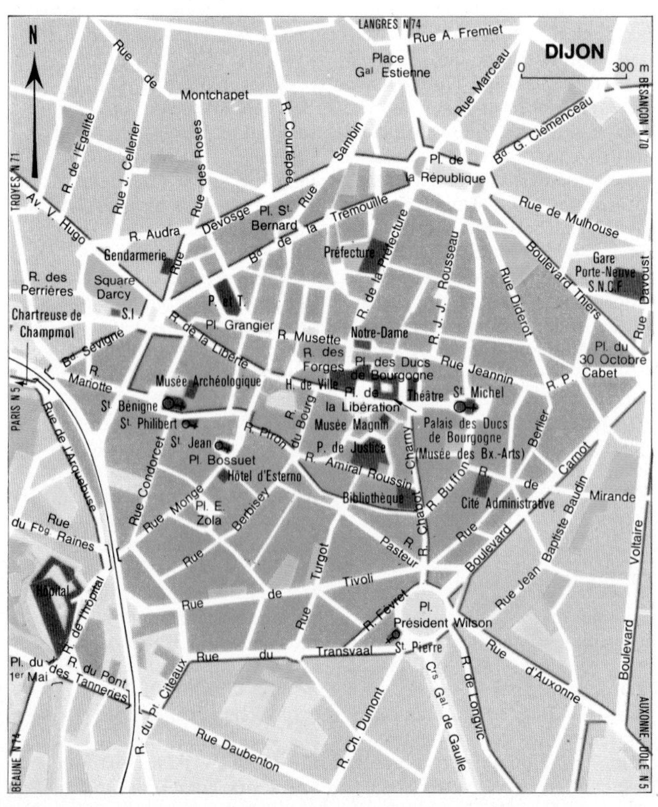

Dinan

22 - Côtes-du-Nord 9 - B 2

La vieille ville, ceinturée de remparts, les rues étroites et les maisons proches de la place des Merciers et de la rue de l'Apport, l'église Saint-Sauveur, la rue du Jerzual, en pente raide, bordée de boutiques des XVe-XVIe à encorbellement, composent un ensemble caractéristique des cités bretonnes d'autrefois. Le château XIVe-XVe abrite le musée d'Histoire et d'Ethnographie (fermé le mardi). Église Saint-Sauveur, romane (façade et côté dr. de la nef) et gothique flamboyant fin XVe, dominée par une tour mil. XVIe; ds le croisillon g., cénotaphe du cœur de Du Guesclin. Derrière le chevet, jardin en terrasses (belle vue sur la vallée de la *Rance*). *Environs* • Descente de la *Rance,* en bateau, de Dinan à **Dinard*** et **Saint-Malo*** (ts les j. l'été). • Circuit de la Rance, en voiture ou à

Dinan : *le souvenir de Du Guesclin rôde encore dans les vieilles rues de la petite cité bretonne.*

pied par la rive g. (D. 12) : *Plouër, La Richardais, barrage de l'usine marémotrice* sur la Rance, *Saint-Jouan-des-Guérets, La Vicomté.* • 1 km S.-E., Léhon est dominé par les ruines d'un château féodal; église XIVe-XVe (statues tombales XIIIe, XIVe, XVe), ruines du cloître XVIIe. • Agréables promenades ds le vallon de l'Argentel, au N. • 8,5 km N.-O., ruines du Temple de Mars.

Dinard

35 - Ille-et-Vilaine 9 - B 2

Face à Saint-Malo, de l'autre côté de l'estuaire de la Rance, station balnéaire très fréquentée. De la plage de Saint-Énogat à la pointe de la Vicomté, très belle promenade par la pointe des Étêtés (vue sur les îles et la côte), la grande plage (casino, digue, promenade), la pointe du Moulinet (vues du cap Fréhel à Saint-Malo et l'estuaire de la Rance), la promenade du Clair de Lune (illuminations et musique l'été), la plage du Prieuré, la Vicomté (chemin de ronde, de la pointe, panorama sur la rade, la *Rance,* l'usine marémotrice). Musée de la Mer et aquarium. *Environs* • L'excursion en bateau et le circuit routier de Dinard à **Dinan*** par la *Rance,* et le *barrage de l'usine marémotrice* de la Rance constituent d'indispensables randonnées touristiques. • *Lancieux, Saint-Briac, Saint-Lunaire* (très pittoresque pointe du Décollé, site superbe, vaste panorama) et son vieux village typiquement breton, Saint-Énogat, sont autant de plages réputées le long de la *côte d'Émeraude.*

Dol-de-Bretagne

35 - Ille-et-Vilaine 9 - C 2

Ancienne cité épiscopale dominée

par la cathédrale Saint-Samson, en granit, des XIIe et XIIIe; la partie S. comporte un vaste porche XIVe; à l'int. stalles ds le chœur, verrière, tombeau Renaissance de l'évêque Thomas James. Maisons anc. ds la Grand-Rue (maison des Plaids, romane). Ds la maison de la Guillottière XVe, musée : importante coll. de saints bretons, en bois, du XIIIe au XVIIIe.
Environs • 2 km S., *menhir du Champ-Dolent,* l'un des plus imposants de Bretagne (9 m de haut). • 12 km S.-E., par *La Boussac,* château de Landal, au bord d'un lac, ensemble féodal impressionnant entouré de remparts et flanqué de tours (on vis. la cour d'honneur et les remparts). • 3 km N., *Mont-Dol,* éminence granitique de 65 m, lieu du combat légendaire entre saint Michel et Satan; chapelle et tour Notre-Dame-de-l'Espérance (vaste panorama).

Dole
39 - Jura 20 - A 3
Ville comtoise caractéristique, riche en monuments anc. La basilique Notre-Dame XVIe, de style flamboyant, est dominée par un clocher carré de 74 m; à l'int., nombreuses œuvres d'art. 43, rue Pasteur, maison natale de Pasteur, musée (vis. ts les j.); l'atelier de tanneur du père du savant y est reconstitué; ds la même rue, plusieurs maisons anciennes, l'Hôtel-Dieu, remarquable édifice XVIIe; cloître à 2 étages de galeries à arcades. Pittoresque quartier des Tanneaux, le long du canal, nombreuses vieilles maisons. 7, rue du Mont-Roland, anc. hôtel de Froissard, d'époque Louis XIII; collège de l'Arc fin XVIe, avec chapelle de 1601 : le porche est un remarquable témoignage de décoration sculptée Renaissance. Musée de peinture et d'archéologie.
Environs • A l'E., *forêt de Chaux.*

Domme
24 - Dordogne 36 - A 1
Sur un promontoire escarpé dominant à pic la vallée de la *Dordogne,* ds un site magnifique, le bourg, anc. bastide de plan trapézoïdal, a conservé ses remparts XIIIe et, le long des rues étroites, plusieurs vieilles maisons. Porte Delbos XIIIe-XIVe et porte des Tours XIIIe. Hôtel de ville XIVe, halles pittoresques à galeries de bois. Hôtel du Gouverneur, flanqué d'une tour ronde. Sous la halle, entrée des grottes (vis. ts les j. en saison). Musée Paul-Reclus. Du jardin public et de la Barre, panorama.
Environs • 2 km N.-E., église monolithe de Caudon, creusée ds le roc. • 10 km N., **Sarlat-la-Canéda** *.

Domrémy-la-Pucelle
88 - Vosges 13 - B 3
Maison natale de Jeanne d'Arc; à côté, petit musée. L'église rustique, remaniée, garde les fonts où Jeanne a été baptisée (1412). A 1,5 km S., prétentieuse basilique fin XIXe, adossée au Bois-Chenu où Jeanne d'Arc entendit ses voix; vue superbe sur la vallée de la *Meuse.*
Environs • 5,5 km N., *Goussaincourt,* intéressant musée de la vie paysanne à l'époque de Jeanne d'Arc; à 5 km N., *château de Montbras* fin XVIe, couronné de mâchicoulis et flanqué de tours, façade Renaissance richement ornée; l'int. est meublé avec goût (on vis.); à 10 km, *Vaucouleurs,*

Dole : ***la cour de l'hôtel-Dieu avec ses balcons à balustres et son vieux puits.***

Domme : ***la vallée de la Dordogne, vue du ravissant village de Domme qui la domine à pic de 150 m.***

petite ville anc.; c'est par la porte de France que Jeanne, en 1429, quitta son pays natal; vestiges du château du sire de Baudricourt et chapelle fin XIIIe; petit musée consacré à Jeanne d'Arc et à l'histoire locale; à 6 km, ruines du château de *Gombervaux* XIVe-XVe.

Dorat (Le)
87 - Haute-Vienne 23 - D 3
La collégiale Saint-Pierre est un bel édifice roman en granit gris dominé par un clocher de 60 m; crypte XIe. Porte aux Bergères et vestiges de l'enceinte XVe.
Environs • Au N.-O., vallée de la Brame : sites remarquables, notamment les rapides et les cascades du Saut-de-Brame. • 7 km E., *Magnac-Laval :* église XIIe (le lundi de Pentecôte, curieuse procession des Neuf-Lieues). • 12 km S., *Bellac,* église à 2 nefs, romane et gothique, à 11 km S.-O., ruines du château de *Mortemart;* église XIIe et XVIe.

Douai
59-Nord 2-A3
La Grand-Place, ou place d'Armes (fontaines), est le centre de la ville; elle est dominée par le superbe beffroi XIVe-XVe de l'hôtel de ville dont l'int. vaut la visite. Voir également la maison du Dauphin mil. XVIIIe, l'église Notre-Dame XIIIe, XIVe et XVe, et la porte de Valenciennes XVe et XVIIIe. Saint-Pierre XVIe-XVIIIe a un vaste chœur, jadis réservé aux chanoines et aux membres du Parlement. L'anc. chartreuse groupe plusieurs constructions du XVIe au XVIIIe, dont le bel hôtel d'Abancourt-Montmorency, et abrite le musée : beaux ensembles de peinture flamande (polyptique d'Anchin), italienne (Véronèse), et française (David, Courbet, Renoir).
Environs • 14 km N.-E., *Flines-lès-Raches :* église gothique XIIIe avec tour carrée XIIe; belle vue du cimetière; à 9 km E., *Marchiennes :* seuls restes de l'abbaye bénédictine, l'entrée monumentale et un bâtiment XVIIIe; à 6 km S.-O., *Pecquencourt :* vestiges (2 pavillons) de l'abbaye d'Anchin. • Au S., étangs de la Sensée (pêche, chasse, canotage), *L'écluse* et *Aubigny-au-Bac.*

Douarnenez
29 S - Finistère 8 - B 3
Le port de pêche est l'un des plus typiques de Bretagne; il offre un aspect coloré et animé aux heures de départ et de retour des pêcheurs. Au N., Nouveau-Port, réservé aux chalutiers; au S., port de Rosmeur pour les sardiniers. A l'O., le boulevard Jean-Richepin suit la côte en corniche en contournant la plage des Dames; il conduit à une pointe séparée par un étroit goulet de la petite île Tristan (phare).
Environs • *Tréboul,* sur la rive g. de l'estuaire de Pouldavid, est également un port de pêche mais aussi une station balnéaire très fréquentée; belle plage des *Sables-Blancs;* à 3 km N.-O., pointe du Leydé. • 1 km S.-E., Ploaré, église XVIe-XVIIe, au magnifique clocher XVIe de 65 m de haut. • 10 km E., **Locronan***. • 16 km S.-E., par Le Juch (église intéressante), *Guengat :* ds l'église, beaux vitraux XVe-XVIe, riche trésor.

Douai : *les enfants «Gayants», Jacquot, Fillion et Binbin, tous en costumes XVIe, à travers la ville.*

Doullens
80 - Somme 5 - C 1
Cité picarde caractéristique XVIIIe. Citadelle XVIIe, en brique, englobant le château XVIe. Anc. hôtel de ville, avec beffroi carré en brique, de 1406, surmonté d'un campanile d'ardoise. Église Notre-Dame de style flamboyant XVe-XVIe. De l'anc. église Saint-Pierre XIIIe, il ne reste que la nef et une partie du transept. Musée Lombart, art et histoire locale.
Environs • 7 km N.-E., *Lucheux :* château sur un éperon (vis. ts les j.), importants vestiges du XIIe au XVIe; on y accède par la porte du Bourg; voir aussi la porte du Haut-Bois avec ses mâchicoulis-arcades, les ruines de la Tour plombée et le donjon XIIe; l'église Saint-Léger XIIe possède des voûtes d'ogives parmi les plus anc. du Nord de la France et des chapiteaux ornés de scènes pittoresques («les Sept Péchés capitaux»).

Dourdan
91 - Essonne 11 - B 2
La ville a conservé son charme provincial. Le château, déb. XIIIe,

Douarnenez : *le port est l'un des plus actifs de la côte bretonne, la « criée » sur le port du Rosmeur est un spectacle à ne pas manquer.*

flanqué de tours et entouré de larges fossés, est dominé par un robuste donjon (on vis.). Église Saint-Germain XIIe-XIIIe, agrandie aux XVe-XVIe. Halles XIIIe.
Environs • 12 km N.-E., par *Saint-Chéron, château du Marais,* fin XVIIIe, entouré de jardins (vis. apr. m. l'été : musée et jardins). • 8 km N.-O., *Saint-Arnoult-en-Yvelines,* église romane et Renaissance; 4 km N.-E., *Rochefort-en-Yvelines,* église romane XIIe et ruines d'un château XIe.

Draguignan
83 - Var 44 - C 1
Les rues tortueuses de la vieille ville enserrent la colline où s'élève la tour de l'Horloge fin XVIIe. Pittoresque place du Marché ornée de 2 fontaines et ombragée de superbes platanes; place aux Herbes subsiste la porte Romaine, vestige avec la porte de Portaiguières de l'enceinte médiévale. La ville moderne s'étend au pied du vieux quartier. Musée-bibliothèque ds l'anc. palais d'été des évêques de Fréjus XVIIIe. Belles allées d'Azémar *(buste de Clemenceau,* par Rodin).
Environs • 1 km N.-O., pierre de la Fée, imposant dolmen composé de 3 pierres dressées et d'une pierre à plat. • 1,5 km S.-O., ermitage Saint-Hermentaire, chapelle romane, vestiges de thermes gallo-romains. • 4,5 km S., *Trans,* superbes cascades de la *Nartuby;* à 5,5 km S., l'église des *Arcs* déb. XVIe a un beau retable à fond d'or attribué à Louis Brea; à 4 km E., chapelle Sainte-Roseline : retable et stalles XVIIe remarquablement sculptées; vitraux de Bazaine et Ubac, mobilier de Diego Giacometti (propr. privée, on vis.). • 35 km O. par *Flayosc* et *Salernes, Cotignac,* pittoresque village dominé par une falaise creusée de grottes; à 15 km O., *Barjols,* vieux bourg bâti en amphithéâtre.

Dreux
28 - Eure-et-Loir 11 - A 2
La ville est dominée par l'imposant beffroi, gothique et Renaissance, richement sculpté, terminé par un campanile XVIIIe (escalier de 142 marches). Église Saint-Pierre XIIIe, XVe, XVIe, beaux vitraux XVe et XVIe. Musée municipal d'Art et d'Histoire. Sur un coteau au N.-O., au milieu d'un parc, chapelle royale Saint-Louis, de style « troubadour » mil. XIXe; la crypte (vis. ts les j.) abrite les tombeaux monumentaux et les gisants de la famille d'Orléans; vitraux d'Ingres.
Environs • 16 km N.-E., château d'**Anet***. 21 km E., *Houdan,* petite ville anc.; énorme donjon XIIe (Son et Lumière l'été); église gothique avec chevet Renaissance (à l'int. curieuse peinture murale de 1582); maisons en bois XVe-XVIe.

Duclair
Voir **Abbayes normandes*** 4-D3

Dunkerque
59 - Nord 1 - C 1
Anc. place forte, elle se compose de 3 parties : la ville proprement dite dominée par le beffroi, anc. clocher de Saint-Éloi, en brique XVe; la basse ville au S., et le quartier de la Citadelle au N.-O., les fossés de l'anc. enceinte en délimitent le tracé. Au centre de la ville, la place Jean-Bart, où s'élèvent le beffroi et l'église Saint-Éloi gothique, à 5 nefs, est entourée de maisons de brique reconstruites après 1945. Musée (peintures hollandaises, flamandes et italiennes). Musée d'art contemporain en projet. Jardin de sculpture Jean Arp. Visite du port soit en vedette (départ place du Minck), soit en voiture (rens. au port ou au S.I.). De la terrasse de la station radio-météo, à l'entrée de l'écluse Watier, belle vue sur le port.
Environs • 1 km N.-E., *Malo-les-Bains,* station balnéaire très fréquentée; belle plage de sable fin de 15 km de long, jusqu'à *Bray-Dunes;* sur la digue stèle commémorative (juin 1940).

Dun-sur-Meuse
55 - Meuse 7 - A 3
Juchée sur une butte dominant la vallée de la *Meuse,* la ville haute enserre l'église Notre-Dame XIVe-XVe; à l'int., belles œuvres d'art. Sur la rive g. de la *Meuse,* lac Vert (plage, canotage, sports nautiques, camping).

Draguignan : ***vergers en fleurs. Provençale par son caractère, la campagne, autour de la petite ville, annonce déjà, par ses couleurs et son épanouissement, la proche Côte d'Azur.***

Eaux-Chaudes (Les)
64 - Pyrénées-Atlantiques 41 - A 3
Station thermale à 4 km S. de *Laruns,* ds une gorge sauvage où coule le *gave d'Ossau.*
Environs • 8 km N.-E., *Les Eaux-Bonnes,* station estivale et thermale. • Excursion recommandée au *lac d'Artouste* par téléférique, de l'usine électrique d'Artouste à La Sagette (1 950 m), de là un chemin de fer en corniche au-dessus du gave de Souséou conduit au barrage du *lac d'Artouste,* à 2 000 m, ds un site grandiose. • Ascensions au S. au *pic du Midi d'Ossau* (2 885 m) et au S.-E. au *pic de Balaïtous* (3 146 m), qui font partie du *Parc national des Pyrénées occidentales.* • Au S., la N. 134 bis suit la *vallée d'Ossau,* la plus caractéristique des vallées béarnaises; *Gabas,* à 8 km S.; la route continue sur le *col du Pourtalet* (1 792 m) et pénètre ensuite en Espagne.

Ebersmunster
67 - Bas-Rhin 14 - A 3
L'anc. abbatiale, reconstruite au XVIIIe, est un curieux exemple d'architecture baroque; l'édifice, blanc et rose, est dominé par 3 clochers en forme de bulbe; à l'int., vaste et lumineux, décoré de peintures, beau mobilier XVIIIe, stalles surmontées de 20 statues en bois, confessionnaux sculptés; 7 autels avec retables dorés et sculptés dont le maître-autel, remarquable construction baroque; orgues de 1730.

Ébreuil
03 - Allier 25 - A 3
Gros bourg sur la *Sioule.* Église Saint-Léger, anc. abbatiale bénédictine romane et gothique, fresques XIIe et XVe; remarquable châsse de saint Léger XVIe en bois et cuivre argenté. A l'hospice (anc. bâtiments monastiques), coll. de dentelles et pots de pharmacie.
Environs • Pittoresques *gorges de la Sioule* jusqu'à *Châteauneuf-les-Bains,* par *Chouvigny* (château XIIIe); belles pyramides de granit, falaises, belvédères; près de *Pont-de-Menat,* ruines romantiques de Château-Rocher XIIIe.

Écouen
95 - Val-d'Oise 11 - C 1
L'un des plus beaux châteaux Renaissance d'Ile-de-France; musée national de la Renaissance (ouvert ts les j. sauf mardi); construit au milieu du XVIe, remanié sous Henri II, il possède une vaste salle d'honneur dont la cheminée monumentale est ornée d'une *Victoire,* de Jean Goujon. L'église Saint-Acceul XVIe-XVIIe renferme un remarquable ensemble de vitraux Renaissance.

Écouis
27 - Eure 5 - A 3
L'anc. collégiale déb. XIVe est un véritable musée de la sculpture gothique XIVe-XVe : statue de Notre-Dame d'Écouis, gisant en marbre de l'archevêque Jean de Marigny, sainte Véronique, sainte Agnès, Ecce Homo en bois, etc.

Effiat (château d')
63 - Puy-de-Dôme 25 - A 3
Superbe construction Louis XIII (vis. ts les j. l'été). A l'int. ds le grand salon, décor XVIIe, cheminée monumentale, plafonds et boiseries peints; meubles, tapisseries, portraits XVIIe et XVIIIe; jardins à la française par Le Nôtre.
Environs • 4 km S.-O., *Aigueperse :* 2 églises valent la visite, la Sainte-Chapelle XVe et Notre-Dame, chevet et transept XIIIe; à 3 km O., près de Chaptuzat, le château de la Roche, campé sur un plateau au-dessus d'un immense panorama, est une forteresse XIIe-XIIIe, agrandie et remaniée aux XVe-XVIe (vis. ts les j. sauf mardi); appartements décorés et meublés au XVIIe; à 5,5 km S.-O. d'*Aigueperse,* avant *Saint-Myon,* Artonne, belle église romane Xe-XIIe.

Elne
66 - Pyrénées-Orientales 43 - D 3
Bâtie sur une colline dominant un vaste panorama, elle se divise en ville haute et ville basse, celle-ci en partie entourée de remparts. La cathédrale Sainte-Eulalie XIe-XVe a un remarquable cloître roman de marbre gris veiné de bleu; la galerie S. présente des chapiteaux sculptés d'animaux fantastiques ou historiés, chefs-d'œuvre de la sculpture romane roussillonnaise.
Environs • 7 km S.-E., *Argelès-sur-Mer;* à 2,5 km E., *Argelès-Plage* fait partie de l'unité touristique de Saint-Cyprien (voir **Perpignan***); à 6,5 km S.-E., **Collioure*.**

Elven (tours d')
56 - Morbihan 16 - A 1
Au milieu d'une forêt touffue, au bord d'un étang, ruines romantiques de la forteresse féodale de Largoët-en-Elven XIIIe-XVe : porte XVe à mâchicoulis, tour Ronde XVe, imposant donjon octogonal fin XIVe, le plus haut de France (57 m), au bel appareil de granit; les murs ont de 6 à 9 m d'épaisseur.

Embrun
05 - Hautes-Alpes 38 - C 1
Bâtie sur la haute falaise d'un promontoire («le Roc»), dominant la Durance, la ville, anc. place forte, est entourée d'une partie de ses remparts. L'anc. cathédrale Notre-Dame, fin XIIe, est l'une des plus remarquables églises du Dauphiné; sur la façade O. élégante porte romane; sur le flanc N. porche fin XIIe dit le «Réal», encadré de co-

Elne : ***chefs-d'œuvre de l'art roman catalan, sculptés d'animaux, les chapiteaux de la galerie Sud dans le cloître de la cathédrale.***

ENCLOS PAROISSIAUX (circuit des)
29 N - Finistère 8 - B 2 8 - C 2
De **Landerneau*** la N. 12, N.-E., permet de visiter *La Roche* dont l'église abrite un superbe jubé Renaissance sculpté; l'ossuaire est l'un des plus importants de Bretagne; on atteint ensuite *Lampaul-Guimiliau* et **Guimiliau***, qui possèdent deux des principaux calvaires à personnages, **Saint-Thegonnec*** et *Pleyber-Christ* (riche trésor à l'église). • Un 2e circuit, au S.-E. de **Landerneau***, par la D. 764, passe par *La Martyre, Ploudiry* et **Sizun***.

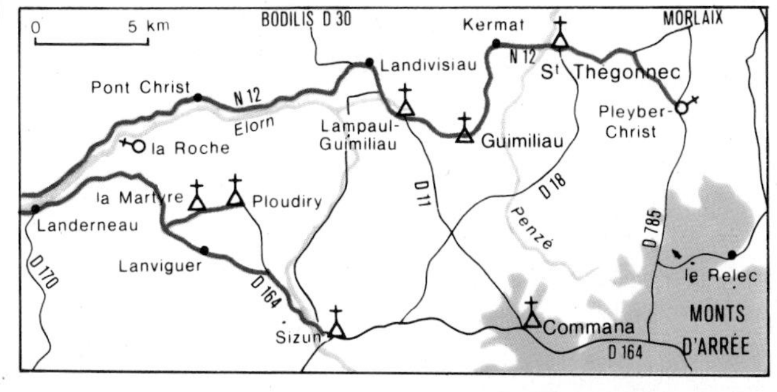

lonnes de marbre rose à chapiteaux sculptés reposant sur des lions; l'int., à 3 nefs et 3 absides, est caractérisé par l'alternance de pierres blanches et noires; riche trésor. L'anc. archevêché est dominé par la tour Brune (XIIe, table d'orientation). Pour avoir une vue originale de la ville, descendre le long de la Durance.
Environs • 15 km S.-O., barrage de **Serre-Ponçon***.

Enghien-les-Bains
95 - Val-d'Oise 11 - C 1
Accueillante station thermale (eaux sulfureuses). Le lac (canotage) est entouré de belles propriétés et de villas. Casino. Établissement hydrominéral.
Environs • Au N., *Montmorency,* situé sur des collines couronnées par la forêt de Montmorency (3 500 ha) accidentée et pittoresque; église Saint-Martin Renaissance (beaux vitraux); petit musée J.-J.-Rousseau ds la maison où il vécut; *Saint-Leu-la-Forêt; Taverny,* très belle église XIIIe et XVe flanquée d'un curieux clocher de bois XVe; à l'int. superbe retable monumental sculpté, Renaissance, en pierre; à la tribune de l'orgue, intéressants panneaux de bois XVIe représentant le voyage aux Indes de saint Barthélemy; grotte de gypse; *Méry-sur-Oise,* beau château XVIe, XVIIe et XVIIIe (on ne vis. pas) attenant à l'église XVe-XVIe; à 2 km, anc. abbaye cistercienne du Val XIIe (on ne vis. pas).

Ennezat
63 - Puy-de-Dôme 31 - A 1
Anc. collégiale dite la « cathédrale du Marais », romane (nef, transept et bas-côtés en arkose) et gothique (chœur, déambulatoire et chapelles rayonnantes en lave de Volvic); chapiteaux historiés romans et peintures murales XVe; intéressantes œuvres d'art.
Environs • 9 km N., *Thuret,* église de style roman auvergnat, à l'int., chapiteaux et Vierge noire.

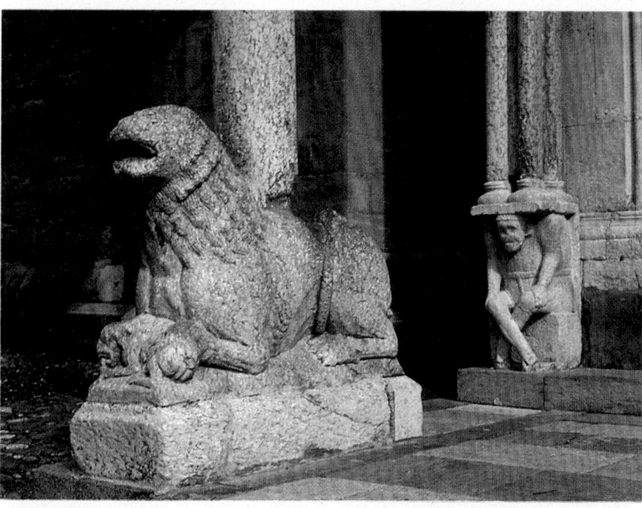

Embrun : ***les colonnes, en marbre rose, du porche roman de la cathédrale reposent sur des lions tenant entre leurs pattes un enfant ou un animal.***

Enserune (oppidum d')
34 - Hérault 42 - D 2
Important site archéologique, sur un éperon rocheux de 700 m de long, magnifique panorama. Il comporte plusieurs habitats successifs VIe av. J.-C., Ve, et IIIe où une véritable ville a laissé des maisons au sol pavé, aux murs enduits et peints, des citernes, des égouts, etc. Le musée (ouv. ts les j.) abrite le produit des fouilles : céramiques, bronzes, vases grecs, reconstitution de sépultures ibériques, grecques, celtiques, etc. Objets divers du VIe au Ier av. J.-C. L'ensemble évoque l'évolution de la vie quotidienne et de l'art méditerranéen durant près de 10 siècles.
Environs • 2,5 km S., *Nissan-lez-Enserune,* église XIVe; musée : archéologie et art sacré.

Entraygues-sur-Truyère
12 - Aveyron 36 - C 1
Pittoresque petite cité médiévale, au confluent de la *Truyère* et du *Lot.* Pont gothique XIIIe. Maisons anc. XVe et XVIe (rue Basse, rue du Collège, rue Droite) et ruines du château féodal dominant le confluent.
Environs • Au N.-E., *vallée de la Truyère,* barrages et lacs de retenue. • 15 km N.-O., puy de l'Arbre, panorama sur le Cantal. • A l'O., la D. 107 suit les impressionnantes *gorges du Lot,* par *Vieillevie* et *Grand-Vabre,* d'où la route continue sur **Figeac*** ou bifurque vers **Conques***.

Entrevaux 38 - D 3
04 - Alpes-de-Haute-Provence
Cette anc. place forte, demeurée intacte depuis le XVIIIe, forme avec sa citadelle (belle vue sur le *Var*) un ensemble homogène d'une austère grandeur. On y pénètre par 3 portes à pont-levis; la principale, au S., est précédée d'un pont fortifié. Ds l'église gothique à nef unique XVIe, somptueux retable monumental XVIIe et intéressantes œuvres d'art.
Environs • Les *gorges de Daluis* (au N.-O.) taillées ds les schistes rouges offrent d'impressionnantes vues plongeantes au-dessus du ravin où coule le *Var.*

Épernay
51 - Marne 12 - B 1
Capitale viticole champenoise et centre d'excursions sur les coteaux plantés des fameux vignobles. Les principales maisons productrices s'alignent le long de l'avenue de Champagne (certaines sont du XVIIIe) : trois d'entre elles organisent des visites permettant d'assister aux différents procédés de fabrication du champagne : Moët et Chandon, Mercier (pressoirs et tonnellerie) et Perrier Jouët; les galeries, creusées à même la craie, sont très pittoresques. Ds l'anc. château Perier : le musée du vin de Champagne, le musée archéologique, 2e de France (coll. préhistorique) et le musée des Beaux-Arts. L'église Saint-Vincent-des-Vignes-Blanches (1967) a été conçue suivant la symbolique liturgique et cosmique.
Environs • 6 km N.-O., visite de l'abbaye d'*Hautvillers;* ds l'anc. abbatiale XVIe-XVIIe, intéressantes œuvres d'art, dalle funéraire de dom Pérignon († 1719), «inventeur» du champagne; à 7 km O., l'église XIIe-XIIIe de *Damery* est remarquable. • Circuit du vin de Champagne par la *montagne de Reims* au N. (Voir **Reims*.**) • Au S.-O., montagne d'Épernay; *château de Brugny* XVIe remanié XVIIIe, avec superbe donjon carré; bois de Boursault; forêts d'Enghien et de Vassy, etc. • Circuit du vin de Champagne par la Côte des Blancs au S., par la vallée du Cubry, *Pierry,* Chavot (très beau point de vue), *Cuis* (église romane), *Cramant, Avize, Oger* (église XIIe-XIIIe, panorama), *Le Mesnil-sur-Oger* (église XIIe-XVIe), **Vertus*.**

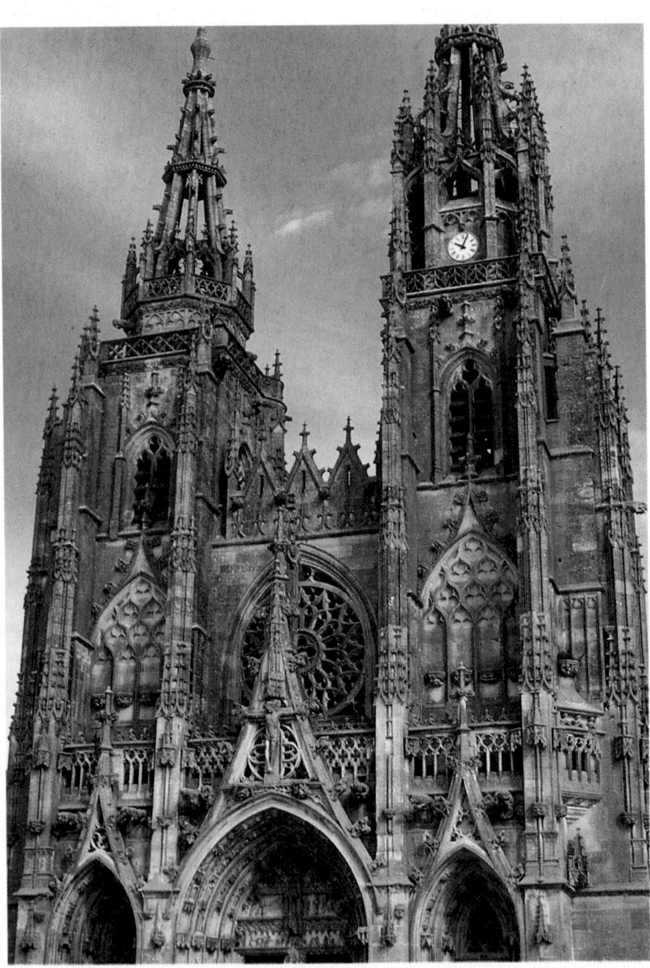

Notre-Dame-de-l'Épine : ***l'élégante église flamboyante avec ses 2 flèches ajourées; la flèche de droite atteint 55 m de haut.***

Épinal
88 - Vosges 13 - C 3
Le Musée international de l'Imagerie, consacré aux images d'Épinal et à l'imagerie populaire du XVIe à nos jours, fait partie du Musée départemental des Vosges qui possède plusieurs toiles anc. remarquables, notamment de Rembrandt et de G. de La Tour; importante coll. lapidaire gallo-romaine; riche cabinet de dessins. Basilique Saint-Maurice XIIIe-XIVe. Le parc du château (26 ha) offre un très beau panorama. A la bibliothèque (vis. ts les j. sauf dim. et lundi), précieux manuscrits enluminés, du Xe au XVe, ds des «cabinets» de bois sculpté XVIIIe. Belle roseraie (500 variétés de roses).

Quand toute sa plantation des Sablons fut en fleurs, Parmentier fit un gros bouquet et le porta à Versailles. Le roi mit une des fleurs à sa boutonnière et toute la cour en fit autant. C'était le plus bel hommage qu'on pût rendre aux efforts de Parmentier : de ce jour, la pomme de terre était acceptée sans retour.

Épinal : ***l'imagerie populaire au musée; introduction de la pomme de terre en France par Parmentier.***

Epine (Notre-Dame-de-l')
51 - Marne 12 - C 1
Isolée dans la vaste plaine champenoise, cette imposante église gothique XVe-XVIe possède une façade flamboyante richement ornée à 3 portails sculptés; à l'int., jubé à 3 arcades et 2 escaliers en spirale XVe et XVIe, clôture de chœur en pierre.

Époisses (château d')
21 - Côte-d'Or 19 - C 2
Le château XIVe et XVIe, fortifié et autrefois entouré de douves, est flanqué de vastes communs. La chapelle des XIIe et XVe sert d'église paroissiale (vis. ts les j. d'avril à déc.). L'int. (vis. sur r.-v.) a gardé le décor et le mobilier XVIIe : le grand salon (portraits XVIIe), la chambre de Mme de Sévigné, qui séjourna à Epoisses (plafond peint, tapisseries XVIe), la chambre du roi, etc.

Ermenonville
60 - Oise 11 - D 1
Le château XVIIIe (on ne vis. pas) est accompagné d'un beau parc (vis. ts les j.) qui fut l'un des premiers conçus «à l'anglaise» avec fausses ruines, «fabriques», etc.; on y découvrira l'autel de la Rêverie, le temple de la Philosophie, le tombeau de l'Inconnu, la table des Mères, etc.; ds l'Ile des Peupliers, cénotaphe de J.-J. Rousseau.
Environs • Au N. et N.-O., forêt d'Ermenonville (désert, *Mer de sable,* zoo Jean-Richard), abbaye

de **Châalis.** Au S., parc de Vallière (prendre la D. 607) et *Mortefontaine.*

Escolives-Sainte-Camille
89 - Yonne 19 - B 2
Les substructions de thermes, d'un temple, d'une villa gallo-romaine Ier-IVe ont été mises au jour, ainsi que les vestiges d'un cimetière mérovingien (musée des fouilles). Belle église de style bourguignon XIIe (chapiteaux sculptés, cryptes superposées).

Espalion
12 - Aveyron 36 - D 2
L'un des sites les plus célèbres de l'Aveyron. Le château Renaissance dominant le pont XIIIe et les maisons anc. bordant le *Lot* composent un ensemble attachant. Ds l'anc. église Saint-Jean, musée d'Art et traditions populaires (vis. ts les j.).
Environs • 1 km S.-E., ds le cimetière, église de Perse en grès rose XIe-XIIe, beau portail orné de sculptures archaïques. 2 km S.-E., puy de Vermus (481 m), superbe panorama sur la vallée du *Lot,* les monts d'*Aubrac,* les *Causses,* etc. • Excursion recommandée ds la *vallée du Lot :* parcours touristique d'Espalion à **Entraygues-sur-Truyère*** (D. 120), par *Estaing* dominé par un rocher portant un château XVe-XVIe; pont XIIIe sur le *Lot* d'où la vue est remarquable; le 1er dim. de juillet, curieuse procession de Saint-Fleuret. Son et Lumière l'été.

Essarts (Les)
85 - Vendée 22 - D 1
Une porte d'entrée fortifiée donne accès aux ruines de la forteresse féodale (on vis.); le donjon carré XIe comporte de belles salles voûtées; restes d'un tumulus gallo-romain; vaste parc. Le château moderne est de style « troubadour » mil. XIXe. Ds l'église, crypte à 3 nefs XIe.

Étampes
91 - Essonne 11 - C 3
Notre-Dame-du-Fort, sec. moitié XIIe, est l'une des plus belles églises d'Ile-de-France : le portail S. (v. 1150) a des statues colonnes de même style que celles de Chartres; à l'int., chapiteaux romans, vitraux XVIe, crypte XIe. Saint-Gilles XIIIe, XVe et XVIe a une façade romane XIIe (sur la place, maisons à piliers XIVe) et Saint-Basile XVe-XVIe, un beau portail roman sculpté (à dr. Hôtel Diane-de-Poitiers, XVIe). Saint-Martin XIIe-XIIIe est flanqué d'une tour penchée XVIe. Hôtel d'Anne de Pisseleu, Renaissance, et hôtel Saint-Yon déb. XVIe. Ds l'hôtel de ville déb. XVIe, petit musée régional : coll. préhistoriques et mérovingiennes, dépôt lapidaire. La ville est dominée par la tour Guinette, anc. donjon royal XIIe sur plan quadrilobé (très rare).
Environs • 3 km N.-E., à Morigny-Champigny, vestiges de l'abbaye bénédictine de Morigny XIIIe et XVe; le chœur sert d'église paroissiale; à 4 km, château de Jeurre (vis. sur r.-v.), ds le parc, curieuses « fabriques » XVIIIe. • 11 km E., *château de Farcheville,* forteresse féodale XIIIe-XIVe entourée d'une impressionnante enceinte fortifiée rectangulaire couronnée de courtines crénelées (on ne vis. pas). • Au S., vallée de la *Juine;* château de *Méréville* XVIIe-XVIIIe, très beau parc romantique (vis. sur dem.). • Au S.-O., vallée de la Chalouette, par l'étang et les ruines pittoresques de l'église de Moulineux, XIIe-XIIIe; *Chalou-Moulineux,* église romane.

Espalion : ***les vieilles maisons à balcons de bois se réflétant dans le Lot sont l'un des attraits les plus pittoresques de la petite cité de l'Aveyron. C'est un bon centre d'excursion et de villégiature.***

Étretat
76 - Seine-Maritime 4 - C 2
L'un des sites les plus remarquables du littoral cauchois. La plage est encadrée de hautes falaises blanches (60 à 80 m). La falaise d'Aval (à l'O. de la digue promenade) est flanquée d'une arche monumentale naturelle, la porte d'Aval, précédée de la célèbre « Aiguille », haute de 70 m; de la crête de la porte d'Aval, vue magnifique; à g. s'élève la Manneporte, formidable arche de pierre de 90 m de haut. De l'autre côté de l'anse, la falaise et la porte d'Amont sont surmontées d'une chapelle et du monument aux aviateurs Nungesser et Coli (en face, petit musée).
Environs • 4 km S.-O., par la falaise (sentier pédestre), 7 km par la route, *cap d'Antifer;* du sommet du phare, vaste panorama. • 4 km

Étretat : ***l'Aiguille creuse, dressée en avant de la falaise, évoque l'élément avancé d'un système de défense dont la Porte d'Aval serait l'entrée fortifiée. A marée haute, le pied des falaises est inaccessible.***

N.-E., *Bénouville,* «valleuses» de Saint-Ange et du Curé, aiguille de Belval. • 8 km S.-E., *Criquetot-l'Esneval;* à 2 km, château de Cuverville XVIIIe, où vécut André Gide qui repose au cimetière.

Eu
76 - Seine-Maritime 5 - A 1
Dédiée à saint Laurent O'Toole, primat d'Irlande au XIIe, l'église XIIe-XIIIe conserve plusieurs sculptures dont une «mise au tombeau» à 8 personnages, sous un dais richement sculpté fin XVe. Ds la crypte XIIe, gisants de saint Laurent O'Toole et de la famille d'Artois XIIIe-XVe. Le château fin XVIe (vis. ts les j. d'avril à oct.) a été remanié au XIXe. Ds la chapelle du collège, anc. maison de jésuites, fin XVIe, remarquables mausolées monumentaux XVIIe du duc de Guise, assassiné à Blois en 1588, et de son épouse.
Environs • Belle *forêt d'Eu* (9390 ha), circuits fléchés.

Évaux-les-Bains
23 - Creuse 24 - C 3
Station thermale déjà connue des Romains (vestiges de thermes antiques), ds une région pittoresque, le pays de Combraille. Église romane Saint-Pierre et Saint-Paul XIe-XIIe, avec un clocher porche à 5 étages dont la flèche XIIIe est couverte de bardeaux.
Environs • 5 km O., *Chambon-sur-Voueize :* jolie petite ville et bon centre d'excursions; pont roman sur la Voueize; belle église romane Sainte-Valérie XIe-XIIe; à l'int., buste reliquaire XVe, stalles et clôture en bois du chœur XVIIe; au N. de Chambon, gorges de la Voueize, par une route en corniche. • 17 km N., par *Budelière,* barrage de Rochebut, sur le Cher, au milieu de collines boisées.

Évian-les-Bains
74 - Haute-Savoie 26 - D 2
Site admirable, sur le lac Léman, «front du lac» bordé de jardins et d'avenues fleuries. Équipement hôtelier et sportif de premier ordre.
Environs • 3,5 km O., *Amphion :* ds un jardin près du lac, petit temple dédié à la poétesse Anna de Noailles. • Tour du lac (voir S.I.). • Promenades et excursions en montagne; au S., *château de Larringes,* XIVe (on ne vis. pas), beau panorama; *Bernex,* massif de la *Dent-d'Oche.*

Évisa
2 A - Corse 45 - B 3
La «perle de la Corse». Le village est construit sur un promontoire rocheux entre 2 vallées plantées de châtaigneraies. Il constitue un important centre d'excursions.
Environs • Promenades pédestres : au N.-E., le Belvédère (vue impressionnante sur les rochers rouges); cascade et moulin d'Aïtone; à l'O., vers *Ota, cirque de la Spelunca,* défilé le plus étroit de l'Aïtone. • En voiture : à l'O., **Porto***; à l'E., par le *col de Vergio* (1 464 m), la route vers **Corte*** traverse la *forêt d'Aïtone,* entourée de hautes montagnes.

Évreux
27 - Eure 11 - A 1
A moitié détruite en 1940, la ville a conservé plusieurs monuments importants. La cathédrale Notre-Dame XIIIe-XIVe dont la façade et le portail N. XVIe sont remarquables, conserve à l'int. un ensemble de vitraux parmi les plus précieux du XIVe; clôtures de bois des chapelles du déambulatoire Renaissance. Ds l'église Saint-Taurin, anc. abbatiale XIVe-XVe, l'un des chefs-d'œuvre de l'orfèvrerie gothique, la châsse de saint Taurin, du XIIIe (très restaurée). L'anc. évêché, fin XVe, abrite le Musée municipal : coll. préhistoriques, gallo-romaines et médiévales, peintures des XVIIe, XVIIIe, XIXe. Tour de l'Horloge, beffroi de 44 m (1940). Promenade des remparts.
Environs • Excursions recommandées ds les vallées de l'*Iton,* de la *Risle* et de la *Charentonne.* • 18 km S.-O., *Conches,* église Saint-Foy XVe-XVIe et vallée du Rouloir.

Évron
53 - Mayenne 10 - B 3
L'église, anc. abbatiale, est l'un des plus beaux monuments gothiques de l'Ouest (seule une tour et la nef principale sont romanes); à l'int., tapisseries d'Aubusson XVIIe et nombreuses œuvres d'art; la chapelle Notre-Dame-de-l'Épine, contiguë au flanc N. du chœur, est du XIIe, vestiges (mal restaurés) des peintures murales XIIIe; ds le chœur, est présenté le riche trésor d'Évron qui comprend notamment la statue de Notre-Dame-de-l'Épine, en bois, recouverte de lames d'argent, déb. XIIIe. Vastes bâtiments XVIIIe de l'anc. abbaye.
Environs • 5 km N.-O., château du *Rocher* XVe, l'un des plus beaux de l'Ouest; sur la façade orientale Renaissance, riche décor sculpté (vis. ext. l'été). • 4 km S.-O., château de *Montecler,* déb. XVIIe, avec pont-levis défendu par un imposant porche voûté (on ne vis. pas). • 7 km S.-E., **Sainte-Suzanne*.**

Eymoutiers
87 - Haute-Vienne 30 - B 1
Anc. ville close ceinturée par la *Vienne.* Église romane et gothique; à l'int., bel ensemble de vitraux XVe, trésor intéressant. Maisons anc.
Environs • 15 km S.-E., *Lacelle,* d'où l'on s'élève sur le plateau limousin; après avoir longé l'étang de *Saint-Hilaire-les-Courbes* (37 ha), la route domine le réservoir de Treignac formé par la *Vézère,* et aborde le *barrage de Vaud;* à 3 km S., *Treignac* est une petite cité en amphithéâtre au-dessus de la *Vézère* dont la vallée est très pittoresque. • Au N., *Peyrat-le-Château;* de là plusieurs excursions; à l'O., la *vallée de la Maulde* forme un lac allongé et sinueux retenu par le *barrage du mont Larron;* à l'E., sur le vaste *lac de Vassivière* (1 000 ha), plage et centre nautique; au N., *Bourganeuf :* les vestiges de l'anc. prieuré d'Auvergne de l'ordre de Malte, l'église Saint-Jean, XIIe-XVe, la tour Lastic et la tour de Zizim, fin XVe (remarquable charpente en chêne à 3 ét.),

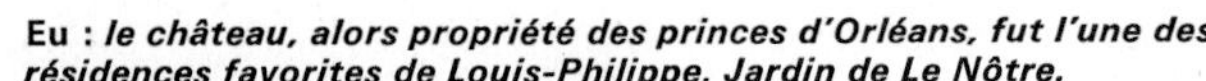
Eu : ***le château, alors propriété des princes d'Orléans, fut l'une des résidences favorites de Louis-Philippe. Jardin de Le Nôtre.***

Evisa : ***le village est admirablement situé sur un promontoire dominant la vallée du Porto.***

en constituent les principales curiosités; c'est aussi un bon centre d'excursions pour la vallée du *Thaurion.*

Eyzies-de-Tayac (Les)
24 - Dordogne 29 - D 3
Le « berceau de la préhistoire » est situé ds un site grandiose de falaises calcaires creusées de grottes au-dessus de la vallée de la *Vézère.* Le village des Eyzies est dominé par un énorme massif de rochers qui porte, à mi-hauteur, sous un impressionnant surplomb, les ruines de l'anc. château Xᵉ et XIᵉ, flanqué d'un donjon carré. Musée national de Préhistoire (vis. ts les j.). Ds l'abri de Cro-Magnon furent découverts en 1868 les restes de l'« homme de Cro-Magnon ». Sur la rive dr. de la Beune, grotte des Eyzies; on y découvrit les premiers dessins rupestres. A 1,5 km S. des Eyzies, église fortifiée de Tayac XIᵉ-XIIᵉ.
Environs • Vallée de la Vézère : 2 km N.-O., grotte du Grand Roc (stalactites, stalagmites); à 5 km, stations préhistoriques de Laugerie-Basse et Laugerie-Haute (on visite); à 2 km N.-O., grotte de Carpe Diem, belles concrétions (on vis.). •2 km S.-E., grotte de la Mouthe, peintures et gravures (on vis.). • A l'E., vallée de la Beune sur la rive g., grotte de Font-de-Gaume, remarquables peintures préhistoriques (vis. ts les j. sauf mardi); grotte des Combarelles, gravures animales rupestres (on visite); sur la rive dr. : abri du Cap-Blanc, célèbre frise d'animaux en relief (on vis., gardien); en face, imposantes ruines féodales du château de Comarque, au milieu des bois.

Èze
06 - Alpes-Maritimes 45 - B 1
Le village, accroché en nid d'aigle sur un piton qui domine la mer de 427 m, est l'un des sites les plus extraordinaires de la Côte d'Azur : pittoresque dédale de petites rues étroites, couvertes de voûtes et parcourues d'escaliers. Vestiges du château des Riquier. Église Notre-Dame-de-l'Assomption XVIIIᵉ et chapelle des Pénitents-Blancs XVᵉ. Le jardin exotique (vis. ts les j.) comporte de nombreuses variétés de plantes grasses et de cactées; il est dominé par les ruines de l'anc. château (vue magnifique). Èze-Village est relié à Èze-sur-Mer par un sentier en lacets.

Évreux : ***un vitrail gothique dans l'abside de la cathédrale.***

Les Eyzies : ***les premiers dessins rupestres furent trouvés dans des grottes creusées dans ces falaises abruptes.***

Falaise
14 - Calvados 10 - B 1
L'énorme château féodal qui domine la ville, construit sur un éperon face au *mont Myrrha,* du XIe au XIIIe, aurait vu naître Guillaume le Conquérant; flanqué de 16 tours, il comporte un imposant donjon rectangulaire XIIe relié par une courtine à la tour Talbot déb. XIIIe, haute de 35 m (vis. ts les j.). Église de la Trinité XIIIe, XVe et XVIe, avec un très beau porche Renaissance. Église Saint-Gervais, nef XIe et XIIIe, chœur XVIe, tour centrale XIIe. *Environs* • 4 km O., Noron l'Abbaye, église XIIIe avec clocher roman, château XVIIIe. • 3 km N. avant *Saint-Pierre-Canivet,* Aubigny, château XVIe (on ne vis. pas); ds l'église, tombeau des seigneurs d'Aubigny agenouillés par ordre chronologique; à 6 km N. auberge du Mont-Joly, tombeau pittoresque de l'actrice Marie Joly († 1798); Brèche du Diable, gorge étroite ds un site sauvage; chapelle Saint-Quentin-de-la-Roche XIIIe.

Fanjeaux
11 - Aude 42 - B 2
Vieux village sur une hauteur dominant la plaine de Carcassonne; vue superbe. Église fin XIIIe récemment restaurée (riche trésor). Maison de saint Dominique. Du lieu dit « le Seignadou », saint Dominique eut, en 1206, la vision à la suite de laquelle il fonda, au pied de Fanjeaux, le monastère de Prouille, berceau de l'Ordre des dominicains; l'église, seule partie accessible aux visiteurs, est d'une médiocre architecture romano-byzantine fin XIXe.
Environs • 9 km E., *Montréal,* dominé par la collégiale Saint-Vincent, de pur style gothique méridional XIVe; panorama sur les Cévennes et les Pyrénées.

Faouët (Le)
56 - Morbihan 8 - C 3
L'un des lieux les plus caractéristiques de Bretagne; ses chapelles et ses pardons sont très fréquentés. *Environs* • La *chapelle Sainte-Barbe,* de style gothique flamboyant, à 2,5 km N.-E. du bourg, ds un site splendide, domine le vallon de L'Ellé; on y accède par un monumental escalier Renaissance relié par une arche à l'oratoire Saint-Michel (pardons le dernier dim. de juin et le 4 déc.); fontaine déb. XVIIIe; sous un édicule, cloche que les pèlerins font sonner en formulant leurs vœux. • 6,5 km N.-E., chapelle Saint-Nicolas; à l'int., remarquable jubé Renaissance sculpté sur bois; à 3 km, *Priziac,* ruines du château de Belair; église romane agrandie au XVIe; à 4,5 km E., chapelle fin XVIe et ossuaire Renaissance au *Croisty.* • 11 km N.-E., *abbaye de Langonnet* XVIIe-XVIIIe, salle capitulaire XIIIe (musée des Missions d'Afrique). • 2,5 km S., *chapelle Saint-Fiacre* fin XVe, avec original clocher pignon typiquement breton comportant 2 tourelles d'escalier et porche sculpté; à l'int., magnifique jubé gothique, véritable dentelle de bois sculpté.

Fécamp : ***la façade, de style classique, de l'église de la Trinité, contraste avec la nef gothique et la tour-lanterne carrée de 64 m.***

Fécamp
76 - Seine-Maritime 4 - C 2
Port de pêche et station balnéaire. L'église de la Trinité, de style gothique normand XIIe, est une anc. abbatiale; d'une ampleur exceptionnelle (la nef a 127 m de long) et de proportions imposantes, elle renferme plusieurs œuvres d'art. Les bâtiments monastiques XVIIIe sont occupés par l'hôtel de ville. Au musée de la Bénédictine, de style néo-flamboyant fin XIXe, intéressantes coll. lapidaires, émaux, ferronnerie, etc. Musée et centre des arts : importante coll. de dessins XVIe-XVIIe; archéologie, ethnographie, céramiques anc.
Environs • 13 km S.-E., *château de Bailleul,* Renaissance, avec riche décor sculpté (vis. ts les j. l'été). • 15 km E., ruines de l'abbaye de *Valmont* (vis. l'été) : l'abbatiale a conservé un beau chœur Renaissance et la chapelle de la Vierge, élégant joyau XVIe (vitraux et sculptures); château féodal XVe-XVIe avec donjon XIe. • 20 km E., *Cany-Barville,* église Renaissance (intéressantes œuvres d'art à l'int.); le château de Cany (2 km S.), de style Louis XIII, est entouré de douves (on ne vis. pas).

Fénelon (château de)
24 - Dordogne 36 - A 1
A Sainte-Mondane, à 3 km S.-O. de *Saint-Julien-de-Lampon.* Belle construction fortifiée XVe-XVIe où Fénelon naquit en 1651. Façade XVIIe, avec perron en fer à cheval, et galerie Louis XIII à balustres, sur la cour d'honneur. Cuisines taillées ds le roc. Beaux appartements (vis. ts les j.).

Fénétrange
57 - Moselle 13 - D 1
Petite ville anc. La porte de France, vestige de l'enceinte XVe-XVIe, est flanquée d'une tour ronde. Vaste château XIIIe-XVIe. Église Saint-

Rémi XVe; chœur flamboyant orné de boiseries XVIIIe; curieux tombeau monumental du comte Henri de Fénétrange († 1336).
Environs • Au N.-O. de *Sarrebourg* (15 km S.), à la lisière de la forêt de Hoff, cimetière national des prisonniers de guerre 1914-1918 (14 000 tombes).

Fère (La)
02 - Aisne 6 - A 2
Anc. place forte sur l'*Oise*. Église XIIIe, XVe et XVIe. Musée Jeanne-d'Aboville (peintures anc. des écoles du Nord).
Environs • 7 km N., parc zoologique de *Vendeuil* (vis. ts les j.). • Au S., *forêt de Saint-Gobain,* très accidentée, prolongée au S.-E. par la *forêt de Coucy* (voir **Coucy-le-Château***); *abbaye de Prémontré,* fondée au XIIe, bâtiments classiques XVIIIe (hôpital psychiatrique; vis. ext. seulement); église romane de *Septvaux;* vestiges de l'anc. abbaye de *Saint-Nicolas-aux-Bois* XIVe-XVe; prieuré du Tortoir, ds une clairière, au bord d'étangs.

Fère-en-Tardenois
02 - Aisne 12 - A 1
Église XVe-XVIe. Halles en charpente XVIe.
Environs • 3 km N., ruines imposantes du *château de Fère,* dominées par un formidable donjon XIIIe flanqué de 7 tours, pont à 5 arches monumentales surmonté d'une galerie Renaissance; le château XVe-XVIe a été transformé en hôtel. • 5 km S.-O., *Villeneuve-sur-Fère,* maison natale de Paul Claudel (musée). • 14,5 km O., *Oulchy-le-Château,* l'église Notre-Dame, nef XIe, transept et chœur carré XIIe, est l'une des plus remarquables de la région; sur la butte de Chalmont, monument des Fantômes, de Landowski (bataille de la Marne). • 4 km E., château de Nesles.

Ferrette
68 - Haut-Rhin 21 - A 2
L'un des sites les plus pittoresques du Jura alsacien. La ville haute (maisons anc.) est dominée par les ruines de 2 châteaux féodaux. Immense panorama. A la mairie, petit musée archéologique.
Environs • A l'E., *Oltingue,* intéressant musée paysan, créé en 1973.

Ferté-Bernard (La)
72 - Sarthe 10 - D 3
Construite sur plusieurs bras de l'Huisne. De pittoresques maisons anc. entourent la belle église Notre-Dame-des-Marais, XVe-XVIe, dont le chœur Renaissance est aussi grandiose qu'harmonieux; la décoration sculptée n'est pas moins raffinée : voir surtout les voûtes des chapelles absidiales XVIe, très ouvragées (la chapelle du Rosaire est une véritable châsse de pierre ciselée).
Environs • 8 km S.-E., près de *Courgenard,* château de Courtangis, élégant manoir finement orné, déb. XVIe; ds l'église, peintures murales XVIe montrant les tortures de l'Enfer; à 7 km S.-E., *Montmirail,* anc. place forte sur une colline, a conservé une partie des remparts, une porte fortifiée et le château XVe (vis. ts les j. l'été); Son et Lumière; église XIIe-XVIe, à l'int. Mise au tombeau, déb. XVIIe.

Fère-en-Tardenois : *on atteint les tours en ruine du château de Fère par un pont, œuvre de Jean Bullant et Jean Goujon.*

La Ferté-Saint-Aubin : *la « route des étangs » est l'un des plus pittoresques itinéraires de la Sologne, parmi les bruyères et les pins.*

Ferté-Loupière (La)
Voir **Joigny***. 19 - A 1

Ferté-Milon (La)
02 - Aisne 12 - A 1
Les imposantes ruines du château XIIIe dominent la ville (belles vues). Églises : Notre-Dame XIIe et Renaissance, Saint-Nicolas XVe-XVIe (vitraux de l'Apocalypse). Racine y est né et y passa son enfance.
Environs • Au N.-N.-O., forêt de *Villers-Cotterêts.* • Au S.-O., *Mareuil-sur-Ourcq* et *May-en-Multien* ont des églises intéressantes.

Ferté-Saint-Aubin (La)
45 - Loiret 18 - B 2
Au cœur de la Sologne. Église XIIe-XVIe, imposant château mil. XVIIe, agrandi au XIXe, entouré de douves, au milieu d'un vaste parc.
Environs • La N. 20 traverse la forêt parsemée d'étangs où s'élèvent plusieurs châteaux XVIIIe ou XIXe. • 12,5 km S., à *Chaumont-sur-Tharonne,* une petite route conduit au parc zoologique de Montevran (ouv. ts les j. d'avril à oct.); de Chaumont, on gagne à 10 km S.-E. *Lamotte-Beuvron,* l'un des principaux rendez-vous de

Figeac : ***dans l'ancienne salle capitulaire de l'église Saint-Sauveur, panneaux en bois sculptés, XVIIe, retraçant La Passion (ici, la Cène).***

chasse de la forêt solognote (château XVIe-XVIIe), puis à 7 km S., *Nouan-le-Fuzelier;* prendre à l'O. la belle «route des étangs», par *Saint-Viâtre* (intéressante église XIIIe), *La Ferté-Beauharnais, Neung-sur-Beuvron, La Marolle, Yvoy-le-Marron* d'où l'on peut revenir à *Chaumont-sur-Tharonne,* ou aller au N.-O., à *Ligny-le-Ribault.*

Figeac
46 - Lot 36 B 1
Vieille ville riche en maisons anc. Ds l'hôtel de la Monnaie XIIIe-XIVe, musée Champollion et du Vieux-Figeac. Église Saint-Sauveur, romane et gothique (salle capitulaire XIVe-XVe transformée en chapelle). Notre-Dame-du-Puy, romane, remaniée XVIe-XVIIe.
Environs • Vallées du Lot et du Célé. • 20 km S.-E., curieux village médiéval de *Peyrusse-le-Roc,* en partie ruiné, vestiges du château féodal. • 22 km N.-E., *Maurs-la-Jolie :* ds l'église XIVe, remarquable buste reliquaire de saint Césaire, en bois revêtu d'argent et de cuivre doré, chef-d'œuvre d'orfèvrerie fin XIIe. • 16 km N.-O., *château d'Assier,* magnifique construction Renaissance mutilée au XVIIIe; seule subsiste l'aile occidentale ornée de pilastres à chapiteaux composites, frises et reliefs sculptés (vis. ts les j.); église Renaissance élégamment décorée.

Filitosa
2 A - Corse 45 - D 3
Importante station préhistorique (vis. ts les j.). L'oppidum, installé sur un éperon naturel, comporte un monument central cultuel, édifié vers le milieu du IIe millénaire par les Torréens. Aux extrémités E. et O. se dressent 2 autres monuments. Plusieurs statues menhirs, dont certaines remarquables, sont exposées près du monument central et du monument O. A l'int. de l'enceinte, vestiges du village torréen. Musée archéologique au hameau de Filitosa.

Flaine
74 - Haute-Savoie 26 - D 3
Importante station de sports d'hiver, créée à 1 650 m en 1968-1970. Intéressante réalisation de l'architecture contemporaine due à Marcel Breuer. Grande sculpture polychrome de Vasarely. Le téléférique des Grandes-Platières atteint 2 447 m, et celui de la *Tête-Pelouse* 2 350 m.

Flavigny-sur-Ozerain
21 - Côte-d'Or 19 - C 2
Cette petite ville très pittoresque occupe une situation magnifique sur un éperon boisé, isolé par 3 cours d'eau; elle est entourée de remparts : 2 portes fortifiées XVIe, la porte du Bourg et la porte du Val. Intéressantes maisons anc. L'église Saint-Genès XIIIe et XVe possède de nombreuses statues XVe-XVIe, notamment un très bel « Ange de l'Annonciation » en pierre déb. XVIe et ds le chœur, des stalles fin XVe sculptées de scènes satiriques ou anecdotiques. De l'antique abbaye Saint-Pierre ne subsistent que les cryptes carolingiennes dites Sainte-Reine (vis. ts les j.). Une chapelle hexagonale Xe, dénommée Notre-Dame-des-Piliers, a été découverte en 1960 ds leur prolongement. Spécialités : les anis de Flavigny.
Environs • Au N., **Alise-Sainte-Reine*, Bussy-Rabutin*.** • A l'O., **Semur-en-Auxois*.**

Flèche (La)
72 - Sarthe 17 - B 2
Le Prytanée, anc. collège des jésuites fondé par Henri IV, a gardé ses imposants bâtiments XVIIe, la cour d'honneur et la chapelle Saint-Louis, l'une des plus originales réalisations du «style jésuite». Château des carmes XVe (hôtel de ville). Église Saint-Thomas, romane et gothique. Derrière le cimetière, chapelle Notre-Dame-des-Vertus (portail roman, superbes boiseries XVIe).
Environs • 3,5 km S.-E., parc zoologique du Tertre-Rouge (ouv. ts les j.); musée de sciences naturelles (dioramas régionaux). • 10 km E., château de *Gallerande* XVe, avec 4 tours rondes et un donjon octogonal (on ne vis. pas). • 7 km O., *Bazouges-sur-le-Loir,* château déb. XVIe remanié au XVIIe; à l'int. salons XVIIIe; chapelle fin XVIe (vis. les mardi, jeudi matin et sam. apr.-m.); à 16 km O., *Durtal,* château XVIe-XVIIe (hospice, on vis.), bâti à la place d'une anc. forteresse dont il reste 2 tours XVe.

Filitosa : ***une statue-menhir du mégalithique; la forme humaine est devenue très visible.***

Flers-de-l'Orne
61 - Orne 10 - A 2
Le château, entouré de douves et d'un étang, comporte un corps de logis principal XVIIIe et une aile fin XVIe flanquée de tours; à l'int. mairie, bibliothèque et musée (peintures XIXe et XXe), très beau parc.
Environs • 3 km O., *mont de Cerisi,* où l'on accède par un chemin bordé de rhododendrons géants; vestiges de l'abbaye de la Belle-Étoile, église XIIIe et cloître.

Florac
48 - Lozère 37 - A 2
Au pied de la falaise du *causse Méjean,* ds un beau site. Un château féodal en ruine, flanqué de 2 tours rondes, domine la ville. Centre d'excursions ds les **gorges du Tarn*** et les *Cévennes.*
Environs • Au N.-O., gorges du **Tarn*,** par *Ispagnac* (église romane et ruines d'un prieuré bénédictin fortifié); *Molinès* et château de Rocheblave (manoir XVe, couronné de mâchicoulis); Montbrun, en amphithéâtre au-dessus d'un ravin (en contrebas, château de Charbonnière XVIe); *Castelbouc,* curieux village au pied d'un cirque de falaises portant les ruines d'un château (la vue, du belvédère dominant le site, est extraordinaire; Son et Lumière l'été); **Sainte-Enimie*.** • Au S.-E., vers **Barre-des-Cévennes*** et vers **Alès*,** les routes traversent le *Parc national des Cévennes,* le plus étendu et le plus habité des parcs nationaux français.

Foix
09 - Ariège 42 - A 3
Sur un piton rocheux, le château des comtes de Foix XIe-XIIe et XVe dresse ses 3 tours dont le donjon de 42 m, au-dessus de la ville (vis. ts les j., sauf mardi hors saison); il abrite le musée de l'Ariège : coll. préhistoriques, archéologie, folklore et ethnographie régionale. Le quartier entourant la cathédrale Saint-Volusien XIVe (porte romane) comporte plusieurs maisons anc. dont quelques-unes à pans de bois place du Mercadal-Dutilh.
Environs • 5,5 km N., *Saint-Jean-de-Verges,* église romane et cimetière pittoresque. • A 6 km N.-O., *rivière souterraine de Labouiche,* parcours en barque (de Pâques à la Toussaint) de 2 500 m, concrétions très variées. • 13 km O., par Serres-sur-Arfet et *Burret* (parcours très sinueux), *col des Marrous* (960 m) et *massif de l'Arize.* • 16 km S., **Tarascon-sur-Ariège*** et grotte de **Niaux*.**

Folgoët (Le)
29 N - Finistère 8 - B 2
Son pardon des 7 et 8 septembre est célèbre ds toute la Bretagne. Église Notre-Dame-du-Folgoët XVe, flanquée de 2 superbes tours; beaux portails sculptés, notamment à l'O. le portique des Apôtres XVe, dont les statues de granit ont un relief saisissant; à l'int., le jubé flamboyant, en granit, est l'une des œuvres les plus remarquables de la sculpture gothique bretonne XVe. Derrière l'église, fontaine de Salaün.
Environs • 13 km N., *Brignogan-Plage,* superbe chaos rocheux; menhir de 8 m de haut dit Men-Martz; à 2 km N.-O., chapelle Pol; à 5 km S.-E., *Goulven,* église gothique, beau clocher Renaissance à flèche; allée couverte de Créac'h-Gallic.

Foix : ***le château s'inscrit bien dans son cadre de montagne; ses 3 tours, dont un beau donjon, sont réunies par une double enceinte.***

Fontainebleau (palais de)
77 - Seine-et-Marne 11 - D 3
Le palais se compose d'un ensemble de bâtiments XVIe et XVIIe, situés au centre de la ville (vis. ts les j. sauf mardi). L'entrée se fait par la cour du Cheval-Blanc ou cour des Adieux (Napoléon y fit ses adieux à la Garde impériale en 1814), ornée du célèbre escalier dit le Fer-à-Cheval. La visite int. comprend 2 parties : au 1er ét., grands appartements de Napoléon Ier, appartements de Marie-Antoinette, décorés avec un goût exquis, galerie de Diane, appartements royaux de François Ier, transformés par Louis XIV en de somptueux salons de réception, magnifique salle de bal longue de 30 m, construite sous François Ier et Henri II, admirablement décorée par Le Primatice; splendide plafond à caissons de Philibert Delorme. Fastueuse galerie de François Ier, ornée de lambris en bois sculpté surmontés de fresques et de sculptures en stuc. Au rez-de-chaussée : petits appartements de Napoléon Ier, de Joséphine et de Marie-Louise; galerie des Cerfs. Le palais abrite aussi des salons chinois et le charmant théâtre Napoléon III (fermé). Un musée napoléonien doit être installé dans l'aile Louis XV de la cour des Adieux en 1982-1983.
• Vis. des jardins et du parc (jardin anglais, étang des Carpes, parterre, treille du Roi plantée vers 1730, etc.).
• Voir aussi le musée d'art et d'histoire militaire.
Environs • 2 km E., *Avon,* pittoresque église, nef préromane et portail avec porche en bois XVIe; à 5,5 km E., *Thomery* et les rives de

Fontainebleau : ***les vastes fenêtres de la salle de bal s'ouvrent sur le Parterre, créé sous François Ier et redessiné sous Louis XIV.***

Fontainebleau : ***c'est au pied de l'escalier du Fer-à-cheval, dans la cour du Cheval-Blanc, cour des Adieux, que Napoléon se sépara de la Garde.***

la Seine : plages, sports nautiques. • 12 km N.-E., *Samois-sur-Seine,* sur la rive g. de la Seine, sur la rive dr. par le bac : Héricy, belle église XVe-XVIe et château XVIIe; sports nautiques; du pont de Valvins, à 2,5 km S., belle vue sur les rives de la Seine et la forêt de Fontainebleau. • 10 km S.-E., par la N. 5, **Moret-sur-Loing***. • 8 km N.-O., **Barbizon***.

Fontaine-de-Vaucluse 38 - A 3
Voir **Isle-sur-la-Sorgue (L').**

Fontaine-Henry (château de)
14 - Calvados 4 - B 3
Belle construction Renaissance (vis. les apr.-m., jours variables). Un immense toit d'ardoise recouvre le «Grand Pavillon» flanqué d'une tourelle en poivrière élégam-

FONTAINEBLEAU (forêt de)
77 - Seine-et-Marne 11 - C 3 - 11 - D 3
Elle couvre 25 000 ha dont 17 000 domaniaux. Plusieurs routes la traversent (stationnement autorisé seulement aux carrefours, aux abords immédiats des routes forestières et ds les parkings). Des zones de silence balisées sont réservées aux promeneurs et aux cavaliers. Aux sentiers pédestres fléchés — ceux des «sylvains» Dénecourt et Colinet, au XIXe, et ceux, récents, dits de grande randonnée — s'ajoutent des circuits autopédestres. Des écoles d'escalade fonctionnent ds la forêt. La route Ronde permet d'accéder facilement aux zones les plus remarquables.
Itinéraires principaux : • Hauteurs de la Solle et tour Dénecourt : à Fontainebleau prendre les routes Louis-Philippe et du Gros-Fouteau d'où se détache, à dr., la route des hauteurs de la Solle, sinueuse et pittoresque; de là on peut gagner le carrefour de la Croix-d'Augas, point culminant de la forêt (144 m), et la caverne d'Augas; la route de la Reine-Amélie (à la Croix-du-Calvaire, panorama) reconduit à Fontainebleau; par une route à g., tour Dénecourt, construite sur un amas de rochers (très belle vue). • Chaos et *gorges d'Apremont* : la route forestière qui prolonge la Grande-Rue conduit à la futaie du Bas-Bréau d'où l'on gagnera soit **Barbizon***, soit, par le carrefour du Bas-Bréau, les gorges d'Apremont, très pittoresques, accessibles à pied seulement; le chaos d'Apremont est un curieux amoncellement de rochers (belle vue); caverne des Brigands • *Gorges de Franchard :* par la route Ronde, carrefour de la Croix-de-Franchard, puis route de Saint-Feuillet, qui conduit au carrefour de l'Ermitage; cet ermitage, aujourd'hui ruiné, fut jadis un lieu de pèlerinage puis, au XVIIe, un repaire de bandits; les gorges de Franchard, très pittoresques (vues panoramiques du Grand-Point-de-Vue ou du belvédère Marie-Thérèse), permettent d'intéressantes escalades (sentiers fléchés).

ment décorée ; à l'int. remarquables salons Louis XIII et Louis XIV, caves XIIIe et cuisine (imposante cheminée à 3 foyers). Chapelle XIIIe, modifiée à la Renaissance.

Fontenay (abbaye de)
21 - Côte-d'Or 19 - C 2
La mieux conservée des abbayes cisterciennes du XIIe (vis. ts les j.). On y pénètre par la porterie ; le jardin est bordé par l'hôtellerie, l'anc. chapelle des étrangers et la boulangerie des moines. Pigeonnier de 1652. L'église mil. XIIe est l'une des plus caractéristiques de l'architecture cistercienne, harmonieuse et dépouillée ; elle est entourée par la salle capitulaire, le parloir, l'admirable cloître roman (au-dessus, dortoir des moines), le « scriptorium » (salle d'études), le chauffoir, la prison, etc. L'infirmerie XVIIe et le vaste bâtiment fin XIIe, abritant les différents ateliers, la forge, le moulin, etc., complètent l'ensemble où la vie des moines au Moyen Age peut être exactement reconstituée.

Fontenay-le-Comte
85 - Vendée 23 - A 2
Aux confins du Bocage vendéen et du *Marais poitevin,* la capitale du bas Poitou s'est développée sur les 2 rives de la *Vendée.* Le vieux Fontenay a conservé de nombreuses maisons anc. XVIe et XVIIe (rue du Pont-aux-Chèvres, rue Goupilleau, place Belliard, etc.). Fontaine des Quatre-Tias, Renaissance, où est inscrite la devise donnée à la ville par François Ier : « Fontaine et source de beaux esprits. » Église Notre-Dame : beau clocher XVIe, portail de style flamboyant ; à l'int., chapelle Brisson, Renaissance. Musée vendéen : histoire, archéologie et folklore de la région. L'usine de transformateurs B.C. a été conçue par le peintre Mathieu.
Environs • 1 km O., château de Terre-Neuve, charmante gentilhommière XVIe, remaniée au XIXe, qui appartint au poète Nicolas Rapin ; à l'int., belles cheminées Renaissance, boiseries XVIe provenant de Chambord, plafonds à caissons en pierre sculptée, mobilier XVIIIe. • Au S., le *Marais poitevin,* entre l'Anse de l'Aiguillon et **Niort***. • 13 km S., ruines de l'abbaye de **Maillezais***. • 13 km E., abbaye de **Nieul-sur-Autise***. • 15 km N., **Vouvant***.

Fontevrault (abbaye de)
49 - Maine-et-Loire 17 - B 3
Fondée à la fin du XIe, l'abbaye est en cours de restauration ; elle comprenait 5 monastères dont 3 subsistent : Saint-Benoît et le Grand Moûtier se vis. ; ds ce dernier voir la magnifique abbatiale romane, prem. moitié XIIe, à nef unique longue de 84 m (intéressants chapiteaux historiés). On y a placé les statues funéraires d'Henri II d'Angleterre († 1189), de sa femme, Éléonore d'Aquitaine, et de leur fils, Richard Cœur de Lion. Grand cloître et salle capitulaire XVIe, réfectoire roman voûté d'ogives déb. XVIe. Les fameuses cuisines comportent une tour octogonale de 27 m de haut flanquée d'absidioles hérissées de hottes couronnées de lanternons. Ds l'église paroissiale Saint-Michel, plusieurs œuvres d'art (maître-autel en bois sculpté, peintures, etc.) proviennent du monastère.

Fontfroide (abbaye de)
11 - Aude 42 - D 2
Importante abbaye cistercienne ds un vallon sauvage (vis. ts les j.). L'église romane sec. moit. XIIe, d'un admirable dépouillement, est flanquée d'un magnifique cloître et d'une salle capitulaire déb. XIIIe. Armarium, ou bibliothèque du cloître, sacristie. Ds le bâtiment XIIIe des convers et des hôtes, réfectoire et cellier ; au-dessus, dortoir des moines.

Fontgombault (abbaye de)
36 - Indre 23 - D 2
Superbe construction romane, occupée par des bénédictins, l'église abbatiale XIe-XIIe, longue de 82 m, a une incontestable majesté (chant grégorien ts les j.). Bâtiments conventuels, cloître et réfectoire XVe.
Environs • 8,5 km N.-O., *Angles-sur-l'Anglin,* en amphithéâtre au-dessus de l'Anglin, est dominé par les ruines d'un château XIIe et XVe surplombant un ravin ; site très pittoresque.

Font-Romeu
66 - Pyrénées-Orientales 43 - B 3
Station climatique d'été et d'hiver à 1 800 m d'alt., ds un site admirable dominant toute la *Cerdagne* française. Les installations sportives du lycée climatique sont remarquables. Butte et calvaire (vaste panorama) ; l'ermitage de Font-Romeu (1 824 m), ds un site boisé, comporte des bâtiments

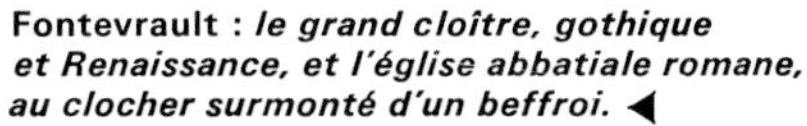
Fontevrault : *le grand cloître, gothique et Renaissance, et l'église abbatiale romane, au clocher surmonté d'un beffroi.* ◀

Fontfroide : *l'église romane a conservé sa pureté cistercienne, sous le soleil du Midi qui caresse sa pierre dorée.* ▼

Fougères : *très bel exemple d'architecture militaire du Moyen Age, qu'ont célébré Victor Hugo et Balzac.*

XVIIIe et une chapelle élégamment décorée abritant la Vierge miraculeuse XIIIe (pèlerinage).
Environs • A l'E., Superbolquère (1 780 m), station climatique dont les chalets et villas sont disséminés ds la forêt; à 9 km E., **Mont-Louis***. • 1 km S., Odeillo, église avec beau portail roman et à l'int., Vierge XIIe; four solaire mis en service en 1969 (pas de vis.). • A l'O., chaos granitique de Targassonne; à 8 km S.-O., Angoustrine, village pittoresque (église romane, en granit, XIe-XIIe, à l'int. fresques XIIIe et plusieurs œuvres d'art); à 3,5 km, *Ur,* église XIe avec chevet sur plan tréflé, à l'int. Christ byzantin, curieux fonts baptismaux.

Forcalquier 38 - B 3
04 - Alpes-de-Haute-Provence
L'anc. cathédrale Notre-Dame romane et gothique transformée au XVIIe, le couvent des Cordeliers (on vis. les salles conventuelles et les vestiges de l'église), le cimetière et ses étonnants buis taillés sont les principales curiosités de cette petite cité bâtie en amphithéâtre; pittoresque vieux quartier.
Environs • 6 km S., *château de Sauvan* déb. XVIIIe, l'une des plus séduisantes résidences de haute Provence; l'int. est superbement meublé (vis. de Pâques à la Toussaint, sauf le lundi). • 28 km N., par *Saint-Étienne-les-Orgues : montagne de Lure,* d'une mélancolique grandeur sauvage; la route (D. 113) passe par le refuge de Lure (1 572 m) avant d'atteindre le *Signal de Lure* (1 827 m), point culminant de la montagne (panorama étendu). • 15,5 km N.-E., prieuré de **Ganagobie***. • 11 km S.-O., **Saint-Michel-l'Observatoire***.

Fos-sur-Mer
13 - Bouches-du-Rhône 43 - D 2
Vieux bourg situé au fond du *golfe de Fos;* ruines d'un château XIVe, église romane rustique XIe-XIIe; à 2 km S., Fos-Plage. L'énorme complexe industriel offre l'un des plus impressionnants paysages technologiques d'Europe; on en a de larges panoramas de l'Hauture et de la tour Vigie. Tour de la zone industrielle en voiture par la N. 568, du carrefour Valin au port des Conteneurs. Centre d'information et d'accueil.

Fouesnant
29 S - Finistère 15 - B 1
Ds l'une des régions les plus verdoyantes de la Bretagne, plantée de vergers. Remarquable église romane XIIe, intéressants chapiteaux à l'int.
Environs • 3 km N.-E., *La Forêt-Fouesnant,* enclos paroissial et calvaire XVIe; à l'int. de l'église, nombreuses œuvres d'art populaire; port de plaisance de Port-la-Forêt. • 2,5 km S.-E., pointe sablonneuse du cap Coz sur la *baie de la Forêt.* • 5,5 km S., pointe et village de *Beg-Meil;* le village de loisirs et de

Fréhel : *le calme et charmant petit port du Guildo occupe une situation privilégiée sur la rive droite de l'estuaire de l'Arguenon.*

culture « Renouveau » est l'une des plus originales réalisations de l'architecture contemporaine. • 8 km O., *Benodet,* ds un site charmant : plage, centre important de navigation de plaisance.

Fougères
35 - Ille-et-Vilaine 9 - D 3

Imposant ensemble de constructions du XIIe au XVe, le château, qui comprend 13 tours et les restes de 3 enceintes, est l'un des exemples les plus complets de l'architecture militaire féodale ; il est dominé par la ville bâtie sur un promontoire au-dessus de la vallée du Nançon ; petit musée de la Chaussure dans une des tours. (Vis. ts les j. sauf déc. et janv.). Belles vues sur la vallée, les anciens remparts et le château de la place aux Arbres, et l'église Saint-Léonard XVe-XVIe bordée par l'hôtel de ville XIVe-XVIe. Le vieux quartier de la place du Marchix, la rue du Nançon (maisons du XVIe), la rue des Tanneurs, la rue de la Pinterie qui relie la ville haute au château, valent la visite. Musée de peinture de la Villeon. L'église Saint-Sulpice XVe, XVIe et XVIIIe. Porte Notre-Dame percée entre 2 tours XIVe et XVe. Couvent des urbanistes XVIIIe.
Environs • 3 km N.-E., *forêt domaniale de Fougères* (1 660 ha), belles hêtraies, mégalithes ; curieux alignement de 80 blocs de quartz dit « le cordon des Druides ». • 16 km N.-E., *Pontmain,* basilique Notre-Dame (pèlerinage).

Fougères-sur-Bièvre
41 - Loir-et-Cher 18 - A 2

Le château fort de style gothique est un intéressant exemple de l'architecture militaire fin XVe (vis. ts les j. sauf mardi) ; un quadrilatère de bâtiments enferme une pittoresque cour int. avec galerie couverte. Ds l'église, en partie romane, stalles sculptées XVIe.
Environs • 9,5 km S.-O., *Pontlevoy,* anc. abbaye (on visite), chœur de l'église XIIIe-XVe, stalles et retable XVIIe ; bâtiments conventuels XVIIe.

Fréhel (cap)
22 - Côtes-du-Nord 9 - B 2

Les falaises de grès rouge dominent la mer à pic de plus de 70 m de haut ; magnifique panorama. Réserve botanique de la lande de Fréhel. Sur le flanc E., au-dessous de la falaise, énorme rocher de la Grande Fauconnière, en forme de tour penchée, où nichent les oiseaux de mer.
Environs • 4 km S.-E., *fort la Latte,* imposante construction rougeâtre sur un promontoire rocheux ; l'enceinte médiévale entoure un donjon central fin XIIe (vis. ts les j. l'été) ; en face, *pointe de Saint-Cast* (vue superbe sur la *Côte d'Emeraude*) ; station balnéaire très fréquentée, *Saint-Cast* a l'une des plus belles plages de Bretagne ; de la pointe de la Garde, panorama sur la ville et la baie ; sentier touristique ; à 12 km S., Notre-Dame-du-Guildo et ruines du château du Guildo ; curieux chaos rocheux dit « les pierres sonnantes » : les rocs rendent un son métallique quand on les frappe avec un caillou de même nature.

Fréjus
83 - Var 44 - D 2

Anc. ville romaine très florissante, Fréjus a conservé de nombreux monuments. Au centre de la ville, la cité épiscopale forme un ensemble architectural Ve-XIVe autrefois fortifié (vis. ts les j. sauf mardi), groupé autour de l'anc. cathédrale Saint-Léonce-et-Saint-Étienne gothique déb. XIIIe : la porte ext. XVIe a des vantaux de bois sculpté Renaissance ; à l'int., *retable de Sainte-Marguerite,* par J. Durandi (1450), le baptistère Ve est l'un des plus intéressants témoignages de l'art paléo-chrétien ; un escalier permet d'accéder au charmant petit cloître XIIe (musée lapidaire). La cité romaine comprend plusieurs monuments, dispersés ds la ville : le théâtre (ruines de l'hémicycle et des gradins), les vestiges de l'aqueduc, la porte d'Orée, la jetée du port et la « lanterne » d'Auguste, les arènes (vis. ts les j.), etc.
Environs • 2 km N.-E., pagode bouddhique richement décorée, en continuant la N. 7, à 8 km, nouveau quartier de la Tour de Mare, chapelle décorée par Jean Cocteau. • 4 km N., mosquée soudanaise du camp militaire de Caïs ; parc zoologique ; safari de l'Estérel. • 11 km O., Roquebrune-sur-Argens : village pittoresque dont l'église renferme 4 beaux retables XVe-XVIe ; le massif de grès rouge dit *rochers de Roquebrune* offre des vues superbes, notamment de Notre-Dame-de-la-Roquette. • 3 km E., **Saint-Raphaël***. • De Fréjus à **Cannes***, la N. 7 traverse le massif de l'*Estérel* par un très beau parcours forestier (excursion au *mont Vinaigre* 618 m).

Fresnay-sur-Sarthe
72 - Sarthe 10 - B 3

Église Notre-Dame romane XIIe (vantaux sculptés du portail Renaissance). L'anc. enceinte du château, aménagée en jardin public, est bordée par une terrasse d'où la vue sur la Sarthe est superbe. Musée des Coiffes (vis. ts les j. juil.-août ; les dim. de Pâques à oct.) ds l'une des tours du château.
Environs • Centre d'excursions ds les *« Alpes mancelles »* (voir **Alençon***).

Fréjus : ***du point culminant de la montagne de Roquebrune, la vue s'étend du golfe de Fréjus aux Alpes.***

Le parc zoologique de Fréjus est riche de près de 300 oiseaux.

Gaillac
81 - Tarn 36 - B 3
Gaillac a 2 intéressantes églises, Saint-Pierre, de style gothique méridional, et Saint-Michel, anc. abbatiale bénédictine Xe. L'hôtel Pierre de Brens déb. XVe abrite le musée du compagnonnage, viticole et folklore. Maisons à arcades et fontaine du Griffoul XVe, place Thiers.
Environs • 12 km S.-O., par *Lisle-sur-Tarn, château de Saint-Géry,* belle demeure classique XVIIIe au-dessus du *Tarn* (vis ts les j. de Pâques à la Toussaint), appartements remarquablement meublés, très original «salon à manger». • 11 km N., *Cahuzac;* à 3 km N., par Andillac, *château du Cayla :* gentilhommière rustique où vécurent Eugénie et Maurice de Guérin; petit musée guérinien (s'adr. au gardien). • 10 km S.-E., *Cadalen,* belle église XIIe-XIIIe.

Gallardon
28 - Eure-et-Loir 11 - B 2
Remarquable église XIIe, XIIIe et XVe, avec voûtes en bois peintes au XVIIIe. L'«épaule de Gallardon» est le vestige curieusement découpé d'un donjon XIIe. Maison de bois XVIe, décoration sculptée, rue Porte-Mouton, et le Petit-Louvre XVIe, rue Notre-Dame.
Environs • 5,5 km E., château d'*Esclimont* mil. XVIe (vis. ts les j. l'été), entouré d'un beau parc; à 9 km S., *Auneau,* beau donjon féodal XIIIe.

Ganagobie (prieuré de) 38 - B 3
04 - Alpes-de-Haute-Provence
A 600 m d'alt. sur un plateau dominant la *Durance,* ds un site superbe. Fondé en 980, le prieuré est aujourd'hui occupé par des bénédictins (vis. ts les j.). L'église, de style roman provençal fin XIIe, a un portail curieusement festonné, encadrant un tympan assez archaïque représentant le Christ en gloire. Mosaïques romanes dans le chœur (en restauration). Cloître et réfectoire. Une allée de chênes verts conduit à une croix d'où le panorama est de toute beauté.

Gannat
03 - Allier 25 - A 3
Église Sainte-Croix romane et gothique; curieux chapiteaux historiés. L'anc. château fin XIIe-XIVe abrite le musée des Trésors des Portes Occitanes, très bel évangéliaire IXe avec riche reliure (vis. ts les j. en saison). L'église Saint-Étienne XIe-XIIe.
Environs • Au N., *Jenzat :* église fin XIe, peintures murales XVe dites «fresques des maîtres de Jenzat»; pittoresque village de *Charroux,* vestiges de l'enceinte, porte et beffroi XVe, église romane XIIe; *Bellenaves :* église Saint-Martin XIIe, beau portail sculpté; *Chantelle :* abbaye Saint-Vincent, église XIIe et intéressant ensemble monastique.

Gap
05 - Hautes-Alpes 38 - C 1
La vieille ville est dominée par la cathédrale de style néo-gothique XIXe. Au musée, superbe mausolée du connétable de Lesdiguières XVIIe et coll. archéologiques et ethnologiques locales.
Environs • Du château de Charance, 4 km N.-O., belle vue de la région. • 15 km N., *Saint-Bonnet-en-Champsaur,* point de départ des excursions ds le *Champsaur;* par la haute vallée du *Drac,* à l'E., très chaude et sèche en été, *Orcières* (25,5 km); et à 5,5 km, Orcières-Merlette (1 850-2 650 m), station estivale et de sports d'hiver. • 19 km S.-E., par *La Bâtie-Neuve :* Notre-Dame-du-Laus, pèlerinage local, église XVIIe.

Garabit (viaduc de)
15 - Cantal 31 - A 3
A 95 m au-dessus de la Truyère, audacieux ouvrage d'art dû à Gustave Eiffel (1882-1884).
Environs • Lac du *barrage de Grandval,* sur la *Truyère;* beau point de vue au belvédère de Mallet entre *Faverolles* et *Fridefont;* de là, château d'*Alleuze* au N. (voir **Saint-Flour***.)

Garde-Adhémar (La)
26 - Drôme 37 - D 2
Vieux bourg, en partie ruiné, vestiges du château, église romane

Gaillac : ***réputée pour ses vins, cette petite cité bâtie en brique, étage ses vieilles maisons et ses églises sur les rives escarpées du Tarn.***

Garabit : ***long de 564 m, ce chef-d'œuvre de Gustave Eiffel dessine au-dessus de la gorge de la Truyère un audacieux profil métallique.***

à 2 absides opposées. A 2 km E., curieuse chapelle du Val-des-Nymphes XIe.

Gargilesse - Dampierre
36 - Indre 24 - B 2
Village pittoresque que George Sand habita et dont elle fit le cadre de plusieurs romans; sa maison rustique, dont l'int. a été reconstitué, abrite un intéressant musée de souvenirs. Église romane XIe-XIIe, enclavée ds les ruines d'un château féodal; ds la crypte, fresques XIe-XVe.
Environs • 7,5 km S., *barrage d'Éguzon,* sur la *Creuse* (en été, service de canots sur le lac); pittoresques villages d'*Éguzon,* 3 km S.-O. (ruines du château féodal), et de *Crozant,* 10,5 km S., au pied d'un promontoire portant les ruines du château de Crozant XIIe-XIIIe.

Gavarnie 41 - B 3
Voir **Luz-Saint-Sauveur*.**

Gençay
86 - Vienne 23 - C 2
Ds un site superbe, au confluent de 2 rivières, le bourg est dominé par les ruines imposantes du château XIIIe-XIVe.
Environs • Sur la rive dr. de la Clouère, Saint-Maurice-la-Clouère, intéressante église de style roman poitevin ornée de peintures murales XIVe. • A 1 km S., château de la Roche-Gençay XVIe et XVIIIe (musée de l'Ordre de Malte, vis. ts les j.).

Gérardmer
88 - Vosges 20 - D 1
Ds un site verdoyant, aux pentes couvertes de sapins, à l'extrémité E. du lac de Gérardmer, le plus vaste des Vosges (115 ha). La ville, reconstruite après la guerre de 1939-1945, est un très bon centre d'excursions et de sports d'hiver complété, à 15 km E., par la station de la Schlucht. Tour du lac; pédestre, en voiture (par la N. 417), ou en vedette (départ de l'Esplanade, durée 20 mn).
Environs • Au N.-E., par le col du Surceneux (810 m), haute vallée de la *Meurthe,* défilé de *Straiture* entre de beaux versants boisés et vallée de la Petite-Meurthe. • A l'E., par le Saut-des-Cuves, magnifique cascade au milieu d'énormes blocs de granit, lacs de *Longemer* et de Retournemer et roche du Diable (1 000 m, belvédère); la N. 417 atteint le *col de la Schlucht* (1 159 m) et descend ensuite, par une série de virages, sur le versant alsacien en direction de **Colmar***; au *col de la Schlucht,* on peut prendre la route des **Crêtes***, admirable itinéraire touristique.

GARDON (gorges du)
30 - Gard 37 - C 3
De *Dions* à *Collias,* le *Gardon* coule, sur une longueur de 22 km, entre des parois abruptes, trouées de nombreuses grottes (vestiges préhistoriques). A *Dions,* château de Buissières; buis magnifiques; à 500 m S.-E., superbe spélunque de Dions, ou aven des Espéluques, vaste abîme ovale de plus de 400 m de tour et 70 de profondeur; nombreuses grottes (vis. guidées); anc. oppidum de Marbacum. La région de *Collias* possède aussi de nombreuses grottes, notamment la grotte Bayol où un sanctuaire préhistorique aurait été découvert; il est décoré de peintures d'animaux.

GAVRINIS (île de)
56 - Morbihan 16 - A 2
On y accède par bateau (1 km) de *Larmor-Baden* (voir **Vannes*** et **Morbihan***, golfe du). Son fameux tumulus, haut de 8 m et mesurant 100 m de tour, est formé de pierres amoncelées sur une butte; c'est le monument mégalithique le plus énigmatique du monde. La galerie conduisant à la chambre funéraire est couverte d'enroulements de spirales gravés en cercles concentriques, de figures, signes divers, etc. L'ensemble est daté de 2000 av. J.-C. env. L'îlot Er Lannic possède un double cromlech en forme de 8.

GERBIER-DE-JONC (mont)
07 - Ardèche 37 - C 1
C'est au pied d'un curieux roc en pain de sucre (1 551 m) que naît la *Loire.* Un sentier permet l'ascension (3/4 h); du sommet, impressionnant panorama.

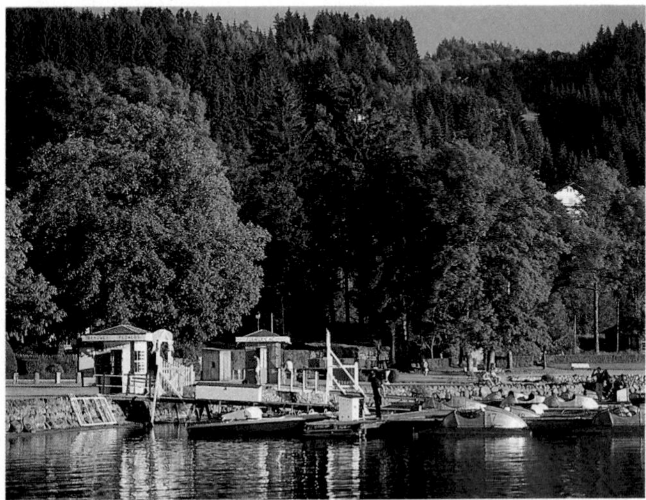

Gérardmer : ***dans un cadre magnifique de montagnes, le plus grand lac des Vosges (2,200 km de long sur 750 m de large, 6 km de tour).***

Germigny-des-Prés
45 - Loiret 18 - C 1
Célèbre église carolingienne (s'adr. au presbytère) bâtie en 806, sauf la nef XIe, très restaurée au XIXe. A l'int., il ne reste de la mosaïque de l'abside IXe, qu'un seul fragment : l'Arche d'alliance entourée de 4 anges, composé de 130 000 petits cubes polychromes.
Environs • 8 km S.-E., abbaye de **Saint-Benoît-sur-Loire***. • 4 km N.-O., *Châteauneuf-sur-Loire;* le musée de la Marine de Loire et du Vieux Châteauneuf et la mairie occupent l'anc. château XVIIe;

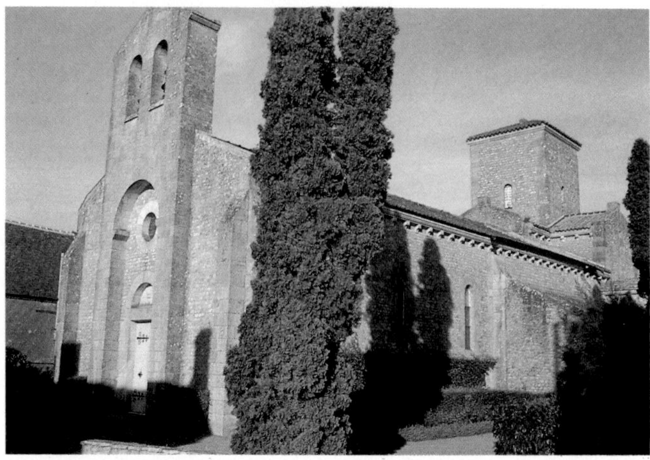

Germigny : *d'origine carolingienne, l'église a subi des transformations, mais reste l'un des plus vénérables sanctuaires de France.*

ds le parc (40 ha), magnifiques rhododendrons; l'église XIIe-XIIIe et XVIe abrite le mausolée monumental, d'inspiration baroque théâtrale, de Louis Phélypeaux de la Vrillière († 1681); à 8 km O., *Jargeau,* sur la rive g. de la Loire (plage); l'église, anc. collégiale, entourée par les places du Grand-Cloître et du Petit-Cloître, a une nef carolingienne refaite au XIIe et un chœur gothique XVIe; les 18 et 19 octobre, pittoresque «foire aux chats» (châtaignes).

Gex
01 - Ain 26 - C 2
Lieu de séjour et centre d'excursions. Sports d'été et d'hiver. Zone franche.
Environs • Au N., *col de la Faucille* (voir **Bellegarde*** et **Morez***). • 8 km N.-E., *Divonne-les-Bains,* station thermale réputée, beau parc de loisirs de 30 ha. • 9 km S.-E., *Ferney-Voltaire,* château où vécut Voltaire de 1760 à 1778; chambre et souvenirs de l'écrivain (vis. les sam. en juillet et août).

Gien
45 - Loiret 18 - D 2
Sur la rive dr. de la Loire dont le quartier riverain, détruit en 1940, a été reconstruit ds le style régional. Le château fin XVe abrite le Musée international de la chasse à tir (vis. ts les j.); ds la grande salle, superbe charpente en bois.
Environs • 12 km N.-E., château de **La Bussière***. • 10 km S.-E., sur la Loire, pont-canal de *Briare.*

Gimel
19 - Corrèze 30 - B 2
L'église abrite un riche trésor (s'adr. au presbytère, exposition l'été) comportant notamment la splendide châsse de saint Étienne fin XIIe, ornée d'émaux limousins, le buste-reliquaire de saint Dumine, en argent doré XIVe, et plusieurs autres objets précieux.
Environs • Voir les célèbres *cascades :* le Grand Saut (chute de 45 m), la Redole et la Queue de Cheval, qui plonge de 60 m ds le gouffre de l'Inferno. • 1,5 km N.-E., étang de Ruffaud, ds un charmant cadre boisé, baignade.

Gisors
27 - Eure 5 - B 3
Le château fort, dont les imposantes ruines couvrent 3 ha, est un remarquable exemple d'architecture militaire des XIe-XIIe; il en reste le donjon et l'enceinte flanquée de tours, l'int. a été transformé en jardin public (accès libre, pour visiter le donjon s'adr. au gardien ts les j. sauf mardi). Tour de l'enceinte par la promenade du château. L'église Saint-Gervais et Saint-Protais XIIIe-XVIe a une façade Renaissance très ouvragée mil. XVIe, encadrée de 2 tours; sur le flanc g. le portail N. est de style flamboyant; l'int. mélange le flamboyant et le Renaissance (vitraux XVIe); chœur mil. XIIIe; élégante tourelle d'escalier Renais-

Gien : *vu de la rive gauche de la Loire, le quai, bordé de maisons de style régional; en arrière-plan, le château et l'église Sainte-Jeanne-d'Arc qui n'a gardé, de l'époque d'Anne de Beaujeu, que sa tour.*

sance ds la chapelle des fonts. *Environs* • 4 km E., *Trie-Château,* église XIIe, XIIIe et XVIe avec élégante façade romane, l'hôtel de ville occupe l'anc. auditoire de justice (fenêtres romanes), château XVIIe (on ne vis. pas).

Givet
08 - Ardennes 6 - D 1
Ville frontière dominée par le fort de Charlemont XVIe. Anc. place forte, le Grand-Givet, sur la rive g. de la *Meuse*, a une église bâtie par Vauban avec un clocher original qui excita la verve de Victor Hugo. Au Petit-Givet voir l'église Notre-Dame déb. XVIIIe (belles boiseries); tour Grégoire XIe (panorama) et mont d'Haurs.
Environs • 3 km S.-E., *grotte de Nichet* (vis. ts les j. l'été). • 7 km S., *Centrale nucléaire* franco-belge des Ardennes, à Chooz (vis. en groupe sur r.-v.).

Gordes
84 - Vaucluse 38 - A 3
Bourg pittoresque dont les maisons s'étagent sur un rocher dominé par l'église et par le château, mi-gothique mi-Renaissance, où est installé depuis 1970 le musée Vasarely (ouv. ts les j. sauf mardi) et qui présente, à travers plus de 1 500 œuvres, l'évolution du peintre, l'un des principaux représentants de l'art cinétique.
Environs • Ds la campagne, nombreuses bories, curieuses constructions de pierres sèches. • 4 km N.-O., abbaye de **Sénanque***.

Gisors : ***l'important château, et son donjon octogonal, flanqué d'une tourelle d'escalier, évoquent le passé guerrier de la cité.***

Gorze
57 - Moselle 13 - B 1
Vieux bourg. L'église, anc. abbatiale est romane à l'ext.; à l'int., nef gothique fin XIIe déb. XIIIe; au tympan de la petite porte, à côté du croisillon N., curieuse figuration du Jugement dernier fin XIIe; porche latéral N. sculpté; ds le chœur, belles boiseries XVIIIe. Palais abbatial fin XVIIe de style baroque (hospice). Remarquable cour.
Environs • Au N. et N.-O., *Gravelotte* et *Mars-la-Tour* ont 2 petits musées consacrés à la guerre de 1870.

Goulaine (château de)
44 - Loire-Atlantique 16 - C 3
Belle construction, fin XVe et Renaissance, élégamment ouvragée. Appartements XVIIe remarquablement meublés (vis. ts les j. l'été sauf mardi). Les marais de Goulaine (1 600 ha) sont pittoresques.

Gourdon
46 - Lot 36 - A 1
Le vieux Gourdon occupe une colline ronde entourée d'un « tour de ville » circulaire (restes de remparts). Il est dominé par l'église Saint-Pierre XIVe-XVe fortifiée; à l'int. boiseries XVIIe, vitraux XIVe. Maisons anc. intéressantes rue de l'Hôtel-de-Ville et rue Bertrand-de-Gourdon. Au sommet de la colline, table d'orientation.
Environs • 2 km N.-O., *grottes de Cougnac* (vis. ts les j. l'été),

Gordes : ***accrochée au flanc d'une colline abrupte, cette vieille ville provençale étage ses maisons autour de l'église et du château Renaissance bâti sur l'emplacement d'une forteresse XIIIe-XIVe.***

remarquables concrétions, peintures préhistoriques rouges et noires.

Grand
88 - Vosges 13 - A 3
De l'antique Granum, ville romaine, ont été conservés les vestiges d'un amphithéâtre de 20 000 places, d'un temple d'Apollon, d'une basilique, de l'enceinte, etc. Le musée abrite les sculptures et objets découverts au cours des fouilles, et une superbe mosaïque de 194 m² représentant un berger entouré d'animaux (vis. ts les j.). Ds l'église XVe, châsse de saint Libaire et ds le cimetière, chapelle du saint XVe.

Grand-Brassac
24 - Dordogne 29 - C 2
Curieuse église fortifiée à 3 coupoles déb. XIIIe. Au-dessus du portail N., remarquable bas-relief XIVe représentant le Christ, la Vierge et des saints.

Grande-Chartreuse
(monastère de la)
38 - Isère 32 - B 2
Au centre d'un des plus beaux massifs forestiers de France, célèbre monastère (1084) de saint Bruno (on ne vis. pas). La route d'accès est interdite aux voitures. Parking prévu devant le musée de la Correrie, consacré à l'Ordre des Chartreux et retraçant la vie des moines (ouv. des Rameaux à la Toussaint).
Environs • De très belles routes permettent d'atteindre la Grande-Chartreuse de **Chambéry*** ou de **Grenoble***. De Chambéry par *Les Échelles* et, à *Saint-Laurent-du-Pont,* la route qui suit les gorges du Guiers-Mort, très boisées et dominées par d'impressionnants escarpements, dite aussi « route du désert ». • De Chambéry par le *col du Granier, Saint-Pierre-d'Entremont, Saint-Pierre-de-Chartreuse* et, à l'O., la route de la Correrie. • De Grenoble par le fort Saint-Eynard, *Sappey-en-Chartreuse,* le *col de Porte* (excursion recommandée au N.-N.-O. au *Charmant-Som,* 1 865 m) et *Saint-Pierre-de-Chartreuse.* • De Grenoble au N.-O., par *Saint-Égrève, Proveysieux* et la vallée du Ténaison; après le col de la Charmette, la route, souvent taillée à même le rocher, domine le bassin de la Petite-Vache, passe non loin de l'anc. Chartreuse de Curière et atteint *Saint-Laurent-du-Pont.*

GRAMAT (causse de)
46 - Lot 36 - A 1 - 36 - B 1
Vaste plateau calcaire, le plus important des causses du Quercy, entre la vallée de la *Dordogne* au N. et celle du *Lot* au S. Il est traversé par 2 superbes canyons, au N. le canyon de l'Ouysse et de l'Alzou, au S. le canyon du Célé. Entre ces larges et pittoresques entailles s'étend la Braunhie (prononcer Brogne), creusée de grottes et de gouffres. Ceux de Bède, des Besaces, des Vitarelles, la Grotte Peureuse, l'abîme de la Crousate, etc., sont particulièrement pittoresques. *A Gramat :* école de dressage de chiens de la Gendarmerie nationale (démonstrations et visites du chenil l'été, le jeudi). Voir aussi **Labastide-Murat*, Rocamadour*** et les grottes de Lacave, château de **La Treyne*, Souillac*, Cahors*.**

Grand-Bornand (Le)
74 - Haute-Savoie 32 - C 1
Station estivale et de sports d'hiver (950 m). Fromages « Reblochon ». Prairies et forêts avec abondante flore alpestre.
Environs • Centre de ski au Chinaillon, village typiquement savoyard. • Par le *col de la Colombière* et la vallée du Reposoir, *Le Reposoir;* chartreuse fondée au XIIe, couvent de carmélites; vis. du cloître XVIIe et de la chapelle (portail XVe).

Grande-Motte (La)
34 - Hérault 43 - B 1
Principale unité résidentielle, touristique et vacancière du plan d'aménagement du littoral Languedoc-Roussillon. Elle se compose de plusieurs immeubles collectifs en pyramide, d'hôtels, villas, villages de vacances, camping-caravaning. Important port de plaisance (21 ha).
Environs • Un autre port a été aménagé à *Carnon-Plage.* • A proximité, étang du Ponant et *étang de Mauguio.* • Une belle route côtière relie *Palavas* au *Grau-du-Roi.*

Grand-Pressigny (château du)
37 - Indre-et-Loire 23 - D 1
Le bourg, étagé ds la vallée de la *Claise,* est dominé par les vestiges d'un château fort défendu par un donjon carré XIIe, haut de 35 m, et une enceinte XIVe; le logis seigneurial, ou château neuf, Renaissance, abrite le musée de la Préhistoire; ses coll. de silex taillés et polis comptent parmi les plus riches du monde (vis. ts les j.).
Environs • 7 km S.-O., *château de la Guerche* XVe, flanqué de tours à mâchicoulis (vis. ts les j.); il comporte 2 étages de sous-sols, des greniers souterrains et, au-dessous, des casemates.

Grands Cols (route des)
Voir **Saint-Michel-de-Maurienne* Bourg-d'Oisans*** et **Lautaret*.**

Granville
50 - Manche 9 - C 1
La haute ville, ceinturée de remparts déb. XVIIIe, occupe un promontoire rocheux escarpé qui domine la mer. Ses vieilles rues sont bordées de maisons de granit XVIIIe. Le tour des remparts offre des vues superbes. Église Notre-Dame, en granit, XVe-XVIIe. Porte des Morts (1715). Le musée du Vieux-Granville est installé ds le logis du Roi attenant à la Grande-Porte. L'extrémité O. du roc de Granville offre

La Grande-Chartreuse : ***tapi dans un site d'une beauté austère, le « désert », le couvent allonge ses vastes bâtiments aux toits d'ardoise, refuge pour la solitude et la prière.***

un superbe panorama; aquarium marin.
Environs • 3 km N.-E., *Donville-les-Bains,* vaste plage de sable. • 10 km N.-N.-E. près de *Bréhal,* château de *Chanteloup,* Renaissance, bâti dans l'enceinte polygonale d'un anc. château fort au milieu d'un étang (on ne vis. pas). • Au S. plages de *Saint-Pair-sur-Mer* (église intéressante), *Jullouville, Carolles-Plage* (pointe de Carolles, haute de 74 m). • 12 km S.-E., *abbaye de la Lucerne,* fondée au XIIe, ruines de l'abbatiale XIIe, cloître et bâtiments XVIIIe (vis. ts les j.). • A 16 km en mer : îles **Chausey** *.

Grasse
06 - Alpes-Maritimes 45 - A 1
La vieille ville aux rues étroites et tortueuses, souvent coupées d'escaliers, étagée sur une butte, n'a guère changé depuis le XVIIIe. L'anc. cathédrale Notre-Dame, de style gothique provençal déb. XIIIe possède plusieurs tableaux importants : le retable de Saint-Honorat de l'École niçoise du XVe, *le Lavement des pieds,* l'une des rares toiles religieuses de Fragonard, et 2 Rubens. Sur la place aux Aires, entourée de maisons XVIIIe à arcades, marché en plein air coloré. La Villa Fragonard (vis. ts les j. sauf lundi) regroupe des œuvres du peintre, de la famille et d'artistes grassois. Dans l'hôtel XVIIIe de la marquise

La Grande-Motte : ***ces étranges constructions pyramidales dont le reflet se mêle à celui des bateaux de plaisance font partie de la nouvelle unité touristique du Languedoc.***

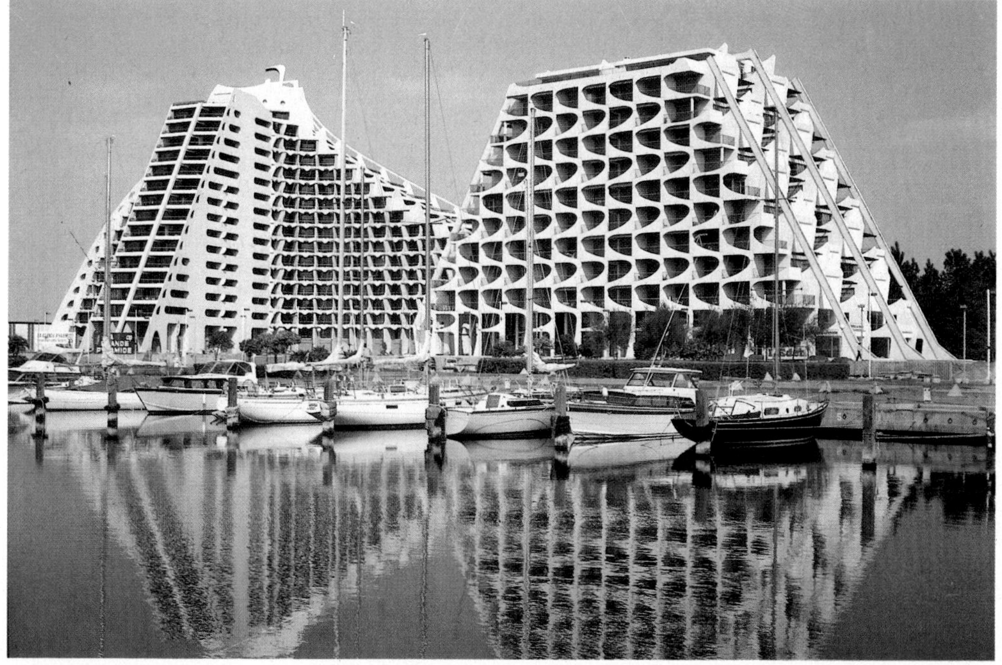

de Cabris, musée d'art et d'histoire de Provence (archéologie, folklore, etc.). Musée de la Marine. Usines de parfums (on vis.). *Environs* • 18 km O., par *Cabris,* grottes de Saint-Cézaire (vis. ts les j. d'avril à oct.) : les concrétions contrastent avec la couleur rougeâtre de la roche. • 14 km N.-E., *Gourdon :* village très pittoresque en nid d'aigle au-dessus du *Loup* (vue magnifique); au château XIIe-XIVe, musée d'art médiéval; *gorges du Loup.* • 9 km S.-E., *Mougins,* charmant village provençal au sommet d'une colline isolée, entouré de vestiges d'enceinte.

Grasse : ***célèbre par ses parfums et ses fleurs, la vieille ville, où l'animation des marchés contraste avec le calme des rues, n'a pas changé depuis le XVIIIe s.***

Gravelines
59 - Nord 1 - C 2
Anc. place forte, remparts XVIe et XVIIe. Église Saint-Willibrod, de style flamboyant avec portail Renaissance; à l'int. remarquables boiseries XVIIe (confessionnaux, buffet d'orgues, etc.).
Environs • 2 km N.-O., à l'embouchure de l'Aa, *Petit-Fort-Philippe,* bourg de pêcheurs, vues pittoresques sur le canal et sur *Grand-Fort-Philippe;* culture intensive de chicorée ds l'arrière-pays.

Grenoble
38 - Isère 32 - B 3
La capitale du Dauphiné a connu, depuis 1945, des transformations considérables, notamment grâce aux jeux Olympiques de 1968. On aura une belle vue de la ville et de la région en montant par téléférique au fort de la Bastille (table d'orientation); descente à pied par le parc Guy-Pape et le jardin des Dauphins.
• La vieille ville se groupe entre l'église Saint-André, la place de l'Étoile et la place Notre-Dame; rue J.-J.-Rousseau (n° 14, maison natale de Stendhal, n° 17, hôtel Renaissance du conseiller Rabot), rue des Clercs (n° 20, très belle maison du Dr Gagnon, grand-père de Stendhal, cour avec loggias XVIe). A Saint-André XIIIe, mausolée de Bayard (v. 1625). Le palais de justice est un imposant monument composite dont les parties les plus anc. sont fin XVe (porte d'entrée et chapelle); à l'int. somptueuses boiseries, plafonds sculptés et peints (vis. ts les j. le matin, s'adr. au concierge). Cathédrale Notre-Dame XIIe et XIIIe; à g. de l'entrée, vaste chapelle des Sept-Douleurs, voûtée d'ogives et peinte. Le quartier Saint-Laurent, sur la rive dr. de l'Isère, est riche en maisons anc., principalement la rue Saint-Laurent. Voir l'église Saint-Laurent XIe : la crypte Saint-Oyend fin VIe est l'un des plus anc. monuments chrétiens de France (s'adr. au presbytère). Couvent Sainte-Marie-d'En-Haut (musée dauphinois); ds les bâtiments XVIIe, chapelle baroque décorée en trompe-l'œil.
• Musées : 1. Musée des Beaux-Arts, l'un des plus riches de France en art moderne (Matisse, Rouault, Vuillard, Marquet, Bonnard, Picasso, Braque, Delaunay, Miro, Magnelli, Max Ernst, Soutine, Hartung, Soulages, Poliakoff, Gilioli, Dubuffet, etc.); les salles de peinture anc. sont également remarquables (Zurbaran, Véronèse, P. Brueghel, Guardi, Canaletto, Rubens, Q. de La Tour, Ph. de Champaigne, Delacroix, Courbet, Fantin-Latour, etc.); important cabinet de dessins, principalement des XIXe et XXe (vis. ts les j. apr.-m. sauf mardi). 2. Musée dauphinois, ds l'anc. couvent de Sainte-Marie-d'En-Haut; coll. archéologiques, historiques et ethnographiques (ts les j. sauf mardi). Centre d'archéologie historique. 3. Musée Stendhal (visite tous les jours sauf lundi). 4. Muséum d'histoire naturelle : faune alpine, très riche coll. d'oiseaux. • Parc Paul-Mistral, tour d'orientation en ciment armé, de 87 m (1925). Pour les amateurs d'art et d'architecture contemporains, maison de la Culture (1968) : 3 salles de spectacles superposées, dont une tournante avec plateau de scène rotatif (tapisseries de Le Corbusier, sculptures de Marta Pan et Lardera). Hôtel de ville 1967 (tapisseries de Manessier et Ubac, sculpture de Hadju). Palais des Sports (12 000 places); anneau de vitesse décoré par Vasarely. Grenoble est la seule ville de France à présenter des œuvres monumentales de sculpture contemporaine ds les rues, notamment un stabile de Calder devant la gare.
Environs • Le massif de la *Chartreuse* (**Grande-Chartreuse***, **Chambéry***). • Le *Vercors,* par *Sassenage* (grottes, cascades, restaurants champêtres) ou par *Saint-Nizier,* **Villard-de-Lans*** et **La Chapelle-en-Vercors***. • La **route des Grands Cols*** par **Vizille*** et *Rochetaillée.* • L'Oisans par **Bourg-d'Oisans***.

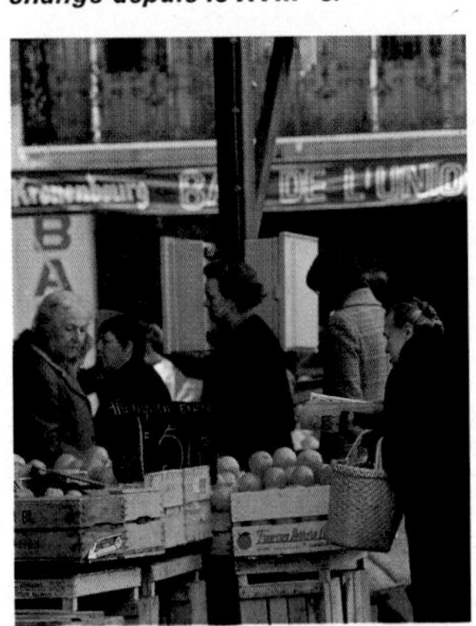

Gréville-Hague
50 - Manche 3 - C 2
Église rustique XIIe-XVIe, souvent peinte par J.-F. Millet (né au hameau de Gruchy); à l'int. belle Vierge gothique fin XIIIe.
Environs • 6 km N.-O., *Omonville-la-Rogue,* pittoresque village de pêcheurs; église XIIIe; pointe de Jardeheu (sémaphore); à 6 km O., Port-Racine, le plus petit port de France, ds l'anse Saint-Martin.

Grignan
26 - Drôme 37 - D 2
Sur une butte isolée dominant le village, le château, qui évoque le

Grenoble : *ancien palais des Dauphins, puis du Parlement, le palais de justice mêle ses bâtiments Renaissance à des parties encore gothiques.*

souvenir de Mme de Sévigné, est l'un des plus beaux de Provence (vis. ts les j. de Pâques au 30 sept.) : la façade Renaissance tournée vers le *Ventoux* est particulièrement élégante; la façade O., également XVIe, borde la cour d'honneur et domine la terrasse; la chambre de Mme de Sévigné et les appartements d'apparat sont décorés et meublés ds le style XVIIe. Ds le bourg, église Saint-Sauveur XVIe : boiseries et buffet d'orgue XVIIe, tombeau de Mme de Sévigné. Le musée, installé ds une maison XVIIe, comporte des souvenirs et portraits des Grignan et de Mme de Sévigné : mobilier XVIIe et XIXe, tapisseries et faïences.

Groix (île de)
Voir **Lorient***. 15 - C 1

Gros-Bois (château de)
94 - Val-de-Marne 11 - C 2
Construit au XVIe, rebâti au XVIIe (vis. tous les dimanches après-midi). Les somptueux appartements du maréchal Berthier constituent un remarquable ensemble de décoration et de mobilier Empire; peintures et sculptures XVIIIe et déb. XIXe; seule, la salle à manger a conservé son décor Louis XIII, cheminée de pierre, plafond peint et fresques d'Abraham Bosse; galerie des batailles de l'Empire.

Grottes préhistoriques de Dordogne
Voir **Eyzies-de-Tayac* (Les), Lascaux*, Rouffignac*.**

Gruissan
11 - Aude 42 - D 2
Vieux village pittoresque sur une presqu'île, au milieu des lagunes; il est dominé par une tour sarrasine dite tour Barberousse.
Environs • 2 km S.-E., *Gruissan-Plage,* curieuse agglomération de cabanons sur pilotis; à proximité, unité résidentielle de vacances, construite ds le cadre de l'aménagement du littoral Languedoc-Roussillon. • 1,5 km N., *chapelle des Auzils* ds un site superbe planté de pins au-dessus de la mer; cimetière marin. • La *montagne de la Clape,* aride massif calcaire d'une impressionnante beauté sauvage entre **Narbonne*** et la mer, culmine au Coffre de Pech-Redon (214 m); à 3,5 km de *Narbonne-Plage, Saint-Pierre-sur-Mer* et gouffre de l'Œil-Doux.

Guebwiller
68 - Haut-Rhin 21 - A 1
3 églises remarquables : Saint-Léger, fin XIIe, romane à l'ext. (belle façade), l'int. appartient aux débuts du gothique rhénan. L'église des Dominicains XIVe-XVe, dans la nef (concert l'été) fresques XIVe-XVe; jubé décoré de peintures; ds le chœur, musée du Florival (histoire et archéologie locales). Notre-Dame mil. XVIIIe en grès rouge; la décoration du chœur forme un bel ensemble de style Louis XV.
Environs • 5,5 km O., *Mürbach,* l'abbatiale fin XIIe, en grès rouge, est, quoique en partie ruinée, l'un des monuments les plus majestueux de l'Alsace romane. • 5 km N.-O., *Lautenbach,* anc. abbatiale fin XIe avec abside carrée XVe, remaniée aux XVIIIe et XIXe, remarquable porche roman et gothique; par la vallée de la *Lauch,* dite « le Florival », on arrive au *lac de la Lauch* (belles vues), et on rejoint, au *Markstein,* la route des **Crêtes*** qui, à 7 km du *Markstein,* conduit au *Grand Ballon,* point culminant des Vosges (1 424 m, table d'orientation, magnifique panorama, médiocre monument aux Diables Bleus); le lac du Ballon est situé ds un impressionnant site boisé typiquement vosgien.

Guéméné-sur-Scorff
56 - Morbihan 8 - D 3
Le centre du bourg est occupé par une place longue et étroite, en pente, dite rue Bisson, bordée de maisons en granit XVIe, XVIIe et XVIIIe. Église Notre-Dame-de-la-Fosse XVIIe.
Environs • 2 km N.-O., chapelle de Crénénan XVIIe, entourée de curieux abris en pierres sèches; à l'int., charpente lambrissée décorée de peintures XVIIe et sablières XVIIe sculptée de monstres; à 5 km N.-O., *Ploërdut :* église en partie romane XIe-XIIe; ossuaire.

Gué-Péan (château du)
41 - Loir-et-Cher 18 - A 3
L'un des châteaux de la Loire les plus raffinés et les moins connus (vis. ts les jours et chambres d'hôtes). Anc. pavillon de chasse, ce quadrilatère flanqué de 4 tours XIVe-XVe, dont un donjon, comporte des bâtiments Renaissance et XVIIe. A l'int., remarquablement décoré et meublé (tapisseries et nombreux tableaux de maîtres), musée des Archives de France. Les communs abritent un club hippique (promenades équestres en forêt).
Environs • 9 km S.-E., *Saint-Aignan;* le château Renaissance (vis. ext. seulement) voisine avec les ruines d'une forteresse féodale; collégiale romane et gothique; la crypte renferme de curieuses peintures murales XIIe, XIIIe et XIVe.

Guérande
44 - Loire-Atlantique 16 - A 2
Entourée de remparts XVe, flanquée de 8 tours et de 4 portes fortifiées, la ville, qui domine la région des marais salants, a gardé son aspect du Moyen Age. Une promenade circulaire longe l'enceinte à l'ext. La porte Saint-Michel, ou « château », abrite le musée (meubles, faïences et costumes régionaux). Église Saint-Aubin XIIe-XIIIe et XVe. Nombreuses maisons XVe, XVIe et XVIIIe.
Environs • 4,5 km S., Saillé, d'où la D. 92 N.-O. permet de traverser les marais salants jusqu'à *La Turballe* (voir **La Baule***). • 12 km N.-O., *Piriac-sur-Mer* et *pointe du Castelli,* vaste panorama. • 5,5 km S.-E., *château de Careil,* anc. forteresse XIVe transformée sous la Renaissance en un élégant logis seigneurial (vis. ts les j. d'avril à fin sept.); beaux appartements, mobilier XVe, XVIe et XVIIIe, coll. de porcelaine du Croisic XVIIe.

Guimiliau : *à travers plus de 200 personnages aux attitudes très expressives, nous sont racontés les principaux épisodes de la Passion.*

Guerche-de-Bretagne (La)
35 - Ille-et-Vilaine 16 - D 1
Le vieux quartier possède plusieurs maisons XVe-XVIe sur piliers. Église XVe-XVIe; à l'int. vitraux et verrière XVIe, stalles Renaissance sculptées.
Environs • 11 km O., la *Roche aux Fées* composée de 41 blocs de schiste pourpré formant une galerie de 22 m, l'une des plus belles allées couvertes de France.

Guéret
23 - Creuse 24 - B 3
Le musée (vis. ts les j. sauf mardi) possède de remarquables coll. d'émaux limousins et de pièces d'orfèvrerie médiévale, une importante coll. de céramiques (faïences de Nevers, Moustiers, Rouen, Strasbourg, Delft, majoliques italiennes et porcelaines ming), tapisseries XVIe, XVIIe et XVIIIe; peintures, dessins, sculptures; armes; archéologie locale. (Bel hôtel des Moneyroux XVe-XVIe).
Environs • Au S., forêt de Chabrières (sentiers balisés). • 12 km N.-O., *Saint-Vaury,* dominé par les Trois-Cornes (636 m), anc. puy d'où la vue est fort belle; à 4 km N., Roche, panorama sur les monts de la Marche, du Limousin et d'Auvergne. • 20 km S.-E., Le **Moutier-d'Ahun***.

Guermantes (château de)
77 - Seine-et-Marne 11 - D 2
Superbe construction de style Louis XIII, en brique et pierre, agrandie et embellie au XVIIIe; le château a conservé son admirable décoration int., notamment la somptueuse galerie d'apparat longue de 32 m, pourvue de 18 grandes fenêtres, dite «la Belle Inutile» (vis. du 15 mars au 15 nov. les sam., dim. et fêtes apr.-m.).

Guimiliau
29 N - Finistère 8 - C 2
Le plus beau calvaire de Bretagne, fin XVIe, orné de 200 statues représentant en 25 scènes pleines de mouvement la Vie du Christ; certains personnages sont en costume du temps. La grande croix porte 4 statues, la Vierge et des saints, groupées 2 à 2. L'enclos paroissial comprend également une chapelle funéraire et l'église XVIIe, un remarquable porche Renaissance déb. XVIIe, orné de statues; à l'int., baptistère en chêne sculpté XVIIe.
Environs • 3,5 km O., *Lampaul-Guimiliau :* enclos paroissial, église de style flamboyant avec tour clocher fin XVIe, porche mil. XVIe orné de statues des Apôtres et de la Vierge; à l'int., retables de bois sculpté XVIIe et boiseries; chapelle ossuaire et calvaire XVIIe; à 4 km N.-O., *Landivisiau,* église moderne de style gothique avec porche mil. XVIe et tour clocher de 1590; fontaine Saint-Thivisiau XVe; à 5 km N.-O., *Bodilis,* église avec porche sculpté Renaissance; à l'int., sablières et poutres sculptées, retables, etc.

Guingamp
22 - Côtes-du-Nord 8 - D 2
La ville s'est développée autour d'un noyau féodal dont il reste les ruines du château XVe et une partie des remparts. Notre-Dame-de-Bon-Secours, gothique et Renaissance, abrite une Vierge noire vénérée (pardon le sam. avant le 1er dim. de juillet); sur la façade O., encadrée de 2 tours, riche portail XVIe. Place du Centre, maisons anc. et fontaine Renaissance dite la Plomée.
Environs • 1 km S., anc. abbaye de Sainte-Croix, ruines de l'église XIIe, manoir abbatial XVIe (on vis.). • 3 km O., Grâces, église Notre-Dame XVIe-XVIIe; à l'int., magnifiques sablières sculptées de scènes caricaturales. • 11,5 km S., *Bourbriac,* église romane, gothique et Renaissance, crypte XIe, tombeau et sarcophage de saint Briac; à 7 km E., chapelle d'Avogour, ds un joli site. • 11 km E., *Châtelaudren,* chapelle Notre-Dame-du-Tertre XIVe, XVe, XVIe; chœur décoré de 96 panneaux peints sur bois XVe (pardon le 15 août).

Guise (château de)
02 - Aisne 6 - B 2
C'est la seule forteresse militaire en France qui ait conservé, sur des niveaux successifs, des constructions de l'époque féodale XIe à la Renaissance (vis. ts les j.); galeries souterraines. Église XVe.
Environs • Excursions recommandées ds la vallée de l'*Oise* au S.-O. : *Origny-Sainte-Benoîte, Ribemont* (chapelle Saint-Germain XVIIe), etc.

Gy-l'Évêque
89 - Yonne 19 - A 2
Les ruines de l'église XIIIe-XIVe sont dominées par un robuste clocher XIIe; après sa restauration, elle abritera l'admirable *Christ aux orties* du XVIe, en bois, conservé ds une chapelle provisoire, 9, rue Saint-Nicolas (on vis.).

Haguenau
67 - Bas-Rhin 14 - B 2
Anc. ville fortifiée. 2 églises valent la visite : Saint-Georges XIIe-XIIIe (3 nefs romanes couvertes de voûtes gothiques); Saint-Nicolas XIVe et XVe renferme une Mise au tombeau déb. XVe, un « Christ au pressoir » XIVe et d'élégantes boiseries rococo XVIIIe. Musée historique (préhistoire), musée alsacien (arts populaires). Maisons anc. Porte de Wissembourg, déb. XIVe.
Environs • La *forêt de Haguenau* (13 700 ha) offre d'intéressantes promenades (chênes séculaires).

Hambye : ***dans un cadre verdoyant, les ruines de l'abbaye bénédictine; on voit ici l'église romane et une partie des bâtiments conventuels.***

Hambye (abbaye de)
50 - Manche 9 - D 1
Les ruines de l'abbaye bénédictine, fondée au mil. du XIIe, comportent une remarquable abbatiale romane XIIe-XIIIe austère et dépouillée; voir la sacristie, la salle capitulaire chef-d'œuvre du gothique normand, la salle des Morts (peintures murales), le chauffoir, la cuisine, le dortoir des moines (tapisseries XVIIe, mobilier XVIe-XVIIe), etc. (vis. ts les j. sauf mardi).

HAGUE (cap de La)
50 - Manche 3 - C 2
Pointe basse et sablonneuse, environnée d'écueils, qui forme l'extrémité de la presqu'île de La Hague (sémaphore).
Environs •1,5 km O., petit port de Goury; sur l'écueil du Gros du Raz, phare de 50 m de haut, • A *Auderville,* au S., la « route de la Corniche », escarpée, contourne la *baie d'Ecalgrain;* sémaphore des Hautes-Falaises, sur un promontoire de 100 m d'alt., creusé de nombreuses grottes (beau panorama); pointe rocheuse dite **nez de Jobourg*** aux pittoresques escarpements à pic; de Dannery, on rejoint la D. 901 qui longe l'*usine atomique* et aboutit à *Beaumont-Hague;* au S.-O., ds un paysage sauvage, *Vauville,* église rustique, manoir Renaissance.

La pittoresque pointe rocheuse, le nez de Jobourg, dresse au-dessus de la mer ses escarpements sauvages où nichent d'innombrables oiseaux de mer.

Haroué
54 - Meurthe-et-Moselle 13 - C 3
Magnifique château déb. XVIIIe des princes de Beauvon-Craon, chef-d'œuvre de l'architecture classique en Lorraine (vis ts les j. d'avril à nov.). Ds les somptueux appartements, très riches coll. de meubles, tableaux, tapisseries. Beaux jardins. Curieux châtelet fortifié.
Environs • 8,5 km O., *Vézelise,* halles en charpente fin XVIe et belle église XVe-XVIe, renfermant plusieurs œuvres d'art; maisons anc.

Hartmannswillerkopf (Vieil-Armand)
68 - Haut-Rhin 21 - A 1
L'un des hauts lieux de l'Alsace, théâtre de violents combats en 1914-1915. Le Monument national est aussi sobre que grandiose; l'autel de la Patrie s'élève au-dessus d'une crypte dont la porte est encadrée par 2 *Victoires,* de Bourdelle. Ossuaire flanqué de 3 chapelles; ds la chapelle catholique, *Vierge à l'Enfant,* par Bourdelle. Cimetière militaire de 1 260 tombes. Un sentier conduit, en 20 mn, au sommet (956 m), panorama sur la plaine d'Alsace, la Forêt-Noire, les Vosges.

Hasparren
64 - Pyrénées-Atlantiques 40 - C 1
Petite cité basque. Au S., la route impériale des Cimes (D. 22) ondule à travers les pittoresques paysages boisés séparant les vallées de l'Ourhandia et de la *Nive.*
Environs • 11 km S.-E. par *Isturits, grottes* d'Oxocelhaya et d'Isturits (vis. ts les j. de mars à déc.) : la première abrite une immense salle de 20 m de large et 15 m de haut où l'on peut voir plusieurs gravures pariétales préhistoriques; la seconde présente des concrétions polychromes aux aspects curieux; à l'ext., petit musée des fouilles. • 8,5 km N.-E., *Labastide-Clairence,* église gothique remaniée aux XVIIe-XVIIIe; à l'int., décoration XVIIe de type basque; le préau est pavé de dalles funéraires; la place centrale bordée de «couverts» et la rue de l'Église comportent plusieurs maisons anc.; à 3 km N., monastère bénédictin de Belloc : intéressante église moderne conçue en fonction des nouvelles règles liturgiques.

Hautecombe (abbaye de)
73 - Savoie 32 - B 1
Bien située, sur la rive O. du *lac du Bourget* (voir **Le-Bourget-du-Lac***), l'abbaye, anc. sépulture de la maison de Savoie, est occupée depuis 1922 par les bénédictins de Solesmes. On vis. l'église XIIe (mal restaurée au XIXe), qui renferme 27 monuments funéraires des princes de Savoie ornés d'une profusion de statues et de bas-reliefs sculptés. Messe et vêpres en grégorien.

Hautefort (château de)
24 - Dordogne 29 - D 2
L'un des plus beaux châteaux classiques du Périgord, bâti au XVIIe sur une colline dominant un vaste panorama. Vis. les dim., et ts les j. en saison sauf mardi. Vaste parc forestier de 40 ha.

Hauterives
26 - Drôme 32 - A 3
Le fameux *Palais Idéal* du facteur Cheval (1880-1912) et ses étonnantes constructions «baroques» valent la visite; l'int. (vis. ts les j.) possède plusieurs galeries ou grottes, et des escaliers menant à la plate-forme. Au cimetière, tombeau, non moins original, du facteur (1836-1924).

Haut-Kœnigsbourg (château du)
67 - Bas-Rhin 14 - A 3
Construit à la fin du XVe, en nid d'aigle sur un piton rocheux dominant un immense panorama, le château, dont les ruines de grès rouge étaient très pittoresques, a été entièrement rebâti, à la demande de Guillaume II, de 1900 à 1908. Cette reconstruction discutable permet cependant d'avoir une idée de l'architecture militaire rhénane au XVe (vis. ts les j.). L'int. est caractéristique du goût médiéval germanique fin XIXe.
Environs • 200 m O., ruines du château d'Œdenbourg. • A l'E., ruines du château de *Kintzheim,* XIVe, en grès rouge (on vis.); volerie d'aigles, démonstration de vols en liberté ts les j. l'été; à l'entrée du bourg, Centre de réintroduction de la cigogne en Alsace (vis. ts les j. d'avril à sept.).

Havre (Le)
76 - Seine-Maritime 4 - C 3
Détruite à 90 %, la ville a été reconstruite sous la direction de l'architecte Auguste Perret à qui l'on doit l'hôtel de ville, l'église

Hautefort : *la majestueuse construction évoque plus les châteaux du Val de Loire que les bastides périgourdines.*

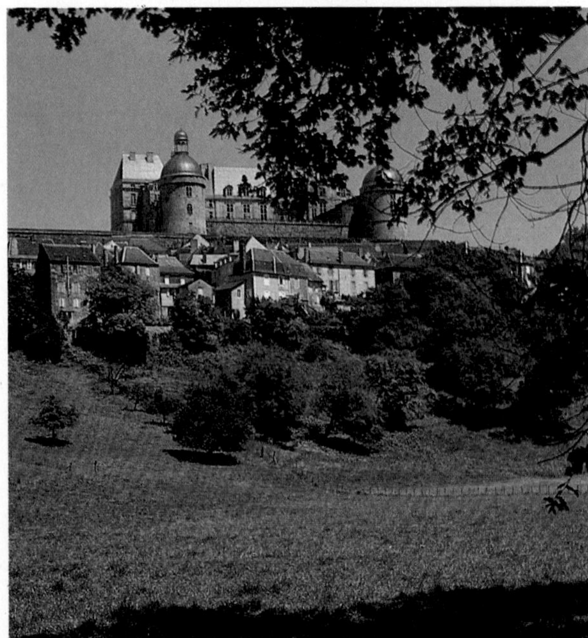

Haut-Kœnigsbourg : *un détail de la massive construction féodale.*

Hendaye : *de la plage, vue sur les rochers des « Deux Jumeaux », à la pointe Sainte-Anne.*

Saint-Joseph et d'importants ensembles urbains de conception grandiose mais d'esprit systématique. Trois musées valent la visite : musée du Vieux-Havre (vis. ts les j. sauf lundi et mardi), archéologie gallo-romaine et mérovingienne, histoire du Havre, verreries du XVIe au XIXe; musée des Beaux-Arts (vis. ts les j. sauf mardi), précédé d'un «signal» monumental en béton du sculpteur Adam : importantes coll. d'œuvres de Boudin et de Dufy; musée du prieuré de Graville, à Graville-Sainte-Honorine (intéressantes coll. lapidaires). Église Sainte-Honorine, anc. abbatiale XIe-XIIIe, crypte remarquable. Du fort de *Sainte-Adresse,* quartier résidentiel du Havre, de la côte d'Ingouville ou du *cap de La Hève,* (phare), remarquables panoramas. La visite du port est libre (circuit autoguidé vedette et par S.I.).
Environs • Au N.-E., *Montivilliers,* église Saint-Sauveur XIe et XVe avec 2 tours romanes et beau porche flamboyant fin XVe; pittoresque cimetière de Brisgaret avec galerie de bois XVIe. • A l'E., *Harfleur,* église Saint-Marin XVe-XVIe, belle tour flamboyante surmontée d'une flèche en pierre; le château, mil. XVIIe, abrite l'hôtel de ville; près de Gommerville, à 3 km N. de *Saint-Romain-de-Colbosc,* château de Filières, fin XVIIIe (vis. les mercr., sam. et dim apr.-m. de Pâques à la Toussaint); importantes coll. d'art d'Extrême-Orient et du XVIIIe français (meubles et portraits).

Hendaye
64 - Pyrénées-Atlantiques 40 - B 1
Hendaye-Plage est reliée à Hendaye-Ville par le bd du Général-Leclerc, qui longe en corniche la baie de Chingoudy précédant l'estuaire de la *Bidassoa.* Groupée autour de l'église Saint-Vincent XVIe-XVIIe (retable XVIIe et Crucifix XIIe à l'int.), Hendaye-Ville occupe une butte escarpée au-dessus de la *Bidassoa.* Du port, belle vue sur Fontarabie de l'autre côté de la baie.
Environs • 2 km S., *Béhobie;* en aval du pont frontière (douanes française et espagnole), sur la *Bidassoa,* île des Faisans où fut négociée, en 1659, la paix des Pyrénées. • 4 km N.-E. d'Hendaye-Ville, *Urrugne,* église XVIe avec un imposant clocher porche (portail Renaissance); à l'int., superbe chaire sculptée à personnages XVIIe.

Hennebont
56 - Morbihan 15 - D 1
Gravement endommagée pendant la guerre 1939-1945, la Ville-Close, où l'on accède par la porte fortifiée du Bro-Erec'h XVe a conservé quelques maisons anc. ds la Grande-Rue. Église Notre-Dame-du-Paradis, gothique flamboyant déb. XVIe. Les haras abritent les vestiges de l'abbaye de la Joie, fondée au XIIIe; porterie XVIIe et maison abbatiale. Vieux puits ferré.
Environs • 14 km S.-O., **Port-Louis***. • 9 km S.-E., *Merlevenez,* église romane XIIe; à 6 km, *Pont-Lorois* et *rivière d'Étel* aux rivages très découpés. • Au N.-E., *vallée du Blavet.*

Hérisson
03 - Allier 24 - D 2
Petite ville anc., sur la rive dr. de l'Aumance, dominée par les ruines du château féodal XIVe (vis. ts les j.). Deux portes de ville, des maisons XVe et XVIe et le clocher porche de l'anc. collégiale Saint-Sauveur (disparue) en évoquent le passé.
Environs • Vallée de l'*Aumance,* au N.-O. et à l'E. • 10 km N.-O., sur la rive g. du *Cher,* Vallon-en-Sully; curieuse église romane en grès gris, jaune et rouge, précédée d'un clocher porche à 2 ét. • Au N., *forêt de Tronçais* (voir **Saint-Bonnet-Tronçais***).

Hesdin
62 - Pas-de-Calais 1 - C 3
L'hôtel de ville XVIe est pourvu d'une «bretèche» (logette à colonnettes) richement sculptée. Église Notre-Dame fin XVIe; à l'int. important mobilier sculpté.
Environs • La forêt d'Hesdin (au N.-O.) a de belles futaies de hêtres et de chênes. • Au N., *Fressin :* ruines du château féodal, église flamboyante déb. XVIe; *Azincourt,* un calvaire rappelle la mort de 4 000 chevaliers à la célèbre bataille (1415).

Hoëdic et Houat (îles de) 15 - D 2
Voir **Quiberon*** (presqu'île de).

Honfleur
14 - Calvados 4 - C 3

La Lieutenance XVIe, sur laquelle est encastrée la porte de Caen, domine le Vieux Bassin entouré de quais pittoresques qui composent un ensemble plein de charme. L'église Sainte-Catherine, entièrement en bois, a 2 nefs jumelles recouvertes d'un vaisseau de bois et 2 bas-côtés; le clocher, isolé et de forme originale, est également en bois. Le musée d'Ethnographie et d'Art populaire normand occupe l'église Saint-Étienne XVe-XVIe et les maisons anc. contiguës. Le musée Eugène-Boudin possède une importante coll. d'œuvres de ce peintre, d'artistes impressionnistes et contemporains. Nombreuses vieilles maisons, notamment rue Haute.
Environs • 1 km O., la *Côte de Grâce,* qui domine de près de 100 m l'estuaire de la Seine; chapelle Notre-Dame-de-Grâce XVIIe (nombreux ex-voto, pèlerinage); magnifique panorama; la route du bord de mer (D. 513) traverse Vasouy, longe l'auberge Saint-Siméon (lieu de rencontre, au siècle dernier, des peintres impressionnistes) et, par *Cricquebeuf* (pittoresque église rustique couverte de lierre) et *Villerville,* atteint **Deauville***.

Hossegor et Capbreton
40 - Landes 40 - C 1

Station estivale et balnéaire ds un site superbe, Hossegor est composé de villas et d'hôtels, de style basque, disséminés ds les pins entre le lac d'Hossegor et la côte bordée par la belle plage de l'Océan. Sur le lac, 5 plages et équipements nautiques. Sur l'estuaire du Boudigau, Capbreton, anc. port de pêcheurs, a également une plage importante. Port de plaisance.
Environs • Au S., la D. 652 conduit à *Labenne* (4 km O., Labenne-Océan et à 2 km S.-E., lac d'Irieu, entouré de pins et de chênes-lièges); la N. 10 traverse l'étang de Garros, puis *Tarnos,* longe la citadelle XVIIe de Bayonne et, par le fg Saint-Esprit, gagne **Bayonne***. • A partir d'Hossegor nombreuses promenades ds la forêt landaise : *Soustons* et l'*étang de Soustons,* l'*étang Blanc,* l'*étang de Léon* (courant d'Huchet), l'étang Hardy et l'étang Noir, *Tosse* et son église romane, *Seignosse-le-Penon,* station balnéaire récente en pleine forêt, etc.

Hérisson : ***les ruines fantastiques du château féodal dominant l'Aumance témoignent de l'importance stratégique qu'avait autrefois la petite cité.***

Huelgoat
29 S - Finistère 8 - C 2

L'un des sites les plus pittoresques de la Bretagne int. La magnifique forêt (591 ha) comporte des eaux vives et des chaos rocheux où serpentent des sentiers. Promenades recommandées à la Roche cintrée, le « ménage de la Vierge », la Roche tremblante, le Gouffre et le Fer-à-Cheval, la grotte d'Artus, la mare aux Sangliers et le camp d'Artus, etc. Chapelle Notre-Dame-des-Cieux, XVIe (pardon 1er dim. d'août).
Environs • 7 km S.-O., hameau et chapelle de *Saint-Herbot* XVe-XVIe, porche fin XVe orné de statues des Apôtres; à l'int., remarquable chancel de bois sculpté XVIe, vitraux mil. XVIe, tombeau de saint Herbot; 1 km N.-E., anc. château du Rusquec XVIe, et barrage de l'Elez. • 9 km O., *Brennelis; centrale nucléaire* des monts d'Arrée et *réservoir Saint-Michel.* • Huelgoat est le meilleur point de départ d'excursions pour les *monts d'Arrée* et les *montagnes Noires.*

Hyères
83 - Var 44 - C 2

Agréable station de repos ds un site abrité. Les vieux quartiers, bâtis à flanc de colline, sont traversés de rues escarpées (rue Barbacane, rue Sainte-Claire, rue Paradis maison XIIe). Églises Saint-Louis déb. XIIIe, avec façade de style gothique italien, et Saint-Paul, romane et gothique. Musée intéressant : archéologie, peinture anc.
Environs • *Hyères-Plage* et *La Capte* (plage de sable); la *presqu'île de Giens* est dominée, à l'O., par les ruines d'un château féodal (table d'orientation); sur la côte S. petit port du Niel, au N. port de La Madrague.

Hyères : ***de magnifiques pinèdes et des bruyères bordent les plages de Porquerolles, l'une des plus attrayantes « îles d'Or ».***

HYÈRES (îles d')
83 - Var 44 - C 3

Dénommées également « îles d'or », on s'y rend par bateau de **Toulon***, La Tour-Fondue, Port-Saint-Pierre, **Le Lavandou*** ou *Cavalaire.*
Ile de Porquerolles (1254 ha) : la côte N. est bordée de plages de sable plantées de pins et de bruyères; la côte S., plus abrupte, atteint 150 m d'alt.; l'int. est occupé par de superbes pinèdes; le hameau de *Porquerolles,* situé au fond d'une rade, est dominé par l'anc. fort Sainte-Agathe; du phare (96 m), situé à la pointe extrême S., magnifique panorama. *Ile de Port-Cros* (640 ha) : seul parc naturel au monde à la fois terrestre et marin; sentiers balisés d'initiation à la nature; le village de pêcheurs et la baie de *Port-Cros* sont le point de départ d'intéressantes promenades (plage de la Palu, pointe et baie de Port-Man, très sauvage, pointe de la Galère, fortin de la Vigie, falaises du Sud, etc.); la plongée sous-marine sans arme est tolérée, mais très surveillée. *Ile du Levant* (996 ha), village d'*Héliopolis,* important centre naturiste; la marine occupe la partie N.-E. de l'île, interdite au public.

I

Iholdy
64 - Pyrénées-Atlantiques 40 - C 2
Village basque typique. Maisons anc. à linteaux sculptés. Église XVIIe à clocher pignon et galeries ext. en bois à 3 compartiments. Portail sculpté 1605. Ds le cimetière, tombes basques traditionnelles. • 1 km E. : chapelle Saint-Blaise XVIe. • Château d'Olcé XVIIe.

Ile-Bouchard (L')
37 - Indre-et-Loire 17 - C 3
Ruines de l'anc. prieuré Saint-Léonard fin XIe; remarquables chapiteaux historiés ds le chœur (vie du Christ). Église Saint-Maurice, chœur XIVe, 3 nefs XVe et clocher hexagonal. Saint-Gilles, sur la rive dr. de la *Vienne,* a 2 portails romans à décor géométrique XIIe. *Environs* • 3 km O., **Tavant***. • 4,5 km E., Parçay-sur-Vienne, église XIIe au beau portail roman sculpté. • 5 km N., Avon-les-Roches, église dont le porche a de remarquables archivoltes sculptées et des chapiteaux historiés; à 2 km N.-E., ruines du château XVe et de l'anc. collégiale des Roches-Tranchelion dont la façade Renaissance est d'une élégance raffinée.

Ile Rousse (L')
2 B - Corse 45 - A 3
Petite ville fondée à la fin du XVIIIe, belle plage de sable fin; les îles sont reliées au rivage par une jetée qui abrite le port.
Environs • Au S.-E., la *Balagne (voir* **Calvi***); 15 km S.-E., *Belgodère,* vieux fort dominant le village, église Saint-Thomas (1269), de là, par la N. 197, *Ville-di-Paraso,* au pied du village perché de Speloncato; *Muro* et *Lumio* (église romane); à *Belgodère* on peut prendre, à 6 km E., la route *d'Olmi-Capella* vers la *forêt de Tartagine,* l'une des plus sauvages de Corse. • Au N.-E., la N. 199 est taillée en corniche sur 4 km, offrant de belles vues sur la côte et la mer; vers **Saint-Florent*** elle traverse les extraordinaires paysages rocheux et forestiers (maquis) du *désert des Agriates.*

Illiers-Combray
28 - Eure-et-Loir 11 - A 3
Église XIVe couverte d'un berceau de bois décoré de peintures. La petite ville est le «Combray» de Marcel Proust; la «maison de tante Léonie» (visite tous les après-midi) et le «pré catelan», promenade au bord du Loir, évoquent l'écrivain qui a décrit le village où il vécut enfant.
Environs • 13 km S.-E., *Dangeau,* remarquable église romane déb. XIIe; à l'int., œuvres d'art populaire. • 13 km S., *Brou,* église XIIe et XVIe, ruines de l'église Saint-Romain XIe (Son et Lumière l'été); à 7 km N.-O., *château de Frazé* XIVe et XVIe, jardins à la française (vis. les sam. et dim. apr.-m.).

Ile-Rousse : *les rochers de granit rouge donnèrent leur nom à la ville qui s'appelait autrefois Paolina, à cause de son fondateur Pascal Paoli.*

Isle-Adam (L')
95 - Val-d'Oise 11 - C 1
Charmante station de villégiature, sur *l'Oise* qui forme 2 îles ombragées : plage, piscine, sports nautiques, etc. Église Saint-Martin, Renaissance, beau portail sculpté; à l'int. mobilier Renaissance, stalles sculptées de sujets satiriques. Curieux pavillon chinois, «folie», fin XVIIIe; à l'int. «salle fraîche». *Environs* • La forêt (1 500 ha) offre de nombreuses promenades; abbaye du Val, fondée au XIIe (on ne vis. pas). • 5 km E., *Presles* (églises avec stalles sculptées XVIIe de sujets caricaturaux).

Isle-sur-la-Sorgue (L')
84 - Vaucluse 38 - A 3
Arrosée par les bras de la Sorgue. Ses avenues sont bordées de magnifiques platanes. L'église Notre-Dame-des-Anges XIIIe possède une magnifique décoration int. XVIIe (boiseries, tableaux, sculptures, etc.). Hôpital mil. XVIIIe, nombreuses œuvres d'art et pharmacie XVIIIe. Sur certains canaux existent encore de vieilles roues de moulin.

Illiers-Combray : *le château de Frazé, précédé d'un pavillon d'entrée, orné de consoles sculptées, est caractéristique de la fin du Moyen Age.*

Environs • 7,5 km E., *Fontaine-de-Vaucluse :* petite église romane; ds l'anc. mairie, exposition spéléologique Norbert Casteret; petit musée Pétrarque; à 10 mn sur la rive dr. de la Sorgue, site pittoresque de la fontaine, l'une des plus puissantes résurgences du monde ds un cirque rocheux; ruines du château des évêques de Cavaillon; à 4 km N.-O., *Saumane,* château du marquis de Sade XVe, XVIe et XVIIIe (on ne visite pas).

ISSARLÈS (lac d')
07 - Ardèche 37 - B 1
D'une intense couleur bleue, vaste nappe d'eau (92 ha), occupant un cratère volcanique (108 m de profondeur). Le lac fait partie de l'important ensemble hydro-électrique de Montpezat (plage, sports nautiques). Vestiges d'habitations troglodytiques; belvédère.

Issoire
63 - Puy-de-Dôme 31 - A 2
Saint-Austremoine XIIe est l'une des plus remarquables églises romanes d'Auvergne; l'int. a été entièrement repeint au XIXe; à l'ext. le chevet présente une majestueuse ordonnance à 3 étages ornés d'un décor mosaïque; la crypte est située sous le chœur dont elle reproduit le plan.
Environs • 4 km S.-E., château de *Parentignac* XVIIe (vis. les apr.-m. l'été sauf merc.) : à l'int., salons meublés, boiseries XVIIIe et importante coll. de tableaux; à 8 km E., Usson, restes du château de Marguerite de Valois, la « reine Margot », église XIIe et XVe, maisons XVe; à 4 km N.-E., *Sauxillanges,* vestiges XIVe-XVe d'un prieuré.

Issoudun
36 - Indre 24 - B 1
La vieille ville est dominée par une « motte » féodale qui porte la tour Blanche (on vis.), superbe donjon cylindrique fin XIIe; vaste panorama. Anc. hôtel-Dieu Saint-Roch déb. XVIe : la vaste salle des malades, qui sert de musée municipal, est terminée par une chapelle, ornée de 2 arbres de Jessé sculptés fin XVe; dans l'aile N., anc. apothicairerie (vis ts les j. sauf mardi). Basilique Notre-Dame-du-Sacré-Cœur, mil. XIXe, tapissée d'ex-voto (pèlerinages très fréquentés); chemin de croix et calvaire.
Environs • 10 km E., *Saint-Ambroix,* église XVe, vestiges du prieuré de Semur XVIIIe; à 4 km S., anc. abbaye de la Prée, fondée en 1128, transformée en château; salle capitulaire XIIe.

Issoire : ***l'église Saint-Paul-Saint-Austremoine est un magnifique exemple de roman auvergnat; dans le chœur, les chapiteaux historiés, repeints au XIXe s., évoquent le mystère pascal.***

J

JONTE (canyon de la)
48 - Lozère 37 - A 2
Ce superbe canyon offre 2 étages de falaises rougeâtres à pic; la route (D. 996), taillée en corniche, ménage des vues magnifiques. Curieux rocher dolomitique, dénommé « le vase de Sèvres », superbes rochers Fabié et Curvelié. Du belvédère des Terrasses, très belle vue d'enfilade sur le canyon. Vers *Le Rozier,* les gorges du **Tarn***.

Jaulny
54 - Meurthe-et-Moselle 13 - B 1
Pittoresque village dominé par un château féodal (vis. ts les j. d'avril à nov.); la partie résidentielle, XVe, comporte de belles salles (salle des Gardes, salle aux portraits) avec poutres sculptées, mobilier, ferronneries, tapisseries, etc.; musée 1878 et 1914. *Environs* • Cimetières militaires américain et allemand près de *Thiaucourt;* au S.-O., la *butte de Montsec* (375 m) porte un grandiose mémorial américain.

Jausiers 38 - D 2
04 - Alpes-de-Haute-Provence
Ds un bassin verdoyant sur l'Ubaye dont la vallée, affluent de la Durance, forme la lisère N. des *Alpes de Provence.* Église XIVe avec campanile et porte en bois XVIIe; à l'int. importante décoration de style Louis XIV.
Environs • Au N., après le Pas de Grégoire, la vallée se resserre; *Condamine-Châtelard* (6 km O., station de sports d'hiver de Sainte-Anne); au confluent de l'*Ubaye* et de l'*Ubayette,*la D. 902 remonte au N. la vallée de l'*Ubaye* et pénètre ds l'étroit défilé du Pas de la Reyssole avant d'atteindre *Saint-Paul-sur-Ubaye,* important centre d'alpinisme; à 4 km N.-N.-E., par la D. 25, extraordinaire pont du Châtelet, arche de pierre lancée à 97 m au-dessus de l'*Ubaye,* ds un site superbe; par une série de lacets on atteint, à 2,5 km E., le hameau montagnard de Fouillouze à l'entrée d'un cirque sauvage. • Au S.-E., par la sinueuse et très belle route du col de la *Bonette* (2 802 m), à 58 km, **Saint-Étienne-de-Tinée***; c'est l'une des plus hautes routes d'Europe.

Jausiers : ***la haute vallée de l'Ubaye, depuis Barcelonnette, large et verdoyante sur une partie du parcours, est traversée d'eaux vives.***

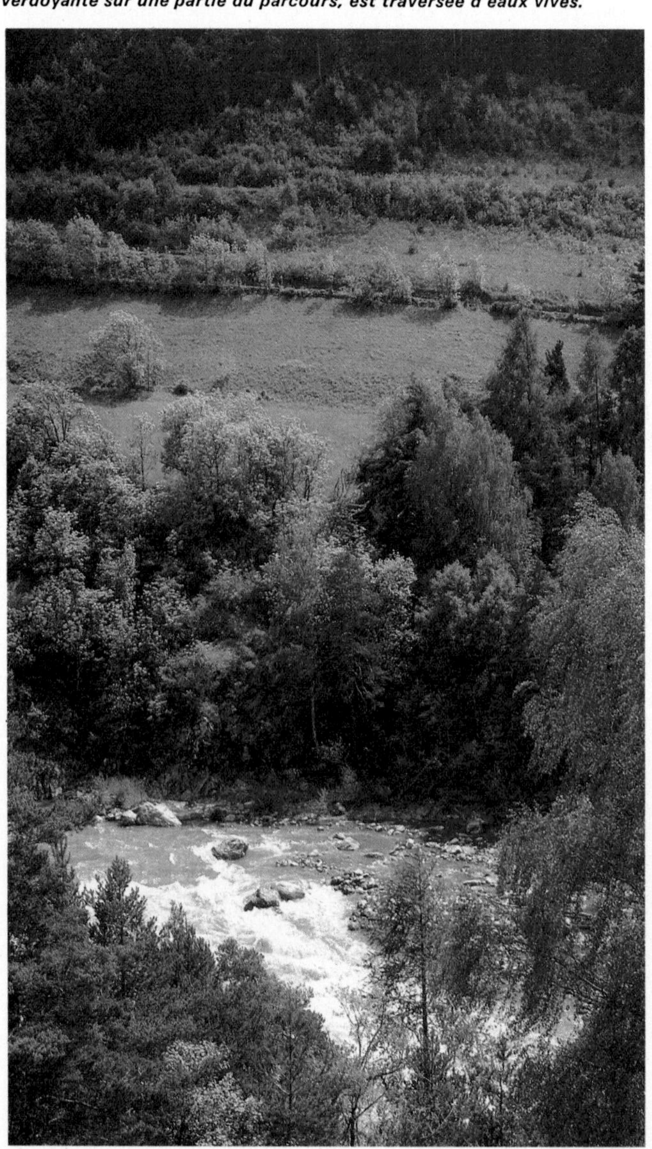

Jobourg (nez de)
Voir **La Hague***. 3 - C 2

Joigny
89 - Yonne 19 - A 1
Étagée au-dessus de l'*Yonne,* la ville a de belles églises et plusieurs maisons à pans de bois XVe et XVIe. Saint-Thibault fin XVe-déb. XVIe possède de nombreuses œuvres d'art, notamment une charmante « Vierge au sourire » XIVe, et des statues de donateurs agenouillés, d'un réalisme très vivant. A Saint-Jean sec. moit. XVIe, tombeau sculpté avec gisant d'Adélaïs, comtesse de Joigny mil. XIIIe. Saint-André renferme également d'intéressantes sculptures. Enclavée dans le tribunal, élégante chapelle funéraire Renaissance de la famille Ferrand; l'abside est décorée à l'ext. d'une frise sculptée représentant des squelettes tenant des banderoles avec inscriptions relatives à la mort.
Environs • Au N.-N.-E., par la côte Saint-Jacques (belle vue), *forêt d'Othe.* • 16 km S.-O., *La Ferté-Loupière :* ds l'église, XIIe-XVe, peintures murales déb. XVIe dont une « Danse macabre » à 42 personnages; bel escalier de bois.

Joinville
52 - Haute-Marne 13 - A 3
Construit de 1546 à 1556, le château du Grand-Jardin présente sur

ses façades d'élégants décors Renaissance; les toits sont ornés de superbes lucarnes, chapelle avec plafond à caissons (visite de l'extérieur du château ts les jours). Église Notre-Dame XIIIe, portail Renaissance; à l'int., saint sépulcre XVIe et châsse de la «ceinture de saint Joseph». Au cimetière, la chapelle Sainte-Anne déb. XVIe renferme la sépulture des ducs de Guise.
Environs • 15 km N.-O., *forêt du Val* (8 000 ha). • Au S.-O., belle excursion dans la haute vallée de la *Blaise,* de *Doulevant-le-Château* à *Juzennecourt.*

Josselin
56 - Morbihan 16 - A 1
Le château est l'un des plus beaux de Bretagne et le plus chargé d'histoire (vis. ts les j.); la façade extérieure du XIVe et ses 3 tours dominent l'*Oust;* à l'int., le manoir construit fin XVe par Jean II de Rohan a une façade, de style flamboyant élégant et raffiné; sur la cour d'honneur, les appartements sont remarquablement meublés (vis. tous les jours du 1er juin au 15 sept.). Dans le bourg, remarquable église romane et gothique, Notre-Dame-du-Roncier; à l'int. cénotaphe en marbre noir d'Olivier de Clisson († 1407) et de Marguerite de Rohan, avec statues de marbre blanc sous des dais sculptés (pardon le 8 sept.). Sur la rive dr. de l'*Oust :* chapelle de Sainte-Croix XIe et XVIe.
Environs • 10 km S.-O., *Guéhenno* superbe calvaire mil. XVIe, précédé d'une colonne portant les instruments de la Passion; ossuaire et sépulcre.

Jouarre
77 - Seine-et-Marne 12 - A 1
Il reste peu de vestiges de la fameuse abbaye bénédictine fondée au VIIe; bâtiments actuels XVIIIe; une tour romane XIIe abrite des salles d'exposition. Derrière l'église paroissiale XVe-XVIe, se trouve la crypte VIIe (vis. ts les j. sauf mardi) : remarquables sarcophages sculptés, notamment ceux de sainte Telchilde et de saint Agilbert; ds le bâtiment supérieur, musée régional.
Environs •3 km N., *La Ferté-sous-Jouarre,* agréables promenades sur les rives de la *Marne.* • Très belle excursion au S.-E., par la vallée du *Petit-Morin : Saint-Cyr-sur-Morin* ds un cadre verdoyant; *Sablonnières,* église XIIe et XVIe. • On peut rejoindre, au S., la vallée du *Grand-Morin* et **Coulommiers***.

Jouy-en-Josas
78 - Yvelines 11 - C 2
Bourg en partie campagnard encaissé entre les rives boisées de la Bièvre. Église XIIIe-XVIe; à l'int. curieuse Vierge à l'Enfant XIIe, dite «la Diège», stalles XVIe et intéressantes œuvres d'art.
Environs • Ds la vallée de la Bièvre voir, au hameau des Metz, rue Victor-Hugo, la maison où le poète avait installé Juliette Drouet en 1835; ce séjour lui inspira *Tristesse d'Olympio;* Bièvres possède un intéressant musée de la Photographie; château des Roches (Victor Hugo y fit plusieurs séjours); le moulin de Vauboyen (expositions temporaires) a une chapelle moderne décorée par Villon, Buffet, Dufy, Lurçat, etc.

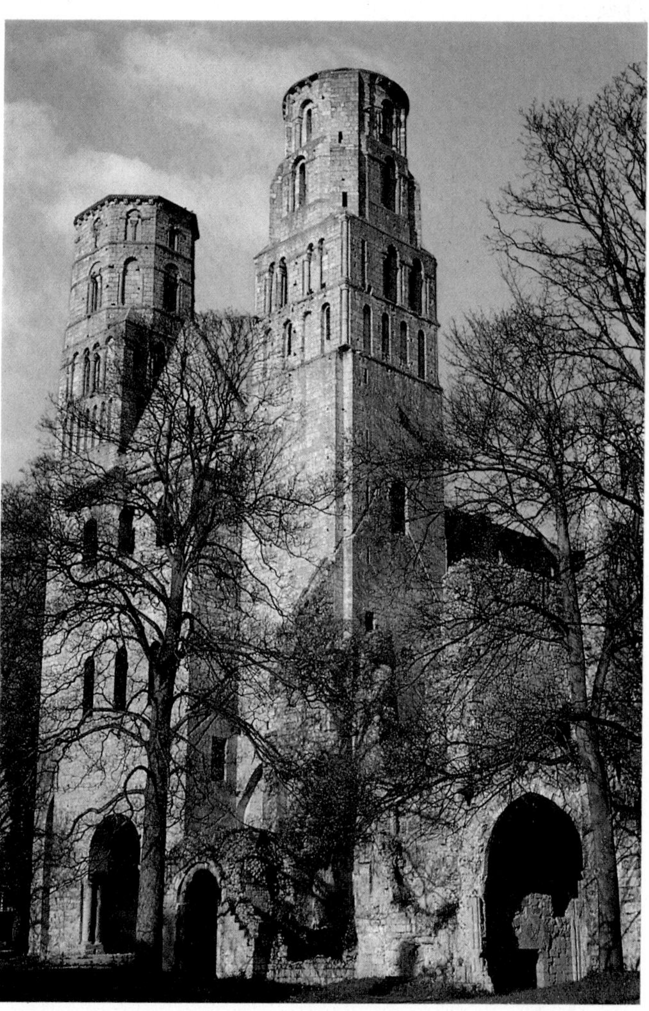
Jumièges : *les ruines imposantes de l'une des plus belles abbayes romanes de Normandie. entre la forêt de Jumièges et la Seine.*

Juan-les-Pins
06 - Alpes-Maritimes 45 - A 1
Juan-les-Pins, de création récente (1925), est une plage très fréquentée, l'une des plus élégantes de la Côte d'Azur. Hôtels de luxe, vastes propriétés et villas. L'agglomération est reliée à **Antibes*** par le bd du Pdt-Wilson et le chemin des Sables.
Environs • 4 km O., par la N. 559 qui longe la côte, *Golfe-Juan,* en façade sur la mer, a un port et une plage de sable fin; une colonne évoque le débarquement de Napoléon venant de l'île d'Elbe (1er mars 1815), c'est le point de départ de la route Napoléon; Musée napoléonien; établissements horticoles.

Jumièges
76 - Seine-Maritime 4 - D 3
Les ruines grandioses de l'abbaye, fondée au VIIe, témoignent de son importance et de sa splendeur (vis. tous les jours sauf mardi); la façade de l'abbatiale Notre-Dame et ses 2 tours carrées, les ruines de la nef, dont l'arc en plein cintre semble tenir miraculeusement debout, et le chœur gothique composent un ensemble impressionnant. Voir aussi l'église Saint-Pierre VIIe et XIIIe-XIVe, la salle capitulaire déb. XIIe, le grand cellier et, ds l'anc. logis abbatial, le petit musée lapidaire (tombeau des «Énervés» XIIIe, dalle funéraire d'Agnès Sorel, etc.).

K

Kaysersberg
68 - Haut-Rhin 14 - A 3
Entourée de vignobles réputés, vieille ville pittoresque, qui a conservé son caractère médiéval. L'église XIIe-XVe, sur une petite place ornée d'une fontaine, a sur la façade un portail roman; à l'int., intéressantes œuvres d'art (magnifique retable en bois sculpté XVIe); à g. cimetière avec galerie XVIe et chapelle Saint-Michel XVe à 2 étages (musée). Hôtel de ville de style Renaissance rhénane. Maison Brief fin XVIe. Pont fortifié XVe-XVIe. Maison natale du Dr Schweitzer (petit musée). Les ruines du château dominent la ville ainsi que la vallée de la *Weiss*. Musée d'histoire locale.
Environs • Route du **Vin d'Alsace.** • Excursion, au S., au Sommerberg (chapelle de l'Homme volant, Flieger Kapelle), très belle vue.

Kaysersberg : *la petite ville, au milieu de ses vignobles, est typiquement alsacienne ; de vieilles maisons aux balcons de bois bordent la Weiss.*

Kerjean (château de)
29 N - Finistère 8 - B 2
Magnifique construction, mi-forteresse, mi-palais Renaissance, mil. XVIe, entourée d'une vaste enceinte fortifiée en quadrilatère renforcée de fossés. Imposante cour d'honneur ornée d'un beau puits Renaissance, chapelle à voûte de bois avec poutres et corniches sculptées. Cheminées monumentales ds les cuisines. L'int. comporte une exceptionnelle coll. de meubles bretons anc. (Vis. ts les j. sauf mardi. Illumination et évocation sonore ts les soirs l'été.)

Kernascléden
56 - Morbihan 8 - D 3
L'église XVe renferme un ensemble de fresques, décorant la voûte et les murs, représentant des épisodes de la Vie de la Vierge et de l'enfance du Christ, une « danse macabre », l'Enfer, etc. C'est l'un des ensembles les plus originaux de la peinture médiévale.
Environs • 3 km S.-O., *étang* et château de *Pontkallek* XVIe, XVIIIe, décoré avec élégance de fenêtres à meneaux et de galeries à arcades (seule la vis. du parc est autorisée); au S., la D. 110 longe la *forêt de Pontkallek* et la rive dr. du *Scorff*.

Kerjean : *au centre d'un vaste parc, massive, imposante, austère, cette magnifique construction de granit était protégée par un fossé et une enceinte fortifiée de 12 m d'épaisseur. Ce fut la plus belle demeure du Léon.*

L

Labastide-Murat
46 - Lot 36 - A 1
Sur l'un des points culminants du causse de **Gramat***; vaste panorama. L'auberge où naquit Murat, pratiquement inchangée depuis le XVIIIe, a été transformée en musée.
Environs • La Braunhie, partie la plus sauvage du causse de Gramat, creusée de grottes et de gouffres. • 5 km N.-O., imposant château féodal de Vaillac, flanqué de 5 tours. • 5 km N., anc. séminaire de *Montfaucon* XVIIIe (sanatorium). • 3 km S.-E., anc. église prieurale XIVe-XVIe de Soulomès; à l'int. fresques XIVe; à 5 km S.-E., Caniac-du-Causse, l'église a une belle crypte XIIe curieusement voûtée.

Labrède (château de)
33 - Gironde 35 - A 1
Au cœur du pays des Graves, pittoresque château en forme de polygone irrégulier, sorte d'île féodale entourée de ses larges douves d'eaux vives, où Montesquieu naquit (1689) et écrivit ses principales œuvres (vis. ts les j. sauf mardi; de Pâques à déc.; sam., dim. de fév. à Pâques). Donjon rectangulaire XIIIe, chapelle XVe, tour ronde à mâchicoulis fin XVIe. A l'int., belles cheminées et mobilier anc. La chambre et la bibliothèque de Montesquieu sont demeurées intactes.

Lacaune
81 - Tarn 42 - C 1
Station climatique et thermale sur le Gijou. Église XVIIe, maison XVIe, pittoresque fontaine des Pissaïres fin XIVe.
Environs • A l'O., vallée sinueuse du Gijou, gouffre dit le Gourp Fumant et à *Viane,* ruines du château féodal de Pierre Ségade; à 8 km O., château de Lacaze XIIe et XVIIe. • Les *monts de Lacaune,* au S., offrent des paysages granitiques de pâturages et de bois très typiques. • 20 km S., *La Salvetat-sur-Agout;* le *barrage de la Raviège* a transformé l'*Agout* en un lac sinueux de 7 km de long (plage, sports nautiques); au S.-E., *monts de l'Espinouse;* après le *col du Cabaretou* (640 m), la D. 907 descend sur **Saint-Pons*** à travers des paysages verdoyants.

Lagrasse
11 - Aude 42 - C 2
Sur la rive dr. de l'*Orbieu,* les bâtiments de l'anc. abbaye, fondée au VIIIe, constituent un vaste ensemble du XIe au XVIIIe (maison des Médaillés militaires, vis. autorisée); il comporte le logis abbatial (au 1er ét., chapelle de l'abbé), le cloître XIe-XIIIe, le réfectoire et le dortoir XIVe; l'asile des vieillards occupe les bâtiments XVIIIe; la chapelle est l'anc. abbatiale XIVe que jouxte l'église primitive Xe. Le village, typiquement méridional, conserve des restes de remparts et plusieurs maisons anc. Église Saint-Michel fin XIVe. Du Pont-Vieux XIVe, belle vue sur le village et l'abbaye.
Environs • 9,5 km S.-O., Saint-Martin-des-Puits, curieuse église romane XIe-XIIe à demi-enterrée; la route (D. 212) passe au pied des ruines du château de Durfort, et suit sur 25 km les gorges de l'*Orbieu;* à 2,5 km S. de Durfort, ruines imposantes du *château cathare de Termes* XIIe (deux curieuses fenêtres cruciformes).

Laguiole
12 - Aveyron 36 - D 1
Bourg de montagne à 1 004 m d'alt., au pied d'une butte basaltique; centre de villégiature et d'excursions apprécié. Église XVIe sur une plate-forme dite «le Fort» (vaste panorama), où l'on accède par des ruelles pittoresques.
Environs • 6 km S.-O., château du Bousquet XVe, flanqué de tours carrées et 4 tourelles d'angle. • 10 km E., vastes champs de ski du puy du Roussillon (1 408 m). • A l'E., *massif de l'Aubrac,* au S.-O., *plateau de la Viadène.*

Lalouvesc
07 - Ardèche 31 - C 3
Station d'été et pèlerinage à saint François-Régis. Basilique XIXe, chapelle mortuaire du saint et petit musée.
Environs • 27 km S., par les cols du Faux (1 025 m) et du Buisson (920 m), *Lamastre :* ds le quartier de Macheville, intéressante église romane. • 11,5 km N.-E., *Satillieu :* vieux bourg en amphithéâtre; à 4,5 km N.-E., ruines imposantes du château XIVe de Saint-Romain-d'Ay; chapelle de Notre-Dame-d'Ay.

Lamalou-les-Bains
34 - Hérault 42 - D 1
Station thermale ds le vallon accidenté et boisé du Bitoulet; bon centre d'excursions. Anc. prieurale romane Saint-Pierre-de-Rèdes, prem. moitié XIIe, avec une très originale abside semi-circulaire et d'intéressants portails.
Environs • En bordure de l'*Orb,* beau parc de la Vernière, promenades, aires de jeux, d'où l'on monte à l'ermitage Saint-Michel autrefois fortifié. • Au N.-E., ascension en 50 mn à Notre-Dame-de-Capimont, panorama. • A l'O., par la route de l'*Espinouse,* très accidentée, et le col de Madale (691 m), on atteint le mont Caroux (1 093 m, vaste panorama). • Excursion recommandée aux gorges d'Héric et

Labrède : ***il faut évoquer le souvenir de Montesquieu dans ce curieux château, isolé par ses larges douves, propice à l'étude et à la méditation.***

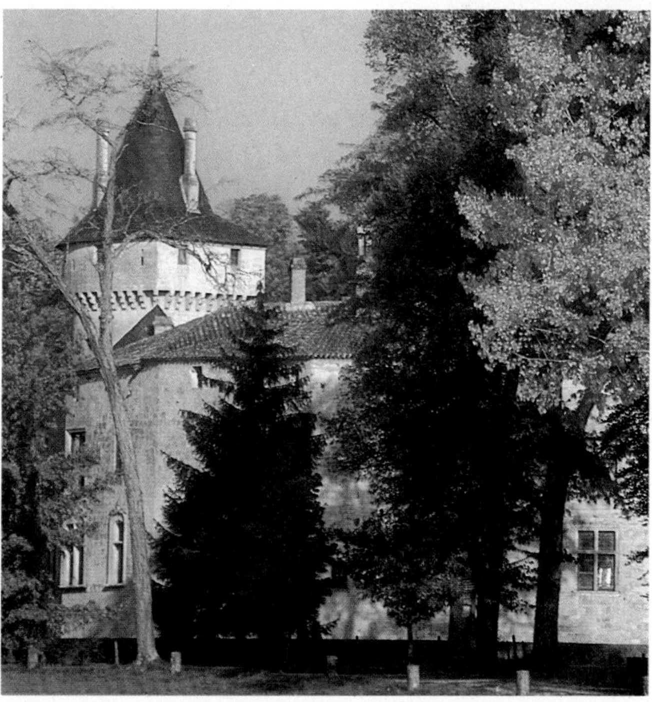

à la *forêt des Écrivains Combattants* (table d'orientation). • Au S.-O., gorges de l'*Orb*.

Lamballe
22 - Côtes-du-Nord 9 - B 2
Sur la colline Saint-Sauveur, l'église Notre-Dame, de style gothique normand, domine la ville. Ds la ville basse, Saint-Jean XVe, et intéressantes maisons anc. Saint-Martin XVe-XVIe, avec des parties XIe, a un curieux porche (auvent de bois à poutres sculptées). Haras national. *Environs* •15,5 km E., ruines romantiques du *château de la Hunaudaye* fin XIVe (on vis.); à 2 km N., manoir du Vaumadeuc XVe (hôtel).

Landévennec
29 S - Finistère 8 - B 2
A l'extrémité d'une presqu'île contournée par l'estuaire de l'*Aulne,* au pied de superbes escarpements rocheux. Au bord de la grève, l'église XVIe-XVIIe est entourée d'un petit cimetière. Au S. du bourg, vestiges de l'anc. abbaye de Landévennec, fondée au Ve; les ruines de l'abbatiale fin XIe-XIIe sont grandioses (vis. ts les j. du 1er juin au 30 sept.). Non loin s'élèvent les bâtiments de la nouvelle abbaye bénédictine Saint-Guénolé (1958). *Environs* • Bois du Folgoat; chapelle Notre-Dame-du-Folgoat, ds un site attachant.

Langogne
48 - Lozère 37 - B 1
Station estivale à 911 m alt., sur l'*Allier,* ds un vallon frais et aéré. Le vieux Langogne, de forme circulaire, est flanqué de 6 grosses tours rondes dont la porte de l'Horloge. Église romane avec façade gothique XVe. *Environs* • 9 km N., *Pradelles,* étagée au bord d'un plateau basaltique : vestiges de remparts et portail Chambaud; nombreuses maisons anc., notamment place de la Halle entourée de galeries couvertes; anc. hospice des pèlerins de Compostelle; la N. 102 A conduit, à 8,5 km E., à l'auberge de Peyre-

Landerneau : ***la place du Marché rassemble la double activité du pays, la pêche et les primeurs.***

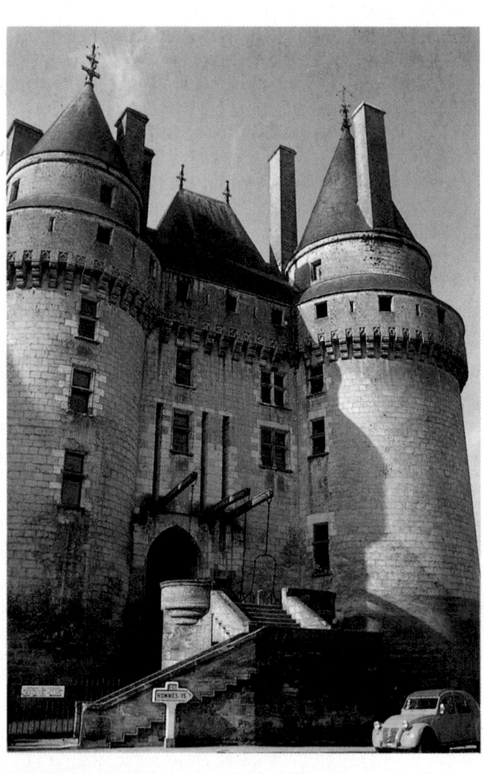

Langeais : ***le château a conservé ses tours imposantes et un bel appareil défensif.***

Landerneau
29 N - Finistère 8 - B 2
Petite ville anc. à l'entrée de l'estuaire de l'Elorn. Église Saint-Houardon, Renaissance, et Saint-Thomas-de-Cantorbéry XVIe. Maisons anc. place du Marché et près du vieux pont sur l'Elorn. *Environs* • 3,5 km S.-E., *Pencran,* bel enclos paroissial, porte monumentale, calvaire, ossuaire 1594, église XVIe avec porche orné de statues. • 8 km S.-O., *La Martyre,* enclos avec porte triomphale gothique surmontée d'un calvaire, église XVe avec clocher porche XIIIe et porche sculpté XVe; à 1,5 km O., *Ploudiry,* chapelle ossuaire mil. XVIIe, église avec beau porche Renaissance de 1665.

Langeais (château de)
37 - Indre-et-Loire 17 - C 3
C'est l'un des rares châteaux homogènes du val de Loire. Construit au milieu du XVe, l'ext., flanqué de 3 puissantes tours dont le donjon, est celui d'une forteresse, mais l'int., remarquablement meublé, offre l'aspect d'une résidence seigneuriale habitée (vis ts les j, sauf lundi en hiver et lundi matin en été). *Environs* • 5 km E., *Cinq-Mars-la-Pile :* ruines du château XIe-XIIe (du sommet de la grosse tour, panorama); maisons troglodytes; à 1 km E., la Pile est un monument gallo-romain en brique de 30 m de haut, surmonté de 4 pyramides et dont on ignore l'origine, la date de construction et la destination.

beille, célèbre pour les crimes commis au XIXe par les époux Martin qui furent guillotinés sur place. • 16 km S., après *Cheylard-L'Évêque,* abbaye et forêt de Mercoire; les vestiges de l'abbaye cistercienne XIIIe et des bâtiments conventuels XVIIIe sont situés ds un lieu sauvage.

Langres
52 - Haute-Marne 20 - A 1
Cette vieille ville entourée de remparts au sommet d'un éperon a conservé son aspect d'autrefois. On y pénètre au S. par la porte des Moulins, XVIIe, puisamment fortifiée. A l'E., tour Saint-Ferjeux fin XVe; à l'O., tour de Navarre. • La rue Diderot conduit à la cathédrale Saint-Mammès, original amalgame

de roman bourguignon et de gothique avec façade néo-classique fin XVIIIe; l'int. s'est vu doté, à la Renaissance, d'un riche décor de boiseries et de tapisseries, mais le chœur roman est demeuré inchangé; la chapelle d'Amoncourt, Renaissance, est richement décorée. • Autour de la cathédrale s'étend la « ville capitulaire », jadis close; de nombreuses maisons ou hôtels particuliers (« maisons canoniales », des chanoines) donnent au quartier un aspect aristocratique; voir aussi la place de l'Abbé-Cordier, les rues Longe-Porte, Roger, de la Charité, Abbés-Couturier, Jean-Rousseat, Cardinal-Morlot (maison dite de Diane de Poitiers, n° 20). • Le musée du Breuil de Saint-Germain (ouv. ts les j. sauf mardi), installé ds un bel hôtel Renaissance et XVIIe, a d'intéressantes coll. de manuscrits des XIIIe, XIVe et XVe, des antiquités égyptiennes, grecques et romaines, des peintures du XVIe au XVIIIe, etc. Musée Saint-Didier (visite idem) : importantes coll. d'antiquités gallo-romaines régionales. • Le tour des remparts (1 h 20) est recommandé : beaux points de vue.
Environs • 12 km S.-E., entre *Heuilley-Cotton* et *Chalindrey,* château du *Pailly,* Renaissance.

Lannion
22 - Côtes-du-Nord 8 - D 1
Cette petite ville typiquement bretonne possède de nombreuses maisons anc. XVe-XVIe, notamment place Leclerc, et 2 églises intéressantes : Saint-Jean-du-Baly XVIe-XVIIe et l'église romane XIIe, de Brélévenez, qu'un vallon sépare de la ville.
Environs • La côte de Granit rose, ou Corniche bretonne, de *Trebeurden* à **Perros-Guirec***, par *Trégastel-Plage* (superbes chaos de granit rose) et *Ploumanach* (rochers fantastiques de granit rose, anse et grève de Saint-Guirec, pointe de Squewel, etc.); c'est l'un des sites les plus impressionnants de Bretagne. • 7 km N.-O., *Pleumeur-Bodou,* station de télécommunications spatiales, avec coupole gonflée de 50 m de haut (vis. ts les j. l'été). • 2,5 km O., Loguivy, enclos paroissial avec fontaine Renaissance et église XVIe. • Au S., par la D. 11, ruines du château de Coat-Frec, XIVe; *chapelle de Kerfons* mil. XVIe (à l'int. superbe jubé de bois sculpté de style flamboyant); ruines du *château de Tonquédec* XVe, dominant la vallée du *Léguer* (on vis.), beau panorama; *château de Kergrist,* célèbre pour la variété de ses façades, gothique au N., avec lucarnes sculptées et corps de logis XIVe-XVe-XVIIIe au S., classiques à l'O., beaux jardins à la française (vis. ext. seulement).

Lannion : *les rochers de Ploumanac'h, aux formes étranges, sont l'un des attraits de ce petit port de pêche typiquement breton.*

Laon
02 - Aisne 6 - B 3
Bâtie sur un promontoire au-dessus de la vaste plaine champenoise, entourée de promenades longeant les anc. remparts, Laon est dominée par les 7 tours de l'anc. cathédrale Notre-Dame fin XIIe, déb. XIIIe, l'une des plus caractéristiques de la transition du roman au gothique; les 2 tours de la façade principale sont ornées d'énormes têtes de bœuf; l'int., long de 110 m, offre une superbe élévation à 4 étages; riche trésor; salle capitulaire et élégant cloître XIIIe. Ds l'anc. hôtel-Dieu XIIIe, salle des malades, gothique, à 3 nefs, aujourd'hui souterraine (accès libre). Devenu palais de justice, le palais épiscopal a 3 corps de logis XIIIe et XVIIe encadrant une cour (vue sur l'abside de la cathédrale); charmante chapelle à 2 étages sec. moit. XIIe. Ds le quartier de la cathédrale (cité Notre-Dame), plusieurs vieilles maisons pittoresques, notamment rue Sérurier et rue Châtelaine. Musée municipal : coll. d'archéologie et de peinture XVIIe-XVIIIe; ds le jardin, chapelle des Templiers, octogonale XIIe. De la citadelle, vaste panorama. La partie O. du promontoire est occupée par le quartier du Bourg, église Saint-Martin, anc. abbatiale XIIe-XIIIe; la porte de Soissons XIIIe est reliée par une muraille à la Tour penchée XIIIe.
Environs • 14 km N.-E., *Liesse,* belle église Notre-Dame XIVe-XVe; à l'int. remarquable jubé en marbre blanc XVIe; vitraux de Despierre; collection d'ex-voto ds la sacristie. • Au N., circuit des églises fortifiées de la *Thiérache* (voir **Vervins***). • Au S., *Chemin-des-Dames,* théâtre de violents combats en 1917-1918 : cimetière et ossuaire à *Cerny-en-Laonnois;* à l'E., caverne

Laon : *les tympans des 3 porches de la cathédrale ornés de compositions très homogènes, aussi harmonieuses et équilibrées qu'expressives.*

du Dragon (vis. de la forteresse souterraine et du musée d'avril à oct.); ferme d'Hurtebise (à 2 km N., ruines de l'anc. abbaye de Vauclerc XIIe-XIIIe); *Craonne; Corbeny,* intéressant parc floral (en avr.-mai : tulipes et narcisses; de juil. à nov. dahlias et glaïeuls), caves à hydromel, expositions.

Larressingle
32 - Gers 35 - B 3
Vieux village fortifié XIIIe dont l'enceinte polygonale a conservé une grande partie de ses murailles, ses douves, ses tours carrées et une imposante porte fortifiée précédée d'un pont. Ruines du château fort XIIIe et XVe; l'église occupe le rez-de-chaussée du donjon primitif. *Environs* • 2 km O., château de Beaumont XVIIe-XVIIIe.

LARZAC (causse du)
34 - Hérault, 12 - Aveyron, 30 - Gard 37 - A 3
Différents itinéraires parcourent ce causse, le plus vaste de tous (103 000 ha). On peut le traverser de **Millau*** au *Caylar* par *La Cavalerie* (vaste camp militaire). *L'Hospitalet-du-Larzac* (jardin zoologique). De **Nant***, aller à **La Couvertoirade***. • Plus pittoresque et accidentée est la route qui de **Roquefort-sur-Soulzon***, par Tournemire et le pic de Cougouille (912 m), atteint *L'Hospitalet-du-Larzac.*

LAUTARET (col du)
05 - Hautes-Alpes 32 - C 3
Malgré son altitude (2 058 m), le col a toujours été un point de passage très fréquenté. La flore est l'une des plus riches des Alpes. Le jardin alpin (institut botanique Marcel-Mirande) est remarquable (on vis.). Chapelle des Fusillés (1944). Table d'orientation, panorama. Carrefour important : à l'O., vers **Bourg-d'Oisans***, **Vizille*** et **Grenoble***; au N., vers le *col du Galibier,* **Saint-Michel-de-Maurienne***, **Saint-Jean-de-Maurienne*** et **Chambéry***; au S.-E., vers **Briançon***.

Lascaux (grotte de)
24 - Dordogne 29 - D 3
La «chapelle Sixtine de la Préhistoire», à 2 km S.-E., de *Montignac,* renferme un ensemble de peintures pariétales préhistoriques unique au monde. La visite est suspendue depuis 1963 pour en garantir la sauvegarde. Un centre d'information (ouv. ts les j. l'été) assure la projection permanente d'un film montrant l'int. de la grotte et toutes les peintures commentées. Un centre d'art préhistorique a été créé au Thot.

Lassay
53 - Mayenne 10 - B 3
Situé au bord d'un étang, ce magnifique exemple d'architecture militaire du XVe a conservé ses 8 tours coiffées de toits en poivrière, son imposante barbacane, ses hautes murailles et son logis seigneurial qui contient d'intéressantes coll. de meubles et d'armes XVIe-XVIIe (vis. ts les j. l'été. Son et Lumière).

Laval
53 - Mayenne 10 - A 3
Vieille ville, dominée par le Nouveau château Renaissance (mil. XVIe), aujourd'hui palais de justice, et le Vieux château (accès par un porche XVIIe, vis. ts les j. sauf mardi); la crypte romane (musée lapidaire), les salles des XIIIe et XVe et le donjon cylindrique (très belle charpente fin XIIe) sont les parties les plus anciennes; au rez-de-chaussée, musée Henri-Rousseau d'Art naïf (vis. idem); ds la salle d'honneur des comtes de Laval, longue de 32 m, plusieurs ensembles monumentaux sculptés provenant de la région, magnifique voûte en bois, en berceau brisé. Églises Saint-Martin XIe-XIIe. Saint-Vénérand XVe-XVIe (beau portail flamboyant). Ds le vieux quartier, maisons anc., notamment Grande-Rue (maison du Grand Veneur XVIe); certaines sont à pans de bois en encorbellement. Notre-Dame-d'Avesnières, romane XIe-XIIe, a une remarquable abside à déambulatoire et 5 chapelles rayonnantes, et l'église de la Trinité (cathédrale) une nef romane couverte de voûtes d'ogives fin XIIe; intéressantes œuvres d'art (retable XVIIe du maître-autel, triptyque de Saint-Jean-Baptiste XVIe). La porte Beucheresse a conservé ses énormes tours XVe; ds le jardin

de la Perrine est enterré le Douanier Rousseau.
Environs • 2 km N., église Notre-Dame-de-Pritz, romane avec des parties carolingiennes IXe-Xe; peintures murales XIe, XIIe et XIIIe. • 16 km O.-N.-O., abbaye de *Clermont,* XIIe, belle église de pur style cistercien, cloître XVIe. • 18 km S.-S.-O., Cossé-le-Vivien, curieux musée Robert Tatin.

Lavandou (Le)
83 - Var 44 - C 2
Port de plaisance; station balnéaire et hivernale le long d'une belle plage de sable au fond de la *rade de Bormes.*
Environs • Au S. *cap Bénat,* nombreuses propriétés privées et villas, terrains militaires; la pointe S.-O. fait face au *fort de Brégançon,* résidence du président de la République (voir **Bormes-les-Mimosas***). • Point de départ pour les îles d'**Hyères***. • Au N., *massif des Maures;* la route du littoral (ou corniche des Maures) longe la mer du *Lavandou* à *Cavalaire-sur-Mer,* par *Cavalière,* le *cap Nègre,* Pramousquier et *Le Rayol-Canadel :* site superbe au pied de pentes boisées; un monumental escalier fleuri relie la plage à une terrasse à 150 m d'alt.

Lavoûte-Chilhac
43-Haute-Loire 31-A3
Sur une presqu'île contournée par l'*Allier.* Vestiges d'une abbaye bénédictine; église XIIe et XVe avec chevet fortifié; remarquer l'appareil original de roches volcaniques, et à g. ds la nef, la chapelle de Notre-Dame-Trouvée; intéressantes œuvres d'art. Pont XVe et restes de l'enceinte.

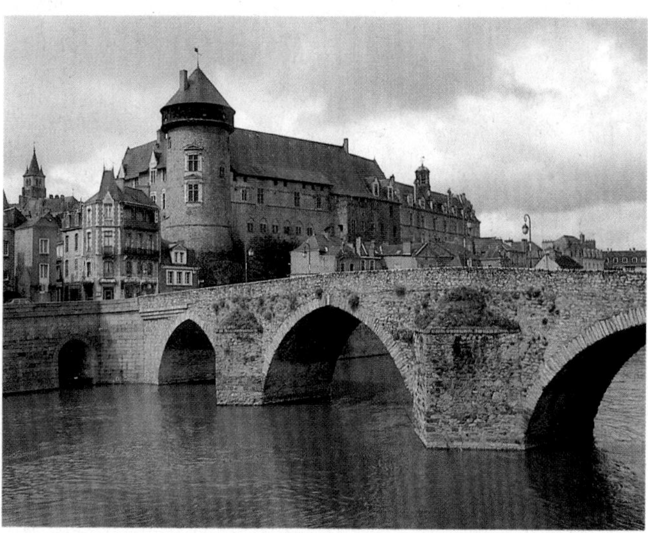

Laval : ***le château et son donjon à la curieuse charpente en chêne dominent le Pont Vieux, jadis fortifié, qui enjambe la Mayenne.***

LÉRINS (îles de)
06 - Alpes-Maritimes 45 - A 1
On y accède, par bateau, du port de **Cannes***. L'île Sainte-Marguerite possède un imposant château fort (ou fort royal) XVIIe (vis. ts les j.); la cellule du Masque de fer en constitue l'élément pittoresque. L'*île Saint-Honorat* est occupée par un monastère cistercien (on vis. le musée lapidaire et l'église) près duquel s'élève le château, transformé au XIe en monastère fortifié (accès libre); 5 chapelles dépendant du monastère subsistent ds les pinèdes de l'île : la chapelle de la Trinité (pointe E.), la plus originale (couverte d'une petite coupole conique) et Saint-Sauveur (à l'O.) sont partiellement du Ve, les trois autres sont du XIIe.

Lessay : ***la nef de l'abbatiale, l'une des expressions les plus parfaites de l'art roman en Normandie.***

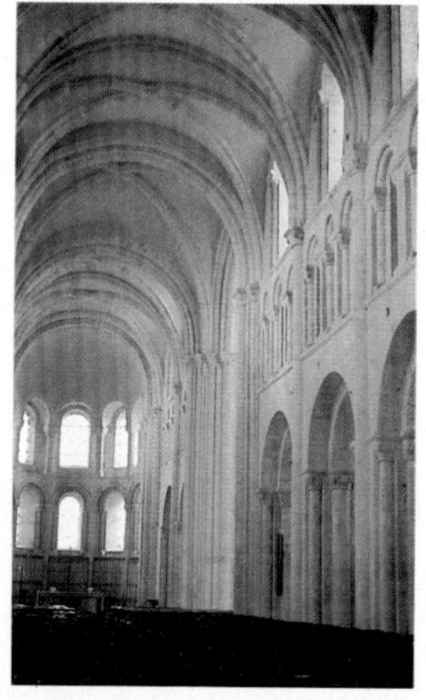

Environs • 12 km S.-E., *Langeac* (église XVe). • Au N., par *Villeneuve-d'Allier* (relié par un pont suspendu à la petite cité médiévale de Saint-Ilpize), les gorges de l'*Allier* vers **Brioude***.

Lectoure
32 - Gers 35 - C 3
Bâtie sur un promontoire au-dessus de la vallée du *Gers,* elle a conservé son enceinte XVe-XVIe. De la promenade du Bastion, en terrasse, panorama grandiose sur les Pyrénées. Saint-Gervais-et-Saint-Protais, de style gothique fin XIIe-XIIIe. Musée lapidaire riche en coll. archéologiques (série de 21 autels tauroboliques IIIe et IVe).
Environs • 8 km N., à Saint-Avit-Frandat, château de Lacassaigne XVIIe; à l'int., la grande salle reproduit celle du Grand Conseil des Chevaliers de Saint-Jean de Jérusalem, aujourd'hui disparue, à La Valette, île de Malte (vis. autorisée). • 16,5 km E., *château de Gramont* XIVe, avec une aile Renaissance délicatement sculptée (vis. ts les j. sauf mardi de Pâques à la Toussaint).

Lescar
64 - Pyrénées-Atlantiques 41 - A 2
Anc. cathédrale Notre-Dame romane, façade XVIe; ds l'abside, 2 curieuses mosaïques (signées de 1225 env.) représentent des scènes de chasse. Stalles Renaissance sculptées (34 figures d'apôtres, de prophètes, etc.). Chapiteaux historiés. Sépultures des princes de Navarre XVe-XVIe. Sur le flanc S de l'église, belle vue sur les Pyrénées. L'anc. évêché abrite une annexe du Musée béarnais de Pau.
Environs • 18 km N.-O., *Lacq :* pour visiter l'usine d'exploitation de gaz naturel, s'adr. au hall des relations publiques, à g. de la route; à 8 km S., *Mourenx-Ville-Nouvelle,* construite de 1957 à 1961 pour le personnel du complexe industriel de Lacq.

Lessay
50 - Manche 3 - D 3
L'église, anc. abbatiale, fin XIe-déb. XIIIe, est l'un des plus remarquables édifices romans de Normandie. Bâtiments conventuels XVIIIe.
Environs • Au S., *lande de Lessay* (5 000 ha), couverte d'ajoncs, d'her-

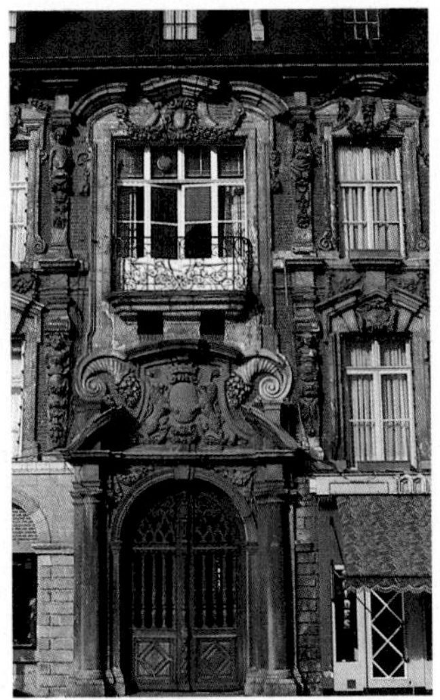

Lille : *la Grand-Place est le centre animé de la ville; l'un des principaux bâtiments est l'Ancienne Bourse, superbe témoignage, en brique et pierre, d'architecture baroque flamande; on en voit ici la façade.*

bes et de bruyères; les plantations et les cultures du domaine de Buisson (aujourd'hui préventorium), couvrant 700 ha, l'ont en partie transformée; sur la lande se tient les 10, 11 et 12 sept. la grande foire de Lessay, ou de Sainte-Croix, fondée au XIIIe.

Libourne
33 - Gironde 29 - B 3
Cette grande bastide XIIIe, port actif des vins de la région, s'étend au confluent de l'*Isle* et de la *Dordogne*. L'hôtel de ville, XVIe, sur la Grande-Place (place Abel-Surchamp), bordée de « couverts » et de maisons du XVIe au XIXe abrite le musée Princeteau. Quai de l'*Isle*, tour du Grand-Port, XIVe.
Environs • 10 km S.-O., château de **Vayres***. • 6,5 km S.-E., **Saint-Émilion***.

Lichtenberg (château de)
67 - Bas-Rhin 14 - A 1
L'une des forteresses les plus évocatrices de l'Alsace féodale. Reconstruit fin XIIIe, le château est dominé par un donjon et 2 tours; l'enceinte a été agrandie aux XVIe-XVIIe. Vue magnifique (vis. ts les j.).

Liessies
59 - Nord 6 - B 1
Ds l'église Saint-Lambert XVIe, intéressante coll. de statues d'art populaire.
Environs • Belle vallée de l'Helpe majeure. Circuit autour de la forêt de Trélon vers le lac du Val-Joly (à l'E.), *Trélon* (au S.), puis **Avesnes-sur-Helpe*** (à l'O.).

Lille
59 - Nord 2 - A 3
Capitale de la Flandre française.
• La Grand-Place et sa voisine la Petite-Place, ou place du Théâtre, sont séparées par l'anc. Bourse, en brique et pierre, de style baroque flamand XVIIe, abondamment sculptée et ornée (belle cour int.). A l'angle de la rue de la Bourse, le « Rang du Beau Regard », alignement de maisons XVIIe, à pilastres surmontés de cartouches sculptés. Sur la vaste place de la République, la préfecture et le palais des Beaux-Arts, ds lequel se trouve l'un des plus riches musées de France; importantes coll. de primitifs français et flamands, peinture flamande XVIe et XVIIe (5 Rubens, 11 Jordaens, 2 Van Dyck, etc.); hollandaise, italienne (Véronèse, Titien); espagnole (2 Greco, 2 Goya; « les Jeunes » et « les Vieilles », chefs-d'œuvre du musée); et française du XVIIIe à nos jours; très riche Cabinet de dessins (3000 pièces env.); remarquable salle d'archéologie flamande. L'hospice Comtesse (bâtiments du XVe au XVIIIe comportant une vaste salle des Malades fin XVe, couverte d'une voûte lambrissée) abrite le musée des Arts et Traditions populaires du nord de la France (vis. ts les j. sauf mardi). Visiter l'Hospice gantois, fondé en 1664 (salle des malades), l'Hospice général (1739) et l'anc. hôpital Saint-Sauveur, dont il ne subsiste qu'un élégant bâtiment en pierre et brique XVIIe. Au palais Rihour XVe, il reste seulement la chapelle du Conclave et l'oratoire ducal.
• Églises intéressantes. La Madeleine (déb. XVIIIe) dont le plan est très rare : une rotonde entourée d'un déambulatoire et couronnée d'un dôme. Saint-Maurice, de type « église-halle » XIVe-XVe (tableaux flamands). Sainte-Catherine XVIe-XVIIe (*Martyre de sainte Catherine*, par Rubens). Saint-André, élégant édifice XVIIIe (superbe chaire baroque). Notre-Dame-de-la-Réconciliation XIIIe, le plus anc. édifice religieux de la ville.
• Lille possède plusieurs maisons anc. et hôtels remarquables : hôtel Bidé de la Granville fin XVIIIe (1, rue du Lombard); maison des Vieux-Hommes XVIIe (rue de Roubaix); maison de Gille de le Boe, de style Renaissance flamande (place Louise-de-Bettignies). Hôtel d'Avelin fin XVIIIe (22, rue Saint-Jacques), hôtel Petitpas-de-Walle de style Louis XV (122, rue de l'Hôpital-Militaire). Belles maisons XVIIe richement sculptées et ornées rue Royale, place du palais Rihour, etc. Ds le quartier Saint-Sauveur, récemment reconstruit, élégante chapelle à façade Louis XV du « Réduit Saint-Sauveur ». • Plusieurs portes évoquent l'enceinte disparue : porte de Gand déb. XVIIe; porte de Roubaix (1625) en grès et brique; monumentale porte de Paris, la plus belle, érigée de 1682 à 1695, à la fois porte de ville et arc de triomphe à la gloire de Louis XIV, richement décoré. Créée par Vauban, la Citadelle, baignée par la Deule, est la plus complète existant en France; ses bâtiments de brique, où l'on accède par la porte Royale, sont répartis autour de la place d'Armes bordée d'un côté par l'hôtel du Gouverneur, la chapelle et les locaux de l'État-Major, de l'autre par l'arsenal.
Environs • *Lille* forme un énorme complexe industriel avec *Armentières* (reconstruite après 1918), *Tourcoing* (intéressant musée municipal) et *Roubaix;* à l'E. de la ville, *Hem,* la chapelle Sainte-Thérèse-de-l'Enfant-Jésus est l'une des plus remarquables réalisations de l'art religieux contemporain.

Lillebonne
76 - Seine-Maritime 4 - D 3
Église Notre-Dame XVe. Ruines XIIe avec donjon XIIIe (on vis.) du château de Guillaume le Conquérant. Le théâtre romain de 110 m sur 80 m (on vis.) est le monument antique le plus important de Normandie. Musée d'histoire locale.
Environs • 5,5 km S., Port-Jérôme, centre de raffinage de pétrole ; à *Quillebeuf,* sur la rive g. de la Seine, église XIIe-XIVe avec clocher romain.

Lillers
62 - Pas-de-Calais 1 - C 3
La collégiale Saint-Omer mil. XIIe est, quoique remaniée du XVIe au XIXe, la seule église romane importante du nord de la France. On y vénère le curieux crucifix dit du « Saint-Sang du miracle » déb. XIIe.
Environs • 3,5 km N.-O., *Ham-en-Artois,* anc. abbaye Saint-Sauveur fondée au XIe.

Limoges
87 - Haute-Vienne 30 - A 1
La cathédrale Saint-Étienne XIIIe-XVIe a un magnifique portail flamboyant déb. XVIe et un clocher porche haut de 62 m. L'anc. palais épiscopal abrite le musée (fermé mardi d'oct. à juin) : coll. d'émaux limousins du XIIe à nos jours. Les jardins de l'évêché, en terrasses, dominent la *Vienne* (très belle vue); vieux pont Saint-Étienne, en dos-d'âne, déb. XIIIe. Église Saint-Pierre-du-Queyroix XIVe et XVe. Saint-Michel-des-Lions XIIIe-XIVe est dominée par un clocher de 65 m ; beaux vitraux XVe. La rue de la Boucherie, bordée de maisons anc. à colombages, conduit à la chapelle Saint-Aurélien fin XVe qui appartient à cette corporation. Le Musée national Adrien-Dubouché (vis. ts les j. sauf mardi), consacré à la céramique, possède plus de 10 000 pièces. La crypte de l'anc. abbaye Saint-Martial, mise au jour en 1960, abrite plusieurs sarcophages ; ses parties les plus anc. sont du IVe ; mosaïque polychrome IXe (vis. sonorisée l'été).
Environs • 11,5 km S., *Solignac* a une des plus belles églises à coupoles du Sud-Ouest, mil. XIIe ; bâtiments abbatiaux XVIIe-XVIIIe ; à 3 km S.-E., ruines des *châteaux de Chalusset,* XIIe et fin XIIIe. • 22 km E., **Saint-Léonard-de-Noblat***. • 23 km N.-O., *Oradour-sur-Glane;* les ruines du village incendié par les Allemands en 1944, et dont la population fut massacrée, ont été conservées (vis. ts les j.) ; un nouveau village a été construit ; martyrium au cimetière.

Limoux
11 - Aude 42 - B 3
Charmante petite ville sur l'*Aude.* Église Saint-Martin XIVe-XVIe. Beau pont XIVe. Original musée de la Belle Époque : peintures de style 1900, peintres régionaux.
Environs • 1 km N.-E., Notre-Dame-de-Marceille XIVe ; à l'int. beau maître-autel XVIIIe et boiseries XVIIIe (pèlerinage le 8 sept.) ; source miraculeuse ds un cadre romantique • 8 km S.-E., Saint-Polycarpe, belle église romane et anc. bâtiments abbatiaux XVIIe-XVIIIe ; belles pièces d'orfèvrerie. • 8,5 km S. *Alet-les-Bains,* ruines imposantes de l'anc. abbatiale, puis cathédrale Notre-Dame, fin XIIe, entourées du cimetière ; église Saint-André fin XIVe, de type gothique méridional ; la place de la République est entourée de pittoresques maisons anc. ; porte de la Cadène, vestige de l'enceinte fin XIIe ; la route (D. 118) continue sur *Couiza;* au bord de l'Aude, imposant château des ducs de Joyeuse XVIe ; à 12 km S., **Quillan***.

Lioran (Le)
15 - Cantal 30 - D 3
Station d'été et d'hiver, à 1 150 m d'alt., au milieu des sapinières. Tunnels routier et ferroviaire franchissant le col et reliant **Clermont-Ferrand*** à **Aurillac***. Bon centre d'excursions ds le massif érodé du Cantal et ds les vallées parsemées de burons.
Environs • 1,5 km N., buron de Belles-Aygues (vis. l'été), centre de documentation sur la vie des pâtres et la fabrication du fromage de Cantal ; de nombreux sentiers pédestres permettent d'agréables promenades. • Au Super-Lioran, téléférique du *Plomb du Cantal* (1858 m) ; au S.-E. (immense panorama sur le Cantal et les monts Dore). • Du *puy Griou* (1 694 m), au S.-O., panorama exceptionnel sur toute l'Auvergne.

Lisieux
14 - Calvados 10 - C 1
Le pèlerinage à sainte Thérèse de l'Enfant-Jésus a rendu célèbre cette petite cité normande, dont la guerre a détruit de pittoresques vieux quartiers. La basilique (1933-1954) est malheureusement d'une architecture aussi prétentieuse que médiocre (illumination l'été). Derrière l'abside, chemin de croix monumental. La chapelle du Carmel abrite la châsse, lourdement sculptée et ornée, de la sainte († 1897). La villa des Buissonnets, où elle passa son enfance, a conservé son caractère original (vis. ts les j.). L'église Saint-Pierre, anc. cathédrale XIIe-XIIIe a, sur son flanc dr., un beau portail sculpté, le portail du Paradis XIIe. A g. anc. palais épiscopal de style Louis XIII ; voir (s'adr. au concierge) le salon d'apparat, ou Chambre dorée XVIIe. Église Saint-Jacques, de style flamboyant fin XVe. Musée du Vieux-Lisieux. Musée de la mer.
Environs • Lisieux est un bon départ d'excursions vers le *pays d'Auge* au N., ds la basse vallée de la *Touques, Ouilly-le-Vicomte,*

Limoges : *le vaisseau gothique de Saint-Étienne témoigne d'une construction homogène.* ▶

L'église Saint-Michel-des-Lions doit son nom à ses lions de granit. ▼

église Xe-XIe, l'une des plus anc. de Normandie; à 8 km N., *Le Breuil-en-Auge,* pittoresque château du Breuil XVIe, à pans de bois, encadré de 2 pavillons, porte d'entrée XVIIIe; à 8 km N., *Pont-l'Évêque,* église XVe-XVIe, maisons anc. rue Saint-Michel, manoir des Dominicaines de l'Isle déb. XVIe; au N.-O., après *Beaumont-en-Auge,* à *Saint-Pierre-Azif,* intéressante église XIIe-XVe. • Par la D. 59, à l'O., abbaye *du Val Richer* (transformée en château au XIXe, vis. sur demande); à 12 km N.-O., Clermont-en-Auge (du chevet de l'église à 500 m du village, panorama étendu sur le pays d'Auge), puis, en direction de *Dives-sur-mer, Cricqueville-en-Auge* (château XVIe, on ne vis. pas). • Au S., après *Saint-Martin-de-la-Lieue,* **Saint-Germain-de-Livet***, *Fervaques* (voir **Vimoutiers***).

Liverdun
54 - Meurthe-et-Moselle 13 - B 2
Sur un pittoresque promontoire, dominant une boucle de la *Moselle.* Porte du XVIe, attenant à un vestige de l'enceinte XIIIe; maison du Gouverneur fin XVIe. Église fin XIIe, remarquable exemple d'architecture cistercienne romano-gothique; à l'int., tombeau de saint Euchaire. De la croix de Saint-Euchaire fin XVIe, sur la route de Saizerais, belle vue sur le site.

Loches
37 - Indre-et-Loire 17 - D 3
Forteresse imposante, le château domine la ville. On y pénètre par la porte Royale XVe, flanquée de 2 tours XIIIe, qui sert d'entrée au musée du Terroir et au musée Lansyer (peintures XIXe, art d'Extrême-Orient). La rue Lansyer aboutit à l'église Saint-Ours, XIIe, surmontée de 2 tours à flèches et de 2 pyramides creuses; portail roman richement orné. Le Logis royal (vis. ts les j. sauf mardi), XIVe-XVe, abrite l'oratoire d'Anne de Bretagne, délicatement ouvragé, et plusieurs salles renfermant d'intéressantes œuvres d'art : tombeau d'Agnès Sorel († 1450), triptyque de l'école de Jean Fouquet. Au S. de l'enceinte, la forteresse dite le «Donjon» forme avec le donjon roman XIe, la tour Ronde et le Martelet XVe, et plusieurs autres constructions, un ensemble puissamment fortifié (vis. des cachots ts les j. sauf jeudi). Faire le tour ext. du château. Illuminations.
Environs • 1,5 km E., *Beaulieu-les-Loches;* la vaste abbatiale romane XIe, en partie ruinée, est dominée par un majestueux clocher XIIe; logis abbatial XVIe-XVIIe; maison dite d'Agnès Sorel XVe; par la D. 760, qui traverse la *forêt de Loches,* ruines de la *chartreuse du Liget,* église fin XIIe, bâtiments conventuels XVIIe (on vis.); à 400 m, chapelle du Liget, rotonde décorée de belles fresques romanes XIIe.

Locronan
29 S - Finistère 8 - B 3
L'un des sites les plus caractéristiques de la Bretagne traditionnelle. La place centrale présente un ensemble homogène composé de l'église XVe et de la chapelle du Pénity, de maisons Renaissance en granit XVIe-XVIIe, et d'un vieux puits. La ville et sa «montagne» (Plas-ar-C'horn, 289 m) sont le théâtre de la «petite Troménie» (procession de Saint-Ronan, le 2e dim. de juillet), et tous les 6 ans de la «grande Troménie» (la prochaine en 1983). La chapelle du Pénity déb. XVIe abrite le tombeau de saint Ronan, une Mise au tombeau XVIe, décorée de reliefs sculptés, et de nombreuses œuvres d'art. Petit musée. Chapelle Notre-Dame-de-Bonne-Nouvelle mil. XVIe.
Environs • 8 km N.-O., *chapelle Sainte-Anne-la-Palud,* au milieu des landes; le pardon du dernier dim. d'août est l'un des plus fréquentés de Bretagne.

Lodève
34 - Hérault 43 - A 1
L'anc. cathédrale Saint-Fulcran XIVe a une façade fortifiée; à l'int. stalles et maître-autel XVIIIe; cloître XVe-XVIIe (petit musée lapidaire). Musée de préhistoire ds l'anc. chapelle des Carmes. Pont gothique de Montifort, sur la Soulondres.
Environs • 6 km E., anc. prieuré Saint-Michel-de-Grandmont, remarquable ensemble monastique roman et gothique; très belle église XIIIe, cloître roman. • 9 km N.-E., site pittoresque du cirque de Gourgas. • 15 km N., brèche rocheuse dite *Pas de l'Escalette;* la route est suspendue en corniche au flanc des falaises surplombant à 300 m à pic la vallée de la *Lergue.*

Lombez
32 - Gers 41 - D 1
L'anc. cathédrale XIVe, à 2 nefs de largeur inégale, a un superbe clocher toulousain octogonal à 5 étages; à l'int., intéressantes œuvres d'art : stalles XVIIe, maître-autel XVIIIe, Christ gisant XVe.
Environs • 17 km O., *Simorre,* impressionnante église fortifiée XIVe-XVe, la plus belle de Gascogne; à l'int., nombreuses œuvres d'art dont 26 stalles sculptées XVIe et un superbe ensemble de vitraux du XIVe au XVIe. • 9 km N.-E., *Cazaux-Savès,* château de Caumont,

Loches : *vue des bords de l'Indre, la petite ville est très intéressante par son ensemble ancien bien conservé que domine le château, véritable cité fortifiée (on voit ici l'escalier menant à l'oratoire d'Anne de Bretagne).*

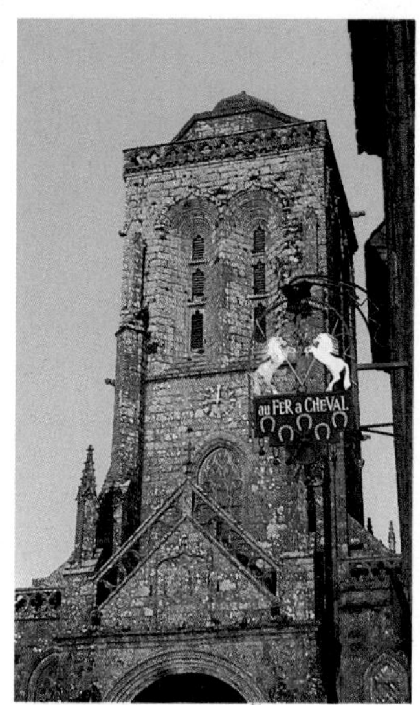

Locronan : ***le large et puissant clocher de l'église de Pénity, en granit, couvert de lichens.***

imposante construction Renaissance en brique et pierrre alternées, flanquée de solides tours en losange et de tourelles octogonales; belle cour d'honneur (vis. ext. autorisée).

Longwy
54 - Meurthe-et-Moselle 7 - B 3
Ville industrielle composée de 3 agglomérations : Longwy-Bas, en amphithéâtre sur la rive dr. de la Chiers ds un site escarpé; du belvédère de l'avenue de la Liberté, vaste panorama sur l'énorme complexe industriel. Longwy-Haut, anc. place forte construite sur plan régulier ds une enciente hexagonale bastionnée par Vauban (entrée par la porte de France); au N.-E. faubourg industriel de Gouraincourt.
Environs • 5 km N., *Mont-Saint-Martin,* remarquable église romane de style germanique (désaffectée), vaste panorama. • Au S.-O., 9 km, *Cons-la-Grandville,* superbe château Renaissance fin XVIe (on ne vis. pas); à 9 km S.-O., belle église XIIIe à *Longuyon.*

Lons-le-Saunier
39 - Jura 26 - B 2
La rue du Commerce, bordée de maisons à arcades XVIIIe, relie l'hôtel de ville (musée) et l'hôpital XVIIIe (remarquable pharmacie à boiseries sculptées, et laboratoire), place de la Liberté. Saint-Désiré XIe, l'un des édifices les plus anc. de Franche-Comté; belle crypte XIe divisée en 3 vaisseaux de 6 travées voûtées; sarcophage de saint Désiré Ve. Église des Cordeliers XVe et XVIIIe. Établissement thermal (eaux salées) et parc des Bains de 7 ha avec 2 petits lacs.
Environs • 3 km S.-E., Montaigu; maison familiale de Rouget de L'Isle, musée (vis. ts les j.). • 18 km N.-E., anc. abbaye de **Baume-les-Messieurs*** et *cirque de Baume.*

Lorient
56 - Morbihan 15 - D 1
Important port militaire et de pêche au fond d'une vaste rade. Le centre de la ville, détruit en 1940-1945, a été reconstruit en style régional. La rive dr. du *Scorff* est bordée par les installations de l'Arsenal (ouv. ts les j. 15 mai-14 sept. Français seul.); l'entrée est encadrée par 2 élégants pavillons Louis XV. Sur un tertre, tour de la Découverte fin XVIIIe (vaste panorama) et 2 moulins à poudre de l'Amirauté XVIIe : l'un d'eux abrite le Musée naval.
Environs • 2 km S., Keroman, port de pêche et importante base de sous-marins *Ingénieur-général-Stosskopf,* construite par les Allemands en 1941-1943 (vis. en saison). • 14 km S.-O., en mer, dont 6 en rade, excursion recommandée à l'*île de Groix,* avec escale à **Port-Louis*** : sauvage et découpée au N. et à l'O. (port de *Port-Tudy),* sablonneuse à l'E. et au S. (belle plage des Grands Sables, baie pittoresque de *Locmaria,* site du Trou de l'Enfer); l'île conserve plusieurs mégalithes.

Loudun
86 - Vienne 23 - B 1
La vieille ville, ceinturée de boulevards, a gardé son caractère d'autrefois; elle possède plusieurs maisons anc. dont celle de Théophraste Renaudot XVIe-XVIIe. Église Saint-Pierre mil. XIVe, portail Renaissance. Musée Charbonneau-Lassay : importantes coll. d'armes, du haut Moyen Age au XIXe; archéologie, ethnographie et folklore local. Église Saint-Hilaire-du-Martray XIVe-XVIe; sur le flanc S., chapelle Notre-Dame-de-Recouvrance fin XVe.
Environs • 12 km S.-O., château d'**Oiron***. • 18 km S.-O., *Saint-Jouin-de-Marnes,* belle église romane XIe-XIIe, remarquable par ses dimensions (72 m de long, 15 m de haut), sa façade et ses voûtes angevines; à 9 km S.-O., *Airvault,* église romane, déb. XIIe, robuste narthex précédant une nef avec voûtes angevines XIIIe; vestiges d'un cloître XVe et salle capitulaire XIIe d'une anc. abbaye; à 6,5 km N., *Saint-Généroux,* église d'origine carolingienne; à 5 km S.-O., d'Airvault, *Saint-Loup-Lamairé,* vieux bourg pittoresque, nombreuses maisons en brique et à pans de bois XVe-XVIe; château Louis XIII avec donjon XVe, curieux auditoire XVe à 3 étages à pans de bois en encorbellement.

Louhans
71 - Saône-et-Loire 26 - A 2
L'hôtel-Dieu abrite une belle apothicairerie du XVIIe avec pots de faïence de Lyon et de Nevers. La Grande-Rue est bordée de maisons à arcades XVIIe et XVIIIe. Hôtel de ville XVIIIe.

Lourdes
65 - Hautes-Pyrénées 41 - B 2
Le pèlerinage le plus célèbre de la chrétienté est aussi un centre touristique apprécié. La ville, arrosée par le *Gave,* comprend le vieux Lourdes, groupé autour du château fort, et la cité religieuse. Imposant spécimen de l'architecture militaire du Moyen Age, le château, bâti sur un rocher isolé de 80 m (accès par escaliers ou ascenseur) abrite le Musée pyrénéen (vis. ts

Lodève : ***la tour de l'ancienne cathédrale Saint-Fulcran est le « signal » de la ville, au confluent de la Lergue et de la Soulondres.***

Lourmarin : *la pierre ocre du château contraste avec les masses sombres des cyprès et des pins.*

les j.), l'un des musées régionaux les plus intéressants et les mieux présentés; du rempart : vue. L'immense esplanade des Processions conduit à la place du Rosaire, dominée par les 3 sanctuaires superposés, l'église du Rosaire, de style néo-byzantin, la crypte et la basilique néo-gothique (1876) tapissée d'ex-voto. Sous l'esplanade : vaste basilique Saint-Pie X (1956-1959). A dr. des sanctuaires, au bord du *Gave,* grotte de Massabielle, où la Vierge apparut à Bernadette Soubirous en 1858. Les visites du musée Notre-Dame-de-Lourdes, du musée Bernadette et de sa maison natale, du musée de cire (personnages religieux) et du musée de Gemmail d'art sacré intéresseront pèlerins et curieux. Au-dessus de la basilique, un sentier sinueux conduit, à flanc de colline, au chemin de croix monumental.

Environs • 3 km O., *lac de Lourdes* (location de barques, tour du lac en vedette, pédalo, pêche, etc.). • 15 km S., funiculaire du *pic du Jer* (départ ttes les 30 mn); de la gare sup. un chemin conduit au sommet (948 m); croix monumentale et table d'orientation. • 7,5 km S. téléférique du *Pibeste* (1 383 m); vaste panorama.

Lourmarin
84 - Vaucluse 44 - A 1

Le château, situé sur une butte, comprend 2 parties : le château vieux fin XVe-déb. XVIe à l'E., et à l'O. le bâtiment principal, élégante construction Renaissance qui abrite la fondation Laurent-Vibert pour écrivains et artistes; à l'int. (vis. ts les j. sauf merc.), intéressantes collections. Le château est entouré de jardins en terrasses offrant de belles vues.

Environs • Au N., la combe de *Lourmarin,* profonde dépression séparant le grand et le petit Lubéron (voir **Lubéron***), mène à *Bonnieux* et **Apt***. • 7 km N.-E., *Cucuron* (église intéressante, beffroi et donjon). • 4,5 km S., *Cadenet* (statue du « tambour d'Arcole », église XIVe).

Louveciennes
78 - Yvelines 11 - C 2

Sur les coteaux dominant la rive g. de la *Seine.* Église Saint-Martin, XIIe et XIIIe; intéressantes œuvres d'art à l'int. On ne visite pas les châteaux XVIIe ou XVIIIe que, parfois, l'on aperçoit dans les frondaisons des parcs : châteaux du Pont, pavillon de Madame du Barry, de Voisins, etc. Restes de l'aqueduc qui conduisait les eaux de la Seine de la « machine de Marly » (démolie) à Versailles. Rue du Maréchal-Joffre une grille permet d'apercevoir le petit temple en rotonde où repose le maréchal († 1931).

Environs • Au N., Bougival, qui possède également de vastes et belles propriétés, a conservé quelques sites agrestes; l'église a un beau clocher roman et un chœur XIIIe.

Louviers
27 - Eure 11 - A 1

Traversée par plusieurs bras de l'*Eure,* la ville est dominée par la belle église Notre-Dame XIIe-XIIIe, rhabillée avec une élégante profusion de sculptures aux XVe-XVIe; le flanc dr. et le porche, particulièrement ouvragés, sont des chefs-d'œuvre de style flamboyant. Au musée intéressantes coll. d'archéologie et de folklore régional.

Environs • 5 km S., *Acquigny,* beau château Renaissance au bord de l'*Eure.*

Lucéram
06 - Alpes-Maritimes 39 - B 3

L'église fin XVe, remaniée au XVIIIe en style rococo italien, possède d'importantes œuvres d'art, notamment 5 retables XVe-XVIe des Bréa et un riche trésor. Chapelle de Saint-Grat, XVe.

Environs • 1,8 km, chapelle Notre-Dame-de-Bon-Cœur, fresques XVe. • 19 km S.-O., *Coaraze,* centre d'artisanat et d'art populaire juché sur un éperon dominant la vallée du *Paillon;* au S. la « route du Soleil » conduit à *Contes,* également bâti sur un promontoire; ds l'église fin XVIe, l'une des œuvres capitales de l'École niçoise, le « retable de Sainte Madeleine », à 2 compartiments (v. 1525); *Contes* est relié au col de Nice, à 14 km N.-E., et à l'*Escarène,* par une route qui laisse à g. l'un des plus étonnants nids d'aigle de la région, Berre-les-Alpes, d'où l'on a un magnifique panorama.

Luçon
85 - Vendée 22 - D 2

La cathédrale Notre-Dame, gothique XIIIe-XIVe, a une façade classique fin XVIIe; pignon roman fin XIe au croisillon N.; ds le chœur, belles boiseries mil. XVIIIe, décoration en stuc de style rocaille ds le croisillon S.; chaire peinte déb. XVIIe dite chaire de Richelieu (évêque de Luçon, 1608-1623). Le palais épiscopal entoure le cloître des Chanoines, à 3 galeries gothiques et Renaissance. Jardin Dumaine, typique de l'époque Napoléon III. *Environs* • Au S., *Marais Poitevin* (voir **Niort***) • Au S.-O., *Saint-Michel-en-l'Herm* (anc. abbaye). *L'Aiguillon-sur-Mer* (centre d'ostréiculture et de mytiliculture); au S.-E., *pointe de l'Aiguillon* et au N.-O., *La Tranche-sur-Mer,* station balnéaire sur une côte de dunes plantées de pins, en bordure d'une immense plage; centre de culture d'oignons à fleurs (floralies en avril). • 16 km N.-E., *Sainte-Hermine,* curieux monument à Clemenceau représenté au front au milieu des soldats.

Lude (Le)
72 - Sarthe 17 - C 2
Le château, l'un des plus beaux de la Renaissance française, forme un quadrilatère flanqué de 4 grosses tours rondes. L'aile N., fin XVe, offre une façade gothique et l'aile S. une élégante façade François Ier, ornée de médaillons et de sculptures. L'ensemble est entouré de douves aménagées en jardins. Terrasse au-dessus du Loir. (Vis. ts les j. de Pâques au 1er nov. Son et Lumière, et spectacles l'été.) *Environs* • Au N.-E., manoir de *Champmarin*, Renaissance (vis. autorisée); *Aubigné-Racan* église XIIe et XVIe.

Lunéville
54 - Meurthe-et-Moselle 13 - C 2
Le château déb. XVIIIe est précédé d'une vaste cour d'honneur; le majestueux bâtiment central est flanqué de 2 petites ailes, séparées des grandes ailes encadrant la cour par des portiques; au milieu de la cour, statue équestre du général Lassalle; à l'int. musée : souvenirs historiques, faïences, peintures et sculptures XVIIIe-XIXe; intéressante documentation photographique sur l'œuvre complète de G. de La Tour; musée militaire; élégante chapelle (salle de concerts). En arrière du château, très beaux jardins à la française, ou promenade des Bosquets déb. XVIIIe. L'église Saint-Jacques mil. XVIIIe est un précieux exemple de style rococo; à l'int. boiseries Régence, tribune et buffet d'orgues sculptés. L'hôtel de ville et la bibliothèque occupent les bâtiments de l'anc. abbaye Saint-Rémy XVIIIe.

LUBÉRON (montagne du)
84 - Vaucluse 38 - A 3 - 44 - A 1
D'**Apt*** à l'O., la N. 100 permet de voir le pont Julien, sur le *Coulon,* l'un des ponts romains les mieux conservés de France; église romane de *Goult* (à 2 km N.-O., église carolingienne de Saint-Pantaléon entourée de sarcophages) et Notre-Dame-de-Lumière XVIIe, ds un beau parc (pèlerinage très fréquenté). De là, gagner au S.-O. **Oppède-le-Vieux*** et **Ménerbes***, la D. 109 conduit, à 6 km E., à *Lacoste :* château XVe en partie ruiné (vis. autorisée); à 3 km N.-O., par Saint-Véran, anc. abbaye romane de Saint-Hilaire, de *Lacoste,* on gagne *Bonnieux :* village pittoresque étagé sur un promontoire; vestiges de remparts; derrière l'anc. église XIIIe-XVe, au sommet d'une colline, panorama; de *Bonnieux,* au N., la D. 36 et la D. 943, aussi sinueuses qu'accidentées, conduisent à **Apt*** par un parcours très pittoresque (prieuré de Saint-Symphorien, anc. fort de Buoux); au S., **Lourmarin*** par la magnifique combe de Lourmarin et **La Tour-d'Aigues***. • L'itinéraire le plus remarquable (magnifiques panoramas) suit, de **Cavaillon*** à *Bonnieux,* la route forestière de crête qui traverse les hautes plaines et le massif des Cèdres.

Lunéville : *inspiré de Versailles, le château, début XVIIe, a grand air. Dans la cour d'honneur, la statue du général de Lasalle, tué à Wagram.*

Le Lude : *la façade François-Ier, à la fois robuste et ornée, de l'imposante construction gothique en est la partie la plus remarquable.*

Luxeuil-les-Bains
70 - Haute-Saône 20 - C 1
Station thermale réputée. La maison Jouffroy est une élégante résidence XVe avec échauguette mil. XVIe et curieuses sculptures; à l'int. (vis. ts les j.), belles cheminées XVIe. Maison François-Ier, abbé de Luxeuil, Renaissance. Anc. palais abbatial XVIe-XVIIIe (mairie). La basilique Saint-Pierre, anc. abbatiale XIVe, a d'intéressantes œuvres d'art. Cloître XIVe-XVe en grès rose. Musée Tour des Echevins XVe (ou Maison carrée, fermé mardi).
Environs • La ville est entourée, sauf au S.-O., de forêts offrant des promenades variées. • 15,5 km N.-E., *Faucogney,* anc. ville forte, site pittoresque dominé par le mont Saint-Martin, énorme rocher de grès couronné par une chapelle; entre *Faucogney* et *Le Thillot* s'étend le plateau d'Esmoulières, parsemé d'étangs, tour à tour cultivé et sauvage, dominé par la « ligne bleue » des ballons vosgiens.

Luynes
37 - Indre-et-Loire 17 - C 2
Beau château féodal XIIIe-XVe dominant le bourg (on ne vis. pas). Maisons XVIe. Halles en charpente XVe. Habitations troglodytes. A 1,5 km N.-E., ruines d'un aqueduc gallo-romain.

Luzech
46 - Lot 36 - A 2
Site très curieux ds la boucle d'un méandre du *Lot* dont l'isthme atteint 200 m à sa partie la plus étroite. Le bourg anc. est fort pittoresque, rues étroites traversées d'arcades, et vieilles maisons. Ruines du château, avec donjon XIIIe, sur un roc isolé. Chapelle des Pénitents Bleus XIIe. Église Saint-Pierre XIVe. Au N., vestiges de l'oppidum de l'Impernal. Au S., promontoire de la Pistoule.

Luz-Saint-Sauveur
65 - Hautes-Pyrénées 41 - B 3
Petite cité montagnarde, Luz (685 m d'alt.) forme avec Saint-Sauveur (731 m), où se trouvent les principaux hôtels, une agglomération au cachet pyrénéen. L'église de Luz XIIe-XIIIe, fortifié au XIVe, est entourée d'un mur d'enceinte crénelé; portail latéral roman avec tympan sculpté. A l'int., petit musée d'art religieux (statues, châsses et objets d'art du XIIe au XVIIIe), ds la chapelle Notre-Dame-des-Sept-Douleurs XVIIe.
Environs • Au N.-O., vers *Pierrefitte-Nestalas*, la N. 21 suit la belle *gorge de Luz.* • Au S.-O., la N. 21 franchit le pont Napoléon (1861) qui s'élève à 65 m au-dessus du gave de Pau et s'engage ds l'étroite

Luz-Saint-Sauveur : *« De Luz à Gavarnie c'est le chaos primitif, c'est l'enfer », écrivait George Sand. Le Parc national des Hautes-Pyrénées comprend des paysages d'une sauvage beauté.* ▲

Le cirque de Gavarnie est célèbre par ses impressionnantes cascades. ▼

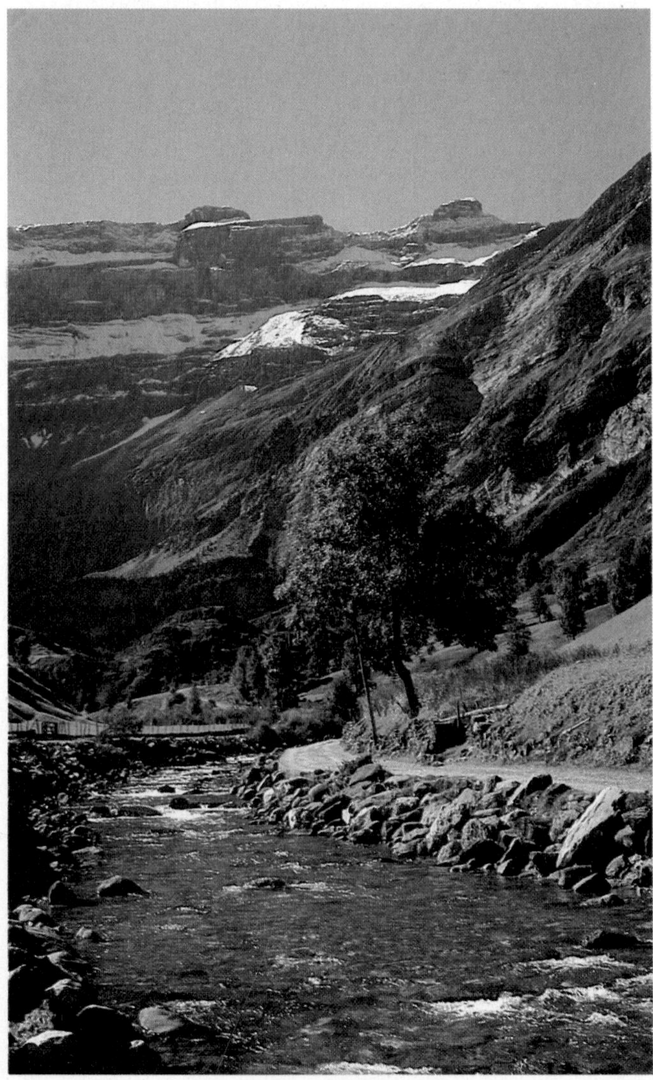

gorge de Saint-Sauveur; après Pragnères (centrale électrique, on vis.), *Gèdre;* au S.-E., la N. 21 D atteint la chapelle Notre-Dame-de-Héas (1 522 m), puis le cirque de Troumouse; de Gèdre reprendre la N. 21, chaos de Coumély, *Gavarnie,* modeste village montagnard; l'église, XIVᵉ, contient d'intéressantes œuvres d'art populaire; excursion indispensable (2 h à 2 h 30) au *cirque de Gavarnie,* l'un des sites les plus célèbres des Pyrénées; les immenses murailles de neige aux gradins à pic et leurs cascades constituent un ensemble grandiose.

Lyon
69 - Rhône 31 - D 1

Au confluent du *Rhône* et la *Saône,* c'est une riche ville d'art dont les vieux quartiers (la Croix-Rousse, Saint-Jean) ne sont pas moins remarquables que les monuments.

• La place Bellecour, l'une des plus vastes de France (310 m sur 200), est bordée à l'E. et à l'O. de façades symétriques de style Louis XVI; au centre, statue équestre de Louis XIV. Entre la place Bellecour et la place Carnot (gare de Perrache) s'étend le quartier d'Ainay où l'on visitera le Musée lyonnais des Arts décoratifs, le Musée historique des Tissus (voir plus loin) et la basilique romane Saint-Martin-d'Ainay. De la place Bellecour, par la rue du Président-Herriot, ou la rue de la République, on parvient place des Terreaux (au centre fontaine monumentale de Bartholdi), où s'élèvent l'hôtel de ville XVIIᵉ et le musée des Beaux-Arts (palais Saint-Pierre).

• Quartier de la Croix-Rousse : on y flânera en suivant de préférence, à partir de la place Tolozan, le circuit des « traboules »; avec les « montées », elles permettent de découvrir les différents aspects du vieux quartier des « canuts », dont les hauts immeubles aux innombrables fenêtres dominent Lyon. Vestiges de l'amphithéâtre romain des Trois-Gaules au jardin des Plantes. L'église Saint-Bruno-des-Chartreux est un intéressant exemple d'architecture et de décoration baroques XVIIᵉ. Rue d'Isly : curieux musée des Canuts.

• Quartier Saint-Jean ou « vieux Lyon » : il longe la *Saône* au pied de la colline de Fourvière. La rue Saint-Jean, principale artère du « vieux Lyon », bordée de maisons gothiques ou Renaissance, constitue l'un des plus remarquables ensembles urbains XVᵉ-XVIᵉ. Rue Juiverie, n° 8, hôtel Bulliond (galerie due à Philibert Delorme); n° 4, hôtel Patherin (chef-d'œuvre de la Renaissance lyonnaise); rue Lai-

Lyon : ***dans les quartiers anciens, traboules et montées se succèdent; au hasard d'une montée se découvre un aspect inconnu ou curieux.***

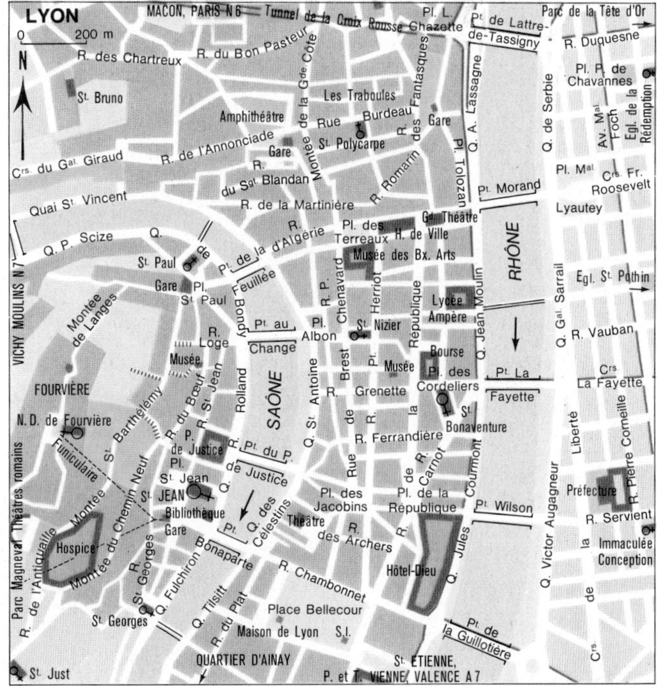

nerie; rue de Gadagne (au n° 8, l'hôtel de Gadagne abrite le Musée historique de Lyon et le musée de la Marionnette, ouv. ts les j. sauf mardi). Place du Change (Loge du Change), places du Gouvernement et de la Baleine, rue des Trois-Marie, etc. La cathédrale Saint-Jean est flanquée à dr. par le mur du cloître XIe de l'anc. manécanterie (la maison des chantres XIIe) construite du XIIe au XVe; les soubassements des portails de la façade conservent 350 petits bas-reliefs gothiques très expressifs; à l'int., vitraux XIIe et XIIIe; sur le bas-côté S. riche chapelle des Bourbons fin XVe. A dr. de la cathédrale la rue Mourguet conduit à la pittoresque place de la Trinité.

• Colline de Fourvière : on y accède par le funiculaire (la « ficelle » de la place Saint-Jean) ou par les sinueuses « montées », dont les lacets permettent de découvrir le panorama de la ville. La basilique Notre-Dame-de-Fourvière est typique de l'éclectisme architectural et décoratif des monuments religieux fin XIXe; l'ornementation int. est d'une écrasante richesse; de la terrasse vaste panorama sur Lyon. Par la rue de l'Antiquaille on gagne le parc Magneval (ouv. ts les j. sauf sam. et dim. l'hiver) où ont été mis au jour les théâtres romains, le grand théâtre (108 m de diam.) et le petit théâtre (ou Odéon), un quartier commercial et les fondations d'un temple de Cybèle. Musée de la Civilisation gallo-romaine, remarquable musée archéologique aménagé dans la colline par Bernard Zehrfuss.

• Principaux musées. Musée des Beaux-Arts (palais Saint-Pierre, ou palais des Arts), anc. abbaye bénédictine XVIIe (ouv. ts les j.); riches coll. de sculptures (art grec, Moyen Age et Renaissance) et de peinture (art rhénan, hollandais, italien, et français, école lyonnaise XIXe, diverses écoles contemporaines). Musée lyonnais des Arts décoratifs et Musée historique des Tissus (ouv. ts les j. sauf lundi et mardi matin) installés ds 2 beaux hôtels XVIIIe. Musée des Hospices civils, à l'hôtel-Dieu (remarquable apothicairerie XVIIe). Musée Guimet (coll. d'Extrême-Orient). Musée de l'Imprimerie et de la Banque (ds l'anc. « maison de ville » fin XVe). La visite du musée de la Marionnette (hôtel de Gadagne) doit être complétée par une représentation de Guignol au palais du Conservatoire, rue Louis-Carrand, les merc. et dim. apr.-m. Parc de la Tête-d'Or, sur la rive g. du Rhône : magnifiques serres, riche roseraie, jardin zoologique.

Environs • 6 km N.-O., île Barbe, sur la *Saône,* restaurants champêtres, promenades ombragées, chapelle et vestiges de l'anc. monastère, logis de la Prévôté XVIe. • 11 km N., château de *Rochetaillée,* entouré d'un vaste parc; Musée français de l'Automobile (vis. ts les j.). • Circuit du *mont d'Or* lyonnais, au N., par Saint-Cyr-au-Mont-d'Or, le *mont Cindre* (467 m), le mont Thou (612 m, magnifique panorama), *Poleymieux-au-Mont-d'Or* (maison d'Ampère : musée de l'Électricité). • 10 km O., *Charbonnières-les-Bains :* établissement thermal, casino, parc, hippodrome; 17 km N.-O., *L'Arbresle;* le couvent dominicain Sainte-Marie-de-La-Tourette, l'une des dernières réalisations de Le Corbusier (1957-1959). • 10 km S.-O. par Oullins et la vallée de l'Yzeron, vestiges des *aqueducs romains* de Beaunant.

Lyons-la-Forêt
27 - Eure 5 - A 3

Entouré par la forêt domaniale de Lyons. Halles XVIIIe, église romane et Renaissance.

Environs • La *forêt domaniale de Lyons* (10 608 ha) est la plus belle hêtraie de France (chasses à courre du 15 sept. au 15 avr.). • Au S., ruines de l'*abbaye de Mortemer* XIIIe (vis. ts les j.). • A l'O. ds la vallée de l'*Andelle,* Vascœuil, château (centre culturel international) et jardins (chaumières à colombages reconstituées); *Fleury-sur-Andelle;* ruines de l'abbaye de Fontaine-Guérard XIIIe (vis. l'apr.-m.).

Lyon : ***Notre-Dame-de-Fourvière, élevée après la guerre de 1870, à la suite d'un vœu, domine la ville.***

Mâcon
71 - Saône-et-Loire 25 - D 3
La patrie de Lamartine possède plusieurs hôtels aristocratiques : l'hôtel Sénecé déb. XVIIIe (musée Lamartine), l'hôtel de la Baume-Montrevel de style Louis XVI (hôtel de ville), l'hôtel d'Ozeray où vécut le poète, l'hôtel de Pierreclos (1660), etc. Le musée des Beaux-Arts occupe l'anc. couvent des Ursulines XVIIe. A l'hôtel-Dieu, apothicairerie Louis XV renfermant une importante coll. de faïences XVIIIe.
Environs • 12 km N.-O., *Milly-Lamartine,* où le poète passa son enfance; à l'O., *Saint-Point,* sa résidence préférée : église de type clunisien; Lamartine et sa femme reposent ds une chapelle voisine; le château, remanié au XIXe, garde des souvenirs du poète (vis. ts les j. sauf l'apr.-m. du dim. et j. fériés). • Au S.-O., les villages vignerons *Pouilly, Fuissé,* Chasselas (vins blancs); *Solutré,* important site préhistorique (on y a découvert près de 100 000 squelettes de chevaux); fouilles de Cros du Charnier, musée; du sommet de la Roche (495 m d'alt.), panorama. • Circuit du beaujolais (voir **Villefranche-sur-Saône***).

Magny-en-Vexin
95 - Val-d'Oise 11 - B 1
Église déb. XVIe avec portail Renaissance; à l'int. fonts baptismaux monumentaux XVIe, très ornés, et intéressantes œuvres d'art (Vierge du XIVe, statues funéraires des Villeroy). Les vieux quartiers qui l'entourent comportent plusieurs maisons anc. des XVIe et XVIIIe.
Environs • Excursion recommandée ds la vallée de l'*Aubette.* • A 7,5 km S.-O., château de Villarceaux XVIIIe (on ne vis. pas). • A 7 km O., château d'Ambleville, Renaissance et XVIIe; beaux jardins à la française.

Maguelonne
34 - Hérault 43 - B 1
A 4 km S.-O. de *Palavas-les-Flots,* entre la mer et les étangs, l'anc. cathédrale Saint-Pierre, romane, fortifiée, domine de sa masse puissante le domaine de Maguelonne (vignobles et parc). La nef unique, voûtée en berceau brisé, est coupée à mi-hauteur par une tribune de pierre XVIe. Ds le chœur, tombeaux XVe. Sarcophage Ve et pierres tombales. Ruines de l'évêché et de la salle capitulaire.
Environs • *Palavas-les-Flots,* port de pêche et station balnéaire très animée, vaste plage; une route touristique longe la mer sur 19 km par **La Grande-Motte***, jusqu'au *Grau-du-Roi;* entre *Carnon-Plage* et **La Grande-Motte***, vaste *étang de Mauguio,* ou de l'Or; il sert de refuge à des multitudes d'oiseaux de mer.

Maîche
25 - Doubs 20 - D 3
Villégiature d'été et centre de sports d'hiver sur un plateau encadré par 2 vallées. Maisons anc. Vaste église XVIIIe; ruines d'un château féodal. Horlogerie.
Environs • Très agréables promenades en forêt (superbes sapinières). • A l'E., par *Damprichard,* corniche du *Goumois* (voir **Saint-Hippolyte***). • Au S.-E., à *Fournet-Blancheroche,* les Échelles de la Mort, du belvédère (accès difficile par échelles de fer), panorama superbe sur les gorges du *Doubs.* • Au S.-O., vallée du *Dessoubre* (cirque de **Consolation***); Les Bréseux : dans l'église, beaux vitraux modernes (1950).

Maîche : ***il faut aller voir, aux environs, l'église des Bréseux, que Manessier a décorée de vitraux éclatants.***

Maillezais
85 - Vendée 23 - A 2
Au cœur du Marais poitevin, ruines grandioses de l'abbaye de Saint-Pierre (vis. ts les j. Son et Lumière l'été); fondée au XIe sur une île, elle accueillit Rabelais et Agrippa d'Aubigné qui construisit, à la fin du XVIe, son enceinte rectangulaire; de l'abbatiale XIe et XIVe il reste le narthex, 2 tours carrées et les 4 premières travées du mur N. (beaux chapiteaux romans); le sol de l'abbaye romane et les substructions du cloître ont été dégagés depuis 1955; 2 bâtiments en équerre constituent l'abbaye gothique XIVe (on visitera la vaste cave voûtée, l'anc. cuisine, petit musée, le réfectoire et, au-dessus, la grande salle de l'infirmerie, couverte en charpente). Ds le bourg, intéressante église Saint-Nicolas XIIe, beau portail.
Environs • Au départ du port de l'abbaye, promenades en barque ds le Marais poitevin (de Pâques à sept.).

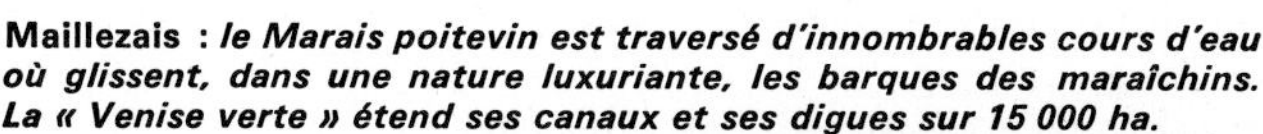

Maillezais : ***le Marais poitevin est traversé d'innombrables cours d'eau où glissent, dans une nature luxuriante, les barques des maraîchins. La « Venise verte » étend ses canaux et ses digues sur 15 000 ha.***

Maintenon : ***dans la cour d'honneur du château, la sévère façade XVIIe contraste avec les bâtiments Renaissance de brique et de pierre richement ornés.***

Mantes : ***la cathédrale Notre-Dame, gothique, a 3 beaux portails sculptés.***

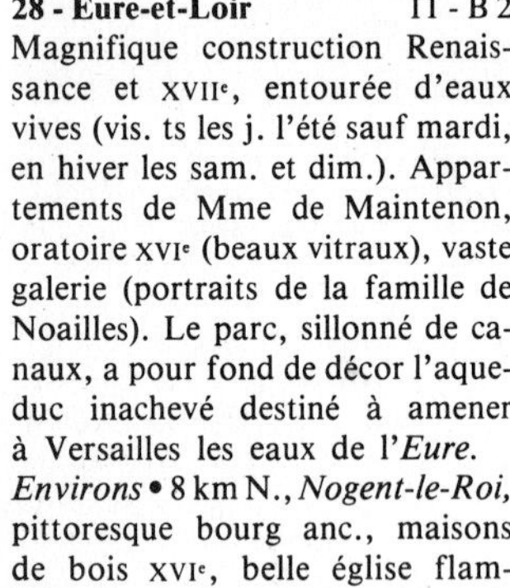

Maintenon (château de)
28 - Eure-et-Loir 11 - B 2
Magnifique construction Renaissance et XVIIe, entourée d'eaux vives (vis. ts les j. l'été sauf mardi, en hiver les sam. et dim.). Appartements de Mme de Maintenon, oratoire XVIe (beaux vitraux), vaste galerie (portraits de la famille de Noailles). Le parc, sillonné de canaux, a pour fond de décor l'aqueduc inachevé destiné à amener à Versailles les eaux de l'*Eure.*
Environs • 8 km N., *Nogent-le-Roi,* pittoresque bourg anc., maisons de bois XVIe, belle église flamboyante et Renaissance avec vitraux XVIe.

Maisons-Laffitte (château de)
78 - Yvelines 11 - C 1
L'un des plus beaux châteaux de la région parisienne, chef-d'œuvre de François Mansart (mil. XVIIe); la façade E. domine la *Seine* et les parterres à la française; l'int. comporte de remarquables décorations de style classique; les appartements du comte d'Artois (futur Charles X), au rez-de-chaussée, sont de style Louis XVI (v. 1780). Chambre du Mar. Lannes (ts les j. sf mardi; conf. sam., dim., ap.-m.).

Malesherbes
45 - Loiret 11 - C 3
Le château XVe (vis. ts les j. sauf mardi) abrite, ds la chapelle, le mausolée de François d'Entraygues (sa statue tourne le dos à celle de sa femme infidèle); ds les dépendances, maison dite de « Chateaubriand », tour des Redevances, greniers à dîme et imposant pigeonnier.
Environs • Au N. et au S., excursions ds la vallée de l'*Essonne,* verdoyante et boisée. • Rochers de Buthiers (escalade). • 2 km N., château de Rouville, imposante construction gothique flanquée de tours (vis. ext.). • 12 km S., *Puiseaux,* belle église XIIIe avec une curieuse flèche à charpente hélicoïdale.

Le Mans : ***un aspect du célèbre circuit automobile qui est le théâtre, en juin, des très populaires Vingt-Quatre Heures du Mans.***

Malle (château de)
33 - Gironde 35 - A 1
A *Preignac,* l'un des plus harmonieux châteaux du Bordelais. Cette charmante construction déb. XVIIe, de goût italien, est située au milieu des vignes. Remarquables jardins à la française. L'int. est d'une élégance raffinée (vis. l'été sauf merc.).
Environs • 6 km N.-E., *Verdelais,* basilique Notre-Dame XVIIe (pèlerinage local); au cimetière, tombe du peintre Toulouse-Lautrec († 1901). 8 km S.-O. de *Langon, château de Roquetaillade* (voir **Bazas***).

Manosque 38 - B 3
04 - Alpes-de-Haute-Provence
Petite ville située ds un paysage typique de la haute Provence, au pied de collines plantées d'oliviers. Elle est entourée d'une ceinture de boulevards; vestiges des remparts : 2 portes subsistent des anc. remparts, la porte Saunerie et la porte Soubeyran XIVe. Saint-Sauveur, nef et transept romans, bas-côtés XVIIe. Notre-Dame également d'origine romane, revoûtée aux XVIe et XVIIe; à l'int., curieuse Vierge noire XIIe.
Environs • 1 km S.-O., chapelle Saint-Pancrace (panorama). • Au S., barrage de *Cadarache,* canal du *Verdon.* • Au N., **Forcalquier***, prieuré de **Ganagobie*** et **Saint-Michel-l'Observatoire***.

Mans (Le)
72 - Sarthe 17 - C 1
La cathédrale Saint-Julien domine la ville et le pittoresque quartier de la Cité; superbe monument roman et gothique, le chœur XIIIe en est la partie la plus remarquable; belle série de vitraux XIIe, XIIIe, XVe; tapisseries XVIe; ds la chapelle des Fonts, imposants tombeaux de marbre Renaissance italienne. Le Vieux Mans mérite une longue visite; place du Cardinal-Grente, l'évêché occupe le charmant hôtel du Grabatoire (Renaissance); rue de la Reine-Bérengère, nombreuses maisons anc. dont celle de la reine Bérengère XVe-XVIe (musée d'Histoire et d'Art populaire); la Grande-Rue est bordée de belles maisons XVe-XVIe. Principales églises : Notre-Dame-de-la-Couture, anc. abbatiale XIe, XIIe et XVIe, beau portail fin XIIIe, vaste nef de style roman angevin; Sainte-Jeanne-d'Arc (anc. hôpital de Coëffort) romane XIIe, à l'int. remarquables chapiteaux; Notre-Dame-du-Pré, romane fin XIe-XIIe; la Visitation, XVIIIe. Musée de Tessé (peintures italiennes et françaises XVe-XIXe) : sa principale richesse est la fameuse «plaque d'émail champlevé» du tombeau de Geoffroy Plantagenêt mil. XIIe (vis. ts les j.).
Environs • 4 km S., *circuit* automobile des 24-Heures du Mans; à 2 km, musée de l'Automobile (vis. ts les j. sauf mardi). • 3,5 km E., anc. *abbaye de l'Épau* XIIIe, église, salle capitulaire, cellier, cuisine, etc. (Vis. ts les j.) • Excursion recommandée au N.-O. ds les «*Alpes mancelles*» (voir **Alençon** *).

Mantes
78 - Yvelines 11 - B 1
L'église Notre-Dame fin XIIe, déb. XIIIe est l'une des plus belles réalisations du gothique en Ile-de-France; le portail central de la façade, consacré à la glorification de la Vierge, est remarquable; à l'int. belle chapelle de Navarre XVIe. La porte aux Prêtres et la porte de l'Étape sont d'intéressants vestiges des remparts. Au musée Duhamel, coll. de faïences anc. Église de *Gassicourt* XIIe-XIIIe.
Environs • A l'O., *Rosny-sur-Seine,* château fin XVe, déb. XVIe, construit par Sully; beaux appartements, souvenirs de la duchesse de Berry (on visite seulement en août); de la corniche de Rolleboise, vaste panorama sur la vallée de la *Seine.*

Marcilhac-sur-Célé
46 - Lot 36 - B 1
Les vestiges de l'abbaye comprennent l'enceinte, la porte d'entrée et la poterne, la maison du Roi, et l'abbatiale romane reconstruite aux XVe-XVIe (curieux tympan archaïque sculpté Xe). L'église actuelle est flanquée d'une salle capitulaire XIIe, voûtée d'ogives (curieux chapiteaux romans).
Environs • 3 km N.-O., grottes de Bellevue ou de Marcilhac (3 salles à stalagmites et stalactites).

Marennes
17 - Charente-Maritime 28 - D 1
Édifiée sur une anc. île du golfe de Saintonge, la capitale de l'ostréiculture se signale par un beau clocher gothique, avec flèche à crochets, haut de 85 m. Marennes cultive les huîtres portugaises et japonaises. Le long de l'estuaire de la *Seudre,* curieux quadrillage des parcs et des «claires», bassins spéciaux ds lesquels les huîtres engraissent, «verdissent» et s'affinent.
Environs • 2 km O., Marennes-Plage. • 5 km N.-O., *Bourcefranc,* important centre ostréicole; à 1 km, *Le Chapus,* port actif face à l'île d'**Oléron** *, fort XVIIe, exposition ostréicole en été. • 6,5 km N., **Brouage** *. • 1,5 km N., château de la Gataudière, excellent exemple de style Louis XV (on ne visite pas). • Sur l'autre rive de la *Seudre,* au S., *La Tremblade,* centre ostréicole.

Marly-le-Roi
78 - Yvelines 11 - C 2
Du magnifique château de Louis XIV, il ne reste que le tracé au centre du parc (ouv. ts les j.) avec 3 pièces d'eau et l'imposant bassin de l'Abreuvoir; le musée de Marly, au chenil XVIIIe, sera transféré à la Grille Royale ds le parc (histoire de Marly, etc.). Eglise Saint-Vigor due à Mansart.
Environs • La forêt de Marly (2 060 ha) est un agréable lieu de promenades. • A Port-Marly, le château de Monte-Cristo, effarante construction baroque due à Alexandre Dumas (1848), domine la N. 13; après restauration, il sera vraisemblablement transformé en musée du romantisme français et musée des estampes des Yvelines.

Marmoutier
67 - Bas-Rhin 14 - A 2
L'église, anc. abbatiale bénédictine, est l'un des plus remarquables témoignages de l'art roman en Alsace, notamment la façade mil. XIIe, en grès rouge des Vosges; à l'int., riche ensemble de boiseries Louis XV ds le chœur.

Marmoutier : ***un relief archaïque, sous voûte du VIIe, a été encastré dans la façade ouest de l'abbatiale romane.***

Marseille
13 - Bouches-du-Rhône 44 - A 2
La plus anc. des grandes villes françaises est d'abord un port. Les bassins modernes sont au N.-E. Vis. en vedette du port jusqu'au souterrain du *Rove;* vis. de paquebots (voir les compagnies); promenades sur la digue du large.
• Le site du Vieux-Port où s'enchevêtrent yachts, barques de pêche et bateaux de plaisance est l'un des plus célèbres de la Méditerranée; dominé par la vieille ville, encadré

Marseille : ***de Notre-Dame-de-la-Garde, panorama sur le Vieux-Port, la cathédrale et le bassin de la Joliette. Le fort Saint-Jean, dominé par la tour du roi René, garde l'entrée du Vieux-Port.***

par le fort Saint-Nicolas XVIIe et le fort Saint-Jean XVIIe (tour carrée XVe), il est longé à l'E. par le quai du Port où s'élève l'hôtel de ville de style baroque fin XVIIe (l'un des rares vestiges du quartier rasé par les Allemands en 1943); à côté, maison Diamantée XVIe (musée du Vieux-Marseille). Le musée des Docks romains, commerce antique (vis. ts les j. sauf mardi et merc. matin), abrite les produits des fouilles faites ds le quartier (les imposants docks romains de Massalia, mis au jour en 1947, sont présentés ds leur site primitif). Hôtel-Dieu XVIIIe et cour des Accoules : chapelle du Calvaire, en rotonde, couronnée d'une coupole (à l'int., curieux groupes sculptés ds de fausses grottes), grand calvaire et clocher des Accoules XIVe. Maisons XVIIe et XVIIIe, vieilles rues pittoresques. La Major, cathédrale de Marseille fin XIXe, de style romano-byzantin, conserve en son flanc dr. la cathédrale primitive du XIIe (anc. Major), remarquable exemple de roman provençal (pour vis., gardien). Le quartier du Panier, dont les hautes maisons noirâtres semblent reliées par les alignements de linge multicolore, enserre la Vieille-Charité, construite de 1640 à 1720 sur les plans de Puget (salle d'expositions et centre culturel).

• De l'autre côté du Vieux-Port, où abondent les restaurants de poisson, située ds un quartier ancien où subsistent (notamment rue Sainte) plusieurs hôtels XVIIIe, la basilique Saint-Victor XIIIe-XIVe, dont l'aspect est celui d'une forteresse, recouvre les catacombes du Ve (fermées dim.), l'un des plus anc. monuments chrétiens de la Gaule. La basilique Notre-Dame-de-la-Garde fin XIXe d'où l'on a un immense panorama (162 m d'alt.) est un lieu de pèlerinage très fréquenté.

• Au centre, la Bourse, sur la célèbre Canebière, abrite un intéressant musée de la Marine (ts les j. sauf mardi et merc. matin). Derrière s'étend l'immense champ de fouilles qui comprend les vestiges des remparts et des quais de la cité phocéenne (600 av. J.-C.). Le palais de Longchamp, énorme monument, hyper-baroque second Empire, surchargé de sculptures et animé de fontaines jaillissantes, abrite le musée des Beaux-Arts (ts les j. sauf mardi et merc. matin); ds le grand escalier, peintures de Puvis de Chavannes à la gloire de Marseille (1869); riche coll. de peintures : le Pérugin, Rubens, Ribera, Zurbaran, Hubert Robert, Chardin, Courbet, Chassériau, Corot, Millet, etc.; salles Pierre Puget et Daumier; peintres provençaux XVIIIe-XIXe; le réaménagement en cours prévoit

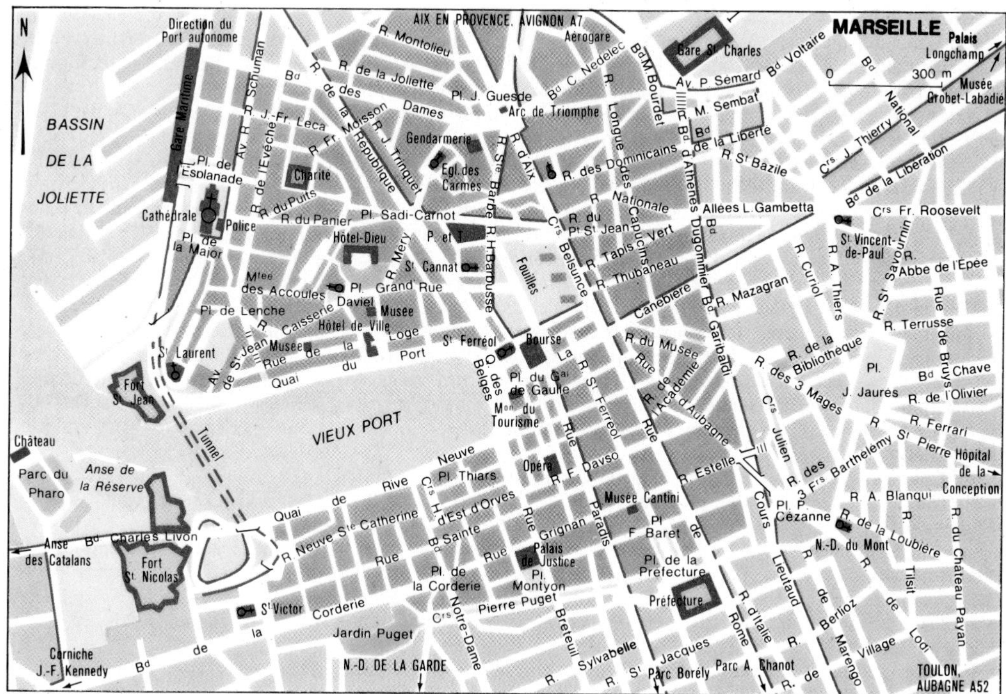

plusieurs salles d'art contemporain dont les riches coll. sont déposées au musée Cantini (qui renferme une importante coll. de faïences); et le Muséum d'histoire naturelle; Jardin zoologique (ts les j.).

• Autres musées (mêmes jours que le musée des Beaux-Arts). Musée Grobet-Labadié : meubles, faïences, tapisseries, objets d'art du XVIe au XVIIIe. Musée Cantini : art décoratif, importantes coll. de faïences de Marseille et de la Provence, art contemporain. Musée Borély : archéologie (portique de Roquepertuse IIIe-IIe), art égyptien, dessins du XVIIe au déb. XXe.

• Corniche *Pdt-J.F.-Kennedy,* cette magnifique promenade suit le rivage à partir de l'anse des Catalans (plage), franchit le pittoresque vallon des Auffes, coupe la pointe d'Endoume (aquarium) et atteint le vaste parc Borély; après le Prado, elle est prolongée par une route qui contourne le cap Croisette, à l'extrémité du massif de Marseilleveyre et se termine (12,5 km) au port de *Callelongue.*

• *Château d'If,* embarcadère quai des Belges, sur le Vieux-Port : l'île, fortifiée au début XVIIe, comporte un château mil. XVIe, utilisé comme prison d'État; Alexandre Dumas l'a rendu populaire en y situant plusieurs scènes de *Monte-Cristo. Environs* • A l'O., *étang de Berre,* **Arles*** et la **Camargue***. • Au N., **Aix-en-Provence***. • Au N.-E., *chaîne de l'Étoile :* la crête du massif calcaire s'élève à 731 m; sentiers pédestres pour le Pilon du Roi, 670 m, signal de l'Étoile, sommet de l'Étoile, 652 m, Grande-Étoile, 590 m, où se trouve la tour de l'émetteur-relais de la Télévision marseillaise. • A l'E., par *Aubagne* et *Gémenos,* la **Sainte-Baume***. • Au S.-E., le massif de Marseilleveyre, les *calanques,* **Cassis*** et la Côte.

Martel : *l'église et sa tour-clocher, véritable donjon aux étroites meurtrières.*

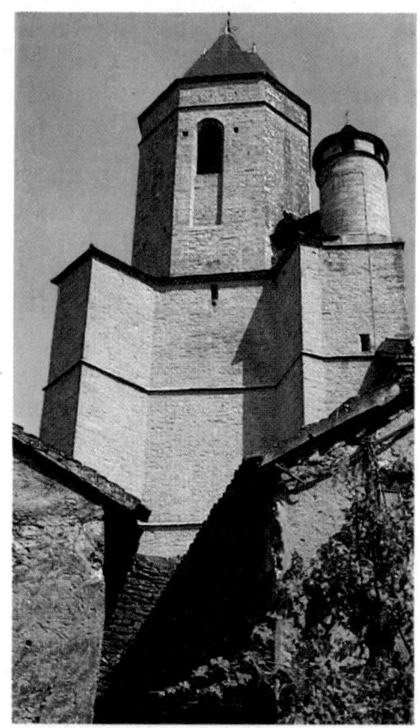

Martel
46 - Lot 30 - A 3

Ce bourg, qui a gardé son caractère anc., possède plusieurs maisons XIVe, XVe et XVIe. Belle église fortifiée XVe, avec portail roman (tympan sculpté). L'hôtel de la Raymondie (musée) XIVe a d'imposantes cheminées de bois sculpté XVIIe et XVIIIe. Vieilles halles et reste d'enceinte XIIIe. *Environs* • *Cirque de Montvalent* (5,5 km S.-E.) et *vallée de la Dordogne;* Gluges, adossé à de hautes falaises : église romane à moitié souterraine; à 1 km E., belvédère de Copeyre (vue magnifique); sur une hauteur, château de Mirandol (à l'int., bel escalier Renaissance).

Martigues
13 - Bouches-du-Rhône 44 - A 2

La «Venise provençale» a son caractère malheureusement altéré par le développement industriel de la région. Elle est séparée en 3 quartiers par des canaux reliés par des ponts mobiles. Au centre, quartier de l'Ile; quais très pittoresques; du pont Saint-Sébastien, belle vue sur les barques multicolores et les maisons peintes; la façade corinthienne de l'église de la Madeleine XVIIe se reflète ds le «miroir aux Oiseaux»; bel hôtel de ville XVIIe. Au N., quartier de Ferrières : chapelle de la Miséricorde, musée du Vieux-Martigues (archéologie, folklore, peintures provençales XIXe-XXe). Au S., quartier de Jonquières : église Saint-Geniès XVIIe; chapelle de l'Annonciade : à l'int., riche décor baroque déb. XVIIe; ds le chœur, retable monumental; le plafond de bois, orné d'entrelacs sculptés et dorés, est décoré de 3 peintures.

Environs • 3,5 km N.-O., chapelle Notre-Dame-des-Marins, sur une hauteur dominant *Martigues,* magnifique panorama. • Au S.-E., la D. 5 traverse puis longe la *chaîne de l'Estaque* par *Sausset-les-Pins, Carry-le-Rouet* et *Le Rove;* belle vue sur la rade de **Marseille***, la N. 568B suit la rade de l'*Estaque.* • A l'O., *Port-de-Bouc,* **Fos-sur-Mer*** et *golfe de Fos.* • Au N.-E., *étang de Berre,* vaste nappe de 15 000 ha dans des paysages typiquement provençaux très transformés par l'industrie; on peut en faire le tour en partant de *Martigues* par *Saint-Mitre-les-Remparts* (à 1 km N.-N.-O., fouilles de **Saint-Blaise***), *Istres, Miramas,* **Saint-Chamas***, Mauran (vestiges gallo-romains), *Berre-l'Étang* et *Marignane.*

Martres-Tolosane
31 - Haute-Garonne 41 - D 2
Six villas gallo-romaines ont été mises au jour ds les environs de cette petite cité renommée pour ses faïenceries. La plus importante est celle de Chiragan IIe; de nombreuses œuvres d'art y ont été découvertes dont un ensemble de bustes romains en marbre (aujourd'hui au musée Saint-Raymond à Toulouse).
Environs • 4 km E., Palaminy, nombreuses maisons anc. et imposant château Renaissance toulousaine (on ne vis. pas) dont la porte fortifiée chevauche la route. • 10 km S.-O., *Saint-Martory,* le pont XVIIIe est flanqué de 2 portes de même époque et d'une croix XVe; à 5 km O., vestiges déb. XIIIe de l'anc. abbaye de Bonnefont.

Marvejols
48 - Lozère 37 - A 1
Ville anc. aux rues étroites, resserrée entre ses remparts; 3 portes fortifiées XIVe, flanquées de tours à mâchicoulis, et plusieurs vieilles maisons et hôtels XVIIe. 2 œuvres du sculpteur Auricoste méritent d'être remarquées, la *Bête du Gévaudan,* place des Cordeliers, et la statue de *Henri IV* devant la porte de Soubeyran.
Environs • Au N., gorges et *viaduc de la Crueize* par la vallée de la Colagne. • 16 km N.-O., château de la Beaume XVIe-XVIIe, en granit couvert d'ardoises (on vis.). • Au N.-O., on traverse les monts de l'*Aubrac* jusqu'à la *cascade de Déroc* (haute de 30 m), le *lac des Salhiens* (encadré de colonnades basaltiques) et **Aubrac***. • 18 km S.-O., village pittoresque de *La Canourgue* au pied des falaises du *causse de Sauveterre :* église XIIe et XIVe; nombreuses maisons anc. (hôtel de Meillan, Renaissance).

Mas-d'Azil (grotte du)
09 - Ariège 42 - A 3
L'une des curiosités naturelles les plus remarquables du Midi. L'entrée de ce vaste tunnel naturel de 420 m de long est une énorme arcade de 80 m de haut; 4 étages de galeries ont été aménagés (vis. ts les j.). Les parois portent de nombreuses gravures ou dessins d'animaux préhistoriques. Ds l'une des salles est exposée une partie des fouilles. Galerie des Ours (crânes d'ours des cavernes, ossements de mammouths). Chapelle chrétienne IIIe, refuge rupestre des cathares puis des protestants au XVIIIe. A la mairie : musée préhistorique.

Mas Soubeyran (le)
30 - Gard 37 - B 3
Le musée du Désert est un des hauts lieux du protestantisme (vis. ts les j. de mars à nov.). Il occupe la maison du protestant Roland dont on peut voir de nombreux souvenirs. Les salles relatent l'histoire du protestantisme français et ses luttes. Reconstitution d'un intérieur cévenol XVIIIe.

Maubeuge
59 - Nord 6 - B 1
L'église Saint-Pierre (1958) est une intéressante réalisation d'architecture religieuse moderne. L'anc. chapitre des chanoinesses abrite le musée. Porte de Mons, principal ouvrage de l'enceinte fortifiée de Vauban (1685). Parc zoologique dans un site ombragé.

Maule
78 - Yvelines 11 - B 1
Église Saint-Nicolas; clocher Renaissance et crypte XIe. Musée local. Musée du Vélocipède.

Mauléon-Licharre
64 - Pyrénées-Atlantiques 40 - D 2
Petite ville ds une verdoyante vallée. Hôtel d'Andurrain, bel édifice Renaissance à 4 tours d'angle; l'int. a conservé son caractère d'époque (vis. l'apr.-m. l'été, sauf jours de pluie). Ruines d'un château fort XVe; du chemin de ronde, beau panorama.
Environs • 13 km S., par la vallée du Saison ou *gave de Mauléon, Tardets-Sorholus;* la route continue à travers la haute Soule par *Laguinge* et *Licq-Athérey;* à l'usine hydro-électrique embranchement : à dr. *Larrau,* par la vallée du gave de Larrau; au S.-O., *pic d'Orhy* (2 016 m); à g. les *gorges de Kakouetta* et *Sainte-Engrâce,* église romane à chapiteaux historiés.

Mauriac
15 - Cantal 30 - C 3
Notre-Dame-des-Miracles XIIe est la plus belle église romane du Cantal. A côté, petite lanterne des morts XIVe. De la Placette, superbe panorama.
Environs • 10 km N.-O., par *Chalvignac, barrage de l'Aigle,* long de 290 m, haut de 90. • 9 km S.-E., *Anglards-de-Salers :* église romane à 3 nefs et 3 absides couverte d'une coupole; 18 km S.-E., **Salers***; d'*Anglards-de-Salers,* à l'E., *vallée du Falgoux,* l'une des plus extraordinaires d'Auvergne : la partie la plus impressionnante est la gorge de Saint-Vincent; le *Falgoux* est situé à l'entrée du cirque dominé par les principaux sommets du Cantal; la route (D. 680) gravit le *puy Mary* (1 787 m).

Mayenne
53 - Mayenne 10 - A 3
Ville-pont autrefois dominée par un château fort XIe; ruines (vaste panorama). Basilique Notre-Dame XIIe-XVIe (chœur refait en style gothique au XIXe).
Environs • Bon centre d'excursions ds la forêt de la Mayenne à l'O. • Au N.-E., château de **Lassay***. • Au S.-E., *Jublains,* ruines du fort romain IIIe (camp retranché); *château du Rocher* (voir **Évron***).

Mazamet
81 - Tarn 42 - C 1
Important centre industriel.
Environs • Point de départ d'intéressantes randonnées à travers la *Montagne Noire,* principalement par la D. 118 qui rejoint, à 47 km S., **Carcassonne***, par Les Martys et *Cuxac-Cabardès* (excursions recommandées, à l'O., Fontiers-Cabardès et *Saint-Denis;* à l'E., *Mas-Cabardès,* Saint-Pierre-de-Val, etc.), à travers de verdoyants paysages forestiers bien arrosés; après *Cuxac,* la route traverse des garrigues et des pinèdes, et descend sur **Carcassonne*** (belles vues sur les Pyrénées). • 18 km N.-O., **Castres***.

Meaux
77 - Seine-et-Marne 11 - D 1
La cathédrale Saint-Étienne est un imposant monument gothique XIIIe remanié au XVe, façade et tours flamboyantes; elle abrite le tombeau de Bossuet, évêque de Meaux. Un musée est consacré à Bossuet ds l'anc. évêché XVIe et XVIIe (chapelle XIIe); au fond de la cour, le Vieux Chapitre XIIIe possède un escalier ext. couvert d'une charpente plate XVIe; le jardin de l'évêché, dessiné par Le Nôtre (mil. XVIIe), pavillon ayant servi de cabinet de travail à Bossuet; un escalier conduit à la terrasse aménagée sur les anc. remparts du XVe (belle vue).

Environs • Mémorial de Villeroy (à 8,5 km N.-O. par la D. 129); Charles Péguy, tué en septembre 1914, y repose. • Au N., par la D. 38, monuments des Quatre-Routes et (plus loin) de Notre-Dame-de-la-Marne commémorant la bataille de la Marne (1914). • Sur la N. 36, le Monument américain domine la vallée de la *Marne*. • *Trilport,* à 3 km E., sur la *Marne,* a une plage très bien équipée.

Megève
74 - Haute-Savoie 32 - D 1
Importante station de sports d'hiver. Église Saint-Jean-Baptiste, chevet gothique XVe et nef fin XVIIe; clocher de 1754; à l'int., la voûte est décorée de peintures d'inspiration populaire; boiseries rustiques XVIIIe.
Environs • Télécabine du Jaillet (1 600 m), téléfériques du Mont-d'Arbois (1 760 m) et de Rochebrune (1 753 m).

Meillant (château de)
18 - Cher 24 - C 1
Cette belle construction fin XVe, remaniée au XVIe à partir de l'anc. forteresse édifée v. 1300, mêle le gothique flamboyant à la Renaissance (vis. ts les j.). La façade orientale présente une élégante décoration sculptée, notamment la tour du Lion, véritable dentelle de pierre. A l'int., mobilier remarquable, tableaux, objets d'art, tapisseries, etc. Ds la chapelle, retable rhénan de la Passion XVe et vitraux XVIe.
Environs • 6 km S.-O., La Celle-Bruère, église romane, à l'int. curieux tombeau de saint Sylvain XVIe; à 1 km O., à *Bruère-Allichamps,* borne milliaire gallo-romaine indiquant le centre géographique de la France. • 13 km N.-E., par la *forêt de Maulne, Dun-sur-Auron;* intéressante église romane avec voûtes gothiques XVe, vitraux XIVe, saint sépulcre XVIe; tour de l'Horloge XVIe, maisons anc.

Meaux : ***le vaste chœur gothique de la cathédrale, riche de nombreuses œuvres d'art,*** ◀ ***offre une élévation aussi élégante qu'imposante.*** ▲

Meillant : ***façade de l'église, à La Celle-Bruère; parmi de curieux reliefs remployés, deux lutteurs préromans.*** ▼

Meilleraye-de-Bretagne (La)
44 - Loire-Atlantique 16 - C 2
A 2,5 km du bourg, abbaye cistercienne de Meilleraye (auj. trappistes); abbatiale XIIe restaurée, logis principal fin XVIIIe (vis. ts les apr.-m. sauf dim.). Ds les jardins à la française, beau portail XIIe en granit rose orné de statues.
Environs • 6 km S.-O., grand réservoir de *Vioreau* (voile), étangs.

Melle
79 - Deux-Sèvres 23 - B 3
Ses 2 églises romanes valent la visite. Saint-Hilaire XIIe a un remarquable décor sculpté ext. et

int.; le portail N. est surmonté d'une niche abritant un chevalier sculpté qui symbolise, croit-on, l'empereur Constantin; curieux chapiteaux à l'int. Saint-Pierre mil. XIIe comporte d'intéressantes sculptures. Saint-Savinien déb. XIIe a un beau portail au linteau en batière (vis. ext.). L'hôtel de Menoc Renaissance a 2 tours du XVe.

Melle : ***au portail N., le « Cavalier » de l'église Saint-Hilaire, XIIe, qui symbolise, pense-t-on, l'empereur Constantin.***

Environs • 7 km N.-O., *Celles-sur-Belle,* église gothique à 3 nefs reconstruite au XVIIe; au chevet, bâtiment abbatial, fin XVIIe, de style classique.

Ménars (château de)
41 - Loir-et-Cher 18 - A 2
Le château XVIIe-XVIIIe, grandiose et harmonieux, appartint à Mme de Pompadour (vis. sam., dim., l'été). Les jardins en terrasse, agrémentés d'un temple de l'Amour, d'une « grotte », de statues, dominent la rive dr. de la *Loire.*
Environs • 5 km N.-E., *Suèvres,* église Saint-Lubin XIIe, avec clocher XIe, église Saint-Christophe XIIe et XVIe; le pignon O. Xe est curieusement orné; maisons du XIIIe au XVIe.

Menat
63 - Puy-de-Dôme 24 - D 3
L'église romane, anc. abbatiale bénédictine XIIe, est remarquable, quoique mal restaurée au XIXe. Chapiteaux sculptés ds la nef. Salle capitulaire XIVe et vestiges du cloître XVe, surmonté d'un étage à pans de bois.
Environs • 1,5 km S.-E., *Le Pont-de-Menat* où la N. 143 franchit la *Sioule* ds un site pittoresque (vieux pont en dos-d'âne). Excursion recommandée à la *vallée de la Sioule :* à l'E., gorge de *Chouvigny* et **Ébreuil ***; au S., la D. 109 suit la *Sioule* qu'elle domine en corniche (ruines pittoresques de Château-Rocher XIIIe) et par *Châteauneuf-les-Bains,* atteint le *barrage de Queuille* et le *Viaduc des Fades,* superbe ouvrage d'art métallique à 132 m au-dessus de la *Sioule.*

Mende
48 - Lozère 37 - A 2
La vieille ville a gardé son caractère archaïque. Pont sur le *Lot* XVe. Rues étroites et maisons anc. entourent la cathédrale Saint-Pierre XIVe-XVIe; à l'int. stalles sculptées fin XVIIe, boiseries et 8 tapisseries d'Aubusson déb. XVIIIe ds le chœur. Au musée, intéressant trésor de l'âge de bronze.
Environs • 4 km S.-O., mont Mimat (1 060 m) et ermitage de Saint-Privat, en partie taillé ds le roc. • 11 km S., *Sauveterre,* beau village des Causses : maisons en pierres sèches couvertes de plaques de calcaire (toits à lucarnes, bergeries voûtées, anc. four). • 7,5 km N., *Chastel-Nouvel,* parc zoologique du Gévaudan (ts les j. l'été); 12 km N., *Rieutort-de-Randon,* excursion à l'E. au *Signal de Randon* (1 554 m, vaste panorama) et au *lac de Charpal.* • 7 km E., *Lanuejols* (église romane, vestiges d'un mausolée romain IIIe); *Bagnols-les-Bains* (les maisons de schiste noir s'étagent sur les pentes de la montagne de la Pervenche; sources thermales); ascension recommandée au *mont Lozère* qui culmine à 1 702 m au *Signal de Finiels.*

Ménerbes
84 - Vaucluse 38 - A 3
Cet extraordinaire village, juché sur un promontoire de la montagne du **Lubéron ***, est dominé par les ruines d'un pittoresque château. Nombreux hôtels ou maisons anc., dont certains remarquables. A l'extrémité du promontoire, église XIVe et cimetière. En contrebas « le Castelet », austère château XVIe ombragé de pins.

Menez-Hom
29 N - Finistère 8 - B 3
Sommet détaché des *montagnes Noires* (300 m), c'est l'un des principaux belvédères de Bretagne (table d'orientation). Sainte-Marie-du-Menez-Hom a une chapelle avec 3 retables et un calvaire mil. XVIe ds un enclos ombragé.

Menton
06 - Alpes-Maritimes 39 - B 3
La vieille ville, étagée au-dessus de la baie de Garavan, est traversée par la pittoresque rue Longue; elle domine la ville moderne, l'une des plus importantes stations de la Côte d'Azur. L'église et la place Saint-Michel forment avec la chapelle des Pénitents-Blancs et les maisons voisines un séduisant décor à l'italienne. Des ruelles tortueuses conduisent à l'anc. cimetière, au-dessus de la ville : curieux monuments baroques. Dans la ville moderne, sur le port, fortin XVIe (le bastion) où est installé le musée Jean-Cocteau (ouv. ts les j. sauf lundi et mardi); le peintre a décoré la salle des mariages de l'hôtel de ville (mêmes horaires). Musée du palais Carnoles (XVIIIe), belle demeure à l'italienne, peint XIVe, XVe, XVIe, franç. XVIIe et cont. (ts les j. sauf lundi). A Garavan, jardin botanique exotique de la villa « Val Rahmeh » (ts les j. sauf mardi); domaine des Colombières (hôtel-restaurant) et ses somptueux jardins.
Environs • 5,5 km N., chapelle de l'Annonciade fin XVIIe. • 11 km N., Saint-Agnès : village pittoresque, terrasse et panorama. • 8 km N., par une route très sinueuse, Castellar : très curieux village fortifié; anc. palais des Lascaris; la descente vers *Menton* peut se faire par un chemin muletier d'où la vue est admirable.

Metz
57 - Moselle 13 - C 1
La cathédrale Saint-Étienne est un imposant monument gothique du XIIIe au début XVIe; la nef est par-

ticulièrement grandiose : longue de 123 m, elle atteint 41,79 m de hauteur; ses vitraux sont parmi les plus beaux de France, XIIIe ds le croisillon S. du transept, XIVe à la façade, XVe ds la nef, XVIe au transept; à cet ensemble éblouissant s'ajoutent ceux conçus, entre 1957 et 1970, par les peintres Villon, Bissière et Chagall; riche trésor à la sacristie (vis. ts les j.). Le musée (vis. ts les j. sauf mardi) : coll. archéologiques gallo-romaines, au sous-sol ds les thermes romains; salles de peintures du XVe au XXe; nouvelles salles sur la «vie quotidienne de Metz». Saint-Martin, déb. XIIIe, beaux vitraux du XVe au XIXe. Saint-Vincent, ds l'île Chambière, présente une façade XVIIIe complétant une nef gothique XIIIe. Autour de Sainte-Ségolène XIIIe quartier intéressant : hôtel Saint-Livier fin XIIe, rue des Trinitaires; hôtel de la Bulette fin XIVe sur la pittoresque place Sainte-Croix. La place Saint-Louis est entourée de belles maisons sur arcades XIVe, XVe et XVIe. Maison des Têtes XVIe, 33, en Fournirue. Ds le Grenier de la Ville (curieuse construction XVe), annexe du musée, importantes coll. de sculptures, notamment mérovingiennes. Près de l'Esplanade, chapelle des Templiers (octogonale fin XIIe); église Saint-Pierre-aux-Nonnains, l'une des plus vieilles de France : les murs sont, en partie, ceux d'une basilique romaine IVe, transformée en abbatiale au VIIe, nef ottonienne v. 1000. En contre-

Ménars : ***la grandiose façade en pierre et brique du château s'allonge au-dessus de vastes jardins en terrasses, dominant la Loire.***

Metz : ***à cheval sur la Seille, l'impressionnante porte des Allemands, XIIIe-XVIe, évoque le passé guerrier de la ville.***

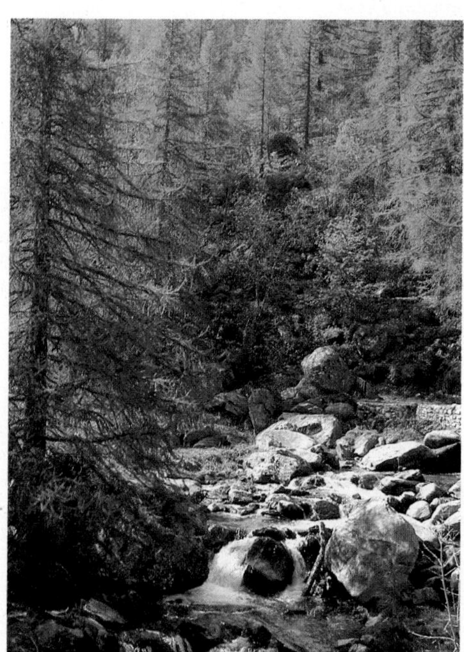

Merveilles (vallée des)
06 - Alpes-Maritimes 39 - B 3

De *Saint-Dalmas-de-Tende* aux Mesces par la D. 91, puis 3 h à pied jusqu'au refuge des Merveilles d'où l'on peut faire en 2 jours le tour complet du massif (services de jeep organisés à partir de *Saint-Dalmas*). La région montagneuse, à l'O. de *Saint-Dalmas* et de **Tende***, est particulièrement sauvage; le centre est le *mont Bego* (2 873 m) environné de plusieurs lacs. Le refuge des Merveilles (2 100 m) est le point de départ de belles excursions : *Mont Bego,* Grand Capelet, *Cime du Diable,* et d'itinéraires vers la vallée de la Gordolasque; au N. s'ouvre le vallon des Merveilles dont les parois abruptes sont couvertes d'env. 45 000 graffitti attribués à des populations ligures du milieu de l'âge du bronze et de l'âge du fer durant un millénaire (env. 3400-1400 av. J.-C.). Ces curieuses représentations schématiques constituent sans doute un langage symbolique. L'excursion de la *vallée des Merveilles* et du *mont Bego* ne peut être faite seul; la région n'est convenablement accessible que durant les 3 mois d'été où les gravures, débarrassées de la neige, sont visibles. Pour les 2 refuges, celui des Merveilles et celui de Valmasque, demander les clés chez les dépositaires agréés à *Saint-Dalmas-de-Tende.*

bas de la terrasse de l'Esplanade : lac des Cygnes (Son et Lumière l'été), porte Serpenoise (reconstruite au XIXe). Porte des Allemands, sur la Seille, superbe ensemble fortifié XIIIe-XVIe flanqué de tours; en face, Saint-Eucaire XIVe-XVe; à g., bd Maginot, Saint-Maximin fin XIIe (vitraux de Jean Cocteau). Le collège Saint-Clément a une intéressante église gothique rhénane remaniée au XVIIe. Metz-Plage, sur la *Moselle* (piscine, centre nautique).
Environs • A l'O., mont Saint-Quentin (357 m, panorama sur la vallée de la *Moselle*), *Scy-Chazelles* (près de l'église, ds une chapelle fortifiée XIIIe), tombe de Robert Schuman († 1963). • Au S.-O., vallée de la *Moselle,* jusqu'à **Pont-à-Mousson*.** • Au S., vallée de la Seille par *Sillegny* (belle église gothique XIIIe-XIVe) et *Cheminot* (église gothique).

Meudon
92 - Hauts-de-Seine 11 - C 2
Précédée d'une magnifique allée de tilleuls, la terrasse (ouv. ts les j.) de l'anc. château (disparu) domine un vaste panorama englobant Paris. Le Château-Neuf est devenu l'observatoire d'Astronomie physique (vis. sur autorisation). Le musée de Meudon est installé ds la « villa Molière » maison de campagne (XVIIe) qu'Armande Béjart acquit après la mort de son mari. Passionnant musée de l'Air (visite tous les jours sauf le mardi). Musée Rodin ; ds le jardin, tombeau du sculpteur sous son célèbre *Penseur.*
Environs • La forêt de Meudon (1 149 ha) offre d'agréables promenades.

Meyrueis
48 - Lozère 37 - A 3
Bourg pittoresque à l'entrée du canyon de la **Jonte***, aux confins du *causse Noir* et du *causse Méjean.*
Environs • 3 grandes curiosités souterraines des causses : l'aven **Armand***, la rivière souterraine de **Bramabiau*** et la grotte de *Dargilan* (vis. des Rameaux à fin sept.) : immenses salles et galeries, concrétions très variées. • Excursion recommandée, au S.-E., au *mont Aigoual* (1 567 m), dont le panorama est l'un des plus étendus du Midi; le sommet est occupé par l'observatoire et le refuge dortoir du C.A.F.; au lieu-dit l'Hort de Dieu, arboretum; la flore de l'Aigoual est particulièrement recherchée des botanistes.

Mézières-en-Brenne
36 - Indre 24 - A 1
Ds l'église XIVe, chapelle d'Anjou, Renaissance, très ouvragée.
Environs • Au S., la *Brenne :* un réseau de petites routes et de sentiers permet de découvrir cette pittoresque région, parsemée d'innombrables étangs et de marais, qui s'étend entre la *Claise* et la *Creuse;* c'est le domaine des oiseaux aquatiques, des ajoncs, des bruyères, des landes et des bois. • 7 km S., étang de la Gabrière, centre de sports nautiques; à 7 km S., étang de la mer Rouge, dominé par le *château du Bouchet,* imposante forteresse médiévale agrandie au XVIIe; on vis. le donjon (panorama), la terrasse et l'ext. du château; sur un îlot du même étang, chapelle Notre-Dame (pèlerinage local).

Millau
12 - Aveyron 36 - D 3
La « capitale du gant » possède plusieurs monuments intéressants : un imposant beffroi XIIe et XVIIe de 48 m; l'église Notre-Dame XVIe-XVIIe et le château de Sambucy XVIIe, dont la décoration int. est à la fois mythologique et allégorique (plafonds). Musée de la Graufesenque ou du Vieux-Moulin (ouv. ts les j. l'été).
Environs • Le **Larzac*. Roquefort-sur-Soulzon*, Montpellier-le-Vieux*.**

Millevaches
19 - Corrèze 30 - B 1
Ce village est situé au cœur du haut plateau granitique auquel il a donné son nom; culminant à 981 m, celui-ci offre d'immenses panoramas.
Environs • 3 km N., Signal d'Audouze (954 m), vaste panorama et source de la *Vienne;* à 7 km N.-O., *Peyrelevade,* au-dessus du bassin verdoyant de la *Vienne* encadré de forêts; à 5 km O., lac de Servières; à 5,5 km N.-O. de *Peyrelevade,* lac et barrage de Chammet sur la Chandouille. • 7,5 km S.-O., par *Saint-Merd-les-Oussines, vestiges gallo-romains* dits *château des Cars.* • 17 km S., après le *mont Bessou* (978 m, vaste panorama), *Meymac :* anc. abbatiale bénédictine, l'église XIIe romane et gothique a un porche XIe et à l'int. des chapiteaux historiés Xe-

Millau : ***deux des principales curiosités de la capitale du gant. Le curieux beffroi XIIe est un reste de l'hôtel de ville. Le vieux Moulin, sur le Tarn, abrite le musée, qui conserve d'intéressantes poteries gallo-romaines provenant du site de la Graufesenque.***

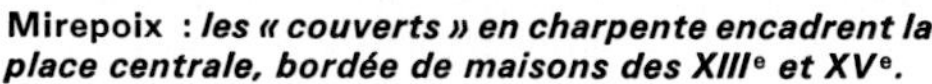

Mirepoix : ***les « couverts » en charpente encadrent la place centrale, bordée de maisons des XIIIe et XVe.***

Moissac : ***détail du piédroit, à gauche du portail de Saint-Pierre, l'usurier torturé par le démon.***

XIe très archaïques; bâtiments XVIIe de l'anc. abbaye; maisons XVe et XVIe; excursion recommandée, à 2 km S.-E., à l'étang de Merlançon.

Milly-la-Forêt
91 - Essonne 11 - C 3
Intéressante église gothique XVe et halles en bois (1479). Ds la chapelle Saint-Blaise-des-Simples, décorée par Jean Cocteau (vis. ts les j. sauf mardi), tombeau du poète (1963); petit jardin de « simples ».
Environs • 4 km N.-E., ds un admirable décor de verdure et d'eaux vives, *château de Courances* de style Louis XIII, en pierre et brique; ses jardins ont été dessinés par Le Nôtre (vis. des jardins les sam., dim. et fêtes, de Pâques à la Toussaint).

Minerve
34 - Hérault 42 - D 2
L'un des sites les plus extraordinaires du Midi, sur une plate-forme rocheuse dominant le confluent de la Cesse et du Briant. Le village, haut lieu du catharisme, évoque encore le siège de 1210 et le bûcher où presque tous les habitants furent brûlés comme hérétiques. Voir l'église romane, les corniches évidées au flanc de la falaise surplombant les gorges, et les 2 tunnels naturels créés par les eaux de la Cesse qui, à l'O., ont ouvert ds les causses du Minervois un étroit canyon. Les falaises sont creusées de grottes, habitats préhistoriques (des empreintes humaines ont été découvertes ds de l'argile pétrifiée). Petit musée.
Environs • Au S., descente sur *Azillanet,* puis *Olonzac,* à travers les vignobles du *Minervois.*

Miolans (château de)
73 - Savoie 32 - C 2
A 300 m au-dessus de l'*Isère* (de la terrasse, vaste panorama), c'est l'un des sites les plus célèbres de la Savoie. Cette imposante construction, dont les parties les plus anc. sont du Xe, conserve un donjon XIVe, d'anc. prisons avec oubliettes et cachots souterrains (vis. ts les j. du 1er avril au 30 sept.).
Environs • 3,5 km, *Saint-Pierre-d'Albigny,* pittoresque petite ville au pied des montagnes des Bauges; ds l'église, intéressantes œuvres d'art.

Mirepoix
09 - Ariège 42 - B 2
La vaste place centrale a conservé son aspect du Moyen Age; elle est entourée de maisons à pans de bois XIIIe-XIVe, sur de pittoresques « couverts » en charpente. La nef gothique de l'anc. cathédrale XVe (clocher XVIe) est la plus large du Midi.
Environs • 11 km O., *Vals,* église Notre-Dame, semi-troglodyte; crypte carolingienne rupestre, prolongée par une abside dont la voûte est décorée de fresques d'inspiration byzantine; au-dessus, une nef communique avec elle par des escaliers; l'église, flanquée d'une tour clocher XIIIe, est entourée d'un mur d'enceinte. • 17 km S., *Léran,* anc. bastide; sur la rive g. du *Touyré,* château des Lévis-Mirepoix XIVe-XVe (on ne vis. pas).

Moissac
82 - Tarn-et-Garonne 35 - D 3
Le portail et le cloître de l'église Saint-Pierre, anc. abbatiale bénédictine en pierre et brique, consacrée fin XIIe, achevée (chœur et voûtes de la nef) au XVe, comptent parmi les chefs-d'œuvre de l'art roman. Exécuté entre 1110 et 1115, le portail, l'une des premières réalisations de la sculpture monumentale romane languedocienne, présente, au tympan, la vision apocalyptique du Souverain Juge trônant sur les nuées, entouré des symboles des évangélistes et des 24 vieillards. Le linteau est orné de rosaces d'inspiration antique, le trumeau monolithe est sculpté de 3 couples de fauves dressés; encadrés sur les faces latérales, d'admirables figures de vieillards. Sur les piédroits sont représentés saint Pierre et le prophète Isaïe. A l'int., Mise au tombeau, fin XVe, et très beau Christ roman XIIe, clôture du chœur en pierre sculptée XVIe. Le

cloître (vis. ts les j.) doit son élégance à la légèreté des colonnes et des arcades, et son harmonie à la polychromie des marbres, blancs, roses, verts et gris. Remarquables chapiteaux historiés fin XIe. Sur les piliers, grandes figures d'apôtres sculptées. Ds 4 chapelles XIIIe, intéressant musée claustral. L'anc. logis abbatial renferme le musée des Arts et Traditions populaires moissagais.

Molsheim
67 - Bas-Rhin 14 - A 2
Petite ville typiquement alsacienne. Le Metzig, élégant édifice Renaissance, était le siège de la corporation des bouchers (petit musée), caveau de dégustation des vins locaux (riesling). Église XVIIe de style gothique, orgues de Silbermann. Maisons XVIe et XVIIe, anc. porte de ville et vestiges de fortifications.

MONACO et **MONTE-CARLO**
Principauté de Monaco 45 - B 1
• Monaco, capitale de la principauté, est bâtie sur un rocher escarpé au-dessus de la mer. Le palais princier, XIIIe-XIVe, dont l'aspect est celui d'une forteresse crénelée, comporte une belle cour d'honneur d'où un escalier en fer à cheval de marbre blanc XVIIe conduit à la galerie d'Hercule (1552) aux voûtes décorées de fresques XVIIe; les grands appartements sont particulièrement somptueux (vis. ts les j. l'été); musée napoléonien ds une aile nouvellement édifiée. Le vieux Monaco, calme et provincial, est sillonné de rues étroites bordées de façades peintes; en dehors de la chapelle des Pénitents (ou de la Miséricorde) XVIIe, les monuments sont fin XIXe ou déb. XXe. Le Musée océanographique construit en 1906 au-dessus de la mer (vis. ts les j.) possède de très remarquables salles d'océanographie zoologique, de faune marine, d'océanographie physique et chimique, ainsi que l'un des plus riches aquariums d'Europe; le musée comporte aussi un centre d'études méditerranéennes et un centre d'acclimatation zoologique (ouv. ts les j.) particulièrement riche en anthropoïdes. Les jardins Saint-Martin s'étagent au-dessus de la mer et possèdent une abondante végétation exotique. Le Jardin exotique (ouv. ts les j.) offre de superbes points de vue, il possède une riche coll. de cactées; ds la partie inf. du jardin, grottes de l'observatoire, d'accès assez malaisé mais pittoresques; nombreuses concrétions très variées.
• Le port forme un carré long de 400 m env. entre le rocher de Monaco et Monte-Carlo. Le casino de Monte-Carlo est typique de l'architecture et de la décoration baroques de la sec. moitié du XIXe : la salle de théâtre est d'une extraordinaire richesse. Le palais du Sporting-Club (1932) abrite le théâtre de la Lumière. • La principauté possède 3 musées. Le musée d'Anthropologie préhistorique (ouv. ts les j.). Le Musée national de Monaco (ouv. tous les jours) installé dans la villa Sauber est entouré d'un jardin orné de sculptures de Rodin, Maillol, Bourdelle, Zadkine, etc.; il abrite une remarquable coll. de 87 automates et près de 2000 poupées XVIIIe-XIXe (coll. de Galéa); les automates fonctionnent tous les jours de 15 h 30 à 17 h 30. La villa Ispahan est devenue, grâce aux collections du prince Reza Khan, un musée d'art iranien.

Monastier-sur-Grazeille (Le)
43 - Haute-Loire 31 - B 3
L'anc. abbatiale Saint-Chaffre XIe-XVe, construite en matériaux polychromes, présente en façade un décor mosaïque, des arcades et des colonnes aux chapiteaux historiés; la nef romane a 4 travées et un chœur gothique. Anc. château abbatial XIVe remanié.
Environs • 25 km S.-E., lac d'**Issarlès***, plage et sports nautiques. • 16 km N., *Saint-Julien-Chapteuil :* église romane (chapiteaux), ruines du château de Chapteuil sur une butte basaltique (1 035 m); excursions recommandées dans le massif volcanique du *mont Meygal.*

Monastir del Camp (prieuré de)
66 - Pyrénées-Orientales 43 - D 3
Fondé, selon la légende, par Charlemagne. Église fin XIe, en galets de rivière, avec portail O. en marbre blanc mil. XIIe (chapiteaux à sculptures caricaturales), grille XIVe. Le cloître, d'une élégance raffinée, achevé en 1307, comporte 27 arcades trilobées retombant sur des colonnettes. Bâtiments conventuels XIIIe-XIVe (propriété privée, vis. les mardi et vendr.).

Moncley (château de)
25 - Doubs 20 - B 3
Superbe construction de style Louis XVI (sam., dim. apr.-m. l'été), façade en arc de cercle comportant au centre un magnifique portique à fronton. Splendide vestibule et escalier à double révolution. Beaux appartements décorés et meublés XVIIIe. De la terrasse, belle vue sur la vallée de l'*Ognon.*

Moncontour-de-Bretagne
22 - Côtes-du-Nord 9 - A 2
Vieille ville fortifiée étagée sur une colline à la jonction de 2 vallées. La place Penthièvre est entourée de maisons en granit XVIIIe et de l'église Saint-Mathurin (superbes vitraux XVIe). Sur une colline, château des Granges XVIIIe et tour Moguet XIIIe.
Environs • 2 km S.-E., chapelle Notre-Dame-du-Haut : à l'int., populaires statues des « saints guérisseurs » ; à 5 km S. ; chapelle Notre-Dame-de-Bel-Air, ds un site splendide au point culminant des monts du Ménez (340 m, panorama). • 7 km E., château de La Touche-Trebry fin XVIe, mais d'aspect médiéval (vis. apr.-m. l'été).

Mondoubleau
41 - Loir-et-Cher 17 - D 1
Sur un coteau dominant la rive g. de la Grenne; les ruines imposantes du château féodal comportent un robuste donjon XIe, haut de 35 m, en grès rouge ; il n'en reste qu'une partie fortement inclinée.
Environs • 8 km N., château de *Saint-Agil* XVIIIe (vis. ext. seulement) ; le pavillon d'entrée mil. XVIe est flanqué de tours décorées d'un appareil losangé de briques rouges et brunes vernissées ; 3 km N.-E., *Arville,* anc. commanderie des Templiers avec porte d'entrée à tourelles fin XVe et chapelle XIIe précédée d'un clocher porche. • 6,5 km N., *Souday,* église XIVe-XVe avec nef préromane et crypte voûtée d'ogives.

Montal : *les lucarnes Renaissance du château ont des pignons richement sculptés.*

Monflanquin
47 - Lot-et-Garonne 35 - D 1
Sur une colline dominant la vallée de la *Lède,* anc. bastide XIIIe, aujourd'hui village d'artisans (potiers), aux pittoresques ruelles escarpées. Belle place à « cornières ». Église de style gothique méridional, façade fortifiée, portail sculpté XVIe. De l'avenue périphérique, belles vues sur la campagne.

Monistrol-sur-Loire
43 - Haute-Loire 31 - C - 2
L'église, reconstruite au XVIIe conserve une curieuse nef romane. Château XVe et XVIIe (hospice et école), entouré de beaux jardins.
Environs • 7 km O., *Bas-en-Basset :* ruines impressionnantes du château de Rochebaron XVe, à 3 enceintes fortifiées et grosses tours (vaste panorama). • Suivre les *gorges de la Loire* au N. vers **Saint-Étienne***, et au S.-O. par *Retournac, Chamalières-sur-Loire* (belle église romane), *Lavoûte-sur-Loire* (église romane), Lavoûte-Polignac (château), vers **Le Puy*.**

Monpazier
24 - Dordogne 35 - D 1
Cette bastide XIIIe-XIVe, avec place centrale à « cornières », halles en charpente, église XIVe-XVIe et portes fortifiées, est un remarquable exemple d'urbanisme médiéval. Maisons anc. dont la maison du Chapitre XIIIe.
Environs • 8 km S., château de **Biron*.**

Montaigne (château de)
24 - Dordogne 29 - B 3
A *Saint-Michel-de-Montaigne.* Le célèbre écrivain y naquit et y vécut la majeure partie de son existence (1533-1592). Seule la tour, avec sa chapelle, sa chambre et sa « librairie », lui est contemporaine ; le reste du château a été détruit par un incendie au XIXe et reconstruit à cette époque. Ds la fameuse « librairie », cabinet bibliothèque où Montaigne écrivit ses *Essais,* les sentences, latines et grecques, préférées du grand moraliste sont peintes sur les solives du plafond (vis. ts les j. sauf lundi, mardi mat.).
Environs • 4 km S., *Montcaret,* où une grande villa gallo-romaine a été mise au jour en 1921 ; substructions de thermes, vestiges d'une nécropole Ve-XIIIe sur le même site ; petit musée des fouilles.

Montal (château de)
46 - Lot 36 - B 1
A 1,5 km O. de **Saint-Céré*.** C'est l'une des plus remarquables réalisations de la Renaissance ds le Centre, restaurée et admirablement remeublée (superbes tapisseries), à partir de 1908, par le collectionneur Maurice Fenaille. La cour est un chef-d'œuvre d'ornementation de goût italien XVIe. A l'int., magnifique escalier d'honneur (vis. ts les j. d'avril au 1er nov.).
Environs • 3 km S.-O., *grotte de Presque :* belles concrétions (on vis.). • 3 km O., *gorge d'Autoire.*

Montargis
45 - Loiret 18 - D 1
L'église de la Madeleine a une nef XIIe et un remarquable chœur Renaissance qui comporte plusieurs intéressantes œuvres d'art. A l'O., sur une terrasse dominant la ville, anc. château XIIe et XVe. L'hôtel de ville abrite le musée Girodet : archéologie locale, sculptures et peintures du XVIe au XIXe.
Environs • 14 km N.-E., *Ferrières-en-Gâtinais,* église XIIe et XIIIe, anc. abbatiale; importante série de vitraux XVIe ; tombeau monumental

de Louis de Blanchefort, déb. XVIe ; devant l'église, chapelle Notre-Dame-de-Bethléem, XVe, avec abside romane, retable monumental XVIIe et Vierge noire fin XVe.

Montauban
82 - Tarn-et-Garonne 36 - A 3
Cité de brique et de pierre, Montauban est une ville d'art. Le Pont-Vieux déb. XIVe, autrefois fortifié, conduit au palais épiscopal qui abrite le musée Ingres (fermé lundi). Celui-ci possède plusieurs peintures du célèbre peintre, né à Montauban, et 4000 dessins exposés par roulement; salles de peinture anc. et d'art contemporain; important ensemble d'œuvres de Bourdelle, également né à Montauban; ds les sous-sols voûtés, archéologie et arts régionaux, faïences principalement méridionales. La place Nationale XVIIe, entourée de doubles «couverts» en brique a, le matin, un marché très animé. Notre-Dame XVIIe, est l'une des très rares cathédrales classiques de France; à l'int., le *Vœu de Louis XIII,* par Ingres (1824).

Montbard
21 - Côte-d'Or 19 - C 2
Le parc Buffon, qui porte les ruines XIVe de l'anc. château des ducs de Bourgogne, domine la ville; vestiges de l'enceinte, donjon de 40 m, dit tour de l'Aubespin, tour Saint-Louis (petit musée); ds un pavillon, Buffon avait installé son cabinet de travail (on vis.). Petite église Saint-Urse XIIe-XVe.
Environs • 2,5 km N.-E., **abbaye de Fontenay***. • 16,5 km S.-E., château de **Bussy-Rabutin***; à 5 km S., **Alise-Sainte-Reine*** (Alésia) et 8 km plus au S., **Flavigny-sur-Ozerain***. • 3 km S., château de Montfort XIVe; ruines juchées sur une colline, 3 tours octogonales, vestiges de bâtiments d'habitation, chapelle et curieuse «salle de la Monnaie» (on vis.); à 17 km S., **Semur-en-Auxois***. Le *Canal de Bourgogne* offre la possibilité d'agréables promenades.

Montbéliard
25 - Doubs 20 - D 2
L'anc. château des comtes de Montbéliard XVIIe-XVIIIe, avec 2 tours XVe et XVIe, domine la ville; à l'int., musée d'archéologie et d'histoire naturelle salles J. Messagier. Ds l'hôtel Beurnier fin XVIIIe, musée historique du pays de Montbéliard. Maison des Princes, Renaissance. Halles XVIe.
Environs • 3 km E., usines de *Sochaux* (on vis.). • 4,5 km S.-E., *Audincourt :* l'église du Sacré-Cœur (1951) est l'une des plus intéressantes réalisations de l'art religieux moderne; sur la façade : mosaïque de Bazaine; vitraux de Fernand Léger; verrière circulaire de Bazaine ds le baptistère; la route remonte la vallée du Doubs vers *Saint-Hippolyte,* au S.; Mandeure, anc. ville gallo-romaine, a livré les vestiges d'un important théâtre et de nombreux objets (fouilles en cours).

Montbard : ***le canal de Bourgogne, long de 242 km, unit la Saône et l'Yonne à travers des paysages d'une reposante harmonie.***

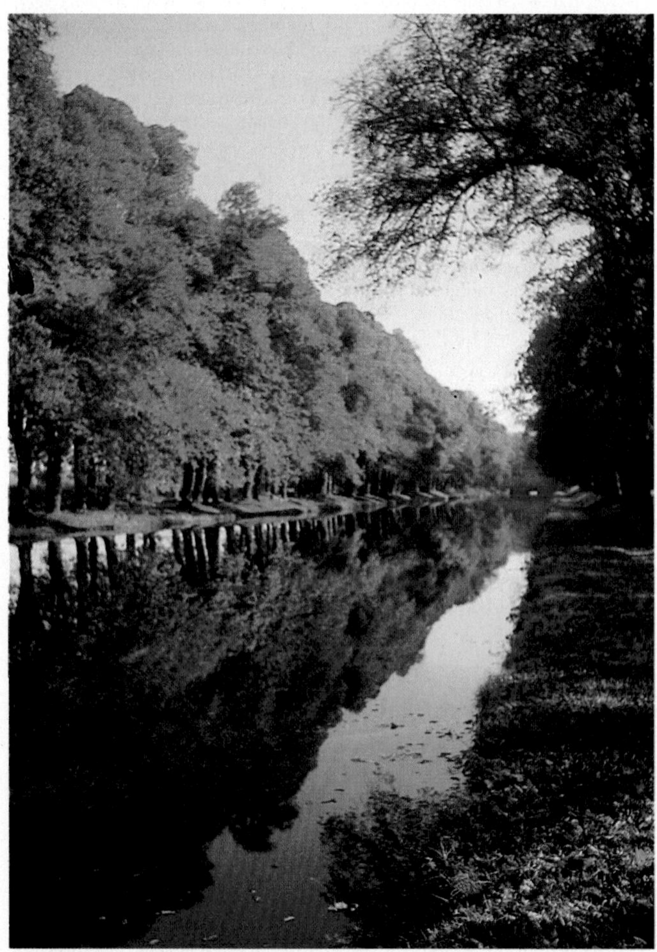

Montbenoît (abbaye de)
25 - Doubs 26 - C 1
L'église XIIe, XIVe et XVIe abrite ds le chœur de magnifiques stalles XVIe sculptées de sujets satiriques pleins de verve et d'esprit. Ds le cloître XVe, intéressants chapiteaux sculptés (faune et flore montagnardes).

Montbrison
42 - Loire 31 - B 2
La ville est bâtie en cercle autour d'une butte volcanique. Église Notre-Dame-d'Espérance, imposante construction gothique XIIIe-XIVe, avec portail flamboyant XVe face au chevet, la Diana (vis. ts les j. sauf mardi), vaste salle fin XIIIe avec une voûte en bois décorée de peintures héraldiques XIVe; à g. petit musée lapidaire. Musée d'Allard : importante coll. de poupées françaises et étrangères. Autour de l'église Saint-Pierre, nombreux hôtels du XVe au XVIIIe.
Environs • 5 km N.-O., *Champdieu :* église romane XIIe d'un anc. prieuré XIIe et XVIe; l'ensemble a été fortifié au XIVe. • 8 km S.-E., *Saint-Romain-le-Puy,* au pied d'un piton basaltique couronné par l'église Xe-XIe-XVe, en granit, du prieuré fortifié de Saint-Romain; curieux décor sculpté, restes de fresques XIIe et XVe et crypte XIe; à 5 km S.-E., château de *Sury-le-Comtal* XVIIe : remarquables boiseries, cheminées et plafonds sculptés (vis. dim., lundi apr.-m. en saison).
• Par la D. 101, à l'O.-N.-O., circuit des monts du Forez (voir **Ambert***); ascension recommandée de la *Pierre-sur-Haute* (1640 m), point culminant des *monts du Forez,* ou par télécabine de *Chalmazel.*

Mont Cenis 32 - D 2

Voir **Saint-Jean-de-Maurienne***.

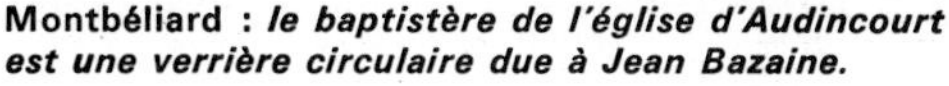

Montbéliard : ***le baptistère de l'église d'Audincourt est une verrière circulaire due à Jean Bazaine.***

Montbenoît : ***chapiteaux du cloître, décorés de motifs liés à la flore et à la faune montagnardes.***

Mont-Dauphin
05 - Hautes-Alpes 38 - D 1
Petite cité fortifiée, aujourd'hui presque déserte, évoquant curieusement le passé. Créée par Vauban, entourée de fortifications en marbre rougeâtre avec portes et pont-levis, elle comporte plusieurs bâtiments militaires. A l'int., la ville est divisée en 4 sections par 2 larges rues se coupant à angle droit. Église Saint-Louis (le chœur, seul, est achevé). Promenade dite la Plantation, ombragée de 1 050 ormes centenaires. Du belvédère, ou Mirador, vaste panorama.
Environs • 3 km E., *Guillestre :* l'église, de style gothique XVIe, en marbre rose, a un beau porche, ou « Réal » à colonnes dont 2 reposent, comme à **Embrun***, sur des lions couchés; sous le porche, portail avec porte à vantaux sculptés XVIe et serrure figurée; ruelles et maisons pittoresques dans la vieille ville; *Guillestre* est un bon centre d'excursions : fontaine pétrifiante de Réotier (6 km O.); le *Queyras* vers **Château-Queyras*** au N.-E., par la vallée du *Guil;* le *col de Vars,* au S.-E., par le vallon de la Chagne; **Embrun***, au S.-O., par la vallée de la *Durance;* **Vallouise** et le Parc national des écrins au N.-N.-O.

Mont-de-Marsan
40 - Landes 35 - A 3
La ville a 2 musées intéressants : le musée Despiau-Wlérick, dans le donjon Lacataye du XIVe (consacré à ces 2 sculpteurs montois); le musée Dubalen, ds une chapelle romane (préhistoire, histoire naturelle). Le musée de plein air.
Environs • 2 km S.-O., Saint-Pierre-du-Mont, église avec chevet roman, à l'int. belle décoration de stuc XVIIIe. • 6 km N.-O., *Uchacq,* église romane avec portail XIe. • 16 km S.-O., *Saint-Sever :* l'église, anc. abbatiale bénédictine, est le plus bel édifice roman des Landes; le chevet est flanqué d'une abside XVIIe et de 6 absidioles romanes; le presbytère et l'hôtel de ville occupent les bâtiments monastiques XVIIe; du belvédère de Morlanne, magnifique panorama sur l'*Adour* et la forêt landaise; à 18 km S.-E., *Samadet,* musée de faïences ds une maison Renaissance.

MONT BLANC
74 - Haute-Savoie 32 - D 1
L'ascension du plus haut sommet d'Europe peut être entreprise, en compagnie d'un guide et d'un porteur, en 2 jours, par le glacier des Bossons, avec arrêt pour la nuit au refuge des Grands-Mulets, 3 050 m. On atteint (env. 8 h 30 de marche ds la neige) le sommet (4 807 m). Descente ds la journée à **Chamonix*** (se renseigner au S.I.).

MONT-DORE (LE)
63 - Puy-de-Dôme 30 - D 2
Célèbre station thermale et de sports d'hiver à 1 050 m d'alt., au pied du puy de Sancy. C'est un centre d'excursions réputé. • Au S., Salon du Capucin (1 286 m, par funiculaire), d'où l'on peut atteindre, en 30 mn, le pic du Capucin (1 465 m), panorama superbe. • Au S.-E., grande cascade, haute de 30 m. • *Puy de Sancy* (à 4 km S., puis téléférique), par le Pied du Sancy (1 350 m); le sommet du puy est à 1 886 m, vaste panorama (table d'orientation). • Au N., par le *lac de Guéry* et le *col de Guéry* (1 264 m), *roches Tuilière et Sanadoire,* gigantesques dykes de phonolithes dressés à l'entrée d'un vaste hémicycle qui constitue l'un des sites les plus saisissants d'Auvergne. • A l'E. et au S.-E., parcours touristique recommandé par *Chambon* et l'impressionnante vallée de Chaudefour, dominée par des hauteurs boisées et des pics aux formes fantastiques, qui conduit, par Courbanges et le rocher de l'Aigle, à **Besse-en-Chandesse***. • 16 km S.-O., *La Tour-d'Auvergne,* bâtie en amphithéâtre sur un promontoire basaltique au pied d'« orgues » prismatiques; l'église gothique de *Chastreix* vaut le détour; puis au S.-E., *lac Chauvet* (54 ha), au milieu d'un hémicycle de collines basaltiques.

Montfort-l'Amaury : *le vieux quartier et l'église évoquent, par leur charme provincial, les paisibles cités d'autrefois.*

Montélimar
26 - Drôme 37 - D 1
A l'E. de la ville, sur une colline dominant le *Roubion,* intéressant château XVe, renforcé au XVIIe (vis. ts les j.) avec donjon XIIe et ruines de la chapelle romane.
Environs • 17,5 km S.-E., *trappe d'Aiguebelle,* anc. abbaye XIIe restaurée au XIXe : église et galerie du cloître contiguë XIIe, réfectoire, etc. (vis. accomp. ts les j. sauf dim.). • 15 km N.-E., *Marsanne :* le bourg médiéval en ruine (vestiges de l'église romane, pittoresques maisons des XVe-XVIe) mérite une visite; magnifique panorama. • 5 km N.-O., après la traversée du Rhône, *Rochemaure,* dominé par les dykes volcaniques portant l'anc. bourg en ruine; *barrage de Rochemaure* et usine-barrage Henri-Poincaré; en suivant la N. 86 au N., on atteint, à 9 km, *Cruas,* église romane originale, reste d'une abbaye bénédictine XIe-XIIe, reposant sur 2 cryptes; pavement en mosaïque fin XIe ds le chœur.

Montfort-l'Amaury
78 - Yvelines 11 - B 2
Petite ville anc. dominée par les ruines du château XIe-XVe. L'église fin XVe, avec des parties Renaissance, a un bel ensemble de vitraux XVIe. Anc. charnier des XVIe-XVIIIe, couvert d'une charpente, entourant le cimetière. « Le Belvédère », où vécut le compositeur Maurice Ravel († 1937), a été transformé en musée. Nombreuses maisons anc.

Mongeoffroy (château de)
49 - Maine-et-Loire 17 - B 2
Belle construction XVIIIe, harmonieuse et équilibrée (vis. tous les jours des Rameaux à la Toussaint). L'intérieur a conservé son décor de boiseries et son remarquable mobilier Louis XVI estampillé; tapisseries d'Aubusson, portraits XVIIe-XVIIIe.
Environs • 15 km O., château de Pignerolles, fin XVIIIe.

Montier-en-Der
52 - Haute-Marne 12 - D 3
L'église Notre-Dame, nef à tribunes et bas-côtés fin Xe, a un chœur à déambulatoire fin XIIe, qui est l'un des plus remarquables des débuts du gothique champenois.
Environs • Au N., réservoir de Champaubert et forêt du Der. • Les églises du pays du Der sont intéressantes, notamment au S.-O., *Ceffonds* (beaux vitraux et saint sépulcre XVIe), au N.-O., *Chavanges, Lentilles* (curieuse église rustique à pans de bois XVIe, original porche en charpente), *Outines,* Puellemontier, etc. • A l'E., *Wassy-sur-Blaise* (voir **Saint-Dizier***).

Montlhéry
91 - Essonne 11 - C 2
La tour dite de Louis le Gros, haute de 32 m, est le seul vestige de l'anc. château féodal. Vaste panorama. A Linas, autodrome et circuit routier dits de Montlhéry.
Environs • 2 km N.-E., *Longpont-sur-Orge,* église Notre-Dame XIe, XIIe et XIIIe, beau portail sculpté XIIIe mutilé (pèlerinage lundi de Pentecôte); à 2 km E., *Sainte-Geneviève-des-Bois,* curieux cimetière russe (chapelle orthodoxe).

Montlhéry : ***la tour Louis-le-Gros occupe une position naturelle qui domine le panorama.***

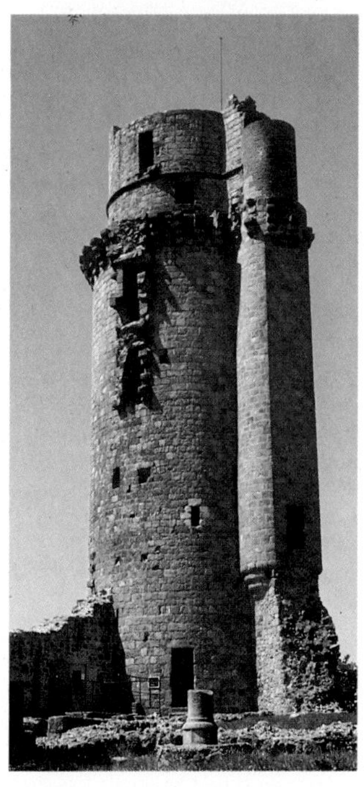

Mont-Louis
66 - Pyrénées-Orientales 43 - B 3
Cette anc. place de guerre, à 1 600 m d'alt., est aussi une station estivale et de sports d'hiver. Les remparts, où l'on pénètre par la porte de France, et la citadelle, élevés par Vauban, sont de remarquables témoignages de l'architecture militaire classique. Ds le bastion, le 1er four solaire mis en service en 1953 (vis. s'adr. au S.I.).
Environs • 6,5 km S., Planès, l'église Notre-Dame-de-la-Merci XIe ou XIIe présente un plan très curieux, une circonférence inscrite ds un triangle équilatéral couronné par une coupole avec 3 absides en saillie; Vierge romane et retables à l'int. • 5 km S.-O., *col de la Perche* et Signal de la Perche, panorama sur la Cerdagne; 10 S.-O., *Llo,* vieux village catalan dans un fort beau site; au S.-E., belles gorges du *Sègre.* • 9 km O., **Font-Romeu.** • 10 km N.-O., *Les Angles,* station d'été et de sports d'hiver. • 14 km N.-O., *lac des Bouillouses,* dans un site grandiose (2 013 m), important barrage et réservoir de 16 millions et demi de mètres cubes; nombreuses excursions : au lac d'Aude et à la source de l'*Aude* (2 135 m), au barrage de l'étang de *Lanoux* (2 176 m), aux pics de la Tausse, de Cambras d'Aze, *Carlit* (2 921 m), dont le «désert» est un chaos granitique impressionnant. • Au N., route de la *haute vallée de l'Aude* (voir **Quillan** *).

Montluçon
03 - Allier 24 - C 2
La vieille ville, enserrée ds l'agglomération moderne, occupe une butte couronnée par l'anc. château XVe-XVIe où est installé le musée (remarquables coll. de céramiques et de vielles). Les rues tortueuses et escarpées sont bordées de vieilles maisons dont certaines XVe et XVIe. Notre-Dame XVe et Saint-Pierre romane et XVe conservent de précieuses œuvres d'art.
Environs • 12 km N.-O., *Huriel :* l'anc. collégiale Notre-Dame est un superbe monument XIIe renfermant d'intéressantes œuvres d'art; vestiges de l'anc. château XIe-XVIe, donjon carré XIIe en granit gris. • 8 km S.-E., *Néris-les-Bains,* station thermale réputée; ds le vieux Néris, église romane et nécropole mérovingienne dominant le quartier thermal, ruines d'arènes et de piscines romaines; coll. lapidaires au grand établissement thermal.

Montmajour (abbaye de)
13 - Bouches-du-Rhône 43 - D 1
A 4 km N.-E. d'Arles, c'est l'un des plus beaux monuments religieux de Provence (vis. ts les j. sauf mardi). L'église abbatiale XIIe, majestueuse et dépouillée, est bâtie sur une crypte, en réalité église basse (v. 1150). Cloître roman fin XIIe, d'une admirable harmonie de lignes, intéressants chapiteaux XIIe et XIVe. Les bâtiments conventuels, ruinés au XVIIIe, sont dominés par la tour de l'Abbé, donjon fortifié de 1369, haut de 30 m (panorama). Chapelle Saint-Pierre Xe, en partie souterraine (curieux chapiteaux). A 200 m du donjon sur un plateau rocheux, chapelle Sainte-Croix fin XIIe, entourée de tombes creusées dans le roc.
Environs • 2,5 km N.-E., *Fontvieille,* moulin dit d'Alphonse Daudet (petit musée), par une route ombragée de pins.

Montmajour : ***le cloître roman de l'abbaye est l'un des plus purs de Provence.*** ▼

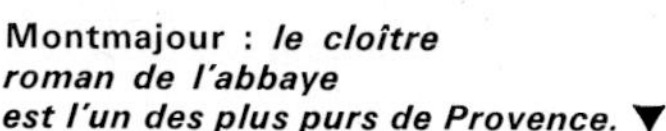

A Fontvieille, le moulin de Daudet évoque les « Lettres de mon moulin ». ▶

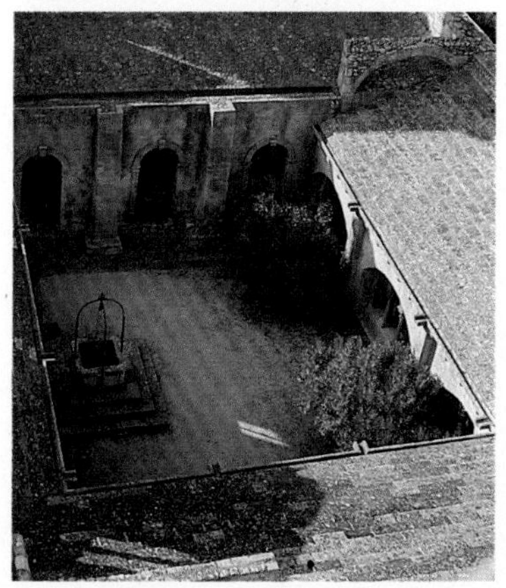

Montmédy
55 - Meuse 7 - A 3
De la Ville-Basse, sur la rive dr. de la *Chiers,* on atteint par la rue de Chiny, en pente très raide, la Ville-Haute, place forte caractéristique des systèmes défensifs de Vauban, sur un promontoire escarpé, à plus de 100 m au-dessus de la Ville-Basse; vaste panorama; on y pénètre par 2 portes à pont-levis. La promenade des remparts est recommandée.
Environs • 12 km S.-E., *Marville :* pittoresques « maisons espagnoles » XVIe-XVIIe; au N. chapelle Saint-Hilaire XIe, XIIe et XVe, de nombreuses tombes sculptées, du XVIe au XVIIe, en font un curieux musée funéraire (d'autres tombes sont visibles au cimetière voisin, beaux groupes sculptés).

MONTPELLIER-LE-VIEUX
12 - Aveyron 37 - A 3
Ce chaos rocheux (circuit pédestre de 1 h 15 env.) comprend 120 ha de blocs dolomitiques aux formes fantastiques. Enfoui ds la forêt, il a été mis au jour en 1870. Plusieurs circuits sont indiqués sur place. 4 cirques, d'où partent des ravins, descendent vers la *Dourbie.*

Montoire-sur-le-Loir
41 - Loir-et-Cher 17 - D 2
Ds le faubourg de la rive g. du Loir, la chapelle Saint-Gilles, XIe, abrite de précieuses fresques romanes XIIe, notamment ds l'abside E. un remarquable Christ-Juge; ds les croisillons, le Christ remettant les clés à saint Pierre et le Seigneur envoyant le Saint-Esprit sur les apôtres. A l'arc triomphal, les Vertus triomphant des Vices.
Environs • 2 km S.-E., *Lavardin;* ds l'église Saint-Genest, ensemble de peintures murales, du XIIe au XVIe, montrant l'évolution de cet art, de la stylisation romane au réalisme expressif gothique; imposantes ruines du château des comtes de Vendôme, donjon XIe-XIIe et XIVe, haut de 26 m (vis. ts les j. l'été).

Montpellier
34 - Hérault 43 - B 1
Belle ville, capitale du Languedoc méditerranéen, riche en monuments et hôtels XVIIe-XVIIIe. Le centre de l'animation est la place de la Comédie (fontaine des Trois-Grâces) dominée par le théâtre, d'où part l'Esplanade, agréable promenade ombragée, créée au XVIIIe. • Le musée Fabre (ouv. ts les j. sauf lundi) est l'un des plus riches de France; importantes coll. de peintures italiennes (Véronèse), espagnoles (Zurbaran, Ribera), flamandes, hollandaises, et surtout françaises XVIIe (S. Bourdon), XVIIIe (11 toiles de Greuze), XIXe (David, Géricault, superbes ensembles de Delacroix, Bazille, 15 Courbet) et XXe; riche cabinet de dessins (2000 pièces dont 3 Raphaël); annexe ds l'hôtel voisin de Cabrières-Sabatier-d'Espeyran, remarquables ensembles décoratifs Louis XV, Louis XVI et Napoléon III; tapisseries, orfèvreries, sculptures, etc.
• Le vieux quartier universitaire et religieux a gardé son caractère XVIIe-XVIIIe. Place de la Canourgue (fontaine des Licornes XVIIIe); hôtel de ville fin XVIIIe; anc. hôtel Cambacérès-Murle XVIIIe, et curieuse maison à la Coquille (v. 1700).

Montpellier : ***du château d'eau du Peyrou, XVIIe, beau panorama.***

Montrésor : ***solidement fortifiée, la masse imposante du château, hérissée de tours, se mire dans les eaux calmes de l'Indrois.***

Nombreux hôtels XVIIe et XVIIIe, notamment rue du Cannau n° 8, l'hôtel du conseiller Jean Deydé (beau porche); n° 6, hôtel de Beaulac déb. XVIIe, cour et escalier remarquables, appartements somptueux; place Aristide-Briand (hôtel Bonaric XVIIe, belle cour); rue de l'Aiguillerie; place Pétrarque (hôtel Nicolas XVIIIe); rue Embouque-d'Or. Rue des Trésoriers-de-France, ds le magnifique hôtel de Lunaret XVIIe, musée archéologique. La grande rue Jean-Moulin est également bordée de maisons ou d'hôtels XVIIe-XVIIIe (très bel hôtel Saint-Côme mil. XVIIIe, chambre de Commerce), rue des Trésoriers-de-la-Bourse (hôtel Bonnier de la Mosson fin XVIIe, superbe escalier à jour).
• La promenade du Peyrou, ensemble monumental d'une majestueuse ordonnance classique, comprend 2 étages de terrasses, dominés par un élégant château d'eau (magnifique panorama) auquel aboutit l'aqueduc Saint-Clément XVIIIe de 800 m de long; au centre, statue équestre de Louis XIV; la porte du Peyrou est un superbe arc de triomphe élevé en l'honneur de Louis XIV (1691). Le jardin des Plantes est le plus anc. de France (1593). • La cathédrale Saint-Pierre, XIVe, achevée au XIXe, est précédée d'un énorme porche monumental gothique; contiguë à la cathédrale, la faculté de médecine occupe les bâtiments XVIe, remaniés et agrandis, de l'abbaye Saint-Benoît; elle abrite le musée Atger (vis. ts les j. sauf sam. apr.-m., dim. et août) dont la coll. de dessins XVIIIe est d'une exceptionnelle richesse.
Environs • Nombreux et très beaux châteaux XVIIe et XVIIIe; à l'O., châteaux d'O, d'Alco, de la Piscine, de la Mosson, d'Engarran, etc. (On ne vis pas); 5 km E., château de la Mogère déb. XVIIIe (l'apr.-m. sauf dim.); le parc comporte un splendide buffet d'eau baroque, tapissé de rocailles. • 10 km O., *Le Vignogoul,* anc. abbaye de l'Assomption : l'église cistercienne XIIe est l'un des rares témoins du gothique d'Ile-de-France ds le Midi. • 11,5 km S., *Palavas-les-Flots* et **Maguelonne*.** • 23 km S.-E., **La Grande-Motte*.**

Montpezat-de-Quercy
82 - Tarn-et-Garonne 36 - A 2
Petite ville anc. sur une colline dominant les vallonnements du Quercy. La place centrale est entourée de «couverts» et de maisons XIVe-XVe. L'imposante collégiale Saint-Martin XIVe renferme de précieux objets d'art, notamment 5 tapisseries des Flandres, des statues de pierre gothiques et des albâtres anglais XIVe.
Environs • 4 km N.-O., petite église rustique Notre-Dame-de-Saux, à 2 coupoles, XIIe-XVIe, ornée de peintures murales XIVe. • 12 km N.-O., curieux village fortifié de *Castelnau-Montratier.*

Montrésor (château de)
37 - Indre-et-Loire 18 - A 3
Ds un site paisible, sur un méandre de l'*Indrois,* le château bâti parmi les ruines d'une forteresse féodale est d'époque Louis XII (vis. ts les j. l'été); il renferme d'intéressantes œuvres d'art et des souvenirs ou objets relatifs à la Pologne. Église Renaissance (beau tombeau des Bastarnay, XVIe, surmonté de 3 statues couchées).
Environs • 8,5 km E., *Nouans-les-Fontaines;* l'église XIIIe possède une remarquable *Descente de Croix,* de l'école de Jean Fouquet (2e moitié XVe).

Montreuil
93 - Seine-Saint-Denis 11 - C 2
Le musée de l'Histoire vivante (vis. les mardis, jeudis, sam. et dim.) est consacré principalement aux luttes sociales, de la fin du XVIIIe à nos jours. La vénérable église Saint-Pierre-Saint-Paul a un chœur XIIe; la nef est du XVe.
Environs • Au Raincy, l'église Notre-Dame, par Auguste Perret (1922-1923), en ciment armé et murs entièrement garnis de vitraux, est l'une des réalisations les plus originales de l'architecture religieuse contemporaine.

Montreuil-Bellay
49 - Maine-et-Loire 17 - B 3
Le château (vis. en saison), bâti au XIe, reconstruit au XVe, s'ouvre par un châtelet flanqué de 2 tours rondes; ds la cour int., à g. de l'entrée, cuisine à foyer central. Le Petit-Château comprend 4 corps de logis desservis chacun par une tourelle d'escalier. Richement décoré, le Château-Neuf a une chapelle flamboyante délicatement ouvragée. La porte Nouvelle et la porte Saint-Jean, vestiges des anc. remparts, occupent les extrémités N. et S. de la rue Nationale. Église Notre-Dame, anc. collégiale XVe.
Environs • 8 km N.-O., ruines de l'*abbaye d'Asnières* XIIe-XIIIe (belle église). • 12 km N.-O., *Doué-la-Fontaine,* ruines de la collégiale Saint-Denis, de style roman angevin fin XIIe; église saint-Pierre XVe; les arènes de Doué (vis. ts les j.) sont d'anc. carrières transformées en arènes au Moyen Age; par la N. 160 à l'O., parc zoologique des Minières (vis. ts les j.). • 7 km S.-O., *Le Puy-Notre-Dame :* la collégiale de l'anc. prieuré est un remarquable témoignage de l'architecture angevine XIIIe; célèbre relique dite «Ceinture de la Vierge».

Montreuil-sur-Mer
62 - Pas-de-Calais 1 - B 3
Anc. place de guerre, elle a conservé ses remparts de brique (on peut en faire le tour) et son impressionnante citadelle XVIe qui englobe d'importants vestiges du château royal (vis. ts les j.). Tour de la reine Berthe (panorama). Saint-Saulve : anc. abbatiale, l'une des plus belles églises gothiques du Pas-de-Calais; à l'int. tombeaux et fonts XIIIe, peintures XVIIe; riche trésor. Chapelle de l'hôtel-Dieu XVe, belles boiseries XVIIe.
Environs • Au N., vallée de la Course, cressonnières, élevage de truites, sites très pittoresques.

Montreuil-Bellay : ***l'impressionnant château fort est devenu, au XVe une charmante résidence; on en a une jolie vue du pont sur le Thouet.***

MONT-SAINT-MICHEL
50 - Manche 9 - C 2
L'un des plus célèbres et des plus remarquables sites de France. L'îlot rocheux, de forme conique, est couronné par l'abbaye où l'on accède par la porte du Roi XVe, entrée fortifiée du bourg. Bordée de maisons à pignons XVe et d'éventaires de marchands de souvenirs, la Grande-Rue conduit, par l'église paroissiale XIe-XVIe, en contournant le mont, aux escaliers de l'abbaye. L'église abbatiale a une nef et un transept romans précédant un magnifique chœur flamboyant XVe-déb. XVIe, édifié sur la crypte des Gros Piliers XVe; du monastère primitif il ne reste que des salles romanes XIe-XIIe, pratiquement creusées ds le roc; le monastère gothique XIIIe est presque entièrement constitué par la «Merveille» qui domine la partie N. du Mont. Édifiée de 1203 à 1228, cette audacieuse construction comprend 3 étages; de bas en haut : l'aumônerie et le cellier, la salle des Hôtes et la grandiose salle des Chevaliers à 4 nefs, le réfectoire et le cloître; chef-d'œuvre de raffinement et d'harmonie accroché en plein ciel, celui-ci a 4 galeries comptant 227 colonnettes de granit rouge en quinconce. A l'O., des jardins en terrasses, magnifique panorama. Faire le tour des remparts XIIIe-XVe, par le chemin de ronde et le tour ext. du Mont en bateau. Les excursions pédestres sur les grèves sont dangereuses à cause de la montée rapide du flot (s'informer de l'heure des marées). A 3 km N. en mer, îlot de *Tombelaine*.

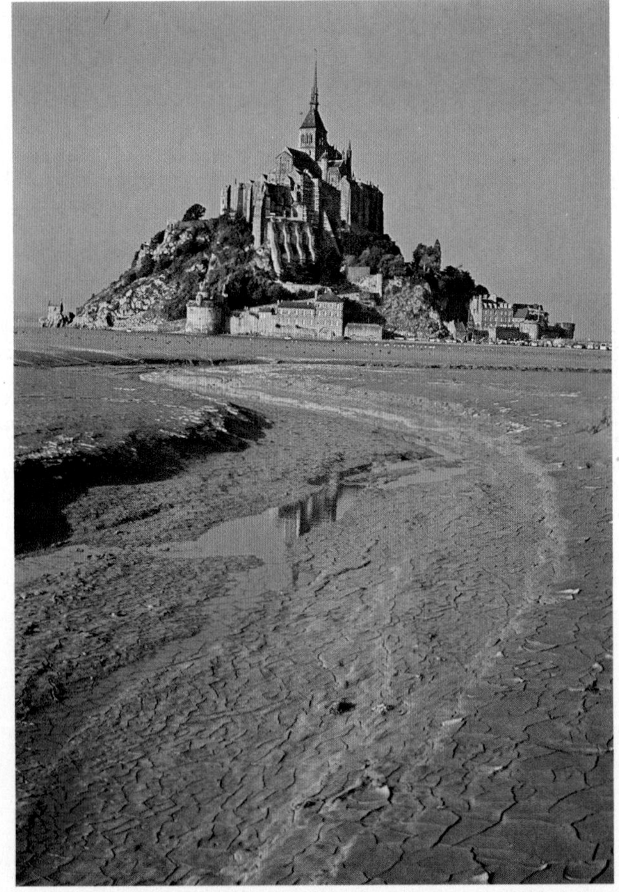

Montségur (château de)
09 - Ariège 42 - B 3
Haut lieu du catharisme, les ruines du château (ascension difficile), illustrées par le siège de 1244 et le supplice des cathares brûlés vifs au «prat des crémats», dominent un magnifique panorama. Au pied du «pog», le village de Montségur est le point de départ de l'ascension du *pic Saint-Barthélemy* (2 349 m).
Environs • *Lavelanet,* petite ville industrielle, excursions recommandées, à 9 km O., aux ruines du château de Roquefixade XIIIe-XIVe et au S.-E., à *Bélesta* et la *fontaine de Fontestorbes* (voir **Puivert***).

Montsoreau
49 - Maine-et-Loire 17 - B 3
Au pied d'un coteau dominant la rive g. de la *Loire,* le château XVe, mi-forteresse féodale, mi-résidence, renferme, ds la tourelle de dr., déb. XVIe, un imposant escalier d'honneur; à l'int., musée des Goums et des Services spéciaux marocains (vis. ts les j.). Un pont relie le château à l'anc. chapelle Saint-Michel, gothique. A côté, anc. demeure du Sénéchal. Ds le bourg, nombreuses maisons XVe et XVIe.
Environs • 1,5 km E., *Candes-Saint-Martin,* ds un très beau site au confluent de la *Vienne* et de la *Loire;* belle église Saint-Martin de style angevin déb. XIIIe, fortifiée au XVe, façade remarquable avec porche sculpté XIIIe; à l'int., nombreuses statuettes-consoles d'un réalisme expressif; à 2,5 km S.-E., Saint-Germain-sur-Vienne, église romane originale avec portail sculpté; belles voûtes angevines de style Plantagenêt à l'int. • 4 km S., abbaye de **Fontevrault***.

Moret-sur-Loing
77 - Seine-et-Marne 11 - D 3
Charmante petite cité appréciée des peintres, notamment de Sisley (on voit sa maison près de l'église) et de Pissarro. Église Notre-Dame XIIIe-XIVe, avec beau portail de style flamboyant (au trumeau, Vierge à l'Enfant). Nombreuses maisons anc. XVe-XVIe, dont certaines, à dr. de l'église, à pans de bois. La maison dite de «François-Ier» (façade Renaissance à décor de médaillons sculptés), transportée à Paris en 1826, a été remontée ds le jardin de la mairie. Du pont sur le *Loing,* belle vue sur le superbe plan d'eau dominé par l'église et l'anc. donjon du château, des restes de remparts et plusieurs maisons anc. Son et Lumière l'été.
Environs • La D. 104 longe à la fois la vallée du *Loing* et la lisière de la forêt de **Fontainebleau***.

Morez
39 - Jura 26 - C 2
Station de villégiature et de sports d'hiver au fond de la vallée de la Bienne, ds un site resserré que suit une unique rue. De la roche au Dade (2 h à pied A.R.), vue plongeante sur le site.
Environs • 8 km S.-E., *Les Rousses,* station d'été et de sports d'hiver dominée au S.-O. par le grand fort des Rousses; église XVIIIe, cimetière en terrasse; à 2 km N., lac des Rousses, long de 2 km; la N. 5 suit le val de Dappes (à l'E., route

Montségur : ***aujourd'hui ruiné, cet avant-poste fortifié fut en 1244 le dernier refuge de l'hérésie cathare.***

Montsoreau : ***la forteresse-résidence abrite un musée des Goums marocains.***

vers la frontière franco-suisse) et passe au *col de la Faucille* (1 320 m, belle vue sur le **mont Blanc***) avant d'atteindre **Gex*.**

MORBIHAN (golfe du)
56 - Morbihan 16 - A 2
Petite mer int., parsemée d'une multitude d'îles aux côtes très découpées, qui communique avec l'Océan par un étroit goulet de 1 km. L'excursion en bateau, très recommandée, se fait à partir de **Vannes***, de *Locmariaquer,* de *Port-Navalo* ou d'**Auray*,** à travers des sites d'une grandiose beauté. On visitera l'*île d'Arz,* église XIIe-XVIIe, la *pointe d'Arradon,* l'*île aux Moines, Larmor-Baden* et l'île de **Gavrinis*, etc.**

Morimond (abbaye de)
52 - Haute-Marne 20 - B 1
Vestiges d'une importante abbaye cistercienne fondée déb. XIIe, au cœur de la forêt près de l'étang de Morimond (pêche).
Environs • 3 km S.-O., *Fresnoy-en-Bassigny,* église gothique déb. XVIe, œuvres d'art intéressantes à l'int.

Morlaix
29 N - Finistère 8 - C 2
Le monumental viaduc du chemin de fer (285 m de long, 58 m de haut), en granit, sépare le port de la ville. Celle-ci est riche en maisons anc., rue Ange-de-Guernisac, rue Basse, rue Haute. Rue du Mur, maison dite de la duchesse Anne fin XVe, ornée de statues de saints et de grotesques; à l'int., escalier de bois sculpté. La Grande-Rue est caractéristique des villes bretonnes d'autrefois. L'anc. église des Dominicains abrite le musée : art et folklore du Léon, peintures XIXe-XXe. Saint-Mathieu renferme une curieuse statue ouvrante de Notre-Dame-du-Mur, en bois, fin XVe.

Moret-sur-Loing : ***une petite ville qui tire une grande partie de son charme de sa situation sur le Loing. Autour de la belle église gothique, de nombreuses maisons des XVe-XVIe ont conservé leurs pans de bois.***

Environs • Estuaire du Dossen ou « rivière de Morlaix », plage de *Carantec* (14 km N.-O.) et pointe de Castel Bian bordée par la grève blanche (curieux rocher dit « la chaise du curé »).

Mortagne-au-Perche
61 - Orne 10 - D 2
Belle église Notre-Dame, de style flamboyant XVe-XVIe, boiseries et stalles XVIIIe ds le chœur. La porte Saint-Denis, XIIe, est surmontée d'un logis XVIe abritant un petit musée percheron. Anc. hôtel des comtes du Perche XVIIIe.
Environs • 15 km N., *abbaye de la Grande-Trappe,* voir **Aigle * (L').** • 11 km N.-E., *Tourouvre,* église intéressante, œuvres d'art. • 17 km E., par la forêt de Réno-Valdieu : *Longny-au-Perche,* église Saint-Martin XVe-XVIe, flanquée d'une imposante tour carrée ornée de niches à dais et de statues; ds le cimetière, chapelle Notre-Dame-de-Pitié, Renaissance, élégant portail sculpté; à 23,5 km E., par la forêt de Longny, la *forêt de Senonches* (4 271 ha) et *Senonches,* (château XVe-XVIIe à gros donjon orné mil. XIIe); à 12 km N.-O., *La Ferté-Vidame,* les communs XVIIIe de l'anc. château ruiné abritent le nouveau château XIXe (on ne vis. pas); le parc, enclavé ds la forêt (3 715 ha), comporte 6 étangs ds des sites pittoresques.

Mortain
50 - Manche 10 - A 2
Ds un site pittoresque, au-dessus de la gorge de la Cance. Église Saint-Évroult, XIIIe, tour XIVe avec portail roman.
Environs • 1 km N., anc. abbaye Blanche, chapelle et galerie de cloître XIIe, salle capitulaire XIIIe, cellier XIe, musée des Missions d'Afrique (vis. ts les jours); la grande cascade (chute de 25 m ds un ravissant sous-bois); la petite cascade (chemin de la place du château) ds un amphithéâtre rocheux, la chapelle Saint-Michel (table d'orientation, panorama). • Excursions ds la haute vallée de la *Sée,* pittoresque et accidentée (12 km N.)

Morzine
74 - Haute-Savoie 26 - D 3
Importante station d'été et de sports d'hiver à la convergence de 6 vallées.
Environs • Le téléférique du Pléney (1 600 m), le téléférique et la télécabine de la Pointe de Nyon (2 020 m) permettent d'admirer de superbes panoramas. • Un téléférique (départ du hameau des Prodains, à 4,5 km N.-E.) conduit, à 1 800 m, à la nouvelle station d'*Avoriaz;* on peut y accéder également par la route du col de la Joux-Verte. • Au N.-E., cascade d'Ardent et *lac de Montriond* (1 049 m). • 12,5 km N.-O., ruines de l'abbaye de *Notre-Dame-d'Aulps,* belle église romane, XIIe-XIIIe, de type cistercien.

MORVAN
89 - Yonne 58 - Nièvre 19 - B 2/B 3
Parc naturel régional. Randonnées pédestres et parcours équestres, centres de nautisme à voile, à rames et moteur sur les lacs, plages. Descentes en canoë-kayak sur les rivières, pêche et chasse au gibier d'eau. Voir **Château-Chinon*, Quarré-les-Tombes*, Vézelay*,** lac des **Settons*.**

Moulins : *la tour de l'Horloge est surmontée d'un populaire « jaquemart » sonnant les heures.*

Mouchamps
85 - Vendée 22 - D 1
Depuis le XVIIe, le bourg est resté en majorité protestant.
Environs • 4 km N.-E., près de la ferme du Colombier, ds un bois, tombe de George Clemenceau (†1929), à côté de celle de son père; stèle funéraire représentant Pallas appuyée sur sa lance. • 3 km N.-O., château du Parc-Soubise, XVIe-XVIIe, brûlé en 1794 et restauré en partie, ds un site romantique.

Mouilleron-en-Pareds
85 - Vendée 22 - D 1
Musée des Deux-Victoires (souvenirs et documents sur Clemenceau et le maréchal de Lattre de Tassigny, nés tous deux à Mouilleron). La maison natale du maréchal a été convertie en musée; il est inhumé au cimetière aux côtés de son fils, tué en Indochine. Église XVe (carillon de 13 cloches). Château de la Fosse, Renaissance, mil. XVIe.

Moulins
03 - Allier 25 - A 2
La cathédrale Notre-Dame XVe-XVIe et XIXe abrite ds la sacristie l'un des chefs-d'œuvre de la peinture française : le fameux *Triptyque* du Maître de Moulins fin XVe; très beaux vitraux fin XVe et XVIe. Vestiges du château des ducs de Bourbon; le pavillon d'Anne de Beaujeu, Renaissance, sert d'entrée au musée (préhistoire, archéologie, primitifs allemands, faïences de Moulins, etc.). Musée du folklore et du Vieux-Moulins ds une maison XVe. Le vieux quartier qui entoure la cathédrale est pittoresque, notamment la rue des Orfèvres, la

MOURÈZE (cirque de)
34 - Hérault 43 - A 1
Le vieux village de Mourèze, très pittoresque (ruelles étroites, ruines du château, église romane), est entouré par un vaste chaos de rochers dolomitiques qui dessinent un cirque couvrant 345 ha. Certains blocs rocheux ont d'impressionnants aspects fantastiques.

rue et la place de l'Ancien-Palais. Place de l'Hôtel-de-Ville, beffroi ou tour de l'Horloge XVe couronnée par le populaire « Jacquemart » mil. XVIIe. Ds la chapelle du lycée Banville (anc. couvent de la Visitation), mausolée monumental de Henri de Montmorency, l'une des œuvres capitales de la sculpture française mil. XVIIe. Illumination l'été.
Environs • 1,5 km E., *Yzeure,* intéressante église romane XIIe (chapiteaux, crypte); 10 km E., château de Pommay fin XVIe ; à 3,5 km, *Lusigny,* église romane XIIe ; à 2 km S.-S.-E., manoir d'Orvalet XVIe. • 28,5 km E.-S.-E., par *Dompierre-sur-Besbre, château de Toury :* petite forteresse XVe de granit rose avec élégant logis seigneurial (vis. ext. ts les j. l'été). • 12 km O.-S.-O., **Souvigny*.**

Moustiers-Sainte-Marie 38 - C 3
04 - Alpes-de-Haute-Provence
A l'entrée d'une large crevasse dont les parois à pic sont reliées par la chaîne de l'Étoile (227 m de long). Pittoresque dédale de ruelles et de placettes traversées de voûtes et d'arcades. De l'église, romane et gothique, on gagne la chapelle Notre-Dame-de-Beauvoir XIIe-XIVe (clé au presbytère), située sous la chaîne de l'Étoile. Un petit chemin en corniche, à dr., conduit à la grotte chapelle de la Madeleine; de la terrasse, vaste panorama. A l'anc. presbytère, le musée historique de la Faïence (ouv. ts les j. de Pâques au 1er nov.).

Moutier-d'Ahun (Le)
23 - Creuse 24 - B 3
L'église, anc. abbatiale XIIe-XVe possède, ds le chœur, un ensemble unique de boiseries et de stalles sculptées fin XVIIe; ds la sacristie, Christ en bois XVIIe, statues peintes XIIe et reliquaires.
Environs • 1,5 km S., *Ahun :* église en partie romane, crypte IXe; ds le chœur, boiseries fin XVIIe.

Moutiers-Tarentaise
73 - Savoie 32 - D 2
Anc. capitale de la *Tarentaise.* Cathédrale Saint-Pierre, nef XVe, abside et crypte XIe ; riche trésor. Musée de l'académie de Val-d'Isère.
Environs • Les *« Trois Vallées »* offrent, au S. et au S.-E., de remarquables excursions et d'importantes stations de sports d'hiver; *Belleville, Méribel* et **Courchevel*** disposent, avec 300 km de pistes aménagées, de l'espace skiable le plus vaste d'Europe.

Mouzon
08 - Ardennes 6 - D 2
Ds une île formée par la *Meuse* et le *canal de l'Est.* L'église Notre-Dame, anc. abbatiale bénédictine XIIIe, est la plus belle des Ardennes; la façade, flanquée de 2 tours, a un portail central XIIIe admirablement sculpté; le chœur, entouré d'un déambulatoire à 5 chapelles rayonnantes, est grandiose. Porte de Bourgogne XIVe-XVe.
Environs • Les boucles de la *Meuse* au N.-N.-O., offrent d'agréables promenades.

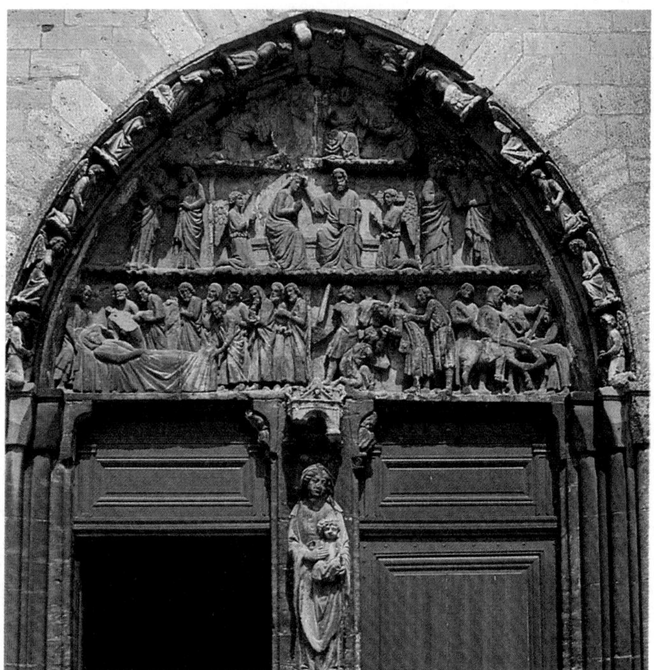

Mouzon : ***les remarquables sculptures du portail de Notre-Dame.***

Mulhouse
68 - Haut-Rhin 21 - A 1
5 musées sont à visiter : 1) Musée de l'Impression sur étoffes (ts les j. sauf vend. matin), unique en France : démonstration d'impression

Mulhouse : ***décor allégorique de la façade de l'hôtel de ville.***

sur machines, salle de la manufacture de Jouy, galerie des Mouchoirs, etc. 2) Musée des Beaux-Arts ds la maison Steinbach : peintres français et alsaciens XIXe-XXe. 3) Musée français des Chemins de fer : évolution des transports sur rail de 1844 à 1937 (vis. tous les j.); wagon-restaurant. 4) Musée Schlumpf ou musée français de l'Automobile : plus de 400 voitures en état de marche de 1890 à 1974. 5) Musée historique (à l'hôtel de ville, superbe monument Renaissance) : archéologie, histoire, art populaire. • Autres curiosités : temple Saint-Étienne, remarquable ensemble de vitraux XIVe. Chapelle Saint-Jean, peintures murales XVIe. Au S.-E. : très beau jardin zoologique et jardin botanique (plus de 5 000 plantes). Tour du Bollwerk, tour du Diable et tour de Nesle. *Environs* • *Forêt de la Harth.*

Munster
68 - Haut-Rhin 21 - A 1
Surtout célèbre pour son fromage, c'est aussi un bon centre d'excursion. Anc. palais abbatial, hôtel de ville mil. XVIe.
Environs • « Route du fromage », circuit balisé. • Au S.-O., par la D. 10, vallée de la *Fecht,* ou grande vallée; par *Muhbach-sur-Munster,* Metzeral d'où l'on peut faire d'agréables excursions aux lacs artificiels de Fischboedle et de Schiessrothried au pied du *Hohneck.* • 7,5 km N., *Hohrodberg* (800 m), agréable station d'altitude, magnifique panorama sur les Vosges; à 3,5 km N., le collet du *Linge* (voir **Trois-Épis***). • 6 km E., Soultzbach-les-Bains, église gothique XIVe, intéressantes œuvres d'art à l'int.; chapelle Sainte-Catherine XVIIIe; châteaux du Haneck et du Schrankenfels.

Munster : ***la place du Marché évoque le passé de cette vieille cité alsacienne.***

Murat
15 - Cantal 30 - D - 3
Vieille ville construite en amphithéâtre au-dessus de l'Alagnon. Maisons XVe et XVIe. Église Notre-Dame-des-Oliviers XVe; à l'int., Vierge noire.
Environs • 2 km S., *Bredons :* église romane fortifiée, portail roman fin XIe; à l'int., remarquables retables sculptés fin XVIIe-mil. XVIIIe. • Excursions recommandées au *puy Mary* et au **Lioran*.**

Mur-de-Barrez
12 - Aveyron 36 - C 1
Bourg anc. sur une butte dominant la vallée de la Bromme et de vastes horizons. Église XIIe avec portail XIVe, curieux chapiteaux et gisant d'un chevalier à l'int. Tour de l'Horloge, anc. porte de ville. Maisons anc. Au-dessus du bourg, ruines du château.

Murat : ***dans la jolie vallée de l'Alagnon, la petite ville commerçante étage ses maisons grises au flanc de la montagne.***

Environs • A l'E., barrage de Sarrans, sur la *Truyère;* à Laussac, sur une presqu'île, belle vue sur le réservoir et le site (baignade). • 8,5 km N., *Raulhac* (voir **Vic-sur-Cère***).

Mur-de-Bretagne
22 - Côtes-du-Nord 9 - A 3
Centre d'excursions très recommandé.
Environs • A l'O., *lac réservoir* et *barrage de Guerlédan* (400 ha sur 13 km, 70 millions de m³) ds les gorges du *Blavet;* belle *forêt de Quénécan;* ruines de l'*abbaye de Bon-Repos,* incluses ds une ferme (accès libre); vestiges de la chapelle XIIIe; majestueux bâtiments XVIIIe; près des Forges-des-Salles, *étang des Salles* et ruines du château, berceau de la famille des Rohan. • A l'O., la D. 44 suit la vallée sauvage du *Daoulas* qui débouche dans celle du *Blavet.* • Au N., *vallée du Poulancre,* entre d'étroits versants rocheux; *Saint-Mayeux* et *Corlay* ont des églises intéressantes.

Mure (La)
38 - Isère 32 - B 3
Petite ville industrielle, centre d'excursions ds le *Valjouffrey.*
Environs • 12 km E., *Valbonnais,* dominant la rive dr. de la *Bonne* (château de 1608); *Entraigues,* sur une terrasse au confluent de la *Bonne* et de la Malsane; de *La Chapelle-en-Valjouffrey,* par la gorge boisée de Béranger, le hameau de *Valsenestre* (1 302 m) à l'entrée d'un vaste cirque sauvage (point de départ de nombreuses excursions ds le Parc national des Ecrins) ou, par une route pittoresque, *Le Désert,* dernier hameau de la vallée (1 267 m), dominé par l'aiguille et le *pic d'Olan;* d'*Entraigues,* au N., par le *col d'Ornon,* on peut rejoindre **Bourg-d'Oisans*** (gorges et cascades).

Murol
63 - Puy-de-Dôme 30 - D 2
Bourg pittoresque, 833 m d'alt., dominé par une colline basaltique couronnée par les ruines d'un château féodal XIIe-XIVe et XVe, en lave noire et rougeâtre; logis de style Renaissance déb. XVIIe et 2 chapelles XIIIe-XVe; donjon circulaire XVe. Vue panoramique splendide.
Environs • Excursions ds les *monts Dore* (voir **Mont-Dore***). • 2 km O., *lac Chambon* (plage, pêche, sports nautiques) au pied de l'énorme Dent du Marais (1 068 m). • Au S.-S.-O., rocher de l'Aigle et vallée de Chaudefour. • Au N.-E., **Saint-Nectaire*.** • 17 km N., *lac d'Aydat* (pêche, canotage) ds un site superbe.

Najac
12 - Aveyron 36 - B 2
Site extraordinaire sur la crête d'un promontoire au-dessus d'un méandre de l'*Aveyron*. Les ruines du château XIIe-XIIIe sont dominées par un impressionnant donjon circulaire de plus de 30 m renfermant 3 salles voûtées. Unique voie du bourg, la rue du Bariou a conservé de nombreuses maisons anc.

Nancy
54 - Meurthe-et-Moselle 13 - C 2
La place Stanislas mil. XVIIIe est un superbe ensemble classique orné, ds les pans coupés, par les magnifiques grilles de fer forgé rehaussé d'or de Jean Lamour ; 2 d'entre elles encadrent des fontaines ornées de statues : au centre, statue du roi Stanislas de Pologne, duc de Lorraine; au S. de la place, hôtel de ville; à l'O., musée des Beaux-Arts : les salons en façade sont occupés par des œuvres de l'École française XVIIIe; importantes coll. de peinture italienne, flamande, hollandaise, et française des XIXe-XXe. • Par la rue Héré et l'arc de triomphe à la gloire de Louis XV, on pénètre ds la longue place de la Carrière qui forme avec ses beaux hôtels XVIIIe et, au fond, le palais du Gouvernement mil XVIIIe, un remarquable ensemble entouré de colonnades. A g., vaste parc de la Pépinière, de 1765 (23 ha). • La Grande-Rue est bordée par l'imposant palais ducal, XVIe, flanqué d'une porterie de style flamboyant sculptée avec une élégante richesse; il renferme le Musée historique lorrain (vis. ts les j. sauf mardi); ds la galerie des Cerfs, souvenirs de la dynastie de Lorraine, du XIe au XVIIIe. L'église des Cordeliers XVe est le Saint-Denis des ducs de Lorraine : à l'int. gisant de Philippe de Gueldre, seconde femme du duc René II († 1547), l'une des plus belles œuvres de Ligier Richier; à g. du chœur, ds la chapelle ducale, octogonale (1607), 7 cénotaphes de marbre noir des ducs de Lorraine. La Grande-Rue, où l'on voit plusieurs maisons anc., aboutit à la porte de la Craffe fin XIVe, vestige de l'enceinte médiévale. • La cathédrale XVIIIe possède une riche décoration XVIIIe (grilles de Jean Lamour); trésor intéressant. Ds l'église Notre-Dame-du-Bon-Secours XVIIIe, tombeau du roi Stanislas et mausolée de la reine; un monument renferme le cœur de leur fille, Marie Leszczynska, femme de Louis XV. Musée de l'École de Nancy (vis. ts les j. sauf mardi) : ensembles mobiliers et décoratifs 1900. Le musée de zoologie abrite une belle coll. d'aquariums.
Environs • Par la N. 4 à l'E., musée de l'histoire du Fer (ouv. ts les j. l'apr.-m. sauf mardi); *chartreuse de Bosserville* XVIIe, de pur style classique (école technique; vis. pendant les vacances); chapelle, anc. salle capitulaire, grand cloître, etc. • 9 km S.-E., château de *Fléville*, Renaissance avec donjon XIIe (vis. sam. et dim. de Pâques à la Toussaint). • Au N., le Grand Couronné, théâtre d'importants combats en 1914, plateau d'**Amance*** et mont Sainte-Geneviève (390 m) ; à l'E., *Champenoux*, cimetière national et monument aux morts du Grand Couronné.

Najac : *les ruines fantastiques du château dominent l'un des curieux villages de l'Aveyron.*

Nant
12 - Aveyron 37 - A 3
Petite ville anc. ds un beau site à l'entrée du canyon de la *Dourbie.*

Nancy : ***place Stanislas, les grilles somptueuses de Jean Lamour, XVIIIe s., abritent des fontaines allégoriques sculptées par Barthélemy Guibal. Ici, fontaine de Neptune.***

Les grilles ornent les pans coupés de la place, vaste rectangle de 124 m sur 106 m, et sont en fer forgé, rehaussé d'or.

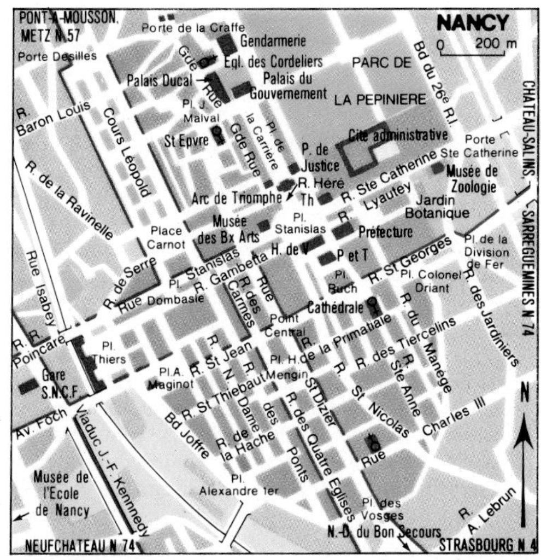

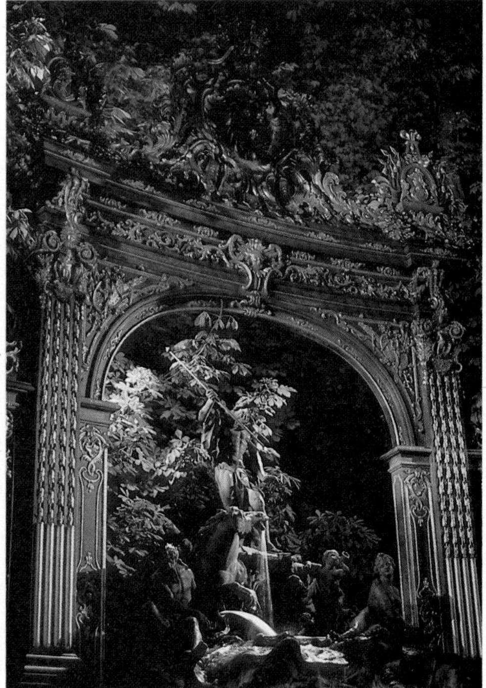

L'anc. abbaye bénédictine fin XIIe est un intéressant témoignage du roman rouerguat; curieux porche archaïque. Halles XVIIe. Anc. église Saint-Jacques, de style gothique méridional (désaffectée). Nombreuses maisons anc. De la promenade de Claux, panorama.
Environs • Chapelles romanes de Saint-Martin-du-Vigan (S.-O.) et de Saint-Alban (S.), château de Castelnau (S.-O.), village et ruines du château d'Algues (S.-O.) ds un site magnifique. • Au N.-E., gorges impressionnantes de la *Dourbie.* • 6 km S.-O., source de Durzon. • Causse du **Larzac***.

Nantes
44 - Loire-Atlantique 16 - C 3
Belle ville d'art, riche en monuments; le plus remarquable est le château ducal, superbe forteresse fin XVe flanquée de grosses tours; la cour int. est entourée de bâtiments de différentes époques dont l'élégance et la richesse ornementale contrastent avec la sévérité de l'ext.; la façade du Grand-Logis est couronnée de magnifiques lucarnes sculptées. 2 musées occupent les bâtiments du Grand Gouvernement, du Grand-Logis et du Harnachement (ouv. ts les j. sauf mardi) : le musée d'Art populaire régional et des Arts décoratifs, le musée des Salorges ou de la Marine. Ds la tour du Fer à Cheval XVe des expositions. • La cathédrale Saint-Pierre XVe-XVIIe, terminée au XIXe, abrite l'une des œuvres capitales de la sculpture française : le tombeau de François II, duc de Bretagne, et de sa femme, par Michel Colombe, déb. XVIe; au croisillon N., beau tombeau de Lamoricière, fin XIXe. Sur le flanc S. de la cathédrale, élégant logis de la Psallette XVe. Sur le flanc N., porte Saint-Pierre, XIVe-XVe. • Le musée des Beaux-Arts (vis. ts les j. sauf mardi) est l'un des plus riches de France : peintures italiennes, flamandes (Rubens), françaises (3 La Tour, Le Nain, Ingres, Courbet, Delacroix) et contemporaines; curieuse salle 1900. Le musée Dobrée est consacré à l'art du Moyen Age et de la Renaissance; salles de la Révolution et des guerres de Vendée. A côté manoir XVe de Jean V (coll. de préhistoire, antiquités romaines et mérovingiennes, céramique grecque, etc.). • Autour de la place Royale et du cours Cambronne se situe la ville du XVIIIe, tandis que l'église Sainte-Croix est le centre du quartier médiéval, nombreuses maisons XVe et XVIe. • Ds l'anc. île Feydeau, beaux hôtels XVIIIe des armateurs nantais. • La ville possède plusieurs parcs, notamment le parc de Procé et à l'E., à Doulon, le parc du Grand-Blottereau (vastes serres et jardin exotique); ainsi qu'un jardin des Plantes où se trouve un buste de Jules Verne, né à Nantes (vis. de son musée, 3, rue de l'Hermitage). Vue panoramique de la tour Bretagne construite en 1975.

Narbonne : *magnifique vaisseau inachevé, la cathédrale Saint-Just côtoie, près du canal, le palais des Archevêques.* ▲
Dans la réserve africaine de Sigean : animaux en liberté. ▼

Nantua
01 - Ain 26 - B 3
A l'extrémité E. du *lac de Nantua,* ds une cluse. Église XIIe, anc. abbatiale bénédictine (portail roman); à l'int., intéressantes œuvres d'art. Spécialités : quenelles et écrevisses.
Environs • Tour du lac par la N. 84 et la D. 74; circuit en bateau, location de barques et de pédalos. • Du signal des monts d'Ain, à 1 h 45 (1 031 m), belle vue sur le lac. • Au S., chartreuse de Meyriat fondée en 1116 (aujourd'hui maison forestière); forêt de Meyriat. • 15 km N.-E., *lac Genin.* • 8 km E., *lac de Sylans.*

Narbonne
11 - Aude 42 - D 2
Capitale, avec **Béziers***, du Midi viticole, elle est dominée par l'anc. cathédrale Saint-Just, dont seul le chœur fin XIIIe-déb. XIVe a été achevé; l'int., dont les voûtes s'élèvent à 40 m du sol, est majestueux; vitraux XVIe au fond de l'abside, XVe sur les côtés; ds le pourtour du chœur, tombeaux du cardinal Pierre de la Jugie fin XIVe et du cardinal Briçonnet mil. XVIe; le trésor (s'adr. à la sacristie) est très riche. Au N.-E. de la cathédrale, Saint-Sébastien, de style flamboyant, agrandie au XVIIe. Le palais des Archevêques, contigu à Saint-Just, est une imposante forteresse flanquée de tours robustes entre lesquelles Viollet-le-Duc a construit l'hôtel de ville. Un passage sépare la palais vieux XIIe-XIIIe, du palais neuf XIVe qui abrite le musée d'Art et d'Histoire (vis. ts les j.); installé ds les anc. appartements des archevêques, il renferme d'intéressantes coll. de peinture flamande, hollandaise, ita-

NAOURS (souterrains de)
80 - Somme 5 - C 1
Curieux réseaux de grottes refuges naturelles ou creusées ds la craie. Éclairées et sonorisées (vis. guidée ts les j.), elles comptent une trentaine de galeries totalisant 3 km de développement et comportent 300 chambres, 3 chapelles, des étables, écuries, boulangeries avec fours, greniers, etc. Musée du Folklore et des Métiers locaux.

lienne et française ; remarquable ensemble de céramiques. Ds le palais vieux et sa chapelle haute XIIIe, est installé le Musée archéologique (importantes coll. locales). Musée lapidaire ds l'anc. église Notre-Dame-de-Lamourguier XIIIe. Près de Saint-Paul-Serge XIIe-XIIIe, cimetière paléo-chrétien (on vis.) ; à proximité, maison des Trois-Nourrices, avec façade sculptée de cariatides aux seins nus mil. XVIe.
Environs • A l'E., entre Narbonne et la mer, montagne calcaire de la *Clape*, d'une rude beauté sauvage ; *Narbonne-Plage*, nouvelle unité touristique à l'embouchure de l'*Aude*. • 14 km S.-E., **Gruissan***. • 7 km S., *Bages*, vieux village sur une presqu'île rocheuse au-dessus de l'étang de *Bages* et de *Sigean* (centre nautique) ; près de *Sigean* (petit musée local), réserve africaine de 60 ha (parcs à ours et rhinocéros, lions, animaux aquatiques, ferme à alligators) ; à 5 km E., *Port-La Nouvelle ;* au S., étangs de *Lapalme* et de *Leucate*, plages de *La Franqui* et **Port-Barcarès***. • 14 km S.-O., abbaye de **Fontfroide***.

Navarrenx
64 - Pyrénées-Atlantiques 40 - D 1
Anc. place forte ; l'enceinte, de 1,5 km de pourtour, est bien conservée. La porte Saint-Antoine XVIIe fait face au pont fortifié XVe. Église XVIe. Sur la rive g. du gave, isolée, tour Herrère XVe.
Environs • 5 km N.-O., imposant château d'Audaux, de style Louis XIII. • 5,5 km S., *Gurs :* un camp de déportation pour les juifs étrangers y fut créé en 1940 ; ds le cimetière, mémorial ; une petite route conduit, à 5,5 km, à *l'Hôpital-Saint-Blaise :* l'église XIIe possède une curieuse coupole centrale sur nervures entrecroisées dessinant une étoile à 8 pointes ; les fenêtres sont fermées par des dalles de pierre ajourées de motifs géométriques d'inspiration hispano-mauresque.

Nemours
77 - Seine-et-Marne 11 - D 3
Église XIIe, gothique et Renaissance. Ds le château XIIe, XVe et XVIIe, un musée local. Musée de la Préhistoire de l'Ile-de-France (1972). Parc forestier des rochers Gréau.

Environs • 1,5 km et 2 km S., rochers de Chaintréauville et de Beauregard (table d'orientation). • L'excursion de la vallée du *Lunain* et du bois de Nanteau, à l'E., est recommandée. • 8 km N.-O., *Larchant ;* l'église Saint-Mathurin, XIIe, XIIIe et XIVe, en partie ruinée, abrite d'intéressantes œuvres d'art. • 15 km S., *Château-Landon*, pittoresque vieille ville autrefois fortifiée ; église Notre-Dame, romane et gothique, flanquée d'un superbe clocher XIIIe ; anc. abbaye Saint-Séverin (maison de retraite, vis. ts les j.) : l'église basse XIe, située sous les ruines de l'abbatiale XVIe, contenait des fresques XIIe, aujourd'hui déposées ds la salle des Gardes ; beaux bâtiments conventuels XIIIe-XIVe dominant la vallée. • 19 km S.-E., *Égreville*, halles XVe, église XIIIe-XVe avec clocher porche sur une place pittoresque.

Nérac
47 - Lot-et-Garonne 35 - C 2
Du château XVe-XVIe qui abrite le musée il ne reste que l'aile N. ; sur la cour, élégante galerie à colonnes torses et chapiteaux historiés (vis. ts les j. sauf lundi). Le Petit-Nérac a gardé son caractère médiéval, rues tortueuses en pente et vieilles maisons dont de beaux hôtels Renaissance. Magnifique promenade de la Garenne, sur 2 km, le long de la *Baïse*.
Environs • 6 km N.-O. *Barbaste*, sur la *Gélise*, imposant moulin fortifié XIVe-XVe où Henri IV séjourna ; à 8 km N.-O., *Xaintrailles*, château XIIe avec donjon carré mil. XVe. • 11 km O., à *Durance*, vestiges du château Henri IV, élégante chapelle Lagrange XVIe, curieusement décorée de 60 figures peintes XVe.

Neuf-Brisach
68 - Haut-Rhin 21 - A 1
Face à la citadelle d'Alt-Brisach (en Allemagne) ; place forte construite par Vauban, l'un des plus remarquables exemples de fortifications de plaine au XVIIe, et le plus complet. A l'int. de l'enceinte octogonale, la ville, partagée en îlots réguliers par des rues coupées à angle droit, a conservé son aspect original. L'une des 2 portes fortifiées, la porte de Belfort, abrite un musée Vauban.
Environs • 4 km E., usine hydroélectrique de Vogelgrün sur le 4e bief du *grand canal d'Alsace* (on vis.).

Neufchâteau
88 - Vosges 13 - B 3
La ville est bâtie sur les pentes et au pied d'une colline où s'élèvent les églises Saint-Christophe XIIe-XVe et Saint-Nicolas XIIIe construite sur

Navacelles (cirque de)
34 - Hérault 37 - A 3
C'est l'un des sites les plus impressionnants des Causses, creusé dans les calcaires du *Larzac* à plus de 400 m de profondeur. Ses falaises blanchâtres dominent l'anc. boucle de la *Vis*, qui dessine un demi-cercle verdoyant, seule portion de terre cultivable où se trouve le hameau de Navacelles. On peut l'atteindre par une petite route en lacets (très dangereuse pour les voitures) qui descend du point de vue de *Blandas*, traverse le cirque et remonte de l'autre côté jusqu'à la Baume-Auriol. De la route du cirque, un sentier remontant la gorge gagne la source de la Foux et le village, bâti sur 2 promontoires escarpés.

Nevers : ***la Loire baigne les vieux quartiers au pied de la cathédrale, construite du Xe au XVIe s. et dont la disposition est rare en France.***

une église basse romane : chapelles XIVe-XVe ; à l'int., saint sépulcre à 9 personnages en pierre polychrome d'origine germanique XVe. *Environs* • 11 km S., *Pompierre :* l'église conserve un magnifique portail roman sculpté dont les figures sont d'un réalisme expressif ; 1,5 km avant *Pompierre,* chapelle Notre-Dame-du-Pilar-de-Saragosse XVIIe ; la route remonte la vallée du *Mouzon* et atteint la montagne de *la Motte* (506 m, panorama), qui porte les ruines d'une petite ville détruite au XVIIe.

Neufchâtel-en-Bray
76 - Seine-Maritime 5 - A 2
Le musée Mathon (vis. sam., dim. apr.-m.) comprend le musée du Pays de Bray et le musée de Plein Air (moulin à pommes, pressoir, atelier de sabotier, etc.). Église Notre-Dame XIIIe (chœur) et XVIe (nef). *Environs* • Au N.-O., château de *Mesnières-en-Bray :* magnifique construction Renaissance XVIe bel appartement au plafond peint XVIIe ; chapelle XVIe ornée de vitraux et statues ; chapelle fin XIXe (vis. de Pâques à la Toussaint sur r.-v.). • Au S.-O., *forêt d'Eawy.*

Neuvic-d'Ussel
19 - Corrèze 30 - C 2
Agréable centre touristique, à proximité de la haute vallée de la *Dordogne* (voir **Bort-les-Orgues***). *Environs* • A l'E.-N.-E., lac de retenue de la *Triouzoune* (plages, sports nautiques). • 19 km O. sur la route d'*Egletons,* après les gorges du Vianon, ruines du *château de Ventadour,* campées sur un éperon dominant les gorges de la *Luzège,* ds un site romantique ; la forteresse, une des plus puissantes du Limousin, fut élevée aux XIe-XIIe et remaniée aux XIVe-XVe : belle tour ronde XIIe, donjon XVe, le célèbre troubadour du XIIe, Bernard de Ventadour, y naquit.

Nevers
58 - Nièvre 25 - A 1
La ville, célèbre pour ses faïences, est bâtie au-dessus de la *Loire;* c'est du pont en grès roux qui la traverse (pont de Loire, N. 7) que l'on a la plus belle vue sur l'imposante cathédrale dominant les vieux quartiers. La cathédrale Saint-Cyr-et-Sainte-Juliette XIIIe (nef), XIVe (chœur) et XVIe (tour) conserve un transept et une abside romans XIe. Le palais ducal fin XVe-XVIe est un élégant édifice mi-gothique mi-Renaissance, précédé d'une vaste place en terrasse au-dessus de la *Loire.* La porte du Croux fin XIVe abrite le Musée archéologique du Nivernais (vis. ts les j. l'apr.-m.) ; au musée municipal, 16, rue Saint-Genest (vis. ts les j. sauf mardi), belles coll. de faïences de Nevers du XVIe au XVIIIe. Saint-Étienne est un remarquable exemple de style roman homogène fin XIe. La chapelle du couvent Saint-Gildard abrite la châsse de Bernadette Soubirous, la voyante de Lourdes († 1879) ; un petit musée lui est consacré. Sainte-Bernadette-du-Balnay (1966), originale réalisation de l'architecture religieuse contemporaine.
Environs • Au S.-O., site pittoresque du *« bec d'Allier »* au confluent de la *Loire* et de l'*Allier.* • 14,5 km S., *Saint-Parize-le-Châtel,* église XIIe avec remarquable crypte, très curieux chapiteaux historiés.

Nice
06 - Alpes-Maritimes 45 - A 1
Le centre de la ville, qui occupe une situation admirable sur la fameuse baie des Anges, est la place Masséna devant laquelle s'ouvrent les jardins Albert-Ier (théâtre de verdure), qui conduisent à la Promenade des Anglais, l'une des promenades de bord de mer les plus célèbres du monde. • Mais c'est par la vieille ville aux rues grouillantes et animées que doit commencer la visite de Nice. Place Rossetti, cathédrale Sainte-Réparate, froide construction classique XVIIe ; rue Droite, palais Lascaris XVIIe (remarquable intérieur de style génois XVIIe et XVIIIe ; escalier monumental et salons de réception somptueusement décorés). L'église du Gésu,

NIAUX (grotte de)
09 - Ariège 42 - A 3
L'une des plus belles grottes préhistoriques à peintures (vis. ts les j. de juill. à sept.). Une suite de salles de proportions monumentales mène, à 800 m de l'entrée, à une vaste rotonde dénommée le Salon Noir ; les parois sont ornées de bisons, chevaux, bouquetins, aurochs, cervidés, peints en noir et rouge ds un style réaliste vigoureux et raffiné. Ce remarquable ensemble, en bon état de conservation, est l'un des chefs-d'œuvre de l'art magdalénien (12 000 av. J.-C.).
Environs • Au S.-O., *vallée du Vicdessos,* Capoulet-Junac ; ruines du château de Miglos XIVe ; Laramade. Forêt de Teillet ; *Vicdessos* (ruines du château de Montréal) ; d'*Auzat,* bourgade industrielle, nombreuses excursions : lac de Bassiès, *Montcalm* (3 078 m) et pic d'Estats (3 115 m), belle forêt domaniale d'Auzat, barrage de Pradières et lac d'Izourt, etc. ; de Laramade, au S. vallée et port de *Siguer.*

dédiée à saint Jacques, comporte une décoration baroque int. d'une exubérante richesse. La chapelle de la Miséricorde mil. XVIIIe renferme un riche décor baroque et l'un des chefs-d'œuvre de l'École niçoise du XVe : le *retable de la Vierge de Miséricorde,* par Jean Miralhet. Cours Saleya se tient le marché aux fleurs. La vieille ville est dominée par la colline du château (ascenseur, très belle vue); à ses pieds s'étend le port, dominé par le mont Boron; c'est le point de départ de la ligne régulière pour la Corse.

• Les musées. Musée Masséna (ouv. ts les j. sauf lundi) : appartements de réception somptueusement décorés et meublés ds le style Empire, coll. d'art et d'histoire locale (remarquable ensemble de primitifs niçois XVe). Musée des Beaux-Arts ou musée Chéret (fermé lundi et en oct.), toiles italiennes et françaises XVIe-XVIIe, salle Van Loo, toiles de la Belle Epoque (portraits de personnalités niçoises), Impressionnistes : Degas, Monet, Sisley, etc., salles Jules Chéret, importante donation Carpeaux et salles de peinture contemporaine (Van Dongen, donation Dufy); intéressante boutique d'apothicaire XVIIIe. Musée mémorial Chagall (ouv. ts les j. sauf mardi) : *le Message biblique,* œuvres inspirées par l'Ancien Testament. Musée du Vieux-Logis : reconstitution d'une demeure des XVe et XVIe. Musée de Préhistoire installé sur le site de Terra Amata. Musée Matisse et Musée archéologique ds la villa des Arènes à Cimiez (vis. ts les j. sauf lundi et nov.).

• Le site archéologique de Cimiez a permis la découverte, ds le parc des Arènes, des vestiges d'un établissement thermal des IIe-IIIe, d'un quartier d'habitation romain avec ses voiles dallées, d'un baptistère et d'une basilique chrétienne du Ve (vis. ts les j., fouilles en cours). L'amphithéâtre voisin des Ier et

Nice : ***le port, ses hautes maisons XVIIIe, et la colline du château où est creusé le monument aux morts. La ville moderne s'étend au-delà de la colline. Le marché aux fleurs est aussi chatoyant qu'animé.***

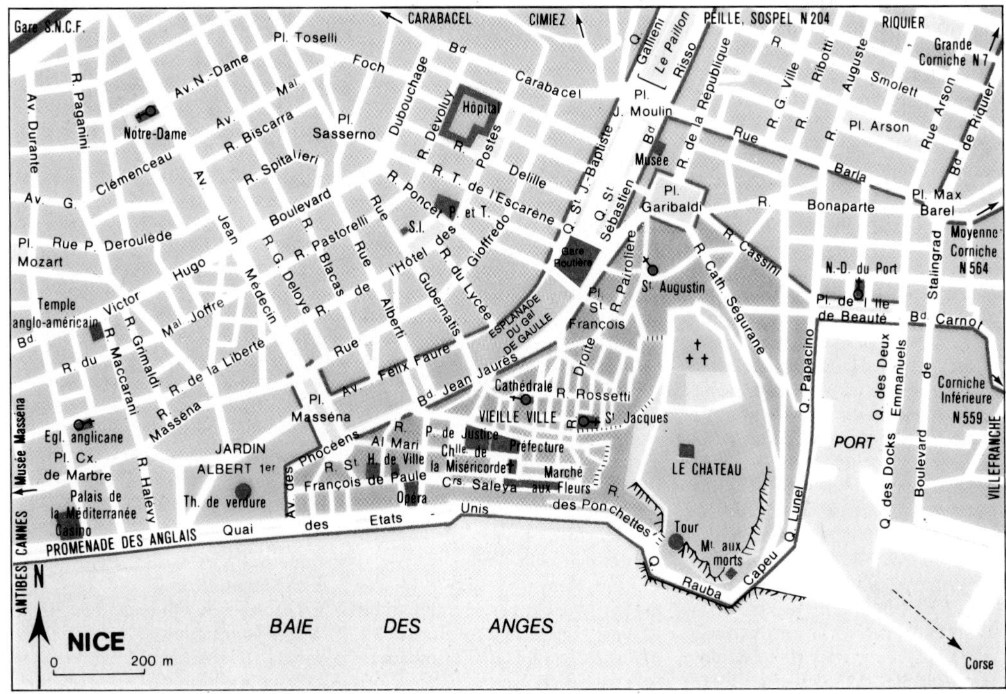

Nîmes : *symbole du passé romain de la ville, cette tête de Vénus appartient au musée des Antiques de la Maison carrée, l'un des monuments les mieux conservés de la Gaule.* ▲ *Principale tour de l'enceinte du 1er s. av. J.-C., la tour Magne offre un panorama incomparable sur la ville et ses environs.* ▼

IIIe pouvait contenir 4 000 spectateurs. L'église de l'anc. monastère franciscain Notre-Dame-de-l'Annonciation ou église de Cimiez a une curieuse façade de style gothique « troubadour » de 1845 (sauf le porche, de 1662); elle renferme d'importantes œuvres d'art dont 3 superbes retables des frères Brea, notamment *la Vierge de Pitié entre saint Martin et sainte Catherine,* de Louis Brea (1475). L'église et le cimetière, où reposent Matisse et Dufy, sont entourés d'un charmant jardin à l'italienne d'où l'on a des vues immenses sur la ville et le port. Au N.-E. de Cimiez par le bd Pasteur : anc. abbaye bénédictine de Saint-Pons; l'église baroque début XVIIIe, à nef elliptique, a un chœur et 4 chapelles rayonnantes abondamment décorées.

Environs • 10 km N.-O., *Falicon :* charmant village niçois typique (de la terrasse, panorama sur Nice), le mont Chauve (854 m) et *Aspremont;* très curieux village aux ruelles concentriques, juché sur une butte ronde, église XIIIe. • 23 km N., *Levens :* église XIIIe-XIVe, panorama sur les gorges du *Var* et de la **Vésubie***. • Au N.-E., la Trinité, Drap. *Peillon :* extraordinaire village perché sur un étroit rocher abrupt (chapelle des Pénitents XVe-XVIe fresques à l'int.) et *Peille,* curieux bourg ds un site grandiose; église romane et gothique, nombreuses maisons XIVe-XVe autour de la place centrale à arcades; de la terrasse, vaste panorama. • A l'E. mont Boron et mont Alban : le fort du mont Alban est un intéressant spécimen d'architecture militaire fin XVIe. • De Nice à Menton, la Moyenne Corniche (31 km), la Corniche Inférieure (33 km) et la Grande Corniche (31 km) permettent de découvrir les sites les plus remarquables de la Riviera.

Niederbronn-les-Bains

67 - Bas-Rhin 14 - A 1

Station hydrominérale et climatique ds une région boisée. Source romaine (affections de l'estomac, du foie et rhumatismes). Source celtique (reins et vessie). Petit musée archéologique.

Environs • A l'O., *château de la Wasenbourg* fin XIIIe (vaste panorama) et signal du Wasenkoepfel (521 m alt.); au N.-O., le Ziegenberg, ruines d'une enceinte ovoïde dite le «camp celtique»; faire le tour du grand Wintersberg (581 m alt.; remarquable panorama sur les basses Vosges). • 10 km N.-O., *château de Falkenstein,* ses ruines couronnent un rocher escarpé de grès rouge creusé de cavernes : un sentier conduit à l'étang de Hanau (18 ha) ds un magnifique environnement boisé; ruines du *château de Waldeck.* • Ds la plaine, 3 km S.-E., *Reichshoffen,* qui donna son nom à l'héroïque charge des cuirassiers en 1870.

Niort : ***les flèches néo-gothiques de Saint-André, hautes de 70 m, dominent la houle des toits blonds de la vieille cité.***

Nieul-sur-l'Autise
85 - Vendée 23 - A 2

Anc. abbaye fondée au XIe. L'abbatiale, de style roman poitevin, a une triple nef mil. XIIe et d'intéressants chapiteaux sculptés, notamment au portail. Sur le flanc S., cloître roman XIIe, le seul complet subsistant ds le Poitou. Salle capitulaire.

Nîmes
30 - Gard 43 - C 1

La «Rome française» conserve de son passé de magnifiques monuments. Les Arènes, la Maison carrée, le temple de Diane, la tour Magne, la porte d'Arles et le «Castellum» sont ouverts ts les jours (billet unique). Les Arènes comptent parmi les plus imposants témoignages de la Gaule romaine; longues de 131 m, larges de 100, elles pouvaient contenir près de 21000 personnes et servaient aux jeux de cirque. La Maison carrée, temple dédié aux petits-fils d'Auguste, «princes de la Jeunesse», abrite un musée des Antiques. Le vaste jardin de la Fontaine (ouv. et illuminé l'été jusqu'à 23 h) s'étend sur les pentes du mont Cavalier; dessiné au XVIIIe, son vaste décor architectural conserve d'importants éléments de l'époque romaine, notamment les ruines du temple de Diane (probablement des thermes du Ier av. J.-C.) d'une décoration raffinée; un sentier conduit à la tour Magne fin Ier av. J.-C., d'où le panorama s'étend jusqu'au mont **Ventoux*.** Autres monuments romains : la porte d'Arles, ou d'Auguste, et le «Castellum», anc. château d'eau romain, situé au pied de la citadelle XVIIe.
• Ds le vieux Nîmes, belles résidences XVIIe-XVIIIe, l'hôtel de ville (anc. hôtel de la Trésorerie XVIIe) et la cathédrale Saint-Castor (commencée en 1096, fréquemment remaniée). Ds l'anc. évêché XVIIe, musée du Vieux-Nîmes (ouv. ts les j. sauf dim. matin). Musée archéologique ds l'anc. collège de Jésuites XVIIIe (mêmes j. de vis.) : antiquités celtiques, gallo-romaines et romaines. Musée des Beaux-Arts (ts les j. sauf dim. apr.-m.).
Environs • Belles promenades au N., à travers les garrigues entre *Nîmes* et les gorges du **Gardon*.** • 20 km N.-E., **Pont-du-Gard*.** • 16 km S.-O., puis 15 mn à pied, oppidum de Nages (vestiges néolithiques et celtiques).

Nogent-le-Rotrou : ***le château Saint-Jean est flanqué d'un imposant châtelet d'entrée; médaillon en terre cuite au-dessus de l'entrée.***

Niort
79 - Deux-Sèvres 23 - A 2

L'anc. hôtel de ville Renaissance, qui renferme le musée du Pilori, le donjon XIIe-XIIIe, dominant le quai de la *Sèvre,* et son musée ethnographique (armes, costumes), l'église Notre-Dame fin XVe constituent les principales curiosités de la ville. Le musée des Beaux-Arts occupe les bâtiments de l'anc. oratoire. Intéressantes maisons XIVe-XVe-XVIe ds le vieux quartier (hôtel d'Estissac, maison du Présidial, etc.).
Environs • Marais de la Sèvre, ou *Marais poitevin,* la «Venise verte»; promenades en barque sur les canaux ombragés de verdure (départ de *Coulon,* à 11 km O. de Niort, durée : 30 mn à 1 h 30 (voir **Maillezais***).

Nogent-le-Rotrou
28 - Eure-et-Loir 10 - D 3

Capitale du Perche, au pied d'un coteau dominé par l'imposant château Saint-Jean XIIe-XIIIe, puissamment fortifié. Logis XVe et énorme donjon carré XIe (musée du Perche).

Église Notre-Dame XIIIe-XIVe; ds la cour de l'hôtel-Dieu XIIe-XVIIe, une chapelle abrite le tombeau du duc et de la duchesse de Sully, avec statues et reliefs sculptés (gardien) Maisons anc., rues Bourg-le-Comte et Saint-Laurent. Les églises Saint-Laurent, gothique flamboyant (à l'int. belle Mise au tombeau), et Saint-Hilaire XIIIe-XIVe sont à voir. *Environs* • 14 km E., *Thiron-Gardais;* l'église abbatiale, à demi ruinée, est une imposante construction XIIIe-XIVe, entourée des bâtiments XVIIe de l'anc. abbaye bénédictine.

Noirlac (abbaye de)
18 - Cher 24 - C 1
Fondée au XIIe, l'un des exemples les plus complets d'architecture cistercienne du Moyen Age (vis. ts les jours, illumination). L'église fin XIIe, vitraux modernes de J.-P. Raynaud, le cloître XIIIe-XIVe, la salle capitulaire, le chauffoir, le réfectoire, le cellier et les cellules des religieux permettent de reconstituer la vie monastique d'autrefois.

Notre-Dame-de-Lorette (crête de)
62 - Pas-de-Calais 1 - D 3
Point culminant des collines de l'Artois (166 m), théâtre d'importants combats pendant la guerre de 1914-1918. Immense cimetière national de 18 000 tombes; l'ossuaire renferme les restes de 16 000 soldats inconnus (vis. ts les j.), tour lanterne de 52 m (petit musée du Souvenir). Diorama musée au carrefour de la N. 37.
Environs • Nombreux cimetières et monuments commémoratifs.

Noyers
89 - Yonne 19 - B 2
Pittoresque petite ville anc. qui a conservé son caractère d'autrefois. On y pénètre, en face du pont sur le *Serein*, par la Porte-Peinte, fortifiée. La place de l'Hôtel-de-Ville, bordée de maisons XVe-XVIe, à pans de bois et arcades, la place du Marché-au-Blé, également entourée de maisons à arcades, la place de la Petite-Épave-aux-Vins (maisons en bois), la rue du Poids-du-Roy, la place du Grenier-à-Sel, la rue de la Madeleine (élégante maison Renaissance) valent une longue flânerie. Église Notre-Dame fin XVe-XVIe. A 1,5 km, au lieu dit Tête de Fer, site gallo-romain.
Environs • Au N.-O., charmante *vallée du Serein* en direction de **Chablis***. • Au S., *Montréal* (voir **Avallon***).

Nuits-Saint-Georges : ***Gevrey-Chambertin, agglomération viticole dont le fameux cru, le « chambertin », était le vin préféré de Napoléon Ier.***

NOIRMOUTIER (île de)
85 - Vendée 16 - B 3
L'île est accessible en voiture à marée basse par le *passage du Gois* (4,5 km) à toute heure et par le pont-viaduc de *Fromentine* (à péage). *Noirmoutier-en-l'Ile* a pour centre la place d'Armes, bordée d'hôtels XVIIIe; le château XVe est dominé par un donjon central (musée). Anc. abbatiale bénédictine, l'église Saint-Philibert, romane, conserve une crypte mérovingienne remaniée au XIe. L'île est pratiquement dénudée sauf au N., où les bois de la Chaize et de la Blanche (anc. abbaye de la Blanche) dominent la côte rocheuse. *Bois-de-la-Chaize* (service de bateaux avec **Pornic***), belles plages; *L'Herbaudière,* port sardinier. • A 4 km en mer, N.-O., île et phare du *Pilier.*

Noyon
60 - Oise 5 - D 2
La cathédrale Notre-Dame fin XIIe, déb. XIIIe, est un beau monument gothique, flanqué d'une salle capitulaire, d'une galerie de cloître XIIIe et d'une « librairie », ou bibliothèque du chapitre, qui occupe une maison à pans de bois XVIe. Le musée Jean-Calvin est installé ds la maison natale, reconstituée, du célèbre réformateur.
Environs • 6,5 km S., *abbaye d'Ourscamp,* fondée au XIIe, agrandie au XVIIIe ds le style néo-classique; l'abbatiale, dévastée sous la Révolution, a été transformée en « fausse ruine » à l'époque romantique (accès libre); la « salle des Morts » XIIIe sert de chapelle. • 14 km S.-E., château de *Blérancourt* mil. XVIIe; Musée historique franco-américain (vis. ts les j. sauf mardi). • Au N.-O. (6 km S. de *Roye*), majestueux château de *Tilloloy* fin XVIIe, en brique et pierre; importantes écuries et dépendances à colombages (vis. ts les j. sauf mardi); ds l'église du village, beaux tombeaux des seigneurs de Tilloloy.

Nuits-Saint-Georges
21 - Côte-d'Or 19 - D 3
Capitale des « côtes de Nuits » (vins rouges); église Saint-Symphorien fin XIIIe; tour du Beffroi (musée), objets gallo-romains et mérovingiens provenant des fouilles des Bolards, près de Nuits.
Environs • Au N., route des Grands Crus (N. 74 puis D. 122) : *Vosne-Romanée; Vougeot :* le château du Clos-de-Vougeot, Renaissance, appartient à la confrérie des chevaliers du Tastevin qui tient ses chapitres ds le grand cellier XIIe; vaste salle capitulaire datant des moines de Cîteaux, ds la cuverie, énormes pressoirs anc.; Chambolle-Musigny; *Gevrey-Chambertin* (château fort Xe restauré au XIIIe); Brochon; à *Fixin,* parc Noisot (accès libre), monument de Rude, *Napoléon s'éveillant à l'immortalité.* • 13 km E., *Cîteaux :* de l'une des plus célèbres abbayes du Moyen Age (fondée en 1098), il ne subsiste que l'anc. bibliothèque XVe, des bâtiments XVIIe-XVIIIe, le reste est moderne.

Nyons
26 - Drôme 38 - A 2
Le quartier des Forts, composé de ruelles étroites et d'escaliers escarpés, est dominé par la chapelle Notre-Dame-du-Bon-Secours, installée ds l'anc. tour de Randonne XIIIe. La rue des Grands-Forts est une sorte de galerie couverte, sous les maisons adossées aux remparts. Pittoresque pont à dos-d'âne XIVe sur l'Aygues. Très bon centre de séjour.

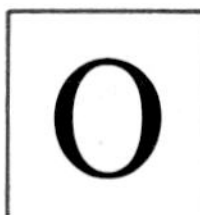

Obernai : ***le pittoresque de ses maisons à colombages et à pignons est l'un des charmes de cette petite ville typiquement alsacienne.***

Obernai
67 - Bas-Rhin 14 - A 2
Charmante petite ville, l'une des plus pittoresques d'Alsace; elle est entourée d'une partie de ses remparts que longe une promenade de tilleuls. Sur la place du Marché, fontaine, anc. halles aux blés mil. XVIe, hôtel de ville de 1523, tour de la chapelle, clocher XIIIe et XVIe d'une chapelle détruite. Dans l'église, bel ensemble de vitraux XVe. Nombreuses maisons anc. Vieux puits.
Environs • Au N.-O., *Rosheim,* «Maison païenne» XIIe, l'une des plus anc. demeures privées d'Alsace; vestiges de l'anc. enceinte; église Saint-Pierre-et-Saint-Paul, caractéristique de l'École rhénane XIIe, en grès jaune, avec un robuste clocher octogonal.

Oiron
79 - Deux-Sèvres 23 - B 1
Le château XVIe-XVIIe est l'un des plus beaux de la Renaissance (fermé mardi). L'aile g., à un seul ét., est construite au-dessus d'une galerie à arcades surmontées de médaillons et séparées par des colonnes torses. L'int. est occupé par une majestueuse galerie, longue de 55 m, avec plafond à caissons peints, ornée de 14 fresques représentant l'*Énéide*. Salle des fêtes, chambre du Roi (plafond à pendentifs et caissons XVIIe), précieux cabinet des Muses, orné de riches boiseries décorées de peintures. L'église, anc. chapelle du château déb. XVIe, mêle harmonieusement le gothique et la Renaissance; à l'int., tombeaux sculptés, avec statues agenouillées et gisants, des Gouffier qui construisirent le château.

Olhain (château d')
62 - Pas-de-Calais 1 - D 3
Superbe forteresse XIIIe-XVIe (vis. les dim. et j. fériés, l'apr.-m. d'avr. à oct.), dont les hautes tours coiffées de poivrières dominent l'étang formé par la Lawe. Un pont-levis relie l'imposant pavillon d'accès à l'entrée monumentale flanquée d'énormes tours. Curieuse tourelle de guet (100 marches).
Environs • 3 km S.-E., dolmen de Fresnicourt.

Oloron-Sainte-Marie
64 - Pyrénées-Atlantiques 40 - D 2
Les gaves d'*Aspe* et d'*Ossau* divisent Oloron en 3 parties, dont 2 intéressantes. La cité féodale Sainte-Croix s'étage sur une colline entre les 2 gaves. L'église romane Sainte-Croix a une curieuse coupole sur nervures entrecroisées dessinant une étoile à 8 pointes. Maisons anc. Ds la ville basse, Sainte-Marie, anc. cathédrale XIIIe-XIVe; son portail roman est orné d'une remarquable Descente de Croix; à l'int., riche trésor.
Environs • La N. 134, au S., suit la *vallée d'Aspe,* qui fait partie du *Parc national des Pyrénées occidentales,* par *Asasp* (à g. route des Pyrénées vers *Eaux-Bonnes* et **Bagnères-de-Luchon*** à dr., à 2 km S., vers **Saint-Jean-de-Luz** et **Biarritz***, *Sarrance* (église XVIIe et cloître; curieuses statues d'art populaire), *Bedous, Accous, Etsaut,* le fort du Portalet, prison politique de 1941 à 1945, *Urdos* et le *col du Somport* (1 632 m, frontière franco-espagnole) où la route continue sur Jaca. • D'*Asasp,* par *Issor,* en remontant la vallée du Vert d'Arette, on gagne *Arette-Pierre-Saint-Martin,* station de sports d'hiver, et le *gouffre de la Pierre-Saint-Martin* (1 760 m), fantastique abîme vertical de 346 m, tragiquement exploré en 1952, qui se continue à 782 m de profondeur par la salle dite de la Verna (200 m de long, 100 m de haut).

Omaha Beach
Voir **Vierville-sur-Mer*** 4 - A 3

Oppède-le-Vieux
84 - Vaucluse 44 - A 1
Curieux chaos de rochers et de ruines, adossé au flanc du **Lubéron***; les maisons médiévales du bas ont été restaurées par des écrivains et des artistes. Au sommet, église XVIe (traditionnelle messe de Noël) et vestiges fantomatiques du château déb. XIIIe.

OLÉRON (île d')
17 - Charente-Maritime 22 - C 3 22 - D 3
Aujourd'hui reliée au continent par un pont à péage, la plus grande des îles françaises après la Corse est bordée, sur la côte N., de longs chapelets de dunes boisées; à l'O., la côte sauvage est particulièrement pittoresque. La D. 734 traverse *Le Château-d'Oléron,* anc. place forte XVIIe dont la citadelle a été en partie ruinée par les bombardements de 1945, et atteint *Saint-Pierre-d'Oléron,* principale agglomération de l'île. Ds l'anc. cimetière, lanterne des morts XIIIe, haute de 20 m, terminée par une pyramide XVIIIe. 13, rue Pierre-Loti : «maison des Aïeules» où l'écrivain passait ses vacances; il est enterré ds le jardin. Musée (vis. du 15 juin au 15 sept.). A 8 km S. de Château-d'Oléron, *Saint-Trojan-les-Bains,* petit port et station balnéaire, enserré à l'O. par la forêt domaniale de Saint-Trojan, superbe futaie de pins maritimes de 1 758 ha. A 4 km S.-O. de Saint-Pierre, *La Cotinière,* petit port de pêche et plage. A 7 km N.-E. de Saint-Pierre : *Boyardville,* plage et dunes boisées des Saumonards; bateaux l'été pour l'*île d'Aix* et *Fouras;* à 2 km en mer, *fort Boyard.* De Saint-Pierre on atteint au N.-O., *Saint-Georges-d'Oléron* (à 3 km O., plage de Domino), *Saint-Denis-d'Oléron* et le phare de Chassiron, à la pointe extrême de l'île.

Orange
84 - Vaucluse 37 - D 3
Siège d'une colonie romaine riche et prospère, la ville a conservé de son passé de très beaux monuments, notamment le théâtre antique (vis. ts les j.) qui sert aux célèbres « chorégies » d'été, il est le seul théâtre à avoir gardé sa façade, longue de 103 m pour 37 m de haut, et son immense mur de scène, orné d'une statue colossale d'Auguste. L'anc. cathédrale, de style roman provençal, a été en partie refaite (abside et clocher) au déb. XVIIe. Au musée, cadastre romain sur marbre. L'arc de triomphe est l'un des plus beaux du monde romain et des mieux conservés; il fut élevé après la victoire de César sur les Gaulois, en 49 av. J.-C.; les sculptures décoratives évoquent ces combats, où figurent des trophées militaires et des ornements divers.
Environs • 8 km N., *Sérignan,* la propriété et l'« hermas » de l'entomologiste J.H. Fabre valent la visite.

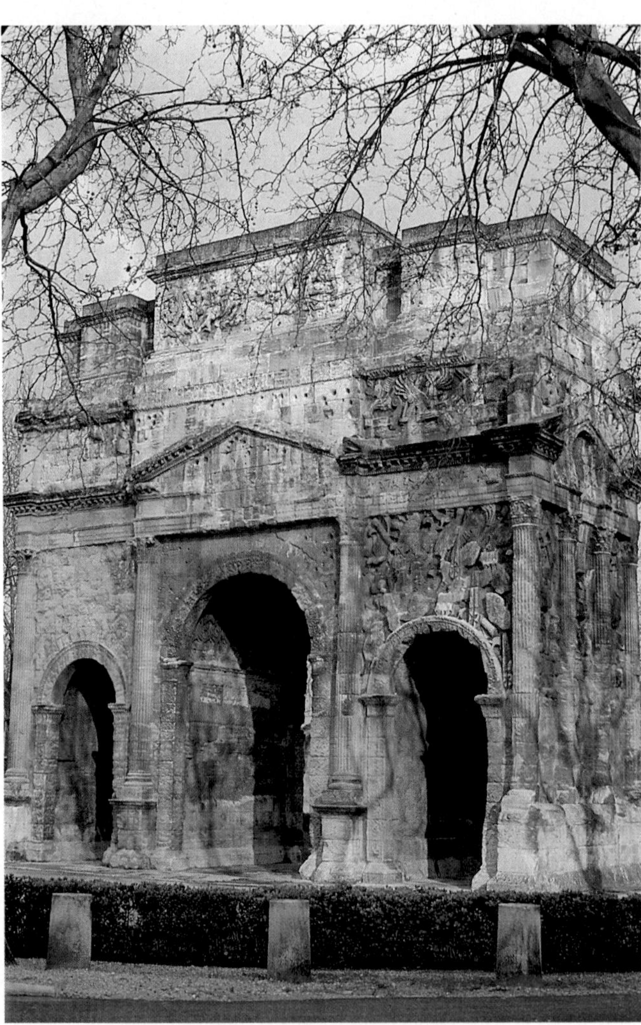

Orange : *superbe témoignage de la Rome conquérante, l'arc de triomphe est sculpté de scènes de guerre et de trophées.*

Orbais
51 - Marne 12 - B 1
L'église, fin XIIe, conserve le transept et le chœur de l'anc. abbatiale bénédictine; ce dernier, à déambulatoire et chapelles rayonnantes, passe pour être le prototype de celui de la cathédrale de Reims; stalles sculptées XVIe.
Environs • 3 km E., Mareuil-en-Brie, église (retable en bois XVIe).

Orcival
63 - Puy-de-Dôme 30 - D 1
L'une des plus remarquables églises romanes auvergnates mil. XIIe, dominée par un superbe clocher à 2 étages octogonaux ajourés de baies; à l'int., chapiteaux sculptés à feuillages, parfois historiés; au maître-autel, statue assise de Notre-Dame-d'Orcival XIIe, en bois, revêtue de plaques d'argent, la plus belle Vierge de majesté d'Auvergne.
Environs • 5,5 km O., *Rochefort Montagne,* excursion recommandée à la vallée de Rochefort qui conduit aux *roches Tuilière et Sanadoire* (voir le **Mont-Dore***). • 2 km N., *château de Cordès;* pittoresque manoir XVe et XVIIe (vis. ts les j.), précédé d'un jardin à la française dont les charmilles ont été dessinées par Le Nôtre.

Orléans
45 - Loiret 18 - B 1
Le centre est la place du Martroi, où s'élève la statue de Jeanne d'Arc. Par la rue Jeanne-d'Arc, qui s'embranche sur la rue Royale reconstruite après 1945 ds le style XVIIIe, on atteint la cathédrale Sainte-Croix XIIIe-XVIe, avec une façade XVIIIe : ds le chœur, somptueuses boiseries XVIIIe; ds la crypte ont été mis au jour les vestiges des sanctuaires primitifs IVe et X^e-XIe; trésor intéressant (s'adr. à la sacristie). Plusieurs églises valent la visite : Saint-Aignan, dont il ne reste que le chœur et le transept XVe; crypte XIe; Saint-Euverte XIIe-XVe et XVIIe; Saint-Pierre-le-Puellier, romane; Notre-Dame-de-Recouvrance XVIe; Saint-Paul, reconstruite après 1945 (chapelle Notre-Dame-des-Miracles : Jeanne d'Arc vint y prier). Installé ds l'hôtel des Créneaux XVe-XVIe, le musée des Beaux-Arts (vis. ts les j. sauf mardi) possède une superbe collection de portraits de l'École française XVIIe et XVIIIe, de pastels et de bustes XVIIIe. Ds l'hôtel Cabu, Renaissance : Musée historique et archéologique (trésor de Neuvy-en-Sullias, bronzes romains et gaulois). Maison de François Ier, maison de la Coquille, impasse de la Pierre-Percée, et maison d'Alibert, rue des Hôtelleries, toutes trois Renaissance. Place de Gaulle, reconstitution ds le style du XVe (façade en bois et brique) de la maison de Jacques Boucher où logea Jeanne-d'Arc. La maison d'Euverte Hatte XVIe, rue du Tabour, est devenue le centre musée Charles-Péguy. Centre Jeanne-d'Arc, rue Jeanne-d'Arc, musée et bibliothèque consacrés à l'héroïne.
Environs • 4 km S., *Olivet,* lieu de détente et de promenade sur la rive g. du *Loiret,* restaurants, guinguettes, pêche et sports nautiques; à 4 km S.-E., parc floral de la Source (vis. ts les j. d'avr. à oct.) et sources du *Loiret.*

Orly (aéroport d')
94 - Val-de-Marne 11 - C 2
L'accès des aérogares Orly-Sud et Orly-Ouest est libre. Des terrasses, vues panoramiques sur les installations aéroportuaires. Formules de visites proposées, en autocar ou avion de tourisme (s'adr. au bureau de rens., tél. : 707.85.55). Au dernier ét. d'Orly-Sud : table d'orientation.

Orbais : ***bel exemple d'art gothique, le transept de l'église a deux roses surmontant le triforium.***

Orléans : ***la cathédrale Sainte-Croix possède une particularité, ses deux tours néo-gothiques du XVIIIe.***

Ornans
25 - Doubs 20 - C 3
Église XVIe, œuvres d'art à l'int. Les eaux claires de la *Loue* forment le «miroir d'Ornans». Ds l'hôtel de ville, toiles et souvenirs de Courbet, né à Ornans (1819), 5, rue Froidière. Intéressantes maisons anc. *Environs* • Du promontoire où s'élève l'anc. château, vue plongeante sur Ornans et la belle vallée de la *Loue.* • 20 km S.-E., *source de la Loue* ds un impressionnant cirque rocheux. • 9 km S.-O., imposant château féodal de *Cléron.*

Orthez
64 - Pyrénées-Atlantiques 40 - D 1
Petite ville très active, important marché régional de volailles et de foies gras. Le célèbre Pont-Vieux XIIIe-XIVe, en dos-d'âne, autrefois fortifié, franchit le *gave de Pau.* Intéressantes maisons anc. rue Graverie, Bourg-Vieux (maison Renaissance dite de Jeanne d'Albret) et de l'Horloge. Imposante tour Moncade, pentagonale, XIIIe-XIVe. Église XIIIe-XVe.

Ornans : ***dans le « miroir » que forment les eaux claires de la Loue, se reflètent les vieilles maisons du village qui vit naître Courbet.***

Ottmarssheim
68 - Haut-Rhin 21 - A 1
En bordure de la vaste *forêt de la Harth.* Curieuse église octogonale mil. XIe, précieux témoignage de l'architecture carolingienne en Alsace. Importante centrale hydroélectrique (ne se visite pas), l'un des 4 biefs du *grand canal d'Alsace.*

Ouessant (île d')
29 N - Finistère 8 - A 2
Accès en bateau par **Brest*** en 2 h, escales au *Conquet* et à l'*île Molène.* Ouessant et Molène sont rattachées au Parc naturel régional d'**Armorique***. Longue de 8 km, large de 3 à 5 km, Ouessant a des côtes très déchiquetées dominées par des falaises; le centre touristique est *Lampaul* (plage bien abritée). A 1 km N.-O., hameau de Niou-Hella, cœur de l'écomusée de l'île; 2 maisons sont consacrées aux techniques et traditions artisanales ouessantines (vis. l'été). Voir le phare de Créac'h, le plus puissant de Bretagne, et les rochers de la côte N., très impressionnants.

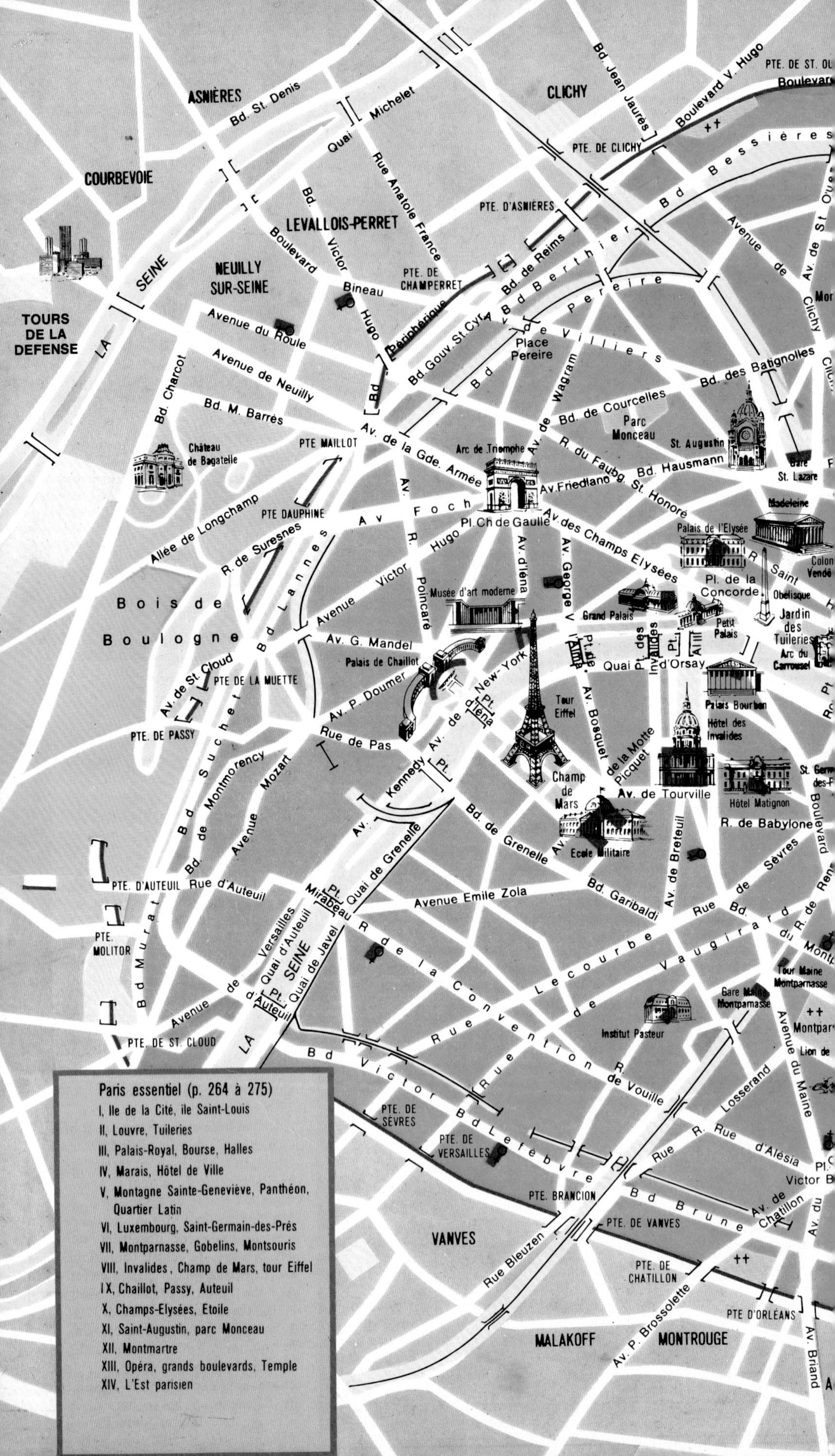

ASNIÈRES
CLICHY
COURBEVOIE
LEVALLOIS-PERRET
NEUILLY SUR-SEINE
TOURS DE LA DEFENSE
LA SEINE
Bd. St. Denis
Quai Michelet
Rue Anatole France
Bd. Jean Jaurès
Boulevard V. Hugo
PTE. DE ST. OU
PTE. DE CLICHY
PTE. D'ASNIÈRES
Bd Bessières
Bd. Victor Hugo
Boulevard Bineau
PTE. DE CHAMPERRET
Périphérique
Bd. de Reims
Bd Berthier
Bd Pereire
Bd de Villiers
Place Pereire
Bd.Gouv.St.Cyr
Avenue de Clichy
Avenue du Roule
Avenue de Neuilly
Bd. Charcot
Bd. M. Barrès
PTE MAILLOT
Av. de la Gde. Armée
Av. de Wagram
Bd. de Courcelles
Bd. des Batignolles
Parc Monceau
St. Augustin
Gare St. Lazare
Château de Bagatelle
Arc de Triomphe
R. du Faubg. St. Honoré
Bd. Hausmann
Av. Friedland
Madeleine
Allée de Longchamp
PTE DAUPHINE
Av. Foch
Pl. Ch de Gaulle
Av. des Champs Elysées
Palais de l'Elysée
R. de Suresnes
Bd Lannes
Avenue Victor Hugo
Av. R. Poincaré
Av. d'Iéna
Av. George V
Musée d'art moderne
Grand Palais
Petit Palais
Pl. de la Concorde
Obélisque
Jardin des Tuileries
Arc du Carrousel
R. Saint
Bois de Boulogne
Av. G. Mandel
Palais de Chaillot
Av. de New-York
Quai d'Orsay
Pt. des Invalides
Pt. Alma
Av. de St. Cloud
PTE DE LA MUETTE
Av. P. Doumer
Pt. d'Iéna
Tour Eiffel
Av. Bosquet
Palais Bourbon
Hôtel des Invalides
PTE. DE PASSY
Rue de Pas
Bd Suchet
Bd de Montmorency
Avenue Mozart
Av. Kennedy
Pt.
Champ de Mars
Av. de la Motte Picquet
Av. de Tourville
Hôtel Matignon
St. Germain des-P
R. de Babylone
Boulevard
Bd. de Grenelle
Ecole Militaire
Quai de Grenelle
Av. de Breteuil
PTE. D'AUTEUIL
Rue d'Auteuil
Bd. Murat
Pt. Mirabeau
Avenue Emile Zola
Bd. Garibaldi
Rue de Sèvres
PTE. MOLITOR
Avenue de Versailles
Quai d'Auteuil
SEINE
Quai de Javel
R. de la Convention
Rue Lecourbe
Rue de Vaugirard
Tour Maine Montparnasse
Gare Maine Montparnasse
Institut Pasteur
Avenue du Maine
Pt. d'Auteuil
PTE. DE ST. CLOUD
LA
Bd Victor
Rue de Vouillé
PTE. DE SÈVRES
PTE. DE VERSAILLES
Bd Lefèbvre
Rue Losserand
Rue d'Alésia
PTE. BRANCION
Bd Brune
Av. de Chatillon
PTE. DE VANVES
VANVES
Rue Bleuzen
PTE. DE CHATILLON
PTE D'ORLÉANS
MALAKOFF
MONTROUGE
Av. P. Brossolette
Av. Briand
Paris essentiel (p. 264 à 275)
I, Ile de la Cité, ile Saint-Louis
II, Louvre, Tuileries
III, Palais-Royal, Bourse, Halles
IV, Marais, Hôtel de Ville
V, Montagne Sainte-Geneviève, Panthéon, Quartier Latin
VI, Luxembourg, Saint-Germain-des-Prés
VII, Montparnasse, Gobelins, Montsouris
VIII, Invalides, Champ de Mars, tour Eiffel
IX, Chaillot, Passy, Auteuil
X, Champs-Elysées, Etoile
XI, Saint-Augustin, parc Monceau
XII, Montmartre
XIII, Opéra, grands boulevards, Temple
XIV, L'Est parisien

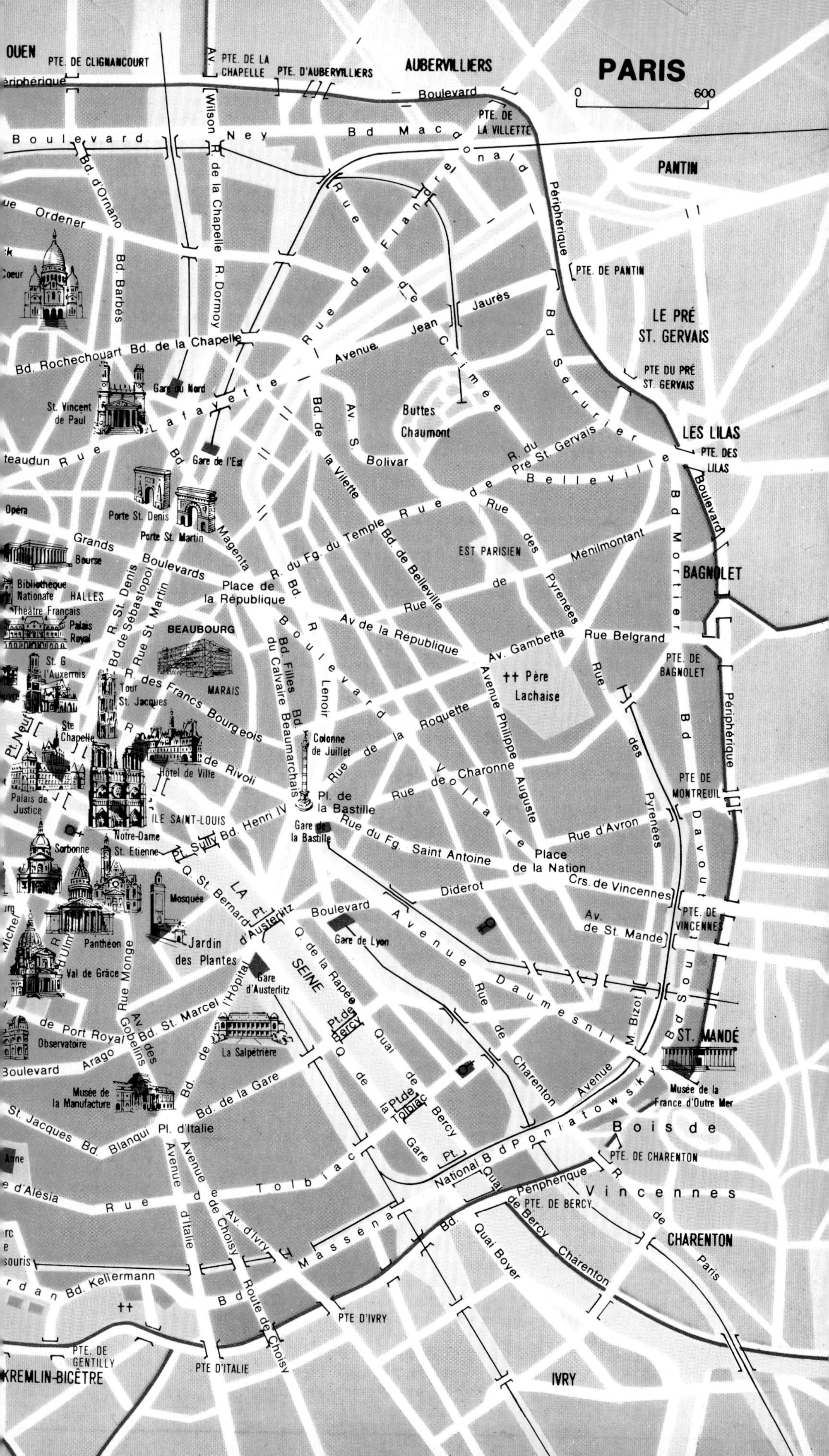
PARIS
0
600
OUEN
PTE. DE CLIGNANCOURT
PTE. DE LA CHAPELLE
PTE. D'AUBERVILLIERS
AUBERVILLIERS
Boulevard
PTE. DE LA VILLETTE
Boulevard Ney
Bd Macdonald
PANTIN
Périphérique
Bd. d'Ornano
Av. Wilson
R. de la Chapelle
R. Dormoy
Ordener
Bd. Barbès
Rue de Flandre
Rue de Crimée
PTE. DE PANTIN
LE PRÉ ST. GERVAIS
PTE DU PRÉ ST. GERVAIS
Jean Jaurès
Avenue
Bd. Rochechouart
Bd. de la Chapelle
Gare du Nord
St. Vincent de Paul
Lafayette
Bd. de la Villette
Av. S. Bolivar
Buttes Chaumont
Bd Sérurier
LES LILAS
PTE. DES LILAS
R. du Pré St. Gervais
Rue de Belleville
Gare de l'Est
Rue
Opéra
Porte St. Denis
Porte St. Martin
Magenta
Grands Boulevards
Bourse
R. du Fg. du Temple
Bd. de Belleville
Rue des Pyrénées
Rue de Ménilmontant
EST PARISIEN
Bd Mortier
Boulevard
BAGNOLET
Bibliothèque Nationale
HALLES
Théâtre Français
Palais Royal
R. St. Denis
Bd de Sébastopol
Rue St. Martin
Place de la République
BEAUBOURG
Av de la République
Bd. Boulevard
Rue Belgrand
Av. Gambetta
Père Lachaise
PTE. DE BAGNOLET
St. G l'Auxerrois
R. des Francs Bourgeois
MARAIS
Tour St. Jacques
Bd. Filles du Calvaire
Bd. Beaumarchais
Lenoir
Rue de la Roquette
Avenue Philippe Auguste
Rue des Pyrénées
Bd
Périphérique
Ste Chapelle
Pt. Neuf
R. de Rivoli
Hôtel de Ville
Colonne de Juillet
Rue de Charonne
Voltaire
PTE DE MONTREUIL
Palais de Justice
ILE SAINT-LOUIS
Pl. de la Bastille
Rue d'Avron
Notre-Dame
Sorbonne
St. Etienne
Pt. Sully
Bd. Henri IV
Gare de la Bastille
Rue du Fg. Saint Antoine
Place de la Nation
Davout
Q. St. Bernard
LA
Mosquée
Diderot
Crs. de Vincennes
PTE. DE VINCENNES
Pt. d'Austerlitz
Boulevard
Av. de St. Mandé
R. d'Ulm
Panthéon
Jardin des Plantes
Val de Grâce
Gare de Lyon
Avenue Daumesnil
SEINE
Q. de la Rapée
Gare d'Austerlitz
Rue Monge
Bd. St. Marcel
de l'Hôpital
Pt. de Bercy
Rue de Charenton
M. Bizot
Bd Soult
ST. MANDÉ
de Port Royal
Observatoire
Av. des Gobelins
La Salpêtrière
Quai de Bercy
Boulevard
Arago
Bd. de la Gare
Q. de la Gare
Pt. de Tolbiac
Avenue
Bd Poniatowsky
Musée de la France d'Outre Mer
Musée de la Manufacture
St. Jacques
Bd Blanqui
Pl. d'Italie
Bois de Vincennes
Pt. National
Bd
Quai
PTE. DE CHARENTON
R.
Anne
d'Alésia
Rue de Tolbiac
Avenue d'Italie
Avenue de Choisy
Av. d'Ivry
Masséna
Périphérique
PTE. DE BERCY
de Bercy
Bd.
Quai Boyer
de
CHARENTON
Paris
Charenton
souris
Bd. Kellermann
Bd
Route de Choisy
PTE D'IVRY
PTE. DE GENTILLY
PTE D'ITALIE
KREMLIN-BICÊTRE
IVRY

PARIS ESSENTIEL

1. ILE DE LA CITÉ, ILE SAINT-LOUIS

Notre-Dame. La cathédrale de Paris, au cœur de l'île de la Cité, est précédée d'un vaste parvis (crypte archéol. en projet). Commencée en 1163, achevée ds son gros œuvre v. 1345, c'est l'un des plus admirables monuments de l'art gothique. Voir à l'ext. les 3 portails de la façade, remarquablement sculptés : à g. portail de la Vierge, à dr. portail de Sainte-Anne, au centre, portail du Jugement dernier; côté N., le portail du Cloître (v. 1250), charmante Vierge au trumeau; côté S., le portail Saint-Étienne (v. 1258); le chevet et ses arcs-boutants constituent une réussite architecturale d'une grande élégance. A l'int., magnifique ensemble de verrières du transept (roses N. et S.) et nombreuses œuvres d'art : le chœur est orné de superbes boiseries déb. XVIIIe (114 stalles sculptées); la clôture en pierre est décorée ext. de 21 bas-reliefs XIVe. A l'entrée du transept, célèbre Vierge à l'Enfant XIVe dite « Notre-Dame-de-Paris ». Riche trésor (vis. ts les j. de 10 à 17 h sauf dim. et fêtes), reliques insignes de la Passion.

10, rue du Cloître-Notre-Dame : *musée Notre-Dame.* Derrière le chevet, la pointe orientale de la Cité est occupée par le *mémorial de la Déportation* (vis. ts les j.).

Conciergerie. L'anc. palais du « concierge », gouverneur de la maison du Roi, prison sous la Révolution, a conservé la tour de l'Horloge déb. XIVe et 3 tours rondes sur la façade N. bordant la Seine. On vis. (ts les j. sauf mardi) la belle salle gothique dite des Gens d'Armes (expositions temporaires), les cachots de Marie-Antoinette (chapelle) et de Robespierre, la galerie des Prisonniers, l'anc. chapelle (petit musée de souvenirs révolutionnaires).

Le *Palais de Justice,* qui jouxte la Conciergerie, comporte la **Sainte-Chapelle,** joyau gothique mil. XIIIe d'un élancement élégant, construit pour abriter les reliques de la Passion. L'int. (vis. ts les j. sauf mardi) se compose d'une chapelle basse et d'une chapelle haute que ses magnifiques vitraux XIIIe, les plus anc. de Paris, transforment en une immense verrière aux colorations changeantes; leurs 1 134 scènes forment une gigantesque Bible historiée de 618 m².

La pointe O. de l'île de la Cité est occupée par la charmante *place Dauphine,* qui s'ouvre sur le *Pont-Neuf,* le plus vieux de Paris; le terre-plein où s'élève la statue de Henri IV domine la *pointe* et le *square du Vert-Galant* (vue superbe sur la Seine, le Louvre, l'Institut et le pont des Arts).

Ile Saint-Louis. Un pont piétonnier relie l'île de la Cité à l'île Saint-Louis dont les quais, plantés de grands arbres et propices aux flâneries, sont bordés de belles façades d'hôtels XVIIe. On vis. l'*hôtel Lauzun,* construit par Le Vau mil. XVIIe dont les salons sont d'une grande richesse décorative. L'*hôtel Lambert,* également dû à Le Vau, ne se vis. pas. L'*église Saint-Louis-en-l'Ile,* dont l'int. est de style jésuite, offre une riche décoration.

2. LOUVRE, TUILERIES

Louvre. L'anc. palais des rois de France est l'un des plus importants musées du monde. Entrée principale : porte Denon (ouv. ts les j. sauf mardi; gratuit le dimanche. Bureau d'information, salle du Manège). Il présente un panorama complet de l'art, de l'Orient anc. au XIXe, à travers 7 départements : Antiquités orientales, Antiquités égyptiennes, Antiquités grecques et romaines, peintures, sculptures, objets d'art et mobilier, et Arts graphiques. Voir notamment la grande Galerie du Bord de l'Eau, la plus longue cimaise du monde (422 m, peinture française XVIIe-XVIIIe, peinture italienne XIVe-XVe) et la galerie d'Apollon, salle d'apparat du Louvre royal reconstruite et décorée sous Louis XIV, qui abrite les joyaux de la Couronne. Le vieux Louvre Renaissance et XVIIe s'ordonne autour de l'imposante Cour Carrée : la partie méridionale, la plus remarquable, à g. du pavillon de l'Horloge est due à l'architecte Pierre Lescot, sculptures de Jean Goujon mil. XVIe. Sur la place Saint-Germain-l'Auxerrois s'élève la fameuse Colonnade du Louvre, de Claude Perrault et d'Orbay sec. moitié XVIIe, mise en valeur en 1965 par le creusement des fossés.

Saint-Germain-l'Auxerrois, XIIIe, XVe et XVIe, la « paroisse des rois de France » depuis le XIVe. Le chœur gothique et le porche flamboyant, avec portail central mil. XIIIe, en sont les parties les plus remarquables. A l'int., magnifique banc d'œuvre sculpté fin XVIIe, au revers, triptyque en bois sculpté polychrome XVIe et ds la chapelle en face retable XVIe. Superbes vitraux fin XVe ds le transept. Remarquer la voûte flamboyante du croisillon dr.

Place du Carrousel. Arc de triomphe du Carrousel (1806), à partir duquel s'ordonne la magnifique perspective des Tuileries à l'arc de triomphe de l'Etoile, par la place de la Concorde et les Champs-Elysées.

Jardin des Tuileries. Créé au XVIe, redessiné au XVIIe par Le Nôtre. Les parterres du Carrousel sont ornés de statues du sculpteur Maillol. La partie comprise entre l'avenue Lemonnier et la place de la Concorde (vaste bassin) est encadrée par 2 longues terrasses occupées :

— à dr. par le **musée du Jeu de Paume** (ouv. ts les j. sauf mardi), consacré à l'impressionnisme et à la peinture de la fin du XIXe;

— à g. par l'**Orangerie des Tuileries** (actuellement fermée). Le musée recevra la donation Walter-Guillaume. Au rez-de-chaussée, ds 2 salles, les *Nymphéas* de Claude Monet.

Musée des Arts décoratifs. 107, rue de Rivoli. Installé pavillon de Marsan et ds la partie de l'aile N. du Louvre reconstruite au XIXe, ses coll. de mobilier et d'arts décoratifs français et étrangers vont du Moyen Age à nos jours (ouv. ts les j. sauf lundi et mardi). Expositions temporaires. Bibliothèque. Centre de création industrielle.

Place Vendôme. Dessinée à la fin du XVIIe par J. Hardouin-Mansart, elle est bordée d'hôtels de style classique, qui constituent un remarquable décor « Grand siècle ». La Colonne Vendôme (43 m) est entourée d'une spirale de bas-reliefs en bronze, fondue avec les canons pris à Austerlitz; statue de Napoléon au sommet.

Saint-Roch. De style jésuite XVIIe-XVIIIe; l'église renferme plusieurs remarquables œuvres d'art XVIIe-XVIIIe. Corneille, Diderot, Duguay-Trouin, Le Nôtre y sont enterrés.

3. PALAIS-ROYAL, BOURSE, HALLES

Palais-Royal. Construit par Richelieu, agrandi aux XVIIIe et XIXe, il abrite le Conseil économique et le Conseil d'État (on ne vis. pas). Le jardin, vaste quadrilatère de 225 m de long, est entouré de galeries à arcades XVIIIe (boutiques). A l'angle S.-O., Comédie-Française, fin XVIIIe.

Bibliothèque nationale. L'une des plus riches du monde, elle couvre 16 500 m² et regroupe plusieurs hôtels XVIIe auxquels sont venus s'ajouter des bâtiments XVIIIe et XIXe. Des expositions temporaires sont organisées ds la galerie Mansart et la galerie Mazarine mil. XVIIe. Le cabinet des Médailles et Antiques, dont les collections sont remarquables, est actuellement fermé au public.

Notre-Dame ***de Paris vue de la pointe de l'île de la Cité. Le chevet est dominé par la flèche de 90 m, rétablie par Viollet-le-Duc.***

1

2

3

Le Pont-Neuf *comporte 12 arches en plein cintre, achevées en 1604 (1). Ancien palais des rois de France,* le Louvre *(ici, pavillon de l'Horloge, cour Carrée) (2) est précédé de jardins où s'élève* l'arc de Triomphe du Carrousel *(3). Sur les parterres, 18 statues, d'une sensualité robuste, de Maillol (4).*

4

Bourse. (Entrée libre.) De style néo-classique (1808-1826), elle est particulièrement animée entre 12 h 30 et 14 h (sauf sam. et dim.). Le spectacle des transactions autour de la «corbeille» ne manque pas de saveur.
Place des Victoires. Dessinée à la fin du XVIIe par J. Hardouin-Mansart, auteur des façades de style classique. Au centre, statue de Louis XIV (1822).
Notre-Dame-des-Victoires. Chapelle XVIIe de l'anc. couvent (disparu) des Augustins déchaussés, ou Petits-Pères. Ds le chœur boiseries XVIIe encadrant 7 peintures de Van Loo. Nombreux ex-voto (plus de 30 000).
Saint-Eustache. Construite de 1532 à 1637, son plan est gothique, sa décoration Renaissance. Nombreuses peintures et œuvres d'art (tombeau monumental de Colbert) à l'int. La destruction des Halles rend visible son magnifique vaisseau.
Le transfert des Halles à Rungis et la démolition des pavillons métalliques de Baltard XIXe ont libéré un très vaste espace où, au-dessus de la station (métro, R.E.R.), s'élèvent actuellement le Forum et des jardins (fin de l'opération 1983?). **Centre national d'art et de culture Georges-Pompidou.** D'une architecture résolument contemporaine, il s'élève sur l'anc. plateau Beaubourg, et comprend le Musée national d'Art moderne, des salles d'expositions temporaires, le C.C.I. (Centre de Création industrielle et de design), une bibliothèque de lecture publique, l'I.R.C.A.M. (Institut de recherche et de coordination acoustique), etc.
Fontaine des Innocents. Square des Innocents. Les bas-reliefs sculptés représentant des naïades et des nymphes sont de Jean Goujon mil. XVIe.
2 églises à visiter : **Saint-Leu-Saint-Gilles** XIIIe et XIVe, transformée au XVIe, remarquables œuvres d'art à l'int. **Saint-Merri** de style flamboyant déb. XVIe, nombreuses toiles XVIIe-XVIIIe à l'int.
Tour Saint-Jacques. Square Saint-Jacques. Anc. clocher de l'église Saint-Jacques-de-la-Boucherie, déb. XVIe, disparue en 1802. Pascal y fit des expériences sur la pesanteur de l'air (1648).

4. MARAIS, HOTEL DE VILLE

Le **Marais,** anc. quartier aristocratique, a conservé de nombreux hôtels ou demeures privées XVIe, XVIIe et XVIIIe; la plupart ne se visitent pas, mais il est parfois possible de monter les escaliers ou de pénétrer ds les cours. On visite :
L'**hôtel de Béthune-Sully,** 62, rue Saint-Antoine, déb. XVIIe, l'un des plus remarquables, affecté à la Caisse nationale des monuments historiques, récemment restauré (superbe cour d'honneur).
L'**hôtel de Lamoignon,** 24, rue Pavée, Renaissance, *Bibliothèque historique de la Ville de Paris* (ts les j. sauf en août). Très belle salle de lecture, plafond peint, mobilier.
L'**hôtel Carnavalet,** 23, rue de Sévigné. *Musée historique de la Ville de Paris* (tous les jours sauf mardi). Construit aux XVIe (décoration sculptée de J. Goujon) et XVIIe (F. Mansart), il est consacré à l'histoire de Paris. Ses coll. sont très riches et variées. Reconstitutions d'intérieurs XVIIe et XVIIIe.
L'**hôtel de Marle,** 11, rue Payenne, déb. XVIIe, Centre culturel suédois (expositions temporaires).
L'**hôtel Guénégaud,** 60, rue des Archives, mil. XVIIe (F. Mansart) : *musée de la Chasse* (ts les j. sauf mardi).
Archives nationales, 60, rue des Francs-Bourgeois. Les plus riches du monde, elles occupent 2 des plus beaux hôtels XVIIIe du Marais, le *palais Soubise,* élégante cour d'honneur en fer à cheval, qui abrite ds de superbes appartements XVIIIe, à l'élégante décoration rococo, le *musée de l'Histoire de France* (ts les j. sauf mardi) et l'*hôtel de Rohan.* Ds la 2e cour de l'hôtel, célèbre haut-relief : *Apollon faisant boire ses chevaux,* par le Lorrain, XVIIIe.
Derrière le palais Soubise, subsiste la porte d'entrée, flanquée de tourelles, du manoir d'Olivier de Clisson fin XIVe.
L'**hôtel de Sens,** 1, rue du Figuier, l'une des deux résidences privées du Moyen Age subsistant à Paris avec l'hôtel de Cluny. Il abrite la *bibliothèque Forney :* arts décoratifs, techniques industrielles, coll. diverses (ts les j. sauf dim. et lundi).
La **place des Vosges,** cœur du Marais, constitue l'un des plus beaux ensembles architecturaux de style Louis XIII. Au n° 6 : *maison et musée Victor-Hugo* (ts les j. sauf lundi).
La **place de la Bastille** est occupée, au centre, par la colonne de la Bastille, surmontée du Génie de la Liberté (ascension ts les j. sauf mardi; 238 marches).
Saint-Paul-Saint-Louis, intéressant exemple d'architecture baroque XVIIe. Important décor sculpté.
Saint-Jean-Saint-François déb. XVIIe, riches boiseries XVIIIe rehaussées d'or ds le chœur. **Notre-Dame-des-Blancs-Manteaux** XVIIe, façade XVIIIe, magnifique chaire flamande baroque mil. XVIIIe ds la nef.
Saint-Gervais-Saint-Protais. De style gothique flamboyant fin XVe-mil. XVIIe, avec façade classique (1616-1621). Nombreuses œuvres d'art (stalles, vitraux XVIe), *Christ,* de Préault (1840). Mausolée du chancelier Le Tellier (1686).
Temple et cloître des Billettes, 24, rue des Archives. Anc. église des Carmes mil. XVIIe, auj. temple luthérien; il conserve le seul cloître médiéval (1415) existant à Paris (on vis.). Le mémorial du Martyr Juif inconnu, 17, rue Geoffroy-l'Asnier, est d'une poignante sobriété (ts les j. sauf sam.).
Hôtel de Ville. Reconstruit ds le style Renaissance après sa destruction pendant la Commune de 1871. L'int., somptueux et surchargé, est un intéressant exemple de la décoration et de l'art académique officiel de la fin du XIXe (vis. guidée des salons le lundi à 10 h 30).

5. MONTAGNE SAINTE-GENEVIÈVE, PANTHÉON, QUARTIER LATIN

Panthéon. Anc. église Sainte-Geneviève, construite par Soufflot sec. moitié XVIIIe sur le modèle des temples antiques, transformé en 1885 en sanctuaire laïque à la mémoire des grands hommes (ts les j. sauf mardi). L'int., très froid, est orné de sculptures monumentales et de compositions décoratives de style académique, dont la *Vie de sainte Geneviève,* par Puvis de Chavannes. Ds la crypte, tombeaux de Rousseau, Voltaire, Hugo, Zola, Jaurès, Braille, Langevin, Perrin, Jean Moulin, etc.
Saint-Étienne-du-Mont. Fin XVe, XVIe et XVIIe, vouée au culte de sainte Geneviève, elle abrite sa châsse. Beaux vitraux et jubé Renaissance mil. XVIe élégamment sculpté (le seul subsistant à Paris). Nombreuses œuvres d'art.
Le *quartier du Panthéon* est pittoresque, notamment la rue de la Montagne-Sainte-Geneviève et ses alentours, les rues de l'Estrapade, du Pot-de-Fer, Lhomond, Mouffetard (rue commerçante, marché très animé) où s'élève l'*église Saint-Médard,* construite du XIIe au XVIIe.
Le *boulevard Saint-Michel* est la principale artère du quartier Latin, traditionnellement occupé par les étudiants. Le cœur en est la **Sorbonne,** siège central de l'Université de Paris, aujourd'hui éclatée. Ses bâtiments fin XIXe englobent l'*église de la Sorbonne* XVIIe qui renferme le tombeau de Richelieu, par Girardon fin XVIIe.
Musée de Cluny, 6, place Paul-Painlevé. L'hôtel de Cluny fin XVe est, avec celui de Sens, la seule

1

2

3

Saint-Eustache, *à la fois gothique et Renaissance, est l'ancienne paroisse des Halles de Paris (1).*

L'hôtel de Sens, *fin XVe, évoque les belles résidences privées du Moyen Age (2).*

L'hôtel de Béthune-Sully, *XVIIe, et sa cour d'honneur constituent un remarquable ensemble Louis XIII (3).*

Le palais Soubise ; *derrière la façade (copies de statues de Robert le Lorrain au fronton) se déploie, en fer à cheval, la très belle cour d'honneur (4).*

4

grande demeure privée médiévale subsistant à Paris. Ses très riches coll. concernent l'art et la vie du Moyen Age (ts les j. sauf mardi). Il est contigu aux ruines des thermes romains déb. IIIe visibles du bd Saint-Michel.
Saint-Séverin XIIIe et XVe. L'une des plus belles églises gothiques de Paris. Le déambulatoire du chœur est une des œuvres les plus harmonieuses du style flamboyant; il est éclairé par plusieurs verrières modernes du peintre Bazaine; le jardin est en partie entouré des galeries XVe-XVIe de l'anc. charnier.
Saint-Julien-le-Pauvre. Tapie parmi les arbres du square René-Viviani, l'église, vénérable sanctuaire sec. moitié XIIe, est affectée au culte catholique de rite grec. Le chœur a de remarquables chapiteaux.
Arènes de Lutèce. (Entrées rue Monge, rue de Navarre ou rue des Arènes.) Conçues pour les jeux du cirque aux IIe ou IIIe apr. J.-C., elles ont été dégagées et restaurées au siècle dernier. Elles pouvaient contenir 16 000 spectateurs.
Nouvelle Faculté des sciences. Entre la rue Jussieu et le quai Saint-Bernard; dominée par la tour administrative, elle comporte plusieurs réalisations remarquables de l'art contemporain : labyrinthe monumental de Stahly (45 m × 35), *Para Vista,* sol en aluminium laqué de 32 m × 20 de Vasarely, œuvres de Beaudin, Lagrange, Gischia, Bedard, etc.
Jardin des Plantes. Créé au XVIIe, organisé par Buffon au XVIIIe et **Muséum d'histoire naturelle** (ts les j. sauf mardi). Ménagerie et vivarium. Labyrinthe végétal dessiné par Buffon et jardin alpin (3 000 espèces, des Alpes, Pyrénées, Groenland, Himalaya, etc.). Maison de Cuvier. Remarquables serres coloniales. Les grandes galeries et bâtiments abritent de riches coll. de zoologie, anatomie comparée, paléontologie, botanique, minéralogie, etc.
Mosquée de Paris. Construite en 1923-1927 ds le style hispano-mauresque (ts les apr.-m.). Le patio est inspiré de l'Alhambra de Grenade; la riche salle de prières possède de magnifiques tapis.
Hôpital de la Salpêtrière. L'ensemble de l'église et des bâtiments reflète l'austère grandeur du siècle de Louis XIV. Construite sur les plans de Le Vau fin XVIIe, la curieuse église à 4 nefs disposées en croix grecque autour d'une rotonde coiffée d'un dôme octogonal est de Libéral Bruant. Elle est malheureusement ds un état lamentable. Une cour porte traditionnellement le nom de Manon Lescaut, enfermée à la Salpêtrière dans le célèbre roman de l'abbé Prévost.

6. LUXEMBOURG, SAINT-GERMAIN-DES-PRÉS

Le **palais du Luxembourg,** qui abrite le Sénat, a été construit pour Marie de Médicis en 1615 (vis. le dim.). La bibliothèque est décorée de peintures de Delacroix; on vis. aussi la salle des séances et les salons d'apparat richement décorés au XIXe.
Le **jardin du Luxembourg** est l'un des plus beaux de Paris; il est peuplé de statues généralement médiocres, hormis le *monument à Delacroix,* par Dalou, et la belle *fontaine de Médicis* XVIIe, chère aux étudiants. Il se continue au S. par une large perspective de parterres (*fontaines des Quatre parties du monde,* par Carpeaux; à dr. sur un terre-plein, statue du Mal Ney par Rude) jusqu'à l'*Observatoire,* construit au XVIIe et entouré de beaux jardins (vis. guidées sur dem. le 1er sam. du mois).
Val-de-Grâce. De style jésuite, l'église, élevée sur les plans de Mansart, comporte une superbe coupole décorée par Mignard (1663). Beau décor sculpté, baldaquin monumental XVIIe au-dessus du maître-autel. Voir le cloître classique et le porche du pavillon dit « d'Anne d'Autriche ». Musée.
Saint-Sulpice. Édifiée au XVIIe avec une monumentale façade à l'antique, de Servandoni. L'int. est majestueux. Ds la chapelle des Saints-Anges, à dr. de l'entrée, deux magnifiques peintures murales de Delacroix. Sur la place : fontaine monumentale par Visconti (1844).
Le *quartier Saint-Germain-des-Prés* est l'un des plus vivants de la rive gauche; le carrefour de l'église, récemment aménagé, et ses abords immédiats comportent les célèbres cafés « littéraires » : Flore, Deux-Magots, Lipp.
Saint-Germain-des-Prés. La plus anc. église de Paris. De l'abbatiale romane XIe, il ne subsiste que la tour de la façade et le portail, caché par un médiocre porche XVIIe. A l'int., le chœur et le déambulatoire XIIe ont de remarquables chapiteaux romans. Nombreuses œuvres d'art, tombeaux des frères de Castellan, par Girardon XVIIe, de l'abbé Casimir Wasa, anc. roi de Pologne fin XVIIe, de Jacques et Guillaume Douglas XVIIe, etc. A g. de l'entrée, petit square : *Tête de femme,* de Picasso, en hommage à Guillaume Apollinaire (1959). Rue de l'Abbaye, imposant palais abbatial de style Louis XIII.
La *place de Fürstemberg* est l'un des endroits les plus attachants du quartier; au n° 6, *musée Eugène-Delacroix,* ds l'appartement où vécut le peintre (ts les j. sauf mardi).
Hôtel des Monnaies et Musée monétaire. L'hôtel dû à Antoine fin XVIIIe est imposant. Le musée (ts les j. sauf dim.) abrite une remarquable coll. de monnaies et médailles anc. et modernes. (Vis. guidée des ateliers les lundis et mercr. apr.-m. sauf août.)
Institut de France. Le collège des Quatre-Nations, fondé par Mazarin (1661), est devenu en 1806 le palais de l'Institut, qui comporte les 5 Académies. Dominé par la fameuse coupole de l'anc. chapelle, auj. salle des séances académiques, il abrite la *bibliothèque Mazarine.* En face, sur la Seine, passerelle du *ponts des Arts* (fermé); vue superbe sur la pointe O. de l'île de la Cité et sur le Louvre.
École des Beaux-Arts. Anc. couvent des Petits-Augustins XVIIe auquel on a adjoint plusieurs hôtels XVIIIe et bâtiments XIXe. La cour, 14, rue Bonaparte, comporte plusieurs importants fragments d'architecture ou de sculpture provenant de monuments détruits; à l'int., charmante cour du Mûrier, Renaissance. Exp. temporaires ds la chapelle.

7. MONTPARNASSE, GOBELINS, MONTSOURIS

Le quartier des artistes, naguère tranquille, a été complètement transformé par la construction du grand ensemble **Maine-Montparnasse,** dominé par une tour de 210 m et 56 ét. (l'immeuble le plus haut d'Europe). Au 56e ét., tableau d'orientation, télescope et lunettes binoculaires. Vis. commentées sur magnétophones en 6 langues. La nouvelle gare, place Raoul-Dautry, possède un grand hall décoré d'importantes compositions de Vasarely.
Carrefour Vavin-bd Raspail s'élève la *statue de Balzac,* l'un des chefs-d'œuvre de Rodin; là se trouvent les 3 plus célèbres cafés de Montparnasse : la Coupole, la Rotonde et le Dôme.
Le **cimetière du Montparnasse** abrite plusieurs tombes d'écrivains et d'artistes : Baudelaire (tombe Aupick), Huysmans, Maupassant, Bourdelle, Soutine, Henri Laurens, Zadkine, Atlan, etc. Curieux tombeau des époux Pigeon. *Le Baiser,* par Brancusi (tombe de Tania Rachevskaïa).
Musée Bourdelle. 16, rue Antoine-Bourdelle (ts les j. sauf mardi). Œuvres du célèbre sculpteur ds de vastes bâtiments modernes jouxtant ses ateliers.

1

2

3

4

Le jardin du Luxembourg *et le palais de Marie de Médicis (le Sénat) (1).* **Le Panthéon,** *dédié à la mémoire des Grands Hommes (2). Couronnant le tombeau de Napoléon, le* **dôme des Invalides** *(3). Le* **palais de Chaillot** *(4).*

Square Blomet (XVᵉ arrond.) : *l'Oiseau lunaire,* importante sculpture monumentale de Miró.

Manufacture des Gobelins. Fondée en 1662, elle a conservé plusieurs bâtiments XVIIᵉ pleins de charme vieillot. Expositions temporaires de tapisseries. Visite des ateliers les mercredis, jeudis et vendredis de 14 h à 16 h. Rue Berbier-du-Mets : imposant bâtiment avec péristyle circulaire du Mobilier national (1935) et jardin des Gobelins (square René-Le-Gall).

Catacombes. Aménagées ds d'anc. carrières, elles forment un immense ossuaire de 11 000 m² contenant les restes de plus de 6 millions de personnes inhumées ds les cimetières parisiens désaffectés à la Révolution, notamment le fameux cimetière des Innocents. Les ossements sont disposés le long des murs avec une macabre fantaisie. On y accède par l'un des pavillons construits par l'architecte Ledoux qui, place Denfert-Rochereau, marquaient jadis l'une des entrées de Paris (vis. à 14 h le sam., du 1ᵉʳ juil. au 15 oct., les 1ᵉʳ et 3ᵉ sam. le reste de l'année ; se munir d'une lampe de poche). Face à face, 2 des 57 pavillons construits par Ledoux (la « barrière » de Paris).

Parc Montsouris. Tracé par Alphand en 1868. Ses 16 ha, traités en jardin anglais, comportent nombre de sites pittoresques, notamment une cascade et un lac artificiel, des sentiers et des monticules accidentés, etc. Il est dominé par une reproduction réduite de l'anc. palais des beys de Tunis, le Bardo, qui figurait à l'Exposition universelle de 1867 ; à droite, tour météorologique moderne. La mire du sud marque le passage de l'anc. méridien de Paris.

Le bd Jourdan sépare le parc de Montsouris de la **Cité universitaire** qui groupe sur 40 ha 37 pavillons dont l'architecture rappelle celle des pays qui les ont fondés. Au centre, Maison internationale (1936) avec piscine, théâtre, vastes salons, etc. Les pavillons de la Suisse et du Brésil sont de Le Corbusier.

8. INVALIDES, CHAMP-DE-MARS, TOUR EIFFEL

Hôtel des Invalides. Construction grandiose XVIIᵉ, élevée par l'architecte Libéral Bruant autour d'une imposante cour d'honneur. (Accès libre. Son et Lumière l'été.) Ses bâtiments abritent (entrées côté Occident ou côté Orient) le **musée de l'Armée,** l'un des plus riches du monde ds ce domaine (visite tous les jours). Le *musée des Plans-Reliefs* (ts les j. sauf mardi et dim. mat.) comporte les maquettes des villes françaises ou étrangères et de forts, réalisées avec une minutieuse précision. A l'O. (entrée bd de Latour-Maubourg), *musée de l'ordre de la Libération.* Au fond de la cour d'honneur s'ouvre l'*église Saint-Louis* ou « Chapelle des soldats », de style classique, décorée de drapeaux pris à l'ennemi. La chapelle Napoléon abrite les dalles du tombeau de Sainte-Hélène et différents souvenirs de l'Empereur.

Dôme des Invalides. Construit en

Symboles des grandes conquêtes de l'architecture moderne : le fer, avec* la tour Eiffel *(300 m), l'aluminium, le verre et le béton, avec* la tour Montparnasse *(210 m).

arrière et au-dessus des Invalides par J. Hardouin-Mansart fin XVIIe, il domine la crypte et le tombeau de Napoléon Ier, près duquel a été déposé le sarcophage du roi de Rome. Les chapelles rayonnantes sont occupées par les tombeaux de Turenne, Vauban, Foch, Lyautey, etc. (Ts les j. sauf mardi.)

Musée Rodin. 77, rue de Varenne. Installé ds l'hôtel Biron, XVIIIe. Les œuvres du célèbre sculpteur occupent l'int. et les jardins (ts les j. sauf mardi); ds l'anc. chapelle, expositions temporaires.

Entre l'esplanade des Invalides et le boulevard Saint-Germain s'étend l'aristocratique *faubourg Saint-Germain,* dont la plupart des hôtels XVIIe-XVIIIe sont occupés par des ministères ou des ambassades.

Palais de la Légion d'honneur. Charmant hôtel de Salm fin XVIIIe, musée de la Légion d'honneur : (ts les apr.-m. sauf lundi).

Palais-Bourbon. La façade de style grec déb. XIXe domine la perspective du pont et de la place de la Concorde jusqu'à la Madeleine. Siège de l'Assemblée nationale, la salle des Séances est de 1832. Bibliothèque décorée par Delacroix (vis. sur autorisation).

École militaire. Édifiée au XVIIIe, chef-d'œuvre de Gabriel (vis. sur dem.). En face : statue de Joffre et *Champ-de-Mars.* Derrière l'École militaire a été édifiée, de 1955 à 1958, par les architectes Breuer, Nervi et Zehrfuss, le vaste **palais de l'U.N.E.S.C.O.** qui comporte plusieurs œuvres importantes de grands artistes contemporains, notamment *la chute d'Icare* de Picasso (80 m^2) et, à l'ext., le *Mur du Soleil* et le *Mur de la Lune,* composition céramique de Miró et d'Artigas, un *Mobile* géant de Calder, etc. Jardin de Noguchi.

Tour Eiffel. Audacieuse construction métallique (1887-1889) haute de 320 m (ascension ts les j. de 10 h 30 à 17 h 30 l'hiver, 23 h l'été; 18 h de Pâques au 1er nov. pour le 3e étage. Restaurants : 1er ét. Brasserie, Grande carte; 2e ét. Bistro 1900, Plein ciel; 3e ét. Buvette. Vaste panorama sur Paris.

Égouts. Le gigantesque réseau des égouts parisiens atteint 2 100 km de galeries et de conduites d'évacuation; chaque rue repose sur un égout à son nom (vis. lundi, merc. et 4e sam., apr.-m.; entrée angle pont de l'Alma - quai d'Orsay). Une salle de documentation précède un circuit balisé de 200 m.

9. CHAILLOT, PASSY, AUTEUIL

Palais de Chaillot. Construit en 1937, il est précédé par une vaste place circulaire où s'élève la statue de Foch; entre les 2 ailes, une spacieuse terrasse offre un large panorama. Il abrite 2 salles de spectacle, dont la principale a été complètement rénovée en 1975, et 4 musées. **Musée de l'Homme :** ethnographie et anthropologie, de la préhistoire à nos jours, ds le monde entier (ts les j. sauf mardi). **Musée des Monuments français :** moulages ou reproductions des chefs-d'œuvre d'architecture, peinture et sculpture (ts les j. sauf mardi). **Mu-**

1

2

3

sée de la Marine (ts les j. sauf mardi). **Musée du Cinéma.** Ds les jardins : aquarium. **Musée Guimet.** 6, place d'Iéna. Arts d'Asie : Inde, Cambodge, Extrême-Orient... (ts les j. sauf mardi).

Palais de Tokyo, 13, avenue du Président-Wilson. Les coll. d'art moderne ont été transférées, en 1976, au Centre G.-Pompidou. Des salles sont consacrées à quelques importantes donations (Laurens, Braque...) et au post-impressionnisme (ts les j. sauf mardi). Musée d'Art et d'Essai (exp. temp.).

Musée d'Art moderne de la Ville de Paris. 11, avenue du Président-Wilson. Coll. de peinture et sculpture, principalement de l'École de Paris. Salle de la *Fée Electricité,* la plus vaste peinture murale du monde (600 m²), par Dufy. Expositions temporaires (ts les j. sauf lundi).

Musée Clemenceau. 8, rue Franklin. L'appartement du « Tigre » est resté inchangé depuis sa mort. Au 1er ét., une galerie documentaire retrace sa vie (vis. l'apr.-m. les mardis, jeudis, sam. et dim.).

Maison de Balzac. 47, rue Raynouard. Cette petite maison campagnarde entourée d'un jardin donne en contrebas sur la pittoresque et étroite rue Berton (tous les jours sauf lundi). L'écrivain y vécut de 1840 à 1847 : manuscrits, caricatures, meubles, documents et objets divers reconstituent son intérieur et évoquent son œuvre. Importante bibliothèque.

Maison de Radio-France. Édifiée de 1952 à 1963 par Henri Bernard, cette vaste construction en forme de couronne de 500 m de circonférence est dominée par une tour de 70 m (vis. ts les j. sauf lundi). Salons, foyers, halls et grands studios d'enregistrement sont décorés par plusieurs artistes contemporains : Stahly, Bazaine, Mathieu, Soulages, Manessier, Leygue, etc. Sur la rive g. de la Seine se développe l'un des nouveaux quartiers parisiens, le **front de Seine,** opération urbanistique considérable. Une dalle piétonnière couvrira les voies de circulation.

Musée Marmottan. 2, rue Louis-Boilly. Art du Moyen Age. Riches coll. de mobilier et de peinture Empire et Restauration. Peinture impressionniste : important ensemble d'œuvres de Monet (ts les j. sauf lundi).

Bois de Boulogne. Vaste parc de 872 ha env. aménagé au XIXe siècle ; il comporte le *grand lac* (11 ha, canotage), le *petit lac* (3 ha), plusieurs restaurants, 2 hippodromes, *Auteuil* et *Longchamp,* le *Jardin d'acclimatation* (ouv. ts les j.), le *pré Catelan* et le jardin Shakespeare, le *parc de Bagatelle,* XVIIIe (superbe roseraie), le jardin fleuriste de la Ville de Paris, 3, av. de la Porte-d'Auteuil. Serres exotiques et tropicales. (Vis. ts les j.)

Musée des Arts et Traditions populaires : importantes coll. sur la vie, les mœurs et les techniques rurales françaises, les spectacles, les croyances, les jeux, etc., ds une remarquable construction de verre et d'acier (1960-1972). Bibliothèque, iconothèque, photothèque (ts les j. sauf mardi).

10. CHAMPS-ÉLYSÉES, ÉTOILE

Voie triomphale de Paris, les **Champs-Élysées** (1 880 m) vont de la place de la Concorde à l'arc de triomphe de l'Étoile, prolongés par l'avenue de la Grande-Armée et l'avenue Charles-de-Gaulle vers le nouveau quartier de la Défense, univers de béton, de verre et d'acier (sculptures monumentales de Calder, Agam, Philolaos, Leygue, Derbré, etc.).

Place de la Concorde. Dessinée de 1755 à 1775 par Gabriel, auteur des deux imposants hôtels encadrant la rue Royale (hôtel Crillon et ministère de la Marine), elle est ornée, au centre, de l'obélisque du temple égyptien de Louqsor (23 m). A l'entrée des Champs-Élysées, *Chevaux de Marly,* par Coustou.

A g. de la place Georges-Clemenceau (statue de Clemenceau, 1932) : avenue Winston-Churchill, à dr., **Grand Palais,** énorme construction 1900 dont l'immense nef abrite salons et manifestations temporaires. Il comporte également les *Galeries nationales* (expositions temporaires de prestige) et le *palais de la Découverte* (entrée av. F.-D.-Roosevelt, ts les j. sauf lundi). A g., **Petit Palais,** également 1900 : *musée des Beaux-Arts de la Ville de Paris* (ts les jours sauf lundi); expositions temporaires. L'avenue Winston-Churchill mène au *pont Alexandre-III* (1900). A dr. de la place Clemenceau, l'avenue de Marigny conduit à la place Beauvau et, à dr., à la *rue du Faubourg-Saint-Honoré,* principale artère du commerce de luxe. *Palais de l'Élysée* XVIIIe, résidence du président de la République.

L'avenue des Champs-Élysées aboutit à l'**arc de triomphe de l'Étoile** (1806-1836), sous lequel repose le Soldat Inconnu (1914-1918). Face aux Champs-Élysées et à dr., célèbre haut-relief de Rude, *le départ des Volontaires de 1792,* dit aussi *la Marseillaise.* (Ascension à la plate-forme.)

11. SAINT-AUGUSTIN, PARC MONCEAU

Saint-Augustin. L'une des églises les plus originales de Paris, construite en fer de 1860 à 1871 par Baltard (dôme de 60 m).

Chapelle expiatoire. Curieux monument érigé de 1815 à 1826 à l'endroit où avaient été enterrés Louis XVI et Marie-Antoinette. Cloître, chapelle et crypte (ts les j. sauf mardi).

Musée Jacquemart-André. 158, bd Haussmann. L'un des plus riches musées de collectionneurs de Paris (ts les après-midi sauf mardi); art italien XVe-XVIe, français XVIIIe, flamand et hollandais. Œuvres de Rembrandt, Fragonard, David, Goya, Uccello, Tiepolo, etc.

Musée Cernuschi. 7, avenue Vélasquez. Arts de la Chine et du Japon, remarquables coll. de bronzes archaïques chinois (vis. ts les j. sauf lundi).

Musée Nissim de Camondo. 63, rue de Monceau. Remarquables coll. XVIIIe ds un hôtel de style Louis XVI

4

Les Champs-Élysées; ***l'une des plus belles avenues du monde conduit à l'arc de triomphe de l'Étoile, élevé à la gloire de la Grande Armée (1). Il porte sur l'une de ses faces l'œuvre célèbre de Rude : « le Départ des volontaires de 1792 », dite*** **« la Marseillaise »** ***(2).*** **La Madeleine,** ***que le téléobjectif a rapprochée de la Concorde (3).***

Curieux voisinage : grâce au photographe, l'obélisque de Louqsor (XIIIe s. av. J.-C.), haut de 23 m, qui se dresse au centre de la place de la Concorde, prend sa revanche sur les 300 m de la tour Eiffel (4).

1

2

Le Sacré-Cœur de Montmartre *(1) domine les petites rues provinciales de la Butte, telle la curieuse* rue Foyatier *et ses 225 marches (2).*

Le célèbre groupe de* « la Danse » *par Carpeaux (original au Louvre) orne la façade de l'Opéra (3).

3

construit en 1910 (ts les j. sauf lundi et mardi).

Parc Monceau. Entouré de beaux hôtels fin XIVe, il abrite une curieuse naumachie XVIIIe entourée d'une colonnade et plusieurs statues d'hommes célèbres de style 1900 (Maupassant, Chopin, Gounod, Ambroise Thomas, etc.).

12. MONTMARTRE

Le vieux village, autrefois dominé par les moulins, est resté un quartier populaire où les établissements de plaisir voisinent avec les rues pittoresques et de curieux coins campagnards. On peut y accéder par le boulevard de Clichy, la place Blanche, où se trouve le Moulin-Rouge, immortalisé par Toulouse-Lautrec, la place Pigalle et le boulevard de Rochechouart (cabarets et boîtes de nuit).

Place du Tertre. C'est le cœur de Montmartre, le domaine des peintres. **Église Saint-Pierre** XIIe, d'aspect campagnard, jardin du Calvaire. A dr. de l'entrée, petit cimetière Saint-Pierre (ouv. le 1er nov.).

Basilique du Sacré-Cœur. Énorme édifice romano-byzantin bâti à partir de 1876, surmonté d'un dôme de 83 m et d'un campanile de 84 m; il domine Paris. L'int., d'une déconcertante richesse, témoigne du mauvais goût ds l'art religieux à la fin du XIXe. Le parvis offre une vue magnifique s'étendant à 30 km.

Musée du Vieux-Montmartre. Ds une vieille maison de la rue Cortot où vécut Utrillo (ts les apr.-m. sauf mardi); en contrebas, «vigne de Montmartre» et pittoresque cabaret du *Lapin Agile.* 42, rue des Saules, petit *musée d'art juif.*

Moulin de la Galette. Angle rue Lepic - rue Girardon. Le dernier moulin de Montmartre, où peignirent Renoir, Toulouse-Lautrec, Van Gogh, Utrillo, Picasso, etc., et son ensemble viennent d'être restaurés. Place Émile-Goudeau façade du **«Bateau-Lavoir»** (ravagé par un incendie en 1970, reconstruit) où vécurent, au déb. du siècle, Picasso, Van Dongen, Modigliani, Juan Gris, Mac Orlan, Max Jacob, etc. Là naquit le cubisme.

Le **cimetière Montmartre** abrite les tombes de Stendhal, Vigny, Renan, Degas, Giraudoux, Sacha Guitry, Louis Jouvet, Alexandre Dumas, la «Dame aux camélias», etc. Très beau gisant de Cavaignac, par Rude. Au *cimetière Saint-Vincent,* tombes d'Utrillo, surmontée du «génie de la Peinture», de Marcel Aymé, Honegger, Chéret, Gen Paul, Steinlen, etc.

Rue de l'Abreuvoir, *allée des Brouillards* et petit *château des Brouillards* XVIIIe; l'*avenue Junot* est bordée par plusieurs hôtels de style 1930 naguère occupés par des artistes, Poulbot, Daragnès, le dessinateur Léandre, etc.

13. OPÉRA, GRANDS BOULEVARDS, TEMPLE

Les «grands boulevards» s'étendent de la Madeleine au carrefour Richelieu-Drouot et continuent jusqu'à la place de la République.

Église de la Madeleine. Construite en forme de temple grec de 1806 à 1842. L'int. est imposant et froid.

Théâtre de l'Opéra. Édifié par Garnier ds un style baroque, somptueusement décoré de 1862 à 1875. A dr. sur la façade, célèbre groupe de *la Danse,* par Carpeaux (copie, original au Louvre). L'int. est d'un faste écrasant. La salle est ornée depuis 1964 d'un plafond (très discuté) par Chagall. Ds le pavillon de l'Empereur, rue Scribe, *musée de l'Opéra* (ts les j. sauf dim.).

Musée Cognac-Jay. 25, boulevard des Capucines. Consacré à l'art et à la décoration XVIIIe, il présente un choix intéressant d'œuvres mineures de Rembrandt, Boucher, Fragonard, Quentin de La Tour, Guardi, etc.; des objets, meubles, boiseries Louis XV et Louis XVI, etc. (Ts les j. sauf lundi.) **Musée Grévin.** 10, bd Montmartre. Populaire musée de cire; ses reconstitutions de scènes historiques, de groupes et de célébrités contemporaines ont un charme désuet. Petit théâtre, séances de prestidigitation et de magie.

Porte Saint-Denis. Érigée en 1672 pour célébrer les victoires de Louis XIV sur le Rhin, décorée de scènes historiques et de figures allégoriques sculptées.

Porte Saint-Martin. Elle commémore la prise de Besançon et de la Franche-Comté par Louis XIV (1674). Ses sculptures illustrent des épisodes de la guerre.

Conservatoire des Arts et Métiers. Musée national des Techniques. 292, rue Saint-Martin. (Ouv. tous les jours.) Installées ds l'anc. église Saint-Martin-des-Champs et ses annexes, ses coll. illustrent l'évolution des principales techniques, les moyens de locomotion (premières automobiles, premiers avions), la physique, l'électricité, la radio, la télévision, le cinéma, etc. Bibliothèque ds le réfectoire des moines, divisé en 2 nefs par 7 élégantes colonnes.

Saint-Nicolas-des-Champs, XVe, XVIe et XVIIe. Sur le flanc dr., beau portail Renaissance fin XVIe. A l'int., la nef est divisée en 5 vaisseaux par une double rangée de piliers; imposant maître-autel à 2 faces avec grand retable en marbre XVIIe. Nombreux tableaux et œuvres d'art.

Au 51, rue de Montmorency, curieuse maison déb. XVe de Nicolas Flamel; 3, rue Volta, vieille maison XIVe-XVe à façade à pans de bois et boutiques, l'une des plus anc. de Paris.

14. L'EST PARISIEN

Des opérations urbanistiques de grande envergure ont transformé *Belleville* et *Ménilmontant* dont subsistent de rares coins campagnards, telle l'*église Saint-Germain-de-Charonne,* avec son clocher trapu XIIIe et son cimetière rustique.

Cimetière du Père-Lachaise. Le plus important et le plus vaste cimetière parisien; il comporte de nombreux, et souvent curieux, monuments d'hommes célèbres (ouv. ts les j.). La partie la plus pittoresque est à dr. du Monument aux morts central; les tombes sont disséminées sur des monticules accidentés traversés de chemins escarpés : Chopin, Monge, Champollion, A. Comte, Molière et La Fontaine, Corot, Ney, Masséna, David d'Angers, Murat, etc. Ds l'allée centrale, Musset, sous son fameux saule, Colette, le baron Haussmann, Félix Faure, Arago, etc. Important Columbarium. A l'angle S.-E. : mur des Fédérés, où furent exterminés les derniers défenseurs de la Commune de 1871.

Parc des Buttes-Chaumont. Ses 25 ha, très accidentés, sont aménagés autour d'un lac et d'un belvédère couronné d'un petit temple (vue panoramique).

Musée des Arts africains et océaniens. 293, avenue Daumesnil. Remarquables coll. d'art d'Afrique noire, du Maghreb, d'Océanie (en cours de réaménagement, vis. ts les j. sauf mardi). Au sous-sol, aquarium tropical.

Bois de Vincennes. Vaste parc de 934 ha aménagé en jardin anglais au siècle dernier, il comporte un célèbre *Parc zoologique,* l'un des plus beaux d'Europe (ts les j.), le lac des Minimes et ses 3 îles, le lac Daumesnil, le temple du Souvenir indochinois et son jardin tropical (vis. le dim. apr.-m.), etc. Voir **Vincennes*.**

Parc floral de Paris. (Ouv. ts les j.) Ce très beau jardin de 28 ha abrite des expositions florales, une vallée de fleurs, un riche exotarium et le jardin du dahlia. Des sculptures contemporaines (Nicolas Schöffer, Tinguely, Calder, Giacometti, Agam, Gilioli, etc.) jalonnent allées et massifs. Fontaine monumentale de Stahly. Exposition permanente de maisons campagnardes individuelles de tous styles.

P

Paimpol
22 - Côtes-du-Nord 9 - A 1
Port de pêche ds un site agréable au fond d'une vaste baie.
Environs • Tour de Kerroc'h (2 km N., panorama). • Pointe et bois de Guilben (2,5 km E.). • *Loguivy-de-la-Mer,* petit port de pêche (4 km N.-O.). • 6 km N.-E., *pointe de l'Arcouest,* embarquement pour l'île de **Bréhat*.** • 4 km S.-E., ruines de l'*abbaye de Beauport* XIIIᵉ-XIVᵉ (vis. ts les j.), vaste salle capitulaire, cloître, église, réfectoire, cellier, belle salle au Duc voûtée d'ogives; à 6 km S., *Lanloup,* belle église XVIᵉ avec porche orné de statues d'Apôtres en granit; à 3 km S., *chapelle de Kermaria-an-Isquit* XIIIᵉ-XVᵉ, décorée de peintures murales XVᵉ dont une «danse macabre» composée de 47 figures accompagnées de légendes rimées.

Paimpont
35 - Ille-et-Vilaine 9 - B 3
L'église abbatiale, XIIIᵉ, abrite plusieurs œuvres d'art.
Environs • La forêt, connue ds les romans de chevalerie sous le nom de Brocéliande, couvre 6070 ha; elle était jadis le domaine de la fée Viviane et de l'enchanteur Merlin. Parsemée d'étangs, elle offre de nombreuses promenades : ruines du prieuré de Telhouët et du château de Comper, XIVᵉ-XVᵉ, fontaine de Baranton, *Tréhorenteuc* (mégalithes), le «Val sans retour», etc. • Au S.-O. près de *Campénéac,* château de *Trécesson* fin XIVᵉ, entouré de ses douves (on ne vis. pas). • Au S., *camp militaire de l'école de Saint-Cyr-Coëtquidan;* musée du Souvenir.

Pamiers
09 - Ariège 42 - A 2
Notre-Dame-du-Camp XIVᵉ, XVIIᵉ et XVIIIᵉ a une grosse tour XIVᵉ en brique couronnée de créneaux. Cathédrale Saint-Antonin XVIIᵉ, en brique, beau clocher toulousain XIVᵉ; boiseries XVIIᵉ. De la promenade du Castella, belle vue sur les Pyrénées. La ville est un excellent centre d'excursions vers les champs de neige pyrénéens.

Paray-le-Monial
71 - Saône-et-Loire 25 - C 2
L'église Notre-Dame, ou basilique du Sacré-Cœur, caractéristique de l'architecture romane clunisienne, est le centre d'un important pèlerinage au Sacré-Cœur; intéressants chapiteaux romans et ds l'abside, fresque XVᵉ. Le parc des Chapelains abrite la chambre des reliques de sainte Marguerite-Marie Alacoque, initiatrice de cette dévotion (XVIIᵉ), l'abri des pèlerins et un diorama. Ds la chapelle de la Visitation, ou sanctuaire des Apparitions, châsse de la sainte; nombreux ex voto. Le musée du Hiéron, ou musée eucharistique, est unique en son genre (toiles de Lebrun, Mignard, Guido Reni, Tiepolo).
Environs • 13 km E., *Charolles,* dominée par les vestiges de l'anc. château des comtes de Charolais (mairie). • 17,5 km S.-O., *Anzy-le-Duc :* remarquable église romane seconde moitié XIᵉ; au prieuré voisin, très curieux portail sculpté.

Paris
75 - Seine 11 - C 1/2
Voir pages 262 à 275.

PADIRAC (gouffre de)
46 - Lot 36 - B 1
Magnifique «aven», ou puits naturel, l'un des plus célèbres d'Europe. Profond de 75 m, il renferme une rivière souterraine explorée sur 10 km env. La salle du Grand-Dôme a 91 m de hauteur. Parcours pédestre et en bateau (vis. ts les j. de Pâques au 2ᵉ dim. d'oct.).

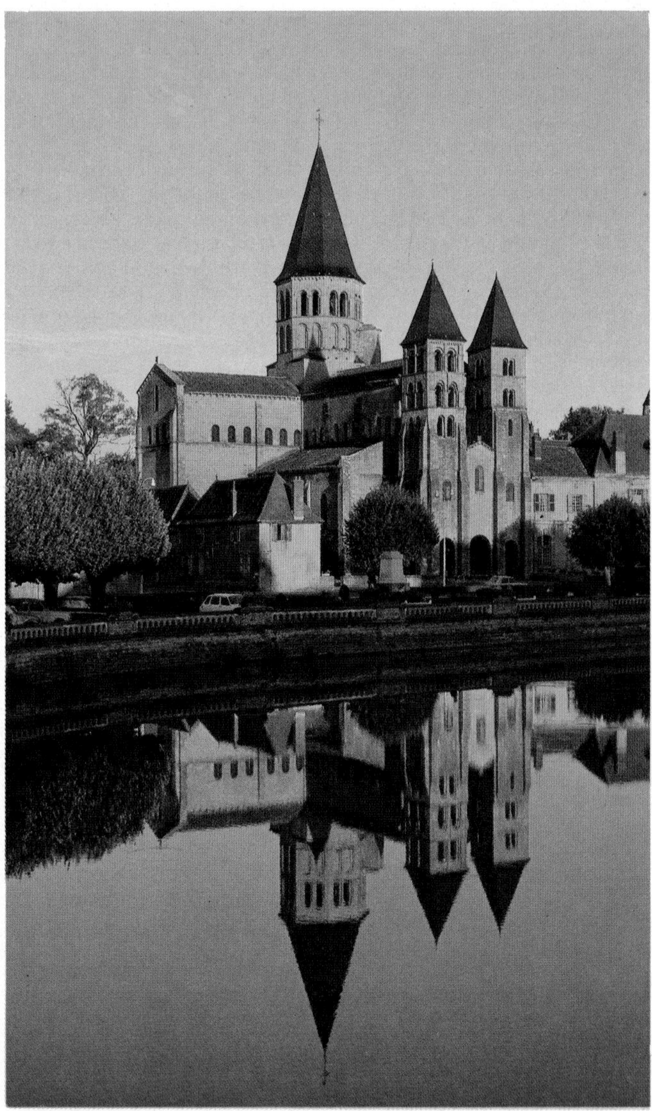

Paray-le-Monial : ***l'ancienne abbatiale romane Notre-Dame, devenue, au XIXᵉ, basilique du Sacré-Cœur, se reflète dans la Bourbince.***

Parthenay
79 - Deux-Sèvres 23 - B 1
Anc. place forte. Vieilles rues pittoresques, notamment la rue de la Vaux-Saint-Jacques, bordée de maisons de bois XVe et XVIe, qui relie la place du 14-Juillet à l'imposante porte Saint-Jacques XIIIe, flanquée de 2 tours à mâchicoulis. Le quartier de la Citadelle (porte de l'Horloge mil. XVe) occupe l'extrémité du promontoire ; ceint de remparts, il conserve l'église romane Sainte-Croix, le beau portail sculpté XIIe de l'anc. collégiale Notre-Dame-de-la-Couldre et 3 tours de l'anc. château du XIIIe.
Environs • 3 km S.-O., Parthenay-le-Vieux, église XIIe, façade de l'École romane poitevine. • 7 km N.-O., château du Theil XVIe, ds un site d'étangs et de bois.

Pau
64 - Pyrénées-Atlantiques 41 - A 2
Le boulevard des Pyrénées, long de 1 800 m, est la « terrasse » de cette belle ville dont les vieux quartiers se groupent autour du château ; il offre un panorama incomparable sur la chaîne des Pyrénées, dominée par le *pic du Midi d'Ossau* (2 885 m) et le *pic du Midi de Bigorre* (2 865 m). • Le château, sur un éperon dominant le *Gave,* remonte aux XIIIe-XIVe (tour Montauzer, donjon de Gaston Phébus) ; il fut transformé en demeure de plaisance au XVIe (élégante cour d'honneur Renaissance), Henri IV y naquit en 1553. Les appartements (vis. ts les j.) constituent, ds les ailes S. et O., le Musée national du château de Pau ; au 3e ét. de l'aile S., musée régional béarnais. • Le musée des Beaux-Arts (vis. ts les j. sauf mardi) possède d'importants ensembles de peinture espagnole (Greco), italienne et française XIXe (Devéria, Degas) et XXe (Marquet, Bissière, Manessier, Marfaing, Monory, etc.). Musée Bernadotte ds la maison natale du maréchal, roi de Suède en 1818. Le parc du château, en bordure du Gave, et le parc Beaumont (casino) offrent d'agréables promenades.
Environs • 8 km S., par *Jurançon* (vignoble réputé), *Gan;* à 1 km N.-E., pittoresque château de Tout-y-Croît ; à 6 km S.-E., chapelle de Piétat et calvaire (pèlerinage, vue superbe sur la vallée du gave et les Pyrénées) ; de *Gan,* la route (N. 134 bis) continue sur *Arudy* (à 23 km S.) : église XVe avec portail flamboyant ; la gentilhommière de Potz XVIIe abrite le musée des Pyrénées occidentales, ou maison d'Ossau (vis. l'été). • 7 km N.-O. : **Lescar***. • 11 km N.-E., *Morlaas :* église Sainte-Foy (beau portail roman, restauré, tympan sculpté).

Pau : ***le portail roman de l'église Sainte-Foy de Morlaas est entouré des 24 vieillards de l'Apocalypse et décoré de belles frises.***

PECH-MERLE (grotte du)
46 - Lot 36 - A 2
A 3 km S.-O. de *Cabrerets,* site pittoresque au pied de hautes falaises couronnées par les ruines féodales dites « château du Diable ». La grotte-temple préhistorique du Pech-Merle (vis. en saison) abrite d'importantes peintures de chevaux entourées d'empreintes de mains ; ce fut certainement un centre religieux. Musée de préhistoire et d'ethnographie. Près de *Cabrerets,* château de Gontaut-Biron XVe : musée de préhistoire et d'ethnographie africaine (vis. ts les j. de mars à nov.).

Pech-Merle : ***près de Cabrerets, le château des Biron, une tour d'angle flanque un corps de logis à mâchicoulis.***

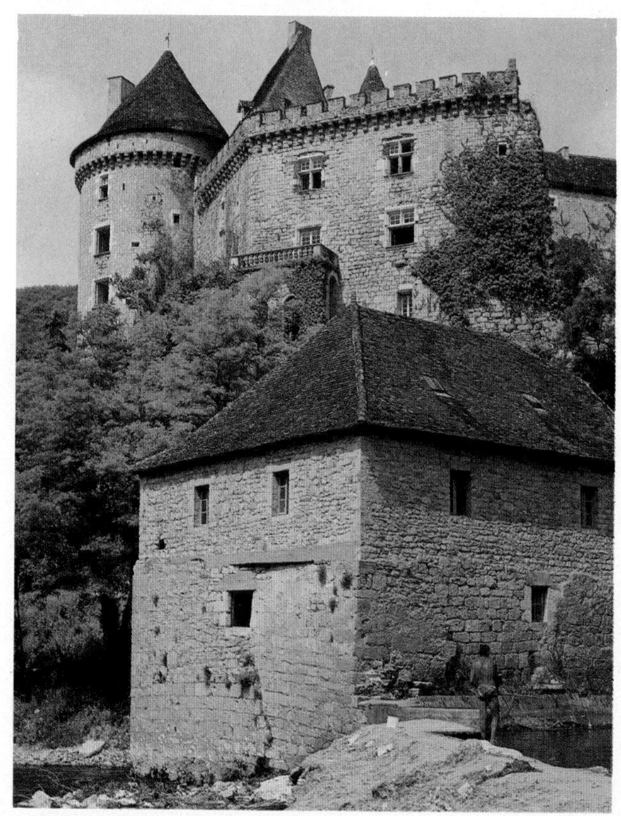

Penne-d'Agenais
47 - Lot-et-Garonne 35 - D 2
Anc. place forte bâtie en nid d'aigle au-dessus du *Lot;* c'est l'un des bourgs les plus pittoresques du Quercy. Ruines du château féodal et de l'enceinte (3 portes fortifiées), maisons anc. Au sommet de la colline, basilique Notre-Dame-de-Peyragude, de style romano-byzantin fin XIXe (pèlerinage); immense panorama.

Périgueux
24 - Dordogne 29 - C 3
La blanche cathédrale Saint-Front, hérissée de coupoles et de clochetons, construite au XIIe et restaurée au XIXe de manière discutable, domine le vieux quartier et les bords pittoresques de l'*Isle;* sur le flanc S., cloître XIIe-XIIIe et XVIe (petit musée lapidaire). Intéressantes maisons anc. : hôtel Gamanson XVIe (7, rue de la Constitution); maison Gaillard (1, rue de la Sagesse, superbe escalier Renaissance); hôtel de Saint-Astier (2, rue de la Miséricorde); maison dite du « Pâtissier » (17, rue Eguillerie, sculptures décoratives XVe-XVIe); hôtels d'Abzac de Ladouze XVe et de Sallegourde XVe-XVIe (rue Aubergerie), etc. A g. du pont des Barris, pittoresques « maisons du Quai ». Le quartier de la Cité est groupé autour de l'église Saint-Étienne-de-la-Cité, de style roman périgourdin, autrefois couverte de 4 coupoles (2 subsistent). La rue de l'Ancien-Évêché mène aux arènes romaines IIIe. A 150 m S.-O., ruines du château Barrière (anc. maison forte XVe) bâti sur les restes de l'enceinte romaine. La tour de Vésone, vestige d'un temple romain IIe, doit constituer le centre d'un complexe archéologique comprenant un grand musée gallo-romain. Musée du Périgord (vis. ts les j. sauf mardi) : préhistoire, archéologie romaine et médiévale; arts et traditions populaires régionales ds l'anc. chapelle des Augustins déb. XVIIe; peintures.
Environs • 5 km N.-O., abbaye de Chancelade; l'église XIIe et les bâtiments du XIVe au XVIIe de l'anc. abbaye des Augustins (cuvier XVe, ateliers, moulin XIVe, logis de Bourdeilles XVe-XVIIe, etc.) forment un ensemble très homogène (Son et Lumière l'été); petit musée d'art religieux; à 5 km N.-O., anc. église du prieuré de Merlande XIIe-XIVe, fortifiée au XVIe.

Pernes-les-Fontaines
84 - Vaucluse 38 - A 3
Petite ville pittoresque et animée qui doit son nom à ses 32 fontaines. Ds la tour Ferrande XIIIe, curieuses peintures de 1275 (s'adr. au S.I. l'été). Église Notre-Dame-de-Nazareth XIIe, XIVe. Porte Notre-Dame fortifiée XVIe, pont et chapelle. Fontaine du Cormoran XVIIIe. Vestiges des 3 portes de l'enceinte et du château des comtes de Toulouse. L'hôtel de ville occupe l'anc. hôtel des ducs de Brancas XVIIe.

Pernes-les-Fontaines : *un motif de la fontaine du Cormoran*

Périgueux : *la cathédrale domine le quartier bordant l'Isle.* ▲
Élevage d'oies, dont les foies sont une des spécialités du Périgord. ▼

Péronne
80 - Somme 5 - D 2
Le château XIIIe, où Charles le Téméraire enferma Louis XI (1468), est flanqué, à l'O., d'un bastion de brique des anciens remparts XVIe-XVIIe, dominant un bel étang et la promenade de Cam. L'hôtel de ville Renaissance (reconstruit après 1912) abrite le musée Danicourt (coll. de monnaies grecques et romaines, orfèvrerie gauloise et mérovingienne). La porte de Bretagne (1602), composée de 2 pavillons de brique à toiture d'ardoise, a conservé ses défenses ext. et son pont-levis.
Spécialités : pâtés d'anguilles, anguilles fumées.
Environs • A l'O., étangs de la haute *Somme,* très pittoresques (pêche et chasse). • 10 km S., près d'*Athies,* vestiges d'une importante villa gallo-romaine (vis. l'été).

Pérouges
01 - Ain 32 - A 1
L'une des cités anciennes les plus authentiques de France. Ses remparts, ses rues tortueuses, ses maisons XVe et XVIe et son église fortifiée XIIIe-XVe forment un ensemble inchangé depuis le Moyen Age. On y pénètre par 2 portes : la porte d'En-Haut et la porte d'En-Bas, d'où l'on a un vaste panorama. La voie principale, ou rue du Prince (maison des princes de Savoie), conduit à la place du Tilleul où se trouvent l'« Ostellerie » et le musée. La rue des Rondes est bordée de maisons à encorbellements, ou à pans de bois. La promenade des Terreaux permet de faire extérieurement le tour des remparts.

Perpignan
66 - Pyrénées-Orientales 43 - D 3
Capitale de la Catalogne française. L'animation se concentre ds le vieux quartier entre le Castillet, imposant ouvrage fortifié en brique fin XIVe (à l'int., Casa Pairal, Musée catalan des Arts et Traditions populaires), la place de la Loge où s'élève la Loge de Mer (1388), l'hôtel de ville XIIIe-XVIe-XVIIe (ds le patio, *la Méditerranée*, de Maillol) et la cathédrale Saint-Jean ; de style gothique méridional à large nef XIVe-XVIe, celle-ci abrite de riches retables en bois ou en marbre du XVe au XVIIIe ; un passage conduit à la chapelle de Notre-Dame-dels-Correchs XIe, très vénérée ; construite en galets de rivière ; c'est en réalité le croisillon S. et l'absidiole de l'église primitive Saint-Jean-le-Vieux. En sortant de la cathédrale par la porte lat. S., on accède à la chapelle du Christ, qui renferme la statue de bois du Dévôt Christ, chef-d'œuvre impressionnant de réalisme, d'origine probablement rhénane, fin XIIIe. Anc. charnier dit cloître Saint-Jean XIIIe-XVe. Perpignan possède plusieurs églises intéressantes : Saint-Jacques XIVe et XVIIIe, à l'int. retable monumental de Notre-Dame-de-l'Espérance fin XVe et la chapelle de la Sanch XVIIIe (célèbre procession de pénitents le vendredi saint) ; Sainte-Marie-de-la-Réal, de style gothique méridional déb. XIVe. Musée Hyacinthe-Rigaud (vis. ts les j. sauf mardi) : tableaux de Rigaud, peintures primitives catalanes, flamandes, italiennes, françaises, etc. Le vaste et imposant palais des Rois de Majorque XIIIe-XIVe, situé ds la citadelle XVIe, retrouve, grâce à d'importantes restaurations, son aspect original (visite tous les jours sauf mardi et fêtes) ; la cour d'honneur et la galerie du Paradis, la chapelle à 2 étages déb. XIVe, les appartements des

Perpignan : ***le « Dévot Christ », saisissant exemple du réalisme expressionniste du Moyen Age.***

souverains, la grande salle de Majorque (32 m de long) constituent un ensemble remarquable.
Environs • 4 km S.-E., Cabestany : l'église conserve un précieux tympan roman dû au maître de Cabestany XIIIe. • 9,5 km E., *Canet-Plage,* station balnéaire très fréquentée, le bd de la Méditerranée est prolongé par une voie express jusqu'à *Saint-Cyprien-Plage* (18,5 km S.), nouveau port de plaisance de 15 ha ; les stations de *Canet-Plage, Saint-Cyprien-Plage* et, au S., *Argelès-Plage* sont comprises ds l'unité touristique de Saint-Cyprien. • 18 km S.-O., *Thuir ;* à 5 km S.-O., *Castelnou,* village fortifié dominé par un château fort Xe (on ne vis. pas). • 28 km N.-O. par Estagel, *Tautavel,* importantes fouilles préhistoriques, petit musée de l'« homme de Tautavel ».

Perros-Guirec
22 - Côtes-du-Nord 8 - D 1
Port de pêche et station balnéaire pittoresque sur une presqu'île rocheuse bordée de 2 plages : Trestraou et Trestrignel.
Environs • 3 km N.-O., chapelle Notre-Dame-de-la-Clarté, en granit rose mil. XVe (pardon le 15 août), beau panorama ; *Ploumanach* (voir **Lannion ***) par le chemin des douaniers. • Un service de vedettes permet l'été de faire le tour des *Sept-Iles ;* ds l'île aux Moines, phare et fort construit par Vauban ; l'île Rouzic et l'île Malban constituent une réserve d'oiseaux de mer unique en France.

Pesteils (château de)
15 - Cantal 30 - C 3
A Polminhac. L'un des plus beaux châteaux d'Auvergne, dominé par un célèbre donjon carré XVIe (vis. ts les j. l'été) ; au 1er ét. du donjon : fresques XVe et chambres décorées au XVIIe (plafonds peints). De la terrasse, vue superbe sur la vallée de la *Cère.*
Environs • Au S.-E., le château de Vixouze comporte un donjon XIIIe et un imposant bâtiment central XVIIIe : au 1er ét., beau plafond peint à caissons XVIIe (vis. autorisée).

Pézenas
34 - Hérault 43 - A 2
La vieille ville offre un remarquable ensemble architectural XVIe, XVIIe, XVIIIe. De la place du 14-Juillet, centre de l'agglomération, on gagne la rue François-Oustrin : n° 6, hôtel de Lacoste (galeries voûtées et grand escalier XVe, cour XVIe). Place Gambetta : maison du barbier Gély, ami de Molière qui joua à Pézenas chez le prince de Conti (1650-1651 et 1653-1656) ; en face, maisons des Consuls, mil. XVIe, façades Renaissance et fin XVIIe. A partir de là, itinéraire fléché comportant 33 sites. Musée de Vulliod-Saint-Germain ds un bel hôtel XVIe et XVIIIe. Rue Alfred-Sabatier : hôtel de Flottes de Sébasan façade XVIIe. Maisons intéressantes rue de la Foire, où se trouve l'entrée du ghetto (voir les rues de la Juiverie et des Litanies). Église Saint-Jean mil. XVIIIe (beau mobilier) ; en face commanderie de Saint-Jean-de-Jérusalem XVIe. Hôtels XVIIe et XVIIIe, cours Jean-Jaurès : n° 28, hôtel de Landes de Saint-Palais (superbe escalier fin XVe) ; porte Faugères XIVe. Rue Henri-Reboul, église Sainte-Ursule XVIIe, hôtel de Montmorency fin XVIe. Par la rue Anatole-France et la rue Denfert-Rochereau, on gagne l'hôtel Malibran fin XVIIe, belle façade mil. XVIIIe. Rue Conti : hôtel d'Alfonce XVIIe (très belle cour avec loggias et escalier à vis à noyau évidé) où joua Molière. Anc. hôtellerie du Griffon d'Or fin XVIIe (cour intéressante) et du Bât d'Argent XVIe et XVIIe. Au N.-O. de la ville, butte du château de Montmorency (propriété privée).
Environs • Vallée de la *Peyne,* château de Larzac XVIIe, de Fondouce, ferme Saint-Palais, châteaux de Montpezat, de Roquelune XVIIe. • Au N.-O., près de *Caux,* château du Parc XVIIe, château de Loubatière XIVe-XVIe. • 5,5 km N.-E., *Montagnac :* château de Lavagnac, de style villa à l'italienne XVIIe, do-

Picquigny : ***l'ancien château des vidames d'Amiens entoure de remparts médiévaux le pavillon Renaissance où séjourna Mme de Sévigné.***

Pierrefonds : ***le clocher-porche de l'ancienne abbatiale Notre-Dame de Morienval, précède la nef carolingienne, encadrée de 2 tours.***

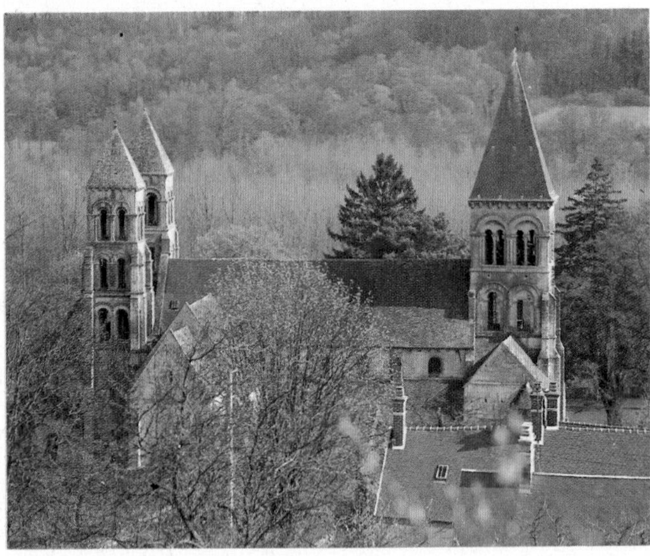

minant terrasse et jardins (on ne vis. pas). • 13 km E., par *Montagnac,* abbaye de Valmagne XIIIe : vaste église gothique et importants vestiges du cloître et des bâtiments conventuels (vis. en saison); l'abbaye est située au pied des Dentelles de Valmagne, curieuses roches déchiquetées.

Picquigny
80 - Somme 5 - C 2
Imposantes ruines du château XIVe (s'adr. au gardien) dont l'enceinte englobe l'église XIIIe, XIVe et XVe, le pavillon dit de « Sévigné », et divers vestiges de bâtiments XVIe-XVIIe (grande cuisine Renaissance); de la terrasse, beau panorama.
Environs • 3,5 km N.-O., ruines de l'*abbaye du Gard* XVIIIe (vis. ts les j.) : le bâtiment des moines XVIIIe et la chapelle sont occupés par une communauté; à proximité, parc d'attractions (avril à oct.).

Piedicroce
2 B - Corse 45 - B 2
Village balcon au-dessus du cirque d'Orezza. Au centre de la *Castagniccia,* le pays des châtaigniers.
Environs • Au N.-O., *Morosaglia,* village natal de Paoli, le célèbre patriote corse; de là, par des petites routes, au S., extraordinaires villages perchés, *San Lorenzo, Sermano* (chapelle Saint-Nicolas, fresques XVe). • Au S.-E., la D. 71 traverse de magnifiques paysages par *Valle-d'Alesani* (chapelle du couvent) jusqu'à *Cervione,* petite ville en amphithéâtre, panorama (anc. cathédrale Sainte-Marie-et-Saint-Érasme XVIe).

Pierrefonds (château de)
60 - Oise 5 - D 3
Énorme forteresse, construite au déb. du XVe, ruinée et entièrement reconstruite par Viollet-le-Duc, à la demande et aux frais de Napoléon III (vis. ts les j. sauf mardi); l'int., imaginé, est impersonnel et froid : résidence du seigneur, chapelle, donjon, tour César, salle des « preuses », etc. Eglise XIe-XIIIe.
Environs • 7,5 km S.-O., *Morienval,* l'église Notre-Dame XIe-XIIe est l'une des plus intéressantes d'Ile-de-France.

Pithiviers
45 - Loiret 11 - C 3
Saint-Salomon, dont l'abside, le transept et le clocher sont romans, est un intéressant exemple d'architecture et de décoration Renaissance. A la gare, musée des Transports; parcours de 4 km sur train à vapeur fin XIXe.
Environs • 6 km E., *Yère-le-Chatel;* le château XIIIe-XIVe (vis. ts les j. de mars à oct.) est un vaste losange flanqué de tours reliées par un chemin de ronde; l'anc. chapelle est devenue l'église Saint-Gault XIIe-XIIIe.

Plagne (La)
73 - Savoie 32 - D 2
Complexe de 7 stations de sports d'hiver, créé en 1961 à 1 980 m, ds un site grandiose entouré de hauts sommets. 65 remontées mécaniques dont la télécabine de la Grande-Rochette qui monte à 2 500 m (magnifique panorama). Station satellite « Aime-2000 » à 2 000 m.

Plestin-les-Grèves
22 - Côtes-du-Nord 8 - C 1
Belle église XVIe; à 500 m E., chapelle Saint-Roch, belles vues sur la *baie de Lannion.*
Environs • 6 km N., *Locquirec,* petit port et station balnéaire; la corniche de l'Armorique contourne la pointe de Locquirec et atteint *Saint-Efflam,* à l'extrémité O. de la *Lieue de Grève,* immense plage s'étendant sur 5 km dans la baie de Saint-Michel; *Saint-Michel-en-*

Pleyben : ***le dernier des grands calvaires bretons, au curieux étagement de sculptures.***

Grève, à l'extrémité E. de la baie : sur une terrasse dominant la grève, église XVIe-XVIIe. • 8 km O., *Lanmeur,* église moderne avec porte romane sur le flanc S. et crypte préromane (curieuses décorations sculptées) qui est l'un des plus anc. monuments religieux de Bretagne; chapelle de Kernitron XIIe et XVIe.

Pleyben
29 S - Finistère 8 - C 3
L'enclos paroissial offre un remarquable ensemble architectural où l'on accède par une porte triomphale XVIIe. L'église XVIe possède une robuste tour clocher Renaissance, couronnée d'un dôme et d'un lanternon, et un clocher à flèche gothique, réuni par une élégante passerelle, soutenue par 2 arcades, à une tourelle d'escalier octogonale; à l'int., la nef est voûtée d'un lambris peint et sculpté XVIe. Chapelle ossuaire de style flamboyant mil. XVIe. Le calvaire, l'un des plus imposants de Bretagne, mil. XVIe, s'élève sur un soubassement monumental en forme d'arc de triomphe; les nombreux épisodes de la vie du Christ y sont d'une vérité populaire teintée d'archaïsme.

Ploërmel
56 - Morbihan 16 - B 1
Petite ville anc. Le portail N., gothique flamboyant, de l'église Saint-Armel XVIe, a 2 portes géminées sculptées; à l'int., tombeau de Philippe de Montauban et de sa femme déb. XVIe, gisant de Jeanne de Léhon mil. XIVe, statues funéraires des ducs Jean II et Jean III de Bretagne, etc. Rue Beaumanoir, maison des Marmousets ornée de sculptures sur bois fin XVIe, et anc. hôtel des ducs de Bretagne.
Environs • 2,5 km N.-O., *étang du Duc,* long de 5 km (camping et centre nautique). • 16 km S., *Malestroït,* vieux bourg jadis fortifié, nombreuses maisons XVe-XVIe en bois et en pierre; église Saint-Gilles XVe, avec parties romanes en grès rouge.

Plougastel-Daoulas
29 N - Finistère 8 - B 2
Son calvaire déb. XVIIe, en granit et pierre ocre, comprend 150 personnages très vivants; c'est l'un des plus originaux du Finistère.
Environs • Presqu'île de Plougastel, l'une des régions préservées de la

Plougastel-Daoulas; ***détail de la Cène sur la frise du calvaire.***

1

2

3

Poitiers : ***Notre-Dame-la-Grande (1) et portail central de la cathédrale Saint-Pierre (2), le baptistère Saint-Jean (3), édifice chrétien le plus ancien de France.***

Bretagne traditionnelle : paysages et villages ont conservé leur caractère; de Plougastel, au S.-O., panorama de Kernisi, anse de Caro, panorama de Kerdeniel, chapelles Saint-Adrien et *Saint-Guénolé* (boiseries, statues de saints en bois peint), panorama de Keramenez sur l'anse de l'Auberlac. • 12 km à l'E., *Daoulas;* enclos paroissial avec porche XVIe orné de statues d'apôtres; église fin XIIe, romane, chapelle Sainte-Anne, Renaissance; l'abbaye conserve un élégant cloître roman XIIe avec lavatorium central XIVe; à 4 km E., Irvillac, église gothique et Renaissance; curieux calvaire de Notre-Dame-de-Lorette à 3 km S.-E.

Poissy
78 - Yvelines 11 - C 1

L'église Notre-Dame, en grande partie romane XIe-XIIe, a 2 clochers romans. Le double portail du flanc dr. est précédé d'un porche flamboyant XVIe élégamment décoré; intéressantes œuvres d'art à l'int., notamment les fonts sur lesquels saint Louis aurait été baptisé. Saint-Sépulcre XVIe. Un bâtiment XIVe, à 2 tours, est le seul reste de l'abbaye et abrite le musée du jouet, unique en France. *Environs* • 4,5 km O., sur la rive g. de la *Seine,* Villennes-sur-Seine, plage et piscines ds un charmant site verdoyant; à 7 km *Triel,* église XIIe et XIIIe avec porche Renaissance; vitraux XVIe.

Poitiers
86 - Vienne 23 - C 2

L'une des plus riches villes d'art de France; elle occupe le sommet d'un plateau en partie entouré par le *Clain.* • La cathédrale Saint-Pierre XIIe-XIIIe mêle le roman poitevin et le gothique angevin; la façade, encadrée de tours, a 3 beaux portails XIIe sculptés surmontés d'une belle rose à 16 raies; l'int., long de 90 m, renferme une série de 19 verrières déb. XIIIe, et ds le chœur des stalles sculptées mil. XIIIe. Le baptistère Saint-Jean, édifice rectangulaire massif IVe, surhaussé au VIIe, agrandi au XIe, est sans doute le monument chrétien le plus anc. de France; à l'int. (vis. ts les j. sauf mercredi), fresques XIIe et XIIIe, et petit musée mérovingien. • En face, le musée Sainte-Croix regroupe les coll. du musée des Beaux-Arts (émaux limousins, peintures) et du musée de l'Echevinage (archéologie); (vis. ts les j. sauf mardi). Derrière la cathédrale, église Sainte-Radegonde XIe-XIIIe et déb. XIVe, précédée d'un clocher porche XIe-XIIe; la large nef unique est un bel exemple de roman angevin; la crypte abrite le tombeau de sainte Radegonde († 587). Chef-d'œuvre de l'art roman, Notre-Dame-la-Grande XIe-XIIe est célèbre pour sa façade sculptée, d'une harmonieuse richesse décorative. Saint-Hilaire-le-Grand XIIe-XIIIe a une nef centrale couronnée par 3 coupoles, flanquée de chaque côté de 3 collatéraux. Saint-Jean-de-Montierneuf est une anc. abbatiale bénédictine XIe, plus tard agrandie et surélevée. • Le palais de justice englobe la grande salle des pas perdus XIVe-XVe, dominée par un magnifique mur pignon fin XIVe comportant 3 cheminées monumentales surmontées d'un magnifique fenestrage. Donjon, ou tour Maubergeon XIVe. L'architecture Renaissance est représentée par l'hôtel Fumé, avec façade et cour fin XVe, l'hôtel Berthelot de 1529 (Centre d'études supérieures de civilisation médié-

vale), l'hôtel Jehan-Beaucé, etc. L'hôtel Rupert de Chièvres XVIIIe abrite des coll. d'archéologie, mobilier, artisanat, etc., et un riche cabinet de dessins (vis. sur demande). • Passé le Pont-Neuf, la rampe du bd Coligny conduit au plateau des Dunes (panorama) et à l'Hypogée Martyrium (gardien), chapelle souterraine VIIe, autour de laquelle s'étendait une vaste nécropole chrétienne; elle est ornée de curieuses sculptures symboliques.
Environs • Vallée du *Clain* au S., par *Saint-Benoît,* église romane et vestiges d'une abbaye bénédictine et l'*abbaye de Ligugé,* fondée au IVe, reconstruite au XIXe, à l'exception de quelques parties XVIe et XVIIe; église XVIe remaniée (intéressants vestiges gallo-romains et pré-romans); l'abbaye produit de remarquables émaux; messe en grégorien ts les j. • Vallée de la Boivre à l'O., par les grottes de la Norée; le château de Montreuil-Bonnin (fermé) occupe une position stratégique pittoresque au-dessus de la Boivre; ruines du XIIIe au XVe. • 10 km S.-E., *Nouaillé-Maupertuis,* vestiges d'une importante abbaye bénédictine, entourée de douves, et d'une enceinte fortifiée XIIIe flanquée de tours; l'église fin XIe-XIIe a un clocher donjon XIIe et abrite d'importantes œuvres d'art.

Poligny
39 - Jura 26 - B 1
Petite ville renommée pour son vin et son fromage (le comté) à l'entrée d'une « reculée ». Bon centre d'excursions. Anc. collégiale Saint-Hippolyte XVe, sous le porche, bas-relief du martyre du saint; à l'int., belle coll. de statues de l'Ecole bourguignonne XVe-XVIe, poutre de gloire avec calvaire en bois. Hôtel-Dieu XVIIe (pharmacie remarquable). Eglise Notre-Dame.
Environs • Au S.-E., par la route de **Champagnole***, culée de Vaux, pittoresque cluse rocheuse. Anc. prieuré clunisien de Vaux-sur-Poligny XIe. *Forêt de Poligny.*

Poligny : ***cette petite ville du Jura conserve plusieurs hôtels XVIIe, aux portails majestueux.***

Pompadour (château de)
19 - Corrèze 30 - A 2
Fondé au XIe, reconstruit au XVe, transformé au XVIIIe, il n'en reste que la façade S., flanquée de grosses tours d'angle à mâchicoulis, et un imposant châtelet d'entrée à 2 tours (vis. ext. ts les j.). Les célèbres haras occupent un domaine de 350 ha (vis. les dim., jours de course et fêtes; les apr.-m. en semaine; fermé de mars à juillet).
Environs • 6 km N., *Lubersac,* église romane (beaux chapiteaux).

Poncé-sur-le-Loir
72 - Sarthe 17 - D 1
Élégant et harmonieux, le château mil. XVIe (vis. en saison); abrite le musée ethnographique régional; il possède l'un des plus beaux escaliers Renaissance, à 6 rampes droites, dont les voûtes à caissons sont ornées de délicates sculptures. Ds l'église, XIe-XIIe, peintures murales romanes XIIe.
Environs • 3 km S.-E., *Couture-sur-Loir;* l'église gothique abrite de belles boiseries XVIIe et les gisants des parents de Ronsard; à 1 km S., *manoir de la Possonnière* XVIe, où naquit Ronsard en 1524 (vis. sur r.-v.).

Pons
17 - Charente-Maritime 29 - A 1
Couronnée par un robuste donjon rectangulaire fin XIIe, la ville domine la rive g. de la *Seugne.* La mairie occupe de gracieux bâtiments à tourelles XVe, XVIe et XVIIe. Église Saint-Vivien, façade romane fin XIe. L'anc. hospice des pèlerins est relié à l'anc. église Saint-Martin par un curieux passage voûté XIIe.
Environs • 1,5 km S.-E., château d'Usson : élégante construction Renaissance saintongeaise; les appartements (vis. sur demande) sont décorés de boiseries Louis XV blanc et or. • 8 km N.-E., *Pérignac :* la façade occidentale de l'église romane est ornée de remarquables sculptures en bas relief ds des niches superposées; elles représentent le Christ et les Apôtres, les Vices et les Vertus, etc. • 7,5 km E., *Echebrune :* église romane XIIe, belle façade sculptée; les églises romanes saintongeaises de Biron, *Jarnac-Champagne, Avy-en-Pons,* Chadenac, *Marignac,* etc., valent la visite; à 10 km S., *Jonzac;* château XIVe-XVe avec porte monumentale fortifiée encadrée de tours et donjon.

Pont-à-Mousson
54 - Meurthe-et-Moselle 13 - B 1
Importante ville industrielle. La vaste place Duroc est entourée de maisons à arcades XVIe, XVIIe et XVIIIe. Rue Victor-Hugo, élégante maison des Sept péchés capitaux XVIe, avec façade sculptée. Église Saint-Laurent XVe-XVIe; à l'int., plusieurs œuvres d'art (superbe retable flamand peint et sculpté XVIe). Saint-Martin, XVe; à l'int., Mise au tombeau fin XVe, la tribune d'orgue est l'anc. jubé XVe. L'imposant ensemble classique de l'abbaye des Prémontrés, XIIIe, incendié en 1944, a été remarquablement restauré (centre culturel); on vis. l'église, les installations monastiques et les 3 grands escaliers, ovale, carré et rond.
Environs • Fontaine Rouge, source sulfureuse et ferrugineuse. • 3,5 km E., butte de *Mousson* (382 m) dominant à l'O. la vallée de la *Moselle,* et à l'E. la vallée de la *Seille* (ruines, panorama). • 13 km N.-O., vestiges de l'abbaye de Sainte-Marie-au-Bois : église romane, à l'int. belle cheminée Renaissance rapportée. • 6 km S., *Dieulouard,* église déb. XVIe de style gothique (à l'int., belles œuvres d'art, crypte de Notre-Dame-des-Grottes, Vierge assise XVe); restes, convertis en habitation, d'un château fort XVe-XVIe; on suit, de Pont-à-Mousson à **Nancy*,** la vallée de la *Moselle* (N. 57).

Pontarlier
25 - Doubs 26 - C 1
Ds un site pittoresque, à l'issue d'une « cluse » du Jura, la ville possède peu de monuments anc. en dehors de la chapelle des Annonciades (portail Renaissance avec vantaux de bois sculpté) et un arc de triomphe XVIIIe.
Environs • 11 km E., Grand-Taureau par la route stratégique passant par le fort de Larmont-Supérieur; du Grand-Taureau (1 328 m), beau panorama. • 5 km E., impressionnant défilé d'Entreportes, « cluse » verdoyante entourée de sapinières et de superbes rochers. • 5,5 km S.-E., cluse de la *Cluse-et-Mijoux,* dominée au N. par le fort de Larmont-Inférieur et au S. par le fort de Joux, à 940 m sur un rocher escarpé; construit aux XIIe-XIIIe, transformé par Vauban, le fort de Joux comprend 5 enceintes superposées (vis. ts les j. l'été). • 8 km S., le *lac de Saint-Point,* long de 6,5 km (sports nautiques);

Malbuisson, agréable station estivale sur le lac.

Pont-Audemer
27 - Eure 4 - D 3
Plusieurs intéressantes maisons anc. bordent les rues et les bras de la *Risle.* Église Saint-Ouen, avec chœur XIe, nef et façade fin XVe, bel ensemble de vitraux Renaissance. Auberge du Vieux-Puits XVIIe.
Environs • Au N.-E., curieuse plaine d'alluvions, dite *«marais Vernier»,* que traverse, le long de la digue des Hollandais, la D. 103. • A 5 km S.-E., *Corneville-sur-Risle,* audition des «cloches de Corneville», de Pâques à sept., à l'Hostellerie des Cloches.

Pont-Aven
29 S - Finistère 15 - C 1
Bourg accueillant ds le site pittoresque de l'Aven, illustré à la fin du XIXe par Gauguin et l'école de Pont-Aven; les lieux où travaillèrent les peintres sont indiqués par des plaques ou des médaillons. La promenade du bois d'Amour est pleine de charme. Le 1er dim. d'août, célèbre pardon des fleurs d'ajoncs. 1 km N.-O. : chapelle de Trémalo, gothique XVIIe.
Environs • Au N., Nizon (église et calvaire). • Au S., château du Hénan XVe-XVIe, *Port-Manec'h* ds un site superbe, pointe d'Ar-Bréchen, port et chapelle Saint-Nicolas. Château de Poulguen, XVIe-XVIIIe. • Au S.-E., *Riec-sur-Belon,* (monument en forme de 5 menhirs coniques en béton dédiés aux «bardes bretons»).

Pontcharra
38 - Isère 32 - C 2
A 1,5 km S., château Bayard, déb. XVe, où naquit le chevalier Bayard (propriété privée). De la terrasse, magnifique panorama.

Pont-de-l'Arche
27 - Eure 5 - A 3
Belle église gothique XVIe dont les verrières XVIe-XVIIe sont célèbres; le côté S. offre une remarquable décoration flamboyante d'une élégante richesse; à l'int. stalles en chêne XVIIIe ds le chœur et superbe retable XVIIe avec statues.
Environs • 1,5 km, abbaye de Bonport XIIe-XIIIe (on ne vis. pas).

Pontécoulant (château de)
14 - Calvados 10 - A 1
Belle construction XVIe-XVIIIe, entourée d'un magnifique parc. Intéressant musée (coll. de meubles Renaissance et XVIIIe, portraits, objets d'art, etc. Vis. ts les j. sauf mardi et en oct.).

Pont-en-Royans
38 - Isère 32 - A 3
L'un des sites les plus remarquables du Dauphiné, au débouché des *gorges de la Bourne,* contre une falaise au-dessus de la rivière. Le bourg, pittoresquement étagé, et dont les vieilles maisons à galeries de bois soutenues par des étais de guingois s'accrochent au rocher, ou dominent la *Bourne,* est traversé par l'étroite Grande-Rue. De la place de la Porte-de-France, des sentiers escarpés conduisent au panorama des Trois-Châteaux, ruines des trois châteaux féodaux, vue magnifique sur le site.
Environs • 4 km N., *Saint-André-en-Royans* sur une terrasse au-dessus de la Tarze, beau panorama; à 8 km N., ruines du château de Beauvoir, XIIIe, sur un piton rocheux isolé; belle vue sur la vallée de l'Isère. • Au N.-E., rochers de *Presles,* forêt domaniale de Coulmes. • 4 km E., Châtelus, un sentier conduit à la grotte de Cornouze; près de *Choranche,* grottes de Choranche, très pittoresques, ds

PONT-DU-GARD
30 - Gard 37 - C 3
A 4 km de *Remoulins.* Magnifique ouvrage romain construit v. 19 av. J.-C., sur la vallée du *Gardon* pour amener à **Nîmes*** les eaux de la fontaine d'Eure près d'**Uzès***. Il comprend 3 étages superposés d'arcades, en retrait les uns sur les autres (illum. l'été). Des sentiers, aménagés dans les collines avoisinantes, permettent de le voir sous plusieurs angles.

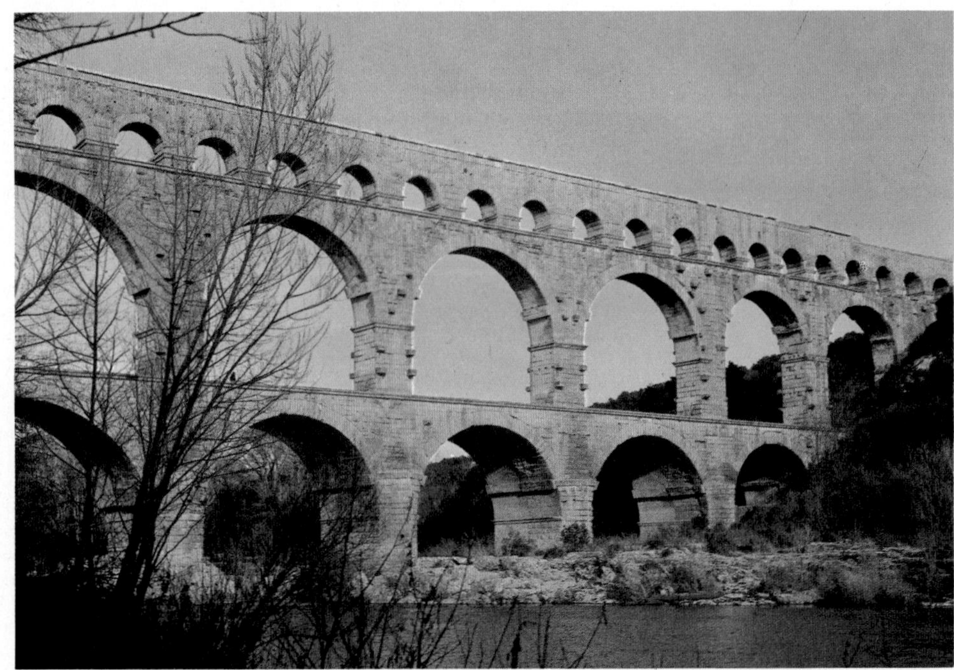

un site magnifique; *gorges de la Bourne;* **Villard-de-Lans***. • Au S.-E., par la N. 518, les *Grands-Goulets* (voir La **Chapelle-en-Vercors***).

Pontigny (abbaye de)
89 - Yonne 19 - B 1
Seconde des «filles» de Cîteaux, fondée en 1114, il n'en subsiste qu'un seul bâtiment XIIe (belles salles voûtées d'ogives) et l'église, chef-d'œuvre de l'art cistercien des débuts du gothique. Voir les stalles du chœur fin XVIIe, les grilles et l'autel XVIIIe dominés par le monument de la châsse de saint Edme († 1240).
Environs • 10 km N., *Saint-Florentin,* belle église Renaissance, vitraux, clôture de chœur, jubé à 3 arcades et saint sépulcre XVIe. • A l'E., *Ligny-le-Châtel,* église XIIe, portail et nef romans, vaste chœur Renaissance, intéressantes œuvres d'art (grand Christ et statues XVe); vestiges de remparts; maisons XIIIe-XVIe dites de la Reine de Sicile.

Pontivy
56 - Morbihan 9 - A 3
La ville se compose de 2 parties très différentes reliées par la place Aristide-Briand : au N. le vieux Pontivy, autour de la place du Martray, bordée de maisons anc. et de la basilique Notre-Dame-de-la-Joie XVIe; au S. la ville sur plan régulier créée par Napoléon. Sur une hauteur dominant le *Blavet,* le château de Rohan fin XVe, entouré de vastes fossés, a conservé intacte son enceinte; la façade principale, à l'O., est flanquée de 2 grosses tours trapues (vis. ts les j. l'été).
Environs • 3,5 km N.-O., Stival, chapelle gothique XVIe et fontaine de saint Mériadec. • 9,5 km E., *Sainte-Noyale;* ce hameau possède plusieurs remarquables édifices religieux groupés sur une esplanade : chapelle Sainte-Noyale, gothique (à l'int., plafond en bois orné de peintures XVIIe illustrant la vie de la sainte), oratoire, croix à personnages, fontaine et grand calvaire. • 12 km S.-O., *chapelle Saint-Nicodème,* XVIe, avec fontaine sacrée (pardon très fréquenté le 1er dim. d'août); Saint-Nicolas-des-Eaux, à 2 km O., vaut la visite pour son caractère et pour son site, en face de la presqu'île de la Couarde; de la montagne de Castennec, vaste panorama. • 11,5 km S.-O., Quelven, chapelle Notre-Dame, fin XVIe; à l'int., intéressantes œuvres d'art dont une curieuse statue ouvrante de Notre-Dame-de-Quelven (pardon le 15 août); à 8 km S.-O., *Melrand,* bourg typiquement breton, maisons en granit Renaissance, église XVIIe; le calvaire est l'un des plus curieux de Bretagne.

Pont-l'Abbé
29 S - Finistère 15 - B 1
Capitale du pays bigouden, l'un des plus caractérisés de Bretagne. Un musée lui est consacré ds une tour XVe de l'anc. château dont il reste également un vaste bâtiment XVIIIe (mairie). Église Notre-Dame-des-Carmes XIIe, XVe et XVIIe; promenade du bois Saint-Laurent (fête des Broderies le 2e dim. de juil.). Ruines de l'anc. église de Lambour XIIIe-XVe.
Environs • Châteaux de Kerazan (S.-E.), XVIIIe (intéressante coll. de peinture fin XIXe-XXe), et de Kernuz (S.), XVIe-XIXe, entouré d'une enceinte fortifiée (hôtel). • A l'O., chapelle de Tréminou XVe, ds un enclos ombragé, et de *Notre-Dame-de-Tronoën,* bel édifice gothique XVe, ds un site sauvage, flanqué d'un calvaire également XVe. • 6 km S.-E., *Loctudy;* l'église Saint-Tudy est l'un des plus beaux sanctuaires romans de Bretagne (déb. XIIe, façade et clocher XVIIIe); en face, *l'Ile-Tudy :* centre nautique, école de voile, plage, port de pêche.

Pontoise
95 - Val-d'Oise 11 - C 1
La vieille ville aux rues étroites, coupées d'escaliers, s'étage sur une colline dominée par l'église Saint-Maclou XIIe, XVe et XVIe; à l'int. le jubé, la clôture du sanctuaire, les stalles et le maître-autel avec retable constituent un remarquable ensemble décoratif XVIIe. Église Notre-Dame fin XVIe. Musée Tavet-Delacour, installé ds un charmant hôtel XVe.
Environs • Sur la rive g. de l'Oise, *Saint-Ouen-l'Aumône* a une intéressante église du XIIe, clocher et portail romans; à l'int. curieuse statue ouvrante de la Vierge XIIIe; vestiges imposants, XIIIe, de l'abbaye cistercienne de Maubuisson. • 13 km O., château de *Vigny,* construit sous Louis XII, agrandi au XIXe (vis. des parcs et jardins de mars à nov.).

Pont-Saint-Esprit
30 - Gard 37 - D 2
Petite ville sur le *Rhône,* que franchit un pont imposant XIIIe-XIVe (920 m de long) d'où l'on a de belles vues sur la ville, ses maisons anc. et l'église. Chapelle baroque des Pénitents bleus. A l'entrée du pont, l'anc. citadelle fin XVIe conserve les restes de l'hôpital XIVe et de la collégiale (chœur XIVe, portail XVe) du Saint-Esprit.
Environs • 10 km S.-O., *chartreuse de Valbonne* fondée au XIIIe, rebâtie au XVIIe sur le modèle médiéval (sanatorium, on vis.).
• 9,5 km N.-O., *Saint-Martin-d'Ardèche :* au débouché du *canyon de l'Ardèche,* arrivée du parcours du canyon en bateau (voir **Vallon-Pont-d'Arc***). • 12 km E.-N.-E., *Bollène :* petite ville aux portes de la Provence; du belvédère Pasteur, vue panoramique sur les ouvrages de Donzère-Mondragon, *Pierrelatte* et le *Rhône;* l'*usine-barrage André-Blondel* est l'une des plus importantes d'Europe occidentale (on ne vis. pas); les automobilistes peuvent atteindre la chaussée aménagée côté aval; à 9 km E. de Bollène, *Suze-la-Rousse :* le château XIIe-XIVe a une remarquable cour int. mil. XVIe; beaux salons Renaissance (on vis.); ds le parc, jeu de paume de 1560; église XVIIe, et anc. hôtel de ville Renaissance.

Pornic
44 - Loire-Atlantique 16 - B 3
La corniche de Gourmalon, qui fait le tour de la pointe de Gourmalon et longe le port, offre des vues superbes sur l'anse de Pornic et la ville bâtie en amphithéâtre au-dessus d'une crique. Le château, XIIIe-XIVe, en domine l'entrée. La plage de Noëveillard s'ouvre entre 2 pointes rocheuses. Pornic est un des points d'accès pour l'île de **Noirmoutier***.
Environs • 12 km O., *Préfailles;* à 2,5 km, *pointe de Saint-Gildas,* pittoresque éperon rocheux. • Circuit de la côte de Jade, de Pornic à *Saint-Brévin-les-Pins.*

Port-Barcarès
66 - Pyrénées-Orientales 42 - D 3
Nouvelle unité touristique de 700 ha et 8 km de long. Ports de plaisance de Leucate et du Grau-Saint-Ange-Barcarès. Musée des Sables (sculpture contemporaine). Le paquebot *Lydia* a été transformé en restaurant et casino.

Port-Louis
56 - Morbihan 15 - D 1
A l'entrée de la rade de **Lorient***, ds un site superbe. La ville a conservé ses imposants remparts de granit déb. XVIIe, sa citadelle flanquée de bastions (musée naval) et, ds ses quartiers anc., son caractère de cité militaire. Plage. Bac pour la presqu'île de *Gâvres,* étroite bande de sable de 6 km de long.

Porto
2 A - Corse 45 - B 3
Le *golfe de Porto,* encadré de falaises de porphyre rouge, constitue l'un des plus beaux spectacles de la Corse, notamment au coucher du soleil.

Environs • Excursion par mer, de *Porto* à *Girolata* et aux *Calanche* (calanques). • Au N., par la route, 23 km vers **Calvi*** et 1 h 30 à pied, le *golfe de Girolata.* • Au S., de *Porto* à *Piana,* la route (D. 81) suit les *Calanche;* c'est l'un des parcours les plus extraordinaires de l'île : les grandioses escarpements rocheux de granit rouge aux formes fantastiques dominent la mer à pic sur 2 km env. (vue saisissante du chalet des Roches-Bleues, point de départ de promenades pédestres dans les *Calanche*); *Piana* est un charmant village aux maisons blanches autour de l'église Santa-Maria XVIIIe; belles promenades ds la forêt de Piana à l'E.; du hameau de Vistale, vue splendide sur le *golfe de Porto;* la D. 81 continue sur *Cargèse,* la « ville grecque » de la Corse : l'église grecque abrite d'intéressantes œuvres d'art (icône de saint Jean-Baptise XVIe), en face, l'église catholique romaine (décorée en trompe-l'œil).

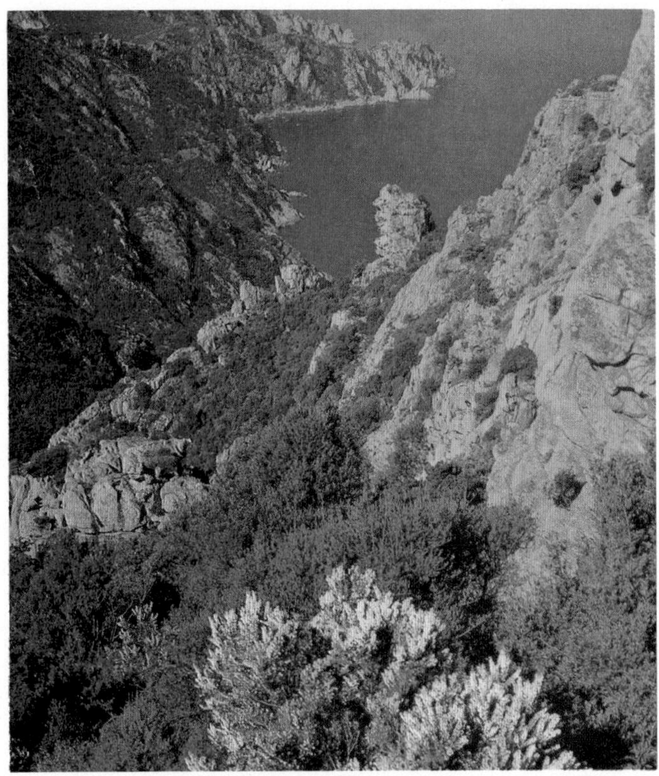

Porto : ***la corniche de Piana domine d'extraordinaires amoncellements de roches de granit rouge plongeant à pic dans la mer.***

Porto-Vecchio
2 A - Corse 45 - D 2

Port de commerce et de plaisance au fond d'un vaste golfe. Des vestiges de fortifications et plusieurs bastions couronnant les rochers évoquent la domination génoise. *Environs* • Le golfe est bordé de plages ds des paysages paradisiaques : *Cala Rossa, Palombaggia,* encadrée de rochers rouges ombragés de pins parasols, San Cipriano, etc. • Beau parcours de *Porto-Vecchio* à *Solenzara,* au N., par l'itinéraire touristique très accidenté traversant la *forêt de l'Ospedale,* **Zonza***, les *cols de Bavella* (1 243 m) et de *Larone* (621 m).

Porto-Vecchio : ***la plage de Palombaggia, située dans un des plus beaux sites du sud de la Corse, fait face aux îles Cerbicale.***

Port-Royal-des-Champs
78 - Yvelines 11 - B 2

Ds un vallon retiré et sauvage, les ruines de la célèbre abbaye janséniste (vis. ts les j. sauf mardi) sont d'une poignante mélancolie.
Environs • 2 km, par la D. 91, Musée national des Granges de Port-Royal ds l'anc. château XVIe où étaient installées les Petites Écoles jansénistes (vis. ts les j. sauf lundi et mardi). • 3 km E., Magny-les-Hameaux, église XIIe et XVe, tapissée de pierres tombales provenant de Port-Royal. • 3 km S., *Saint-Lambert,* vieille église campagnarde entourée de son cimetière; une pyramide marque la fosse commune des religieuses et des solitaires de Port-Royal; une croix y a été dédiée, en 1944, « à la personne humaine ».

Pouldu (Le)
29 S - Finistère 15 - C 1

Station balnéaire près de l'embouchure de la *Laïta.* Port et plage des Grands Sables. Chapelle Notre-Dame-de-la-Paix XVe-XVIIe, transférée de Nizon en 1959 (vitraux modernes), monument à Gauguin qui peignit au Pouldu de 1889 à 1894.
Environs • Au Bas-Pouldu commence la belle route de Corniche qui longe la mer jusqu'à *Larmor-Plage,* à l'entrée de la rade de **Lorient*** : belle église XVe-XVIe avec porche flamboyant; à l'int., retable du Crucifiement, flamand XVe, et remarquables œuvres d'art.

Pouzauges
85 - Vendée 22 - D 1

Église Saint-Jacques, robuste édifice de granit avec vaste chœur flamboyant à 3 vaisseaux, nef et transept romans. Vestiges du vieux château, anc. forteresse XIIIe dominée par un magnifique donjon carré flanqué de tourelles.
Environs • 1 km S.-E., Pouzauges-le-Vieux a une église romane (chœur gothique) entourée d'un cimetière, entièrement pavée de dalles funéraires; peintures murales XIIIe représentant la Vie de la

Vierge; château de Puy-Papin XVe. • 2,5 km S.-E., du Puy-Crapeau, vaste panorama (289 m). • 7 km N.-O., **Saint-Michel-Mont-Mercure***. • 7 km S., *Réaumur,* église fortifiée XVe; château de la Haute-Cour; fontaine miraculeuse Sainte-Marie (pèlerinage); coteau des Guichelaines sur les bords du Lay. • A l'E., le *Bocage vendéen.*

Prats-de-Mollo
66 - Pyrénées-Orientales 43 - C 3
Anc. place forte, cette petite cité catalane a conservé ses remparts et son église fortifiée XVIIe, avec clocher gothique XIIIe; à l'int., ds la chapelle de la Pietà, de 1427, retable monumental doré et sculpté. Nombreuses rues pittoresques : Place Del-Rey, rue des Marchands (maison des Rois d'Aragon), rue Nationale, etc. Derrière l'église, un souterrain voûté monte à l'anc. fort La Garde XVIIe.
Environs • Tour de Mir, anc. tour de guet XIIIe (vaste panorama) et ermitage Notre-Dame-du-Coral (chapelle et bâtiments XVIIe; à l'int., Christ, vêtu, XIIe, et Vierge à l'Enfant, assise, XIIIe). • 8 km O., établissement thermal de *La Preste.*

Prémery
58 - Nièvre 19 - A 3
Église XIIIe et XIVe avec belle abside à 2 étages de fenêtres. Anc. château des évêques de Nevers XIVe, XVIe et XVIIe, avec porte fortifiée XIVe. Importants vestiges de l'enceinte médiévale.
Environs • 10 km N.-E., *Montenoison :* ruines imposantes d'un château du XIIIe sur une butte isolée (417 m), l'un des plus hauts sommets du Nivernais; les vaux de Montenoison constituent un petit pays pittoresque de bois, de ruisseaux et d'étangs. • 17 km S.-E., *Saint-Saulge,* intéressante église gothique; à 4 km O., Jailly, église romane avec portail sculpté.

Privas
07 - Ardèche 37 - C 1
Ds un beau site, au-dessus du bassin de l'*Ouvèze.*
Environs • 5 km S.-O., château d'Entrevaux, où habita Richelieu, et, à 2 km, logis du Roi, résidence de Louis XIII pendant le siège de Privas (1629). • 12 km O., *col de l'Escrinet* (781 m), panorama grandiose; à 7 km S.-O., ruines impressionnantes du château de Boulogne XVe-XVIe, superbe portail Renaissance. • Au N.-O., *gorges de l'Eyrieux* et *Le Cheylard.*

Provins
77 - Seine-et-Marne 12 - A 2
La ville haute, située sur un promontoire, comporte plusieurs monuments : la collégiale Saint-Quiriace (beau chœur fin XIIe, coupole XVIIe), la tour César, imposant donjon XIIe avec couronnement pyramidal XVIe (vis. ts les j.), la Grange aux Dîmes, belle maison XIIe (musée lapidaire) et la porte Saint-Jean XIIe-XIIIe. Les beaux remparts XIIe-XIIIe peuvent être longés par une route carrossable entre la porte Saint-Jean et la porte de Jouy. Ds la ville basse, voir l'église Sainte-Croix (nef XIIe, chœur XVIe); Saint-Ayoul, anc. abbatiale bénédictine XIIe remaniée, beau portail roman (à l'int., statues XVIe et boiseries XVIIe). Tour Notre-Dame-du-Val XVIe, vestige d'une église disparue. Ds la chapelle de l'hôpital, élégant mausolée fin XIIIe du cœur de Thibault de Champagne. Maisons anc., notamment l'hôtel de la Croix d'Or et l'hôtel de Vauluisant XIIIe.
Environs • 8 km O., **Saint-Loup-de-Naud***. • 18 km S.-O., *Donnemarie-en-Montois,* église XIIIe, au nord 2 galeries de bois et porte XVIe; à 3,5 km S., ruines de *l'abbaye de Preuilly.* • Au S.-E., château de la *Motte-Tilly* XVIIIe (on visite).

Provins : ***la tour César domine l'acropole de la cité féodale.***

Puget-Théniers
06 - Alpes-Maritimes 39 - A 3
Cette petite ville, typiquement méridionale, a un vieux quartier dont les maisons ont de pittoresques toits à auvents. Église du XIIIe, à l'int., décoration XVIIIe, retables de l'École niçoise du XVe et de Brea (1525), retables sculptés en bois des XVe et XVIIIe. Sur le cours, célèbre monument dit l'*Action enchaînée,* par Maillol, en hommage à Blanqui.
Environs • Au N.-E., *gorges du Cians* creusées ds des roches de différentes couleurs : les gorges supérieures ds le calcaire, les inférieures ds les schistes rouges; *Beuil:* église XVIIe, chapelle des Pénitents-Blancs; par le col de *Valberg* et *Guillaumes* (voir **Saint-Sauveur-sur-Tinée***), gagner les *gorges de Daluis,* sauvages et grandioses (voir **Entrevaux***).

Puivert
11 - Aude 42 - B 3
Vieux bourg pittoresque dominé par un piton que couronnent les ruines du château XIIe et XIVe, flanqué d'un imposant donjon; il abrite plusieurs salles dont, au 3e ét., celle des musiciens (figures sculptées).
Environs • 11 km O., *Bélesta;* à 1,5 km S., *fontaine intermittente de Fontestorbes;* en remontant la vallée de l'*Hers* on atteint les impressionnantes gorges de la Frau. • 24 km O., **Montségur***. • Au S., par la superbe forêt de sapins de

Bélesta, le *pays de Sault;* par *Espezel,* excursion aux *gorges du Rebenty* (voir **Ax-les-Thermes ***).

Puy-en-Velay (Le)
43 - Haute-Loire 31 - B 3

L'un des sites les plus curieux de France. La ville s'étage au pied de pitons volcaniques. • La cathédrale Notre-Dame sec. moit. XIIe est couverte par 6 coupoles; la façade présente un appareil polychrome très original, le grand escalier de 102 marches prolongeant la pittoresque rue des Tables pénètre ds l'énorme soubassement voûté sur lequel est édifiée la nef centrale, et passe entre 2 portes XIIe aux magnifiques vantaux sculptés; au-dessus du maître-autel XVIIIe, statue de Notre-Dame-du-Puy; ds le croisillon N., peintures murales XIIe; ds la chapelle des Reliques (vis. ts les j.), célèbre fresque des Arts libéraux fin XVe; intéressantes œuvres d'art (peintures, ouvrages précieux, etc.) ds la sacristie. Le porche du For fin XIIe conduit sur la terrasse de la place du For, entourée d'hôtels XVe-XVIe. Par le porche Saint-Jean (remarquable tympan sculpté XIIe), on gagne le baptistère Saint-Jean, curieux édifice XIe, le cloître, chef-d'œuvre de l'architecture et de la décoration romanes (fermé le mardi), bordé par la chapelle des Morts (crucifixion XIIIe) et le trésor d'Art religieux.

• Par la montée Notre-Dame-de-France, on accède au rocher Corneille surmonté de la statue colossale de la Vierge, panorama, table d'orientation. La curieuse chapelle des Pénitents (plafond peint à caissons XVIIe) conduit à l'hôtel-Dieu, dont le porche gothique abrite 2 beaux portails romans. • Ds le vieux quartier entourant la cathédrale, plusieurs maisons anc., notamment rues Pannessac, du Chamarlenc (des Cornards), la place des Tables. Par la rue Séguret on gagne la place du Greffe, la rue du Cardinal-de-Polignac (anc. hôtel de Polignac, XVe), la rue Rochetaillade et la rue Chènebouterie qui débouche sur la place du Plot puis l'hôtel de ville; ces rues sont également bordées de maisons anc. Ds l'église Saint-Laurent XIVe-XVe, tombeau XIVe des entrailles de Du Guesclin. • Au pied de la vieille ville, derrière l'immense place du Breuil et la préfecture, jardin Vinay et musée Crozatier (vis. ts les j. sauf mardi et en févr.) : salles d'archéologie romaine et médiévale, ethnographie, art populaire, peintures anc., histoire de la dentelle du XVe à nos jours. • Au N. de la ville, la chapelle Saint-Michel-d'Aiguilhe (vis. ts les j.), Xe et XIe, surmonte une gigantesque aiguille de lave de 80 m de haut; on y accède par un escalier de 268 marches. *Environs* • 3 km O., curieuses colonnes basaltiques dites « orgues d'Espaly »; voir le château de *Polignac,* dont les ruines XIIIe-XIVe, avec un imposant donjon carré, occupent une vaste plate-forme basaltique et le château de Saint-Vidal XVe-XVIe (on vis.). • 15 km N.-N.-O., *château de la Rochelambert* XVIe, en lave pourpre, flanqué de tourelles; à l'int., ds les appartements, nombreuses œuvres d'art, notamment de haute époque (vis. ts les j.); l'église romane de *Saint-Paulien* vaut la visite. • 13 km N., près de *Lavoûte-sur-Loire,* château de la Voûte-Polignac XVIIe (vis. ts les jours en saison); intéressantes œuvres d'art à l'int.

PUY DE DÔME
63 - Puy-de-Dôme 30 - D 1

A 16 km O. de Clermont-Ferrand, par une route à péage qui s'élève en spirale (très belles vues) jusqu'à 1 440 m, terminus de la route. Le sommet (courte marche pédestre) est à 1 468 m. Il est occupé par un observatoire météorologique et une tour de télévision avec balcon circulaire d'orientation (accès libre). Vestiges d'un temple de Mercure et de constructions gallo-romaines. Le panorama est magnifique, notamment sur le paysage volcanique environnant (70 anc. cratères). On peut descendre à pied par le versant E.

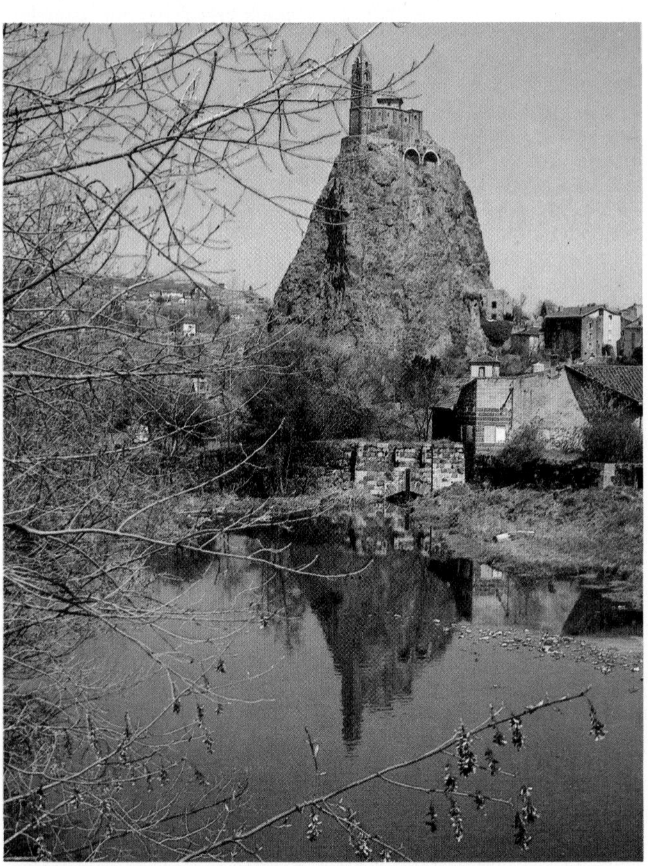

Le Puy-en-Velay : ***construite au sommet d'un dyke volcanique, la chapelle romane de Saint-Michel-d'Aiguilhe; on y accède par 268 marches.***

Puy-l'Évêque
46 - Lot 35 - D 2

Vieille ville pittoresque en amphithéâtre au-dessus du *Lot,* sur l'isthme d'une presqu'île dominée par un donjon carré XIIIe. Église XIVe et XVIe, porche orné de sculptures. Anc. maisons fortes gothiques et Renaissance.
Environs • 3 km N., Martignac, église décorée de remarquables peintures murales XVe. • 6 km O., *Duravel :* ds l'église romane, sarcophage de pierre XIIe de saint Hilarion et de ses 2 compagnons, belle crypte carrée.

QUIBERON (presqu'île de)

56 - Morbihan 15 - D 2

Anc. île longue de 9 km rattachée à la côte par un isthme de 6 km; le rivage O. dit la *Côte sauvage,* bordé de falaises déchiquetées par les assauts des vagues, est d'une grandiose beauté. *Saint-Pierre-Quiberon,* port de pêche et station balnéaire, comporte plusieurs plages. Nombreux monuments mégalithiques. *Quiberon* est un port de pêche sardinier très animé, le quartier des pêcheurs, Port-Maria, est pittoresque. Au S. de la presqu'île, pointes de Beg-er-Lan, de Beg-er-Vil, du *Conguel,* le Fort-Neuf, Port-Haliguen, etc. Institut de thalassothérapie Louison-Bobet. • Excursions à l'*île de Houat* (falaises de granit rouge, plages) et à l'*île de Hoëdic* (basse et sablonneuse).

Quarante

34 - Hérault 42 - D 2

Cette église de village est l'un des plus précieux témoignages du premier art roman; consacrée en 1053, certaines parties remontent à la fin du Xe; la nef a 3 travées, séparées par des arcades; la croisée du transept est surmontée d'une coupole octogonale; à l'int., intéressant sarcophage antique en marbre blanc avec 2 figures féminines en buste ds un médaillon; chef reliquaire de Saint-Jean-Baptiste en argent et vermeil (v. 1440).
Environs • 2 km N.-O., *Cruzy,* église XIVe, fortifiée, de style gothique méridional.

Quarré-les-Tombes

89 - Yonne 19 - B 3

Le bourg doit son nom aux nombreuses tombes et aux sarcophages en pierre, d'origine discutée, entourant l'église XVe.
Environs • 2,5 km S., la roche des Fées, curieuse arête de granit aux blocs superposés. • 5,5 km S.-S.-O., Les Isles Ménéfrier, ds la vallée de la *Cure;* à 7 km S.-E., rocher de la Pérouse (610 m, vaste panorama). • Au N.-O., *barrage du Crescent; château de Chastellux :* forteresse XIIIe-XVIe de forme triangulaire, flanquée de tours (ne se vis. pas). • A l'O., *château de Bazoches,* fin XIIe, gros donjon carré et tours à mâchicoulis, remanié aux XVe et XVIe; Vauban l'acheta en 1675 (on ne vis. pas). • 5,5 km N.-E., *Saint-Léger-Vauban* (village natal de Vauban); à 4 km S. ds un site solitaire et sauvage, l'*abbaye de la Pierre-qui-Vire;* on ne vis. que la chapelle (office conventuel ts les j.), la salle d'exposition et la librairie.

Quesnoy (Le)

59 - Nord 6 - B 1

Enfermée ds une enceinte à la Vauban, en brique, à parements de pierre entourée d'eau et de verdure, la ville présente un double aspect de place forte et de vieille cité bourgeoise. Étangs du Pont-Rouge et du Fer-à-Cheval : plage, sports nautiques, canotage.
Environs • A l'E., vaste *forêt de Mormal* (10 000 ha), traversée par des routes à circulation réglementée; aires de pique-nique, camping, jeux, etc.; arboretum; pittoresque village de *Locquignol* (artisanat régional).

Quilinen (Notre-Dame-de)

29 S - Finistère 8 - B 3

La chapelle, élégant édifice XVIe, avec 2 nefs en équerre, abrite d'intéressantes œuvres d'art (statues de saints en bois). Calvaire mil. XVIe, l'un des plus originaux de Bretagne, avec composition pyramidale à 3 croix sur 2 socles triangulaires à pointes inversées. La rusticité des figures s'harmonise avec la patine rougeâtre de la pierre.
Environs • 4 km N., *chapelle de Saint-Venec,* gothique, ds un charmant site ombragé; à l'int., nombreuses statues de saints; calvaire de même type que celui de Quili-

Quarré-les-Tombes : *le château de Chastellux, remanié au XIIIe, appartient depuis mille ans à la même famille.*

nen; à 4,5 km N.-E., *chapelle des Trois-Fontaines* XVe, XVIe et XVIIIe; œuvres d'art; à l'int., grand calvaire mutilé.

Quillan
11 - Aude 42 - B 3
Bon centre d'excursions vers la haute vallée de l'*Aude,* le *Capcir* et les Pyrénées.
Environs • 16 km N.-O., **Puivert***. • Au S.-O., *gorges du Rebenty* et *pays de Sault.* • Au S.-E., belle forêt des Fanges (sapins, arbres magnifiques). • Au S., route de la *haute vallée de l'Aude,* jusqu'à **Mont-Louis*** (68 km), très pittoresque; la D. 117 traverse d'abord l'impressionnant *défilé de Pierre-Lys,* profond de 600 m; après *Axat,* étroites *gorges de Saint-Georges,* puis *gorge de l'Aude,* entre de hautes falaises; *Usson-les-Bains* est dominé par les ruines du château sur un piton rocheux (la D. 16 conduit à *Quérigut* et au pays de Donezan, isolé et sauvage); après *Usson* et Escouloubre-les-Bains, la route pénètre ds le bassin montagneux du *Capcir* : belle forêt domaniale du Carcanet, *barrage de Puyvalador, Formiguères* (1506 m d'alt.), petite station de sports d'hiver (à l'O., forêt de Formiguères, pins), *barrage de Matemale, col de la Quillane* (1714 m); descente sur La Llagonne (ds l'église, Christ en bois vêtu XIIe devant autel catalan XIIIe) et **Mont-Louis***.

Quimper
29 S - Finistère 8 - B 3
La partie la plus caractéristique de la ville s'étend sur la rive dr. de l'*Odet* autour de la cathédrale Saint-Corentin, de style gothique breton XIIIe-XVIe; à l'int., vitraux XVe. Musée des Beaux-Arts : peintures françaises et étrangères, notamment flamandes et hollandaises XVIIe. Ds l'anc. évêché XVIe-XVIIe, Musée départemental breton : archéologie, mobilier, art religieux, costumes de Cornouailles. Maisons anc. rue Keréon, place Terre-au-Duc. Sur la rive g. de l'*Odet,* Locmaria : église romane XIIe-XIIIe. Faïenceries. Musée de la Faïence.
Environs • La descente en bateau de l'*Odet,* de Quimper à *Bénodet* et *Loctudy,* est recommandée. • 1 km N.-E., Kerfeunteun, belle église XVIe, chapelle gothique de la Mère-de-Dieu. • 9 km E., Kerdévot, remarquable chapelle Notre-Dame, XVe; à l'int., important retable flamand en bois peint et doré fin XVe. • Site du Stangala, à 7 km N.-E., escarpement rocheux dominant l'*Odet* de 70 m ds un méandre encadré de versants boisés; pittoresque hameau de Tréouzon, ruines du moulin du Poul.

Quillan : *l'Aude, torrent impétueux, se fraie un chemin à travers les impressionnantes murailles rocheuses du défilé de Pierre-Lys.*

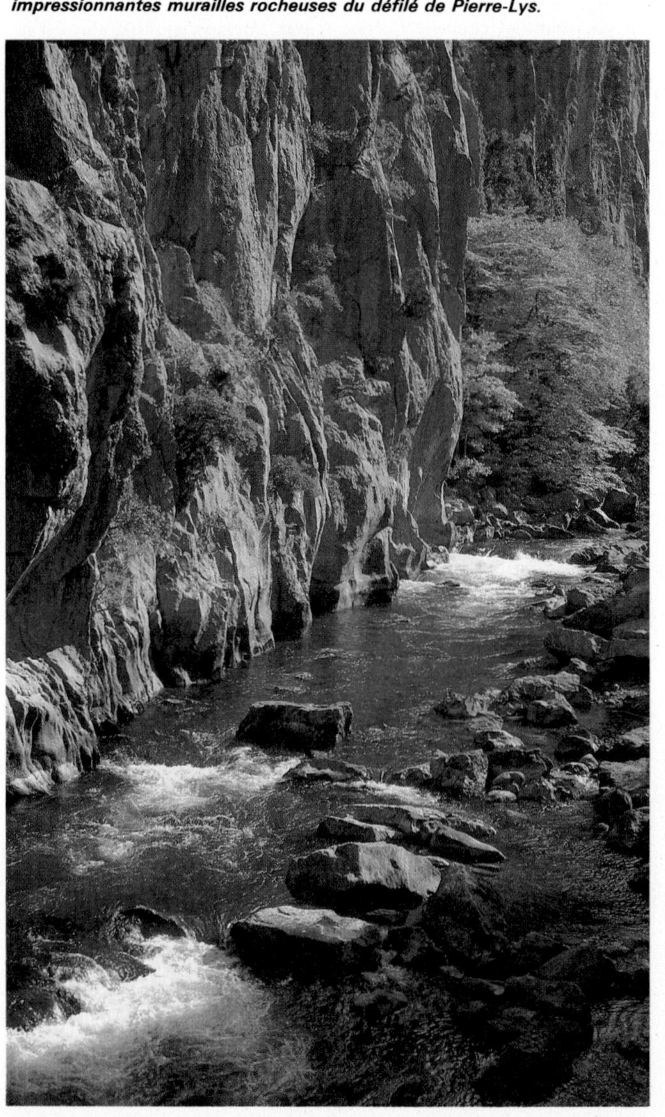

Quimperlé
29 S - Finistère 15 - C 1
Petite ville anc. ds une région verdoyante. Ds la ville haute, Notre-Dame-de-l'Assomption XIIIe-XVe; le porche N. et la grosse tour carrée ont une riche ornementation flamboyante. Ds la ville basse, étagée au-dessus de l'Isole, église Sainte-Croix, XIe, construite en rotonde à l'imitation du Saint-Sépulcre; à l'int., jubé en pierre Renaissance, crypte XIe. Les bâtiments de l'anc. abbaye de Sainte-Croix, XVIIIe (Mise au tombeau; cloître XVIIIe). Maisons anc. rues Brémond-d'Ars (vestiges de l'église Saint-Colomban) et Dom-Morice (maison des Archers en bois abrite un musée régional).
Environs • 12,5 km N.-E., *roches du Diable,* énorme chaos ds un site pittoresque au-dessus du vallon de l'Ellé. • 3,5 km S., *forêt de Carnoët* (750 ha), magnifiques chênes et hêtres; anc. abbaye de Saint-Maurice-de-Carnoët, fondée fin XIIe, salle capitulaire XIIIe (on ne vis. pas).

Quintin
22 - Côtes-du-Nord 9 - A 2
Petite ville typiquement bretonne. Château des ducs de Lorges, mil. XVIIe, agrandi fin XVIIIe, au-dessus d'un étang que borde un jardin public. A proximité, menhir de Roche-Longue (4,70 m de haut). Charmante place 1830 entourée de maisons anc. Belles demeures canoniales Renaissance, en granit, 5 et 7, rue Notre-Dame, en face, fontaine Notre-Dame XVe. Ds la basilique Notre-Dame XIXe, pierres tombales XIVe de Geoffroy III et Jean II; relique vénérée de la « ceinture de la Vierge » (grand pardon 2e dim. de mai).

R

Rambouillet (château de)
78 - Yvelines 11 - B 2
Anc. demeure féodale, souvent transformée et agrandie du XVIe au XVIIIe, le château est l'une des résidences du président de la République. La grosse tour, dite de François Ier, où mourut le roi, est le seul vestige de l'anc. château XIVe, elle est intégrée aux bâtiments en équerre du XVIIe. On visite les appartements d'assemblée, décorés de superbes boiseries XVIIIe, le délicieux boudoir de Marie-Antoinette, l'oratoire du duc de Penthièvre, l'appartement et la salle de bains ds le goût pompéien de Napoléon Ier; au rez-de-chaussée : salle de Marbre XVIe. • Les jardins et le parc, aménagés au XVIIIe, comprennent, outre de vastes parterres, un jardin d'eau formé d'îles et de canaux, un jardin anglais dessiné par Hubert Robert et, ds l'axe du château, la perspective du Grand Canal prolongée par le Tapis Vert. La laiterie de la Reine, construite par Marie-Antoinette, est agréablement décorée de grisailles en trompe-l'œil. La chaumière des Coquillages (1778) est une curiosité également pleine de charme. • On peut vis. (le dim., s'adr. au maître-berger) la Bergerie nationale fondée par Louis XVI. *Environs* • La *forêt de Rambouillet* (21 818 ha), riche en gros gibier, offre de nombreuses promenades notamment à l'*étang de Saint-Hubert* et aux 6 *étangs de Hollande* qui s'étendent en forêt sur 6 km de long (plage).

Rambures (château de)
80 - Somme 5 - B 2
Remarquable exemple, en brique et pierre blanche, d'architecture militaire du XVe (vis. mars à nov. sauf mardi). Ses grosses tours d'angle cylindriques sont reliées par des demi-tours en arc de cercle.

Rampillon
77 - Seine-et-Marne 12 - A 2
Isolée sur une butte au milieu du village, l'église mil. XVIIIe a un magnifique portail sculpté sec. moit. XIIe; au tympan, le Christ en majesté entre 2 anges, la Vierge et saint Jean; au linteau, la résurrection des morts reçus par Abraham et saint Michel; à l'int., très beau Christ en bois XIVe, Vierge polychrome en pierre XIVe ds un retable en bois XVIe.

Rampillon : ***les sculptures du portail de l'église sont remarquables. Ici, un apôtre.***

Raray (château de)
60 - Oise 5 - D 3
Le château XVIIe-XVIIIe présente de chaque côté de la cour d'honneur des murs à arcades et niches sur lesquels sont représentées des scènes de chasse pleines de mouvement (on vis.); ds ce décor baroque a été tourné le film *la Belle et la Bête* de Jean Cocteau. Église XVe et XVIe.

Redon
35 - Ille-et-Vilaine 16 - B 2
Sur la Vilaine. L'église Saint-Sauveur, anc. abbatiale, a une nef et un transept romans, celui-ci dominé par une tour clocher XIIe. La Grande-Rue a conservé des maisons XVe-XVIe. Capitale mondiale du briquet à gaz.
Environs • 17 km S., *Saint-Gildas-des-Bois,* église XIIe-XIIIe.

RAZ (pointe du)
29 S - Finistère 8 - A 3
Ce long et étroit éperon déchiqueté par les assauts furieux des vagues domine l'Océan de plus de 70 m; c'est l'un des sites les plus saisissants de France, d'une farouche beauté. Un sentier en fait le tour et permet de découvrir l'impressionnant Enfer de Plogoff. En avant de la pointe : phare de la Vieille, sur un rocher du *Raz de Sein*. Au N., *baie des Trépassés* et *pointe du Van,* haute de 65 m (belles vues). Au N.-E., *pointe de Brézellec* et *réserve ornithologique du cap Sizun* (vis. ts les j. d'avril à juil.); ds le site sauvage de Castel-ar-Roc'h se rassemblent des milliers d'oiseaux de mer.

Reims
51 - Marne 6 - B 3

Chef-d'œuvre de l'architecture gothique, la cathédrale Notre-Dame XIIIe-XIVe présente une façade remarquable dominée par 2 tours XVe; le portail central est consacré à la Vierge (célèbres groupes de la Visitation et de la Présentation au temple), celui de dr. au Christ et aux prophètes, celui de g. est orné du fameux Ange gardien dénommé *l'Ange au sourire*; au croisillon nord, belles portes sculptées, notamment celle de g. dont le tympan porte un superbe «Jugement dernier», l'int., long de près de 140 m, est aussi grandiose qu'harmonieux; le revers de la façade est orné de 120 niches contenant des statues mil. XIIIe dont certaines (la Communion du chevalier) comptent parmi les plus belles œuvres de la sculpture gothique; les vitraux XIIIe de la rose de la façade, consacrés à la Vierge et ceux de la galerie du Sacre ont été reconstitués après 1918; sur les bas-côtés, 17 tapisseries de la Vie de la Vierge (Tournai déb. XVIe) sont exposées d'avr. à oct.; elles constituent un ensemble unique. • Le palais du Tau (chapelle palatine à 2 étages XIIIe), anc. palais archiépiscopal, abrite le musée de la Sculpture et des Sacres (vis. ts les j. sauf mardi), qui conserve les originaux des groupes sculptés de la cathédrale (remplacés par des copies) dont le célèbre «Couronnement de la Vierge»; le trésor est d'une richesse exceptionnelle, plusieurs pièces servaient aux sacres des rois; bel ensemble de tapisseries ds la salle du festin royal. Musée des Beaux-Arts, l'un des plus riches de France, installé ds l'anc. abbaye Saint-Denis (vis. ts les j. sauf mardi) : toiles peintes XVe-XVIe (uniques), importante salle Cranach, peinture hollandaise, italienne, française XVIIe (Poussin, Le Nain, Ph. de Champaigne), XVIIIe, XIXe (Corot, école de Barbizon, Courbet, Gauguin, Renoir), XXe (Bonnard, Vuillard, Picasso). • La place Royale, remarquable témoignage d'urbanisme XVIIIe, est entourée d'hôtels de style Louis XVI (sous-préfecture anc. hôtel des Fermes); au centre statue de Louis XV. Intéressantes maisons anc. : 30, rue Cérès, hôtel Ponsardin fin XVIIIe (Chambre de commerce); rue Colbert; 22, rue du Tambour (maison gothique XIIIe dite des comtes de Champagne); hôtel de La Salle, Renaissance mil. XVIe. • Musée du Vieux-Reims (vis. ts les j. l'apr.-m. sauf lundi) ds l'hôtel Le Vergeur XVIe : salle gothique XIIIe. Visiter l'anc. collège des Jésuites. • Place du Forum ont été dégagés les crypto-portiques romains; la porte de Mars est l'un des plus imposants arcs commémoratifs de la Gaule romaine fin IIe. A 300 m s'élève la chapelle néo-romane Notre-Dame-de-la-Paix, décorée par le peintre Foujita qui y repose († 1968). • Au S.-E. de la ville, basilique Saint-Remi, anc. abbatiale romane (transept et nef XIe) et gothique; à l'int., chœur à 2 étages, fermé par une clôture Renaissance de marbre et de pierre XVIIe (tombeau de saint Remi, réédifié au XIXe, avec statues XVIe), le pourtour du chœur est la partie la plus remarquable; ds les chapelles rayonnantes sont exposées plusieurs pièces du trésor. Musée archéologique Saint-Remi ds l'anc. abbaye : coll. de la Préhistoire à la fin du Moyen Age. • On peut visiter les caves de champagne.

Environs • Route du vin de Champagne par la *montagne de Reims,* aménagée en parc régional. • Vallée de la *Marne* au S. (**Épernay***). • *Chemin des Dames* au N.-O. (voir **Laon***). • *Argonne* et *côtes de Meuse* à l'E.

Remiremont
88 - Vosges 20 - C 1

La Grande-Rue (rue Charles-de-Gaulle), bordée de maisons à façades, XIIIe, est la plus pittoresque de la ville où l'on visitera le musée régional Charles-de-Bruyère; église Saint-Pierre XIVe-XVIe (crypte XIe); musée Charles Friry ds une des belles maisons canoniales XVIIe-XVIIIe de la place Henri-Utard. Anc. palais abbatial mil. XVIIIe (hôtel de ville et palais de justice).

Environs • Remarquables promenades ds la *forêt de Fossard,* au N.-E. (ascension du Saint-Mont, 667 m, panorama), la Tête des Cuveaux (873 m, panorama), la *forêt de Longegoutte* au S.-E., le magnifique défilé de la vallée des Roches, sur la D. 23 vers *Fougerolles.* • 14 km S.-O., *Plombières-les-Bains,* importante station thermale entourée de parcs et de forêts (étuve, galeries et bains romains, vis. en saison); excursions ds la haute vallée de la Semouse, ou vallée des Forges, le *val d'Ajol,* etc.

Rennes
35 - Ille-et-Vilaine 9 - C 3

Le centre de Rennes est la place de la République (imposant palais du Commerce), d'où la rue d'Orléans conduit à la place de la Mairie encadrée par le théâtre et l'hôtel de ville XVIIIe. La place du Palais (maisons XVIIIe) est dominée par le palais de justice, anc. Parlement de Bretagne XVIIe, dont la décoration

RÉ (île de)
17 - Charente-Maritime 22 - C 3

Embarquement à *La Pallice :* bacs pour autos, 15 mn de traversée. On aborde à la pointe de Sablanceaux. La D. 735 traverse toute l'île d'E. en O.; 3 km, fort de la Prée, intéressant exemple d'architecture militaire déb. XVIIe avec plan en étoile; à 1 km, ruines de l'abbaye cistercienne de Saint-Laurent, ou des Châteliers : église XIIe, XIIIe et XIVe, vestiges du cloître. • *La Flotte :* pittoresque petit port de pêche et de cabotage; vues sur le Pertuis breton. *Saint-Martin-de-Ré* : petite ville blanche entourée de fortifications par Vauban; les remparts sont percés de deux belles portes monumentales, la porte Toiras, au S.-E., et la porte des Campani, au S.-O., les rues, étroites et mal pavées, et le port invitent à la flânerie; la citadelle est aujourd'hui un pénitencier (on ne vis. pas); des bastions du front de mer, belles vues sur le Pertuis breton et la côte de Vendée; l'arsenal occupe l'anc. couvent de la Clerjotte, XVe-XVIe, dont la cour est bordée d'élégantes galeries Renaissance; il abrite un intéressant musée naval et le musée Cognacq (histoire et art régionaux); église XVe (à l'int. nombreuses oriflammes prises aux Anglais et épitaphes); anc. hôtel des Cadets-Gentilshommes de la Marine. • Par *La Couarde-sur-Mer* et la passe de Martray (marais salants), on atteint *Ars-en-Ré* dont les ruelles étroites et tortueuses enserrent l'église Saint-Étienne, qui se compose de 2 édifices, XIIe (beau portail roman) et XVe, construits ds le prolongement l'un de l'autre (belle flèche à crochets XVe); maison du Sénéchal, Renaissance. La route continue sur Saint-Clément-des-Baleines et le *phare des Baleines,* haut de 55 m, à l'extrémité O. de l'île (on vis.), panorama. Au N. de l'île, belle plage dite conche des Baleines. La D. 101, par *Les Portes,* contourne le Fier d'Ars, parcs à huîtres et marais salants, et atteint le bois de Trousse-Chemise. La côte S. de l'île, ouverte sur le *Pertuis d'Antioche,* est bordée de stations balnéaires aux belles plages de sable : *Ars, La Couarde, Le Bois-Plage, Sainte-Marie.*

int. (s'adr. au concierge) est d'une richesse toute classique, notamment la Grand Chambre du Parlement (boiseries, peintures, tapisseries) et la Ire Chambre civile (boiseries, peintures de Jouvenet). Derrière l'hôtel de ville s'étend le vieux quartier qui possède d'intéressantes maisons anc. La cathédrale Saint-Pierre fin XVIIIe est de style néo-classique. Porte Mordelaise XVe, vaste place des Lices (maisons et hôtels XVIIe). Le palais des Musées (vis. ts les j. sauf mardi) comporte le musée de Bretagne (coll. exceptionnelle de meubles et costumes bretons) et le musée des Beaux-Arts, particulièrement riche en peintures françaises du XVIe au XIXe (G. de La Tour, *le Nouveau-né)*. L'église Notre-Dame, anc. abbatiale romane reconstruite au XIVe et les bâtiments de l'anc. abbaye Saint-Melaine XVIIe (beau cloître classique) sont contigus au vaste jardin de Thabor (12 ha). *Environs* • Au N.-E., *forêt de Rennes.* • 2 km E., Musée automobile de Bretagne (fermé le mardi). 16 km S.-E., *Châteaugiron,* vestiges imposants du château XVe avec donjon XIIe-XIIIe ; maisons anc. • Au S.-O., vallée de la *Vilaine;* à 13 km, *château de Blossac,* XVIIe, entouré d'eaux vives; chapelle (vis. poss.).

Rennes-les-Bains
11 - Aude 42 - C 3
Agréable station thermale le long d'un torrent encaissé au creux de la vallée.
Environs • Excursions recommandées ds les vallées de la Sals et de la Blanque; au S.-E., *Bugarach* est dominé par le pic de Bugarach, point culminant (1231 m) des *Corbières,* d'où le panorama est superbe. • 3 km N., ruines du château de Blanquefort. • 9 km N.-E., *Arques,* superbe donjon carré, fin XIIIe, flanqué de 4 tourelles, haut de 21 m, vestiges de l'enceinte. • Au N.-O., *Couiza* (voir **Limoux***), une petite route conduit à Rennes-le-Château, village à demi ruiné, petite église romane et cimetière, anc. château; le site est un magnifique belvédère sur la *vallée de l'Aude* et les *Corbières.*

Réole (La)
33 - Gironde 35 - B 1
Au flanc d'une colline dominant la *Garonne.* Anc. abbatiale Saint-Pierre XIIIe-XIVe, bâtiments conventuels XVIIIe (mairie). Anc. hôtel de ville XIIe, avec rez-de-chaussée formant halle. Les ruines du château féodal forment un ensemble pittoresque. Beau plan d'eau sur la *Garonne* (compétitions d'aviron).

Reims : ***Notre-Dame, la «cathédrale du Sacre», offre l'une des plus belles façades gothiques; elle est occupée par tout un peuple de statues aussi expressives qu'élégantes : à gauche, la Vierge du trumeau du portail central; à droite, «l'Ange au Sourire» à l'ébrasement gauche du portail nord.***

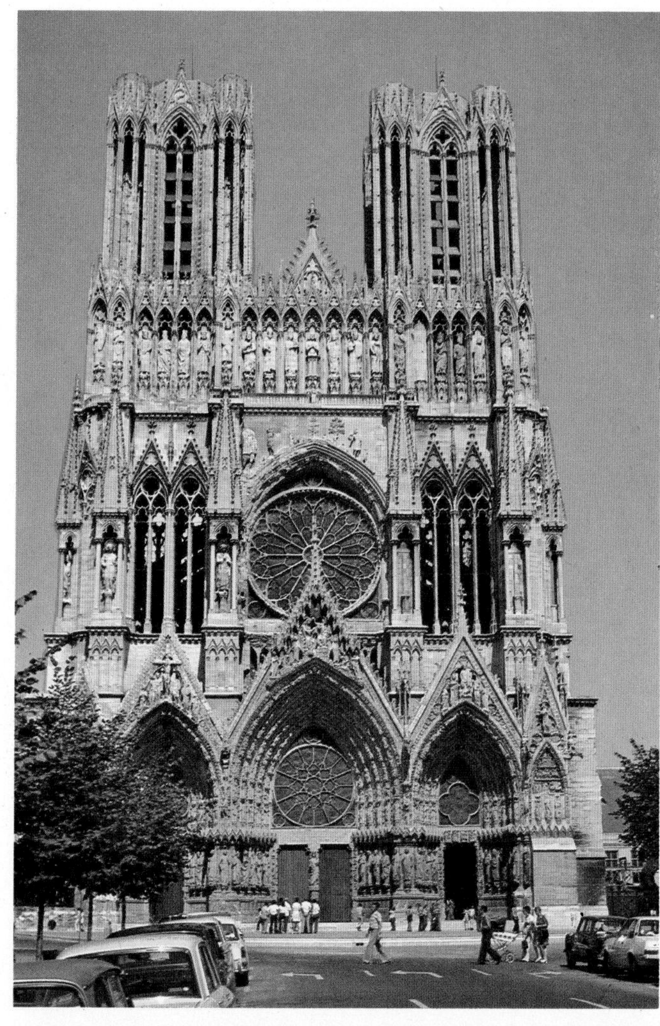

Environs • 1,5 km E., signal du Mirail, panorama sur la vallée de la *Garonne.* • 23 km N.-E., *Duras;* le château féodal, transformé en élégante résidence au XVIe, a conservé ses grosses tours rondes (vis. ts les j.). • 6 km N., moulin fortifié de *Bagas,* XVe.

Revel
31 - Haute-Garonne 42 - B 1
Anc. bastide XIVe dont la place centrale a conservé ses « couverts ». Vieilles halles en bois XVIIe, dominées par un beffroi.
Environs • Revel est un bon centre d'excursions vers la *Montagne Noire* et ses forêts (voir **Mazamet*** et **Sorèze***). • 4 km S.-E., *bassin de Saint-Ferréol,* réservoir construit au XVIIe pour alimenter le canal du Midi, vaste et magnifique plan d'eau de 89 ha entouré de forêts; plages, écoles de voile, sports nautiques. • 10 km O., *Saint-Félix Lauragais,* sur la crête de pittoresques coteaux; château XIVe-XVe, église XIVe-XVIIIe, avec clocher de style toulousain; de la promenade qui entoure le château, belles vues sur le *Lauragais* et la *Montagne Noire.*

Ribeauvillé
68 - Haut-Rhin 14 - A 3
Au pied des Vosges (vue d'ensemble de la Gloriette); réputée pour ses vins, la ville est dominée par les 3 châteaux ruinés de Girsberg, Saint-Ulrich et Hoh-Rappolstein. La porte des Bouchers, anc. beffroi XIIIe-XVIe, chevauche la Grande-Rue bordée de maisons anc. Hôtel de ville Renaissance (petit musée). Église du Couvent déb. XVe et église paroissiale XIIIe-XVe (tympan sculpté au portail). Curieuse fête des Ménétriers, ou Pfifferday, le 1er dim. de sept.
Environs • Château de *Saint-Ulrich,* à la fois forteresse et résidence seigneuriale (vaste panorama); château du Haut-Ribeaupierre; Notre-Dame-de-Dusenbach, très anc. chapelle, reconstruite au XIXe, ds un site superbe, pèlerinage célèbre. • 19 km N.-O., *Sainte-Marie-aux-Mines,* par le col du haut de Ribeauvillé, église des Mineurs XVe-XVIe, mine d'argent Saint-Barthélemy (vis. d'une galerie); en juil. exposition de minéraux et pierres nobles. • Magnifique forêt de pins d'Aubure (au S.-O.). • Ribeauvillé est sur la route du **Vin d'Alsace***.

Riceys (Les)
10 - Aube 19 - C 1
Trois agglomérations forment la pittoresque commune de ce nom. Ricey-Bas : église Renaissance, bel exemple d'art champenois du XVIe, boiseries, verrières et sculptures XVIe et XVIIe, 2 retables flamands mil. XVIe. Ricey-Haute-Rive : église XVIe, belle chaire sculptée Louis XV. Ricey-Haut : église XVIe à double orientation.

Richelieu
37 - Indre-et-Loire 17 - C 3
L'une des villes les plus originales de France, véritable témoignage de l'urbanisme du XVIIe. Créée en 1631 par Richelieu sur plan rectangulaire de 700 m de long et 530 m de large, entourée de douves et de remparts, elle est traversée par la Grande-Rue, que bordent 28 hôtels de style uniforme. Place des Religieuses s'élève l'Académie, collège fondé en 1640; place du Marché, face à l'église Notre-Dame, de style jésuite, halles à charpente de bois couvertes d'ardoises. Musée Richelieu à l'hôtel de ville. Du château du Cardinal, il ne reste que les douves, un pavillon dit le Dôme (musée), l'orangerie et les caves souterraines; vaste parc (475 ha).
Environs • 7 km S., Faye-la-Vineuse, intéressante église romane. • 6 km N., *Champigny-sur-Veude :* seule subsiste du château, démoli sur ordre de Richelieu, la sainte-Chapelle (vis. ts les j. d'avr. à sept. sauf mardi), admirable joyau de la Renaissance qui renferme une exceptionnelle série de vitraux mil. XVIe.

Rieux-Minervois
11 - Aude 42 - C 2
L'Église mil. XIIe est l'une des plus originales du Midi : elle se compose de 2 circonférences concentriques et au centre du chœur heptagonal couvert d'une coupole surmontée d'une tour; chapiteaux romans; ds une chapelle, Mise au tombeau de l'École bourguignonne XVe.
Environs • 9 km N.-O., *Caunes-Minervois* possède plusieurs maisons anc., dont l'hôtel d'Alibert mil. XVIe (cour Renaissance italienne); abbatiale Saint-Pierre, romane et gothique (à l'int., autels et statues en marbre rose veiné de Caunes); au N.-E, église et chemin de croix rustique de Notre-Dame-du-Cros (pèlerinage); au N. de *Caunes-Minervois,* vallée et gorges de l'Argentdouble (D. 620). • 6 km E., *Azille;* à 3 km O., église rurale romane de Saint-Étienne-de-Vaissière.

Rioux : ***l'église romane de Rétaud présente une abside richement sculptée que domine, à la croisée du transept, un clocher octogonal.***

Riez 38 - C 3
04 - Alpes-de-Haute-Provence
Petite ville typiquement provençale, avec sa place ombragée de platanes, ses vieilles rues, ses maisons « nobles » (hôtel de Mazan, Renaissance) et ses 2 portes fortifiées : la porte Aiguière XIIIe-XIVe et la porte Saint-Sols XIVe. Baptistère déb. VIe : carré à l'ext., octogonal à l'int.; coiffé d'une coupole. Vestiges d'un temple romain (Ier s.), dédié à Apollon (colonnes aux chapiteaux corinthiens). De l'ermitage Sainte-Maxime, chapelle (abside romane) avec refuge de pèlerins, splendide panorama sur le *plateau de Valensole* et les *Alpes de Provence*.

Riom
63 - Puy-de-Dôme 31 - A 1
L'église Notre-Dame-du-Marthuret XIVe-XVe abrite l'un des chefs-d'œuvre de la sculpture médiévale, la *Vierge à l'Oiseau* XIVe (moulage au portail). Seul reste du château de Jean de Berry, la Sainte-Chapelle fin XIVe, englobée dans le palais de justice, a de remarquables vitraux XVe (gardien); à l'int., magnifiques tapisseries XVIIe. Nombreuses maisons anc., notamment la maison des Consuls mil. XVIe. La rue de l'Horloge est presque entièrement bordée d'hôtels XVIe-XVIIe, tour de l'Horloge XVe et XVIe, hôtel Arnoux de Maison-Rouge (cour déb. XVIIe), hôtel Guimoneau (escalier à vis et galerie ornés de sculptures ds la cour). Musée Mandet, ds l'anc. hôtel Dufraisse du Cheix (vis. ts les j. sauf lundi et mardi); musée régional d'Auvergne (vis. idem), arts et traditions populaires, et, à l'hôtel de ville, petit musée Jeanne d'Arc. Saint Amable a une nef et un transept romans, et un chœur gothique.
Environs • 1 km O., *Mozac* : anc. église abbatiale Saint-Pierre XIIe, les chapiteaux romans historiés du déambulatoire disparu (déposés ds la nef), de la nef et les bas-côtés, comptent parmi les plus remarquables de la sculpture romane; ds l'anc. salle capitulaire ornée de boiseries Louis XV, riche trésor : châsse de saint Calmin, chef-d'œuvre de l'émaillerie limousine XIIe, châsse de saint Austremoine XIIe, peinte aux XVIe-XVIIe. • 3 km S.-O., Marsat, l'église romane renferme l'une des plus belles Vierges noires auvergnates XIIe, en bois peint; à 4,5 km, *Volvic* (sources thermales) : grandes carrières de laves; église romane XIe et XIIe; à 2 km N., ruines du château de Tournoël (vis. ts les j.), donjon carré XIIe et cylindrique XIIIe, logis seigneurial XVe. • 6 km N.-O., **Châtelguyon***. • 9 km E., **Ennezat***.

***Riquewihr** : ville de vignoble, au riesling très réputé, demeurée intacte depuis le XVIe s.; on y découvrira, en flânant, de nombreuses maisons à pans de bois et de pittoresques enseignes.*

Rioux
17 - Charente-Maritime 29 - A 1
Église Notre-Dame, l'un des joyaux de la Saintonge romane; la façade présente un remarquable décor d'arcatures sculptées dont l'une, au centre, abrite une Vierge à l'Enfant; superbe abside à 7 pans ornée de motifs géométriques; à l'int., ds le chœur, « Mariage mystique de sainte Catherine » groupe sculpté en bois polychrome XVe.
Environs • 5,5 km N., *Rétaud* : église romane Saint-Trojan XIIe, de même style que celle de Rioux; façade avec frise sculptée et très beau chevet; abside à 8 pans richement ornée (voir surtout les modillons).

Riquewihr
68 - Haut-Rhin 14 - A 3
L'une des plus caractéristiques petites villes d'Alsace; admirablement située au milieu des vignobles, cette anc. place forte n'a guère changé depuis le Moyen Age comme en témoignent les nombreuses maisons anc. et les rues étroites; charmante place des Trois-Églises encadrée par 3 anc. églises désaffectées; maison Liebrich dont la cour est bordée de galeries de bois mil. XVIIe, maison Preiss-Zimmer fin XVIIe; le Dolder, ou « porte haute » XIIIe, renforcée aux XVe-XVIe, etc. L'anc. château mil. XVIIe abrite le Musée postal. Voir aussi la maison Kiener fin XVIe, la maison Dissler, Renaissance rhénane (1610), la rue et la cour des Juifs (anc. ghetto), la maison Schwander déb. XVIIe et ses galeries de bois, l'Obertor ou « porte supérieure », de 1 500, avec sa herse, etc.
Environs • Route du **Vin d'Alsace***.

Roanne
42 - Loire 25 - B 3
Le musée Joseph-Déchelette, installé ds un hôtel XVIIIe (vis. ts les j. sauf mardi), a d'importantes coll. préhistoriques, gallo-romaines et médiévales.
Environs • Au S., sauvages et désertiques *gorges* de la *Loire* par la D. 56 et *Saint-Maurice-sur-Loire* sur un rocher à pic couronné par les ruines d'un château féodal. • 8 km O., *château de Boisy* XVIe, flanqué de tours et d'un donjon carré XIVe (on ne vis. pas). • La côte roannaise offre de beaux paysages sur les vignobles (voir **Ambierle***).

Rocamadour
46 - Lot 36 - A 1
L'un des sites les plus curieux de France, ds l'étroite gorge de l'Alzou, au pied de l'énorme rocher portant les sanctuaires (illuminés l'été). Le village, traversé par une unique rue bordée de maisons anc., comprend plusieurs portes fortifiées. Le grand escalier (143 marches) aboutit au Fort, ou palais de l'évêque de Tulle, d'où l'on atteint les sanctuaires juxtaposés à des niveaux différents : crypte de Saint-Amadour mil. XIIe, sous l'église Saint-Sauveur XIe-XIIIe; chapelle miraculeuse de la Vierge (1749), où se trouve la statue de Notre-Dame-de-Rocamadour en bois XIIe; chapelle Saint-Michel, peintures murales int. XIIIe, ext. XIIe. Un tunnel et un sentier en lacets conduisent au chemin de Croix et au château XIVe, agrandi au XIXe (on ne vis. pas), d'où l'on a une vue superbe sur le village et le

site. On peut atteindre le château en voiture de l'Hospitalet.
Environs • A l'O., sources de l'Ouysse et gouffre de Saint-Sauveur. • 5 km E., Saut de la Pucelle et gouffre de l'Igue de Biau. • 5 km N.-E., gouffre du Réveillon. • 9,5 km N.-O., *grottes de Lacave* (vis. ts les j. par train électrique et ascenseurs), magnifiques concrétions. • 17,5 km N.-E., gouffre de **Padirac***. Au S., causse de **Gramat***.

Rochechouart
87 - Haute-Vienne 29 - D 1
Le château XIIIe et XVe (s'adr. au gardien) est bâti sur un promontoire qui domine un immense panorama; il abrite la mairie, la sous-préfecture et un musée d'antiquités locales; la salle des Chasses est décorée de curieuses peintures murales déb. XVIe. De la promenade des Allées, belle vue sur la vallée. Maisons des Consuls XVe.
Environs • 5,5 km N.-O., *Chassenon :* vestiges de la ville gallo-romaine de Cassinomagus (vis. l'été); église XIe avec abside XIVe. • 12 km N., près d'*Étagnac, château de Rochebrune ;* superbe construction XIe, XIIIe et XVIe, flanquée de 4 tours rondes et entourées de douves (vis. ts les j. des Rameaux à la Toussaint); les appartements comportent un beau mobilier et des souvenirs Empire.

Roche-Courbon (château de La)
17 - Charente-Maritime 28 - D 1
L'un des plus beaux châteaux de Saintonge (ts les j., sauf merc. du 15 sept. au 15 juin). Cette magnifique construction XVe (tour et donjon), XVIe et XVIIe, a été sauvée de la ruine par Pierre Loti. Elle s'élève au-dessus de terrasses dominant de superbes jardins à la française. L'int. a gardé en partie son décor XVIIe, notamment la «salle de bains», entièrement couverte de peintures ou de motifs sculptés allégoriques.
Environs • 7,5 km O., *Pont-l'Abbé-d'Arnoult,* église avec façade romane remaniée au XIIIe.

La Roche-Courbon : ***c'est par-delà son étagement de parterres et de bassins que l'on a la plus belle vue sur ce magnifique château.***

Rochefort-en-Terre
56 - Morbihan 16 - B 1
Petit bourg pittoresque apprécié des peintres, campé sur un éperon ds un paysage vallonné, en lisière des *landes de Lanvaux.* Nombreuses vieilles maisons de granit XVe, XVIe, XVIIe, notamment Grande-Rue. Anc. halles. Vestiges du château XIIIe : porte fortifiée, remparts, souterrains, communs XVIIe. Église Notre-Dame-de-la-Tronchaye, XIVe, XVe, XVIe; retable XVIIe (pardon le dim. après le 15 août). Calvaire XIVe.

Rocamadour : ***ce pèlerinage fameux doit aussi à son site fantastique l'un de ses plus saisissants attraits.***

La Rochelle : *la tour Saint-Nicolas, XIVe, gardienne vigilante du Vieux-Port.*

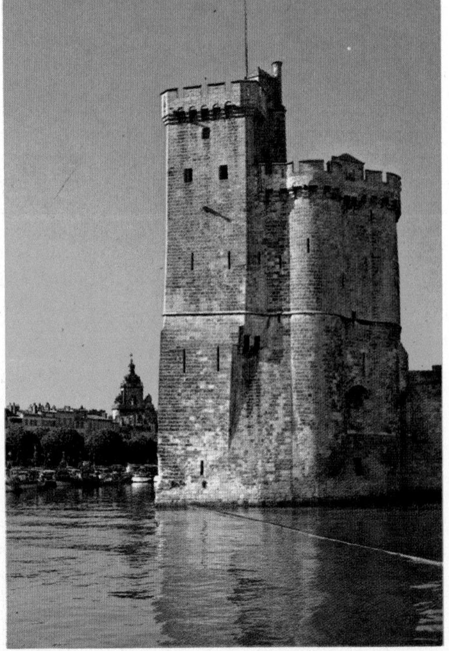

Rochefort-sur-Mer
17 - Charente-Maritime 22 - D 3
La place Colbert est bordée par l'hôtel de ville et l'église Saint-Louis mil. XIXe, clocher XVIIIe; au centre, fontaine monumentale de 1750. La porte du Soleil, sculptée de trophées marins, entrée monumentale de l'anc. arsenal (aujourd'hui chantiers privés de construction aéronautique), l'hôtel de Cheusses XVIIe (à l'int. beaux salons à boiseries Louis XVI et Empire), qui abrite un remarquable musée naval, et l'hôtel de la Marine (belle porte monumentale) évoquent les fastes de l'anc. port militaire qui vit naître Pierre Loti; sa maison (141, rue Pierre-Loti, vis. ts les j.) et les deux maisons voisines comportent un salon marocain, une pagode japonaise, une mosquée, une salle du Moyen Age, une salle Renaissance, etc. Le musée municipal (ouv. ts les j. sauf lundi) a des coll. de dessins, d'archéologie et d'art d'Extrême-Orient.
Environs • 13 km N.-O., *Fouras,* station balnéaire dominée par un imposant château XVe entouré d'une triple fortification à la Vauban; à 2 km N.-O., par l'étroite pointe de l'Aiguille ou de la Fumée, fort d'Enet, bâti en mer, sur un rocher; un service de vedettes conduit en 20 mn de *Fouras* à l'*île d'Aix* dont le bourg, fortifié par Vauban, conserve la maison de l'Empereur, dernière résidence de Napoléon avant son départ pour Sainte-Hélène en juillet 1815; musée napoléonien (vis ts. les j. l'été); en face, musée africain.

Roche-Guyon (La)
95 - Val-d'Oise 11 - B 1
Le village est bâti au pied de coteaux abrupts couronnés par un donjon XIIe au-dessus de la *Seine.* Château des ducs de La Rochefoucauld (on ne vis. pas).
Environs • 3 km O., *Gasny,* écuries et caves troglodytiques; de la route des Crêtes, magnifiques points de vue. • 2 km E. : Haute-Isle, village troglodytique; de là, la route longe la *Seine* au pied de hautes falaises blanches; *Vetheuil,* bourg pittoresque au-dessus d'un méandre de la *Seine*, église gothique, façade et porche S. Renaissance; à l'int. belles statues anc., stalles et boiseries gothiques, peintures, etc.

Rochelle (La)
17 - Charente-Maritime 22 - D 3
La ville a conservé, de ses remparts, le front de mer avec 3 puissantes tours à l'entrée du Vieux-Port; la tour Saint-Nicolas et, en face, la tour de la Chaîne reliée à la tour de la Lanterne par la curieuse rue Sur-les-Murs, qui emprunte la crête du rempart médiéval (les 3 tours se visitent ts les j.). Sur le Vieux-Port, porte de la Grosse-Horloge, massive construction carrée XIIIe couronnée au XVIIIe, où commence la rue du Palais qui se continue par la rue Chaudrier; toutes deux sont bordées d'hôtels XVIIe-XVIIIe, notamment l'hôtel de la Bourse (cour remarquable) et le palais de justice. Par la rue des Augustins (11 bis, élégante maison Renaissance dite de Diane de Poitiers), on gagne l'hôtel de ville XVe-XVIe, le monument le plus remarquable de La Rochelle dont la cour, fermée par un mur d'enceinte à créneaux et mâchicoulis, présente une belle façade sculptée fin XVIe d'inspiration italienne; à g., pavillon Renaissance très orné, surmonté d'un campanile abritant une statue d'Henri IV en faïence émaillée. La rue des Merciers est bordée de maisons XVe-XVIe (n° 3, maison de Jean Guiton, n° 8, belle maison Lechêne XVIe) avec porches monumentaux. Par la rue du Minage et la rue Chaudrier, on atteint la place de Verdun et la cathédrale Saint-Louis, fin XVIIIe. La rue de l'Escale, parallèle à la rue du Palais, est l'artère principale de l'anc. quartier aristocratique où subsistent plusieurs hôtels XVIIIe. • La Rochelle possède 3 musées : le musée d'Orbigny-Bernon (belles collections de céramique), le muséum Lafaille (sciences naturelles, ethnographie), ds l'anc. hôtel de la Tremblay XVIIIe, le musée des Beaux-Arts (peintures françaises XVIIe, XVIIIe, XIXe, XXe), ds l'anc. palais épiscopal fin XVIIIe. Nouveau musée d'histoire de la ville à l'hôtel Fleuriau (en cours).
• La plage et la promenade du Mail (800 m de long), lieu de détente favori des Rochelais, comportent un établissement de bains et un casino entouré d'un parc. Au N. et en arrière de la plage, vaste parc Charruyer bordant le front O. de l'enceinte de Vauban.
Environs • 2 km S.-O., petit village et port de plaisance des Minimes. • De *La Pallice,* à 5 km O, départs pour l'île de **Ré*.** • 12 km N., *Esnandes,* église fortifiée XIIe-XIVe, façade romane poitevine avec frise sculptée; du chemin de ronde, belles vues; élevage de moules ds *l'anse de l'Aiguillon.* • 12 km S., *Châtelaillon-Plage,* agréable station balnéaire; curieux quartier des «boucholeurs», qui cultivent les moules ds des bouchots.

Roche-Racan (château de la)
37 - Indre-et-Loire 17 - C 2
Construit en terrasse au XVIIe au-dessus du vallon de l'Escotais; sa haute façade blanche est flanquée d'une tour octogonale (on ne vis. pas).
Environs • 2,5 km N.-O., *Saint-Paterne-Racan,* l'église renferme plusieurs œuvres d'art provenant de l'abbaye cistercienne de la Clarté-Dieu, dont les ruines s'élèvent, à 3 km O., ds un vallon verdoyant; salles voûtées XIIIe et XIVe, celliers creusés ds le roc, substructions de l'église, etc. A 2 km N., *Saint-Christophe-sur-le-Nais,* église XIVe et XVIe couverte d'un berceau en charpente; vestiges d'un château Xe-XIe; l'église de *Dissay-sous-Courcillon,* à 4 km N., a un beau chœur roman XIIe; à 1 km E., ruines du château de Courcillon, au S.-E., *Bueil-en-Touraine* a une église fin XVe, attenante à l'anc. collégiale fin XIVe, qui possède un superbe baptistère de 1521 et les tombeaux, avec statues funéraires, de la famille de Bueil.

Roche-sur-Yon (La)
85 - Vendée 22 - C 1
Construite sur plan régulier par Napoléon Ier dont la statue se dresse place Napoléon, au centre de la ville. La place est bordée par l'église Saint-Louis, l'hôtel de ville et le palais de justice, tous de style néo-classique. Le musée possède des coll. de préhistoire et d'archéologie, des peintures XIXe, et une salle Napoléon. Les haras comptent parmi les plus importants de France.
Environs • 5 km O., anc. abbaye des Fontenelles, abbatiale de style gothique angevin, ruines du cloître gothique et des bâtiments conventuels.

Rocroi
08 - Ardennes 6 - C 2
Ses fortifications, achevées par Vauban, formant une enceinte pentagonale bastionnée, constituent l'un des exemples les plus remarquables d'architecture militaire XVIe et XVIIe.
Environs • Excursion de *Rocroi* à *Revin* (12 km E.), par la sauvage vallée de la Misère.

Rodez
12 - Aveyron 36 - C 2
Située sur une colline au-dessus d'un vaste horizon, la ville est dominée par la superbe cathédrale Notre-Dame fin XIIIe, en grès rouge, flanquée d'une tour de 87 m dont la partie haute, richement décorée, évoque un monumental bouquet de pierre; à l'int., jubé finement ouvragé fin XVe, «Mise au tombeau» en pierre polychrome XVIe et, ds le chœur, double rang de stalles sculptées fin XVe. Le quartier environnant a gardé son caractère d'autrefois; belles demeures gothiques et Renaissance. Installé ds 2 maisons contiguës XIVe et XVIIe,

le musée Fenaille (ts les j. l'été) a d'importantes coll. archéologiques (statues menhirs, céramique de la Graufesenque, etc.). Musée des Beaux-Arts : peinture et sculpture. *Environs* • 1 km S.-E., Le Monastère, restes d'une abbaye XIIIe-XIVe ; à 4 km E., Sainte-Radegonde : église XIIIe fortifiée aux XIVe et XVe, clocher donjon à 6 étages. • Au N., *causse du Comtal.*

Roissy-Charles-de-Gaulle
(aéroport)
95 - Val-d'Oise 11 C 1
Composé d'un bâtiment central annulaire entouré de 7 satellites, l'aéroport est l'un des plus modernes d'Europe. Restaurant et bar panoramiques. (Vis. guidées.)

Romans-sur-Isère
26 - Drôme 32 - A 3
L'église Saint-Barnard, anc. abbatiale XIIe-XIIIe, abrite 8 superbes tentures flamandes mil. XVIe représentant la Passion. Derrière l'église, anc. hôtel des archevêques de Vienne XVe-XVIe. Musée international de la Chaussure (vis. ts les j.). Ds la vieille ville, maisons à galeries de bois. Le beffroi porte un curieux jacquemart XVe. Le Pont-Vieux, sur l'*Isère,* relie Romans à *Bourg-de-Péage,* spécialités : les pognes.

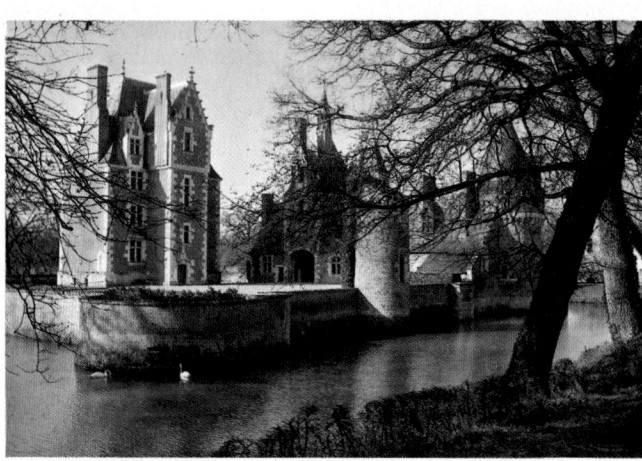

Romorantin-Lanthenay : ***le château du Moulin, aux deux bâtiments, de brique rouge et noire, se mire dans les eaux de ses douves.***

Romorantin-Lanthenay
41 - Loir-et-Cher 18 - B 3
Sur les 2 rives de la *Sauldre* qui forme ici plusieurs îles, la ville conserve plusieurs maisons en pierre et brique, à pans de bois, notamment rue de la Résistance : la Chancellerie, le Carroir d'Orée et l'hôtel Saint-Pol. De l'anc. château royal XVe-XVIe (sous-préfecture), il ne subsiste que quelques vestiges. Ds l'hôtel de ville, musée de Sologne, consacré à l'ethnographie et au folklore. Au S. de l'île Marin, où s'élève l'église Saint-Étienne XIIe-XIIIe, la rue de Venise comporte plusieurs vieilles maisons au bord de l'eau.
Environs • 3 km N., *Lanthenay :* ds l'église XIIe-XIXe, intéressantes œuvres d'art. • 12 km N.-O., près de *Lassay-sur-Croisne, château du Moulin,* élégant manoir XVe-XVIe en briques rouges et noires, d'appareil losangé, entouré d'une enceinte carrée et de douves (vis. ts les j. l'été). • Pour survoler les châteaux de la Loire au départ de Romorantin, s'adr. à l'aérodrome de Sologne, Romorantin-Pruniers.

Ronchamp
70 - Haute-Saône 20 - C D 2
La chapelle Notre-Dame-du-Haut, à 1,5 km du bourg, est l'une des plus originales créations de Le Corbusier (1951-1955), qui y a délaissé sa rigueur géométrique pour des volumes courbes. L'int., très dépouillé, reçoit la lumière par des ouvertures dissymétriques.

Roquefort-sur-Soulzon
12 - Aveyron 36 - D 3
Bourg pittoresque adossé à la falaise calcaire du causse de Combalou. Visiter les fameuses caves où sont affinés les fromages de Roquefort. Tables d'orientation sur le rocher Saint-Pierre, vaste panorama.

Rosanbo (château de)
22 - Côtes-du-Nord 8 - D 2
Superbe gentilhommière fortifiée, en granit, XVe-XVIIe (vis. ts les j.), dont les terrasses étagées dominent le vallon du Bo. Appartements décorés et meublés XVIIe-XVIIIe ; imposant escalier en bois XVIIe.
Environs • A Plouzélambre (N.), église XVe, calvaire et élégant ossuaire. • Les environs de *Plouaret* (S.-E.) conservent plusieurs chapelles intéressantes XVe-XVIe ; celle de *Kermanac'h* XVe a un portail richement sculpté.

Roscoff
29 N - Finistère 8 - C 1
Station balnéaire, port de pêche et de commerce. Centre important de thalassothérapie. Station biologique de l'Université de Paris. Aquarium Charles-Pérez. Notre-Dame-de-Kroaz-Baz, de style flamboyant, a un remarquable clocher Renaissance mil. XVIe ; à l'int., retable comportant 7 reliefs d'albâtre XVe. Anc. ossuaires XVIIe. Maisons XVIe-XVIIe rue Amiral-Réveillère. L'anc. couvent des Capucins abrite le célèbre figuier géant (on vis.) : planté v. 1625, il couvre 600 m². A l'E. port et pointe de Bloscon (chapelle Sainte-Barbe). Viviers à homards et langoustes.
Environs • 1 km N.-O. (service de vedettes), *île de Batz,* longue de 4 km, bordée de grèves de sable; le port et le bourg sont situés ds l'anse de Kernoc'h; à la pointe S.-E., jardin colonial.

Rouen
76 - Seine-Maritime 5 - A 3
Capitale de la haute Normandie, belle ville d'art. La meilleure vue générale est celle que l'on a de la « corniche de Rouen » (D. 95), la côte Sainte-Catherine et le belvédère de Bonsecours. La cathédrale Notre-Dame XIIIe-XIVe est l'une des plus belles de France; elle dresse sa grandiose façade hérissée de clochetons, encadrée par 2 tours dont la fameuse tour de Beurre (77 m); ses 3 portails sont remarquablement sculptés; sur le flanc S. portail de la Calande, sur le flanc N. ou portail des Libraires, chefs-d'œuvre de la sculpture décorative XIVe ; à l'int., l'immense transept porte une tour lanterne de 51 m ; le chœur a des vitraux et des stalles XVe ; la chapelle de la Vierge abrite le tombeau des cardinaux d'Amboise, splendide ouvrage sculpté Renaissance, et celui du sénéchal Louis de Brézé également XVIe ; le déambulatoire est éclairé par 5 verrières du XIIIe d'un coloris raffiné, ds le bras g. du transept, célèbre escalier de la Librairie; crypte XIe, vestiges du sanctuaire roman primitif. • Le quartier de la cathédrale possède plusieurs rues pittoresques et vieilles maisons (pour vis. guidées s'adr. au S.I.). L'église Saint-Maclou XVe-XVIe, remarquable édifice de style flamboyant, est précédée d'un magnifique porche à 5 baies surmontées de gables aigus très ouvra-

gés; sur le flanc g., rue Martainville, aux vieilles maisons à pans de bois s'ouvre l'« aître de Saint-Maclou », ossuaire XVIe-XVIIe avec 4 galeries de bois sur colonnes de pierre qui entouraient un cimetière. L'église Saint-Ouen XIVe-XVe est dominée par la tour Couronnée, haute de 82 m, superbe ouvrage de style flamboyant; le portail des Marmousets XIVe est précédé d'un porche XVe; à l'int., vaste et harmonieux, beaux vitraux XIVe, XVe, XVIe. Parmi les monuments civils, il faut surtout visiter l'hôtel des Bourgtheroulde, gothique flamboyant et Renaissance, élégamment orné, et le palais de justice, imposant bâtiment gothique XVe-XVIe dont la façade sur la cour d'honneur est une merveille de décoration sculptée. La place du Vieux-Marché, où Jeanne d'Arc fut brûlée vive, en 1431, est réaménagée (1979) avec des halles, la nouvelle église (vitraux XVe-XVIe) et un mémorial. Le « Gros-Horloge », le monument le plus populaire de Rouen, flanqué d'un imposant beffroi fin XIVe. Récemment dégagées et mises en valeur, les maisons de cette rue sont un exemple de l'architecture à pans de bois du Moyen Age au déb. du XVIe. • Rouen possède plus. musées. Le musée des Beaux-Arts (ouv. ts les j. sf mardi et mercr. mat.) est l'un des plus riches de France; ses coll. de peinture sont remarquables, en particulier celles du XIXe français : Ingres, Delacroix, Géricault, les impressionnistes, etc.; les écoles du Nord, Flandre et Hollande, sont également bien représentées, ainsi que l'école italienne avec des œuvres capitales de Véronèse et du Caravage; import. coll. de céramiques, notamment rouennaises, du XVIe au XIXe. Musée Le Secq des Tournelles : coll. exceptionnelle de ferronnerie d'art. Musée départemental, Antiquités, remarquables coll. Moyen Age et Renaissance, orfèvrerie, ivoires, émaux, tapisseries, etc. Musée Jeanne-d'Arc. Musée Corneille, ds la maison natale de l'écrivain.
• Le port de Rouen est le 4e de France; il peut être visité en vedette jusqu'à *La Bouille* (s'adr. au port autonome).
Environs • 9 km N.-O., Croisset, pavillon Flaubert (petit musée. Vis. ts les j. sauf mardi et mercr.). • 8 km S.-O., *Petit-Couronne,* manoir Pierre-Corneille (vis. ts les j.); à 7 km S.-O., *château de Robert le Diable,* imposante forteresse féodale XIe; à l'int. musée des Vikings; parc d'attractions; panorama de la vallée de la Seine. • 16 km E., château de *Martainville,* en brique et pierre fin XVe, entouré de douves; Musée folklorique de la haute Normandie. • Rouen est un excellent point de départ pour la visite des **abbayes normandes***.

Rouen : ***au milieu de la vieille ville, dans une zone piétonnière, le « Gros Horloge », et des maisons à colombages.***

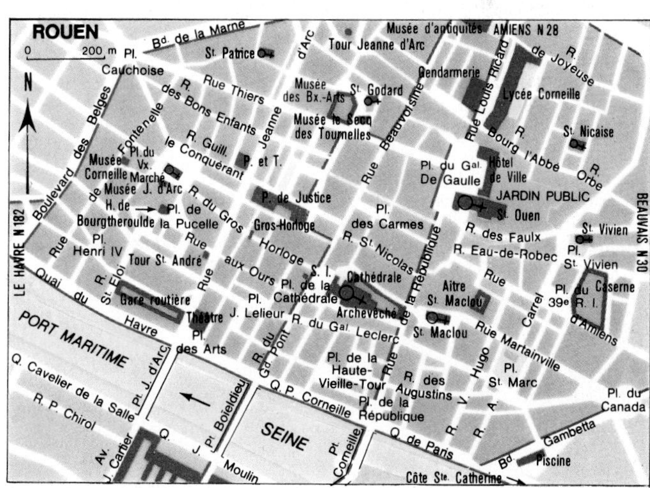

Rouffach

68 - Haut-Rhin 21 - A 1

Petite ville pittoresque, entourée de vignobles (route du **Vin d'Alsace***). Église Notre-Dame XIe-XIIe (nef et chœur XIIIe), l'une des plus intéressantes d'Alsace. Église des Franciscains XIVe-XVe (statues XVIe). Tour des Sorcières XIIIe-XVe, couronnée de mâchicoulis (nid de cigognes). Maisons anc. et vieil hôtel de ville.

ROUFFIGNAC (grotte de)
24 - Dordogne 29 - D 3
A 5 km S. de *Rouffignac.* Ensemble exceptionnel de dessins et gravures animalières préhistoriques (vis. ts les j. l'été, par petit train électrique; durée du trajet : 50 mn).
Environs • 4 km N.-O. du village, ruines du château de l'Herm, flanquées de 3 tours fin XVe et d'une porte flamboyante.

Roussillon
84 - Vaucluse 38 - A 3
Site pittoresque, l'un des plus saisissants de Provence. Les carrières d'ocre rouge ou jaune, aux falaises à pic, entourent le village. Les maisons, également ocres, sont dominées par la plate-forme du Rocher où s'élève l'église. Du «castrum» (table d'orientation), magnifique panorama.
Environs • A l'O., Aiguilles du Val des Fées, entailles verticales ds une falaise d'ocre, et Chaussée des Géants.

Royan
17 - Charente-Maritime 28 - D 1
Détruite aux trois quarts par les bombardements de janvier et avril 1945, Royan a été reconstruite ds une architecture moderniste dont l'élément principal est le front de mer; il épouse sur 600 m la courbe de la Grande Conche. D'une conception originale, en forme d'ellipse, l'église Notre-Dame, en béton armé, est dominée par une flèche de 60 m.
Environs • 2 km N.-O., conche de Pontaillac; au N., *Vaux-sur-Mer,* l'église romane rustique et son cimetière méritent le détour; *Saint-Palais-sur-Mer* (promenades pédestres recommandées le long de la corniche par le sentier des Pierrières); *la Grande Côte,* très beau site où les dunes font place aux falaises dont la route longe le bord; plages de la Grande Côte et de la Palmyre; *pointe et phare de la Coubre; forêt domaniale de la Coubre* (6000 ha); la côte sauvage de la presqu'île *d'Arvert* est très pittoresque (mer dangereuse). • 1,5 km S.-E., *Saint-Georges-de-Didonne;* pointe et plage de Suzac; *Meschers-sur-Gironde* (les falaises sont creusées d'excavations dites trous de Meschers, restaurants); 6 km S.-E., **Talmont*.** • Excursion en bateau au *phare de Cordouan* (vis. tte l'année), haut de 66 m; élevé sur un îlot, il commande l'entrée de la Gironde; bâti à la fin du XVIe, il était alors regardé comme l'une des «merveilles du monde»; la partie sup. a été reconstruite à la fin du XVIIIe; au 1er ét., appartement du Roi; au 2e, chapelle; un escalier de 301 marches mène à la lanterne.

Royaumont (abbaye de)
95 - Val-d'Oise 11 - C 1
Fondée par saint Louis en 1228, elle abrite un centre culturel international. On vis. (ts les j. sauf mardi) le cloître du XIIIe qui entoure le jardin des moines, le réfectoire (plus de 40 m de long), les anc. cuisines et la chapelle.

Rue
80 - Somme 5 - B 1
La chapelle du Saint-Esprit, accolée au flanc N. de l'église Saint-Wulphy, est un chef-d'œuvre, richement orné, du gothique flamboyant XVe-XVIe; à l'int., voûtes ouvragées; voir aussi les 2 portes de la Trésorerie et le décor sculpté de la salle haute. Un beffroi domine l'hôtel de ville.
Environs • A l'O., parc du *Marquenterre* (voir **Baie de Somme***).

Rueil-Malmaison
92 - Hauts-de-Seine 11 - C 1
Bonaparte et Joséphine (qui y vécut jusqu'à sa mort) ont laissé leur empreinte dans le modeste château de Malmaison, aujourd'hui le plus important musée napoléonien (ouv. ts les j. sauf mardi); les salons de réception du Premier consul et les appartements de Joséphine possèdent un remarquable mobilier d'époque; ds le parc (6 ha) : pavillon Osiris, musée impérial, salle de Sainte-Hélène, et célèbre roseraie. Annexe de Malmaison, le château de Bois-Préau renferme un musée principalement consacré à Marie-Louise et au roi de Rome (mêmes conditions de visite). • L'église de Rueil-Malmaison abrite le tombeau de Joséphine et le monument funéraire de la reine Hortense, sa fille; le buffet d'orgues florentin fin XVe est l'un des plus beaux de France.
Environs • Bois de Saint-Cucufa (étangs), Bougival, **Louveciennes***, **Marly-le-Roi*.**

Ruffec
16 - Charente 23 - B 3
L'église a une façade romane sculptée XIIe et une triple nef XVe-XVIe.
Environs • 7 km S.-O., *Courcôme,* église romane XIe-XIIe de style poitevin. • 6 km S.-E., *Verteuil :* château XVe flanqué de 3 tours; ds l'église «Mise au tombeau» Renaissance en terre cuite à 8 personnages.

Ruoms
07 - Ardèche 37 - C 2
Anc. bourg fortifié, les vestiges de l'enceinte sont flanqués de 7 tours rondes. Autour de l'église romane, maisons XIVe-XVe.
Environs • Au N., l'*Ardèche* coule ds le curieux *défilé de Ruoms* dont les falaises de marbre atteignent près de 100 m; de là, voir le site pittoresque de *Balazuc :* curieux village dominé par les vestiges d'un château fort (donjon XIIIe), juchés sur un roc isolé, église fortifiée et restes de remparts; à 6 km, château de *Vogüé;* imposante bâtisse XVIe, flanquée de tours, adossée à des falaises que dominent, au-dessus du village, les ruines d'un château féodal. • 2 km S.-O., près d'Auriolpe, *mas de la Vignasse :* maison familiale de Daudet (souvenirs de l'écrivain, objets de vie rurale, magnanerie); au S.-O., *bois de Païolive,* l'une des curiosités du Vivarais (voir **les Vans***). • Au S.-E., *canyon de l'Ardèche* (voir **Vallon-Pont-d'Arc***).

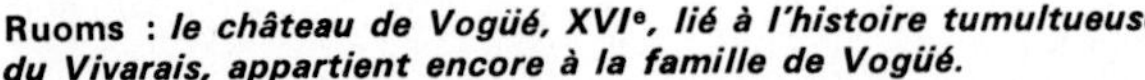
Ruoms : ***le château de Vogüé, XVIe, lié à l'histoire tumultueuse du Vivarais, appartient encore à la famille de Vogüé.***

S

Sables-d'Olonne (Les)
85 - Vendée 22 - C 2
Station balnéaire et port de pêche important, occupant une étroite langue de dunes entre une anc. lagune (marais salants) et l'Océan. Belle plage de sable en arc de cercle sur plus de 2 km, bordée par un large quai terrasse dénommé le Remblai (quai Wilson, quai Georges-Clemenceau, avenue Georges-Godet) où se trouvent les principaux hôtels et villas. A l'extr. O., grand casino et piscine, jetée des Sables. La Corniche qui prolonge au S.-E. le Remblai suit le bord de la falaise et atteint le Puits d'Enfer. Port pittoresque et coloré surtout au retour de la pêche. Remarquable musée d'art contemporain de l'abbaye Sainte-Croix. Le quartier des pêcheurs, La Chaume, groupé autour de la tour d'Arundel et du fort Saint-Nicolas, XVIIe, est séparé des Sables par le chenal du port.
Environs • Au N.-O., la *forêt domaniale d'Olonne* (1 291 ha, pins maritimes) recouvre les dunes du littoral entre *La Chaume* et le havre de La Gachère, en bordure de l'Océan. • 13,5 km S.-E. *Talmont,* dominé par les ruines imposantes d'un château XIe, reconstruit aux XVe et XVIe (superbe donjon et chapelle romane); à 1,5 km château des Granges-Cathus déb. XVIe. • 5 km N.-E., château de Pierre-Levée, charmante « folie » champêtre XVIIIe (on ne vis. pas).

Sablé-sur-Sarthe
72 - Sarthe 17 - B 1
Sur les 2 rives de la *Sarthe,* qui y forme plusieurs îles. L'église Notre-Dame (XIXe) a 2 superbes verrières XVe et XVIe. Château XVIIIe (on ne vis. pas), porte d'entrée fortifiée XIVe.
Environs • 3,5 km E., abbaye de **Solesmes*.**

Sabres
40 - Landes 34 - D 2
Le musée de plein air de Marquèze (à 4 km de Sabres) est le premier musée de l'environnement créé en France. Habitat landais au XIXe : potager et jardin, moulin et maison du meunier, étang et bief, divers types de maisons, etc. Expositions temporaires et centre d'information. La desserte du musée est assurée par un petit train à vapeur (tous les jours du 15 juin au 15 sept., départ de Sabres).
Environs • 22 km N.-E., *Luxey,* atelier de distillation de la gemme Jacques et Louis Vidal. • Parc ornithologique et centre d'initiation à la nature au Teich (Gironde).
• 10 km N.-O., la base « Mexico », à *Commensacq,* permet d'effectuer en canoë-kayak le parcours de la *Grande-Leyre* jusqu'à son embouchure ds le bassin d'Arcachon (120 km). • 7 km O. : *Solférino,* musée Napoléon-III et musée landais.

Saint-Amand-de-Coly
24 - Dordogne 30 - A 3
L'imposante église romane fortifiée, en pierre calcaire jaune, est l'une des plus originales du Périgord.
Environs • 9 km S.-E., *La Cassagne :* village typiquement périgourdin, église romane XIIe-XIIIe.

Saint-Amand-les-Eaux
59 - Nord 2 - A 3
De la florissante abbaye médiévale il reste, sur la Grand-Place, le pavillon de l'Échevinage, de la Renaissance flamande (salon décoré par Louis Watteau 1782) et la façade de l'anc. abbatiale, surmontée d'une magnifique tour baroque de 82 m, richement ornée; celle-ci abrite un célèbre carillon de 44 cloches (concert ts les j. de 12 h à 12 h 30 et les dim. d'été de 19 à 20 h) et un petit musée du Carillon.
Environs • L'établissement thermal est à 4 km E. sur la lisière de la *forêt de Raismes* (767 ha); celle-ci avec la forêt de Saint-Amand (3 207 ha) et la forêt domaniale de Wallers constituent le Parc naturel régional de Saint-Amand-Raismes : réserves d'animaux sauvages, d'oiseaux et de plantes, musée de la Batellerie en bois à *Hergnies,* important centre nautique à l'étang d'Amaury, etc. ; un « parc de vision » de 105 ha permet d'observer sangliers, mouflons, daims, chevreuils, etc., ds leur cadre naturel.

Saint-Andiol
13 - Bouches-du-Rhône 37 - D 3
Impressionnante église romane, fortifiée au XIIIe; à l'int. ciborium gothique en pierre et boiseries XVIIIe. Château mil. XVIIe.
Environs • 2 km O., Verquières, petite église romane fortifiée, agrandie au XVIIe.

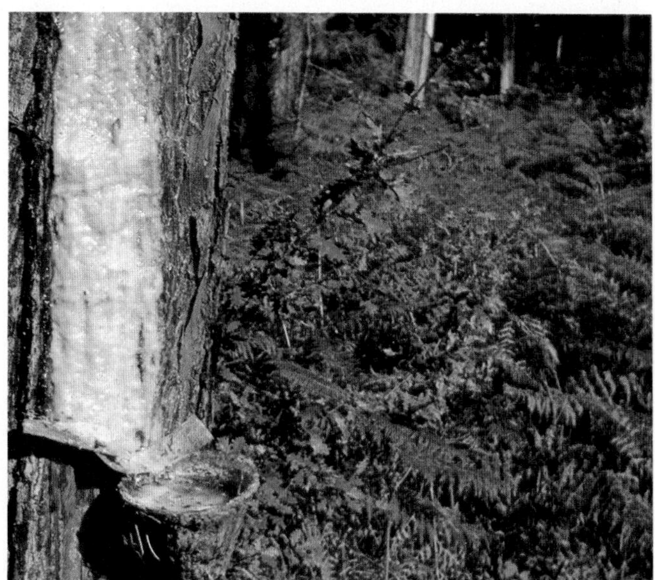

Sabres : ***dans la forêt des Landes (950 000 ha environ) le pot à résine, accroché sur le pin, recueille la « gemme ».***

Saint-Antoine (abbaye de)
38 - Isère 32 - A 3
Dominant le bourg sur le versant de la vallée du Furan, l'abbaye, fondée à la fin du XIe, est l'un des plus intéressants témoignages de l'architecture monastique médiévale. 3 portails monumentaux s'ouvrent sur un bâtiment XVIIe, précédant une longue cour rectangulaire bordée par les communs et les écuries; au fond, l'abbatiale gothique, dont la façade, dominant une haute terrasse, possède 3 portails sculptés ; à l'int. vaste et harmonieux, nombreuses œuvres d'art, notamment des fresques mil. XVe, les stalles, le maître-autel, et la châsse de saint Antoine XVIIe; intéressantes œuvres d'art ds la sacristie : boiseries XVIIIe, tapisseries d'Aubusson, ornements sacerdotaux XVIIe-XVIIIe, important ensemble de reliquaires.
Environs • 11,5 km S.-E., *Saint-Marcellin :* église XVe, restes d'en-

ceintes et d'un château XIIIe; ruines XIIIe des châteaux du Mollard et de Beauvoir.

Saint-Avold
57 - Moselle 13 - D 1
Église fin XVIIIe anc. abbatiale bénédictine. Basilique Notre-Dame-du-Bon-Secours fin XIXe (pèlerinage).
Environs • 2 km N., vaste et impressionnant cimetière américain de Lorraine (16000 tombes). • La centrale thermique Émile-Huchet, à *Carling,* est l'une des plus importantes de France. • Au N.-E., *Freyming-Merlebach* est l'un des principaux centres d'extraction du charbon en Europe; nombreuses usines carbochimiques; la «route des puits», entre *Carling* et *Merlebach,* traverse d'extraordinaires paysages industriels; le spectacle des hauts fourneaux de nuit est impressionnant.

Saint-Benoît-sur-Loire (abbaye de)
45 - Loiret 18 - C 1
La basilique XIe-XIIe (vis. ts les j., chant grégorien) est précédée d'un massif clocher porche, représentatif de l'art roman, dont les chapiteaux font alterner feuillages stylisés, animaux fantastiques et scènes évangéliques. Le portail est remarquablement sculpté (XIIIe). A l'int., nef milieu XIIe, transept et chœur de 1065-1108 (gisant du roi Philippe Ier, dallage en mosaïque IVe ou Ve, stalles déb. XVe, remarquables chapiteaux historiés). La crypte XIe renferme les reliques de saint Benoît; vestiges du sanctuaire primitif.
Le quartier du port, avec ses vieilles maisons de mariniers, est pittoresque; la courbe harmonieuse de la Loire offre des paysages variés (de la Croix-Tibi belle vue sur le fleuve et la basilique).
Environs • 5,5 km N.-O., **Germigny-des-Prés***. • 8 km S.-E., **Sully-sur-Loire***.

Saint-Bertrand-de-Comminges
31 - Haute-Garonne 41 - C 3
Ceinturé de remparts, le village, aux rues étroites et en forte pente, est dominé par le majestueux vaisseau de l'anc. cathédrale Notre-Dame, romane et gothique; à l'int., jubé, clôture de chœur et stalles déb. XVIe, sculptés avec une extraordinaire virtuosité; derrière le maître-autel, mausolée de saint Bertrand XVe en forme de châsse gigantesque; 2 anc. salles capitulaires abritent le riche trésor. • Au S. de l'église, remarquable cloître roman avec chapiteaux et pilier des 4 Évangélistes, d'une facture archaïque; de la galerie S., vue plongeante sur le ravin. A dr. de la cathédrale, l'anc. monastère bénédictin abrite la galerie du Trophée (statues Ier ou IIe, ayant orné le trophée impérial du forum romain). • Musée du Comminges, ds un hôtel XVIIIe; les objets recueillis au cours des fouilles de la villa gallo-romaine y sont déposés. Situé près de la ville basse, le chantier de Lugdunum Convenarum (théâtre, temple, basilique ou marché, thermes du Forum et thermes du Nord; basilique chrétienne IVe) peut être visité (s'adr. au gardien). A 600 m, Saint-Just-de-Valcabrère, charmante église romane fin XIe (s'adr. au gardien), ds un cimetière rustique; portail latéral sculpté.
Environs • 6 km N.-O., *grottes de Gargas* (vis. ts les j. de juin à oct.), belles concrétions, empreintes de mains d'hommes préhistoriques. • 7 km E., *Barbazan :* agréable station thermale, ds un vaste parc.

Saint-Blaise (fouilles de)
13 - Bouches-du-Rhône 44 - A 2
A 200 m S. de la chapelle Saint-Blaise romane XIIe, les fouilles ont permis de retrouver le mur de l'enceinte d'une forteresse grecque IVe av. J.-C. ainsi que les substructions d'une église Ve et des habitations paléochrétiennes. Nécropole chrétienne (hypogées). Vaste panorama.

Saint-Bonnet-le-Château
42 - Loire 31 - B 2
Anc. ville fortifiée, remarquable ensemble de maisons gothiques et Renaissance. Église en granit XVe-XVIe avec portail Renaissance; ds la crypte, fresques XVe; caveau des Momies. Panorama grandiose sur la plaine du *Forez* et les *monts du Lyonnais.* Fabrication de dentelles.
Environs • Au N., *Luriecq :* église style gothique flamboyant, porche Renaissance. • Au N.-O., *Saint-Jean-Soleymieux :* église crypte XIIe. • Au S.-O., *Usson-en-Forez* (église XVe), *Saint-Pal-de-Chalençon* (bourg fortifié). *Saint-Hilaire-Cusson-la-Valmitte* (église en partie romane, remaniée XVe et XIXe).

Saint-Bonnet-Tronçais
03 - Allier 24 - D 2
Centre touristique en bordure de la *splendide forêt domaniale de Tronçais* (10433 ha) qui possède les plus belles chênaies de France. Remarquablement aménagée, celle-ci offre de nombreux itinéraires pédestres; en juill.-août, visites guidées de la forêt au départ du Rond du Vieux-Morat. La futaie Colbert a des chênes classés de plus de 300 ans. Nombreux étangs, de *Saint-Bonnet* (plage, sports nautiques), de *Pirot,* de Saloup, etc.

Saint-Benoît-sur-Loire : ***qui croirait que ce robuste clocher porche de l'abbaye cache des chapiteaux d'une imagination fantastique?***

Saint-Brieuc
22 - Côtes-du-Nord 9 - A 2
La vieille ville a conservé son caractère typiquement breton resté, par endroits, archaïque. La cathédrale Saint-Étienne XIVe-XVe est une église forteresse dont la façade, très dépouillée, est encadrée de 2 tours à meurtrières. Hôtels et maisons anc. rues Fardel, du Maréchal-Foch, place de la Grille, etc. Au N.-E., le pourtour du promontoire où est bâtie la ville offre de très beaux points de vue. Du tertre Aubé, vaste panorama.
Environs • 3,5 km N.-E., tour de Cesson, ruines XIVe dominant l'embouchure du Gouët. • 5,5 km N.-E., estuaire du Gouët et port du Légué; la vallée du Gouët est très pittoresque. • 9,5 km N., plage des *Rosaires,* encadrée de falaises (club nautique et école de voile); de la pointe du Roselier, panorama. • 14 km N.-O., *Binic,* port de pêche et station balnéaire; à 6,5 km S.-O., chapelle Notre-Dame-de-la-Cour XVe; *Étables-sur-Mer, Saint-Quay-Portrieux.* • 9 km S., *Plédran,* église XVIIe-XIXe; dolmen de la Grotte-aux-Fées; à 3 km O., château de Graffault XVIIe, et chapelle Saint-Nicolas XVIe (jubé en bois sculpté et verrière XVIe); au N., *Camp de Péran,* vaste enceinte de 600 m de développement, Ier, IIe s. av. J.-C.

Saint-Calais
72 - Sarthe 17 - D 1
Cette curieuse petite ville, composée de 2 rectangles superposés traversés par 2 axes parallèles et symétriques par rapport à l'*Anille,* a une église remarquable. Notre-Dame, mi-gothique, mi-Renaissance, sa façade présente une ordonnance architecturale géométrique très originale. A l'hôtel de ville, coll. de tableaux léguée par Ch. Garnier, l'architecte de l'Opéra. Les quais de l'*Anille* sont bordés de vieilles maisons pittoresques. Sur la rive gauche, au-dessus de la ville, ruines d'un château XIe.
Environs • 10,5 km S., château de **Courtanvaux***. • 7,5 km S.-E., *Savigny-sur-Braye,* église XIIe, XVe et XVIe, avec clocher XVe; à l'int., 3 beaux retables XVIIIe. • 11 km E., *Sargé-sur-Braye,* église XIe-XIIe, décorée de peintures murales XIVe et XVIe; à 5,5 km N., *Baillou,* église XVIe, isolée sur une butte, renfermant une belle série de vitraux Renaissance. • 25 km S.-O., *Le Grand-Lucé,* château mil. XVIIIe, imposant et sobre (maison de santé, on ne vis. pas).

Saint-Céré
46 - Lot 36 - B 1
Important centre d'excursions vers la *vallée de la Dordogne,* les *gorges de la Cère,* etc. La ville, qui comporte plusieurs maisons anc. XVe et XVIe, est dominée au N. par les 2 tours de Saint-Laurent XIIe et XVe (où vécut le peintre Jean Lurçat; expositions permanentes de ses tapisseries au casino et à l'hôtel de ville).
Environs • 1,5 km O., château de **Montal***. • 9 km N.-O., *château de Castelnau* (voir **Beaulieu-sur-Dordogne***).

Saint-Chamas
13 - Bouches-du-Rhône 44 - A 1
Le pont Flavien, gallo-romain, Ier, est d'une ordonnance toute classique. Église XVIIe. La chute de Saint-Chamas constitue l'ouvrage final de l'aménagement de la Durance. Du belvédère (commentaires enregistrés), très belle vue sur l'étang de *Berre.*
Environs • 4 km N.-E., pittoresque village provençal de Cornillon-Confoux sur un promontoire dominant un vaste panorama. • A l'E., la route d'**Aix*** passe sous l'aqueduc de *Roquefavour,* remarquable ouvrage d'art (1842-1847), qui amène à **Marseille*** les eaux de la Durance.

Saint-Christophe-en-Oisans
38 - Isère 32 - C 3
Village montagnard, ds un cirque cultivé, dominé par de hauts massifs montagneux entre le massif du Pelvoux et la Meije, centre de nombreuses excursions et ascensions. Au cimetière reposent plusieurs victimes de la montagne, guides et alpinistes.
Environs • Au S.-E., la route suit en corniche la rive dr. du *Vénéon* jusqu'à *La Bérarde;* centre d'alpinisme du C.A.F., école du ski français, ds un site grandiose de hautes vallées, aux glaciers éclatants de blancheur; chapelle Notre-Dame-des-Neiges; au-dessus de *La Bérarde,* sommets impressionnants de la *Barre des Écrins* (4 100 m) et de la Meije (3 982 m); la création du Parc national des Écrins-Pelvoux (10 400 ha) a pour but de protéger les sites, la faune et la flore de cette région exceptionnelle.

Saint-Christophe-en-Oisans : ***au-dessus de l'Oisans, la Meije dont le sommet le plus élevé, le Grand Pic, fut vaincu en août 1877.***

Saint-Cirq-Lapopie
46 - Lot 36 - A 2
L'un des villages les plus extraordinaires du Quercy, à la fois par son site et par le pittoresque de ses vieilles maisons (dont certaines XVe-XVIe). Église XIIe et XVe. Le village

Saint-Cirq-Lapopie : ***ne pas manquer de flâner dans ce vieux village, dont les maisons aux façades en encorbellement et à poutres apparentes entourent l'église, précédée d'un clocher-tour.***

est dominé par les ruines d'un château (panorama). Plusieurs artistes ou artisans habitent les maisons qu'ils ont restaurées. Du promontoire rocheux du Bancourel, vue magnifique sur la *vallée du Lot.*

Saint-Claude
39 - Jura 26 - B 2
Capitale de la pipe, ds un impressionnant site montagneux, excellent centre d'excursions à travers le haut Jura. Belle vue générale de la route de **Morez*.** Cathédrale Saint-Pierre, de style gothique homogène, seul reste de l'importante abbaye XIIIe; 38 stalles sculptées XVe occupent le chœur; retable monumental Renaissance, sculpté et peint en hommage à saint Pierre. La rue de la Poyat qui réunissait le quartier abbatial aux faubourgs populaires des bords de la *Bienne* et du Tacon a gardé son caractère d'autrefois.
Environs • Excursions pédestres aux cascades de Combes et Font de l'Abîme au N.-E., à la cascade de la Queue-de-Cheval à l'E.; aux gorges et cascades du Flumen et belvédère de la Cernaise, au S.-E. • *Gorges de l'Ain :* au S.-O., par la vallée de la *Brienne, Dortan* et *Thoirette;* au N.-O. par *Moirans-en-Montagne* et le lac de retenue de Vouglans. • Au N. vallée de la *Brienne.*

Saint-Cloud
92 - Hauts-de-Seine 11 - C 2
L'église Stella Matutina est l'une des plus originales réalisations contemporaines d'art religieux (1965). Le parc (450 ha), qui couvre les coteaux dominant la Seine, est traversé de routes forestières, rectilignes ou sinueuses, comportant plusieurs sites intéressants; de la terrasse, où s'élevait le château détruit en 1870, et que remplacent parterres et bassins, panorama sur la *Seine* et **Paris*;** en contrebas, sur la partie longeant la *Seine* (N. 187), buffet d'eau monumental XVIIe; grande Cascade et grand jet (grandes eaux 2e et 4e dim. de mai à sept.). Par la N. 187 on arrive à la Manufacture de **Sèvres*.**
Environs • Marnes-la-Coquette; ds le parc de Villeneuve-l'Étang, colossal mémorial La Fayette, dédié aux aviateurs volontaires américains (de 1914 à 1916); crypte; beaux jardins, étangs romantiques; Vaucresson, église XVIIIe avec clocher XIIe.

Saint-Denis
93 - Seine-Saint-Denis 11 - C 1
La basilique, anc. abbatiale, nécropole royale depuis le XIIIe, est l'un des monuments les plus impressionnants de France; commencée en 1137, les travées de l'avant-nef (1140) et le chœur à déambulatoire et chapelles rayonnantes (1144) comptent parmi les toutes premières réalisations du gothique (vis. ts les j. sauf dimanche matin); les tombeaux résument l'histoire de la sculpture funéraire du Moyen Age (dalles figurées et gisants) à la Renaissance (splendides tombeaux monumentaux de Louis XII et Anne de Bretagne, François Ier et Claude de France, Henri II et Catherine de Médicis avec gisants, statues des défunts agenouillés à l'étage supérieur, reliefs sculptés); ds la crypte, «caveau royal» des Bourbons et ossuaire. Les bâtiments abbatiaux, XVIIIe, sont occupés par la maison d'éducation de la Légion d'honneur (on ne vis. pas). Intéressant musée d'art et d'histoire (installation prévue en 1981 ds l'anc. Carmel, XVIe) : coll. archéologiques et historiques, œuvres contemporaines (salle Paul-Éluard).

Saint-Dié
88 - Vosges 13 - D 3
Détruite en 1944 et reconstruite, la ville a conservé un excellent témoignage d'architecture romane rhénane : la chapelle Notre-Dame-de-Galilée (ou Petite Église) XIIe. La cathédrale (ou Grande Église), en grès rouge, est en partie romane de style rhénan (mil. XIIe), et gothique; superbe cloître XIVe-XVIe avec chaire ext. XVe.
Environs • Des massifs boisés offrent de nombreuses promenades ou excursions, notamment, au N.-E., à la Roche du Sapin-Sec (895 m, table d'orientation, panorama). • 12 km N., *Moyenmoutier,* superbe église XVIIIe, l'un des plus beaux monuments religieux classiques des Vosges lorraines; à 5 km E., *Senones,* entourée de sombres pentes boisées; anc. abbaye bénédictine XVIIIe (on vis.). • Au N.-O., *Étival-Clairefontaine :* belle église XIIe, anc. abbatiale de style cistercien et rhénan.

Saint-Dizier
52 - Haute-Marne 12 - D 2
2 églises valent la visite : Notre-Dame XVIIIe, façade XVe, qui abrite

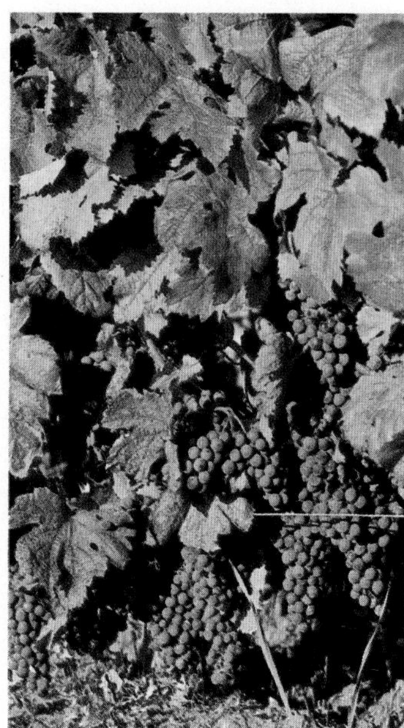

Saint-Émilion : ***si son cru, à l'arôme puissant et au caractère corsé, est célèbre, le vieux bourg médiéval, avec ses églises, ses maisons anciennes et ses vestiges du passé, mérite une longue visite.***

plusieurs sculptures de l'École champenoise XIVe et XVIe; Saint-Martin-de-la-Noue XIIIe-XIVe, en partie reconstruite fin XVIIe; à l'int., statues d'art populaire XVIIe-XVIIIe. *Environs* • Au S., *forêt du Val;* vallée de la *Blaise* par *Wassy-sur-Blaise* dont l'église romane, de style rhénan, a été remontée au XVIIe ds le style gothique; curieuse horloge astronomique à la mairie.

Saint-Émilion
33 - Gironde 29 - B 3
Construite en amphithéâtre sur un promontoire calcaire dominant la vallée de la *Dordogne,* sa principale curiosité est l'église monolithe creusée ds le roc (XIe-XIIe), le plus anc. monument de ce genre existant en France (vis. ts les j.). A g., chapelle de la Trinité déb. XIIIe, au-dessous ermitage rupestre et «lit de saint Émilion»; à dr., clocher XIIe, isolé, dont le majestueux élancement atteint 67 m. L'église collégiale (nef romane et chœur gothique disproportionnés) a un cloître XIVe. Celui des Cordeliers fait partie, avec les ruines de l'église XIVe-XVe et des bâtiments abbatiaux (élégant logis de la Commanderie), d'une maison de vins (vis. ts les jours). Nombreuses maisons anc. et vestiges du palais Cardinal XIIe, avec façade romane. *Environs* • 600 m O., curieuse église de Saint-Martin-de-Mazerat, XIe-XIIe. • 4 km N.-E., *Montagne,* église romane XIIe, château des Tours XIVe-XVIe. • 21,5 km E., château de **Montaigne*.** • 17 km N., Saint-Palais, église XIIe, façade romane saintongeaise.

Saint-Étienne
42 - Loire 31 - C 2
Cette grande cité industrielle possède peu de monuments importants en dehors du palais des Arts (vis. ts les j. sauf mardi et mercr. matin) qui abrite le musée d'Art et d'Industrie (importantes coll. de peinture contemporaine), le musée d'Armes et le musée de la Mine; ds le jardin, sculptures modernes. Saint-Étienne (ou Grand-Église) XVe est le seul édifice anc. de la ville. *Environs* • 7 km S.-E., *Rochetaillée,* vieux bourg très pittoresque, à pic au-dessus de la vallée du *Furan,* dominé par les ruines de son château; *barrage du gouffre d'Enfer,* ds un site boisé. • A l'E., *massif du Pilat* qui culmine au *Crêt de la Perdrix* (1 434 m), tour hertzienne de la TV lyonnaise, panorama. • Au S.-O., près de *Chambon-Feugerolles,* imposant château féodal de Feugerolles XIe-XIIe et XVIIe; à l'O., par *Firminy* (maison de la Culture, stade et unité d'habitation par Le Corbusier), on atteint *le Pertuiset* ds un site pittoresque au bord de la *Loire,* transformée, par le *barrage de Grangent,* en un vaste lac sinueux de plus de 25 km; route en corniche escarpée (belles vues sur la *Loire*) : voir les ruines du château de Cornillon, le pittoresque village de *Chambles* et les ruines du château d'Essalois; à *Saint-Rambert-sur-Loire :* église XIe-XIIe; intéressant musée régional et d'art africain.

Saint-Étienne-de-Tinée
06 - Alpes-Maritimes 39 - A 2
Centre de sports d'hiver et d'ascensions. Église XVIIe avec chœur gothique XVIe. Ds la chapelle de l'anc. couvent des Trinitaires, fresques XVIIe. Chapelle Saint-Sébastien XVe, fresques de Jean Canavesi et Jean Baleisoni XVe. Chapelle Saint-Maur, fresques XVe. *Environs* • 7 km S., station de sports d'hiver d'*Auron* (1 600 m), la plus importante des Alpes-Maritimes, chapelle Sainte-Érige (fresques de 1 451); téléférique de Las Donnas (2 300 m, table d'orientation, restaurant, vaste panorama). • 14 km S.-E., *Isola,* ds un site grandiose; sous le *col de la Lombarde,* ds un beau cirque montagneux à 2 000 m d'alt., importante station de sports d'hiver d'Isola-2000; au S. d'Isola, la route suit les gorges de la *Tinée* vers **Saint-Sauveur-sur-Tinée*.** • Au N., vers **Jausiers*,** route du col de la *Bonette* (2 802 m); ce magnifique parcours de 58 km, par l'une des routes les plus hautes d'Europe, permet de relier la vallée de la *Tinée* à la vallée de l'*Ubaye.*

Saint-Florent
2 B-Corse 45 - A 2
Importante station balnéaire et port de plaisance dominés par la vaste citadelle génoise. A 1 km E., anc. cathédrale de *Nebbio* de style roman pisan, déb. XIIIe; à l'int., curieux chapiteaux animaliers (clé à l'hôtel d'Europe).
Environs • 24 km E., par *Patrimonio* et le *col de Teghime,* **Bastia*** et le **cap Corse*.** • 17 km S., *Murato;* à 1 km, église San Michele (clé au presbytère de Murato) : les murs présentent un appareil poly-

Saint-Florent : ***l'église romane de Murato, que l'agencement de ses pierres vertes et blanches fait ressembler à un monumental damier.***

chrome original vert sombre et blanc; fenêtres latérales ornées de sculptures décoratives très fouillées; au N.-E., *défilé de Lancone;* revenir à *Saint-Florent* par *Rapale* et *Santo-Pietro-di-Tenda :* curieuse église en pierres rougeâtres; à 800 m, ruines de San Pietro, romane XIIIe; ses sculptures caricaturales valent le détour.

Saint-Florent-le-Vieil
49 - Maine-et-Loire 16 - D 2
Pittoresque village aux maisons de schiste, sur une colline dominant la *Loire;* de l'esplanade, panorama sur la vallée. Ds une chapelle de l'église, tombeau en marbre blanc de Bonchamps, l'un des chefs vendéens, par David d'Angers. Musée des Guerres de Vendée ds l'anc. chapelle du Sacré-Cœur, déb. XVIIe.
Environs • 6 km O., château de la **Bourgonnière***. De Saint-Florent-le-Vieil à *Montjean-sur-Loire,* à 15 km E., la route suit la levée de la Loire; 9 km plus à l'E., la *Corniche angevine,* de *Chalonnes-sur-Loire* à *Rochefort-sur-Loire,* offre des vues remarquables sur la Loire.

Saint-Flour
15 - Cantal 31 - A 3
Sur un plateau basaltique, à plus de 100 m au-dessus de l'Ander, cette petite cité paisible a une imposante cathédrale de style gothique XIVe-XVe; à l'int., curieux «Bon Dieu Noir» XVe. Maisons anc., notamment rue du Thuile, et rue Marchande (n° 15, hôtel Brisson XVe-XVIe; n° 31, maison du Gouverneur Renaissance). L'anc. palais épiscopal abrite le musée de la Haute-Auvergne (ouv. du lundi au vendr.) et l'anc. hôtel des Consuls le musée A.-Douet (vis. ts les j. l'été) : mobilier, tableaux, émaux limousins, etc. De la butte du Calvaire, au N., panorama.
Environs • 2 km S.-E., plateau de la Chaumette, belle vue sur Saint-Flour; par la N. 9 et la D. 4 S.-E., on atteint *Ruynes* puis, par la route forestière, le *mont Mouchet* (1465 m) : Monument national des Maquis de France. • 12 km S.-E., viaduc de **Garabit***. • 12 km S., par Villedieu (église romane), ruines du château d'*Alleuze* dressées sur un piton au fond d'une gorge sauvage entre deux ravins. • A l'O., *Roffiac,* église romane avec clocher mur à arcades; au S.-O., *Valuejols,* église intéressante et *Paulhac,* église fortifiée. • Au N.-O., *Neussargues,* église romane et château XVIIe.

Saint-François-Longchamp
73 - Savoie 32 - C 2
Station de sports d'hiver étagée sur des pentes en 3 centres : Saint-François (1400 m), Longchamp (1650 m) et le *col de la Madeleine* (2000 m); nombreux téléskis. Large seuil de pâturages, le *col de la Madeleine* offre un point de vue remarquable sur le flanc S.-O. du **mont Blanc***. Ascension en 3 h au Cheval-Noir (2837 m).

Saint-Gabriel (chapelle)
13 - Bouches-du-Rhône 43 - D 1
5 km S.-E., de **Tarascon***, l'une des plus charmantes chapelles romanes de Provence, entourée de cyprès et d'oliviers. Construite à la fin du XIIe, son architecture est inspirée de l'antique; la décoration sculptée, très ouvragée, est d'un archaïsme plein de charme. Derrière, ruines d'un château féodal et de son enceinte.

Saint-Gaudens
31 - Haute-Garonne 41 - C 2
Anc. collégiale, l'église Saint-Pierre-et-Saint-Gaudens est un bel édifice roman XIe-XIIe à 3 nefs et 3 absides. Du bd Jean-Bepmale, vue panoramique sur les Pyrénées (table d'orientation). Monument aux 3 maréchaux pyrénéens, Foch, Joffre, Gallieni (1951).
Environs • 16 km N.-O., *Montmaurin;* les vestiges de la vaste villa gallo-romaine IVe, mis au jour sur 18 ha ds la vallée de la *Save,* sont très remarquables; on les visite, ainsi que le musée où ont été déposés les produits des fouilles; une route touristique (D. 9D bis) suit, de Montmaurin, les gorges de la *Save,* dont les abris rocheux ont permis des découvertes préhistoriques importantes.

Saint-Geniez-d'Olt
12 - Aveyron 36 - D 2
Les vieilles maisons au bord du *Lot,* que traverse un pont XVIIIe, forment un ensemble pittoresque dominé par une falaise à pic (terrasse, belle vue). L'église XIVe des Pères (ou des Pénitents) évoque l'anc. couvent des Augustins dont

les bâtiments XVIIe abritent la mairie (à l'int., beau triptyque de l'Adoration des Mages XVIe). Ds l'église paroissiale XVIIIe, tombeau de Mgr de Frayssinous († 1842), orné d'un grand bas-relief de David d'Angers.
Environs • Au S., *causse de Séverac.* • Au N., *massif de l'Aubrac* (voir **Marvejols*** et **Aubrac***).

Saint-Genis-des-Fontaines
66 - Pyrénées-Orientales 43 - D 3
Le linteau de la porte de l'église est considéré comme l'une des premières expériences de sculpture romane figurée (v. 1020) ; il représente le Christ en majesté entouré des Apôtres.
Environs • 4,5 km E., Saint-André-de-Sorède, église romane bénédictine, déb. XIIe ; au portail, linteau sculpté déb. XIe. • 3 km N.-O., *Brouilla,* église romane XIIe avec chœur de plan tréflé. • 9 km S.-E., par Sorède, ruines du château d'Ultera (571 m, belle vue).

Saint-Georges-de-Commiers
38 - Isère 32 - B 3
Château avec tour XIVe. Sur une hauteur, chapelle romane, Notre-Dame-des-Autels (crypte) et vestiges d'un prieuré.
Environs • Au S. *Notre-Dame-de-Commiers* (église mil. XVIe), dominant la digue de ce nom qui fait partie d'un vaste complexe hydro-électrique (usines de Champ et de Saint-Georges-de-Commiers, barrage-usine de Monteynard), belvédère ; à *La Motte-Saint-Martin* prendre la D. 116 qui, après s'être fortement élevée, domine en corniche, à 250 m, les gorges du *Drac* (au fond, barrage et usine électrique d'*Avignonet*), atteint *Marcieu* (du mont Seneppi, à 1772 m, vaste panorama), puis *Mayres;* elle remonte ensuite au N. la vallée de la Jonche et gagne **La Mure***.

Saint-Germain-de-Livet
(château de)
14 - Calvados 10 - C 1
L'un des plus gracieux châteaux du *pays d'Auge.* Son appareil de pierre blanche et de brique XVe et XVIe, sa tour en damier de briques roses et ses tuiles vernissées composent un ensemble original (vis. ts les j.). A l'int. salle des Gardes et salle à manger avec cheminées monumentales flanquées d'une tourelle. Vestiges de peintures murales.

Saint-Germain-en-Laye
78 - Yvelines 11 - C 1
Le château, l'une des principales résidences royales, date en grande partie de la Renaissance ; il a été restauré sous Napoléon III ; de l'édifice antérieur, au Château-Vieux, il reste le donjon de Charles V (XIVe) et l'admirable Sainte-Chapelle édifiée par saint Louis, l'une des merveilles de l'art gothique du XIIIe ; le château abrite le musée des Antiquités nationales (vis. ts les j. sauf mardi) ; récemment rénové, il comporte, dans des présentations remarquables, d'exceptionnelles coll. de la Préhistoire au haut Moyen Age. • Place Gal.-de-Gaulle, église XVIIIe. Musée municipal. Musée départemental du Prieuré (art symboliste et nabi). Hôtels XVIIIe (hôtel Lauzun, 1, place A.-Malraux, hôtel de Maintenon, 23, rue du Vieil-Abreuvoir). La célèbre terrasse, tracée par Le Nôtre (2400 m) offre un immense panorama sur la vallée de la Seine.
Environs • Au N. s'étend la *forêt de Saint-Germain* (3500 ha) qui comporte d'agréables promenades : Croix de Noailles XVIIIe, château du Val (on ne vis. pas). Croix Saint-Simon, mare aux Canards, pavillon de la Muette, Grille Royale, Croix Pucelle, les Loges (maison d'éducation de la Légion d'honneur). • Au N.-E., le château de **Maisons-Laffitte***, *Conflans-Sainte-Honorine* (musée de la Batellerie), **Poissy*** et les rives de la *Seine,* etc., sont autant d'excursions recommandées.

Saint-Germain-Lembron
63 - Puy-de-Dôme 31 - A 2
Ce gros bourg est un bon centre d'excursions.
Environs • 5 km N.-E., Nonette : église romane et gothique (portail archaïque), ruines considérables du château, l'un des plus puissants d'Auvergne ; vaste panorama. • 6 km N.-O., château de Villeneuve-Lembron Renaissance déb. XVIe (vis. ts les j.) : à l'int., boiseries Renaissance et très curieuses peintures décoratives allégoriques et satiriques fin XVe, notamment, ds la galerie N. de la cour int., la « chambre de la bergère » et la voûte de l'écurie. • 12 km S.-O., *Ardes-sur-Couze,* à l'entrée de la pittoresque *vallée de Rentières,* haute vallée de la *Couze* (parsemée d'énormes blocs basaltiques). • 9 km S., *Lempdes* (église romane) et les *gorges de l'Alagnon,* voir **Bleste*** ; à 9 km E., **Auzon***.

Saint-Germer-de-Fly
60 - Oise 5 - B 3
De l'anc. abbaye, fondée au VIIe, subsistent une porte fortifiée XIVe, le bâtiment d'entrée XVe, et l'abbatiale de pur style gothique mil. XIIe, le plus remarquable édifice religieux du pays de Bray ; le chœur, long de 14 m, est aussi harmonieux qu'imposant ; un couloir voûté relie l'église à une élégante sainte-chapelle, construite au XIIIe sur le modèle de celle de Paris.

Saint-Gervais-les-Bains-Le-Fayet
74 - Haute-Savoie 32 - D 1
Stations sœurs, l'une en plaine, *Le Fayet,* station thermale, l'autre, *Saint-Gervais,* centre de villégiature et de sports d'hiver. *Le Fayet* est surtout composé d'hôtels et de villas ; établissement thermal ds un vaste parc de 32 ha planté de magnifiques sapins (torrent du Bonnant, cascade des Bains et cascade de Crépin) ; Notre-Dame-des-Alpes est une intéressante église de style savoyard moderne (1938). *Saint-Gervais-les-Bains* a une église avec un beau mobilier d'époque de goût italien ; excursions au pont du Diable et au hameau des Pratz (chapelle XVIIIe) ; ruines du château de la Comtesse.
Environs • Tramway du *Mont-Blanc* (ligne à crémaillère), parcours extraordinaire à travers des paysages grandioses jusqu'au *glacier de Bionnassay;* col de Voza (1654 m), montée par télésiège au Prarion (1860 m, voir **Chamonix***). • Téléférique du mont d'Arbois, en 2 tronçons ; station supérieure à 1827 m ; vaste panorama. • *Saint-Nicolas-de-Véroce,* à 9 km S., par la très belle D. 43 ; ds l'église, riche trésor (s'adr. au presbytère). • Vallée de Montjoie ; à 9 km S. par la D. 902, *Les Contamines-Montjoie* (1200 m), station d'été et de sports d'hiver ; la route continue jusqu'à la moderne chapelle de Notre-Dame-de-la-Gorge, de style baroque savoyard, à 1210 m.

Saint-Gildas-de-Rhuys
56 - Morbihan 16 - A 2
L'église, anc. abbatiale romane reconstruite au XVIIIe, a conservé d'importantes parties XIe ; à l'int., dalles funéraires du XIe au XVIIIe, remarquables chapiteaux XIIe ; riche trésor à la sacristie (s'adr. au presbytère). Sur le flanc S., bâtiments de l'anc. abbaye XVIIIe avec cloître.
Environs • 1 km O., pointe du Grand-Mont (magnifique panorama). • 6 km N.-E., *Sarzeau;* à 4 km S.-E., ruines fantastiques du *château de Suscinio* XIIIe, XIVe, XVe. • A l'extrémité de la presqu'île et au débouché du golfe du **Morbihan***, *Port-Navalo,* port, plage entre les pointes du Port-Navalo (phare) et d'Ormilédec ; vue superbe.

Saint-Gilles-du-Gard
30 - Gard 43 - C 1
Les trois portails sculptés de l'anc. abbatiale Saint-Gilles fin XIIe, consacrés à la vie du Christ, sont

Saint-Gilles-du-Gard : chef-d'œuvre de l'art roman, l'ample façade de l'abbatiale a trois portails encadrés par les douze statues d'Apôtres et ornés de sculptures consacrées à la vie du Christ.

l'un des chefs-d'œuvre de la sculpture romane ; le portail central, dont le tympan représente le Christ en majesté entouré des symboles des quatre Évangélistes, est particulièrement remarquable ; la crypte, véritable église souterraine, a de très belles voûtes d'ogives parmi les plus anc. en France (mil. XIIe). La « vis de Saint-Gilles », escalier du clocher N. de l'église, est un curieux exemple de stéréotomie. Intéressante maison romane ds une rue voisine, vestiges lapidaires à l'int.
Environs • 4,5 km N., sur la route de *Bellegarde,* station de pompage de Pichegru, l'une des plus importantes d'Europe ; c'est la pièce maîtresse de l'aménagement hydraulique de la vallée du *Rhône.*

Saint-Guénolé
29 S - Finistère 15 - B 1
Important port de pêche au milieu des landes sauvages sur une côte rocheuse.
Environs • 2 km S., chapelle Notre-Dame-de-la-Joie XVIe, avec calvaire (pardon le 15 août). • 2 km N.-E., Musée préhistorique finistérien. • 2,5 km E., *Penmarc'h,* remarquable église Saint-Nonna, de style gothique flamboyant ; sur la *pointe de Penmarc'h,* très rocheuse, entourée d'écueils, *phare d'Eckmühl* (65 m ; on vis. ; panorama superbe) ; chapelle Saint-Pierre XVe, petit port ; à 5 km S.-E., de Penmarc'h, *Le Guilvinec,* port de pêche langoustier ; ts les j., entre 15 et 17 h, retour des chalutiers.

Saint-Guilhem-le-Désert
34 - Hérault 43 - A 1
Tapi dans les gorges du Verdus, entre des escarpements abrupts, couronné par les ruines du château, le village se compose de deux rues parallèles reliées par d'étroits passages voûtés. De l'importante abbaye de Saint-Guilhem-le-Désert, il reste l'église abbatiale ; la partie la plus caractéristique est, à l'ext., l'abside romane encadrée de 2 absidioles et couronnée de 18 niches cintrées ; la nef XIe est d'une grande sobriété de lignes ; précieux vestiges sculptés XIIe.
Environs • A l'O., le Verdus traverse le grandiose cirque de l'Infernet, entouré de falaises à pic diversement colorées. • Au S., *grottes de Clamouse* (vis. ts les j.) dont les salles comportent des concrétions très variées. • Au N., vers *Causse-de-la-Selle,* gorges de l'*Hérault* (escarpements calcaires aux aspects fantastiques) ; par *Saint-Jean-de-Buèges,* gorges de la Buèges.

Saint-Guilhem-le-Désert : ***au confluent du Verdus et de l'Hérault, ce pittoresque village enserre la célèbre abbatiale du XIe.***

Saint-Hippolyte
25 - Doubs 20 - D 3
Ds un très beau site au confluent du *Doubs* et du *Dessoubre* dominé par des escarpements boisés. Villégiature éstivale et pêche à la truite, le bourg a conservé son aspect anc.
Environs • Au N., la vallée du *Doubs* vers **Montbéliard*** forme une gorge dominée par d'impressionnants escarpements rocheux. • Au S.-E., la corniche de *Goumois,* route frontière très pittoresque (voir **Maîche***). • Au S.-O., vallée du *Dessoubre,* l'une des plus belles du Jura (voir cirque **de Consolation***).

Saint-Jean-Cap-Ferrat
06 - Alpes-Maritimes 45 - B 1
Village de pêcheurs, devenu importante station balnéaire et résidentielle, sur la côte orientale de la presqu'île formée par le cap Ferrat et occupée en partie par de magnifiques propriétés. Le zoo, le jardin exotique (reptiles en liberté) et le jardin animé valent la visite; le musée Ile-de-France, ds l'anc. villa Ephrussi, domine de superbes jardins ornés de vasques, statues, pavillons, etc. (cactus géants); les coll. du musée (vis. ts les j. sauf lundi) sont aussi riches que variées : primitifs, mobilier XVIIe-XVIIIe (charmant salon des Singes), art d'Extrême-Orient, dessins et lavis de Fragonard, peinture impressionniste, etc.
Environs • 1,5 km N., *Beaulieu-sur-Mer :* station estivale et hivernale (centre nautique important); sur l'anse des Fourmis, villa Kérylos (ouv. ts les j. sauf lundi, fermé en nov.) : reconstitution, réalisée au début du siècle par l'archéologue Théodore Reinach, d'une somptueuse demeure de la Grèce classique; à l'E., route du littoral par Eze-sur-Mer d'où une petite route monte à **Eze-Village** *, en corniche au-dessus de la mer, **La Turbie** * et **Monaco** *.

Saint-Jean-d'Angély
17 - Charente-Maritime 23 - A 3
Le vieux Saint-Jean a conservé ses petites places et ses rues tortueuses bordées d'anc. maisons à pans de bois XVe-XVIe et d'hôtels XVIIe-XVIIIe. Tour de l'Horloge, anc. beffroi XIVe. Fontaine du Pilori, Renaissance. Anc. abbaye; la façade monumentale XVIIIe de l'abbatiale, dite «les Tours», est restée inachevée. Intéressant musée: coll. archéologiques; souvenirs de la Croisière noire et de la Croisière jaune, les missions Citroën de 1924-1925 et 1931-1932.
Environs • 9 km S.-O., *Fenioux,* église de style roman saintongeais, avec clocher à jour et façade O. sculptée; remarquable lanterne des morts romane, XIIe; à 2 km S.-O. : tour de Biracq, musée folklorique saintongeais. • 8 km N.-O. : *Landes,* église romane avec peintures murales XIIIe.

Saint-Jean-de-Luz
64 - Pyrénées-Atlantiques 40 - B 1
Le port est très animé, surtout lors du retour des bateaux de pêche. Les quais de la *Nivelle,* la maison de l'Infante, en briques rouges encadrées de pierres blanches, la place Louis-XIV où s'élèvent l'hôtel de ville mil. XVIIe et le château Lohobiague, ou maison de Louis XIV (1635), flanqué de tourelles, forment le centre de la cité. L'église Saint-Jean-Baptiste XVe-XVIIe où Louis XIV épousa l'infante Marie-Thérèse, offre à l'int. le type parfait de l'église basque; superbe retable monumental sculpté ds le chœur. Le bd de la Plage (casino) épouse la courbe harmonieuse de la baie.
Environs • *Ciboure :* vieille ville basque typique, prolongeant Saint-Jean-de-Luz sur la rive g. de la *Nivelle;* nombreuses maisons anc. et rues pittoresques; église XVIe-XVIIe à curieux clocher octogonal; excursion recommandée à la pointe de Socoa, fort XVIIe (club nautique). • 2 km O., Bordagain, chapelle et tour observatoire; magnifique panorama. • 7 km S.-E., *Ascain :* église basque typique; excursion recommandée à *La Rhune* (900 m) soit à pied par les sentiers (3 h de montée), soit par la crémaillère partant du *col de Saint-Ignace,* à 2 km d'Ascain; du col, la route (D. 4) descend sur *Sare,* l'un des plus caractéristiques villages basques : à 5,5 km S., grottes de Sare.

Saint-Jean-de-Maurienne
73 - Savoie 32 - C 2
Vieille ville, capitale historique de la Maurienne. Cathédrale Saint-Jean-Baptiste XIe et XVe; l'int. contient plusieurs tombeaux; ds le chœur, curieux ciborium d'albâtre très ouvragé (XVe); 82 magnifiques stalles sculptées fin XVe. Au-dessous, a été dégagée l'église primitive VIe. Cloître gothique flamboyant.
Environs • Route du *Mont-Cenis :* la vallée de l'*Arc* par **Saint-Michel-de-Maurienne** *, *Modane,* gare internationale, dominée au N. par le fort de Sappey (1723 m, panorama); transport par chemin de fer des automobiles accompagnées entre *Modane* et *Bardonnechia* par le *tunnel du Fréjus;* la haute Maurienne par *Avrieux, Termignon* (décoration à l'italienne et retables XVIIe ds l'église), *Lanslebourg-Mont-Cenis,* 1397 m, station de sports d'hiver jumelée avec *Lanslevillard* dont la chapelle Saint-Sébastien XVe (clé au presbytère) vaut la visite : peintures murales d'inspiration populaire, mil. XVe, d'un réalisme impressionnant; ds l'église paroissiale retable monumental déb. XVIe; à partir de *Lanslebourg,* la route s'élève en lacets vers le *col du Mont-Cenis* (2038 m); nouvel *hospice* (1967), *barrage du Mont-Cenis* (1963-1967) et *lac du Mont-Cenis* de 668 ha; frontière franco-italienne, vers *Suse.*

Saint-Jean-de-Monts
85 - Vendée 22 - B 1
La grande plage est reliée à la plage des Demoiselles, au S.-E., par un superbe remblai long de 2 km, large de 70 m, impressionnant front de mer bordé d'immeubles modernes.
Environs • La «corniche vendéenne» domine, au S.-E., les plages de *Sion* et de *Croix-de-Vie,* port de pêche sur l'estuaire de la Vie dominé par des falaises schisteuses. • Au N.-O., route côtière vers *Notre-Dame-de-Monts, La Barre-de-Monts* et *Fromentine* (service régulier pour **Noirmoutier** *).

Saint-Jean-du-Doigt
29 N - Finistère 8 - C 1
Village typiquement breton, à 700 m de la mer. L'enclos paroissial comporte une porte triomphale

Saint-Jean-de-Luz : ***bateaux de pêche et de plaisance se côtoient dans le port, au pied des vieilles maisons basques.***

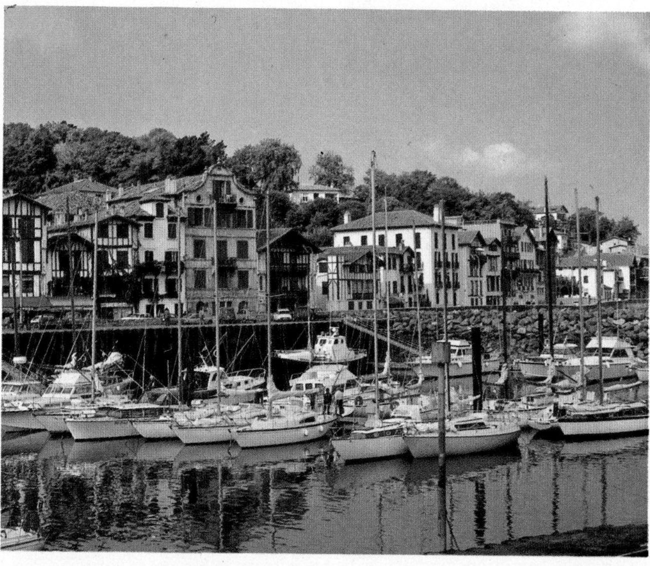

et une belle fontaine Renaissance avec haut-relief sculpté. Chapelle funéraire mil. XVIe, église de style flamboyant; le trésor, très riche, comprend plusieurs reliquaires dont celui de l'index de saint Jean-Baptiste (pardon les 23 et 24 juin). *Environs* • Au N.-O., par *Plougasnou* (église XVIe) et *Primel-Trégastel,* ds un site superbe, lande de Primel; ses magnifiques rochers rougeâtres s'enfoncent en éperon dans la mer.

Saint-Jean-Pied-de-Port
64 - Pyrénées-Atlantiques 40 - C 2
Anc. place forte, l'une des villes les plus pittoresques du pays Basque sur la Nive. Des murailles XVe et XVIIe enserrent le vieux quartier où l'on pénètre par 3 portes, la porte de France, la porte de Navarre et la porte Saint-Jacques, reliées par la rue de la Citadelle, bordée de maisons en grès rouge XVIe-XVIIe (curieuse «prison des évêques») qui aboutit, par une série de lacets, à la citadelle XVIIe, remaniée par Vauban. L'église Notre-Dame-du-Pont XVIIIe, également en grès rouge, conserve un portail XVIe. De l'autre côté de la Nive s'étend le quartier neuf XVIIe, également entouré de remparts, et traversé par la rue d'Espagne (nombreuses maisons anc.) qui prolonge, en franchissant le vieux pont (vue sur les vieilles maisons au-dessus de la rivière), la rue de la Citadelle.
Environs • 8 km S.-E., *haute vallée de la Nive :* la route remonte une gorge sauvage jusqu'à Esterençuby. • Par *Saint-Jean-le-Vieux* et *Mendive, vallée du Laurhibar,* col de Burdin-Curutcheta (1300 m, vaste panorama), chalets et forêt d'Iraty, faune et flore typiquement pyrénéennes. • 11 km N.-O., *Saint-Étienne-de-Baïgorry :* au S., la route remonte la *vallée de la Nive* des *Aldudes,* où les traditions basques sont demeurées vivaces; des *Aldudes* (367 m), on peut alors atteindre l'Espagne.

Saint-Junien
87 - Haute-Vienne 29 - D 1
La collégiale, très bel édifice de style roman limousin XIe-XIIe abrite le tombeau du saint, chef-d'œuvre de la sculpture limousine XIIe. Maison XIVe. Chapelle Notre-Dame-du-Pont XVe, finement sculptée.
Environs • Au N.-O., les bords de la *Glane* et ses rochers pittoresques ont souvent inspiré les artistes (site Corot). • A l'E., la D. 32 remonte la vallée de la *Vienne* vers *Saint-Victurnien* (église XIIe et XIVe) et *Aixe-sur-Vienne* dont les pittoresques «ostensions» ont lieu tous les 7 ans (les prochaines en 1981); église romane fortifiée XVe.

Saint-Laurent-en-Grandvaux
39 - Jura 26 - B 2
Ds un site superbe, sur un plateau entouré de hauts sommets.
Environs • 6,5 km S.-O., *lac de l'Abbaye;* abbaye de Grandvaux, église mil. XVIIe. • 9 km N.-O., *cascades du Hérisson* (voir lac de **Châlain***).

Saint-Léonard-de-Noblat
87 - Haute-Vienne 30 - A 1
Vieille ville à l'aspect archaïque dominant la *Vienne.* L'église Saint-Léonard romane XIe-XIIe a un superbe clocher limousin; à l'int., curieuse chapelle baptismale en rotonde du Saint-Sépulcre, surmontée d'une coupole; au-dessus du maître-autel, une cage grillée renferme les reliques de saint Léonard, patron des prisonniers. Maisons XIIIe, XVe et XVIe autour de l'église.
Environs • Au S.-E., *vallée de la Maulde* et *barrage du mont Larron* (voir **Eymoutiers***); site très pittoresque au confluent de la *Vienne* et de la *Maulde,* ruines de l'abbaye de l'Artige XIIe-XIIIe.

Saint-Leu-d'Esserent
60 - Oise 11 - C 1
L'église (magnifique vaisseau de pierre roman), construite sur une falaise dominant l'*Oise,* a un ample chœur gothique; c'est l'un des plus remarquables exemples de l'évolution de l'architecture religieuse aux XIIe-XIIIe; une porte fortifiée donne accès au prieuré, dont le cloître XIIe (seules 2 galeries subsistent) offre une très belle vue sur l'église; de la terrasse, vaste panorama sur la vallée de l'*Oise;* la salle souterraine voûtée d'ogives s'ouvre sur plusieurs salles et galeries creusées dans le sol (vis. l'apr.-m.).

Saint-Lizier
09 - Ariège 41 - D 3
L'anc. cathédrale romane fin XIe, dominée par un clocher octogonal en brique de style toulousain XIVe, possède un charmant cloître à 2 ét. XIIe et XVe (chapiteaux à entrelacs ou historiés). Ds l'anc. palais épiscopal (aujourd'hui hôpital psychiatrique), chapelle épiscopale Sainte-Marie-de-la-Sède; à l'int., belles boiseries XVIIe. Une partie de l'enceinte romaine a été conservée.
Environs • 2 km S., *St-Girons :* église à façade romane et clocher mur crénelé. • 2 km E., Montjoie : village fortifié XIVe; l'enceinte rectangulaire est flanqué de portes et de tours; l'église a une façade également fortifiée; à 6 km N.-E., Montesquieu-Avantès : grottes du Tuc d'Audoubert et des Trois-Frères où d'importantes découvertes préhistoriques ont été faites (vis. réservée aux spécialistes). • Excursions recommandées : au S., **Seix*** et les vallées du *Salat* et d'Ustou; au S.-E., *Oust* et *vallée du Garbet* jusqu'à **Aulus-les-Bains***; au S.-O., *haute vallée du Lez* et vallée de Bethmale, par Audressein.

Saint-Lô
50 - Manche 10 - A 1
La ville a été détruite à 80 % en 1944. La cathédrale Notre-Dame, XVe-XVIe, a conservé sur le flanc g. une curieuse chaire ext. sculptée. A l'hôtel de ville, musée (remar-

Saint-Loup-de-Naud : ***robuste et trapue, l'ancienne priorale Saint-Loup a un magnifique portail sculpté, du XIIe, encadré de statues-colonnes.***

Saint-Malo : *la ville, très endommagée pendant la guerre, a été restaurée. Des imposants remparts anciens de la « ville close », reconstruite, on peut admirer le panorama de l'estuaire de la Rance.*

quables tapisseries fin XVIe, peintures XIXe). Important haras (vis. ts les j. l'apr.-m. ; présentations de chevaux le sam. matin l'été). A 2 km, hôpital mémorial France-USA (1956), mosaïque monumentale ext. de Fernand Léger.
Environs • 9 km S.-O., château de *Canisy,* de style Louis XIII au bord d'un étang (on ne vis. pas). • 10 km S., *Condé-sur-Vire,* la plus importante coopérative laitière d'Europe (vis. sur dem.); à 3 km, curieuses *roches de Ham,* magnifique escarpement dominant de 80 m la vallée de la *Vire,* belles vues. • 13,5 km S.-E., *Torigni-sur-Vire,* beau château XVIe-XVIIe (mairie) et 2 églises intéressantes.

Saint-Loup-de-Naud
77 - Seine-et-Marne 12 - A 2
L'église, l'une des plus anc. d'Ile-de-France (fin XIe), possède un très beau portail sculpté (v. 1167-1170) encadré de statues-colonnes; au tympan, Christ en gloire entouré des évangélistes ; remarquer à l'int. le passage du roman au premier art gothique entre le chœur fin XIe et l'entrée de la nef dont les 2 premières travées XIIe sont voûtées sur croisées d'ogives.

Saint-Maixent-l'École
79 - Deux-Sèvres 23 - B 2
L'église Saint-Maixent, anc. cathédrale, ruinée au XVIe, reconstruite fin XVIIe en gothique flamboyant, conserve plusieurs parties XIe et XIIIe. La crypte XIe renferme les tombeaux de saint Maixent et saint Léger XIe. Une seconde crypte XVIIe subsiste sous l'église voisine Saint-Léger. A dr. anc. abbaye XVIIe (caserne). Maisons anc. Porte de ville et hôtel de ville XVIIIe.
Environs • 11 km S.-E., *La Mothe-Saint-Héray,* église XVe, vestiges (orangerie) de l'anc. château XVIe-XVIIe; maison dite des Rosières (fête des Rosières le 2e lundi de sept.). • 26 km E., *Lusignan,* église romane XIIe (porche XVe); les vestiges du château évoquent le souvenir de la fée Mélusine, ancêtre mythique des Lusignan. • 22 km N.-E., *Sanxay : les ruines romaines* (16 ha) comprennent les restes d'un temple, d'un théâtre, de thermes, etc. • 19,5 km O., par *Breloux-la-Crèche* et *Échiré,* ruines du *château du Couldray-Salbart,* XIIIe, au-dessus de la *Sèvre niortaise.*

Saint-Malo
35 - Ille-et-Vilaine 9 - C 2
Saint-Malo, *Saint-Servan, Paramé* et *Rothéneuf* forment une même commune. Rebâtie ds son aspect original après sa destruction en 1944, la ville close de Saint-Malo a retrouvé ses maisons de granit de style XVIIe-XVIIIe, enfermées ds les remparts. L'imposant château XVe a 4 tours aux angles et une saillie encadrée de 2 tours rondes : la Générale et Quiquengrogne ; elles doublent 2 ouvrages antérieurs : le petit donjon (1393) et le grand donjon (1424) qui abritent le musée municipal. Faire le tour des remparts par le chemin de ronde; vues superbes sur la mer, la côte et l'embouchure de la *Rance.* A l'int. de la ville close, la cathédrale a échappé à la destruction; de styles Renaissance et classique à l'ext., elle a une nef romane et un chœur gothique flanqué de bas-côtés et de chapelles XIVe et XVe; remarquable ensemble de vitraux du peintre Le Moal (1972-1974).
Environs • Au S., *Saint-Servan,* l'anse des Sablons, encadrée par les pointes fortifiées du Naye et de la cité; on ne visite plus les énormes ouvrages souterrains de défense, aménagés par les Allemands de 1942 à 1944 ds la presqu'île de la Cité; de la corniche d'Aleth, splendides panoramas; la tour Solidor XIVe commande l'estuaire de la *Rance* et abrite le musée des Cap-Horniers (vis. ts les j.); elle domine le port Solidor et l'église Sainte-Croix XVIIIe-XIXe. • A l'E., *Paramé* s'étend en bordure d'une vaste plage que borde une digue-promenade piétonnière de 1,5 km; *Rothéneuf,* station balnéaire (rochers sculptés au début du siècle par l'abbé Fouré, aquarium marin, vis. ts les j.). • Excursions à pied : Fort National XVIIIe sur un îlot accessible à marée basse; îles du Grand-Bé (tombeau de Chateaubriand) et du Petit-Bé accessibles à marée basse également; à 4 km N.-O., par bateau, l'*île de Cézembre,* sauvage et escarpée, possède des vestiges de fortifications de Vauban et un important centre nautique (école de voile).

Saint-Martin-aux-Bois
60 - Oise 5 - D 3
Imposante abbatiale XIIIe à laquelle on accède par la porte fortifiée de l'anc. abbaye; c'est l'une des plus remarquables églises d'Ile-de-France ; à l'int., le vaisseau, presque aussi haut (27 m) que long (31 m) est un véritable mur de lumière

grâce aux verrières du chevet d'une élégante envolée; belles stalles sculptées ds le chœur.
Environs • 5 km N.-O., *Maignelay Montigny* a une intéressante église XVIe avec porche polygonal voûté à 3 arcades et un portail flamboyant; à l'int. curieux retable flamand de la Passion, en bois XVIe.

Saint-Martin-de-Boscherville
Voir **abbayes normandes*** 5 - A 3

Saint-Martin-de-Londres
34 - Hérault 43 - B 1
L'enclos de l'anc. prieuré, fermé par un cercle de vieilles maisons flanquées de 2 portes fortifiées, comporte une remarquable église romane déb. XIIe, de plan tréflé.
Environs • 6 km N.-O., *ravin des Arcs,* l'un des sites les plus impressionnants des Cévennes, d'accès difficile (prendre obligatoirement les sentiers). • 9,5 km S.-E., *pic Saint-Loup,* 663 m, magnifique panorama.

Saint-Martin-du-Canigou
(abbaye de)
66 - Pyrénées-Orientales 43 - C 3
Située à 1095 m sur un rocher entouré de précipices, au pied du **Canigou***, l'abbaye, fondée en 1007, a été fortement restaurée au début du siècle (vis. ts les j.). Elle comprend une église supérieure dédiée à saint Martin XIe et une crypte, Notre-Dame-la-Souterraine. Le cloître (reconstitué) comporte des chapiteaux romans déb. XIe. Bâtiments conventuels modernes. Excursions en 1 h env., à la cascade Saint-Martin.

Saint-Martin-Vésubie
06 - Alpes-Maritimes 39 - A 3
Capitale de la «Suisse niçoise», dont les vallées sont verdoyantes et les montagnes vertigineuses (2 écoles d'escalade sont installées au haut Boréon et à Valdeblore); Saint-Martin a 2 églises intéressantes : l'Assomption, richement décorée de boiseries et de statues fin XVIIe et la chapelle des Pénitents-Blancs de la même époque. Étroite, et en forte pente, la rue Droite (rue du Dr-Cagnoli) a conservé une rigole en son milieu.
Environs • 13 km N.-E., *Madone de Fenestre :* sanctuaire rustique ds un site grandiose; derrière l'hôtel refuge, un chemin conduit (1 h de montée) au lac de Fenestre (2266 m), puis au col de Fenestre (2474 m) d'où, par temps clair, la vue s'étend jusqu'au Cervin et au mont Rose. • 8 km N., *Le Boréon* (1460 m); station d'altitude, d'où l'on peut faire d'agréables excursions à travers «la Suisse niçoise»; au-dessus de la cascade du Boréon (35 m), lac de retenue créé par l'E.D.F.

Saint-Maximin-la-Sainte-Baume
83 - Var 44 - B 1
L'abbaye de style gothique septentrional XIIIe-XVe a une vaste nef sans déambulatoire ni transept; la voûte possède de belles clés historiées; imposant buffet d'orgues (1773), nombreuses œuvres d'art dont le retable de la Passion (1520); le fond de l'abside est occupé par une riche architecture de marbre encadrant 3 tableaux et surmontée de statues allégoriques; maître-autel, clôture du chœur et stalles XVIIe; chaire sculptée XVIIIe; rectangulaire et voûtée en berceau, la crypte paléo-chrétienne V^e abrite 4 sarcophages IVe et V^e, attribués à saint Maximin, sainte Madeleine, sainte Marcelle et sainte Suzanne.
• Ds l'anc. couvent royal XIVe-XVIIIe, collège d'Échanges contemporains; cloître XVe et salles gothiques voûtées d'ogives.
Environs • 22 km S.-O, par *Nans-les-Pins,* la **Sainte-Baume***.

Saint-Michel
02 - Aisne 6 - C 2
Vaste église, nef Renaissance, transept et chœur gothiques, façade XVIIIe, l'un des plus beaux édifices religieux du Nord-Est; le cloître de style classique est entouré par les bâtiments en pierre et brique de l'anc. abbaye déb. XVIIIe.
Environs • La forêt (3000 ha) comporte plusieurs rivières à truites, gibier abondant.

Saint-Michel-de-Cuxa
66 - Pyrénées-Orientales 43 - C 3
Importante abbaye bénédictine (vis. ts les j.). L'église abbatiale Saint-Michel, en grande partie X^e, emprunte à l'art mozarabe ses arcs outrepassés; le clocher carré est de type lombard. Au centre de la crypte circulaire, déb. XIe, chapelle Notre-Dame-de-la-Crèche. 2 galeries de l'anc. cloître démantelé ont été reconstituées, colonnettes et chapiteaux en marbre rose XIIe. Belle porte romane sculptée.
Environs • 3 km N., *Prades,* intéressante église gothique avec clocher roman lombard; à l'int., le

Saint-Martin-du-Canigou : ***dans un site superbe, l'abbaye romane entoure son cloître aux chapiteaux sculptés.***

Saint-Michel-de-Cuxa : ***les chapiteaux, au décor végétal très fouillé, sont le principal ornement du cloître de l'ancienne abbaye bénédictine.***
A Prades, l'église gothique Saint-Pierre, dont on remarquera le beau clocher roman, contient, à l'intérieur, de nombreuses œuvres d'art.

retable monumental en bois sculpté et doré XVIIe du chœur comporte plus de 40 statues; à 7 km N.-O., *Molitg-les-Bains,* station thermale réputée ds la pittoresque gorge de la Castillane; établissement thermal et Grand hôtel ds un beau parc de 15 ha, lac avec plage aménagée, tennis, pêche, etc. • 13 km N.-E., *Vinça :* son vieux quartier aux rues étroites enserre une église XVIIIe dont l'int. est un véritable musée d'art religieux; le retable sculpté et doré de la chapelle du Saint-Sacrement est d'une exubérante somptuosité; au S., la D. 13 suit les gorges du *Lentilla* jusqu'à *Valmanya* et la forêt de ce nom (maison forestière); très accidentée, et parfois abrupte, elle aboutit, par le col Xatard, à la D. 618 pour atteindre, après un parcours pittoresque, *Amélie-les-Bains* (voir **Céret***).

Saint-Michel-de-Frigolet (abbaye)
13 - Bouches-du-Rhône 37 - D 3
Situés ds la fameuse « montagnette » des chasseurs de casquettes de Daudet, les déconcertants bâtiments néo-gothiques XIXe conservent quelques parties romanes et la petite église Saint-Michel prem. moit. XIIe. L'abbatiale actuelle XIXe englobe la belle chapelle Notre-Dame-du-Bon-Remède, de style roman provençal, ornée de magnifiques boiseries XVIIe encadrant 14 toiles de Mignard. Hôtellerie ouverte aux voyageurs (prévenir). *Environs* • Au N., *Barbentane,* château de pierre ocre XVIIe (int. XVIIIe), dominant une succession de terrasses ds un beau parc (on vis.); église romane et gothique; anc. maison forte des Puget-Barbentane XVe et XVIe; donjon; portes fortifiées. • Au S.-O., *Boulbon :* ruines d'un château; au cimetière, chapelle romane; le 1er juin, pittoresque procession des « bouteilles ».

Saint-Michel-de-Maurienne
73 - Savoie 32 - C 3
Au centre d'un impressionnant cirque montagneux; la vieille ville présente un pittoresque étagement de rues tortueuses.
Environs • Route du *Mont-Cenis* (voir **Saint-Jean-de-Maurienne***). • Route des Grands Cols : au S., la route est très sineuse jusqu'au col du Télégraphe (fort du Télégraphe, 1640 m) qu'elle gravit à travers de belles forêts de sapins; elle pénètre ensuite ds le verdoyant bassin de *Valloire,* station d'été et de sports d'hiver; l'église de Valloire XVIIe offre à l'int. un très riche décor de retables, peintures et stucs à l'italienne; télébennes du lac Thimel et de La Sétaz (2250 m), du Crêt Rond (2200 m) : superbes panoramas; le tunnel du *Galibier* (2556 m) est percé sous le col géographique (2593 m); du Pas du Galibier (2645 m), panorama grandiose sur la *Meije* et les *Écrins;* la route descend en lacets vers le col du **Lautaret***; par **Bourg-d'Oisans*** et *Rochetaillée,* on atteint les *cols du Glandon* et de la *Croix-de-Fer,* puis **Saint-Jean-de-Maurienne***.

Saint-Michel-l'Observatoire 38-B3
04 - Alpes-de-Haute-Provence
Deux églises valent la visite : l'église haute Saint-Michel XIIe et l'anc. prieurale des bénédictins Saint-Paul XIIe-XIIIe avec une nef et une coupole romanes et une abside mil. XVIe; à l'int. table d'autel IXe.
Environs • 2,5 km N., à 650 m d'alt., Observatoire national d'astrophysique de Haute-Provence (vis. le merc. à 15 h et les premiers dim. d'avril à sept. à 9 h 30).

Saint-Michel-Mont-Mercure
85 - Vendée 22 - D 1
L'un des points culminants des hauteurs de la Gâtine (286 m). Église fin XIXe; au sommet d'une tour, statue colossale, en cuivre, de saint Michel (vaste panorama). *Environs* • 2 km E., *La Flocellière,* église XIIe, XVe-XVIe, ruines de l'anc. château accolées à un castel mil. XIXe de style « troubadour »; superbe donjon XIIIe (escalier XVe). • 5,5 km S.-O., *Le Boupère,* priorale Saint-Pierre, fortifiée, XIIIe-XVe.

Saint-Mihiel
55 - Meuse 13 - A 1
L'église Saint-Mihiel XIIIe, anc. abbatiale XVIIe, conserve une porte romane; ds l'imposante abbaye XVIIe-XVIIIe attenante au flanc S., se trouvent le tribunal, le lycée et la bibliothèque. Bel hôtel de ville à façade Louis XVI. Saint-Étienne fin XVe abrite le célèbre *Saint Sépulcre,* de Ligier Richier, chef-d'œuvre de la sculpture française (1540). Intéressantes maisons Renaissance gothique et Renaissance. *Environs* • Au N., curieuses falaises de Saint-Mihiel (7 blocs calcaires de plus de 20 m de haut); panorama. • Vallée de la *Meuse* au S. par *Sampigny* et *Lérouville,* jusqu'à **Commercy***.

Saint-Nazaire
44 - Loire-Atlantique 16 - B 2
Il ne reste pratiquement rien de l'anc. ville, détruite en 1943. Le

bassin de Saint-Nazaire est dominé par le formidable ouvrage bétonné de la base sous-marine construite par les Allemands. De la terrasse, vaste panorama. Plages.
Environs • Au N., la **Grande-Brière***. • Le circuit de la «côte d'Amour» conduit, par la D. 292, à *Saint-Marc* (plage), la *pointe de Chemoulin* et Sainte-Marguerite, *Pornichet* (plage) et La Baule-les-Pins, extension de **La Baule*** dans la magnifique pinède du Bois d'Amour.

Saint-Nectaire
63 - Puy-de-Dôme 30 - D 2
Saint-Nectaire-le-Haut, étagé sur une colline, est dominé par l'église, l'une des plus belles de l'art roman auvergnat mil. XIIe; à l'int., remarquable ensemble de 103 chapiteaux sculptés historiés; voir notamment les 6 du rond-point dont 4 sont peints; riche trésor : buste de saint Baudime, chef-d'œuvre de l'orfèvrerie limousine fin XIIe, statue de Notre-Dame-du-Mont-Cornadore, Vierge de majesté XIIe, et plusieurs précieuses œuvres d'art. Saint-Nectaire-le-Bas est une station thermale ombragée. Fontaine pétrifiante. Dolmen.
Environs • A l'E., puy de Mazeyres (919 m, table d'orientation, vaste panorama); à l'O., grottes du puy de Châteauneuf; au S.-O., cascades des Granges. • Au N.-E., *Olloix*, et gorges de la *Monne*. • Nombreux monuments mégalithiques ds la région.

Saint-Nicolas-de-Port
54 - Meurthe-et-Moselle 13 - C 2
Superbe basilique de style flamboyant XVe et XVIe, portail central sculpté; l'int. présente un magnifique vaisseau haut de 32 m et long de 97, coupé par un transept à 2 travées; vitraux XVIe, stalles XVIIe. Chapelle des Fonts : fonts baptismaux XVIe et retable Renaissance.

Saint-Omer
62 - Pas-de-Calais 1 - C 2
La basilique Notre-Dame, construite du XIIIe au XVe (portail S. XIIe et XIVe), est un monument considérable qui renferme de nombreuses et remarquables œuvres d'art : tombeau très réaliste de l'évêque Eustache de Croy XVIe, groupe XIIIe dit «le Grand Dieu de Thérouane», *Descente de croix*, attribuée à Rubens, etc. Église Saint-Denis XIIIe, XVe et XVIe, ruines de Saint-Bertin XIVe-XVIe. Au musée Henri-Dupuis, très belle coll. d'oiseaux européens et exotiques. Musée Sandelin (fermé mardi) ds un hôtel XVIIIe : peintures flamandes, hollandaises et françaises du XVe au XVIIIe, ivoires, tapisseries, archéologie médiévale, orfèvrerie mosane XIIe (célèbre *Pied de croix de saint Bertin*, doré et émaillé).
Environs • Au N.-E., s'étend l'étonnant dédale des «watergangs» (accès par la D. 209), anc. marais transformés en jardins, jalonnés de canaux de drainage où l'on ne circule qu'en barque; le plus pittoresque est le Romelaëre. • A l'E., forêt de Clairmarais. • Vallée de l'Aa. • Au S.-E., après *Arques*, voir l'ascenseur à péniches des *Fontinettes*.

Saint-Pol-de-Léon : *les deux flèches de la cathédrale, de style gothique normand très pur, comptent parmi les « signaux » du pays de Léon.*

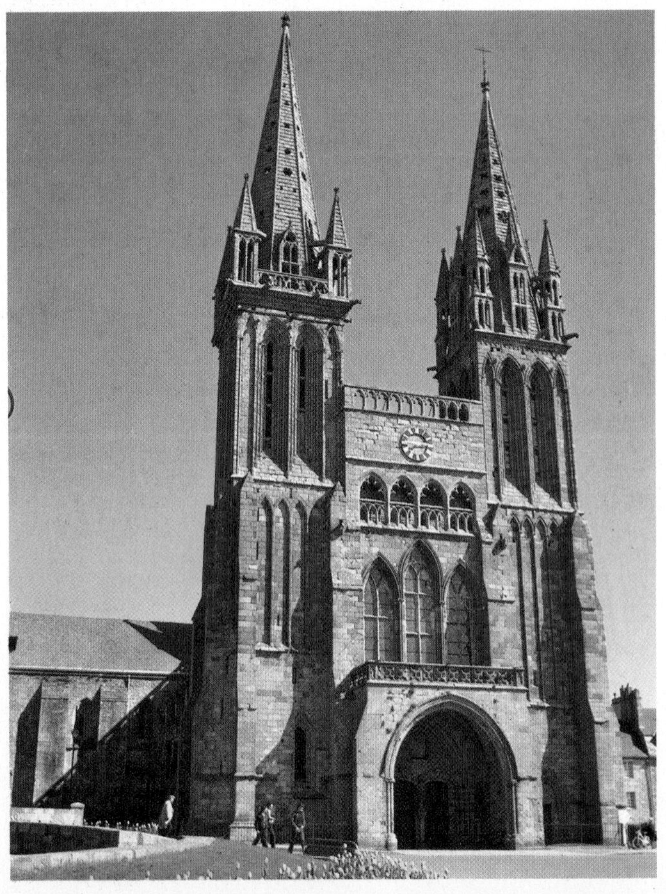

Saint-Papoul
11 - Aude 42 - B 2
L'anc. abbatiale du monastère bénédictin fondé au VIIIe, devenue cathédrale, puis église paroissiale, comporte une large nef unique XIIIe terminée par une abside romane (mausolée de l'évêque François de Donnadieu, XVIIe, avec statue et sarcophage de marbre blanc); chapiteaux archaïques ds le chœur; le cloître XIVe a des chapiteaux jumelés historiés; à l'ext., tour des Juels (joyaux), XIIIe. Vestiges de l'enceinte XIIIe-XIVe. Nombreuses maisons anc.
Environs • 3 km E., château de Ferrals, superbe résidence mil. XVIIe (on ne vis. pas).

Saint-Paul
06 - Alpes-Maritimes 45 - A 1
Un des sites les plus célèbres de la Côte d'Azur. Bourg fortifié sur un éperon au-dessus de 2 vallons plantés d'orangers, d'oliviers, de vergers et de vignes. Ds l'église XIIe et XIIIe, intéressantes œuvres d'art, riche trésor à la sacristie. • A 800 m N.-O., sur la colline des Gardettes, fondation Marguerite et Aimé-Maeght (vis. ts les j.), remarquable architecture contemporaine; à l'int. exposition permanente d'œuvres contemporaines : Braque, Bonnard, Miró, Bazaine, Tapies, Ubac, etc.; vaste cour Giacometti; ds le parc en terrasses, sculptures, mosaïques ou céramiques de Giacometti, Miró, Tal Coat, Chagall, Calder, etc.; expositions d'art contemporain en été.
Environs • Par *La Colle-sur-Loup* (3,5 km S.-O.), impressionnantes *gorges du Loup*.

Saint-Paul-de-Fenouillet
66 - Pyrénées-Orientales 42 - C 3
Cette petite ville est un bon centre d'excursions.
Environs • 15 km N.-E., *château*

de *Quéribus :* fantastique nid d'aigle, cette forteresse XIe-XIIe domine un immense panorama : le donjon renferme une belle salle gothique; à 10 km N.-O., *château de Peyrepertuse :* ses ruines grandioses couvrent 7 000 m² et sont dominées par un puissant donjon. • 17 km O., au-dessus de Lapradelles, ruines escarpées du *château de Puilaurens* XIIIe, pourvu d'un très savant système de défense. • 9,5 km N., *gorges de Galamus;* ses escarpements d'une blancheur éblouissante dominent de 300 m la route en corniche au-dessus de l'Agly (ermitage de Saint-Antoine, pèlerinage local). • 23 km S., par une route extrêmement sinueuse et accidentée, *Sournia :* intéressant château XIVe-XVIIe.

Saint-Paul-Trois-Châteaux
26 - Drôme 37 - D 2
L'anc. cathédrale fin XIIe est l'une des plus harmonieuses églises romanes de Provence; la décoration, inspirée de l'antique, du portail O. est originale; ds l'abside, mosaïque XIIIe; boiseries XVIIe.
Environs • 3 km S.-E., *Saint-Restitut :* village bâti sur le rebord d'un plateau calcaire; intéressante église de style roman provençal avec tour XIe-XIIe; à 300 m N.-O., chapelle hexagonale du Saint-Sépulcre déb. XVIe. • 8 km E., La Baume-de-Transit : curieuse église romane autrefois à coupole, pourvue d'une nef XVIe; ruines du château féodal. • 4 km N.-O., *Pierrelatte :* importante centrale atomique (on ne vis. pas).

Saint-Philbert-de-Grand-Lieu
44 - Loire-Atlantique 16 - C 3
Église carolingienne IXe, anc. abbatiale, l'un des sanctuaires les plus vénérables de France; ds la crypte, sarcophage en marbre VIIe, de saint Philbert. Logis prioral et bâtiments monastiques XVIe-XVIIe.
Environs • Au N., *lac de Grand-Lieu,* ds un site romantique. • 15 km S.-O., *Machecoul,* ruines du château XIVe de Gilles de Rais, le légendaire « Barbe-Bleue » (voir **Tiffauges***); intéressantes maisons anc. ds le bourg; de Machecoul à *Bourgneuf-en-Retz,* au N.-O., ou à *Bouin,* à l'O., la route traverse les polders; à *Bourgneuf,* musée du Pays de Retz ds une maison XVIIe.

Saint-Pierre-sur-Dives
14 - Calvados 10 - C 1
L'église XIIe, XIIIe et XIVe, avec tour-lanterne à la croisée et 2 tours à la façade, l'une romane, l'autre gothique, est un bon exemple de gothique normand; anc. salle capitulaire XIIIe sur le croisillon S. Belles halles en charpente XIe-XIIe à 3 nefs.

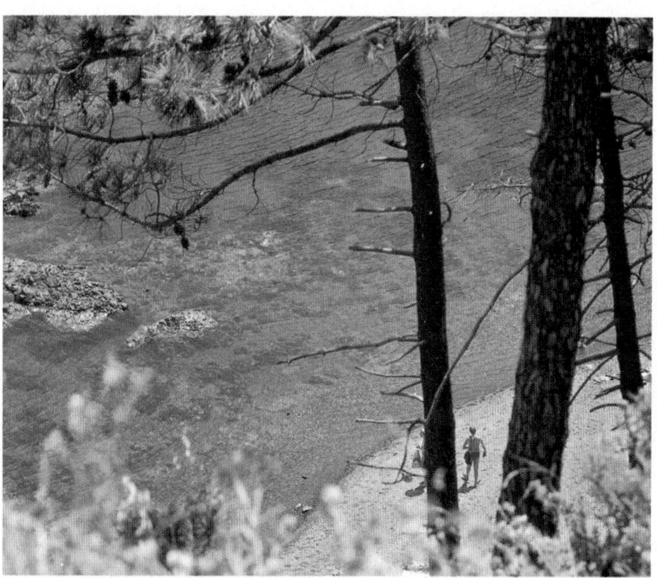
Saint-Raphaël : *le contraste éclatant des pins, de la mer et des roches rouges constitue l'un des attraits de l'Esterel.*

Saint-Pol-de-Léon
29 N - Finistère 8 - C 1
Vieille cité épiscopale, célèbre pour ses magnifiques clochers. Ceux de la cathédrale, à flèche de pierre, hauts de 55 m, fin XIIIe, dominent ce superbe édifice de style gothique normand; le croisillon S. possède une rosace XVe surmontée d'une chaire ext. A l'int., ds le chœur, 69 stalles sculptées déb. XVIe; tombeaux XVIe-XVIIe. La chapelle du Kreisker XIVe-XVe, où se réunissait le Conseil de ville (aujourd'hui chapelle du collège), a également un très beau clocher de 77 m, déb. XVe (vaste panorama). Maisons anc. ds la Grande-Rue.

Saint-Pons
34 - Hérault 42 - D 1
La cathédrale Saint-Pons, anc. abbatiale fortifiée fin XIIe, a été transformée au XVIIIe par un changement complet d'orientation; la façade primitive, à l'O., a conservé un portail roman divisé en 2 baies, chacune avec tympan sculpté; à l'int., superbe décoration XVIIIe ds le chœur.
Environs • 16 km N., après le Signal de Saint-Pons (1 033 m, panorama), Saut de Vésoles, site impressionnant. • 18 km N.-E., *Olargues :* village pittoresque ds une boucle du Jaur; pont gothique. • 5 km S.-O., à *Courniou, grotte* de la Devèze (vis. ts les j.), concrétions originales et variées.

Saint-Pourçain-sur-Sioule
03 - Allier 25 - A 3
Église Sainte-Croix, anc. abbatiale bénédictine, construite du XIe au XIXe. Les bâtiments abbatiaux entouraient la cour des Moines; pavillon d'entrée XVe et beffroi.
Environs • Promenades à travers les plus anc. vignobles de France (av. l'ère chrétienne). • 3,5 km N.-O., Saulcet : église romane, beau clocher octogonal, fresques XIIe, XIIIe et XIVe; à 3 km N.-O., *Verneuil-en-Bourbonnais :* village typiquement bourbonnais, vestiges du château et de l'enceinte, église romane XIIe avec énorme clocher octogonal.

Saint-Quentin
02 - Aisne 6 - A 2
La collégiale Saint-Quentin fin XIIe-XVe est un magnifique monument d'une ampleur exceptionnelle. Hôtel de ville de style flamboyant XVe-XVIe (37 cloches). Le musée Antoine-Lécuyer (ouv. ts les j. sauf mardi) possède des peintures XVIIIe et un ensemble unique de 87 portraits au pastel de Quentin de La Tour. Le musée pour Enfants (fermeture provisoire) fut créé en 1956. Les amateurs de sciences naturelles verront au musée d'Entomologie (vis. apr.-m. j. variables) une remarquable coll. de papillons (600 000 pièces) et d'insectes. Le vaste parc des Champs-Élysées (12 ha) et l'étang d'Isle, sur la *Somme,* sont aménagés pour les loisirs et les sports.
Environs • 12 km N., curieux souterrain à péniches de *Riqueval.*

Saint-Raphaël
83 - Var 44 - D 2
Agréable station balnéaire au pied du massif de l'*Esterel.* Port de plaisance, de pêche et de commerce. Intéressante église des Templiers, de style roman provençal début XIIIe, et musée d'archéologie sous-

marine (importantes coll. d'amphores antiques, vis. ts les j. sauf dim.). *Environs* • La Corniche de l'*Esterel* (ou Corniche d'Or) est l'une des plus belles routes de France; elle longe la côte avec de nombreux passages à pic au-dessus de la mer, par *Boulouris,* le promontoire du *Dramont, Agay* (centre d'excursions ds le massif de l'*Esterel*), Anthéor, *Le Trayas, La Napoule;* d'*Agay* à **Cannes***, les roches de porphyre rouge et les sombres massifs forestiers composent des paysages particulièrement saisissants. • 3 km N., *Valescure,* annexe climatique résidentielle au milieu des pins.

Saint-Rémy-de-Provence
13 - Bouches-du-Rhône 43 - D 1

Petite ville typiquement provençale, ceinturée de larges promenades. Musée de Folklore provençal des Alpilles, ds l'anc. hôtel Mistral de Montdragon (style Renaissance tardif); un passage le relie à l'anc. hôtel de Sade où est installé le

Saint-Rémy-de-Provence : *Glanum.*
Les fouilles ont révélé une importante ville romaine, bâtie au pied d'une source sacrée, sur un établissement phocéen.

Voisin de l'Arc municipal, le Mausolée est l'un des monuments de la Gaule romaine les mieux conservés des Antiques; il se compose de quatre arcades et d'une colonnade circulaire; son soubassement, carré, est orné de bas-reliefs guerriers.

centre archéologique, rassemblant les objets trouvés à Glanum et à **Saint-Blaise** * (ts les j. de juin à sept.). *Environs* • 3 km S.-E., Tour du Cardinal, élégante demeure Renaissance XVIe (on vis.). • 1,5 km S., *Glanum*. Le site comprend 3 périodes superposées, représentées par des techniques de construction et des matériaux différents. A la ville hellénistique (IIe av. J.-C.) appartient l'élégante maison des Antes avec péristyle à col. doriques. De la première période de romanisation (102 av. J.-C.) : les thermes romains, la piscine, le palestre (gymnase) et les salles principales des thermes, la maison du Capricorne (remarquables mosaïques) et la petite maison d'Epona. De la seconde période romaine (49 av. J.-C. à 270 apr.), la plus riche en monuments, datent le forum, que longe la longue rue principale, et les temples; de très beaux morceaux de sculpture ont été mis au jour, ainsi que les vestiges de la maison de Sulla (déb. Ier av. J.-C.). Au-delà du Forum, le site se rétrécit en un étroit vallon; par un escalier à flanc de montagne, on atteint le nymphée et le sanctuaire gaulois du VIe av. J.-C., taillé ds le roc. • A 200 m, à l'O. de *Glanum*, plateau des *Antiques*. L'arc municipal et le mausolée élevé à la mémoire des petits-fils d'Auguste (à qui Nîmes a dédié la Maison carrée) comptent parmi les plus remarquables monuments de la Gaule romaine (Ier av. J.-C.); au N.-E. de *Glanum*, anc. prieuré Saint-Paul-de-Mausole (auj. clinique); on peut visiter librement l'église romane fin XIIe et le très beau cloître; Van Gogh fut interné ds la maison de santé en 1889-1890; il y peignit de nombreuses toiles.

Saint-Renan
29 N - Finistère 8 - A 2
Bourg anc. au-dessus de la vallée de l'Aber-Ildut.
Environs • 5 km O., menhir de Kerloas, le plus haut du Finistère (12 m). • 10 km N.-O., près de *Brélès*, beau château, en granit, de Kergroadès XVIIe; superbes lucarnes sculptées (vis. ext. seulement); l'excursion de la côte, sévère et déchiquetée, des «abers», est recommandée, par *Lanildut, Porspoder* (nombreux menhirs et manoirs ds les environs) et *Argenton*, d'où la route de corniche longe la pointe de *Landunvez* et atteint la pointe de Kersaint; ruines impressionnantes du château féodal de Trémazan. • 13 km N., *Ploudalmézeau*, église avec flèche fin XVIIIe; à 4 km N., Lampaul-Ploudalmézeau, église avec clocher porche Renaissance déb. XVIIe.

Saint-Révérien
58 - Nièvre 19 - A 3
L'église XIIe, à 3 nefs sans transept, est l'une des plus remarquables du Nivernais; chapiteaux historiés et pierres tombales gravées.
Environs • Les étangs de *Vaux* et de Baye, séparés par une digue, sont entourés de bois, aux sites pittoresques; pêche, canotage, navigation de plaisance.

Saint-Riquier
80 - Somme 5 - B 1
Il ne reste de la célèbre abbaye, l'une des plus importantes du Moyen Age, que l'église XIIIe, reconstruite au XVIe (portail et tour, de style flamboyant, richement décorés); à l'int., ds le chœur, beau décor XVIe (grille, stalles, boiseries, etc.); la Trésorerie abrite une salle voûtée XVIe, ornée de fresques (Dict des Trois Morts et des Trois Vifs); bâtiments conventuels XVIIe. Musée d'archéol. et d'ethnographie agraire. Beffroi XIIIe et XVe. Hôtel-Dieu déb. XVIIIe (belle chapelle, grilles et retable de l'autel).

Saint-Sauveur-en-Puisaye
89 - Yonne 19 - A 2
Église XIIe-XVIe. Château XVIIe flanqué d'une tour XIIe. Maison natale de Colette (1873).
Environs • Bon centre d'excursions à travers la *Puisaye*. • 11 km O., *Saint-Fargeau;* le château est une vaste construction XIIIe en brique (vis. en saison), flanquée de 6 grosses tours rondes; remarquable cour int., bordée par les bâtiments XVIIe; la chapelle, située dans une tour, abrite les tombeaux des Le Pelletier; ds l'église mil. XIIIe, agrandie aux XVe et XVIe, intéressantes œuvres d'art; au S.-E., *réservoir du Bourdon*, 220 ha, sports nautiques, circuit de 11 km par une route pittoresque; Boutissaint, parc naturel Saint-Hubert (vis. ts les j.). • 15 km S.-O., *Saint-Amand-en-Puisaye*, château Renaissance en pierre et brique (on ne vis. pas); à 7 km S.-S.-O., pittoresque bourg fortifié de Saint-Vérain, vestiges de l'enceinte, ruines du château féodal XIIe-XIIIe. • 10 km S., *Treigny*, l'église baptisée «la Cathédrale de la Puisaye» est des XVe-XVIe; le château de Ratilly, imposante construction XIIIe flanquée de tours, est un centre réputé de poterie de grès (vis. ts les j.; stages d'initiation et exp. d'art contemporain l'été). • 22 km S.-E., *Druyes-les-Belles-Fontaines*, château féodal XIIe au sommet d'une colline dominant le village (vis. sur r.-v.); église romane (beau portail roman); porte fortifiée XIVe et vestiges de l'enceinte; site pittoresque des sources du ruisseau d'Andryes.

Saint-Sauveur-le-Vicomte
50 - Manche 3 - D 3
L'anc. château, aujourd'hui maison de retraite (vis. autorisée), conserve les vestiges de la forteresse du XIIe, notamment l'énorme donjon; il abrite le musée consacré à Barbey-d'Aurevilly né à Saint-Sauveur (ts les j. sauf mardi). L'église XVe-XVIe possède plusieurs belles statues. Anc. abbaye bénédictine (vis. autorisée) fondée au XIe, restaurée au siècle dernier; ds le parc, bâtiments conventuels XVIIIe.
Environs • 14 km N.-O., *Bricquebec :* le château fort (vis. ts les j.) constitue un ensemble imposant; enceinte fortifiée XIVe, donjon polygonal (23 m de haut), tour de l'Horloge (petit musée régional) cryptes voûtées d'ogives XIVe; gracieux château Renaissance des Galeries, remanié au XVIIe; à 2,5 km N., ds un site boisé, abbaye Notre-Dame-de-Grâce, ou trappe de Bricquebec (mil. du XIXe), (chants grégoriens en français; accès libre à l'église et au bâtiment d'accueil); au N.-O., Saint-Martin-le-Hébert a un beau manoir déb. XVIIe entouré de douves.

Saint-Sauveur-sur-Tinée
06 - Alpes-Maritimes 39 - A 3
Village pittoresque. Ds l'église XVe, plusieurs intéressantes œuvres d'art.
Environs • A l'O., extraordinaires villages de Roure et de *Roubion* perchés sur des pitons rocheux; à *Roubion*, ds la chapelle Saint-Sébastien, savoureuses peintures murales déb. XVIe. • Au S., gorges de la *Tinée*, en direction de **Nice** *; à 4,5 km une série de lacets conduit au village de *Rimplas*, accroché sur la selle d'une arête, entre la montagne et un rocher portant la chapelle Sainte-Madeleine; la vue embrasse la vallée de la *Tinée;* dans l'église, 3 grands retables XVIIIe; au-dessus du village, piton rocheux couronné par un fort.

Saint-Savin-sur-Gartempe
86 - Vienne 23 - D 2
L'église romane, anc. abbatiale, renferme un ensemble exceptionnel de fresques romanes XIe-XIIe. Les plus remarquables, situées sur le berceau de la nef, à 15 m de hauteur, couvrent une superficie de 412 m²; de tonalités beige et rose, elles représentent la Genèse; celles de la crypte (légende des saints Savin et Cyprien, Christ en majesté) ont des couleurs franches.
Environs • La vallée de la *Gar-*

tempe, de Saint-Savin à Montmorillon, est une charmante excursion (18 km); les églises d'*Antigny* et de *Jouhet* sont décorées de peintures murales; *Montmorillon,* sur les 2 rives de la *Gartempe :* église Notre-Dame XIIe-XIIIe (la crypte est décorée de précieuses peintures XIIe-XIIIe); anc. maison-Dieu des augustins (petit séminaire) XVIIIe; ds l'enceinte, anc. église Saint-Laurent, romane (cuisine XIIe-XIIIe), et curieux octogone, chapelle sépulcrale fin XIIe.

Saint-Seine-l'Abbaye
21 - Côte-d'Or 19 - D 2
L'église, anc. abbatiale bénédictine déb. XIIIe, avec façade XVe, est un remarquable exemple de gothique bourguignon; à l'int. clôture Renaissance et stalles sculptées XVIIIe.
Environs • 9 km N., Poncey-sur-l'Ignon, curieux manoir de Poncey, construit en 1944 par le dessinateur Charles Huard, avec des pierres et sculptures provenant de châteaux en ruine (vis. sam. et dim. apr.-m. ou sur r.-v.). • 10 km N.-O., *sources de la Seine.* • 10,5 km S.-E., *val Suzon.*

Saint-Sulpice-de-Favières
91 - Essonne 11 - C 2
Belle église gothique XIIIe-XIVe, dont le chevet est remarquable; portail sculpté mutilé; à l'int., une chapelle XIIe renferme les reliques de saint Sulpice.
Environs • 9 km N.-E., *Arpajon,* église XIIIe et XVe, halles en charpente XVIIe. • 5 km S., *Étrechy :* ds les environs, châteaux de *Chamarande* (au N.), XVIIe, entouré d'un magnifique parc arrosé par la Juine (vis. sur demande), du Mesnil-Voisin, XVIIe, à Lardy, au N.-E., (vis. ts les j.) et de *Villeconin* (au N.-O.) avec une imposante entrée fortifiée précédée de douves (vis. l'été sur demande); le corps de logis Henri IV est dominé par le donjon de l'anc. château féodal; intéressantes coll. d'art à l'int.

Saint-Thégonnec
29 N - Finistère 8 - C 2
L'enclos paroissial comporte une porte triomphale fin XVIe et une remarquable chapelle ossuaire de pur style Renaissance bretonne fin XVIIe, sculptée comme une châsse; ds la crypte, saint sépulcre en chêne à personnages sculptés et peints fin XVIIe. Calvaire de 1610.

Saint-Savin : une immense flèche gothique domine l'abbaye. ◀

L'ensemble des fresques romanes est d'une grande richesse. Sur la partie gauche de la nef, l'arche de Noé. ▲

Ds l'église, chaire, chef-d'œuvre de la sculpture bretonne fin XVIIe, très belles boiseries XVIIe-XVIIIe.

Saint-Thibault
21 - Côte-d'Or 19 - C 3
Ce petit village de l'Auxois a une remarquable église construite au XIIIe, qui abrite les reliques de saint Thibault; le portail est l'un des chefs-d'œuvre de la sculpture gothique bourguignonne; le tympan est consacré à la Vierge, 5 grandes statues l'entourent : saint Thibault, le duc Robert II de Bourgogne, sa femme, son fils, et l'évêque Hugues d'Arcy; les vantaux en bois fin XVe illustrent, en 30 panneaux sculptés, la vie de saint Thibault; à l'int. la nef, reconstruite au XVIIIe, est modeste, mais le chœur, gothique, est d'une élégante envolée; châsse de saint Thibault en bois XIVe.

typique perché sur un piton escarpé (du belvédère, large panorama).
• 8,5 km O., par *La Foux,* et *Cogolin, Grimaud,* étagé au pied des ruines du château des Grimaldi; à 2 km N. de *La Foux, Port-Grimaud :* moderne cité lacustre de style méditerranéen (circulation interdite aux voitures).

Saint-Valéry-sur-Somme
80 - Somme 5 - B 1
Cette station estivale a conservé une partie de ses remparts : porte de Nevers XIVe-XVe et porte Guillaume XIIe qui conduit à l'anc. abbaye de Saint-Valéry (vestiges de l'église, et bâtiment conventuel XVIIIe, propriété privée). La chapelle des Marins, ou de Saint-Valéry, sur une colline à 1 km O., abrite le tombeau du saint (pèlerinage).

Saint-Tropez
83 - Var 44 - D 2
Le vieux village provençal aux rues étroites est devenu l'un des endroits à la mode de la Côte d'Azur. A l'extrémité du port la chapelle de l'Annonciade XVIe abrite le riche musée d'Art moderne (ouv. ts les j. sauf mardi) : œuvres de Bonnard, Braque, Dufy, Dunoyer de Segonzac, Van Dongen, Matisse, Rouault, Despiau, Maillol, etc. De l'autre côté de la jetée, port des pêcheurs : très belle vue sur la ville et les Maures. La citadelle (route panoramique) est un robuste fort hexagonal XVIe dont le donjon renferme un musée de la Marine.
Environs • 4,5 km E., plage des Salins. • 5 km E., *plage de Pampelonne.* • 10,5 km S., *Ramatuelle :* pittoresque village fortifié, bâti sur une colline, d'où l'on gagnera *Gassin,* village provençal

Environs • Excursions recommandées ds la **baie de Somme*.** • De l'autre côté de l'estuaire, *Le Crotoy :* port de pêche et station balnéaire; de la butte aux Moulins, vaste panorama; on peut y observer le curieux phénomène de la marée montante. • Au N.-O., **Rue*** et dunes de Saint-Quentin.

Saint-Véran
05 - Hautes-Alpes 38 - D 1
Commune la plus haute d'Europe (entre 1 990 et 2 042 m d'alt.), ce pittoresque village de maisons à galeries et greniers de bois, toutes tournées face au midi, a une église XVIIe (mobilier intéressant).
Environs • 6 km S.-E., par une route médiocre, chapelle Notre-Dame-de-Clausis (2 390 m); pèlerinage franco-italien le 16 juil., excursion recommandée en juil. quand la flore alpine s'épanouit.

Saint-Vincent-sur-Jard
85 - Vendée 22 - C 2
A 1 km S., au bord de la plage de Belesbat, «la Bicoque», anc. maison de Clemenceau, de type vendéen, demeurée inchangée depuis sa mort, est entourée d'un jardin (vis. ts les j. sauf mardi et en nov.). *Environs* • 3 km O. de *Jard-sur-Mer,* anc. abbaye du Lieu-Dieu, chapelle XIIe-XVe, cellier et salle capitulaire, etc. • 7 km N.-E., près du Bernard, dolmen de la Frébouchère.

Saint-Wandrille
76 - Seine-Maritime 4 - D 3
Abbaye bénédictine où les moines se sont réinstallés en 1931 (vis. ts les j.); de l'abbatiale des XIIIe-XIVe, il reste le bras N. du transept; le cloître (interdit aux femmes) a conservé 3 galeries; ds celle du N., lavabo des moines; l'église (entrée libre, messes en grégorien ts les j.) est l'anc. grange dimière de Canteloup transportée en 1969 de La Neuville-du-Bosc (Eure). En sortant de l'abbaye, le sentier longeant la clôture conduit à la chapelle Saint-Saturnin Xe, sur plan tréflé.

Saint-Yrieix-la-Perche
87 - Haute-Vienne 30 - A 2
La collégiale, dite le «Moustier», est un remarquable édifice XIIe-XIIIe précédé d'un clocher porche roman mil. XIIe. Le trésor comprend le célèbre «chef» de saint Yrieix XVe en lames d'argent repoussées et plusieurs précieuses œuvres d'art.
Environs • 8 km N.-O., *Le Chalard :* église romane et restes d'un prieuré XIIe-XIIIe, trésor intéressant. • 16 km S.-O., *château de Jumilhac-le-Grand* fin XVe, agrandi au XVIIe : toits en poivrière, couronnés de lucarnes, lanternons, tourelles (ts les j. l'été); beaux appartements (chambre de la «fileuse», ornée de peintures naïves). • 11 km E., *château de Coussac-Bonneval* XIIe, XIVe et XVIIIe; mobilier, objets d'art et tapisseries de valeur (vis. les jeudis et dim. apr.-m.).

Sainte-Anne-d'Auray
56 - Morbihan 15 - D 1
L'un des principaux pèlerinages de Bretagne (grand pardon le 26 juillet). La basilique, de médiocre style néo-Renaissance XIXe, est couverte d'ex-voto; l'anc. couvent des Carmes entoure un cloître classique XVIIe. Riche trésor. En face, sur l'esplanade, fontaine miraculeuse, Scala Scanta, et vaste mémorial monument aux morts des guerres du XXe s. A dr. musée de la Fontaine (coll. de poupées en costumes bretons). A proximité, Champ des Martyrs (950 royalistes fusillés en 1792) et chapelle expiatoire. La chartreuse d'Auray (institution de sourdes-muettes) a des bâtiments XVIIe-XVIIIe et 2 chapelles dont l'une renferme les restes des fusillés.

SAINTE-BAUME (La)
83 - Var 44 - B 2
De *Gémenos,* la route pénètre ds le *massif de la Sainte-Baume* par le parc de Saint-Pons (chapelle Saint-Martin et vestiges d'une abbaye romane). Par le col de l'Espigoulier (727 m, panorama sur la mer) et Plan-d'Aups, on atteint le Centre international de la Sainte-Baume (hôtellerie), animé par des dominicains. La chapelle de Thomas Gleb renferme une grande tapisserie de cet artiste (1970). Un sentier conduit, en 45 mn, à la *grotte* de Sainte-Marie-Madeleine ou Sainte-Baume, à 886 m d'alt. (autel et reliquaire de la sainte; un escalier conduit au lieu de pénitence); de là, en 1 h 30, sentier pour le *Saint-Pilon* (997 m, table d'orientation), piton rocheux portant une chapelle. Plusieurs itinéraires pédestres traversent la forêt et le *massif de la Sainte-Baume.*

Sainte-Énimie
48 - Lozère 37 - A 2
Village très pittoresque dont les maisons s'étagent au pied des falaises au-dessus d'une boucle du *Tarn.* Église romane. A l'O., en 25 mn, ascension de l'ermitage de Sainte-Énimie (chapelle et grotte). *Environs* • Gorges du **Tarn***, au S.-O., par la N. 107B : *Saint-Chély-du-Tarn,* sur la rive g., au fond d'un cirque de falaises (église romane; Son et Lumière l'été); impressionnant cirque de Pougnadoires et château de *la Caze* (charmant manoir XVe ds un cadre boisé, hôtel); *La Malène* (église romane), lieu d'embarquement pour la descente du *Tarn* en bateau (voir gorges du **Tarn***); des *Vignes,* une petite route sinueuse permet d'atteindre (13 km en forte montée) le *Point sublime,* au-dessus du cirque des Baumes (vue magnifique sur le canyon du *Tarn* et les Causses); après *Les Vignes,* jusqu'au *Rozier,* la route continue à suivre les gorges. • Au S.-E., gorges du **Tarn*** vers **Florac***.

Sainte-Lucie-de-Tallano
2 A - Corse 45 - D 3
Vieux village ds un site superbe, dominé par l'anc. couvent Saint-François, XVe. L'église abrite 2 beaux tableaux de primitifs fin XVe. *Environs* • 5,5 km N.-E., le Castellu de *Cucuruzzu,* oppidum fortifié de l'âge du bronze, fin IIe millénaire. • 3,5 km N.-E., *Levie* (musée archéologique); à 8 km S.-E., *Carbini,* église romane intéressante.

Sainte-Maure-de-Touraine
37 - Indre-et-Loire 17 - C 3
L'enceinte de l'anc. château XVe (tour carrée XIVe) conserve une église fin XIIe, de style roman poi-

Sainte-Maxime : ***sur la rive nord du golfe de Saint-Tropez, abrité du mistral, le charmant petit port s'allonge au pied de collines boisées.***

tevin; la nef centrale de la crypte remonterait à l'an 1000.
Environs • 8 km N.-O., *Saint-Epain,* église XIIe-XVIe, tour carrée XIIIe et porte de la Prévôté fortifiée. • 8 km N., *Sainte-Catherine-de Fierbois,* important parc de loisirs de 20 ha, lac de 7 ha avec plage, sports nautiques; belle église gothique flamboyant, surmontée d'un clocher de 41 m; à l'int., intéressantes œuvres d'art; maison du Dauphin (1515), et anc. aumônerie (presbytère); à 2 km S.-E., château de Commacre, curieux pastiche néo-gothique mil. XIXe.

Sainte-Maxime
83 - Var 44 - D 2
Port de pêche et station balnéaire sur le *golfe de Saint-Tropez.*
Environs • Au N.-O., par le *col de Gratteloup* (225 m), sentier pédestre vers Le Vieux-Revest (village abandonné avec église romane ruinée). • 4,5 km S.-O., *Beauvallon,* station balnéaire et résidentielle au milieu des pins. • 2,5 km N.-E., Pointe des Sardinaux (belle vue sur le golfe de **Saint-Tropez***); la route continue par *Les Issambres* et *Saint-Aygulf* vers **Fréjus***, en corniche au-dessus de la mer (très beau parcours).

Sainte-Menehould
51 - Marne 12 - D 1
La ville basse a conservé son caractère architectural XVIIIe, notamment rue Chanzy et place d'Austerlitz (entourée de maisons en pierre et brique). La ville haute occupe la colline de l'anc. château ; ce typique bourg champenois a une église XIIIe qui contient d'intéressantes œuvres d'art. Ville natale de dom Pérignon, l'« inventeur » du champagne.
Environs • 11 km O., *Valmy :* le moulin près duquel eut lieu la célèbre bataille a été reconstitué (table d'orientation); pyramide du cœur de Kellermann. • 6 km N.-O., *La Neuville-au-Pont :* belle église XIVe-XVIe. • Excursions recommandées ds la *forêt de l'Argonne :* **Clermont-en-Argonne*** (N.-E.), **Varennes-en-Argonne***(N.-N.-E.).

Saintes : *témoin de la présence romaine, l'arc votif de Germanicus a été, sur l'intervention de Mérimée, surélevé et déplacé au XIXe s.* ▲

***Dans un coude de la Charente, les vieilles maisons de Saint-Savinien se reflètent dans les eaux calmes de la rivière.* ▼**

Sainte-Mère-Église
50 - Manche 3 - D 3
Ds ce village, atterrirent, ds la nuit du 5 au 6 juin 1944, les premières divisions aéroportées américaines. Église XIIIe, flanquée d'une robuste tour carrée; en face, borne zéro de la « voie de la Liberté ». Musée des Troupes aéroportées.
Environs Au S., *Saint-Côme-du-Mont* et *Carentan* ont des églises intéressantes. • Au S.-E., par *Sainte-Marie-du-Mont* (imposante église, tour carrée XIVe), on rejoint les plages de débarquement d'**Utah Beach***.

Sainte-Odile (mont)
67 - Bas-Rhin 14 - A 3
C'est le « signal » de l'Alsace. Haut de 761 m, couvert de forêts, le mont, célèbre lieu de pèlerinage, est occupé par un couvent (hôtellerie) dont l'église à 3 nefs est fin XVIIe (confessionnaux XVIIIe richement sculptés). La chapelle de la Croix XIe est la partie la plus anc. du couvent ; elle communique avec la chapelle Sainte-Odile, romane et gothique, qui possède dans un sarcophage de pierre VIIIe les restes de la sainte. De la terrasse (tables d'orientation), vaste panorama : au N.-O., sur la vallée de la *Bruche,* au N.-E., sur la plaine d'Alsace et la Forêt-Noire; à l'angle N.-E., de la terrasse, chapelle des Larmes (à l'int. dalle sur laquelle sainte Odile priait).
Environs • Fontaine Sainte-Odile, chemin de Croix et chapelle du Rocher (1925), ruines féodales du

Dreistein, « mur Païen », anc. oppidum de plus de 10 km de tour; ruines de l'abbaye de Niedermunster (église romane fin XIIe). • Magnifique route (1 000 m) vers le *Hohwald, Champ-du-Feu* (tour d'observation, beau panorama).

Saintes
17 - Charente-Maritime 29 - A 1
Ses monuments romains et ses églises valent une longue visite. L'anc. cathédrale, Saint-Pierre, de style flamboyant XVe-XVIe, conserve 2 croisillons romans couverts d'une coupole; la façade fin XVe (portail sculpté) est surmontée d'une belle tour lanterne. Saint-Eutrope XIe, chœur XIVe, est l'un des plus remarquables monuments romans de l'Ouest; la crypte, très vaste, renferme le sarcophage de saint Eutrope XIVe. Non loin, ruines des arènes ou amphithéâtre romain fin Ier s. (s'adr. au gardien). La vieille ville a pour axe la rue Alsace-Lorraine et la rue Clemenceau où s'élèvent l'anc. échevinage (hôtel de ville) et son beffroi XVIe, et l'hôtel d'Argenson XVIIIe. L'anc. hôtel du Présidial XVIIe abrite le musée des Beaux-Arts (céramiques, peintures XVIe, XVIIe et XVIIIe) et l'hôtel Monconseil, le musée Mestreau d'histoire et d'art régionaux. Nouveau musée de l'Echevinage. Sur la rive dr. de la *Charente* s'élèvent l'arc romain dit de Germanicus, déb. Ier s., le Musée archéologique (remarquables coll. gallo-romaines), et l'anc. abbaye aux Dames, fondée au XIe, église Saint-Pallais XIIe-XIIIe. Ds l'avant-cour, église Sainte-Marie-des-Dames, anc. abbatiale romane, remarquable monument XIe-XIIe; la façade et le portail présentent une très belle ornementation sculptée. Majestueux clocher carré XIIe percé de baies et surmonté d'un toit à écailles.
Environs • 18 km N.-O., *Saint-Savinien,* église XIIIe-XIVe.

Saintes-Maries-de-la-Mer (Les)
13 - Bouches-du-Rhône 43 - C 2
L'église des Saintes, austère vaisseau fortifié entouré de mâchicoulis et surmonté d'une massive tour clocher, a été édifiée à la fin du XIIe; la crypte mil. XVe, située sous le chœur, renferme la châsse des reliques de Sara, la servante noire des trois Maries, dont les restes sont déposés, depuis 1448, ds la chapelle Saint-Michel au-dessus de l'abside et descendus dans la nef lors des pèlerinages; le plus pittoresque est celui des Gitans, les 24 et 25 mai; au presbytère, riche coll. d'ex-voto. Musée Baroncelli (histoire régionale, faune et flore de la **Camargue***).

***Salers** : l'expressionnisme dramatique de la célèbre Mise au tombeau, en pierre peinte, porte la marque de l'art bourguignon.*

Sainte-Suzanne
53 - Mayenne 10 - B 3
Bâti sur un promontoire rocheux au-dessus de l'*Erve,* cet anc. bourg fortifié a conservé son enceinte triangulaire XIe, XIIIe et XVe; à la pointe, se dresse la citadelle, dont il reste les ruines du donjon XIe (vis. ts les j. l'été); panorama; château de style Louis XIII (spectacles; expositions l'été).
Environs • 1,7 km N.-E., le Tertre-Ganne, imposant château XVIIe. Au S., l'excursion de la vallée de l'*Erve* est pittoresque; les grottes et les phénomènes naturels d'érosion ont donné aux falaises des aspects fantastiques.

Salers
15 - Cantal 30 - C 3
Cette petite ville, l'une des plus curieuses d'Auvergne, est construite en lave sombre. Église XVe, avec porche roman; à l'int., « Mise au tombeau » (1495) en pierre peinte, et tapisseries d'Aubusson XVIIe. La Grand-Place (ou place Tyssandier-d'Escous) est bordée de vieilles maisons et d'hôtels à tourelles et encorbellements, coiffés de toits en poivrières ou à pans : maison de Bargues (vis. autorisée), rue des Templiers, maison des Templiers avec pignon à triples fenêtres. De la promenade de la Barouze, en terrasse au-dessus de la Maronne, vues magnifiques sur les puys environnants.
Environs • *Puy Mary,* cirque du *Falgoux,* etc. (voir **Aurillac*** et **Mauriac***).

Salette (Notre-Dame-de-la-)
38 - Isère 38 - B 1
A 15 km N.-N.-E. de **Corps***. Lieu de pèlerinage fréquenté, ds un site montagneux sévère et dénudé. La basilique néo-romane commémore l'apparition de la Vierge à 2 petits bergers (1846). Fontaine de la Vierge et groupes sculptés évocateurs de l'événement. Hôtellerie (téléphoner pour retenir) et couvent. Pèlerinages les 15 août et 19 sept. Ascension recommandée (1 h 30 env.) du mont Gargas (2 213 m).

Salies-de-Béarn
64 - Pyrénées-Atlantiques 40 - D 1
Station thermale réputée, ds le vallon du Saleys qui traverse le pittoresque vieux quartier aux rues tortueuses. Vieilles maisons en encorbellement sur piliers de pierre. Église Saint-Vincent XVe. Le quartier balnéaire comporte l'établissement thermal, le casino du Chalet et un vaste jardin public.
Environs • Le Pain de Sucre (panorama), la Trinité (panorama). • 14 km N.-O., **Sorde-l'Abbaye***. • 6 km N., *Bellocq :* église XIIIe, curieux portails sculptés; vestiges du château XIVe; l'enceinte est flanquée de solides tours rondes et carrées.

Salignac-Eyvignes
24 - Dordogne 30 - A 3
Château de Salignac-Fénelon, construit du XIIe au XVIIe; il a conservé son enceinte médiévale (vis. ts les j. l'été).
Environs • 14 km S.-E., château de la Forge : ds le parc, grottes préhistoriques. Gouffres du Boulet, du Grand-Blagour et du Gourguillon.

Salins-les-Bains
39 - Jura 26 - B 1
Anc. place forte et station thermale,

la petite ville, l'une des plus intéressantes de la Franche-Comté, s'allonge au fond de la gorge de la Furieuse. Ses principaux monuments se succèdent du N. au S. le long de la rue principale ou à proximité. Église Saint-Maurice XIIe-XIVe, XVIIe. Hôtel de ville XVIIIe et chapelle votive de Notre-Dame-Libératrice XVIIe. Salines, voûtes XIIe (vis. ts les j.). Hôtel-Dieu fin XVIIe (belle pharmacie). Église Saint-Anatoile XIIIe (portail roman avec vantaux de bois sculptés). *Environs* • Ascensions recommandées à l'E. au fort Belin, 584 m (panorama), et à l'O. au fort Saint-André (586 m). • 3,5 km E., le Bout-du-Monde, curieux hémicycle de rochers, ruines de l'abbaye de Gouailles. • 9 km N., mont Poupet (853 m, vaste panorama). • 15 km N.-E., par *Nans-sous-Sainte-Anne* et la grotte Sarrazine, *source du Lison,* d'où l'on gagne le puits Billard, gouffre impressionnant d'environ 100 m de profondeur. • 18 km S.-E., *forêt de la Joux* (voir **Champagnole***).

Salles-Curan
12 - Aveyron 36 - D 3
Bourg pittoresque dominé par les ruines du château XVe, anc. résidence des évêques de Rodez. L'anc. collégiale XVe renferme des stalles flamboyantes et un trésor.
Environs • *Lac de Pareloup* (1 300 ha), où s'avancent plusieurs presqu'îles déchiquetées; base nautique de vacances et de yachting du T.C.F.; du barrage, haut de 42 m, ds un site rocheux, panorama; le tour du lac, par d'agréables petites routes, est recommandé.

Salon-de-Provence
13 - Bouches-sur-Rhône 44 - A 1
Petite ville typiquement provençale. Château de l'Emperi (du Saint-Empire), puissante forteresse XIIIe-XIVe bâtie sur un rocher dominant la ville; grosse tour carrée 26 m; charmant logis Renaissance de la reine Jeanne, chapelle castrale XIIe-XIVe; le château abrite le Musée national d'art et d'histoire militaires (ts les j. sauf mardi). Églises Saint-Michel, prem. moitié XIIIe (portail roman sculpté) et Saint-Laurent XIVe-XVe de pur style gothique provençal (tombeau de Nostradamus, né à Salon en 1503). *Environs* • 12 km E., imposant château de la *Barben :* forteresse médiévale agrandie aux XVIe-XVIIe, remarquablement meublé; beaux plafonds à la française; chambre Empire et boudoir de Pauline Borghèse (vis. ts les j.); parc zoologique et vivarium.

Salses (fort de)
66 - Pyrénées-Orientales 42 - D 3
Ce magnifique ouvrage militaire en brique et pierre déb. XVIe, renforcé au XVIIe par Vauban, est l'une des plus anc. forteresses de France conçue pour résister aux tirs de l'artillerie (vis. ts les j. sauf mardi). Le fort est un rectangle cantonné de 4 tours rondes avec un puissant donjon au milieu; à l'O., 2 tours carrées abritaient l'arsenal et les magasins, 3 enceintes successives entouraient l'ensemble qui comporte également plusieurs ouvrages avancés.

Sancerre
18 - Cher 18 - D 3
Une haute colline isolée, sur la rive g. de la *Loire,* dominant un immense panorama, porte l'une des plus curieuses petites villes du Cher. Sa ceinture de boulevards, ses rues tortueuses et ses maisons anc. sont dominées par la tour des Fiefs, donjon cylindrique XVe (table d'orientation) et le clocher de l'église Saint-Jean, anc. beffroi XVe. De la promenade de la porte de César, belle vue sur le vignoble. Spécialité : fromage de chèvre. *Environs* • Excursions recommandées ds les collines du Sancerrois, aux vignobles renommés. • 14,5 km N.-O., *château de Boucard,* construction féodale remaniée à la Renaissance (vis. ts les j.), entourée de douves; à l'int. beaux appartements XVIIe; à 5 km N., *Jars* a un manoir et une église, XVe-XVIe, en grès rose et calcaire blanc. • 9,5 km N., par *Bannay, château de Buranlure,* élégante gentilhommière XVe entourée d'eaux vives (on vis.). • 17,5 km S.-O., *Morogues,* église XIVe; à l'int., dais monumental XVe en bois; à 1 km O., *château de Maupas* XIVe (vis. ts les j. de mars à oct.) : à l'int., coll. de 887 assiettes de faïences du XVe au XVIIIe, tapisseries XVIe-XVIIe, souvenirs de la duchesse de Berry et du comte de Chambord.

Salses : ***sous le soleil du Roussillon, impressionnant exemple de l'art militaire au Moyen Age.***

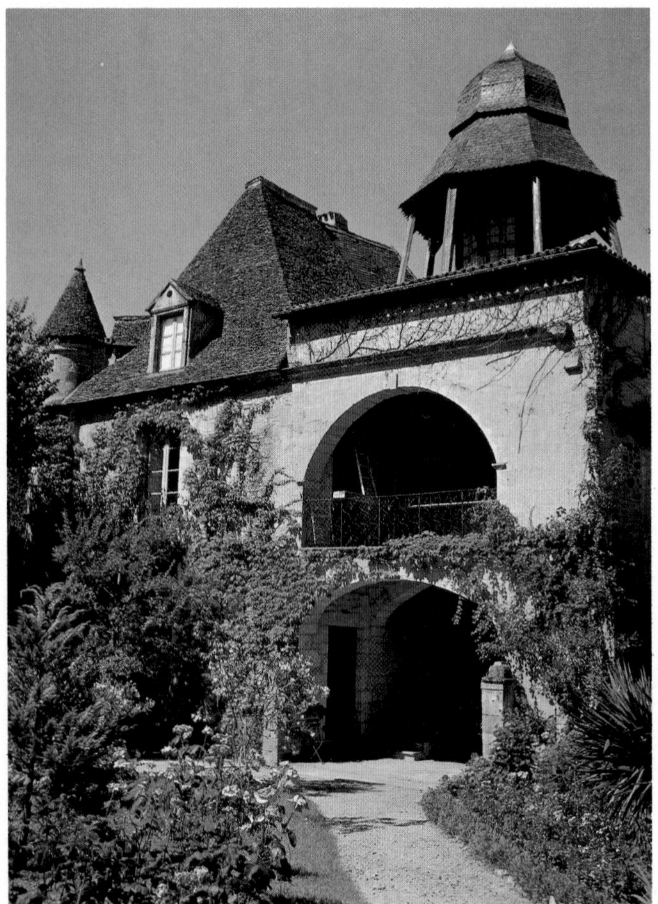

Sarlat-la-Canéda : ***peu de villes de France possèdent un ensemble aussi homogène de maisons XVe-XVIe; ici le Présidial.***

Sarlat-la-Canéda
24 - Dordogne 30 - A 3
Vieille ville dont les quartiers pittoresques, riches en maisons XVe-XVIe, méritent une longue visite. La rue de la République, dite «la Traverse», relie la place de la Petite-Rigaudie, au N., à celle du 14-Juillet et à la Grande-Rigaudie, au S. Le vieux Sarlat se situe autour de la place du Peyrou où se trouvent l'anc. évêché XVIe (aujourd'hui théâtre), l'église Saint-Sacerdos, anc. abbatiale romane et cathédrale reconstruite aux XVIe-XVIIe (cour des Fontaines et cimetière bénédictin, chapelle romane de Saint-Benoît) et la maison natale de La Boétie, XVIe (Caisse d'épargne). Derrière l'église, lanterne des morts XIIe. Par la rue de la Liberté (à g., hôtel de Maleville fin XVIe), on atteint la place de la Liberté : hôtel de ville XVIIe (beffroi) et anc. église Sainte-Marie XIVe. La rue de la Salamandre, bordée de maisons anc., conduit au Présidial déb. XVIIe. Rue des Consuls, l'une des plus pittoresques de la ville (hôtel de Labrousse, n° 14; hôtel de Selves du Plamon, maison des Consuls, n° 10; hôtel de Mirandol, n° 7, etc). Au N. de la ville, colline de Temniac, église romane XIIe, ruines du château des évêques de Sarlat ds un site magnifique.

Sartène
2 A - Corse 45 - D 3
La vieille ville est très pittoresque; les rues étroites bordées de hautes maisons noires reliées par des guirlandes de lessives multicolores n'ont guère changé depuis le Moyen Age. La procession de Catenacciu, le Vendredi saint, est la plus impressionnante de Corse. Centre préhistorique et protohistorique, musée de la Préhistoire corse : importantes coll. archéologiques. *Environs* • 21 km N.-O., *Propriano* et le *golfe de Valinco* offrent de superbes paysages aux couleurs éclatantes. • 19 km S.-O., par la D. 48, près de *Tizzano,* alignements de Palaggiu (258 monolithes); de là, 5 km par une petite route, *Cauria,* extraordinaire site mégalithique. • 36 km S., col et rochers de *Roccapina,* en granit rose, évoquant des animaux fantastiques; belle plage. • Au N.-E., **Sainte-Lucie-de-Tallano*** et l'oppidum de *Cucuruzzu.*

Saulieu
21 - Côte-d'Or 19 - C 3
Célèbre relais gastronomique. • La basilique Saint-Andoche fin XIe-XIIe a de remarquables chapiteaux historiés, parmi les plus expressifs de l'art roman. Ds l'anc. presbytère, pittoresque musée bourguignon (salle du sculpteur animalier Pompon). Au milieu du cimetière en terrasses, Saint-Saturnin XVe, entouré de stèles funéraires gallo-romaines.
Environs • 10 km E., *Thoisy-la-Berchère :* intéressant château XVe, élégante façade Renaissance; à l'int., mobilier Renaissance, tableaux XVIIe-XVIIIe, magnifiques séries de tapisseries XVe (dites «de l'Oiseau») et XVIIIe; salle des Gardes avec plafond à poutrelles peintes; la voûte de la chapelle est décorée de fresques de goût italien déb. XVIIe (vis. ts les j. l'été sauf mardi); l'église paroissiale XVIe est décorée de peintures murales de la même époque; à 7,5 km N.-E., *Mont-Saint-Jean,* ce vieux bourg féodal, au sommet d'une butte, conserve les restes imposants d'un château XIIe et XVe, et une église renfermant d'intéressantes œuvres d'art. • 14 km N.-N.-O., *La Roche-en-Brénil,* château XVe, XVIIe et XVIIIe, entouré de douves. • A l'O., belles excursions ds le **Morvan***.

Sault
84 - Vaucluse 38 - A 3
Au centre du pays des lavandes, point de départ d'excursions. Petite église romane et XIVe. Château XVIe. Petit musée gallo-romain.
Environs • Le **Ventoux*** au N.-O. • Les *gorges de la Nesque* au S.-O. vers **Carpentras***, par *Monieux,* village perché.

Saumur
49 - Maine-et-Loire 17 - B 3
Vieille ville dominée par la masse imposante du château, superbe construction flanquée de 4 tours aux angles et couronnée de mâchicoulis; reconstruit au XIVe et plusieurs fois remanié, il abrite 2 musées : le musée des Arts décoratifs (tapisseries XVe-XVIe, coll. de faïences et porcelaines, émaux, etc.) et le musée du Cheval. 3 églises : Notre-Dame-de-Nantilly, romane, prem. moitié XIIe, remaniée aux XIVe et XVe; à l'int. remarquables tapisseries XVIe-XVIIe; Notre-Dame-des-Ardilliers XVIIe, précédée d'une vaste rotonde; Saint-Pierre, de style gothique angevin avec façade fin XVIIe (tapisseries XVIe et stalles XVe). Ds les bâtiments de l'hôtel de ville, déb. XVIe, est englobée la chapelle Saint-Jean XIIIe, aussi harmonieuse que raffinée. Autour de l'église Saint-Pierre, se situe le

quartier anc. décrit par Balzac : rue Basse-Saint-Pierre, rue Fourrier (n° 13, maison des Anges), rue du Fort, place Saint-Pierre (maison du Roi, belle façade sculptée XVIe), Grande-Rue, etc. Le quartier des Ponts, sur une île entre les 2 bras de la *Loire,* a été reconstruit après la guerre : élégant manoir de la reine de Sicile, déb. XVe.
Environs • 2 km S.-O., dolmen de Bagneux ou Grand-Dolmen. • 11 km S.-E., château de *Brézé,* imposante construction Renaissance entourée de douves (vis. sur r.-v.). • 10,5 km N.-O., *Chenehutte-les-Tuffeaux,* église romane, anc. château (hôtel) englobant les restes d'une chapelle XIe et d'un prieuré XVIe. • Sur la rive dr. de la Loire. 9 km N.-O., *château de Boumois,* XVe, XVIe et XVIIe (vis. ts les j.). • 17,5 km N.-E., à *Vernantes, château de Jalesne,* XVIe-XVIIe (on ne vis. pas); 9 km N., par *Mouliherne* (église XIe-XIIe) : château de la Touche (XVIe); à l'int., chambre à poutres peintes, dite «chambre fleurie» (on visite).

Saut du Doubs
25 - Doubs 20 - D 3
L'une des curiosités du Jura. Cette magnifique chute de 28 m de haut, ds un site superbe, est accessible par sentiers. Parcours en bateau à partir de *Villers-le-Lac* (1 h 30 A.R.) par le *lac de Chaillexon,* puis une série de bassins encaissés entre des falaises abruptes.
Environs • Au N.-E., les gorges du *Doubs* offrent des paysages impressionnants, notamment le barrage du Chatelôt à cheval sur la frontière franco-suisse (du belvédère vue panoramique), les Échelles de la Mort et la corniche de *Goumois* (voir **Saint-Hippolyte*** et **Maiche***).

Sauve-Majeure (La)
33 - Gironde 35 - A 1
Ruines imposantes de l'anc. abbatiale Saint-Gérard XIIe-XIIIe. La partie la plus remarquable est le chevet : l'abside est flanquée de 2 absidioles et percée de 3 larges baies sculptées. Le vaisseau, à demi détruit, comprenait 3 nefs; le croisillon N. du transept est le mieux conservé, beau portail mutilé. Précieux chapiteaux romans ds le chœur. Vestiges d'un cloître gothique déb. XIIIe et des bâtiments monastiques XVIIe. Église paroissiale Saint-Pierre, gothique fin XIIe; à l'int., fresques XVIIIe.

Sauveterre-de-Béarn
64 - Pyrénées-Atlantiques 40 - D 1
Petite ville pittoresque, en terrasse, au-dessus du confluent des gaves de *Mauléon* et d'*Oloron.* L'église romane fin XIIe (à 3 nefs, 3 absides et un robuste clocher carré) est l'une des plus belles du Béarn. Les rives des gaves offrent de très agréables promenades.
Environs • 8 km S.-E., château de Laàs : belle résidence XVIIe entourée de jardins; à l'int., remarquables coll. de meubles, tableaux et objets d'art du XVe au XIXe; boiseries XVIe (ts les j. de juil. à oct.).

Saverne
67 - Bas-Rhin 14 - A 2
Vaste construction de grès rouge, le château fin XVIIIe, agrandi par Napoléon, présente sur les jardins une majestueuse façade classique à pilastres cannelés et péristyle à 8 colonnes (Son et Lumière l'été); à l'int., musée d'archéologie et d'histoire. Ds la Grand-Rue, maisons en bois XVIIe; église XIVe-XVe, avec clocher roman XIIe, église des Récollets XIVe et cloître. La roseraie se visite de la Pentecôte au 30 sept.
Environs • 5 km S.-O., ruines du *château du Haut-Barr* XIIe-XVIe-XVIIIe surnommé, «l'œil de l'Alsace», belle vue. • 4,5 km N., *Saint-Jean-Saverne,* église romane, anc. abbatiale, de style rhénan XIIe dite aussi Saint-Jean-des-Choix, on monte à la chapelle Saint-Michel XIIe, vaste panorama. • 14 km N., *Neuwiller-lès-Saverne,* anc. abbatiale, l'église Saint-Pierre-et-Saint-Paul XIIe-XIIIe abrite d'intéressantes œuvres d'art; au chevet de l'église, chapelle à 2 étages XIe; ds la chapelle supérieure, remarquables tapisseries fin XVe; anc. collégiale Saint-Adelphe XIIe (temple protestant); à l'O., ruines du château de Herrenstein, belle vue. • 22 km N., *La Petite-Pierre,* curieuse petite place forte, au milieu d'une forêt, lac souterrain; jolie promenade à l'étang d'Imsthal. • 15 km N.-E. *Bouxwiller,* maison XVIe-XVIIe, hôtel de ville Renaissance alsacienne.

Sceaux
92 - Hauts-de-Seine 11 - C 2
Le château, reconstruit en 1856 ds le style Louis XIII, abrite le très vivant et varié musée de l'Ile-de-France (vis. ts les jours sauf mardi). Le parc (ouv. ts les j.) offre d'agréables promenades : grand canal, bassin de l'Octogone et grandes cascades (grandes eaux tous les dim. d'avril à oct., pavillon de Hanovre, pavillon de l'Aurore, la terrasse des Pintades et la vaste plaine gazonnée des Quatre-Statues. En ville, près de l'église Saint-Jean-Baptiste, XVIe, jardin des félibres et tombe de Florian; en face, jardin de la «ménagerie» de la duchesse du Maine où sont enterrés, sous des colonnes ou des stèles, ses serins et ses chats.
Environs • Châtenay-Malabry possède l'une des plus vénérables églises d'Ile-de-France, Saint-Germain-l'Auxerrois XIe et XIIIe; promenades recommandées à la Vallée-aux-Loups, aux restaurants guinguettes de Robinson (belles vues sur Paris), à la roseraie de l'Haÿ-les-Roses, charmant musée de la Rose (ouv. de fin mai à fin sept.).

Sedan
08 - Ardennes 6 - D 2
Isolé sur un socle rocheux le château fort XVe, XVIe et XVIIe (vis. ts les j. des rameaux à mi oct.) abrite plusieurs salles intéressantes et un

Saumur : ***à la fois fortifié et accueillant, le château, mi-Moyen Age, mi-Renaissance, abrite deux intéressants musées.***

musée militaire; c'est là que naquit Turenne. Le Château-Bas, anc. résidence des princes de Sedan, est un bel édifice déb. XVIIe.
Environs • 3,5 km S.-E., *Bazeilles :* château XVIIIe (vis. ts les j. l'été), et maison des Dernières Cartouches, théâtre d'un épisode héroïque de la guerre de 1870, petit musée (vis. ts les j.). • Au S., forêt d'**Argonne***. • Au N., belle forêt des Ardennes et **Charleville-Mézières***.

Sées
61 - Orne 10 - C 2
La cathédrale Notre-Dame XIIIe et XIVe est l'un des plus beaux édifices gothiques normands; la nef est admirable d'élégance et de proportions, chœur et transept XIVe; vitraux et rose XIVe et XVIe; ds le chœur, maître-autel en marbre orné de reliefs sculptés et stalles fin XVIIIe.
Environs • A 1 km N. de *Mortrée, château d'O,* élégante construction XVIe-XVIIIe au milieu d'un étang (vis. ts les j.).

Seix
09 - Ariège 41 - D 3
Petite cité anc. étagée sur la rive g. du *Salat.* Église XVIIe à clocher mur; à l'int., vastes retables dorés ornés de bas-reliefs, tribunes à 2 ét. Vieilles maisons à galeries de bois, dominées par les ruines d'un château féodal.
Environs • La route remonte la *vallée du Salat,* très pittoresque et encaissée jusqu'à Pont-de-la-Taule, hameau situé au confluent de l'Alet et du *Salat;* belles carrières de marbre rouge; par la vallée d'Ustou, au S.-E., on atteint *Bielle;* de Pont-de-la-Taule, la route continue sur *Couflens* et *Salau;* excursion au *port de Salau* (2052 m). Au nord **Saint-Lizier***.

Sélestat
67 - Bas-Rhin 14 - A 3
Le vieux Sélestat a gardé ses rues étroites, ses maisons pittoresques et les vestiges imposants de ses fortifications : tour de l'Horloge, robuste beffroi massif XIVe, dont l'étage inf. était l'une des portes de l'enceinte médiévale, porte de Strasbourg, en grès, témoin de l'enceinte de Vauban. Sainte-Foy XIIe, l'une des plus belles églises romanes d'Alsace est dominée, à la croisée du transept, par une tour octogonale de 43 m. Saint-Georges, en grès rouge et granit gris, est un bel édifice gothique, construit du XIIIe au XVIe; le portail principal est surmonté par une belle tour carrée haute de 60 m. Maison Weiller, typiquement alsacienne, entourée de beaux jardins. Maison Ziegler, Renaissance XVIe. Hôtel de l'anc. abbaye d'Ebersmunster mil. XVIe (portail Renaissance sculpté). L'anc. arsenal Sainte-Barbe est une élégante construction XIVe avec façade sculptée; le toit porte un nid de cigognes.
Environs • Au N.-O., ruines des châteaux de Ramstein, d'Ortenbourg et de Frankenbourg. • *Châtenois* (5 km O.), curieux clocher roman avec flèche et échauguettes, tour des Sorcières XVe (cigognes).

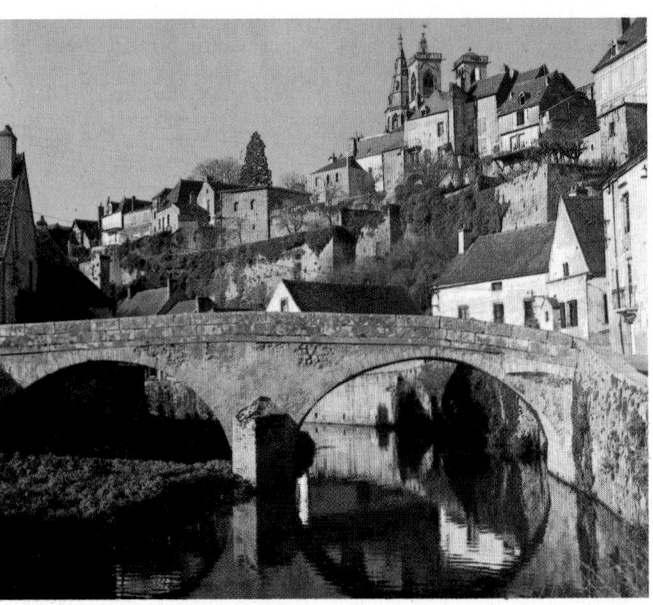
Semur-en-Auxois : ***étagée au-dessus de l'Armançon, c'est, parmi les vieilles cités bourguignonnes, l'une des plus pittoresques.***

Selles-sur-Cher
41 - Loir-et-Cher 18 - A 3
Sur la rive dr. du *Cher,* le château, entouré d'eau, conserve les murailles de la forteresse féodale transformée à la fin du XVIe en résidence seigneuriale (vis. ts les j. de Pâques à la Toussaint); à l'int., salle des Gardes et chambre de la reine de Pologne, décorée et meublée déb. XVIIe, salle de musique, etc. Église Notre-Dame-la-Blanche XIIe et XIVe; l'abside est décorée, à l'ext., de frises romanes sculptées.
Environs • 14 km S., château de **Valençay***.

Semur-en-Auxois
21 - Côte-d'Or 19 - C 2
L'une des villes anc. les plus pittoresques de Bourgogne, sur un promontoire abrupt, entouré par un méandre de l'Armançon, dominé par les énormes tours du château XIIIe. La tour de l'Orle d'Or abrite un musée ethnographique et archéologique. Le rue Févret et la rue du Rempart relient la citadelle au bourg qui a conservé son charme provincial. De style gothique bourguignon, l'église Notre-Dame XIIIe-XIVe, porche du XVe, possède d'intéressantes œuvres d'art dont une belle « Mise au tombeau » fin XVe et ds 2 chapelles, des vitraux (très rares) représentant des bouchers et des drapiers au travail; à la voûte de l'abside, l'une des plus belles clés historiées connues (couronnement de la Vierge). Petit musée local : coll. archéologiques et médiévales, peintures (primitifs fin XVe et 2 Corot).
Environs • 12,5 km O., château d'**Époisses***. • 3 km S., *lac-barrage de Pont,* sur l'*Armançon,* vaste réservoir s'étendant sur 6 km (plage, sports nautiques).

Sénanque (abbaye de)
84 - Vaucluse 38 - A 3
Au creux du canyon de la Senancole, qui s'ouvre sur un plateau

---

SEIN (île de)
29 S - Finistère 8 - A 3
Accès par bateau courrier d'**Audierne***, ou du *Port de Bestrée* et Sainte-Evette. Cette île, plate et dénudée, comporte 5,6 ha de landes en 2 îlots rattachés par un isthme étroit. Le bourg et le port sont situés ds la partie E. Monument du ralliement de l'île à la France libre (1940). Vestiges mégalithiques. A la pointe N.-O. : phare de Sein. Au large phare d'*Ar Men.*

parsemé de nombreuses « bories », l'abbaye, fondée en 1148 (vis. ts les j.), l'une des « trois sœurs cisterciennes de Provence » abrite plusieurs centres d'études médiévales, d'études sahariennes, de chant grégorien, de musique méditerranéenne et de création artistique (séminaires, expos. l'été). L'église est un des plus purs témoins de l'art roman. Cloître et salle capitulaire déb. XIIIe, salle des moines, anc. chauffoir.

Senlis
60 - Oise 11 - D 1
Ville anc. au charme provincial. Notre-Dame, du XIIe, est l'une des premières réalisations grandioses du style gothique; la façade, flanquée d'un élégant clocher à flèche de 78 m de haut, offre un remarquable portail central fin XIIe, admirablement sculpté, consacré à la Vierge; de la place Notre-Dame, vue superbe sur le flanc S.; la façade du croisillon, très richement ornée, contraste avec la sobriété du gothique à ses débuts : le passage du flamboyant à la Renaissance y est sensible. Au S. de l'abside, anc. évêché XIIIe et XVIe, la chapelle Saint-Frambourg XIIe-XIIIe (siège de la Fondation Cziffra), vitraux de Miró, et l'église Saint-Pierre XIe, XVe et XVIe avec une façade gothique flamboyant. Le château royal XIIIe comporte les restes de la chapelle de Louis VI et le logis seigneurial XVIe; le musée de la Vénerie (vis. ts les j. sauf mardi et mercr. matin) est installé dans les bâtiments XVIIIe du prieuré Saint-Maurice. Nombreuses maisons anc., notamment la maison du Haubergier XVIe, qui abrite le Musée archéologique. A l'O. de la ville, arènes romaines (s'adr. au gardien). Au S.-E. : anc. abbaye Saint-Vincent, fondée au XIe, reconstruite au XVIIe, cloître de style classique, clocher roman (aujourd'hui collège, vis. pendant les vacances scolaires). Les Monuments historiques organisent des visites guidées de la ville.
Environs • 2,5 km S.-E., ruines de l'abbaye de la Victoire XIIIe et XVe ds un cadre pittoresque (gardien). • 8 km E., *château de Montepilloy :* ses ruines féodales XIIe, incluses ds une ferme (vis. autorisée), comportent notamment 2 puissants donjons et des fragments d'enceinte. • Au N., *forêt d'Halatte* (4300 ha), ancien prieuré Saint-Christophe, mont Pagnotte. • 10 km N.-O., *Creil* (petit musée de faïences); églises intéressantes à *Nogent-sur-Oise* et *Montataire.* • A 9,5 km O. : **Chantilly*.**

Sens
89 - Yonne 12 - A 3
Saint-Étienne, première des grandes cathédrales gothiques (v. 1140), a une façade fin XIIe à 3 portails sculptés; ceux du centre et de gauche comptent parmi les meilleures productions de la sculpture gothique à ses débuts; celui de droite est du XIVe; à l'int., les verrières XIIe (ds le déambulatoire, à g. du chœur), XIIIe et XIVe forment un ensemble superbe; par la porte N. du transept on accède à l'impasse Abraham où l'on admirera la façade de style flamboyant du croisillon N., délicatement ouvragée et son très beau portail sculpté déb. XVIe; revenir à l'intérieur, le trésor (visite tous les jours sauf mardi) est un véritable musée d'art religieux : tapisseries XVe, ornements liturgiques, ivoires, orfèvrerie XVe-XVIIIe, etc. A dr. de la cathédrale, l'Officialité, XIIIe, contient un musée lapidaire; ds la salle synodale (mêmes j. de vis. que le trésor), remarquable tapisserie du XVIe, mausolée en marbre du cardinal Duprat XVIe, orné de remarquables bas-reliefs, statues médiévales, fragments de mosaïque romaine IIIe, etc. Des jardins de l'anc. archevêché, XVIe-XVIIe, belle vue sur la façade du croisillon S. • Intéressantes maisons anc. rue de la République, maison d'Abraham XVIe; rue Jean-Cousin, maison du Pilier et maison de Jean Cousin XVIe à pans de bois. A g. de la façade de l'église Saint-Pierre-le-Rond XIIIe, XIVe, XVe a été remontée la façade de l'anc. hôtel-Dieu XIIIe.

Senlis : *au portail de la cathédrale Notre-Dame, de majestueux personnages de l'Ancien Testament.*

Sens : *la rose flamboyante du transept sud de la cathédrale fait jouer ses couleurs dans la lumière.*

Attenants à l'église, musée et bibliothèque. A l'E. de la ville, l'anc. abbatiale Saint-Jean, aujourd'hui chapelle de l'Hôpital, a une belle chapelle absidiale du XIIIe de style gothique champenois-bourguignon. Église Saint-Savinien XIe-XIIIe. *Environs* • 15 km N.-N.-E., château de *Fleurigny,* Renaissance, flanqué de tours rondes XIVe et entouré de douves; voir la cour int. avec galerie à arcades, la chapelle à plafond à caissons et clés pendantes sculptés, chef-d'œuvre de décoration majestueuse (vis. sam. dim. apr.-m. de Pâques au 1er nov. ; août ts les j. sauf lun.).

Sept-Saints (chapelle des)
22 - Côtes-du-Nord 8 - D 2
Construite déb. XVIIIe sur un dolmen, chapelle primitive où auraient été trouvées les images des 7 Dormants d'Éphèse. D'après la légende, ceux-ci s'endormirent ds une grotte en 250 et ne se réveillèrent que pendant le concile d'Éphèse, en 431. La chapelle est un lieu de pèlerinage commun aux religions chrétienne et musulmane (4e dim. de juillet).

SERRE-PONÇON (barrage de)
05 - Hautes-Alpes 38 - C 2
Le barrage (1960), sur la *Durance,* est un ouvrage grandiose, il retient l'un des plus grands lacs artificiels d'Europe (3 000 ha) et est dominé par le belvédère de l'E.D.F. (documentation graphique et sonorisée). Sur le lac, sports nautiques. D'**Embrun*** la N. 94 traverse la retenue à *Savines* (village nouveau) et, après avoir longé le lac, gagne *Chorges* (église XVe), *la Bâtie-neuve* et **Gap*.** De *Savines* la D. 954, S.-S.-O., suit la rive escarpée du lac (belles vues); « Demoiselles coiffées » de Pontis; *Le Sauze,* sur une terrasse formant belvédère, ds un très beau site.

14 millions de m³, 123 m de hauteur, 600 m de développement en crête. L'ouvrage a été mis en eau en 1960.

Serrabone (prieuré de)
66 - Pyrénées-Orientales 43 - C 3
Isolé ds la montagne, c'est l'un des plus remarquables témoignages de l'art roman en Roussillon. La priorale Sainte-Marie XIe-XIIe renferme une tribune de marbre richement ornée, soutenue par des colonnettes de marbre rose et 6 petites croisées d'ogive; les chapiteaux comptent parmi les chefs-d'œuvre de la sculpture romane catalane. Cette délicate œuvre d'art contraste avec l'austérité de la nef construite en schiste. De la galerie méridionale, ou promenoir des Chanoines, panorama sur la vallée.
Environs • 10 km S.-E., *col de Fourtou;* ruines du château de Belpuig XIIIe et chapelle de la Trinité, romane; à l'int., curieux Christ byzantin en bois XIIe dit « Santa Majestat ».

Serrant (château de)
49 - Maine-et-Loire 17 - A 2
Belle construction Renaissance (vis. ts les j. d'avr. à oct. sauf mardi) complétée aux XVIIe et XVIIIe, entourée de larges douves. La chapelle déb. XVIIIe renferme le magnifique tombeau du marquis de Vaubrun (**† 1675),** par Lebrun et Coysevox. Splendides appartements XVIIIe ; le grand salon est orné d'une suite exceptionnelle de tapisseries de Bruxelles XVIe. Chambre Empire où dormit Napoléon.

Sète
34 - Hérault 43 - B 2
Port typiquement méridional, sillonné de canaux bordés de quais très animés. Du môle Saint-Louis, qui protège le vieux bassin, XVIIe, belle vue sur la ville dominée par le mont Saint-Clair ; sur ses pentes s'étagent la citadelle, le phare et le fort Saint-Pierre transformé en théâtre de la Mer. Du sommet (chapelle), très belle vue. Ds le « cimetière marin », qu'il immortalisa ds un poème célèbre, repose Paul Valéry, né à Sète (**† 1945).** Au-dessus, musée Paul-Valéry, de conception très moderne (ts les j. sauf mardi) : peinture locale, art contemporain, documents, souvenirs, dessins et aquarelles de Valéry. Derrière la gare, pittoresque village de pêcheurs de la Bordigue. Joutes sétoises le 25 août.
Environs • Tour de *l'étang de*

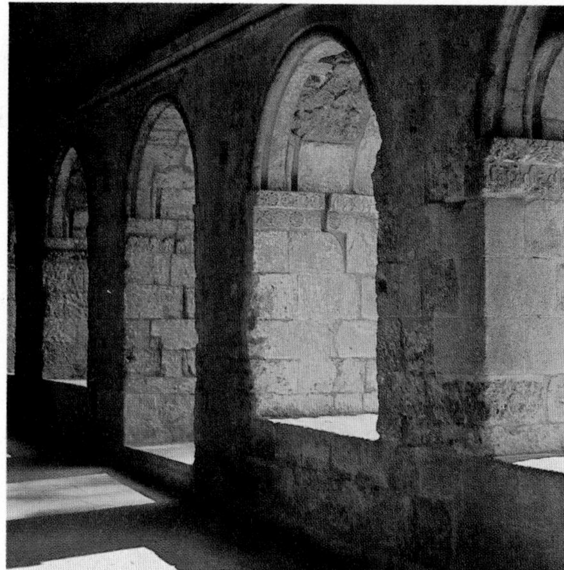

Serrabone : *une iconographie fantastique se déploie sur les chapiteaux. Ici, les arcades ouvrant sur la vallée.* ◀

Silvacane : *dans l'abbaye romane, ce sont la rigueur et le dépouillement cisterciens qui triomphent.* ▲

Thau (7 021 ha) par *Balaruc-les-Bains* (D. 129), l'étang des Eaux-Blanches (centre nautique, port de plaisance, école de voile); *Bouzigues* est un pittoresque village de pêcheurs dont les huîtres sont très recherchées; *Loupian* a 2 églises intéressantes, et *Mèze* une église gothique XVᵉ; à 7 km O. de *Mèze,* château de Creyssels où naquit Latude; on peut aller jusqu'à **Agde***, puis revenir par la N. 108.

SETTONS (lac des)
58 - Nièvre 19 - B 3
Ds un très beau site boisé du **Morvan***, à 575 m alt., le lac s'étend sur 359 ha, alimenté par la *Cure* et plusieurs rivières et sources. Il doit sa création à la construction d'un barrage en travers de la vallée de la *Cure;* une route en suit la crête (belles vues). Plage, sports nautiques, service régulier du tour du lac en bateau. Pêche et chasse au gibier d'eau.

Sèvres
92 - Hauts-de-Seine 11 - C 2
Le Musée national de céramique (vis. ts les j. sauf mardi) est l'un des plus remarquables ds ce domaine. On peut vis. (les 1er et 3e jeudis du mois, sauf en août) les ateliers de la célèbre Manufacture nationale de la porcelaine. La villa des Jardies où vécurent Balzac et Corot, et où mourut Gambetta, a été transformée en musée.

SIDOBRE (Le)
81 - Tarn 42 - C 1
Le plateau granitique du Sidobre (circuit de 56 km à l'E. de **Castres***) présente plusieurs curiosités naturelles, notamment des chaos rocheux, que l'on découvre principalement par la D. 58 qui suit en corniche la vallée de l'*Agout :* roc de Peyro-Clabado, les Trois-Fromages, le Chapeau du Curé, roc branlant de Peyremoutou, etc. A *Burlats,* église romane ruinée d'un anc. prieuré XIIᵉ; à *Ferrières,* château XVIᵉ avec façade richement ornée, musée du Protestantisme et atelier de luthier (vis. ts les j.). Prendre la N. 622 en direction de Castres : rochers branlants des Jumeaux-Bienvenu, les Sept-Faux, les Jumeaux-Valet, chaos de la Rouquette, etc.

Seyssel 32 - B 1
74 - Haute-Savoie - 01 - Ain
Le *Rhône* sépare la ville en 2 agglomérations distinctes, l'une appartenant au département de l'Ain, l'autre à la Haute-Savoie, reliées par un pont suspendu.
Environs • De la montagne des Princes (942 m), à l'E., vue panoramique, notamment sur le *mont Blanc.* • 3 km S.-S.-E., val du *Fier,* gorge étroite et profonde. • 9 km N.-E., superbe château de *Clermont* XVIᵉ-XVIIᵉ avec remplois XIIIᵉ-XIVᵉ; cour d'honneur à 2 étages de galeries à arcades, chapelle XVIᵉ (visite autorisée); vaste panorama.

Sézanne
51 - Marne 12 - B 2
Cette petite ville au charme provincial est entourée d'une ceinture de promenades avec restes de fortifications notamment sur le mail des Cordeliers. L'église Saint-Denis déb. XVIᵉ est éclairée de hautes verrières flamboyantes. Grosse tour carrée (42 m) fin XVIᵉ.
Environs • Au S.-O., *forêt de la Traconne* (3 200 ha). • 22 km S.-O., *Villenauxe-la-Grande :* belle église, vaste chœur XIIIᵉ et nef XVᵉ contenant d'importantes œuvres d'art.

Signy-l'Abbaye
08 - Ardennes 6 - C 2
Il reste peu de choses (bâtiments

conventuels XVIIIe) de l'abbaye cistercienne fondée au XIIe. La *Vaux* prend sa source ds le bourg même, au gouffre de Gibergeon.
Environs • La forêt domaniale de Signy, accidentée et pittoresque (3 525 ha), est divisée par le vallon de la *Vaux* en Petite forêt au S.-E., et Grande forêt au N.-O.

Sillé-le-Guillaume
72 - Sarthe 10 - B 3
Bâtie en amphithéâtre, cette anc. place forte a conservé un beau château XVe, construit sur les ruines d'une forteresse du XIe (on ne vis. pas); donjon de 38 m et 3 tours avec chemins de ronde sur mâchicoulis et toits coniques. Église Notre-Dame avec portail sculpté et crypte XIIIe.
Environs • Au N.-O., *forêt de Sillé* (3 000 ha), étang de Defais (voile, aviron, sports nautiques) et Sillé-Plage; *les Coëvrons,* pittoresque massif de grès culminant au Gros-Rochard (357 m).

Silvacane (abbaye de)
13 - Bouches-du-Rhône 44 - A 1
Ds un site verdoyant, proche de la *Durance,* abbaye cistercienne fondée en 1144 (vis. ts les j. sauf mardi) : église Notre-Dame, d'une grande pureté de lignes et de proportions XIIe, salle capitulaire déb. XIIIe, dortoir et cloître (v. 1220) dont la galerie N. est flanquée du réfectoire déb. XVe; l'ensemble est un bel exemple d'austère et pure harmonie cistercienne.

Sion
54 - Meurthe-et-Moselle 13 - B 3
La *Colline inspirée,* de Maurice Barrès, est l'un des hauts lieux de la Lorraine (vaste panorama). Basilique Notre-Dame-de-Sion (XVIIIe-XIXe, chœur gothique XIVe) et couvent des Oblats (musée missionnaire et d'antiquités gallo-romaines).
Environs • Au S., *le signal de Vaudémont,* où l'on accède par la belle route de crête, porte, à 541 m d'alt., une lanterne des morts (22 m). • 6 km N.-O., de Sion, *Thorey-Lyautey,* le château où vécut le maréchal Lyautey, abrite d'importantes coll. d'art marocain (on vis.); transféré de Rabat, le mausolée a été reconstruit ds le parc. • 24 km S.-E., *Charmes,* maison natale et tombe de Maurice Barrès.

Sisteron 38 - B 2
04 - Alpes-de-Haute-Provence
Située ds un étroit défilé de la *Durance,* sur la route Napoléon, la ville est dominée par l'imposante citadelle (vis. ts les j. de Pâques à la Toussaint). Les parties les plus anc. sont du XIIIe, l'ensemble des fortifications du XVIe; de la terrasse, vue plongeante sur la ville (table d'orientation). Chapelle Notre-Dame XVe. Les vieux quartiers, le long de la *Durance,* comportent plusieurs rues escarpées reliées par des rampes voûtées, les « andrones ». L'église Notre-Dame, très sombre à l'int., est de style roman provençal.
Environs • Au N.-E., haute vallée du Vançon et *défilé de Pierre-Écrite :* après *Saint-Geniez,* curieux *rocher de Dromon* (chapelle), *Authon, col de Fontbelle* et forêt domaniale de *Mélan* (curieuse grotte de Saint-Vincent).

Sixt
74 - Haute-Savoie 26 - D 3
De l'abbaye fondée au mil. XIIe il reste 3 corps de bâtiment (en partie occupés par un hôtel : la salle à manger est l'anc. réfectoire avec plafond peint au XVIIe) et l'église gothique XIIIe; à l'int., intéressantes œuvres d'art (trésor à la sacristie).
Environs • 7,5 km N.-E., Plan du Lac, au pied du *cirque du Fer-à-Cheval,* le plus grandiose des Alpes françaises, dominé par de gigantesques falaises d'où tombent plusieurs cascades. • 6,5 km N.-O., *Samoëns :* église XVIe, jardin alpin de 3 ha; à 2,5 km S.-O., Vercland, départ de la télébenne des Saix (1 640 m). • 4 km S., *cascades du Rouget.*

Sizun
29 N - Finistère 8 - B 2
L'enclos paroissial est l'un des plus caractéristiques du Finistère : porte monumentale et chapelle ossuaire fin XVIe abritant un petit musée d'art sacré. Église XVIe-XVIIe avec une curieuse abside polygonale ornée de niches à dais et d'une frise sculptée; à l'int., important ensemble de retables, autels, statues, etc.

Soissons
02 - Aisne 6 - A 3
Quatre églises valent la visite. 1) Cathédrale Saint-Gervais et Saint-Protais, superbe édifice gothique XIIIe; le croisillon S. fin XIIe est l'un des chefs-d'œuvre des débuts de l'architecture gothique. 2) Anc. abbaye de Saint-Jean-des-Vignes dont il reste la magnifique façade XIIIe-XIVe, le cloître gothique sculpté avec un raffinement délicat; le réfectoire fin XIIe; le cellier; le logis abbatial XVIe (salle de statuaire). 3) Église Saint-Léger XIIIe, anc. abbatiale avec crypte XIe; ds la salle capitulaire et le cloître XIIIe, musée (coll. lapidaires, peintures, etc.). 4) Vestiges de l'anc. abbaye Saint-Médard (enclavée dans un collège) fondée au VIe; salle capitulaire XIIIe et crypte IXe, anc. nécropole des rois mérovingiens.
Environs • 18 km E., *Braine :* église Saint-Yved, remarquable édifice des débuts du gothique fin XIIe-XIIIe; maison XVe à encorbellement.

Solesmes (abbaye de)
72 - Sarthe 17 - B 1
La célèbre abbaye bénédictine (rénovation de la liturgie et restauration du chant grégorien) comporte surtout des bâtiments fin XIXe, construits ds le style gothique, qui dominent la *Sarthe.* On ne vis. que l'église (ts les j.), en partie romane, dont le transept abrite un ensemble de remarquables sculptures gothiques dites « les Saints de Solesmes »; « sépulture du Christ » fin XVe (célèbre statue de la Madeleine) ds le croisillon dr.; sépulture de la Vierge XVIe, ds le croisillon g. Très beaux offices en grégorien.

Sologne
Voir : **Aubigny-sur-Nère ***, château de **Beauregard ***, château de **Chambord ***, la **Chapelle-d'Angillon *** château de **Cheverny ***, **La Ferté-Saint-Aubin ***, **Romorantin-Lanthenay ***.

Sommières
30 - Gard 43 - B 1
Curieuse petite ville dont les rues en amphithéâtre sont bordées de vieilles et nobles demeures. La rue centrale, bâtie en partie sur les dernières arches du pont romain, porte à des niveaux différents, le marché haut et le marché bas; entourés d'arcades, ils communiquent par des ruelles voûtées. Les ruines d'un château féodal, taillé à même le roc, dominent l'agglomération. Une colline escarpée porte le château de Villevieille (Renaissance avec de belles tours médiéviales); à l'int., mobilier Louis XIII et coll. de faïences (vis. ts les j. l'été).

Sorde-l'Abbaye
40 - Landes 40 - C 1
Vieux village autrefois fortifié (vestiges de remparts XIIIe) construit autour d'une très anc. abbaye bénédictine. L'église, avec parties romanes et gothiques, a été fâcheusement restaurée au XIXe. Portail roman à tympan sculpté. A l'int., chapiteaux historiés romans et fragments de mosaïques gallo-romaines et romanes. Ds le logis abbatial, XVIe, intéressant ensemble de mosaïques gallo-romaines. Vestiges des bâtiments conventuels XVIIe et du cloître déb. XVIIIe.
Environs • 8 km O., Hastingues, anc. bastide XVIe, maisons anc. et porte fortifiée. • 6 km O. *abbaye d'Arthous,* anc. église abbatiale

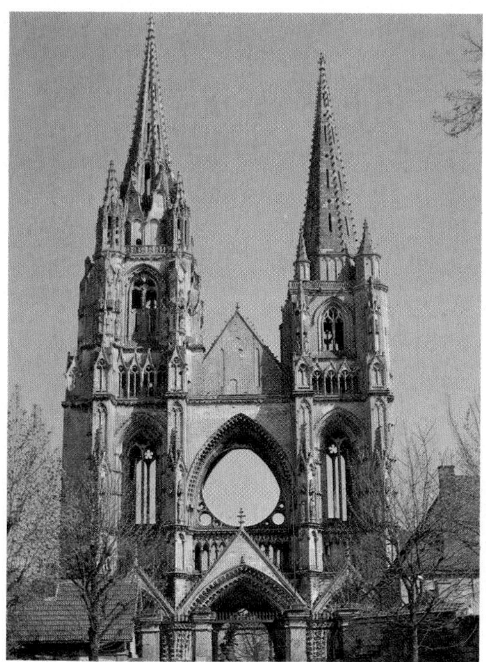

Soissons : ***Saint-Jean-des-Vignes n'est plus qu'une façade, mais dont l'élégance égale la majesté.***

Sospel : ***les gorges de la haute vallée de la Roya offrent des paysages d'un pittoresque sauvage.***

XIIIe; les bâtiments abbatiaux XVIe-XVIIe abritent un intéressant dépôt archéologique; à 7 km S., *Bidache:* ruines imposantes du château des ducs de Gramont; porte d'entrée monumentale et corps de logis XVIIe; en face, 2e corps de logis Renaissance mil. XVIe; donjon XIVe.

Sorèze
81 - Tarn 42 - B 2
Le collège fondé par les bénédictins au XVIIe occupe des bâtiments XVIIIe ds un vaste parc; chambre et tombeau de Lacordaire (**† 1861**). Restes de l'abbatiale XVe.
Environs • Sorèze est un centre d'excursions ds la *Montagne Noire: Arfons,* le *barrage des Cammazes,* le *bassin du Lampy,* vaste plan d'eau entouré d'une forêt de sapins, *Saissac,* en promontoire au-dessus de la plaine de Carcassonne (belle vue sur les Pyrénées); au N.-O., ruines du château XIVe, etc. • 5 km O., **Revel*** et *bassin de Saint-Ferréol.* • 9,5 km N.-E., *Dourgne;* à 2 km N.-E., *abbayes bénédictines d'En Calcat,* de style néo-roman (offices en grégorien).

Sospel
06 - Alpes-Maritimes 39 - B 3
L'église Saint-Michel fin XVIIe possède l'un des chefs-d'œuvre de l'École niçoise du XVe : la *Vierge Immaculée* de François Brea. Le pittoresque pont médiéval a conservé sa tour à péage.
Environs • Au N.-O., par la vallée de la *Bévéra* (gorges de Piaon et le *col de Turini*), circuit de l'*Aution* jusqu'à la pointe des Trois-Communes, point culminant de l'*Aution* (2082 m, surmonté d'un fort en ruine); du *col de Turini,* par *La Bollène-Vésubie :* au N., **Saint-Martin-Vésubie***, au S. les gorges de la **Vésubie***. • Au S.-O., par le *col de Braus* (panorama), **Nice***. • Au N.-E., par le *col de Brouis,* descente sinueuse ds la *vallée de la Roya* et les gorges de *Saorge,* dominées par le site vertigineux de *Saorge,* vers **Tende***; à 1 km S. de *Saorge,* sanctuaire roman de la Madone del Poggio (fresques XVe).

Souillac
46 - Lot 30 - A 3
Les célèbres sculptures du patriarche Joseph et du prophète Isaïe, chefs-d'œuvre de l'art roman, constituent le principal intérêt de l'église Sainte-Marie fin XIIe, anc. abbatiale à large nef et à 5 coupoles; appartenant à l'anc. portail, ces sculptures ont été remontées au revers du nouveau; le trumeau primitif (pilastre de dr.), qui présente un extraordinaire enchevêtrement de monstres, est aussi l'une des œuvres les plus remarquables de la sculpture romane languedocienne mil. XIIe.
Environs • *Vallée de la Dordogne,* **Rocamadour***, *grottes de Lacave, cirque de Montvalent* ainsi que **Martel***, etc.

Soulac-sur-Mer
33 - Gironde 28 - D 2
Station balnéaire bordée de dunes et entourée de pinèdes. La basilique romane Notre-Dame-de-Fin-des-Terres XIIe, sauvée des sables en 1860. Musée d'art moderne.
Environs • 4 km S.-O., *L'Amélie-sur-Mer,* au milieu des pins. • Au N.-E., *Le Verdon* et la *Pointe de Grave;* à Port-Bloc, bac pour **Royan*** (11 km à travers l'estuaire de la Gironde; départ ttes les h. l'été, 8 services hors saison; 30 mn).

Sourches (château de)
72 - Sarthe 17 - B 1
Précédé d'une immense cour d'hon-

Souillac : ***le prophète Isaïe, célèbre sculpture romane, semble esquisser une figure de danse.***

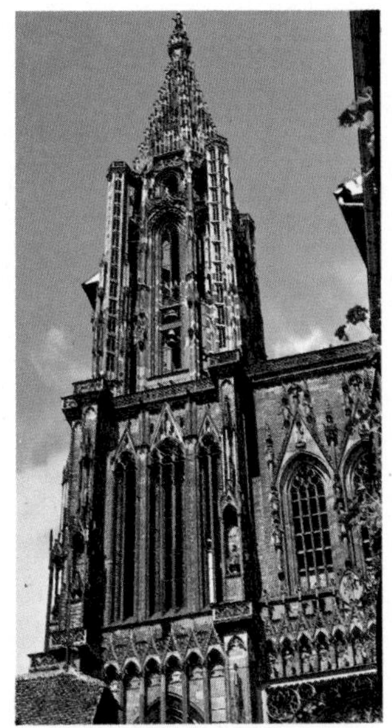

Strasbourg : ***le quartier de la Petite France, le plus typique et le mieux conservé, avec ses vieilles maisons des bords de l'Ill, évoque le pittoresque de l'Alsace traditionnelle. Non loin, la cathédrale de grès rose lance sa célèbre flèche ; elle abrite une populaire***

neur entourée de douves asséchées, le château mil. XVIIIe, entouré de verdure, est aussi imposant qu'élégant. Les appartements sont superbement meublés. Le parc a été dessiné par Mansart. (Vis. ts les j. l'été.)

Souterraine (La)
23 - Creuse 24 - A 3
Cette petite ville de la haute Marche conserve quelques vestiges de ses remparts médiévaux, telle la porte Saint-Jean XIIIe-XVe, et d'anc. maisons. L'église en granit XIIe-XIIIe, de style limousin, avec clocher tour, présente un harmonieux portail roman; à l'int., ds la nef, intéressants chapiteaux ds la crypte XIe, vestiges d'un sanctuaire gallo-romain. Lanterne des morts.

Souvigny
03 - Allier 25 - A 2
Saint-Pierre (anc. prieuré roman et gothique), l'une des plus belles églises du Bourbonnais, est la nécropole des ducs de Bourbon; la chapelle Vieille fin XIVe, à dr. du chœur, abrite le tombeau, avec statues couchées, en marbre blanc, de Louis II de Bourbon (**† 1410**) et de sa femme, et la chapelle Neuve mil. XIIe, à g. du chœur, celui de Charles Ier de Bourbon (**† 1456**) et de sa femme, orné de la célèbre statue de sainte Madeleine tendant un vase de parfum fin XVe ; sous cette chapelle, important caveau funéraire; chapiteaux romans ds la nef et les bas-côtés; sous la sacristie le musée lapidaire renferme le fameux « calendrier » de Souvigny, ou colonne du zodiaque XIIe. A dr. de l'église, restes de l'anc. prieuré XVIe-XVIIIe (imposante façade néo-classique).

Stenay
55 - Meuse 7 - A 3
Anc. ville forte sur la *Meuse*. Intéressantes maisons à porches XVIIe-XVIIIe bordant les places de la République et Poincaré, disposées en équerre.
Environs • Au N.-O., *Beaumont-en-Argonne :* curieuses maisons espagnoles XVIe-XVIIe. • Ds la forêt de **Belval ***, au S.-O., parc de vision.

Strasbourg
67 - Bas-Rhin 14 - B 2
L'une des plus remarquables villes d'art de France. L'*Ill*, qui la traverse en se divisant en 2 larges bras en arcs de cercle, arrose de ses canaux le pittoresque quartier de la « petite France ». • La cathédrale Notre-Dame XIIIe-XIVe, en grès rouge des Vosges, est un magnifique édifice gothique; la façade O. est dominée par une flèche élancée de 142 m, véritable « signal » de la ville (superbe panorama); les sculptures XIIIe-XIVe des portails (déposées au musée de l'Œuvre Notre-Dame, et remplacées par des copies) sont célèbres, notamment les Vierges folles et les Vierges sages; sur le flanc dr., le portail de l'Horloge XIIIe est composé de 2 portes romanes accolées : remarquables statues (copies) de l'Église et de la Synagogue, Couronnement et Mort de la Vierge sur les 2 tympans; à l'int., splendide ensemble de vitraux XIIIe-XIVe ; le transept est divisé en 2 par le fameux pilier des Anges, entouré de statues juxtaposées d'anges, des évangélistes et du Christ; ds le croisillon S. populaire horloge astronomique de 1571 à personnages animés. • Sur la place de la Cathédrale, curieuse maison Kammerzell typiquement alsacienne XVe-XVIe (restaurant). Le musée de l'Œuvre Notre-Dame comprend 2 corps de bâtiments, gothique mil. XIVe et Renaissance fin XVIe ; il englobe aussi l'hôtel du Cerf XIVe, plusieurs maisons contiguës et leurs cours, un jardin médiéval, et abrite de précieuses coll. d'art alsacien du Moyen Age au XVIIe ; l'ensemble, présenté ds des salles et un mobilier d'époque, en fait l'un des « musées d'ambiance » les mieux réussis. Le château des Rohan, superbe exemple d'architecture classique XVIIIe, comprend le musée des Beaux-Arts, le musée des Arts décoratifs et le Musée archéologique; les grands appartements des cardinaux : chambre du Roi, salon de l'Assemblée, salles des Évêques, du Synode, chapelle, etc., sont somptueusement décorés avec un goût raffiné; la coll. de céramiques du musée des Arts décoratifs est l'une des plus importantes de France. L'anc. Grande-Boucherie fin XVIe abrite le Musée historique. En face, ds l'anc. douane : musée d'Art contemporain. De l'autre côté de l'*Ill*, ds trois maisons XVIe-XVIIe, Musée alsacien. • Strasbourg possède plusieurs églises. Saint-Thomas, aujourd'hui temple protestant (vis. ts les j.), contient le magnifique

horloge astronomique dont les personnages animés sortent en un grand défilé à 12 h 30.

mausolée monumental du maréchal de Saxe par Pigalle. Saint-Pierre-le-Jeune, également temple protestant, possède à l'int. un riche jubé fin XIIIe et des boiseries XVIIIe ds le chœur. • Le vieux Strasbourg est très pittoresque; les rues de la Monnaie et des Dentelles conduisent à la rue du Bain-aux-Plantes bordée de maisons à pans de bois et à encorbellement. La «petite France» est l'un des coins les plus attachants de ce quartier typiquement alsacien avec ses vieilles maisons se reflétant dans les eaux du canal; les «ponts couverts», anciennement fortifiés, conservent 4 tours XIVe; en face barrage Vauban sur l'*Ill* (de la terrasse, panorama sur la «petite France»). Ds la Grand-Rue, nombreuses maisons anc. • Voir également le parc de Contades et la synagogue de la Paix (1955), le parc de l'Orangerie, le palais européen des Droits de l'Homme (1966) et le palais de l'Europe (1977). Maison de la Radio, 1961 (ds l'auditorium, immense composition en céramique de Lurçat). • Des services de vedettes, quotidiens l'été, proposent des circuits à travers la ville par l'*Ill* et ses canaux (illuminés l'été), le port autonome, le *Rhin* avec visite du port, des croisières sur le *Rhin*, etc. (Se renseigner aux S.I.)

Environs • N.-E., bois de la Robertsau, nombreuses promenades; le Fuchs-am-Buckel, site accueillant au bord du *Rhin* (restaurant, canotage, etc.). • Au S., le Baggersee, petit lac où l'on pratique les sports nautiques. • A l'E., Ponts-du-Rhin sur la rive g. du fleuve; au pont de l'Europe (1960), douanes franco-allemandes; sur la rive dr. (Allemagne); *Kehl.* • Au S.-O., la vallée de la *Bruche* jusqu'à *Saales* par **Molsheim***, *Mutzig* (célèbre pour sa bière), *Schirmeck, Rothau* d'où part la route du **Struthof*** et de **Sainte-Odile***.

Struthof (le)
67 - Bas-Rhin 14 - A 3
L'un des camps les plus atroces du système concentrationnaire nazi, rendu tristement célèbre par les convois «Nuit et Brouillard». (Vis. tous les jours.) Plusieurs témoignages (four crématoire, chambre à gaz, cellules, etc.) ont été conservés. Nécropole nationale de la Déportation et mémorial (tombe du Déporté inconnu).

Suippes
51 - Marne 12 - C 1
Au N.-E. s'étend la pittoresque région des Hurlus dévastée pendant la guerre de 1914-1918. Nombreux cimetières militaires et monuments commémoratifs (généralement médiocres); celui de la ferme de Navarin abrite une crypte et un ossuaire (tombe du général Gouraud).

Suisse normande
Voir **Clécy***. 10 - B 1

Sully-sur-Loire (château de)
45 - Loiret 18 - C 2
Imposante forteresse féodale entourée d'eaux vives (vis. ts les j. de mars à fin nov.), il comprend 2 parties : le donjon féodal XVe, flanqué de 4 tours d'angle, coiffé d'une haute toiture en charpente, et le «petit château», remanié au XVIIe par Sully; on y vis. son cabinet de travail et son salon. Ds la partie féodale, voir la grande salle des Gardes et la salle supérieure du donjon où se trouve la célèbre charpente.
Environs • 8 km N.-O., abbaye de **Saint-Benoît-sur-Loire***.

Suresnes
92 - Hauts-de-Seine 11 - C 1
Le souvenir de l'anc. vignoble et de ses vendanges est conservé au Musée municipal. Le Mont-Valérien mil. XIXe domine un magnifique panorama; ds une clairière (vis. guidées ttes les apr.-m.), les Allemands fusillèrent de 1940 à 1944 près de 5 000 otages et résistants; la chapelle est couverte de leurs graffitti; sur le glacis S.-O., du fort, imposant Mémorial national de la France combattante (vis. guidées ts les j.).

Surgères
17 - Charente-Maritime 23 - A 3
Il ne reste du château XVIe des comtes de Surgères qu'une enceinte à demi-ruinée, flanquée de tours, qui se développe sur 600 m environ. L'église Notre-Dame XIIe présente une façade romane (très restaurée) dont l'architecture et les sujets sculptés se composent selon une majestueuse ordonnance. On peut visiter, sur demande, l'importante laiterie coopérative de Surgères, «capitale» du beurre des Charentes, où l'on trouve l'École nationale de laiterie.

T

TANCARVILLE (pont de)
76 - Seine-Maritime 4 - C 3
L'un des plus grands ponts suspendus d'Europe (1 410 m de long, 47 m au-dessus des plus hautes eaux) sur la *Seine* (péage). Le château de *Tancarville* construit sur le Nez de Tancarville, promontoire rocheux de 50 m de haut, se compose d'une enceinte triangulaire flanquée de tours des XIIIᵉ, XIVᵉ et XVᵉ; le château neuf, XVIIIᵉ, a été récemment reconstruit.

Talcy (château de)
41 - Loir-et-Cher 18 - A 2
Reconstruit au déb. XVIᵉ à la place d'une demeure XIIIᵉ; l'ext., d'aspect sévère, conserve un donjon carré flanqué de tourelles. La cour int. offre un ensemble architectural harmonieux; au centre, beau puits à dôme. Ds la 2ᵉ cour, imposant pigeonnier XVIᵉ à 1 500 alvéoles; remarquable pressoir XVIIᵉ en état de marche. Les appartements comportent un superbe décor mobilier XVIIᵉ et XVIIIᵉ : voir notamment la salle à manger, ornée de toiles peintes XVIIIᵉ, et la chambre dite de Charles IX, dont le mobilier XVIIᵉ est tendu de point de Hongrie (vis. ts les j., sauf mardi). Cassandre Salviati, qu'aima Ronsard, y vécut.

Tallard
05 - Hautes-Alpes 38 - C 2
Vieux bourg aux remparts délabrés, que traversent 2 rues coupées à angle droit, bordées de maisons anc. Église XIIᵉ et XVIᵉ. Anc. chapelle des Templiers XIIIᵉ. Le château XIVᵉ-XVIᵉ, juché sur un éperon à pic au-dessus de la *Durance,* comporte une chapelle gothique déb. XVIᵉ et des bâtiments Renaissance, notamment le logis seigneurial (ne se visite pas); à l'int., vaste salle des Gardes de 35 m.

Talmont-sur-Gironde
17 - Charente-Maritime 28 - D 1
A l'écart du village aux ruelles fleuries, au milieu du petit cimetière, l'église Sainte-Radegonde, XIIᵉ, dressée sur un rocher à pic au-dessus de la *Gironde,* est un élégant exemple de l'art roman saintongeais; beau portail aux voussures sculptées; longtemps en péril, la falaise de craie étant minée par le courant, les assises de l'église ont été récemment consolidées. Du cimetière, belle vue sur l'estuaire de la Gironde et les falaises de Meschers (voir **Royan***).
Environs • 4 km, moulin du Fâ; vestiges gallo-romains, panorama.

Tanlay (château de)
89 - Yonne 19 - C 1
Superbe construction Renaissance et XVIIᵉ, composée du petit Château précédant la Cour verte entourée d'arcades, et du grand château. Le corps de logis principal se rattache aux 2 ailes par 2 tourelles d'escalier qui se terminent par la tour des Archives et la tour de la Chapelle (vis. ts les j. sauf mardi de mars à la Toussaint). Appartements somptueux. Ds la tourelle d'angle, dite tour de la Ligue, curieuse fresque mythologique représentant les différents personnages des guerres de Religion, nus ou vêtus à l'antique. Beau parc avec canal de 526 m conduisant à la Gloriette.
Environs • 3 km N.-E., vestiges de l'anc. abbaye de Quincy, bâtiments XIIᵉ, XIIIᵉ et XVIᵉ. • 17,5 km S.-E., château d'**Ancy-le-Franc***.

Tarascon
13 - Bouches-du-Rhône 43 - D 1
Le majestueux château fin XIVᵉ-mil. XVᵉ des comtes de Provence se dresse au bord du *Rhône* (vis. ts les j. sauf mardi); il comprend 2 parties : au N. la basse-cour, au

Talmont-sur-Gironde : ***dans un très beau site, au-dessus de la falaise, l'église romane Sainte-Radegonde domine l'estuaire de la Gironde. Les voussures du portail sont ornées d'animaux fantastiques.***

Tanlay : ***le château, édifié vers 1550, est l'un des plus beaux témoignages de la Renaissance en Bourgogne. Le portail monumental s'ouvre sur la cour d'Honneur.***

S. l'énorme logis seigneurial : cour int. avec belle décoration flamboyante, chapelle et salles voûtées, anc. appartements du roi René; (belles vues sur le Rhône). Église Sainte-Marthe XIVᵉ, portail fin XIIᵉ délicatement sculpté; à l'int., plusieurs œuvres d'art dont le tombeau avec gisant du sénéchal de Provence Jean de Cossa, l'une des premières œuvres de la Renaissance italienne en France (fin XVᵉ); ds la crypte, anc. tombeau de sainte Marthe XVIᵉ; l'actuel tombeau de la sainte, ouvrage génois XVIIᵉ, situé dans l'abside, abrite le sarcophage du Xᵉ où elle fut enterrée. Hôpital Saint-Nicolas : chapelle XVᵉ et pharmacie de 1742.
Environs • La Montagnette (voir **Saint-Michel-de-Frigolet***).

Tarascon-sur-Ariège
09 - Ariège 42 - A 3
Au confluent de l'*Ariège* et du *Vicdessos,* elle se compose d'une anc. ville haute et d'une ville basse moderne. Intéressante église XVIIᵉ, portail gothique.
Environs • 5 km S., grotte de **Niaux*** et *vallée du Vicdessos.* • Au S.-E., la N. 20 remonte la *vallée de l'Ariège* sur 26 km, de Tarascon à **Ax-les-Thermes*,** par Notre-Dame-de-Sabart (église romane fortifiée, anc. abbatiale; pèlerinage); *Ussat-les-Bains* (grotte de Lombrives où 500 cathares furent emmurés vivants en 1228, vis. ts les j.); *Luzenac* (château de *Lordat* XIIIᵉ-XVᵉ, superbe panorama) et **Ax-les-Thermes.** • Variante plus pittoresque par la route des Corniches, de Bompas (3 km N. de Tarascon) à **Ax*** par *Cazenave,* le Pas de Souloumbrié et Unac, église romane avec clocher à 4 étages de fenêtres géminées.

TARN (gorges du)
48 - Lozère 37 - A 2
L'une des merveilles naturelles de la France. Sur plus de 50 km se succèdent les curiosités les plus variées. Outre la très belle route (107 B) qui, depuis *Ispagnac,* suit continuellement le fond des gorges (voir **Florac*** et **Sainte-Énimie***), il est recommandé de faire la descente en bateau depuis *La Malène;* la rivière, coupée de rapides, franchit le Détroit, défilé de 1 km de long à la partie la plus étroite du canyon, puis pénètre ds le cirque des Baumes dont les murailles rocheuses, de couleur rougeâtre, sont impressionnantes, et le Pas de Soucy aux énormes blocs calcaires (voir l'Aiguilhe, curieux monolithe de 80 m de haut). • Il est également conseillé aux bons marcheurs de faire l'excursion des corniches du *causse Méjean* depuis *Le Rozier* (sentiers balisés). Les principaux sites des gorges du *Tarn* sont illuminés l'été. • Au *Rozier* les gorges de la **Jonte*** conduisent à l'aven **Armand*,** à la *grotte de Dargilan* et à **Meyrueis*.**

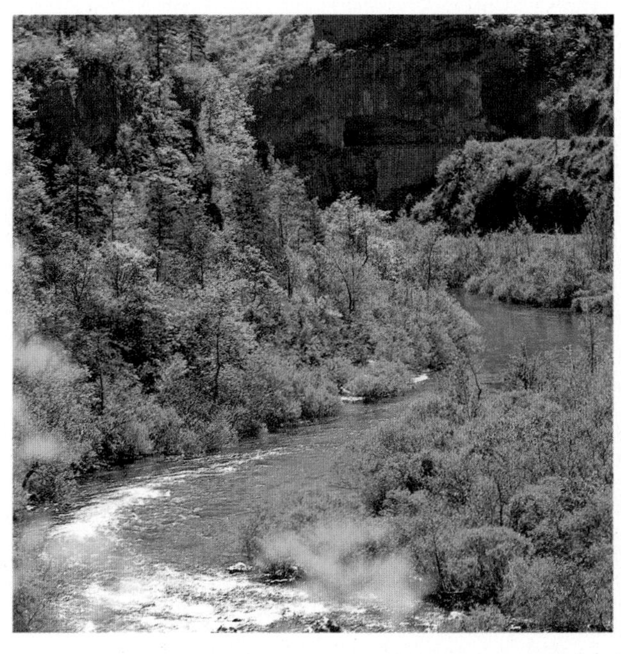

Tarbes
65 - Hautes-Pyrénées 41 - B 2
Remarquablement dessiné, le jardin Massey (14 ha) est l'un des plus beaux jardins publics du Midi. Le musée Massey (vis. ts les j. sauf lundi et mardi) abrite des coll. archéologiques, des salles de peinture et le Musée international des hussards. Sur la tour, table d'orientation (vaste panorama). Cloître remonté fin XIVe, de l'abbaye Saint-Sever-de-Rustan. La maison natale du maréchal Foch XVIIIe a été transformée en musée. La cathédrale, dite la Sède (siège), est un édifice roman modifié. Haras national (vis. du parc et des écuries ts les j.).
Environs • 6 km O., Ibos : église fortifiée XIVe en brique et galet, avec chemin de ronde circulaire; sur le plateau séparant la Bigorre du Béarn, vaste panorama (table d'orientation). • 17 km N.-O., *Montaner :* superbe donjon en brique, haut de 40 m, entouré d'une enceinte circulaire à 20 pans, vestiges de l'une des magnifiques forteresses édifiées par Gaston Phébus, comte de Foix, ds sa lutte contre le comte d'Armagnac.

Tavant
37 - Indre-et-Loire 17 - C 3
L'église, fin XIe (gardien), abrite un remarquable ensemble de peintures romanes, ds l'église sup., seul le chœur a conservé une partie de ses fresques (Christ en majesté); ds la crypte, très exiguë, qui repose sur 8 piliers cylindriques, murs en voûtes étaient entièrement peints : ce qui subsiste constitue l'un des plus beaux témoignages de l'art roman français (3 David : jouant de la harpe, dansant et combattant le lion).

Tende
06 - Alpes-Maritimes 39 - B 3
Petite ville, étagée à flanc de montagne, maisons aux hautes façades noirâtres, coiffées d'ardoise. Vestiges d'un château. Église Notre-Dame-de-l'Assomption fin XVe. Important centre d'excursions.
Environs • Au S., *vallée de la Roya* (voir **Sospel***). • A l'O., vallée des **Merveilles***, par *Saint-Dalmas-de-Tende.* • A l'E., **La Brigue***.

Thann
68 - Haut-Rhin 21 - A 1
Vieille ville pittoresque dominée par les ruines du château d'Engelbourg. L'église Saint-Thiébaut est un splendide édifice de style flamboyant XIVe-XVe dont le portail O. est l'un des chefs-d'œuvre de la sculpture gothique alsacienne fin XIVe; portail N. XVe; le chœur est orné de stalles sculptées XVe, d'une

THÉUS (Demoiselles coiffées de)
05 - Hautes-Alpes 38 - C 2
Au N.-E. de Théus, village à demi abandonné, ds un cadre pittoresque de rochers étrangement découpés et d'entonnoirs creusés par les gypses, le ravin de Vallauria offre le curieux spectacle de colonnes ou d'aiguilles, préservées de l'érosion par un bloc rocheux formant chapiteau. La «salle de bal des Demoiselles coiffées» est l'une des curiosités des Alpes. D'autres exemples de ce phénomène existent sur la rive E. du lac de **Serre-Ponçon***, sur les routes de **Saint-Véran*** et du *col de Vars.*

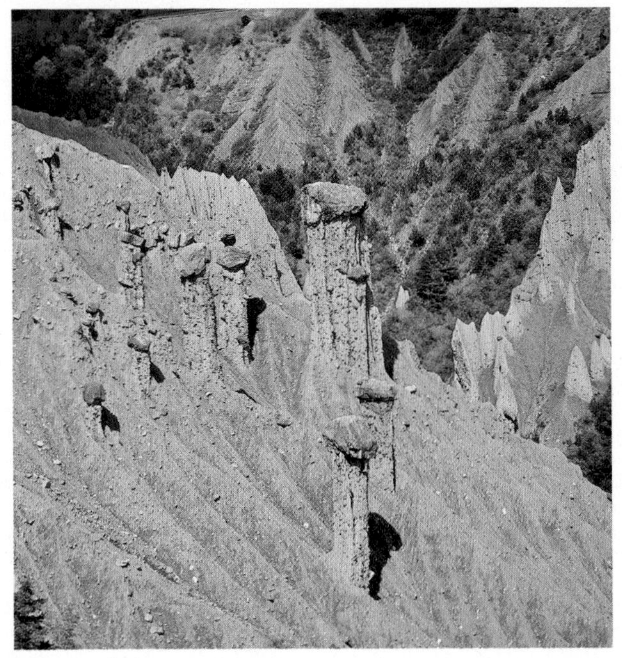

verve caricaturale expressive; verrières XVe. Musée historique ds l'anc. halle au blé XVIe : archéologie, folklore, etc.
Environs • Route du **vin* d'Alsace.** • Route des **Crêtes.***

Thiers
63 - Puy-de-Dôme 31 - A 1
Petite ville industrielle étagée au bord de la *Durolle.* Nombreuses maisons anc. XVe-XVIe (maisons du Pirou, des Sept Péchés capitaux, de l'Homme des Bois); curieux «Coin des Hasards» et tour de Maître Raymond, etc. Église Saint-Genès romane et gothique, du Moûtier romane mais défigurée (chapiteaux intéressants), Saint-Jean XVe, perchée au-dessus de la *Durolle* (du cimetière, belle vue). Musée de la Coutellerie et d'Art local. De la terrasse du Rempart, vaste panorama sur la Limagne, les monts Dôme et les monts Dore. La «route de la vallée» longe la *Durolle* (140 chutes sur 3 km).
Environs • Au N.-E., par *Saint-Rémy-sur-Durolle,* centre coutelier, massif des *Bois-Noirs, puy de Montoncel* (1 292 m, vaste panorama), et, à 2,5 km, *puy de Snidre.* • 16 km O., *Lezoux :* anc. centre de céramique gallo-romaine; musée archéologique; au S. *Ravel,* église XIIIe, château XVIIe et XVIIIe, flanqué de tours et d'un donjon XIIIe; à l'int., beaux appartements XVIIIe (vis. ts les j. l'été); *Moissat-Bas :* ds l'église, châsse de saint Lomer, chef-d'œuvre d'orfèvrerie XIIIe. • A l'E., rochers des Margerides. • Au S., rocher de Bordes, vaste panorama.

Thines
07 - Ardèche 37 - B 2
Vieux village aux maisons de schiste, à demi abandonné ds un site sauvage grandiose. Église romane déb. XIIe en granit; remarquable décoration ext. sculptée, notamment le portail latéral S. Centre artisanal du Parc national des *Cévennes* ds une maison cévenole typique.

Thionville
57 - Moselle 7 - B 3
Anc. place forte sur la *Moselle.* La

place du Marché est en partie entourée de maisons à arcades. Beffroi, anc. tour de guet XVe. Anc. hôtel des seigneurs de Raville, en partie du XVe. Tour aux Puces, robuste construction polygonale à 14 pans XIIe et XIIIe, abrite le musée d'histoire locale. Orgues Kern (unique) et buffet baroque à la paroisse Saint-Maximin.
Environs • De la terrasse de Crève-Cœur, 3 km N.-O., panorama sur la ville et la vallée. • 18 km N.-E., *Sierck-les-Bains,* dominé par les ruines de l'anc. château des ducs de Lorraine; à 1,5 km, chapelle de Marienfloss, vestige d'une chartreuse XIIe-XIIIe (église XIIIe pèlerinage). • Les paysages industriels du « pays du fer » ne manquent pas d'une certaine beauté.

Thoiry
(château et parc zoologique de)
78 - Yvelines 11 - B 2
Le château, fin XVIe et XVIIe (vis. ts les j.), a de beaux appartements décorés et meublés avec goût; coll. de porcelaines d'Extrême-Orient, tapisseries des Gobelins, etc. • Ds le parc zoologique de 30 ha (ts les j.) suivre l'itinéraire fléché; réserve d'animaux sauvages (« réserve africaine » et « parc à tigres »); parcours en voiture particulière fermée ou en minicar.

Thônes
74 - Haute-Savoie 32 - C 1
Villégiature estivale et centre d'excursions.
Environs • 3 km N.-O., *Morette;* cimetière national des combattants (1944) des Glières (voir **Annecy***), cascade de Morette, 30 m de haut. • 8,5 km N.-E., *Saint-Jean-de-Sixt,* agréable centre d'excursions, notamment à la tête du Danay, au mont Lachat, au crêt de Forgeassoud; à 3 km S.-E., *La Clusaz,* station de sports d'hiver renommée, d'où l'on gagne le *col des Aravis* (1 498 m).

Thonon-les-Bains
74 - Haute-Savoie 26 - C 2
Station thermale et de villégiature au-dessus du *lac Léman.* La basilique de Saint-François-de-Sales, de style néo-gothique fin XIXe, jouxte l'église Saint-Hyppolite XIe transformée au XVIIe; crypte en partie romane; intérieur somptueusement décoré de stuc et de peintures de goût italien XVIIe. Le château de Sonnaz mil. XVIIe abrite l'intéressant musée du Chablais.
Environs • 3 km N.-E., *château de Ripaille* déb. XVe, transformé fin XIXe (vis. ts les j. d'avril à oct., sauf lundi). • 6,5 km S., ruines des 2 *châteaux des Allinges* XIe-XIVe; ds l'enceinte du Château-Neuf, chapelle des Allinges fin XIe, vaste panorama. • 16,5 km O., par *Sciez, Yvoire,* bourg féodal typiquement savoyard aux rues tortueuses, 2 portes gothiques, maisons anc., château déb. XIVe et église XIIIe, XVIIe et XIXe.

Thor (Le)
84 - Vaucluse 38 - A 3
Superbe église romane Notre-Dame-du-Lac, voûtée d'ogives gothiques, porche d'inspiration antique, clocher octogonal et abside polygonale, ornée d'arcatures. Anc. remparts, porte XIVe surmontée d'un beffroi. Centre de commerce de raisins chasselas.
Environs • 1,5 km N., grottes du Thouzon, concrétions, ruines du château de ce nom, et chapelle romane Sainte-Croix XIe.

Thoiry : ***girafes, zèbres, lions, autruches ou éléphants évoluent dans la Réserve africaine.***

Tende : ***ce curieux village est dominé par les tours de l'ancien château des Lascaris, démantelé en 1692.***

Thoronet (abbaye du)
83 - Var 44 - C 1
Admirablement situés au milieu des pins, l'abbatiale Saint-Laurent et les bâtiments conventuels fin XIIe constituent un remarquable ensemble d'architecture cistercienne sobre et dépouillée. Le cloître roman en légère déclivité, avec lavabo des moines, est une merveille de simplicité et d'harmonie. Salle capitulaire (voûtes gothiques), dortoir, cellier et bâtiment des convers; grange dîmière et moulin à huile (vis. ts les j. sauf mardi).

Thouars
79 - Deux-Sèvres 23 - B 1
Cette ville anc., aux rues étroites et tortueuses bordées de vieilles maisons à encorbellements (notamment rues Saint-Médard et du Château) conserve d'importants vestiges de remparts et de remarquables églises : Saint-Laon XIIe et XVe, Saint-Médard XIIe et XVe (portail central sculpté). Le château, bâti au XVIIe sur un amphithéâtre de terrasses reliées par des escaliers, conserve une élégante sainte chapelle déb. XVIe, de styles flamboyant et Renaissance. Musée : coll. archéologiques régionales, faïences, verrerie.
Environs • Vallée de la Cascade (3 km O.). • Vallée de l'*Argenton* (6 km O.). • Cirque de Missé (5 km S.-E.). • 12 km E., château d'**Oiron***.

Thury-Harcourt
14 - Calvados 10 - B 1
Le château des ducs d'Harcourt XVIIe a été incendié en 1944 (on vis. le parc qui entoure ses ruines).
Environs • A l'O., mont Pinçon (panorama). • 2,5 km N.-O., boucle du Hom. • Au N.-O., *Aunay sur-Odon* et *Villers-Bocage,* détruits en 1944, sont d'intéressants exemples de reconstruction, de style moderne, notamment les églises.

Tiffauges (château de)
85 - Vendée 16 - D 3
C'est le château de « Barbe-Bleue », alias Gilles de Rais, dont les atrocités et la vie tumultueuse inspirèrent Charles Perrault. Ses ruines couvrent une importante superficie : donjon XIIe, tour du Vidame XVe, salle des Gardes et salle de Veille (belle charpente). Chapelle XVe avec crypte XIe (vis. ts les j.).

Tignes-les-Boisses
73 - Savoie 32 - D 2
Nouveau village (1 820 m) bâti sur la rive g. de l'*Isère* pour remplacer l'anc., submergé par les eaux du *barrage de Tignes;* construit de 1947 à 1952, long de 295 m et haut de 180, le barrage est la pièce maîtresse de l'aménagement hydroélectrique de la haute Isère.
Environs • Au S.-O., *lac de Tignes* (2 100 m), station de sports d'hiver moderne, au bord du *lac de Tignes.* • Au S.-E., par l'impressionnante gorge du val d'Isère, on atteint **Val-d'Isère***.

Til-Châtel
21 - Côte-d'Or 20 - A 2
L'église romane mil. XIIe est l'une des plus intéressantes de la Côte-d'Or; beau portail à 5 voussures et tympan sculpté en façade; le tympan du portail S. comporte la même composition mais plus dépouillée; à l'int., remarquables chapiteaux historiés.
Environs • 9 km S.-E., **Bèze***; à 9 km S.-E. *Mirebeau,* anc. ville fortifiée, église XIIIe et XVIe, intéressantes statues gothiques. • 2 km O., étang de Marcilly et Marcilly-sur-Tille.

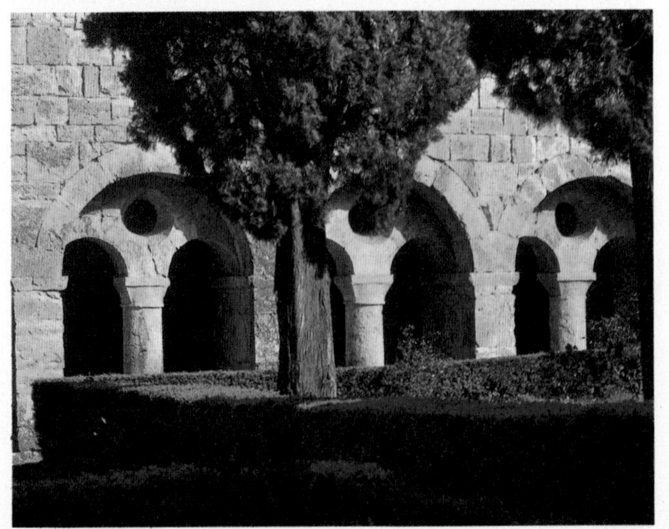
Le Thoronet : ***les arcades du cloître de l'abbaye cistercienne sont divisées chacune en deux baies retombant sur une colonne.***

Tinténiac
35 - Ille-et-Vilaine 9 - C 3
L'église déb. XXe conserve d'intéressantes parties gothiques et Renaissance (porte mil. XVIe); à l'int. curieux bénitier XIVe dit « le beau diable de Tinténiac ». Anc. grenier à sel XVIe.
Environs • 5,5 km S.-O., *Les Iffs,* magnifique église flamboyante XVe-XVIe ; à l'int. superbes verrières XVIe ; à 1,5 km, château de *Montmuran* XIVe (vis. ts les apr.-m. l'été) avec tours à mâchicoulis et pont-levis, corps de logis principal XVIIe. • 8,5 km O., *Bécherel;* à 1 km O., château de *Cadareuc* XVIIIe, entouré de jardins à la française (vis. ts les j.). • 8 km N., *Pleugueneuc :* le beau *château de la Bourbansais* XVIe, entouré de vastes jardins à la française (vis. ext. seulement) a été intérieurement réaménagé au XVIIIe ; parc zoologique, haras et chenil (vis. ts les j.).

Tonnerre
89 - Yonne 19 - B 1
L'anc. hôpital, fondé en 1293 (vis. ts les j.) et coiffé d'une haute et imposante toiture de 4 500 m², abrite une vaste salle des Malades, de 101 m de long, couverte d'un berceau lambrissé et d'une charpente en chêne : les lits s'alignaient contre les murs ds des alcôves de bois; ds les chapelles, *tombeau de Louvois,* par Girardon, et saint sépulcre en pierre à 7 statues grandeur nature, chef-d'œuvre de la statuaire réaliste bourguignonne XVe. L'anc. hôtel d'Uzès (Caisse d'épargne), où naquit le chevalier d'Éon, est une élégante construction Renaissance déb. XVIe. Église Notre-Dame XIIIe et XVe, avec façade Renaissance (portail monumental) et tour XVIIe. La fosse Dionne est un vaste bassin circulaire, protégé par un appentis en charpente, alimenté par une source et servant de lavoir.
Environs • 1,5 km S.-E., anc. abbaye Saint-Michel (aujourd'hui hôtel), vestiges XIe et XIIe entourés d'un vaste parc (panorama). • A 18 km S.-E., château d'**Ancy-le-Franc***. • 9 km E., château de **Tanlay***.

Toucy
89 - Yonne 19 - A 2
Curieuse église XVIe, flanquée de 2 tours XIIe, dont le chevet est l'anc. façade d'une église romane (il en reste plusieurs éléments qui ont été intégrés à l'édifice postérieur).
Environs • 8,5 km N.-O., *Villiers-Saint-Benoît,* château du Fort XVIe-XVIIIe, restauré au XXe; ds

une maison XVIIe, musée d'art régional (vis. ts les j. sauf mardi), coll. de grès de la Puisaye et de faïences de l'Yonne, sculptures bourguignonnes; église XIIIe, à l'int., Dit des Trois Morts et des Trois Vifs, peinture murale XVIe.

Toul
54 - Meurthe-et-Moselle 13 - B 2
La ville a conservé son enceinte XVIIe percée de 4 portes. L'anc. cathédrale Saint-Étienne, superbe édifice XIIIe-XIVe, a une magnifique façade de style flamboyant XVe encadrée par 2 tours octogonales de 65 m; de chaque côté de la nef, belles chapelles Renaissance, chapelle Jeanne-d'Arc (à dr.) et chapelle des Évêques; riche décoration en marbre ds le chœur; remarquable cloître XIIIe et XIVe. Saint-Gengoult est un bel exemple de gothique champenois XIIIe et XVe; cloître XVIe; au S. de l'église, vestiges des remparts gallo-romains.

Toul Goulic (gorges de)
22 - Côtes-du-Nord 8 - D 2
L'une des plus impressionnantes curiosités naturelles de Bretagne. Chaos de rochers granitiques ds un étroit défilé de la haute *vallée du Blavet,* que l'on peut suivre partiellement par un sentier jusqu'au pont de Pors-Poret sur 1 km environ.

Toulon
83 - Var 44 - B 2
La ville est située au fond d'une superbe rade, dominée par une succession de crêtes abruptes couronnées de forts; la Darse Vieille est bordée par le quai de Stalingrad, aux maisons reconstruites depuis 1944. Le portail de l'anc. hôtel de ville, encadré par les célèbres *Atlantes* de Puget mil. XVIIe, a été remonté sur la façade du Musée naval (vis. ts les j. sauf mardi). Derrière, s'étend le vieux quartier aux ruelles pittoresques. Cathédrale Sainte-Marie-de-la-Sède XIIe-XVIIe; à l'int. chapelle du Corpus-Domini, riche décoration baroque. Sur le cours La Fayette, se tient, le matin, le marché aux légumes et aux fruits, animé et coloré; musée du Vieux-Toulon. Musée d'Art et d'Archéologie (ouv. ts les j. sauf mardi) : art oriental, archéol. rég., peinture ital., flamande et française XVIIe-XIXe (en cours de rénovation). L'Arsenal maritime ne se visite plus; belle porte monumentale à colonnes et statues (déplacée à la Préfecture maritime). *Environs* • Presqu'île du Mourillon et cap Brun à l'E.; à l'extrémité de la presqu'île, ds la grosse tour de la Mître déb. XVIe, annexe du Musée naval; vaste panorama sur la rade de Toulon; le littoral Frédéric-Mistral, en corniche, conduit au cap Brun; au-delà, le cap de Carqueiranne (circuit pédestre). • Au S.-O., par La Seyne et la corniche de *Tamaris, Les Sablettes,* à l'entrée de l'isthme de *Saint-Mandrier,* port de pêche, belle vue sur la rade de *Toulon* (de Toulon à Saint-Mandrier, service régulier de bateaux). • Au N. le *mont Faron,* par téléférique, à partir de Super-Toulon ou par la route (circuit de 15 km en sens unique); Mémorial national du débarquement des Alliés en Provence à la tour Beaumont; chapelle Notre-Dame-du-Faron et table d'orientation; zoo du Faron. • 8 km N.-O., après *Ollioules,* pittoresques gorges d'Ollioules; à Sainte-Anne, remonter les gorges du Cimail vers *Évenos,* vieux village à demi abandonné, dominé par les ruines d'un château en basalte; belle vue sur les gorges d'Ollioules.

Tonnerre : ***les hauts toits de tuiles vernissées ajoutent au charme de cette vieille ville bourguignonne dont l'ancien hôpital est célèbre.***

Toulouse
31 - Haute-Garonne 42 - A 1
La capitale du Languedoc est l'une des plus belles villes d'art de France; la couleur rose fané ou orangé de la brique lui donne un cachet tout particulier. On commencera la visite par le Capitole (hôtel de ville), dont la façade principale mil. XVIIIe domine la vaste place de ce nom encadrée de maisons de brique; à l'int., cour Henri-IV, déb. XVIIe, et, au 1er ét., galerie des Illustres (62 m de long), l'un des ensembles les plus caractéristiques de la peinture académique et de la décoration fin XIXe, d'une surabondante richesse (vis. ts les j.); le théâtre du Capitole occupe la partie S. du monument. Derrière le Capitole s'élève le puissant donjon mil. XVe. • Par la rue du Taur, on atteint Saint-Sernin, insigne basilique fin XIe-mil. XIIe, l'une des plus belles églises romanes de France; on y pénètre par la porte Miégeville, dont les sculptures appartiennent à l'école romane du Midi, ou par la porte des Comtes (chapiteaux romans); l'int., en brique, long de 115 m, représente le type même de l'église à pèlerinages. Ds le déambulatoire, derrière le chœur décoré de fresques et dont le maître-autel est occupé par le tombeau monumental de saint Sernin XVIIIe, ont été incrustés 7 bas-reliefs de marbre fin XIe; ds la crypte très nombreux reliquaires XIIe-XIIIe. • En face de la basilique, musée Saint-Raymond, ds l'anc. collège en brique de ce nom, déb. XVIe (ouv. ts les j. sauf mardi) : importantes coll. d'antiquités préhistoriques, gallo-romaines, barbares, etc. L'église et le monastère des Jacobins constituent un remarquable témoignage de l'architecture gothique méridionale (vis. ts les j.). De là on peut gagner les quais d'où l'on a un panorama superbe sur la *Garonne,* l'hospice de la Grave, l'hôtel-Dieu et le Pont-Neuf. De la basilique Notre-Dame-de-la-Daurade XVIIIe, on gagne à travers le vieux quartier de la Daurade le plus bel édifice Renaissance de Toulouse, l'hôtel d'Assézat, siège des sociétés savantes (vis. ts les j.). • Ds le quartier de la Dalbade, la rue de la Dalbade et la rue de la Fonderie sont bordées de somptueux hôtels de brique dont les parties les plus remarquables sont parfois sur cour : n° 30 (jouxtant l'église de la Dalbade en brique déb. XVIe, entièrement restaurée à la suite de l'effondrement du clocher en 1926), hôtel des Chevaliers de Saint-Jean de Jérusalem; n° 25, maison de Pierre ou hôtel Clary en pierre déb. XVIIe; n° 22, hôtel de Guillaume Molinier (su-

perbe portail sculpté Renaissance), etc. La cathédrale Saint-Étienne présente une curiosité : la nef déb. XIIe et le chœur fin XIIIe-XIVe ne sont pas sur le même axe. Le quartier comporte également plusieurs hôtels aristocratiques : l'hôtel d'Ulmo, Renaissance, 16, rue Ninau; l'hôtel de Mansencal, 1, rue Espinasse; l'hôtel d'Espic, ou Mac Carthy, XVIIIe, 3, rue Mage; l'hôtel du Vieux-Raisin, ou Beringuier-Maynier, 26, rue du Languedoc, dont la décoration sculptée est d'une élégante richesse; l'hôtel Dahus ou de Roquette et la tour de Tournoer, fin XVe, 9, rue Ozenne, etc. Les rues Saint-Rome, des Changes, Croix-Baragnon, Malcousinat, Saint-Jacques, Velane, Nazareth, etc., possèdent également de remarquables hôtels. • Toulouse a, en dehors du musée Saint-Raymond, plusieurs musées importants : le musée des Augustins (ouv. ts les j. sauf mardi), ds l'anc. couvent des Augustins dont subsistent le grand cloître gothique et le petit cloître Renaissance, est le plus riche d'Europe pour la sculpture romane (présentation nouvelle); importants ensembles de peintures flamandes (Rubens), hollandaises, italiennes, espagnoles et françaises (Delacroix, Ingres, Toulouse-Lautrec, Vuillard, Picasso); École toulousaine XVIIe. Musée Georges-Labit : art d'Extrême-Orient. Musée Paul-Dupuy : art et ethnographie régionale. Musée du Vieux-Toulouse, ds l'hôtel du May, fin XVIe. Muséum d'histoire naturelle.
Environs • Au N.-O., les Ponts-Jumeaux, curieux site fluvial où se réunissent le *canal du Midi,* le *canal latéral à la Garonne* et le canal de Brienne; pont avec important bas-relief sculpté fin XVIIIe. • 5 km S., cité résidentielle de Toulouse-Le-Mirail, l'une des villes nouvelles les plus importantes d'Europe. • 14 km O., *Pibrac :* le château est le plus beau de la Renaissance toulousaine (vis. autorisée sur demande); à 300 m, arc de triomphe en brique de 1578; l'église paroissiale abrite le tombeau de sainte Germaine (pèlerinage le 15 juin); basilique romano-byzantine (inachevée). • 33 km S.-E., *Villefranche-de-Lauragais,* église XIVe avec un imposant clocher mur de style gothique toulousain.

Touquet-Paris-Plage (Le)
62 - Pas-de-Calais 1 - B 3
L'une des stations les plus élégantes de la *Côte d'Opale,* créée au siècle dernier entre la forêt et la mer, et très appréciée des Anglais. Forêt de 800 ha abritant villas et somptueuses propriétés. Aéroport, golf, casinos, hippodrome, centre sportif, port de plaisance, plage, etc. Formant front de mer, la digue promenade aboutit à une large terrasse (panorama).
Environs • 5 km S.-E., *Étaples :* port de pêche sur la rive dr. de l'estuaire de la *Canche;* pittoresque quartier des Marins, rues étroites bordées de maisonnettes peintes. • La vallée de la *Canche* vers **Montreuil*, Hesdin*** et *Frévent* mérite l'excursion.

Tour-d'Aigues (La)
84 - Vaucluse 44 - B 1
Les ruines du château fin XVIe sont précédées d'une porte monumentale imitée de l'antique : 2 immenses pilastres cannelés supportent l'architrave et un fronton rectangulaire; ils encadrent un arc de triomphe à deux niveaux, séparés par une frise de trophées sculptée. L'église Notre-Dame a une nef de style roman provençal.
Environs • 5,5 km O., *Ansouis :* le château des comtes de Sabran déb. XVIIe conserve des restes de la forteresse médiévale; à l'int. tapisseries des Flandres et mobilier XVIIe-XVIIIe (vis. apr.-m. sauf mercr.).

Tournon
07 - Ardèche 31 - D 3
Ville anc. sur la rive droite du *Rhône;* en face, *Tain-L'Hermitage.* Ds le château, rebâti aux XVe-XVIe sur les ruines d'une forteresse féodale, petit musée du Rhône; de la terrasse, panorama. Église XVe, restaurée au XVIIe (peintures murales) XVIe ds la chapelle des Pénitents). Le lycée, anc. collège déb. XVIe, rebâti au XVIIIe, est l'un des plus remarquables bâtiments scolaires d'autrefois (portique d'entrée Renaissance, chapelle de 1721).
Environs • Au S.-O., les gorges du *Doux :* au pont de Duzon un che-

Toulouse : *la basilique romane, en briques roses, Saint-Sernin et son clocher aux fenêtres « en mitre ».*

Sur les chapiteaux de la porte Miégeville : massacre des Innocents, Annonciation et Visitation.

Tournus : ***l'ancienne abbatiale Saint-Philibert, encadrée par les deux tours rondes de la « porte des Champs » qui en marquaient l'entrée.***

min conduit aux « cuves de Duzon ». • Au S., route en corniche vers *Saint-Romain-de-Lerps,* balcons d'orientation, panorama immense couvrant 13 départements.

Tournus
71 - Saône-et-Loire 25 - D 2
L'église Saint-Philibert anc. abbatiale xᵉ, xıᵉ et xııᵉ est l'un des plus beaux monuments de l'art roman; l'int. se compose de 3 parties distinctes : le narthex, robuste et massif (fresques xııᵉ et xıvᵉ), la nef en pierre rose, le transept et le chœur en pierre blanche contrastant avec la nef; crypte du xᵉ décorée de fresques xıııᵉ, et au-dessus du narthex, salle haute ou chapelle Saint-Michel; sur le côté droit subsistent la galerie N. du cloître, la salle capitulaire et la salle des Aumônes, ou chauffoir. Autour de l'église plusieurs bâtiments abbatiaux ont été conservés; le logis du Trésorier xvııᵉ (musée bourguignon), le logis abbatial xvᵉ et le vaste réfectoire xııᵉ de 36 m de long. • Musée Greuze, maisons et hôtels anc., à l'hôtel-Dieu, pharmacie xvııᵉ. *Environs* • 14 km O., *Brancion,* pittoresque bourg féodal, perché sur une arête à 400 m d'altitude et dominé par les ruines d'un château xıᵉ-xıvᵉ. Église romane xııᵉ (peintures murales xıvᵉ), halles xvᵉ. • 8 km S., Uchizy, église romane fin xıᵉ, curieux clocher à 5 étages en retrait. • 16 km S.-E., *Romenay,* anc. petite ville fortifiée; 2 portes xıvᵉ à chaque extrémité de la Grand-Rue, bordée de maisons en bois à encorbellement; petit musée bressan.

Tours
37 - Indre-et-Loire 17 - D 3
La capitale de la Touraine a 2 centres d'intérêt : la cathédrale Saint-Gatien et le musée, le vieux quartier médiéval autour de la place Plumereau. La cathédrale, imposante construction gothique xıııᵉ-xıvᵉ-xvᵉ, renferme une précieuse série de vitraux xıııᵉ; charmant cloître de la Psallette xvᵉ-xvıᵉ. Le musée des Beaux-Arts, installé ds l'anc. archevêché xvııᵉ et xvıııᵉ, comporte une somptueuse suite de salons ornés de boiseries et de soieries (vis. ts les j. sauf mardi en hiver); ses coll. de peintures sont remarquables (œuvres de Mantegna, Rembrandt, Fouquet, primitifs italiens et flamands, xvııᵉ et xvıııᵉ français). Musée du Compagnonnage (vis. tous les j. sauf mardi) ds l'anc. abbaye Saint-Julien dont l'église, gothique xıııᵉ, a un clocher roman; vastes celliers couverts d'ogives et salle capitulaire fin xııᵉ. Musée du Vin. La place Foire-du-Roi est bordée de maisons à pignons xvᵉ-xvıᵉ, hôtel Babou de la Bourdaisière, Renaissance déb. xvıᵉ. Le quartier médiéval, qui comporte nombre de maisons et d'hôtels anc., a pour centre la place Plumereau; il enserre la basilique romano-byzantine Saint-Martin, flanquée de la tour de l'Horloge et de la tour Charlemagne, uniques vestiges xıᵉ-xııᵉ de l'anc. basilique détruite en 1802. Place Plumereau, maisons en brique et bois xvᵉ, rue Briçonnet (n° 21, anc. hôtel de Choiseul xvıııᵉ, n° 16, hôtel de Pierre du Puy, en brique et pierre fin xvᵉ, aujourd'hui Centre d'études de langues vivantes), rue du Mûrier (n° 7, hôtel Raimbault, déb. xıxᵉ : musée du Gemmail), place des Carmes, rue P.-L.-Courier (n° 1, hôtel Binet fin xvᵉ, n° 17, hôtel Juste xvıᵉ, n° 15, hôtel Robin-Quantin fin xvıᵉ,

Tours : ***détail d'une porte Renaissance en bois sculpté.***

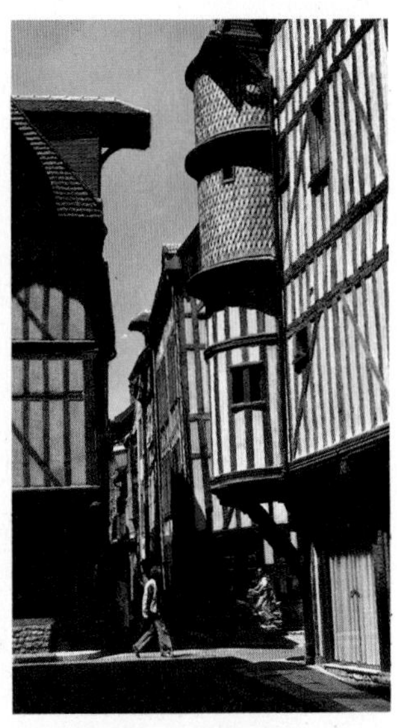

Troyes : ***vue de l'église Saint-Nizier, gothique et Renaissance, qui abrite de remarquables sculptures. Les vieux quartiers sont sillonnés de rues étroites bordées de maisons des XVe et XVIe.***

belle cour int.), rue du Change, rue et place de Châteauneuf (hostellerie de la Croix-Blanche XVe), rue des Halles, etc. 19, rue Émile-Zola, hôtel Mame, XVIIIe, appartements somptueux (on vis.). 25, rue du Commerce, hôtel Gouin, XVe, XVIe et XVIIe, musée archéologique (fermé : déc., janv., mardi d'oct. à mars). *Environs* • 3 km S.-O., le *château de Plessis-lès-Tours* fin XVe abrite le musée de la Soierie et des Métiers tourangeaux (vis. ts les j.). • 3 km O., prieuré de Saint-Cosme, ruines de l'église XIe, XIIe et XVe, où reposent les restes de Ronsard **(† 1585)**; maison prieurale XVe, réfectoire XIIe. • 3 km N.-O., à *Saint-Cyr-sur-Loire,* la Béchellerie, propriété où vécut et mourut Anatole France **(† 1924)**; souvenirs de l'écrivain. • 10 km N.-E., *ferme de Meslay,* vaste grange aux dîmes XIIIe, remarquable charpente en châtaignier XVe, servant de cadre aux fêtes musicales en Touraine (fin juin-déb. juil.). • 4 km N.-E., ruines de l'*abbaye de Marmoutier* (vis. ts les apr.-m.); il ne reste plus que l'élégant portail de la Crosse déb. XIIIe, et la tour des Cloches XIIe; une chapelle et plusieurs cellules rupestres évoquent l'anc. monastère des IVe-VIe, fondé par saint Martin. • A 3 km E., *Rochecorbon,* au pied d'une falaise dominée par la lanterne de Rochecorbon XVe; une petite «folie» XVIIIe abrite le musée d'Espelosin, ou du Vin (vis. ts les j. sauf mardi); curieuses caves troglodytes. • 5 km S.-E., *Saint-Avertin,* église XIe et XIVe-XVe; important centre nautique, pêche et canotage sur le *Cher.* • 12 km S., *Montbazon,* dominé par un énorme donjon rectangulaire XIIe, haut de 28 m, surmonté d'une statue de la Vierge, en cuivre (vis. ts les j.).

Tréguier
22 - Côtes-du-Nord 8 - D 1
Vieille ville épiscopale bâtie en amphithéâtre au-dessus du confluent du *Jaudy* et du Guindy. L'anc. cathédrale Saint-Tugdual XIVe-XVe, l'une des plus belles églises gothiques de Bretagne, comporte ds le chœur 46 stalles en chêne sculpté mil. XVIIe; sur le flanc N., élégant cloître XVe. Sur la place du Martray, monument, hélas ridicule, à Renan dont la maison natale XVIIe, à pans de bois, rue Ernest-Renan, a été convertie en musée. Ds une maison XVIIe, atelier de tissage à main du Trégor (ouv. ts les j.). Le port, à 6 km, est bordé de maisons anc.
Environs • 2 km S., Minihy-Tréguier, église XVe; le 19 mai, «pardon des pauvres», des avocats et des hommes de loi en hommage à saint Yves, né au manoir (disparu) de Kermartin. • 9 km N.-E., presqu'île de *Pleubian* et *sillon de Talbert,* étroite chaussée naturelle de sable et de galet. • 8 km N., presqu'île de Plougrescant; à *Plougrescant,* chapelle Saint-Gonéry XVe-XVIe, décorée de peintures naïves; chaire en granit surmontée d'un calvaire XVIe; excursion recommandée à la *pointe du château,* à l'extrémité N., et à la grève de Pors-Scarff, dont les chaos rocheux sont impressionnants.

Trémolat
24 - Dordogne 29 - D 3
Intéressante église fortifiée de style roman périgourdin avec clocher porche.
Environs • Au N. du village, la «route des Crêtes» mène au belvédère qui domine le «cingle» (ou méandre) de Trémolat : magnifique plan d'eau sur la Dordogne, centre nautique international.

Tréport (Le)
76 - Seine-Maritime 5 - A 1
Sur la rive g. de la *Bresle,* la ville est séparée de *Mers-les-Bains* par le port que domine l'église Saint-Jacques XVIe (portail sculpté Renaissance); à l'int., superbes clés de voûte ouvragées. Front de mer (casino, piscine) et plage bordée par une digue-promenade de 850 m. Une télécabine permet d'accéder au calvaire des Terrasses, à 100 m d'alt. (panorama).
Environs • De nombreuses plages s'échelonnent le long de la côte : au S.-O., *Criel-Plage, Mesnil-Val;* au N.-E., *Ault, Onival.*

Treyne (château de la)
46 - Lot 36 - A 1
Près de Pinsac. Construit au XVIIe sur une falaise dominant la Dordogne. Beaux appartements remarquablement meublés comportant notamment un grand salon Louis XIII et la chambre dite de Charles Quint (vis. ts les j.). Une chapelle a été édifiée ds le parc pour abriter le gisant de Jean de Chabannes, XVe, et une Mise au tombeau XVIe.

Trois-Épis (les)
68 - Haut-Rhin 21 - A 1
Station de villégiature ds un site superbe. Couvent et chapelle des Trois-Épis XVIIe (pèlerinage régional réputé); intéressante église moderne en ciment armé (1967).
Environs • A 10 mn à pied, le Belvédère offre un panorama remarquable sur la plaine d'Alsace, la

TRÉBOUL (pont de)
15 - Cantal 36 - D 1
Magnifique ouvrage d'art, long de 159 m, à 39 m au-dessus de la Truyère. Il remplace le pont gothique XIVᵉ qui, submergé par la retenue, apparaît à la période de basses eaux. Du belvédère, vue panoramique.

Forêt-Noire et la vallée de *Munster.* • A 30 mn à pied au N.-E., promontoire rocheux du Galz (730 m), lieu de pèlerinage, statue monumentale du Christ, vaste panorama. • Des Trois-Épis, rejoindre le *col du Bonhomme* par *le Linge* (l'un des dramatiques champs de bataille 1914-1918) et *Orbey;* au *col du Bonhomme,* on peut rejoindre la route des **Crêtes***.

Trôo
41 - Loir-et-Cher 17 - D 1
Étagées à flanc de coteau, les maisons de cette anc. ville fortifiée, bâtie sur un promontoire, sont reliées par des ruelles et des galeries souterraines. La visite des «caforts» (caves fortes) est intéressante. L'anc. collégiale Saint-Martin fin XIIᵉ, remaniée au XIVᵉ, dominée par une superbe tour romane, est un curieux exemple d'amalgame des styles roman et gothique angevins; à l'int., chapiteaux romans historiés. Ds la ville basse, maladrerie Sainte-Catherine XIIᵉ et grotte pétrifiante (vis. l'été). Sur la rive g. du Loir, l'église Saint-Jacques-des-Guérets XIIᵉ est décorée de peintures murales romanes d'inspiration byzantine aux coloris délicats.
Environs • 4,5 km O., Sougé (ds l'église 37 stalles sculptées XVᵉ); à 5,5 km O., **Poncé-sur-le-Loir***.

Trouville-sur-Mer
Voir **Deauville***. 4 - C 3

Troyes
10 - Aube 12 - B 3
La capitale de la Champagne est riche en monuments gothiques et Renaissance; les églises sont particulièrement remarquables. La cathédrale Saint-Pierre-et-Saint-Paul XIIIᵉ-XVIIᵉ possède une façade Renaissance ouvragée à 3 portails sculptés et une belle rose flamboyante; le «beau portail» du croisillon N. est également très ouvragé; à l'int. exceptionnel ensemble de vitraux XIIIᵉ et XIVᵉ (chœur), XVᵉ et XVIᵉ (nef) : célèbre vitrail du Pressoir mystique (1625). Église Saint-Nizier, gothique et Renaissance; à l'int. voûtes à nervures et clés pendantes ouvragées. Le quartier environnant est riche en maisons de bois XVIᵉ et XVIIᵉ. Le musée des Beaux-Arts, ds l'anc. abbaye de Saint-Loup (ouv. ts les j. sauf mardi), possède d'intéressantes coll. d'archéologie et de peinture du XVᵉ au XXᵉ. Le quartier de Saint-Nizier et de la cathédrale est séparé de la vieille ville par le canal de la Haute Seine. • En face, la basilique Saint-Urbain est l'un des chefs-d'œuvre du gothique XIIIᵉ; l'immense fenestrage donne à l'int. son élégance et sa légèreté; vitraux XIIIᵉ-XIVᵉ; charmante Vierge au raisin XVIᵉ. Sainte-Madeleine, nef et transept XIIᵉ, chœur Renaissance, possède un jubé flamboyant déb. XVIᵉ, véritable dentelle de pierre finement ciselée; verrières XVIᵉ au chevet; statue de sainte Marthe, œuvre capitale de l'École troyenne XVᵉ. La rue de la Madeleine et la très étroite rue des Chats, bordée de maisons en bois à encorbellement, conduisent à l'église Saint-Jean, nef XIVᵉ et très beau chœur Renaissance; à l'int., maître-autel XVIIᵉ (sculptures de Girardon, tableau de P. Mignard), verrières XVIᵉ. Autour de l'église rues et maisons pittoresques : rue Champeaux, hôtel des Ursins, Renaissance; rue Roger-Salengro, maison de l'Élection XVIᵉ; rue des Quinze-Vingt; angle rue Charbonnet, hôtel de Marisy XVIᵉ; rue de la Trinité, hôtel de Mauroy fin XVIᵉ (belle cour int. avec façades sculptées ou en «damier champenois») qui abrite la maison de l'Outil et de la Pensée ouvrière des Compagnons du Tour de France (coll. de 2000 outils français et étrangers du XVᵉ à nos jours). L'hôtel de Vauluisant mil. XVIᵉ (façade très ouvragée sur la cour) renferme le Musée historique de Troyes et de la Champagne, et le musée de la Bonneterie (vis. ts les j. sauf mardi). Saint-Nicolas, de style gothique déb. XVIᵉ, avec additions Renaissance, abrite une originale chapelle du Calvaire en forme de tribune où l'on accède par un escalier monumental (plusieurs sculptures XIVᵉ-XVᵉ dont un Christ à la colonne).
Environs • autour de Troyes, remarquables églises : au N., Saint-Martin-ès-Vignes (Renaissance, belles verrières XVIIᵉ); à l'O. Les Noës-près-Troyes, *Sainte-Savine* (XVIᵉ, peintures XVIᵉ-XVIIᵉ); au S.-O., Saint-André-les-Vergers (XVIᵉ, beau portail Renaissance, intéressantes statues à l'int.); à l'E., *Pont-Sainte-Marie* (portails richement décorés, stalles sculptées dans le chœur, intéressantes œuvres d'art), etc. • A l'O., la *forêt d'Orient,* parc naturel régional (voir **Brienne-le-Château***).

Tulle
19 - Corrèze 30 - B 2
La ville s'étend en longueur ds l'étroite vallée de la Corrèze. Cathédrale Notre-Dame, XIIᵉ, cloître XIIIᵉ et salle capitulaire XIIIᵉ (musée archéologique). Ds le quartier de l'Enclos, qui a conservé son aspect médiéval, nombreuses maisons anc. notamment la maison de Loyac, XVIᵉ (belle façade avec décorations sculptées).
Environs • 12 km N.-E. : **Gimel***, et l'étang de Ruffaud. • Au N., *vallée de la Corrèze,* circuit pittoresque sur la rive dr. puis vallée de la Vimbelle; ds l'église de *Naves,* gigantesque retable en bois sculpté fin XVIIᵉ à nombreux personnages.

Turbie (La)
06 - Alpes-Maritimes 45 - B 1
Bâti sur une arête rocheuse, le village est dominé par la majestueuse ruine du trophée des Alpes, ou d'Auguste, édifié en l'an V av. J.-C. (vis. ts les j.). Récemment restauré, il abrite un petit musée. De la terrasse du Rondo, impressionnante vue plongeante sur *Monte-Carlo* et **Monaco***.
Environs • 2 km N.-O., Madone du *Laghet :* église et couvent XVIIᵉ, remarquable coll. d'ex-voto. • 10,5 km N., *Peille* et *Peillon* (voir **Nice***). • Le *mont Agel* (1 146 m) domine au N.-E. le site de La Turbie.

La Turbie : ***le trophée des Alpes commémore les victoires romaines en Gaule.***

Ussé : *le château, dominant de vastes terrasses, aurait, dit-on, servi de modèle à celui de « la Belle au bois dormant ».* ▲

Ussel : *l'aigle romaine de granit constitue l'attrait le plus imprévu de la ville.* ▼

Uzerche : *le clocher de l'église Saint-Pierre. Il a l'austérité imposante des églises romanes.* ◀

Ussé (château d')
37 - Indre-et-Loire 17 - C 3
A Rigny-Ussé. Hérissée de clochetons, de lucarnes et de cheminées, cette élégante construction XVe-XVIIe s'élève sur des terrasses décorées de parterres à la française. Les façades encadrant la cour d'honneur mêlent le gothique tardif à la Renaissance. A l'int., ds les appartements, notamment la chambre du Roi, nombreuses œuvres d'art. Belle chapelle gothique et donjon XVe (ts les j. du 15 mars au 1er nov.).

Ussel
19 - Corrèze 30 - C 2
Vieille ville pittoresque aux rues étroites bordées de maisons à tourelles XVe et XVIe, notamment rue du Quatre-Septembre et place de la République, où s'élève l'hôtel des ducs de Ventadour en granit fin XVe. Musée du pays d'Ussel. Église XIIe et XVe. Place Voltaire, aigle romaine en granit de 1,87 m de haut. A 10 mn S., Notre-Dame-de-la-Chabanne, XVIIe, sur un mamelon, panorama.
Environs • 9 km S.-O., *Saint-Angel :* l'église fortifiée, XIIe et XIVe, en granit, a une triple nef romane et un vaste chœur XIVe; salle capitulaire et anc. prieuré.

Utah Beach
50 - Manche 3 - D 3
C'est entre les Dunes-de-Varreville et la Madeleine que fut établie « Utah Beach », plage de débarquement du 6 juin 1944, aujourd'hui longée par la « route des Alliés ». Petit musée du Débarquement (armes, équipements, dioramas, projections de films). Monuments commémoratifs à la Madeleine et aux Dunes-de-Varreville.

Uzerche
19 - Corrèze 30 - A 2
L'une des villes les plus pittoresques du Limousin, ds un site superbe au-dessus de la *Vézère* (vues remarquables du pont Turgot fin XVIIIe et de la N. 20). L'église Saint-Pierre romane XIIe est un remarquable édifice avec crypte XIe et clocher de type limousin. Près de l'église, maison Eyssartier XVe à tourelle; la rue principale est bordée de plusieurs maisons à tourelles XVe-XVIe. Porte Bécharie XIVe, seul vestige des 5 portes de l'enceinte et anc. sénéchaussée (flanquée de 3 tours, gendarmerie).
Environs • Au S.-O., *gorges de la Vézère,* par *Vigeois,* anc. abbatiale XIe-XIIe (au S.-O., anc. chartreuse du Glandier), et le site pittoresque du *Saillant.*

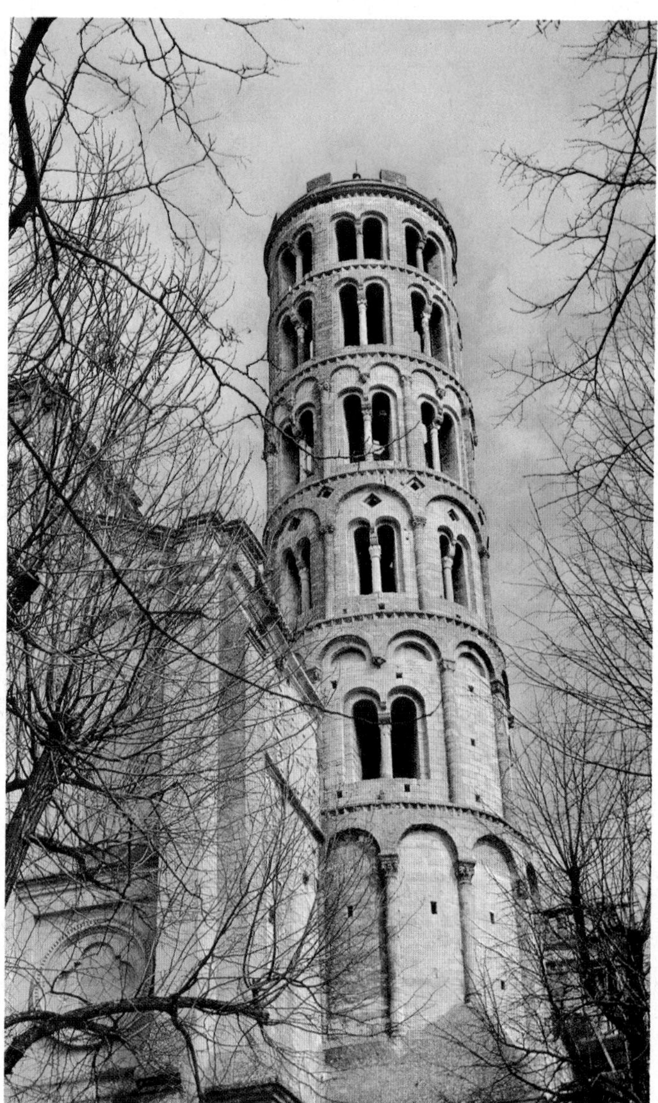

Uzès : ***ses 6 étages circulaires, en retrait les uns des autres, font de la tour Fenestrelle, XIIe, un monument unique en France.***

Uzès
30 - Gard 37 - C 3
Le Duché occupe le centre de la ville entourée de garrigues. Le château des ducs d'Uzès, dont la même famille est propriétaire depuis le Xe, occupe un vaste quadrilatère fortifié (vis. ts les j.); la cour int. est dominée par la tour de la Vicomté, avec tourelle d'escalier octogonale, et la tour Bermonde, donjon carré XIe; élégante façade Renaissance, mil. XVIe où se juxtaposent les 3 ordres, dorique, ionique et corinthien; chapelle gothique; ds les appartements, remarquable mobilier XVIIIe et Restauration; costumes de cérémonie des ducs d'Uzès. Le quartier environnant comporte plusieurs beaux hôtels Renaissance XVIIe et XVIIIe. L'anc. cathédrale Saint-Théodorit XVIIe est dominée par la charmante tour Fenestrelle, romane XIIe, haute de 42 m à 6 étages circulaires en retrait l'un sur l'autre, percés de fenêtres. De la promenade Jean-Racine, belle vue sur la campagne; en saillie sur la terrasse : pavillon Racine où le poète, en exil à Uzès, venait rêver. A la sortie de la ville, sur la N. 579 : *museon di Rodo,* « musée de la Roue », histoire de la locomotion automobile depuis le XIXe, cycles, modèles réduits de matériel ferroviaire (ouv. ts les j. des Rameaux à oct.).
Environs • 1 km N., chapelle Saint-Geniès, romane, à demi ruinée, au milieu des pins. • 4 km N.-O., château de Montaren reconstruit au XVIe sur une anc. forteresse médiévale.

V W X Y Z

Vaison-la-Romaine
84 - Vaucluse 38 - A 2
L'*Ouvèze* la divise en 2. Sur la rive g., la vieille ville, dominée par les ruines du château des comtes de Toulouse fin XIIe, occupe un rocher escarpé; ses rues étroites et ses maisons anc. méritent une visite; voir l'église XVe et XVIIe, la cure et la prévôté XVIIe-XVIIIe, et l'anc. palais épiscopal. Sur la rive dr. la ville moderne occupe l'emplacement de la cité romaine de part et d'autre de la place du 11-Novembre et de la place de l'Abbé-Sautel; à l'E. maison des Messii, anc. résidence patricienne, portique de Pompée et fouilles du quartier de Puymin; musée (vis. ts les j.); à l'O., fouilles de la Villasse, maison du Buste d'Argent et maison du Dauphin; au N. théâtre romain Ier-IIIe. L'église Notre-Dame, anc. cathédrale, est de style roman provençal; on y a mis au jour des fondations romaines et des murs mérovingiens; le cloître XIe-XIIe abrite un petit musée lapidaire. Au N.-O. de la ville, chapelle Saint-Quenin XIIe, nef XVIIe (fermée).
Environs • Bon point de départ pour la montée du **Ventoux***, par *Malaucène,* vieille cité comtadine, église romane fortifiée XIVe.

Vaison-la-Romaine : statue de l'impératrice Sabine, épouse de l'empereur Hadrien. (IIe s.)

Val (château de)
19 - Corrèze 30 - C 2
Ds un site superbe, le château XVe, flanqué de 5 tours rondes, occupe un éperon rocheux entouré par les eaux du réservoir de *Bort,* sur la rive g. de la *Dordogne* (vis. ts les j.); belles cheminées Renaissance. Plage et centre nautique.

Val-d'Isère
73 - Savoie 33 - A 2
Station estivale et de sports d'hiver réputée (1 850 m). Téléférique de Bellevarde (2 774 m) et de la Tête de Solaise (2 551 m), magnifiques panoramas.
Environs • 11 km N.-E. et 1 h de marche, lac de la Sassière (2 430 m), ses eaux vertes sont dominées par les schistes noirs de la *Grande Sassière* (3 747 m). • Au S., par le *col de l'Iseran* (2 770 m), on atteint *Bonneval-sur-Arc,* village alpin typique, le plus élevé de la Maurienne (1 734 m); station de sports d'hiver; atelier d'artisanat d'art (objets en laine, bois, fer, fabriqués l'hiver par les habitants). • A l'O., parc national de la **Vanoise***.

Valençay (château de)
36 - Indre 18 - A 3
Construit sur de vastes terrasses dominant la vallée du *Nahon,* ce majestueux château Renaissance se compose de 2 bâtiments en équerre flanqués d'une robuste tour ronde à dôme, la Vieille Tour. Le bâtiment O., XVIe, possède un imposant pavillon central flanqué de 4 tourelles. Celui du Midi (mil. XVIIe) se termine par la Tour Neuve XVIIIe (vis. ts les j.). Ds les dépendances, musée consacré à Talleyrand, qui acquit Valençay en 1803; son tombeau est à la maison de Charité qu'il fonda. Parc zoologique. Son et Lumière l'été.

Valence
26 - Drôme 31 - D 3
La cathédrale Saint-Apollinaire romane fin XIe et XIIe, restaurée au XVIIe, et la vieille ville qui l'entoure méritent la visite; l'anc. portail du croisillon N. a un beau tympan roman (mutilé). Le Pendentif est un curieux monument funéraire Renaissance. Intéressantes maisons anc. rue Pérollerie (n° 7, maison Dupré-Latour; ds la cour, tour d'escalier avec porte Renaissance élégamment ornée), Grande-Rue (maison des Têtes, de 1532, avec médaillons sculptés et cour), place des Clercs, etc. Le musée, installé ds l'anc. évêché (vis. ts les j.), possède un remarquable ensemble de 96 sanguines et dessins de Hubert Robert; belle mosaïque romaine; salles d'ethnographie et d'histoire locale.
Environs • 4 km N.-O., sur la rive dr. du *Rhône,* ruines du *château de Crussol :* en nid d'aigle au-dessus du fleuve, dominant le village de *Saint-Péray.*

Valenciennes
59 - Nord 2 - A 3
L'« Athènes du Nord » possède un important musée des Beaux-Arts riche en œuvres des Écoles flamande XVIe-XVIIe (Rubens) et française XVIIIe; salle consacrée à Carpeaux, né à Valenciennes et auteur du monument à Watteau, square Watteau. Le couvent du Carmel (sculpteur Szekely) est une originale réalisation de l'art religieux moderne (vis. de la chapelle ts les j.). Voir également les églises Saint-Géry XIIIe; Saint-Nicolas, anc. chapelle du collège des jésuites fin XVIIIe (à l'int. jubé Renaissance en marbre blanc et noir); Notre-Dame-du-Saint-Cordon (procession célèbre en septembre). Ds la Bibliothèque municipale, vaste salle avec boiseries et décorations murales, bel ensemble d'architecture et de décoration XVIIIe.
Environs • *Anzin,* limitrophe de *Valenciennes* (au N.-O.), a un intéressant musée du Charbonnage et de la Métallurgie (vis. mercr., sam. et dim. matin). • Au N.-E., *Condé-sur-l'Escaut,* anc. place forte avec château XVe des princes de Condé; vestiges de remparts XVIIe; corps de garde et église XVIIIe; ds la forêt de Bonsecours, beau château de l'Ermitage XVIIIe aux 200 fenêtres (restauré). • Au N.-O., parc national de Saint-Amand-Raisme vers **Saint-Amand-les-Eaux***.

Vallauris
06 - Alpes-Maritimes 45 - A 1
Cette petite ville doit sa renommée à ses céramiques, et sa réputation à Picasso qui travailla à la fabrique Madoura. Sur la place Paul-Isnard, devant l'église, s'élève sa célèbre sculpture *l'Homme au mouton.* L'anc. chapelle du château des

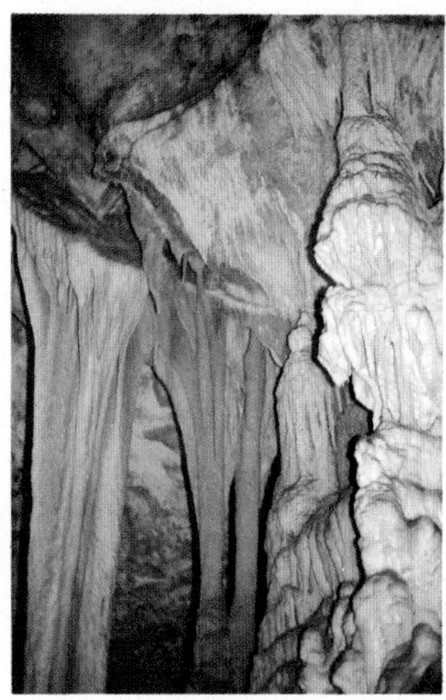

Vallon-Pont-d'Arc : *le pont d'Arc est la curiosité naturelle la plus saisissante des gorges de l'Ardèche; mais on admirera également les impressionnantes concrétions de la grotte de la Madeleine.*

moines de Lérins XVIe est décorée de 2 et très importantes grandes compositions de Picasso *la Guerre* et *la Paix* (vis. ts les j.). Le célèbre peintre vécut et mourut (1973) à *Mougins* à 8 km N.

Valloires (abbaye de)
80 - Somme 1 - B 3
Fondée au XIIe, reconstruite au XVIIIe (vis. ts les j.). Ds la chapelle, anc. abbatiale, extraordinaire ensemble décoratif baroque : boiseries, sculptures, grilles du chœur, ciborium, statues, etc., chefs-d'œuvre, d'une surabondante richesse, de l'Autrichien Pfaff; le salon de réception, la salle capitulaire et la sacristie sont ornés d'élégantes boiseries; voir également les appartements de l'abbé.

Vallon-Pont-d'Arc
07 - Ardèche 37 - C 2
C'est le meilleur point de départ pour la route touristique des gorges de l'*Ardèche* ou la descente en barque. A la mairie, 7 tapisseries d'Aubusson XVIIe. Vis. possible d'une magnanerie au village des Mazes (3 km N.-E. sur la route de **Ruoms***).
Environs • Au S.-E., *canyon de l'Ardèche.* • Pour la descente en bateau (30 km) s'adr. au S.I. de *Vallon-Pont-d'Arc.* • Par la route, se rendre à *Pont-d'Arc* où, du belvédère (parking), on domine l'énorme arche naturelle de 34 m de haut et 59 de large où passe l'*Ardèche;* des sentiers permettent d'en atteindre le pied; de *Pont-d'Arc,* la route panoramique qui suit le *canyon de l'Ardèche* est l'une des plus belles de France; plusieurs belvédères parfaitement aménagés permettent de jouir de paysages d'une grande beauté sauvage, en particulier du belvédère de la Madeleine (grotte); 3 belvédères dominent le cirque de la Madeleine où l'Ardèche dessine une large boucle resserrée entre les falaises; d'une petite route entre le Grand

Valençay : *le château reste marqué par le souvenir de Talleyrand, qui y donna des fêtes magnifiques.*

belvédère et le belvédère du Colombier on peut atteindre en contrebas, au flanc des gorges, les grottes de Saint-Marcel qui présentent, ds une suite de salles, des concrétions impressionnantes : après le Détroit, dominé à g. par un roc dentelé portant des ruines féodales, l'*Ardèche* sort du canyon, le paysage change; une vallée cultivée précède *Saint-Martin-d'Ardèche.* • 21 km S. *aven d'Orgnac* (stalagmites extraordinaires). • 18 km S.-E., *aven de Marzal* (dont les concrétions évoquent des animaux fantastiques). • 7 km N.-O., **Ruoms*.**

Vallouise
05 - Hautes-Alpes 38 - C 1
Les vieilles maisons à galeries et toitures à auvent de ce village alpin typique entourent l'église XVe; le porche XVIe comporte des colonnettes de marbre et un tympan décoré d'une fresque; le vantail est fermé d'un verrou à tête de chimère; à l'int., statues anc. (Pietà XVIe) et grand retable XVIIIe. Chapelle des pénitents, décorée à l'ext. de peintures.
Environs • Au N., la route longe le Gyr jalonné de hameaux, puis s'élève en lacets à travers des forêts de mélèzes dominées par le *mont Pelvoux* (3 946 m); *Ailefroide* et le pré de Madame-Carle (1 874 m), anc. lit lacustre envahi de rochers accumulés; excursions recommandées aux refuges du Glacier Blanc et des *Écrins.*

Valognes
50 - Manche 3 - D 2
Église Saint-Malo, reconstruite (chœur et bas-côtés XVe). Anc. abbaye de bénédictines XVIIe (hospice). Plusieurs hôtels aristocratiques, notamment l'hôtel de Beaumont (on vis.) de style Louis XV, l'un des plus beaux de Normandie, évoquent ce que fut le « Versailles normand ». Musée du Cidre dans une maison XVIe. Au faubourg d'Alleaume, ruines romaines dites le Vieux-Château.
Environs • Sur la route de **Sainte-Mère-Église***, *Montebourg* (église intéressante).

Valréas
84 - Vaucluse 37 - D 2
Vieille petite ville. L'église XIIe de style roman provençal, agrandie au XVe, a un portail sculpté intéressant. Chapelle des Pénitents Blancs déb. XVIe. Mairie, anc. hôtel de Simiane déb. XVIIIe.
Environs • 9 km N.-O., château de **Grignan***. • 14 km S.-E., **Nyons***.

Vals-les-Bains
07 - Ardèche 37 - C 1
Station thermale ds l'étroite vallée de la Volane qui la traverse du N. au S. La rive dr. (casino et parc, église) où se trouve le vieux Vals est dominée par les ruines d'un château féodal et par un calvaire. Sur la rive g., quartier des Bains, établissement thermal. Voir le curieux atelier d'embouteillage de la source Saint-Jean.
Environs • Signal Sainte-Marguerite (à 6 km N.-O. et 1 h à pied, vaste panorama). • 8 km N., gorges de la Volane. • 21 km N.-O., pittoresque village de *Burzet* (célèbre procession du Vendredi saint), église XVe-XVIe, gorges de la *Bourges* et *cascades du Ray-Pic.* • 19 km N.-O., *Montpezat-sous-Bauzon,* d'où l'on remonte la vallée de la Fontolière en corniche au-dessus du torrent; au N.-O., *Saint-Cirgues-des-Montagnes* (église romane) et lac d'**Issarlès***.

Vallouise : ***ce village alpin est le centre d'une région où la dureté du paysage savoyard est atténuée par la lumière méridionale.***

Vannes : ***les remparts à la chaude couleur ocre de la vieille ville ont gardé leurs trois portes et leurs tours bordées de jardins.***

Vannes
56 - Morbihan 16 - A 1
La cathédrale Saint-Pierre, XIIIe-XVe, XVIe, possède sur le croisillon N. un beau portail flamboyant déb. XVIe; à g. de la nef, la chapelle du Saint-Sacrement, Renaissance, abrite le tombeau de saint Vincent Ferrier (**† 1419**); ds la salle capitulaire XVIIIe, riche trésor. 2 vieilles rues pittoresques, bordées de maisons anc., longent la cathédrale, la rue Saint-Guenhaël et la rue des Chanoines, qui aboutit à la Porte-Prison déb. XVe. Le ruisseau de la Marle (anc. lavoirs) coule au pied des anc. remparts bordés de jardins (illumination l'été). Tour Poudrière XIVe. Tour du Connétable XIVe-XVe. Rue des halles, anc. « cohue », ou halle, où le présidial de Bretagne, puis le Parlement se réunissaient. Rue Noë, maison du

VANOISE (Parc national de la)
73 - Savoie 32 - D 2
Premier parc national français, 120 000 ha y sont consacrés à la protection du milieu naturel alpin, de part et d'autre de la frontière franco-italienne; accès par les N. 6 et N. 202, la N. 90, la N. 515. Chalets d'accueil pour personnalités scientifiques au col de la Madeleine, entre *Lansvillard* (peintures murales naïves XVᵉ, ds la chapelle Saint-Sébastien) et *Bessans* (N. 202); nombreux refuges et gîtes ruraux, camping interdit. Centre international de séjour à *Lanslébourg* (N. 6). Stages d'initiation à la nature à *Pralognan-la-Vanoise* (N. 515) et safari-photo (se renseigner au S.I. de **Val-d'Isère***). La flore de la Vanoise est l'une des plus riches des Alpes, la faune comprend surtout des chamois et des bouquetins.

VAUX DE CERNAY (Les)
78 - Yvelines 11 - B 2
Le site, ds un vallon où court le ru des Vaux, est pittoresque; étang, cascatelles et curieux « bouillons de Cernay ». On ne vis. pas l'anc. abbaye cistercienne, fondée au XIIᵉ, dont l'église abbatiale romane en ruine et les bâtiments conventuels sont propriété privée.

Parlement, ou Château-Gaillard, déb. XVᵉ, musée archéologique.
Environs • 4 km N.-E., Saint-Avé, chapelle Notre-Dame-du-Loc XVᵉ; à l'int., riche mobilier XVᵉ-XVIᵉ. • 4 km S.-O., île de Conleau, plage, piscine, restaurants, ds un site boisé à l'entrée du golfe du Morbihan. • Au S.-O. Port Blanc, d'où l'on embarque pour l'île aux Moines (voir **Morbihan***, golfe du). • 14,5 km S.-O., *Larmor-Baden;* à 1 km (passeur) île de **Gavrinis***.

Vans (Les)
07 - Ardèche 37 - C 2
Centre d'excursions important dans le pays de Vans.
Environs • 5 km E., *bois de Païolive,* l'une des plus étonnantes curiosités naturelles du Vivarais; ce chaos calcaire, aux formes fantastiques, planté de chênes et de mûriers, est un véritable labyrinthe, aussi est-il indispensable de se munir d'un plan (s'adr. au S.I. des Vans); les promenades pédestres y sont nombreuses et très variées. • A l'O. la corniche fléchée de la vallée du *Chassezac,* dominée par les ruines féodales de Casteljau, surplombe des sites grandioses entre de hautes falaises trouées de grottes; plage sur le *Chassezac,* à Mazet-Plage.

Varengeville-sur-Mer
76 - Seine-Maritime 5 - A 2
L'église et son cimetière rustique (tombes de Georges Braque, Georges de Porto-Riche et Albert Roussel) dominent, du haut de la falaise, un admirable paysage; construite aux XIIᵉ et XVIᵉ, l'église est ornée d'un vitrail de Braque. Beau parc des Moustiers (ouv. ts les j. de Pâques à la Toussaint).
Environs • *Manoir d'Ango,* de style Renaissance normande (vis. ts les j. l'été); au centre de la cour, dominée par une loggia à arcades, s'élève le colombier, décoré d'une originale marqueterie de briques et de pierres. • Au S.-E., après *Saint-Aubin-sur-Scie, château de Miromesnil* XVᵉ-XVIIIᵉ (petit musée Maupassant); chapelle XVIᵉ (boiseries sculptées); magnifique hêtraie.

Varennes-en-Argonne
55 - Meuse 12 - D 1
La tour de l'Horloge, devant laquelle Louis XVI et sa famille furent arrêtés (1791), a été transformée en petit musée. Église XIIᵉ et XIVᵉ. Important mémorial américain. Musée de l'Argonne.
Environs • 6,5 km S.-O., ossuaire de la Haute-Chevauchée. • Au S., Lachalade, ds le bois de Lachalade (non loin de *Le Claon*), a une belle église, anc. abbatiale cistercienne de style gothique champenois fin XIIIᵉ. • 11 km N.-E., mémorial américain de *Montfaucon,* sur la butte où eurent lieu, en septembre 1918, d'importants combats; vaste panorama. • 17 km N., grandiose cimetière américain de *Romagne-sous-Montfaucon* (50 ha). • 20 km N.-O., *Grandpré :* église XVᵉ-XVIᵉ (tombeau de Claude de Joyeuse XVIIᵉ); musée de folklore argonnais.

Vassieux-en-Vercors
26 - Drôme 38 - A 1
Détruit par les Allemands pendant les combats du Vercors, en 1945, le village a été reconstruit. Monument commémoratif « Aux Martyrs du Vercors 1944 », gisant de Gilioli. Cimetière national du Vercors.
Environs • Magnifique forêt de *Lente.* • A l'O., par le *col de la Bataille* (1 313 m, très beau panorama), *Léoncel,* église romane. • Au N., grotte du Brudour; après le col de la Machine la route aborde, par un parcours magnifique en corniche, la *Combe Laval;* après plusieurs tunnels, elle débouche au-dessus du Royans, offrant des panoramas superbes; *Saint-Jean-en-Royans,* dominé par les falaises du *Vercors,* est un excellent centre d'excursions.

Vaux-le-Vicomte (château de)
77 - Seine-et-Marne 11 - D 2
Construit par Le Vau pour le surintendant Fouquet, de 1657 à 1661, c'est l'œuvre architecturale et décorative la plus importante du XVIIᵉ, avant Versailles (vis. du château et des jardins ts les j.; jeux d'eaux : 2ᵉ et dern. sam. du mois; d'avril à nov.). Les pièces d'apparat sont somptueusement ornées et meublées. Les jardins, dessinés par Le Nôtre, annoncent ceux de **Versailles***.
Environs • 5,5 km E., *Blandy-les-Tours,* le château (vis. ts les j.), fortifié au XIVᵉ, remanié aux XVIᵉ et XVIIᵉ, conserve son enceinte flanquée de 5 tours et son donjon haut de 32 m (panorama); chapelle XVIᵉ et vestiges du logis d'habitation; à 2 km, *Champeaux,* l'église XIIᵉ-XIVᵉ, l'une des plus belles

Varengeville-sur-Mer : ***dans l'église, le vitrail de Braque « l'Arbre de Jessé ».***

Vaux-le-Vicomte : ***le classicisme du château trouve son répondant dans les dessins, non moins architecturés, des jardins de Le Nôtre.***

d'Ile-de-France, abrite plusieurs œuvres d'art et des stalles Renaissance dont les sujets sculptés sont d'une liberté parfois audacieuse.

Vayres (château de)
33 - Gironde 29 - A 3
Sur une butte dominant la *Dordogne,* le château XIIIe-XIVe, reconstruit au XVIe, évoque une somptueuse villa italienne (vis. ext. ts les j. l'été). Cour d'honneur Renaissance ornée de niches, pilastres et galeries. Sur la façade N.-E., élégant pavillon, fin XVIIe, en saillie, coiffé d'un dôme avec portique à 8 colonnes. Vastes parterres à la française.
Environs • Au N.-O., églises intéressantes à Izon (portail et abside romans); *Saint-Sulpice-et-Cameyrac* XIe-XVIe, *Saint-Loubès* (abside romane).

Venasque
84 - Vaucluse 38 - A 3
Petit village, sur un éperon rocheux. A côté de l'église Notre-Dame XIIe-déb. XIIIe, le baptistère fin VIe remanié au XIIe, l'un des plus anc. édifices religieux de France.
Environs • 2,5 km, chapelle du couvent Notre-Dame-de-Vie : à l'int. pierre tombale de l'évêque Boetius (**† 604),** rare exemple de sculpture mérovingienne; 2 km O., Saint-Didier-les-Bains : château déb. XVIe avec façade flamboyante sur cour; à l'int., plafonds à caissons peints et peintures décoratives de Mignard (institut neurologique).

Vence
06 - Alpes-Maritimes 45 - A 1
Enfermée ds son enceinte médiévale, la petite ville a conservé son caractère d'autrefois. L'entrée principale, flanquée d'une tour, donne sur la charmante place du Peyra XVe ornée d'une fontaine. Ds l'église, anc. cathédrale XIe-XVIIe, plusieurs œuvres d'art. De la chapelle Sainte-Anne XVIIe part le chemin du Calvaire jalonné de 7 chapelles contenant des scènes de la Passion avec personnages sculptés et peints.
Environs • Au N.-E., sur la route de *Saint-Jeannet,* chapelle du Rosaire du couvent des dominicaines (vis. mardi et jeudi) conçue et décorée par Henri Matisse; à 4,5 km N.-E., *Saint-Jeannet,* situé sur un entablement rocheux au pied du célèbre « baou »; à 3 km S., près de La Gaude, curieux village aux ruelles escarpées, le Centre d'études et de recherches I.B.M., par Marcel Breuer (vis. guidées), importante réalisation de l'architecture contemporaine. • 6 km O., *Tourette-sur-Loup,* village fortifié dont les maisons forment rempart; intéressant centre d'artisanat local.

Vendôme
41 - Loir-et-Cher 17 - D 1
Bâtie sur des îles baignées par les bras du *Loir,* cette petite ville pleine de vieux coins pittoresques est dominée par le clocher isolé XIIe, haut de 80 m, de l'anc. abbatiale de la Trinité XIVe-XVIe; façade flamboyante élégamment sculptée; à l'int., chapiteaux romans historiés; ds une chapelle du chevet, célèbre vitrail de la Vierge à l'Enfant XIIe. Musée archéol. et des trad. popul. ds le cloître de la chap. Saint-Pierre la Motte (ts les j. sauf mardi). La porte Saint-Georges XIVe sur le bras principal du Loir a reçu au XVIe des mâchicoulis et un décor sculpté. Église de la Madeleine fin XVe; hôtel du Saillant XVe; anc. collège des Oratoriens (lycée), belle chapelle Renaissance; logis abbatial, etc. Les ruines du château des comtes de Vendôme XIIe, XIVe et XVe dominent la ville.
Environs • 3 km N.-E., *Areines,* église XIe-XIIe, peintures murales romanes. • 6 km N.-O., *Villiers-sur-Loir,* dans l'église, peintures murales déb. XVIe, le « Dict des 3 morts et des 3 vifs ».

Verdière (La)
83 - Var 44 - B 1
Château juché sur un éperon boisé (visite tous les jours l'après-midi); les appartements comportent 6 salons décorés de gypseries et de tapisseries; ds la grande galerie, toiles hollandaises et françaises XVIIe-XVIIIe.

Verdun
55 - Meuse 13 - A 1
Anc. place forte dont subsistent, au S. et à l'E., des vestiges de remparts de Vauban, Verdun symbolise l'une des plus grandes batailles de l'Histoire. Au centre, sur la rue Mazel, énorme monument de la

VENTOUX (circuit du mont)
84 - Vaucluse 38 - A 2
L'itinéraire le plus recommandé pour atteindre le Ventoux part de **Carpentras*** par la N. 574. Parcours très accidenté (montées très fortes, beaux points de vue), après *Bédoin;* au hameau de Saint-Estève débute la route de montagne à travers la forêt de Bédoin; chalet Reynard (1 460 m, sports d'hiver); fontaine de la Grave (1 515 m). Une série de lacets précède le sommet (1 912 m); observatoire de la Météorologie nationale, station radar de l'armée de l'Air, tour hertzienne et émetteur de télévision. Du terre-plein S. vaste panorama jusqu'à l'*étang de Berre,* la *Méditerranée* et, si le temps est clair, jusqu'au *Canigou.* La descente peut s'effectuer vers **Vaison-la-Romaine*,** par le mont Serein (station estivale et de sports d'hiver), chapelle Notre-Dame-du-Grozeau et *Malaucène.*

Victoire, dominé par une médiocre et colossale statue de chevalier; ds la crypte (entrée libre), livre d'or des Combattants. L'hôtel de la Princerie XVIe avec galeries XIIIe abrite le musée. La cathédrale Notre-Dame, romane de style rhénan (2 absides et 2 transepts opposés), voûtée aux XIIIe-XIVe, remaniée au XVIIIe, possède une belle crypte romane; le cloître est de style gothique flamboyant déb. XVIe, remarquable portail du Lion XIIe, somptueux décor sculpté roman; évêché XVIIIe. La porte Chatel XVe donne sur l'esplanade de la Roche dominée par la citadelle (musée de la guerre et vis. des souterrains ts les j. de fév. à mi-déc.). Devant la porte Saint-Paul, au N., remarquable monument de la *Défense de Verdun,* par Rodin. *Environs* • Circuits de la bataille de Verdun. • Rive droite de la *Meuse,* par l'avenue de la 42e-Division, le Faubourg-Pavé et la N. 18 au N.-N.-E., *fort de Vaux* (on vis.) : théâtre de violents combats en 1916, ruines du fort de Souville (monument du Sergent Maginot), mémorial de Verdun et musée du Souvenir (ouv. du 15 janv. au 15 déc.); grand *ossuaire de Douaumont,* immense monument sans style dominé par une colossale lanterne des Morts (ouverture tous les jours) et qui abrite 46 sarcophages correspondant aux principaux secteurs de la bataille de Verdun; immense cimetière national de 15 000 tombes; on visite également le *fort de Douaumont* et le ravin de la Mort; un sobre monument de béton recouvre la tragique tranchée des Baïonnettes. • Rive gauche, par la N. 64 et la D. 38 N.-N.-O., *le Mort-Homme :* sommet boisé âprement disputé en 1916-1918 (monuments) et la *cote 304,* pivots de la défense de Verdun; à l'O. butte de Vauquois; au S. de **Varennes-en-Argonne*** : de terribles combats s'y déroulèrent de 1914 à 1918; au N.-N.-O. butte de *Montfaucon :* monument américain; vaste cimetière de *Romagne-sous-Montfaucon* (voir **Varennes-en-Argonne***.) • Les *côtes de Meuse,* par la N. 3 et la D. 154 S.-E. : *les Éparges* et crêtes des Éparges (monuments commémoratifs des combats de 1915), la route stratégique dite «tranchée de Calonne» suit la crête *des côtes de Meuse* au S.-E. jusqu'à *Hattonchâtel* (église XIVe et 2 galeries de cloître XVe; à l'int., magnifique retable Renaissance 1523).

Vermenton
89 - Yonne 19 - B 2
Bourg anc. sur la rive de la *Cure* qui y forme des îles (parc de loisirs,

VERDON (grand canyon du)
04 - Alpes-de-Haute-Provence 38 - C D 3 - 44 - C 1
L'un des sites les plus extraordinaires de France, aux dimensions gigantesques : 400 à 700 m de profondeur, 25 km de long; la tranchée naturelle est large de quelques mètres à la base et de 200 à 1 000 m à son rebord supérieur. Au fond de ce gouffre, le torrent mugit en cascades ou s'étend en petits lacs. On peut longer à pied le canyon par des sentiers bien aménagés, le parcours en canoë étant réservé aux sportifs aguerris. La route touristique dite la *Corniche sublime* suit le rebord même du canyon sur la rive g., du confluent de l'*Artuby* à la sortie des gorges. Sur la rive dr., la N. 552 ne longe le canyon qu'à ses deux extrémités. La route des crêtes du *Verdon* complète ces deux itinéraires (départ à 2 km de *La Palud*). Plusieurs belvédères bien aménagés permettent d'apprécier l'impressionnant spectacle des gorges.

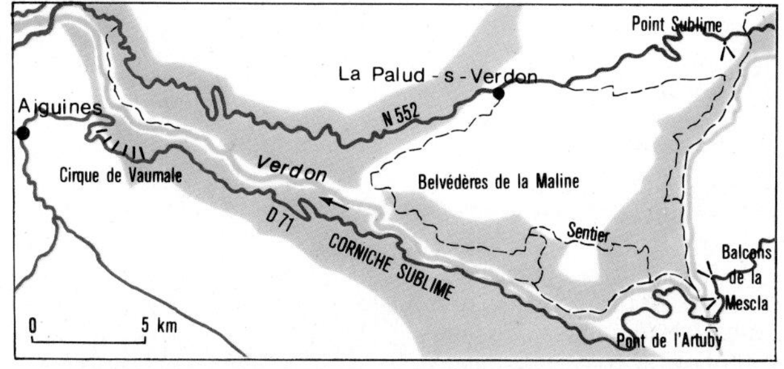

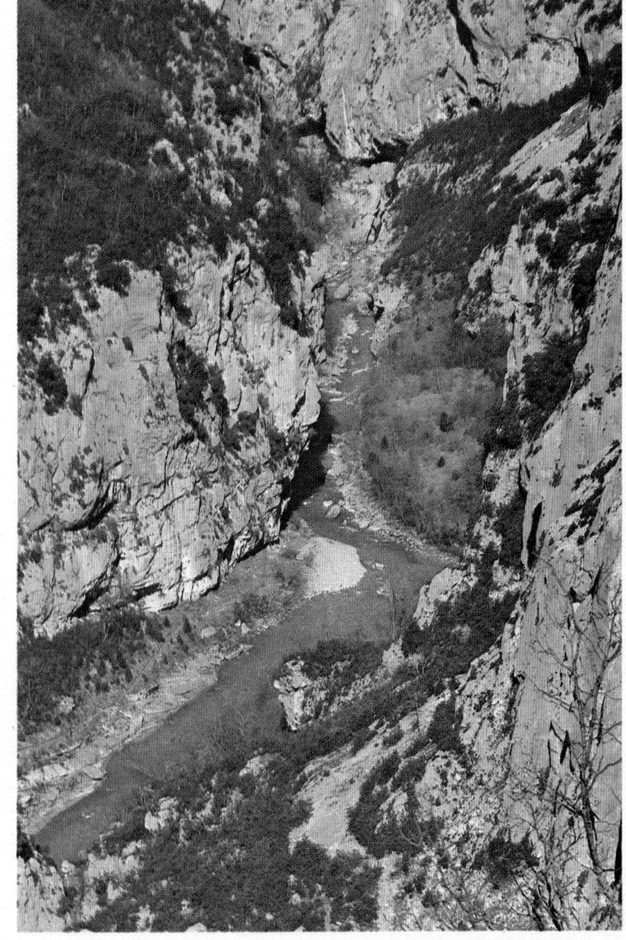

plage, etc.) et un port. Église Notre-Dame XIIe-XIIIe, avec tour et portail roman. Du plateau de Bétry, vaste panorama.
Environs • 8 km S., *Arcy-sur-Cure, grottes d'Arcy* (voir **Avallon***); nombreuses grottes, dont certaines très pittoresques, au-dessus de la *Cure* (grottes de Saint-Moré); le village de Saint-Moré, sur la rive g. de la Cure, possède un élégant château XVIe-XIXe, flanqué de 4 tours rondes et une église XIVe; une petite route conduit au camp de Cora, poste fortifié gallo-romain. • 5 km N.-O., par la vallée de la *Cure, Cravant,* anc. place forte au confluent de l'*Yonne* et de la *Cure,* église XVe et XVIe, beau chœur Renaissance; maisons de bois XVIe; de là, suivre la vallée de l'*Yonne* (voir **Auxerre***) vers le S.

Verneuil-sur-Avre
27 - Eure 10 - D 2
Petite ville anc. jadis fortifiée, dominée par la tour flamboyante déb. XVIe de l'église de la Madeleine; à l'int. belle *Mise au tombeau* XVIe. Notre-Dame, romane XIIe, mais remaniée, possède un ensemble de statues des XIIIe, XIVe, XVe et XVIe, véritable musée de sculpture d'origine régionale. On vis. la tour Grise, donjon cylindrique XIIe, haut de 35 m. Nombreuses maisons en bois ou en brique et silex du XVe au XVIIIe.
Environs • Excursion recommandée dans la vallée de l'*Avre.*

Vernon
27 - Eure 11 - A 1
Seul reste de l'anc. château, la tour des Archives XIIe domine la vallée de la *Seine* (belle vue). Église Notre-Dame, façade et nef XIVe avec tour centrale XIIIe; à l'int. tribune d'orgue Renaissance et tapisseries XVIIe. Un pont relie Vernon à Vernonnet sur la rive dr. de la *Seine.* Donjon de l'anc. château des Tourelles XIIe.
Environs • 1,5 km S.-O., *château de Bizy,* construit au XVIIIe et reconstruit au XIXe; superbes salons ornés de boiseries XVIIIe; les écuries monumentales, la cour d'honneur, le bassin pour les chevaux et les communs témoignent de l'importance du château au XVIIIe; le parc a gardé de nombreux témoignages de sa décoration et de ses «eaux» (cascades, bassins, etc.); remarquables sculptures (vis. ts les j. sauf mardi, de Pâques à la Toussaint); la forêt de Bizy s'étend au S. et S.-E. du château. Site pittoresque des Valmeux et tombeau de saint Mauxe. • 9 km S.-E., Notre-Dame-de-la-Mer, chapelle et belvédère d'où le panorama sur la vallée de la *Seine* est magnifique;

1

2

3

Versailles : ***nonchalamment allongées le long du parterre d'eau, des figures allégoriques évoquent les fleuves (1). Chef-d'œuvre d'Hardouin-Mansart, l'Orangerie abritait, sous Louis XIV, deux mille caisses d'orangers (2). Bâti également par Hardouin-Mansart, le Grand Trianon, revêtu de marbre, abrite de magnifiques appartements (3).***

du Signal des Coutumes, au S., belle vue sur la boucle de *Bonnières* et les îles de la *Seine.* • 14 km N.-O., *Gallion;* il ne reste du magnifique château (déb. XVIe) du cardinal d'Amboise qu'un imposant portail d'entrée Renaissance et une galerie entre 2 tours. • 4 km S.-E., *Giverny;* le jardin où Monet peignit ses célèbres *Nymphéas* est visible à travers les grilles; un musée est installé ds la maison du peintre.

Versailles
78 - Yvelines 11 - C 2
Symbole de la monarchie française à son apogée, Versailles n'est pas seulement un palais et un musée, les jardins, les Trianons et la ville sont inséparables.

• Le palais de Versailles est l'un des monuments les plus célèbres de France (vis. ts les j. sauf lundi); il est précédé de l'immense cour royale où se dresse la statue de Louis XIV, et qui se continue par la cour de Marbre entourée par le château de Louis XIII, remanié par Le Vau et Mansart. Le grand appartement du roi (au centre chambre de Louis XIV) donne sur cette cour; derrière, en façade sur les jardins, s'étend la somptueuse galerie des Glaces, chef-d'œuvre de l'art d'apparat du XVIIe. Le grand appartement occupe la partie N. du palais, à dr. de la cour de Marbre, où il voisine avec le petit appartement du roi (cabinet de travail de Louis XV, célèbre bureau d'Oeben et Riesener). La partie S. est occupée par le grand appartement de la reine et son petit appartement; de là, on gagne l'aile du Midi où est installée la galerie des Batailles. L'aile du Nord est précédée par la Chapelle et se termine par l'Opéra royal, fin XVIIIe fastueux et raffiné; le musée de l'Histoire de France occupe plusieurs salles de l'aile du Nord. Les jardins : face au palais se situent dans l'axe, le bassin de Latone, le Tapis-Vert, le bassin d'Apollon (au centre : char d'Apollon) et le Grand-Canal. A g. du palais : parterres du Nord, bassin de Neptune. A dr. parterres du Midi et Orangerie encadrée par les Cent Marches. A g. du bassin de Latone : bosquet des bains d'Apollon, groupe sculpté d'Apollon servi par les Nymphes.

• Face à l'Orangerie, de l'autre côté de la N. 10, vaste pièce d'eau des Suisses. De part et d'autre du Grand-Canal (location de canots) s'étend le Petit Parc dont certaines parties sont accessibles en voiture. (Grandes eaux des bassins les 1er et 3e dim. de juin à sept. à 16 h 30.) Les Trianons comportent le Grand Trianon fin XVIIe au somptueux décor de marbre blanc et rose; entièrement rénové de 1963 à 1966, il a été décoré et meublé dans le style Empire. Musée des Voitures. Le Petit Trianon, élégant hôtel fin XVIIIe, est en cours de réinstallation; ses jardins abritent le pittoresque hameau de Marie-Antoinette.

• En ville : face au palais, de part et d'autre de l'avenue de Paris, Grandes Écuries et Petites Écuries, œuvres monumentales de Mansart fin XVIIe. Musée Lambinet ds un hôtel XVIIIe (vis. mardi, jeudi, sam. et dim. apr.-m.). Salle du Jeu de Paume (vis. sur demande). Nombreux et somptueux hôtels XVIIIe, notamment l'hôtel de Madame du Barry, de style Louis XV (Chambre de commerce. Vis. sur demande). A côté, Écuries du comte de Provence, porte monumentale et façade par Ledoux. Avenue de Paris, n° 22, anc. hôtel des Menus-Plaisirs; n° 41, maison de Madame Elisabeth, sœur de Louis XVI; n° 57, anc. laiterie-colombier de la comtesse de Provence, seul vestige d'un hameau inspiré de Trianon; n° 61, pavillon de musique de la comtesse de Provence (on ne visite pas). Rue de l'Indépendance américaine : n° 1, anc. Grand Commun, façade et porte monumentale fin XVIIIe ornée de trophées en haut relief; n° 5, belle porte richement sculptée de l'anc. ministère de la Marine et des Affaires étrangères (Bibliothèque municipale; au 1er étage, suite de somptueux salons décorés de boiseries et de peintures vis. en sem. l'apr.-m.). L'église Notre-Dame est de Mansart (fin XVIIe). La cathédrale Saint-Louis est de style Louis XV.

Vertus
51 - Marne 12 - B 1
Ce gros bourg, traversé par des ruisseaux d'eaux vives, termine le circuit de la côte des Blancs (voir **Épernay***) et possède de nombreuses maisons anc. La porte Baudet XIIIe-XIVe appartenait à l'enceinte. L'église Saint-Martin XIIe a de remarquables voûtes d'ogives; grosse tour romane carrée au-dessus du transept.
Environs • Les églises d'*Oger,* du *Mesnil-sur-Oger,* et de *Bergère-lès-Vertus* valent la visite **(Épernay*).**

Vervins
02 - Aisne 6 - B 2
Etagée sur une colline, elle a une intéressante église XIIe et XVIe et un hôtel de ville XVIe, vestiges d'enceinte XIIe, rues pittoresques.
Environs • Bon centre de départ pour visiter les églises fortifiées de la *Thiérache,* au style très particulier. • Au S., *Prisces* XIIe, donjon carré en brique à 2 tourelles opposées en diagonale; *Burelles,* l'une des plus remarquables XVIe : appareil de briques polychromes, chœur en pierre, donjon; l'étage supérieur du transept est aménagé en chambre forte; *Hary,* romane avec donjon de brique XVIe. • A l'E., *Plomion* fin XVIe, donjon carré flanqué de 2 tours rondes; Jeantes, Dagny, *Morgny-en-Thiérache,* Parfondeval en brique XVIe, entourée de maisons formant enceinte, précédée d'un donjon. • Au N., *Wimy, Origny-en-Thiérache, La Bouteille* XVIe, rectangulaire en moellons de grès, etc.

Vesoul
70 - Haute-Saône 20 - C 2
Ds l'église Saint-Georges mil. XVIIIe, saint sépulcre de pierre XVe et plusieurs œuvres d'art. Intéressantes maisons anc. : hôtel Thomassin XVe, maison Barressols, hôtels XVIIe-XVIIIe place du Grand-Puits, maisons gothiques rue Baron-Bouvier.
Environs • Au N., La Motte (383 m alt.); beau panorama. • 4 km S., grotte de la Baume.

Veules-les-Roses
76 - Seine-Maritime 4 - D 2
Agréable station balnéaire ds un vallon verdoyant et boisé. Église Saint-Martin, gothique XVIe, flanquée d'un clocher carré, à 3 nefs. Ds l'anc. cimetière Saint-Nicolas, ruines d'une église XIIe et remar-

VÉSUBIE (gorges de la)
06 - Alpes-Maritimes 39 - A 3
De *Plan-du-Var* à *Saint-Jean-la-Rivière,* par la D. 2565, la route suit le fond des gorges étroites et sinueuses bordées de falaises à pic; à *Saint-Jean-la-Rivière* prendre la D. 32 aux lacets vertigineux jusqu'à *Utelle :* l'église Saint-Véran, gothique XIVe, à 3 nefs, rhabillée au XVIIe, possède un *retable de l'Annonciation* de l'École niçoise du XVe; le bourg avec ses vieilles maisons, ses ruelles et sa petite place a beaucoup de charme; à 3 km, la Madone d'Utelle est un lieu de pèlerinage (table d'orientation).
Environs • De *Levens* à *Saint-Jean-la-Rivière* par la D. 19, la vallée de la *Vésubie* et *Lantosque* en direction de **Saint-Martin-Vésubie*.**

quable calvaire à personnages en grès sculpté XVIe.
Environs • 1,5 km S.-E., chapelle du Val XIIe-XIIIe. • 2,5 km S., *Blosseville :* église XVIe avec clocher XIIe; à l'int. beaux vitraux XVe. • 7 km E., *Bourg-Dun :* église fin XIe-XVIe avec tour XIIIe; ds le croisillon S., de style flamboyant, magnifique voûte à nervures et clés pendantes ouvragées. • 8 km O., *Saint-Valéry-en-Caux :* port de pêche ds une échancrure de hautes falaises.

Vézelay
89 - Yonne 19 - B 2
Le bourg bâti sur une colline isolée dominant un immense panorama porte à son sommet la basilique Sainte-Madeleine, chef-d'œuvre de l'architecture médiévale; la partie la plus remarquable est le narthex roman, véritable église porche à 3 travées, longue de 22 m dont le portail, ouvrant sur la nef, s'orne d'un tympan sculpté représentant la glorification du Christ, l'une des plus belles œuvres, avec celui d'Autun, de la sculpture romane bourguignonne déb. XIIe; la nef fin XIe-déb. XIIe, en pierre blanche et brune, comporte des chapiteaux historiés d'une verve réaliste très expressive; chœur et transept du début du gothique fin XIIe; salle capitulaire XIIe. De la terrasse (table d'orientation), vue superbe sur la vallée. Musée lapidaire (vis. ts les j. en saison). La visite du village (maisons anc.) et le tour de l'enceinte sont recommandés.
Environs • 2 km E., *Saint-Père :* l'église Notre-Dame est l'un des édifices les plus intéressants du gothique bourguignon, remarquable façade sculptée (le Jugement dernier); musée archéologique régional (vis. ts les j.); à 2 km S., *fouilles des Fontaines-Salées,* l'un des chantiers archéologiques les plus importants de France; de vastes établissements celtiques (enceintes circulaires et bassin sacré abrité Ier s. av. J.-C.) et gallo-romains (thermes Ier s. apr. J.-C., agrandis au IIe), reliés à une enceinte cultuelle par un vestibule de 50 m et un portique, s'étendent sur près de 600 m de long ds la vallée de la *Cure* (vis. guidée ts les j.); à 2 km S., *Pierre-Perthuis,* ds un site pittoresque; l'église et les ruines du château dominent l'étroite gorge de la *Cure;* du pont monumental, qui enjambe la vallée, belle vue sur Vézelay.

Vichy
03 - Allier 25 - A 3
Le centre est le parc des Sources où se trouvent le casino, les principaux hôtels et les établissements thermaux. Le parc de l'*Allier* longe, sur 1 800 m, le plan d'eau de 2 200 m dit lac d'*Allier* (sports nautiques). Le vieux quartier possède plusieurs maisons anc. : le pavillon Sévigné d'époque Louis XIII (hôtel), la maison du Bailliage ou Chastel Franc XVIe (musée local). Centre culturel Valery-Larbau.
Environs • 23 km N.-E., château de *Lapalisse :* XVe-XVIe (vis. ts les j. Son et Lumière l'été); l'int., somptueusement meublé, a 6 superbes tapisseries fin XVe et de beaux plafonds peints; la vallée de la *Besbre,* au N.-N.-E., est jalonnée de châteaux intéressants; ruines féodales de Chavroches XIIIe, châteaux du *Vieux-Chambord* XIIIe, de *Jaligny* (Renaissance), de *Beauvoir* XVe-XVIIe, et de *Thoury* (voir **Moulins***).
• 22 km S.-S.-E., *Châteldon,* vieux bourg pittoresque, église XVe, tour de l'Horloge XIVe et maisons à pans de bois XVe-XVIe; imposant château XIIIe-XVe (on ne vis. pas). • 14 km S., par la *forêt Boucharde, Randan :* château XVIe reconstruit au XIXe, incendié en 1925 (on ne vis. pas).

Vic-le-Comte
63 - Puy-de-Dôme 31 - A 1
Englobée ds l'église moderne, la sainte Chapelle, pur joyau architectural déb. XVIe, est l'unique vestige du château comtal; voir, à l'ext., les sculptures finement ouvragées de la corniche et, à l'int., d'intéressantes œuvres d'art (vitraux, retable en pierre déb. XVIe décoré de statues, etc.).
Environs • 6 km N., Busséol : ruines du château fin XIIe, au sommet d'un piton (vis. ts les j.); vaste panorama. • 4 km S., Buron; également perchées sur un piton, ruines imposantes du château; belle vue sur la vallée de l'*Allier*.

Vic-sur-Cère
15 - Cantal 30 - C 3
Station thermale et de villégiature. Le vieux Vic, étagé autour de l'église, compte plusieurs belles maisons anc. (maison des princes de Monaco, XVe, maison Laparra, XVe-XVIe). La station thermale est sur la rive g. de la Cère.
Environs • Nombreuses excursions. • A l'O. de l'église, par le trou de la Conche (cascade) et le rocher de Maisonne, ascension au rocher de Saint-Curial, curieuse masse basaltique (panorama). • Au N.-E. : Salvanhac et le pas de Cère, impressionnant défilé rocheux. • 6 km N.-E. : *Thiézac,* église XVe-XVIe; à l'int., retables et chaire XVIIIe, Christ de pitié en bois polychrome XVIe; à 300 m, chapelle Notre-Dame-de-Consolation, mil. XVIIe, décorée de curieuses peintures à la voûte; chaos de Casteltinet; cascade de Faillitoux. • Au S.-E., par une route en lacets (belles vues), col de Curebourse (997 m) et *rocher des Pendus;* à 6 km S.-E. : Jou-sous-Monjou, église XIIe-XVe; à l'int. curieux décor sculpté; manoir d'Escalmels, déb. XVIe; à 1,5 km S., château de Cropières, XVIIe, l'aile O. possède un majestueux escalier central divisé en 2 rampes latérales; une longue terrasse donne accès à la salle d'apparat ornée de boiseries polychromes (vis. autorisée); au S. *Raulhac,* puis château de Messilhac, Renaissance, avec 2 grosses tours carrées

Veules-les-Roses : *les falaises de craie du pays de Caux longent la côte d'Albâtre, jalonnée de petits ports et de stations balnéaires.*

Vézelay : *haut lieu de l'art roman, la basilique Sainte-Madeleine. A Saint-Père, l'église gothique Notre-Dame.*

XIVe (vis. ts les j. l'été), riche décor sculpté. • 5 km S.-O. : château de **Pesteils***.

Vic-sur-Seille
57 - Moselle 13 - C 2
Vieille ville; ds l'église XVe-XVIe, intéressantes œuvres d'art. Maisons anc. (maison de la Monnaie mil. XVe). Musée du sel.
Environs • 13,5 km N.-E., *Marsal,* belle église de style roman rhénan déb. XIIe avec abside gothique XIVe; remparts.

Vieil-Armand 21 - A 1
Voir **Hartmannswillerkopf***.

Vienne
38 - Isère 31 - D 2
Anc. cité romaine et médiévale, située au bord du *Rhône* et riche en beaux monuments. A Saint-Maurice, anc. primatiale XIIe et XIIIe, 3 portails flamboyants dont les voussures sont remarquablement sculptées; l'int. long de 90 m présente 7 travées romanes, ds le vaisseau gothique; ds le chœur, tapisseries XVIe et tombeau XVIIIe des archevêques; les 2 portes latérales offrent, à l'int., des sculptures du XIIe réemployées. Place de Miremont, musée des Beaux-Arts (archéologie, céramique, riche médailler). Saint-Pierre, l'un des plus vénérables monuments de la Gaule chrétienne IVe-Ve, abrite le Musée lapidaire (vis. ts les j.); très importantes coll. de sculptures et de mosaïques romaines, sculptures médiévales. • Saint-André-le-Bas XIe-XIIe a un cloître roman d'une élégance raffinée d'où l'on accède au musée d'Art chrétien. • Par la rue des Clercs on atteint la place du Palais où s'élève le temple d'Auguste et de Livie (v. 25 av. J.-C.), l'un des monuments romains de Gaule les mieux conservés. On verra également le portique du forum, les vestiges d'un temple de Cybèle et ceux d'un théâtre (en cours de fouilles). Le théâtre romain adossé au mont Pipet, que couronnent les ruines de la citadelle romaine et la chapelle Notre-Dame, mesure 115 m de diam.; ses 46 rangées de gradins pouvaient contenir 13 000 spectateurs. • Sur la rive dr. du Rhône, à Saint-Romain-en-Gal, un important quartier gallo-romain est en cours de dégagement.
Environs • Derrière la gare, par la rampe Coupe-Jarret, en forte montée et la D. 46 : excursions au-dessus de *Vienne,* vues étendues sur la vallée du *Rhône* et les *Alpes.*

Vierville-sur-Mer
14 - Calvados 4 - A 3
Station balnéaire; église XIIIe; à 500 m S.-O. charmant manoir Renaissance de Vaumicel.
Environs • A l'O. Englesqueville-la-Percée (église XIIe-XIIIe); à 2 km S.-O., ruines du château de Beaumont XIIe-XIIIe, chapelle romane; le château d'Englesqueville fin XVIe, occupé par une ferme, a des tours rondes coiffées de calottes de pierre. • Au S.-O., sur la N. 13, à *La Cambe,* impressionnant cimetière militaire allemand. • Les plages entre Vierville et *Colleville* dites **Omaha Beach*** furent le théâtre de violents combats le 6 juin 1944: de Vierville à *Saint-Laurent-sur-Mer* «boulevard maritime» de 4 km; à 1 km de Saint-Laurent *cimetière* américain, 9 385 croix blanches et un imposant mausolée dominent la mer, la vaste plage, et les installations d'Omaha Beach. • A l'E. *Port-en-Bessin,* ds un creux de falaises, port de pêche pittoresque; tour Vauban XVIIe adossée à la falaise; excursions recommandées sur les falaises dominant la mer, ou à pied à marée

VIAUR (viaduc du)
12 - Aveyron 36 - C 3
Cet audacieux ouvrage d'art ferroviaire en acier (1897-1902), long de 460 m, franchit la vallée du *Viaur* à 120 m de hauteur. Le grand arc central a 220 m d'ouverture.
Environs • Au N.-E., *château du Bosc,* où Toulouse-Lautrec passa son enfance, souvenirs et œuvres de jeunesse du peintre (vis. ts les j. de Pâques au 11 nov.). • 9 km N., *Naucelle-Ville;* à 7 km N.-O., *Sauveterre-de-Rouergue :* anc. bastide fin XIIIe, collégiale XIVe, tour et portes fortifiées, restes de remparts.

Villandry : ***ses célèbres jardins à terrasses, redessinés d'après des plans du XVIe s., font l'originalité de ce château.***

Villefranche-sur-Mer : ***l'animation et la couleur méridionale ajoutent au charme de la vieille ville, dominant le port.***

basse; site fantastique du *Chaos* à 4 km E.; **Arromanches***.

Vignory
52 - Haute-Marne 13 - A 3
L'église Saint-Étienne, romane, a une nef XIe couverte en charpente d'aspect carolingien; chapiteaux archaïques à décor géométrique ou figuré; les chapelles, ajoutées aux XVe et XVIe, abritent quelques belles sculptures de Vierges ou de saints de style champenois XVe et XVIe.

Villandry (château de)
37 - Indre-et-Loire 17 - C 3
Construit vers 1530 ds le style Renaissance, entouré de douves, il est flanqué au S.-O. d'un énorme donjon XIVe, seul vestige de l'anc. château féodal (vis. ts les j. d'avr. à nov., des jardins toute l'année). A l'int.; coll. d'art anc. Les magnifiques jardins comprennent trois étages superposés en terrasses : le potager, le jardin d'ornement et le jardin d'eau, agrémenté d'un miroir d'eau de 90 m de long sur 75 m de large. A l'O. du château : église romane XIe-XIIe.

Villard-de-Lans
38 - Isère 32 - B 3
Station climatique et de sports d'hiver. Bon centre d'excursions. *Environs* • Sur 8 km O.-S.-O., le long de la route forestière de *Valchevrière,* chemin de croix à la mémoire des morts du Vercors (1944). • Ascensions recommandées au N.-E. au col de l'Arc (1 740 m) et au N. au pic Saint-Michel (1 972 m). • Au S., par *Corençon :* télécabine, puis sentier pour la *Moucherolle* (2 290 m; ascension avec guide). • A l'O., *gorges de la Bourne* et **Pont-en-Royans***.

Ville-d'Avray
92 - Hauts-de-Seine 11 - C 2
L'église Saint-Nicolas, de style Louis XVI, abrite plusieurs œuvres de Corot, qui peignit beaucoup au bord des étangs, ds des sites charmants. Agréables promenades ds les bois de Fausses-Reposes (route circulaire de l'impératrice).

Villedieu-les-Poëles
50 - Manche 9 - D 1
Église XVIe, maisons anc. et originale fonderie de cloches (on vis.). *Environs* • 7,5 km O., zoo de *Champrepus* (vis. ts les j.).

Villefort
48 - Lozère 37 - B 2
Bon centre d'excursions dans les *Cévennes* et le bas Vivarais. *Environs* • Au N., le barrage, vaste plan d'eau ramifié sur l'*Altier;* à 7 km N., *La Garde-Guérin,* curieux hameau fortifié (site classé); belvédère du *Chassezac* au-dessus des gorges; à 8 km N., Prévenchères; (église XIIe et XVe). • Au S. route du *mont Lozère* vers *Génolhac.* • A l'O. Parc national du *mont Lozère.*

Villefranche-de-Conflent
66 - Pyrénées-Orientales 43 - C 3
Entourée d'une enceinte fortifiée édifiée du XIe au XVe et remaniée par Vauban, l'anc. capitale du Conflent n'a guère changé depuis le Moyen Age. Ses rues étroites sont bordées de vieilles maisons catalanes, romanes et gothiques XIIIe-XIVe, notamment rue Saint-Jean. L'enceinte possède 2 entrées fin XVIIIe, la porte de France et la porte d'Espagne. Église XIe, agrandie aux XIIe-XIIIe, beaux portails romans en marbre rose; riche mobilier, intéressantes œuvres d'art. *Environs* • Au N., sur la montagne de Belloch, fort construit par Vauban (propriété privée). • 1 km S.-O., grotte des Canalettes (des Rameaux au 1er nov.); 2,5 km S.-O. Fuilla; l'église de Beinat, XIe, est l'un des plus anc. témoignages du premier art roman en Roussillon. • 3 km S., Corneilla-de-Conflent, remarquable église romane à 3 nefs et clocher carré XIe; l'abside, en granit, est richement décorée de colonnettes de marbre à chapiteaux

sculptés; portail en marbre à 6 colonnes et tympan sculpté; à l'int., autels romans, retable sculpté mil. XIVe.

Villefranche-de-Rouergue
12 - Aveyron 36 - B 2
La vieille ville est dominée par la masse imposante de l'église Notre-Dame, de style gothique méridional, précédée d'un énorme clocher porche XVe haut de 58 m; à l'int., stalles sculptées fin XVe ds le chœur. La place Notre-Dame est la plus caractéristique des vieilles places méridionales entourées de «couverts». Nombreuses maisons anc. Au N. de la ville, chapelle des Pénitents-Noirs, mil. XVIIe; retable XVIIe et stalles XVe.
Environs • 1 km S., sur la rive g. de l'Aveyron : anc. chartreuse Saint-Sauveur XVe (vis. ts les j.); la petite chapelle des Étrangers, la Grande chapelle (boiseries XVe et XVIe), la salle capitulaire, le grand et le petit cloîtres composent l'un des plus remarquables ensembles gothiques du Midi; c'est la seule chartreuse complète visible en France. • 2 km N. : château de Graves, mil. XVIe; les façades sur cour sont élégamment décorées (vis. autorisée). • Au S., excursion recommandée ds les *gorges de l'Aveyron* (voir **Najac***).

Villefranche-sur-Mer
06 - Alpes-Maritimes 45 - B 1
Port de pêche, de plaisance et d'escale en amphithéâtre au fond d'une très belle rade. La vieille ville a gardé son caractère, rues étroites et escarpées souvent voûtées (rue Obscure). Sur le quai des Pêcheurs, très animé, chapelle Saint-Pierre décorée par Jean Cocteau (vis. ts les j.). Le port est dominé au S. par la citadelle, fin XVIe, que longe un sentier pédestre (vues superbes sur la côte) vers le port de plaisance de la Darse.

Villefranche-sur-Saône
69 - Rhône 25 - D 3
Église Notre-Dame-des-Marais XIIe-XVe avec façade flamboyante déb. XVIe (belles portes en bois sculpté). Hôtel de ville Renaissance; maisons anc.
Environs • Circuit du beaujolais : parcours recommandé, N.-N.-O., à travers les vignobles, par *Belleville-sur-Saône,* centre vinicole du Beaujolais (du mont *Brouilly,* vue sur le vignoble, chapelle), Brouilly, *Beaujeu* (musée des Traditions populaires, église Saint-Nicolas, anc. capitale du Beaujolais), Chiroubles, *Villié-Morgon, Fleurie,* Chénas (moulin-à-vent), *Juliénas,* etc. • 10 km N.-O., Saint-Julien : petit musée ds la maison natale du physiologiste Claude Bernard; à 3 km, pittoresque village de Salles, église romane XIIe et restes d'un prieuré clunisien; belle salle capitulaire XVe décorée de fresques. • 10 km O., près de *Rivolet :* château de Montmelas, ruines de 2 enceintes crénelées avec portes, poternes et tours carrées; chapelle XIVe (on ne visite pas).

Villeneuve-lès-Avignon : ***dominant les toits, l'enceinte du Fort Saint-André, est typique de l'architecture militaire du Moyen Age.***

Villemagne
34 - Hérault 42 - D 1
Petite ville anc., construite autour d'une abbaye fondée par Charlemagne. Église Saint-Majan, anc. abbatiale XIIIe-XIVe, abside fortifiée. Anc. église paroissiale Saint-Grégoire (désaffectée) de pur style roman XIIe. Maison romane, dite hôtel des Monnaies. Remparts XIIIe.
Environs • 4 km O., Taussac, dominé par de curieux rochers divisés verticalement, dits orgues de Taussac. • A l'E., *Bédarieux* (église XVe-XVIe) et la vallée de l'*Orb,* vers Avène et le barrage au N. • 5 km S.-O., **Lamalou-les-Bains***.

Villemaur-sur-Vanne
10 - Aube 12 - B 3
L'église XIIIe et XVIe, avec un curieux clocher en bois à 3 toitures superposées et emboîtées, abrite un remarquable jubé en bois, gothique et Renaissance, très ouvragé; les panneaux représentent des scènes de la vie de la Vierge et de la Passion.
Environs • 4 km S., *Aix-en-Othe;* ds l'église, le chœur Renaissance est décoré en trompe-l'œil. • 13 km O., *Villeneuve-l'Archevêque,* église XIIe, XIIIe et XVIe, portail XIIIe avec tympan sculpté consacré à la Vierge; à l'int., sculptures XVIe de l'École troyenne, remarquable saint sépulcre de 1528. • 12 km S.-O., *Rigny-le-Ferron :* ds l'église, très belle «Mise au tombeau» à 3 personnages déb. XVIe.

Villeneuve-lès-Avignon
30 - Gard 37 - D 3
Venant d'**Avignon***, le *Rhône* franchi, la route passe au pied de la tour de Philippe le Bel XIVe (on vis.), haute de 32 m et dominant le fleuve de 60 m; du sommet, très belle vue. Sur la plage centrale église Notre-Dame, anc. collégiale XIVe; à l'int. nombreuses œuvres d'art, très riche maître-autel en marbre avec bas-relief du Christ au tombeau; ds la sacristie, célèbre Vierge d'ivoire polychrome déb. XIVe, l'un des chefs-d'œuvre de la sculpture française; cloître gothique. Le musée de l'Hospice (vis. ts les j. sauf mardi) possède un autre chef-d'œuvre du Moyen Age, le *Couronnement de la Vierge* peint par Enguerrand Charonton mil. XVe. Par la rue de la République (n° 45, hôtel de Conti, porte monumentale XVIIe; n° 53, anc. palais du cardinal de Thury v. 1400) on atteint la chartreuse du Val de Bénédiction (vis. ts les j. sauf mardi); ds l'église XIVe, tombeau d'Innocent VI avec gisant en marbre blanc; salle capitulaire, petit cloître gothique, cour des sacristains (puits et escalier pittoresque), élégant lavabo recouvert d'une coupole XVIIe; la chapelle pontificale conserve d'importantes fresques XIVe, en partie dégradées; grand cloître Saint-Jean avec rotonde octogonale et fontaine XVIIIe.
• Prendre la montée du Fort vers le fort Saint-André, vaste enceinte dont la superbe porte d'entrée est flanquée de 2 imposantes tours

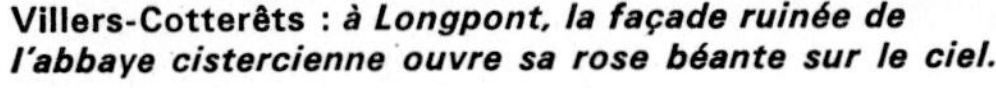

Villers-Cotterêts : ***à Longpont, la façade ruinée de l'abbaye cistercienne ouvre sa rose béante sur le ciel.***

Vitré : ***l'imposante forteresse médiévale est défendue par un châtelet solidement fortifié.***

jumelles; elle englobe l'abbaye bénédictine de Saint-André, dont il subsiste un porche d'entrée et un vaste bâtiment XVIIe (vis. des jardins et terrasses ts les j.); charmante chapelle Notre-Dame-de-Belvézet romane XIIe (on vis.) et restes du bourg Saint-André; de la grande terrasse, belle vue sur **Avignon***, le Ventoux, les **Alpilles***, le **Lubéron*** (ts les j. de 9 à 18 h).

Villeneuve-sur-Lot
47 - Lot-et-Garonne 35 - C 2
Anc. bastide mil. XIIIe; il en reste la porte de Paris, XIIIe et XVe, percée sous une tour carrée, la porte de Pujols, et la place La Fayette entourée de « cornières ». Vieilles maisons pittoresques sur le Lot, franchi par le Pont-Vieux XIIIe.
Environs • 1 km S.-O., Pujols, anc. bourg fortifié; 2 églises, Saint-Nicolas, XVIe, et Sainte-Foy-la-Grande (désaffectée), à l'int., fresques XVe-XVIe; maisons anc. à pans de bois.

Villeneuve-sur-Yonne
89 - Yonne 19 - A 1
Anc. bastide dont il reste 2 portes fortifiées gothiques. Église Notre-Dame XIIIe (chœur), XIVe (nef) et XVIe, avec une belle façade richement ornée de la Renaissance. Seul vestige du château, la tour Louis-le-Gros, robuste donjon cylindrique XIIe.
Environs • 4 km N., château de Passy XVIIe, jardins dessinés par Le Nôtre. • 5 km S., près d'Armeau, château de Palteau, de style Louis XIII, où l'on visite la chambre du « Masque de fer »; à 3 km S.-O., *Saint-Julien-du-Sault,* église XIIIe-XIVe remaniée au XVIe; chapelle de l'anc. château de Vauguillain (belle vue sur la vallée de l'*Yonne*). • 10 km E., *Dixmont,* église romane et gothique.

Villequier
76 - Seine-Maritime 4 - D 3
Charmant petit village sur la rive dr. de la *Seine* ds un site attachant. Ds le cimetière entourant l'église rustique reposent Léopoldine Hugo, fille du poète (morte noyée avec son mari non loin de là, en 1843), Adèle Hugo, « femme de Victor Hugo » et la famille Vacquerie dont la maison a été transformée en musée Victor-Hugo. La statue du poète a été érigée près du lieu de l'accident.

Villeréal
47 - Lot-et-Garonne 35 - C 1
Anc. bastide XIIIe avec place centrale à « cornières » et balcons de bois. Au-dessus des halles, soutenues par des piliers de bois, mairie. Imposante église fortifiée XIIIe-XIVe, portail gothique.

Villers-Cotterêts
02 - Aisne 6 - A 3
Le château Renaissance est un superbe édifice (aujourd'hui maison de retraite, vis. ts les j.) dont la façade à loggia et la chapelle sont particulièrement remarquables; parc dessiné par Le Nôtre. Musée Alexandre-Dumas.
Environs • *Forêt de Villers-Cotterêts* et vallée de l'*Automne.* 7 km O., *Vez :* église XIIe-XIIIe et superbe château XIVe bâti au sommet d'une colline boisée, et dont l'imposant donjon de 27 m abrite le musée du Valois (vis. les dim. et mercr.); à 2 km O., abbaye de Lieu-Restauré, fondée au XIIe, vestiges de l'église XVe (belle rose flamboyante). • 11,5 km E., abbaye de *Longpont,* ruines pittoresques (porte fortifiée XIVe, surmontée de 4 tourelles et restes de l'église).

Villiers-Saint-Benoît
Voir **Toucy*.** 19 - A 2

Vimoutiers
61 - Orne 10 - C 1
Principal centre du commerce de pommes et de fromages de Livarot et de Camembert.
Environs • A *Camembert* (4,5 km S.-O.), Marie Harel (statue) créa le célèbre fromage. • 3 km N. à Lisores, ferme-musée Fernand-Léger (vis. ts les j. sauf mercr.); au N., château de *Fervaques* XVIe-XVIIe, entouré de douves, belle porte fortifiée XVe (vis. ext. seulement).

Vincennes
94 - Val-de-Marne 11 - C 2
Imposante construction XIVe et

XVIIe; entouré d'une puissante enceinte rectangulaire que borde un large fossé, le château est dominé par un magnifique donjon carré de 52 m flanqué de 4 tourelles (vis. ts les j. sauf mardi), musée historique; à l'int. de l'enceinte, face au donjon, s'élève la gracieuse Sainte-Chapelle fin XIVe, achevée au XVIe, ornée d'admirables verrières XVIe; l'immense cour d'honneur est encadrée de 2 portiques parallèles et bordée à dr. par le pavillon du Roi, à g. par le pavillon de la Reine; entrée par la tour du Village, au sud, l'anc. tour du Bois donne sur l'esplanade du château.
Environs • Le bois de Vincennes couvre 934 ha (voir **Paris***). Au S.-E., *Joinville-le-Pont* (sur les 2 rives de la Marne, plage, canotage, guinguettes-restaurants); *Chennevières-sur-Marne,* situé sur des coteaux, de la terrasse magnifique panorama; le château d'Ormesson XVIIe-XVIIIe (on ne vis. pas); *Saint-Maur-des-Fossés* (église XIe-XIIIe avec tour romane), etc.; à Charenton-le-Pont, musée du Pain (Société auxiliaire de meunerie).

Vire
14 - Calvados 10 - A 1
Sur une colline entourée par la Vire. L'église Notre-Dame XIIIe, XIVe et XVe, en granit, et la tour de l'Horloge, XVe, surmontant une porte XIIIe, sont pratiquement les seuls vestiges du vieux Vire anéanti en 1944. De l'esplanade du Château, belle vue sur la vallée.
Environs • Les Vaux de Vire, vallées encaissées de la *Vire* et de la Virenne maintenant industrialisées.

Vitré
35 - Ille-et-Vilaine 9 - D 3
Bâtie sur un promontoire (au-dessus de la *Vilaine*) qui porte à son extrémité un magnifique château féodal, cette petite ville anc. n'a pratiquement pas changé depuis le Moyen Age. Le château XIIIe-XIVe et XVe, l'un des plus homogènes exemples bretons de l'architecture militaire médiévale, est flanqué de plusieurs tours imposantes et précédé d'un châtelet également fortifié (accès libre de la cour, vis. de l'int. ts les j. sauf mardi); un musée y est installé. Église Notre-Dame XVe et XVIe, richement ornée de pinacles, pignons, gargouilles, etc.; chaire ext. fin XVe sur le flanc dr., et portail Renaissance; ds la sacristie, triptyque composé de 32 émaux de Limoges XVIe. Tour des remparts par la promenade du Val.
Environs • 6 km S.-E., *château des Rochers* XIVe, XVIIe et XVIIIe; souvenirs de Mme de Sévigné (vis. ts les j.). • 9 km N.-O., *Champeaux,* l'église XVe et XVIe abrite plusieurs œuvres d'art Renaissance, notamment le mausolée monumental à 2 étages, en pierre et marbre polychromes de Guy d'Espinay, chef-d'œuvre de la sculpture du XVIe; château XVIe.

Vitry-le-François
51 - Marne 12 - C 2
Construite sur plan régulier par François-Ier, la ville a été rebâtie selon sa conception originale après sa destruction en 1940. Sur la place d'Armes, église Notre-Dame XVIIe-XVIIIe; l'hôtel de ville occupe l'anc. couvent des Récollets XVIIe.
Environs • 8 km N., *Saint-Amand-sur-Fion* (église intéressante).

Vitteaux
21 - Côte-d'Or 19 - C 3
Église fin XIIe, XIIIe et XIVe, beau portail avec vantaux sculptés, à l'int., intéressantes œuvres d'art. Ds la rue principale, maison Belime XIIIe. Halles remarquables XVe.
Environs • 3 km N., *Posanges,* le château mil. XVe, flanqué de 4 grosses tours et d'une porte fortifiée, a gardé l'aspect rébarbatif d'une forteresse médiévale (on ne vis. pas). • 12 km N.-N.-O., *Marigny-le-Cahouet,* château fin XIIe-déb. XIIIe, long quadrilatère aux

VIN D'ALSACE (route du)
67 - Bas-Rhin 14 - A 2 - 14 - A 3
68 - Haut-Rhin 21 - A 1
A **Thann*** rejoindre *Cernay* et prendre la D. 5 jusqu'à **Guebwiller***, *Soultzmatt,* Westhalten (village pittoresque), **Rouffach*** où l'on suit au N. la N. 83 jusqu'à *Pfaffenheim* puis, par les D. 1V et D 1, on atteint Husseren-les-Châteaux, le point le plus élevé du vignoble alsacien (380 m), dominé par les ruines des 3 tours d'*Eguisheim* (anc. bourg fortifié encore intact), Wettolsheim et **Colmar***. • La route du Vin serpente ensuite, à l'O. de la N. 83, par *Turckheim* (anc. ville fortifiée, nombreuses vieilles maisons); Niedermorschwihr, Ammerschwihr; **Kaysersberg***; *Mittelwihr; Beblenheim* où le coteau du Sonnenglanz donne des crus de grande qualité : muscat, tokay, sylvaner et riesling; **Riquewihr***, la « perle du vignoble », produit le célèbre riesling; *Hunawihr* (église fortifiée); **Ribeauvillé***, également réputé pour son traminer et son riesling; *Saint-Hippolyte.* • A *Kintzheim,* on emprunte la D. 35, par *Châtenois* (voir **Sélestat***) et *Dambach-la-Ville* (maisons à pans de bois, chapelle Saint-Sébastien XVe-XVIIe), jusqu'à **Andlau***. • La D. 62 conduit à Mittelbergheim (vignoble très réputé, jolies maisons Renaissance). • A **Barr***, qui produit le sylvaner, le riesling et surtout le gewurztraminer, on retrouve la D. 35 qui, par *Ottrott* (vins rouges; voir **Obernai***) et *Rosheim,* atteint **Molsheim***. • La route du Vin continue par Wangen, village viticole typique, d'où l'on gagne *Marlenheim,* terminus de la route.

La loggia de l'ancienne hôtellerie des Deux-Clefs à Turckheim, a conservé ses poutrelles sculptées.

angles flanqués de tours (on ne vis. pas); ds l'église, fresques et autel Renaissance.

Vittel
88 - Vosges 13 - B 3
L'établissement thermal, le casino et le palais des Congrès voisinent, à l'orée d'un parc de 150 ha qui comprend un important centre de loisirs (piscine, tennis, golf, etc.), un hippodrome, une piscine olympique, etc. L'établissement d'embouteillage est le plus moderne d'Europe (vis. ts les j. en saison).
Environs • 5,5 km S.-O., *Contrexéville,* station hydrominérale. • 19 km S.-E., *Darney,* petit musée franco-tchécoslovaque; à l'E., vaste *forêt domaniale de Darney* (magnifiques futaies); ruines de l'anc. abbaye de Droiteval, fondée au XIIe, église romane.

Viviers
07 - Ardèche 37 - D 2
Vieille ville épiscopale, bâtie sur un rocher isolé dominant le *Rhône,* le *défilé de Donzère* et l'usine Henri-Poincaré; elle mérite une longue flânerie à travers ses rues escarpées bordées de maisons anc. La cathédrale Saint-Vincent, d'origine romane, remaniée aux XIVe-XVe, est reliée par un portique à la tour clocher XIVe, élevée sur une porte d'enceinte XIe; ds le chœur, 6 tapisseries des Gobelins et stalles XVIIe. De la terrasse derrière le chevet, magnifique panorama. Sur la place de l'Hôtel-de-Ville, maisons des Chevaliers mil. XVIe; beaux hôtels Louis XV ds la Grand-Rue.
Environs • 2 km O., chapelle romane et tombeau de saint Ostian. • 2 km E., Châteauneuf-du-Rhône, vieux village dominé par les ruines du château de Montpensier XIIIe et vestiges de l'enceinte; maisons anc. XVIe et XVIIe. • 3 km S.-O., *défilé de Donzère.*

Vizille (château de)
38 - Isère 32 - B 3
Construction XVIIe, à la fois forteresse et résidence (ts les j.; Son et Lumière l'été). Le fronton de la porte d'honneur est orné d'une statue équestre du connétable de Lesdiguières (1622). La façade sur le parc est particulièrement imposante. A l'int. bel escalier d'honneur et pièces d'apparat (cheminées, meubles et tapisseries XVIIe).
Environs • 2 km S.-O., curieuse chapelle préromane Notre-Dame-de-Mésage IXe-Xe. • A l'E., gorges de la *Romanche,* très industrialisées; au S. de *Rochetaillée,* plaine d'Oisans et **Bourg-d'Oisans***, au N., route des **Grands Cols*** et **Saint-Jean-de-Maurienne***. • 9 km S., *Laffrey,* station d'altitude, et *lac de Laffrey;* la statue équestre de Napoléon évoque sa « rencontre » avec les troupes venues pour l'arrêter à son retour de l'île d'Elbe (7 mars 1815).

Zonza : *la forêt de l'Ospedale.*

Vizzavona
2 B - Corse 45 - C 2
Station touristique très bien équipée mais fermée en hiver malgré la proximité de la route et de la voie ferrée Ajaccio-Bastia. Belle forêt de pins laricio et de hêtres. Très bon centre d'excursions.
Environs • Par *Vivario,* au N., **Corte***. • A l'E., *Ghisoni,* le *défilé de l'Inzecca* et **Aleria***. • Au S.-O., par le *col de Vizzavona, Bocognano,* au cœur du fameux maquis, repaire des « bandits d'honneur », vers **Ajaccio***.

Voiron
38 - Isère 32 - B 2
Petite ville commerçante et industrielle. Vaste église Saint-Bruno XIXe, Saint-Pierre-de-Sermorens, reconstruite en 1920, conserve une crypte VIIIe et des chapelles XIVe. Distillerie et caves de la Grande-Chartreuse (vis. et distillation ts les j. sauf dim.).
Environs • 13 km N.-O., **Charavines-les-Bains*** et *lac de Paladru.* • A l'E. : **Grande-Chartreuse***.

Vouvant
85 - Vendée 23 - A 2
Pittoresque bourg fortifié bâti sur un promontoire entouré par un méandre de la Mère. Vestiges du château féodal, donjon fin XIIe, haut de 30 m, dit « tour Mélusine » (du sommet, belle vue). Église romane XIe-XIIe; la façade du croisillon N. offre une décoration sculptée remarquable.
Environs • Au S., forêt de Vouvant (2 315 ha), très pittoresque. • 8,5 km S.-E., *Foussais,* intéressante église XVe avec une remarquable façade romane sculptée. • 9 km S., *Mervent,* sur un promontoire escarpé au centre de la forêt de Vouvant, ds un site admirable, le barrage de *Mervent,* sur la *Vendée,* a créé un vaste plan d'eau (plage, petit parc zoologique à 3 km); du calvaire dominant la gorge de la Mère, à 4,5 km N.-O., on atteint la grotte de saint Grignion de Montfort (pèlerinage); pittoresque site de Pierre-Brune, ds un cirque rocheux.

Wissembourg
67 - Bas-Rhin 14 - B 1
Il faut flâner dans les quartiers anc. dont les maisons à pans de bois et les rues étroites évoquent, notamment ds le quartier du Bruch, l'Alsace de « l'Ami Fritz ». Vaste église gothique Saint-Pierre-et-Saint-Paul XIIIe, tour romane et galerie de cloître XIVe abritant des tombes d'abbés. Musée Westercamp, ds une maison XVIe (coll. d'art, d'archéologie et d'histoire locale). Promenade des remparts. Nombreuses maisons anc. sur les bords de la Lauter et le canal du Bruch (hôtel Vogelsberger XVIe).
Environs • 3 km S., colline du Gelsberg (243 m). • De *Lembach,* à 15 km S.-O., on peut faire l'excursion (7 km N.) du *château de Fleckenstein* XIIIe, dont les ruines occupent une position stratégique remarquable; *Obersteinbach* (10 km O.) est dominé par les ruines du château du Petit-Arnsbourg sur une arête rocheuse; ruines de plusieurs châteaux.

Yeu (île d')
85 - Vendée 22 - A 1
Longue de 9,5 km, la côte atlantique est découpée en criques et promontoires pittoresques. • *Port-Joinville,* port de pêche et station balnéaire colorée; maison Luco, où est mort le maréchal Pétain (1951), inhumé au cimetière. 4 km S.-O., ruines fantastiques du Vieux-Château XIe, XIVe, XVe, sur un rocher battu par l'Océan. Calvaire des marins, presqu'île du Châtelet et plage des Sabias. • 4 km S.-E. *Port-de-la-Meule;* ds les env. la « Pierre Tremblante » surplombant « La Taillée ».

Yssingeaux
43 - Haute-Loire 31 - C 3
Intéressant hôtel de ville, installé ds un élégant manoir fin XVe, couronné de mâchicoulis et de créneaux. A 5 mn, au N., une butte de 922 m offre une vue étendue sur les sommets volcaniques du massif du *Meygal.*
Environs • 13 km N.-O., *Retournac;* point de départ des circuits des *gorges de la Loire* en aval et en amont (voir **Le Puy***, **Monistrol-sur-Loire*** et **Saint-Étienne***). • 19 km S.-E., *Tence,* bourg pittoresque aux toits de lauzes grises; église XVIIe, à l'int., chœur gothique XVe et stalles sculptées XVIIe; à 9 km S., *Le Chambon-sur-Lignon :* station estivale, plage sur le *Lignon.*

Zonza
2 A - Corse 45 - C 2
Station estivale d'altitude (764 m), entourée de forêts, bâtie en terrasse au-dessus de la vallée de l'Asinao.
Environs • 9 km N.-E., *col de Bavella* (1 243 m) ds un site grandiose; vaste panorama dominé au N. par les fantastiques murailles rouges des *Aiguilles de Bavella.* • 15,5 km O., *Serra-di-Scopamène* et le col de la Serra (937 m).

GASTRONOMIE ET TOURISME

Un guide des voyages ne serait pas vraiment complet s'il ne donnait pas un aspect assez particulier mais important du tourisme français : la gastronomie. Et, parmi les innombrables richesses gastronomiques de la France, deux "joyaux", les fromages et les vins. Pour compléter l'Atlas routier, pour préparer vos étapes, vous consulterez le tableau des distances. Vous trouverez aussi dans les annexes une sélection d'adresses de syndicats d'initiative, pour vous aider à votre arrivée dans une ville. Et pour savoir d'où vient la voiture que vous croisez, regardez la liste des immatriculations.

LES FROMAGES

Pour mieux les connaître

La France produit une telle diversité de fromages que le profane s'y perd. Il est intéressant de connaître la classification par familles et les principales régions de production. La liste présentée ici, par régions, n'est pas exhaustive mais représente un choix assez large parmi les principaux fromages que l'on peut "rencontrer" au cours d'un voyage.

LES GRANDES FAMILLES DE FROMAGES

I. Les fromages à pâte molle

Leur nom provient de ce qu'ils sont en général assez souples. Leur forme est variable selon leur origine. C'est la famille de fromages la plus importante. Il en existe trois variétés :

a) *Les fromages à croûte fleurie* (moisissures blanches qui fleurissent sur la croûte : Brie, Camembert, Chaource, Pyramides, etc.).

b) *Les fromages à croûte lavée,* soumis à des lavages périodiques pour équilibrer l'humidité interne (croûte lisse allant du jaune au rouge : Boulette d'Avesnes, Epoisses, Langres, Livarot, Reblochon, Vacherin, etc.).

c) *Les fromages à croûte naturelle,* à pâte tendre que l'on fait égoutter et sécher : ce sont souvent des fromages de chèvre.

II. Les fromages à pâte pressée, non cuite

La pâte de ces fromages a subi diverses fermentations et l'égouttage se fait par pression mécanique. Leur forme va du cylindre à la boule plus ou moins aplatie : les tommes, le Cantal, le Saint-Nectaire, etc.

III. Les fromages à pâte dure, pressée, cuite

Ils ont été cuits puis pressés et sont de grand format, à croûte naturelle dure et résistante : Emmenthal, Comté, Beaufort, etc.

IV. Les fromages à pâte persillée

Ce sont des fromages à pâte molle, ni pressés, ni cuits. Les moisissures internes proviennent, en général, de souches de Penicillium ensemencées dans le caillé. La dénomination Bleu sans autre indication est appliquée à des fromages à pâte persillée fabriqués avec du lait de vache. Il existe 2 sortes de fromages à pâte persillée :

a) *Les Bleus à croûte naturelle* sèche présentés sous étiquette de marque : Bleu de Bresse, Fourme d'Ambert, Chevrotin persillé des Aravis, etc.

b) *Les Bleus à croûte amincie par brossage :* Bleu d'Auvergne, Bleu des Causses, Roquefort, etc.

V. Les pâtes fondues

Ce sont des produits de la fonte d'un fromage additionné d'autres produits laitiers avec ou sans adjonction d'aromates : crème de gruyère, fondu aux noix, fondu aux raisins, etc.

PRINCIPALES RÉGIONS DE PRODUCTION

Savoie - Dauphiné - Alpes

Nature du fromage	Nature de la pâte	Nature du lait
Beaufort Savoie et Dauphiné	pâte pressée cuite	vache
Bleu de Sassenage Dauphiné	pâte persillée	vache
Bleu de Saint-Foy Savoie	pâte persillée	vache
Chevrotin Savoie	pâte pressée non cuite	chèvre
Chevrotin persillé des Aravis Savoie	pâte persillée	chèvre
Emmenthal Savoie	pâte pressée cuite	vache
Fondu aux raisins Savoie	pâte fondue	vache
Haute-Luce ou Grataron Savoie	pâte molle à croûte naturelle	chèvre
Picodon de Dieulefit Dauphiné	pâte molle à croûte naturelle	chèvre
Persillé de Savoie Savoie	pâte persillée	vache
Reblochon Savoie	pâte molle à croûte lavée	vache

Nature du fromage	Nature de la pâte	Nature du lait
Saint-Marcellin Dauphiné	pâte molle à croûte naturelle	vache
Tamié Savoie	pâte molle à croûte lavée	vache
Tignard Savoie	pâte persillée	vache
Tomme au marc Savoie	pâte pressée à croûte lavée	vache
Tomme de Praslin Savoie	Pâte pressée non cuite et lavée	chèvre
Tomme de Romans Dauphiné	pâte molle à croûte naturelle	vache
Tomme de Savoie Savoie	pâte pressée non cuite	vache
Vacherin Savoie	pâte molle à croûte lavée	vache
Vacherin des Bauges Savoie	pâte molle à croûte lavée	vache
Vacherin d'Abondance Savoie	pâte molle à croûte lavée	vache

Franche-Comté

Bleu de Bresse	pâte persillée	vache
Bleu du Haut-Jura (Gex. Septmoncel)	pâte persillée	vache
Comté	pâte pressée cuite	vache
Gruyère de Comté	pâte pressée cuite	vache
Morbier	pâte pressée cuite	vache
Vacherin de Joux	pâte molle à croûte lavée	vache
Vacherin Mont-d'Or	pâte molle à croûte lavée	vache

Champagne - Bourgogne

Bouton de Culotte Bourgogne	pâte molle à croûte naturelle	chèvre
Carré de l'Est Champagne	pâte molle à croûte fleurie	vache
Cendrés Bourgogne	pâte molle à croûte naturelle	vache
Chaource Champagne	pâte molle à croûte fleurie	vache
Charolles Bourgogne	pâte molle à croûte naturelle	chèvre chèvre-vache
Cîteaux Bourgogne	pâte pressée non cuite	vache
Epoisses Bourgogne	pâte molle à croûte lavée	vache
Langres Champagne	pâte molle à croûte lavée	vache
Mâcon Bourgogne	pâte molle à croûte naturelle	chèvre
Saint-Florentin Bourgogne	pâte molle à croûte lavée	vache
Séguin Bourgogne	pâte molle à croûte naturelle	chèvre
Soumaintrain Bourgogne	pâte molle à croûte lavée	vache
Vézelay Bourgogne	pâte molle à croûte naturelle	chèvre

Alsace-Lorraine

Carré de l'Est Lorraine	pâte molle à croûte fleurie	vache
Géromé Lorraine	pâte molle à croûte lavée	vache
Munster Alsace	pâte molle à croûte lavée	vache

Bretagne

Campénéac	pâte pressée non cuite	vache
Nantais dit «du Curé»	pâte pressée non cuite	vache

Normandie

Bondon de Neufchâtel	pâte molle à croûte fleurie	vache
Bricquebec	pâte pressée non cuite	vache
Camembert	pâte molle à croûte fleurie	vache
Cœur de Bray	pâte molle à croûte fleurie	vache
Gournay	pâte molle à croûte fleurie	vache
Livarot	pâte molle à croûte lavée	vache
Pavé d'Auge	pâte molle à croûte lavée	vache
Pont-l'Evêque	pâte molle à croûte lavée ou affinée	vache

Ile-de-France - Orléanais - Pays de Loire

Brie de Coulommiers Ile-de-France	pâte molle à croûte fleurie	vache
Brie de Meaux Ile-de-France	pâte molle à croûte fleurie	vache
Brie de Melun Ile-de-France	pâte molle à croûte naturelle	vache
Brie de Montereau Ile-de-France	pâte molle à croûte naturelle	vache
Chécy Orléanais	pâte molle à croûte naturelle bleu ou cendré	vache
Feuille de Dreux Ile-de-France	pâte molle à croûte fleurie	vache
Gien Orléanais	pâte molle à croûte naturelle	chèvre-vache
Maquelines Ile-de-France	pâte molle à croûte fleurie	vache
Olivet Orléanais	pâte molle à croûte naturelle bleu ou cendré	vache
Pithiviers ou Pithiviers au foin Orléanais	pâte molle à croûte naturelle	vache
Pyramide Pays de Loire	pâte molle à croûte fleurie	chèvre
Saint-Benoist Orléanais	pâte molle à croûte naturelle bleu ou cendré	vache
Selles-sur-Cher Orléanais	pâte molle à croûte naturelle	chèvre
Valençay Pays de Loire	pâte molle à croûte fleurie	chèvre
Vendôme Orléanais	pâte molle à croûte fleurie bleu ou cendré	vache
Villebarou Pays de Loire	pâte molle à croûte naturelle bleu ou cendré	vache

Flandres - Artois - Picardie

Boulette d'Avesnes Flandres	pâte molle à croûte lavée	vache
Boulette de Cambrai Flandres	pâte molle à croûte lavée	vache
Gris de Lille Flandres, Artois	pâte molle à croûte lavée	vache
Maroilles Flandres, Hainault	pâte molle à croûte lavée	vache
Mimolette Flandres	pâte pressée non cuite	vache
Mont des Cats Flandres	pâte pressée non cuite	vache
Rollot Picardie	pâte molle à croûte lavée	vache
Vieux Lille Flandres	pâte pressée non cuite	vache

Auvergne - Rouergue - Quercy - Causses

Bleu d'Auvergne	pâte persillée	vache
Bleu des Causses	pâte persillée	vache
Bleu de Laqueuille Auvergne	pâte persillée	vache
Bleu du Quercy	pâte persillée	vache
Cabécou Quercy	pâte molle à croûte naturelle	chèvre
Cantal Auvergne	pâte pressée non cuite	vache
Echourgnac Guyenne	pâte pressée non cuite	vache
Fourme d'Ambert Auvergne	pâte persillée	vache
Fourme de Salers	voir Cantal	
Fourme de Laguiole Auvergne	pâte pressée non cuite	vache
Caperon ou Gapron Auvergne	pâte pressée non cuite	vache
Murols ou Murol Auvergne	pâte pressée non cuite	vache
Pélardon Vivarais	pâte molle à croûte naturelle	chèvre
Picodon de St-Agrève Vivarais	pâte molle à croûte naturelle	chèvre
Rocamadour Quercy	pâte molle à croûte naturelle	brebis-chèvre
Roquefort Causses	pâte persillée	brebis
Saint-Nectaire Auvergne	pâte pressée non cuite	vache
Salers Hte Montagne Auvergne	pâte pressée non cuite	vache
Savaron Auvergne	pâte pressée non cuite	vache

Lyonnais

Fourme de Montbrison	pâte persillée	vache
Mont-d'Or	pâte molle à croûte naturelle	vache
Rigotte	pâte molle à croûte naturelle	vache

Berry - Touraine - Poitou

Bougon Poitou	pâte molle à croûte fleurie	chèvre
Chabichou Poitou	pâte molle à croûte naturelle	chèvre
Crottin de Chavignol Berry	pâte molle à croûte naturelle	chèvre
Levroux Berry	pâte molle à croûte naturelle	chèvre
Mothais Poitou	pâte molle à croûte naturelle	chèvre
Pouligny-St-Pierre Berry	pâte molle à croûte naturelle	chèvre
Pyramide Poitou-Charentes	pâte molle à croûte fleurie	chèvre
Ruffec Poitou	pâte molle à croûte naturelle	chèvre
Sainte-Maure Touraine	pâte molle à croûte naturelle	chèvre
Saint-Maixent Poitou	pâte molle à croûte naturelle	chèvre
Sancerre Berry	pâte molle à croûte naturelle	chèvre
Valençay Poitou-Charentes	pâte molle à croûte fleurie	chèvre

Provence

Banon de Provence	pâte molle à croûte naturelle	brebis, vache ou chèvre
Poivre-d'âne	pâte molle à croûte naturelle	chèvre-vache
Tome d'Arles	pâte molle à croûte naturelle	brebis

Corse

Asco	pâte molle à croûte naturelle	brebis-chèvre ou chèvre
Bleu de Corse	pâte persillée	brebis
Brocciu	pâte molle à croûte naturelle	brebis-chèvre
Niolo	pâte molle à croûte naturelle	brebis-chèvre

Béarn - Pays Basque

Arnégui Béarn	pâte pressée non cuite	brebis
Fromage des Pyrénées	pâte pressée non cuite	vache
Irraty Pays basque	pâte pressée non cuite	brebis
Laruns Béarn	pâte pressée non cuite	brebis

Autres fromages faits en France sans région spécifique

Cheddar français	pâte pressée non cuite	vache
Crème de gruyère	fromage fondu	vache
Edam français	pâte pressée non cuite	vache
Fondu aux noix	fromage fondu	vache
Fromage fondu	fromage fondu	vache
Fromage à tartiner	fromage fondu	vache
Gouda français	pâte pressée non cuite	vache
Port-Salut	pâte pressée non cuite	vache
Saingorlon	pâte persillée	vache
Saint-Paulin	pâte pressée non cuite	vache

Quel vin boire avec les fromages ?

Pâtes molles à croûte fleurie	*Vins rouges légers*
Pâtes molles à croûte lavée	*Vins rouges corsés*
Pâtes molles à croûte naturelle	*Vins blancs secs et fruités*
Pâtes pressées non cuites	*Vins blancs, rosés ou rouges légers et secs*
Pâtes dures, pressées, cuites	*Vins blancs ou rosés secs*
Pâtes persillées	*Vins rouges corsés, vins blancs liquoreux*
Pâtes fondues	*Vins blancs ou rosés légers et secs*

LES VINS

Appellation contrôlée, grand cru, vin de table... autant d'expressions figurant sur les étiquettes de nos bouteilles et qui sont souvent des énigmes pour le profane. De plus, chaque région viticole a sa personnalité, ses rites, son langage et sa manière de faire connaître, sur son étiquette, ses meilleurs vins. Le Bordelais a ses châteaux, la Bourgogne ses villages, l'Alsace ses cépages, etc. Les étiquettes sont multiples, le goût diversifié et l'amateur... perplexe. Pour éclairer un peu cet amateur, voici quelques explications, en introduction à une invitation au voyage dans le vignoble français.

On peut distinguer quatre catégories de vins :

les vins ordinaires ou vins de table;

les vins de pays, qui doivent provenir de cépages définis, sont soumis à une dégustation et à une analyse et ne doivent pas résulter d'un coupage;

les vins délimités de qualité supérieure, qui doivent provenir d'un terroir défini, se plier à certaines règles (cépages, degré minimal, rendement maximal), analyse et dégustation donnant le label V.D.Q.S.;

les appellations d'origine contrôlée (A.O.C.) qui répondent à des normes de qualité, d'aires de production, d'encépagement, de rendement à l'hectare, etc.

Tout cela strictement défini par la loi.

Quant aux bonnes années, il faut se garder d'être trop péremptoire. Voici cependant, communiquées par le Comité national des vins de France, et à titre indicatif, quelles sont, en général, les bonnes ou très bonnes années des vins de France :
1945 - 1947 - 1949 - 1952 - 1953 - 1955 - 1957 - 1959 - 1961 - 1962 - 1964 - 1966 - 1967 - 1969 - 1970 - 1971 - 1975 (bordeaux) - 1976 - 1978 - 1979 - 1982 - 1983.

PRINCIPALES APPELLATIONS D'ORIGINE CONTRÔLÉE

Bordeaux

Le vignoble s'étend sur 140 000 hectares. Il se situe entièrement dans le département de la **Gironde** et compte 3 000 châteaux dont 300 "grands".

Pour mériter le nom de *château*, un vin doit bénéficier d'une appellation d'origine, provenir d'une exploitation viticole définie; le raisin doit être vinifié au château même. Lorsque le vin est mis en bouteille au château, il porte sur l'étiquette mention "mise en bouteille au château" ou "mise du (ou au) château".

L'étiquette du vin de Bordeaux comprend obligatoirement le nom de l'appellation d'origine contrôlée et, le plus souvent, le nom du château, l'indication du classement, le millésime, la "mise au château", le nom et l'adresse du négociant.

Les appellations génériques couvrent toute la Gironde viticole. Ce sont : Bordeaux, Bordeaux supérieur (blanc et rouge), Bordeaux rosé ou Bordeaux clairet et Bordeaux mousseux.

Principales appellations, châteaux classés en premiers crus

Vins rouges

Médoc

Appellation régionale : Médoc et Haut-Médoc.

Appellations communales : Listrac, Margaux, Moulis, Pauillac, Saint-Estèphe, Saint-Julien.

Graves

Premier grand cru classé : Château-Haut-Brion.

Saint-Emilion

Appellations d'origine contrôlée : Saint-Emilion, Lussac-Saint-Emilion, Montagne-Saint-Emilion, Parsac-Saint-Emilion, Puisseguin-Saint-Emilion, Saint-Georges-Saint-Emilion.

Premiers crus classés : Château-Ausone, Château-Cheval-Blanc, Château-Beauséjour, Château-Belair, Château-Canon, Clos-Fourtet, Château-Figeac, Château-La-Gaffellière, Château-Magdelaine, Château-Pavie, Château-Trottevieille.

Pomerol

Appellations d'origine contrôlée : Pomerol, Lalande-de-Pomerol.

Cru exceptionnel : Château-Pétrus.

Côtes-de-Fronsac, Canon-Fronsac, Côtes-de-Bourg, Bourgeais, Blaye (Blayais), Premières-Côtes-de-Blaye, Premières-Côtes-de-Bordeaux, Bordeaux-Côtes-de-Castillon.

Vins blancs liquoreux
Sauternes, Barsac
Premier grand cru : Château d'Yquem.

Sainte-Croix-du-Mont, Loupiac, Cérons, Graves, Graves-Supérieurs, Graves-de-Vayres, Premières-Côtes-de-Bordeaux.

Vins blancs secs
Entre-Deux-Mers, Bordeaux, Bordeaux-Supérieur, Blaye (Blayais), Côtes-de-Blaye, Côtes-de-Bordeaux-Saint-Macaire, Bourgeais, Côtes-de-Bourg, Sainte-Foy-Bordeaux.

Bourgogne

L'ensemble du vignoble bourguignon, produisant des vins d'appellation d'origine contrôlée, est officiellement dénommé Bourgogne viticole et s'étend sur quatre départements : l'**Yonne** (région de Chablis), la **Côte-d'Or** (côte de Nuits et côte de Beaune), la **Saône-et-Loire** (région de Mercurey ou côte chalonnaise et Mâconnais), le **Rhône** (Beaujolais).
Il y a, en Bourgogne, ***113 appellations d'origine contrôlée.***

Les appellations génériques
Les vins sont récoltés dans tout le vignoble bourguignon et ont droit partout à la même appellation : Bourgogne, Bourgogne Passe-Tout-Grain, Bourgogne aligoté, Bourgogne ordinaire ou Bourgogne-grand-ordinaire, Crémant de Bourgogne.

Les grands crus
Leur nom suffit à les désigner (Chambertin, Musigny, Corton, Richebourg, Clos-de-Vougeot, Montrachet, etc.). Il ne faut pas confondre le nom de grand cru et celui du village, le premier étant supérieur au second (Chambertin et Gevrey-Chambertin, Corton et Aloxe-Corton, etc.).
Quant aux grands vins, ils portent sur leurs étiquettes la mention "premier cru", précédée d'un nom de village.

Principales appellations d'origine régionale et communale

Basse-Bourgogne
Chablis : Chablis grand-cru, Chablis, Petit-Chablis (blancs).

Côte-d'Or
Côte-de-Nuits : Fixin, Gevrey-Chambertin, Morey-Saint-Denis, Chambolle-Musigny, Vougeot, Vosne-Romanée, Nuits-Saint-Georges (rouges mais Musigny a aussi des blancs).
Côte-de-Beaune : Ladoix, Aloxe-Corton, Pernand-Vergelesse, Savigny, Chorey-les-Beaune, Beaune, Pommard, Volnay, Monthélie, Auxey-Duresses, Saint-Romain, Meursault (blancs), Blagny (rouges et blancs), Puligny-Montrachet, Chassagne-Montrachet (rouges et blancs), Saint-Aubin (rouges et blancs), Saintenay (rouges), Cheilly-lès-Maranges, Dezize-lès-Maranges, Sampigny-lès-Maranges (rouges et blancs).

Côte chalonnaise ou région de Mercurey
Mercurey (rouges et blancs), Givry (rouges), Rully (blancs, rouges).

Mâconnais
Mâcon, Mâcon supérieur (ou Mâcon suivi du nom de la commune, blancs, rouges, rosés), Mâcon-Villages.
Crus principaux : Pouilly-Fuissé, Pouilly-Vinzelles, Pouilly-Loché.

Beaujolais
Beaujolais, Beaujolais supérieur, Beaujolais-Villages.
Crus principaux : Brouilly, Chénas, Chiroubles, Côtes-de-Brouilly, Fleurie, Juliénas, Morgon, Moulin-à-Vent, Saint-Amour.

Alsace

Le vignoble s'étend sur 120 km de longueur et intéresse une centaine de communes.
Les vins d'Alsace sont toujours présentés dans une bouteille typique, la flûte d'Alsace, qui leur est réservée par la réglementation et sont obligatoirement mis en bouteille dans la région de production. Ils ne portent pas le nom de leur terroir d'origine (sauf rares exceptions) mais celui des cépages dont ils sont issus.
Ces cépages comptent 6 blancs et 1 rosé : **sylvaner, pinot blanc, riesling, muscat d'Alsace, tokay d'Alsace, gewurztraminer** (blancs), **pinot noir** (rosé).
L'étiquette porte, en général, les mentions suivantes : Appellation Alsace ou Vin d'Alsace contrôlée ; nom et adresse du propriétaire viticulteur, de la cave coopérative, du producteur-négociant ou du négociant ; indication du cépage. Elle peut avoir aussi la marque commerciale du clos, domaine ou château. Pour les grands crus, l'indication du millésime est obligatoire.

Appellations génériques
Alsace ou vin d'Alsace, suivi du nom du cépage, Alsace-Grand cru ou Grand vin, Edelzwicker.

Champagne

Le vin de Champagne ne porte pas sur son étiquette le nom de son terroir d'origine mais le nom du négociant qui procède à la vinification. Les vendeurs propriétaires qui font eux-mêmes leur vin sont appelés "récoltants-manipulants".
La zone viticole, déterminée par la nature du sol, est, en outre, délimitée par la loi : 24 000 ha. Elle s'étend sur trois régions de production. ***Les appellations contrôlées sont :*** **Champagne, Coteaux champenois, Les Riceys.**

Région de production, principaux crus

Vallée de la Marne
Epernay, Ay, Mareuil, Dizy, Cumières, Hautvillers.
Montagne de Reims
Verzenay, Verzy, Mailly, Sillery, Louvois, Beaumont, Ambonnay, Bouzy.
Côte des Blancs
Cramant, Avize, Oger, Le-Mesnil-sur-Oger, Vertus.

La règle générale est de vinifier en blanc, selon la méthode champenoise, mais quelques communes font du vin "tranquille" (non mousseux). *Rouges :* Bouzy, Cumières, Villedommange. *Rosés :* Les Riceys.

Côtes du Rhône

Le vignoble des Côtes du Rhône s'étend sur 200 km et peut se diviser du Nord au Sud en trois régions. Les ***appellations d'origine régionale*** sont : Côtes-du-Rhône (souvent suivies du nom de la commune) et Côtes-du-Rhône-Villages.

Régions de productions, principales appellations contrôlées

Côtes du Rhone septentrionales, rive droite
Côte-Rôtie (rouges), Château-Grillet (blancs), Condrieu (blancs), Saint-Joseph (blancs et rouges), Cornas (rouges), Saint-Péray (blancs), Saint-Péray-Mousseux (blancs).
Côtes du Rhône septentrionales, rive gauche
Hermitage, Crozes-Hermitage (blancs et rouges), Clairette-de-Die, Châtillon-en-Diois (blancs).
Côtes du Rhône méridionales
Châteauneuf-du-Pape (rouges et blancs) rive gauche, Tavel (rosés) rive droite, Lirac (rosés, rouges) rive droite, Gigondas (blancs, rouges, rosés), Coteaux-du-Tricastin, Côtes-du-Ventoux (blancs, rouges, rosés) rive gauche.

Jura-Savoie

Principales appellations

Côtes-du-Jura (blancs, rouges, rosés, jaunes), Vin-de-Savoie (blancs, rouges, rosés), Arbois (blancs, rouges, rosés, jaunes), Arbois-Mousseux (blancs, rouges rosés), Arbois-Pupillon (blancs, rouges, rosés, jaunes), Château-Chalon (jaunes), Côtes-du-Jura-Mousseux (blancs, rouges, rosés), L'Etoile (blancs, jaunes), L'Etoile-Mousseux (blancs), Crépy (blancs), Vin-de-Savoie-Mousseux, Vin-de-Savoie-Pétillant (blancs), Roussette-de-Savoie (blancs), Seyssel (blancs), Seyssel-Mousseux (blancs).

Val de Loire

Principales appellations contrôlées

Muscadet
Muscadet, Muscadet-de-Sèvre-et-Maine, Muscadet-des-Coteaux-de-la-Loire (blancs).
Anjou - Saumur
Anjou (blancs, rouges), Rosé-d'Anjou, Anjou-Coteaux-de-la-Loire (blancs). Coteaux-de-l'Aubance (blancs), Coteaux-du-Layon (blancs), Cabernet-d'Anjou (rosés), Anjou-Mousseux (blancs, rosés), Saumur-Mousseux (blancs), Anjou-Pétillant (blancs), Rosé-d'Anjou-Pétillant, Saumur-Pétillant (blancs), Coteaux-de-Saumur (blancs), Saumur (blancs, rouges), Anjou-Gamay (rouges, rosés), Saumur-Champigny (rouges), Savennières, Bonnezeaux, Quarts-de-Chaume (blancs), Rosé-de-Loire.

Touraine
Chinon (blancs, rouges, rosés), Bourgueil et Saint-Nicolas-de-Bourgueil (rouges, rosés), Vouvray (blancs : nature, pétillant, mousseux), Montlouis (blanc), Montlouis-Mousseux et Pétillant (blancs), Touraine (Amboise, Azay-le-Rideau, Mesland, rouges, rosés, blancs, mousseux), Rosé-de-Loire.

Vignoble du centre
Coteaux du Loir (blancs, rouges, rosés), Jasnières (blancs).
Sancerre (blancs).
Menetou-Sablon (blancs, rouges, rosés).
Quincy (blancs).
Reuilly (blanc).
Pouilly-sur-Loire, Pouilly-Fumé ou Pouilly-Blanc-Fumé (blancs).

Provence - Corse

Principales appellations

Provence
Cassis (blancs, rosés, rouges), Bandol (blancs, rosés, rouges), Bellet (région de Nice, rouges et blancs), Palette (région d'Aix-en-Provence).

Corse
Patrimonio, Sartène, Calvi, Coteaux-du-Cap-Corse, Figari, Porto-Vecchio, Ajaccio, Coteaux-d'Ajaccio.

Sud-Ouest-Béarn

Principales appellations

Bergerac (rouges et rosés), Côtes-de-Bergerac (rouges), Côtes-de-Bergerac-Moelleux (blancs), Pécharmant (rouges), Bergerac-Sec, Côtes-de-Bergerac-Côtes-de-Saussignac, Haut-Montravel, Côtes-de-Montravel, Montravel, Rosette, Montbazillac, Côtes-de-Duras, Gaillac, Gaillac-Premières-Côtes, Gaillac-Doux, Gaillac-Mousseux (blancs), Madiran (rouges), Jurançon, Pacherenc-du-Vic-Bilh (blancs), Côtes-du-Frontenais (blancs, rouges, rosés), Cahors (rouges), Côtes-de-Buzet (blancs, rouges), Irouléguy (blancs, rouges, rosés), Béarn (rouges), Blanquette-de-Limoux (blanc mousseux), Limoux-Nature, Vin-de-Blanquette (blancs), Pineau-des-Charentes (vin doux).

Languedoc-Roussillon

Principales appellations

Vins secs
Clairette-de-Bellegarde, Clairette-du-Languedoc (blancs), Fitou, Collioure (rouges).

Vins doux
Banyuls, Maury, Grand-Roussillon, Rivesaltes, Muscat-de-Rivesaltes, Muscat-de-Lunel, Muscat-de-Frontignan, Muscat-de-Saint-Jean-de-Minervois.

Vins Délimités de Qualité Supérieure

Il y a près d'une soixantaine de V.D.Q.S. d'***appellation régionale ou locale,*** réparties dans six régions.

Lorraine
Côtes-de-Toul, Vin-de-Moselle.

Bourgogne et Bugey
Sauvignon-de-Saint-Bris, Vin-de-Bugey, etc.

Val-de-Loire et Lyonnais
Vin-d'Auvergne, Saint-Pourçain-sur-Sioule, Châteaumeillant, Vin-du-Haut-Poitou. Gros-Plant-Nantais, etc.

Vallée du Rhône et Sud-Est
Coteaux-de-Pierrevert, Côtes-du-Lubéron, Côtes-du-Vivarais, etc.

Languedoc et Roussillon
Cabrières, Corbières, Costières-du-Gard, La-Clape, Minervois, Quatourze, Saint-Chinian, etc.

Sud-Ouest
Côtes-du-Marmandais, Vin-d'Estaing, Vin-de-Lavilledieu, Tursan, etc.

DISTANCES DE QUELQUES GRANDES VILLES ENTRE ELLES

729 Km

	AIX-EN-PROVENCE	AMIENS	ANGERS	AVIGNON	BAYONNE	BESANÇON	BÉZIERS	BORDEAUX	BOURGES	BREST	CAEN	CALAIS	CANNES	CHERBOURG	CLERMONT-FERRAND	DIJON	GRENOBLE	LE HAVRE	LILLE	LIMOGES	LORIENT	LYON	LE MANS
AIX-EN-PROVENCE	0																						
AMIENS	884																						
ANGERS	814	398																					
AVIGNON	75	816	730																				
BAYONNE	673	889	511	609																			
BESANÇON	503	480	579	435	843																		
BÉZIERS	231	974	691	166	446	573																	
BORDEAUX	656	678	353	591	175	681	425																
BOURGES	560	367	254	547	565	325	569	388															
BREST	1165	616	367	1141	811	910	1047	634	605														
CAEN	925	246	215	961	738	614	878	559	365	370													
CALAIS	1047	159	493	980	994	589	1120	814	507	712	342												
CANNES	155	1039	969	230	831	596	386	811	715	1320	1080	1202											
CHERBOURG	1084	359	291	1018	821	729	1160	646	493	406	119	456	1242										
CLERMONT-FERRAND	435	524	402	353	544	348	375	369	194	751	528	672	590	688									
DIJON	492	419	503	424	809	94	562	637	249	816	550	555	647	646	280								
GRENOBLE	249	693	642	219	829	279	469	653	388	993	753	856	317	887	284	301							
LE HAVRE	992	179	297	937	794	613	959	617	390	466	96	275	1147	225	584	540	801						
LILLE	967	117	508	899	970	509	1071	795	455	726	356	104	1122	474	617	475	776	289					
LIMOGES	589	521	248	528	396	469	445	219	188	602	433	661	744	552	184	401	468	544	638				
LORIENT	968	558	255	990	672	852	907	494	509	147	317	654	1123	349	657	758	603	413	668	462			
LYON	295	589	538	227	726	208	365	549	284	989	649	752	450	796	180	197	104	697	672	364	498		
LE MANS	775	309	89	731	588	520	728	409	215	390	150	405	930	267	378	426	603	208	419	283	326	499	
	31	915	845	106	695	534	262	661	591	1196	956	1078	165	1111	466	523	280	1023	998	620	1096	326	806
	741	350	623	673	1017	258	811	839	459	898	544	438	896	670	529	249	550	500	354	647	818	446	534
	159	882	690	94	531	501	72	497	558	1046	877	1045	314	1094	367	490	287	990	965	444	906	293	727
	636	561	724	648	976	133	706	814	468	1025	695	660	729	806	481	219	412	694	580	602	961	341	635
	684	374	603	616	993	201	774	819	417	885	537	483	829	646	472	192	493	524	403	605	840	389	514
	883	488	90	825	507	669	1043	329	344	305	279	584	1038	314	469	593	711	387	598	297	165	607	179
	188	1072	1008	253	854	619	460	844	748	1358	1113	1235	33	1267	623	680	340	1180	1155	777	1163	483	963
	107	830	732	42	567	449	124	549	506	1111	871	993	262	1039	344	438	235	938	913	486	863	241	721
	665	262	227	652	619	382	674	443	105	528	261	402	820	389	299	288	493	285	379	259	464	389	138
	766	131	304	703	743	387	843	562	220	605	227	277	921	342	382	323	575	226	228	375	506	471	215
	577	873	548	537	107	832	369	195	551	829	754	1009	732	836	511	764	705	812	990	363	689	711	604
	320	1043	762	255	439	662	89	460	719	1094	949	1206	475	1065	464	651	448	1060	1126	516	954	454	799
	704	453	128	646	402	509	563	225	184	484	334	589	859	429	290	433	532	392	570	118	344	428	184
	770	168	454	702	880	312	840	705	312	732	362	277	925	478	463	278	579	318	197	500	660	475	365
	921	414	123	853	613	666	814	435	361	244	173	510	1076	208	507	572	749	269	524	369	144	645	146
	890	582	184	827	363	763	628	183	321	452	399	678	1086	457	398	570	682	481	692	214	312	578	273
	906	116	281	843	776	527	873	602	304	500	130	212	1061	246	498	454	715	86	226	458	442	611	193
	286	604	528	217	694	264	356	518	274	879	639	752	441	768	149	250	141	664	697	333	783	56	489
	729	522	751	661	1094	226	799	967	565	1044	685	631	822	797	574	312	505	672	551	695	988	434	662
	80	964	894	155	761	583	311	736	640	1245	1005	1127	126	1172	515	572	329	1072	1047	669	1054	375	855
	406	827	552	341	277	748	175	250	494	884	739	967	561	872	389	664	534	850	944	306	744	540	589
	980	127	521	912	983	532	458	808	468	739	369	117	1135	468	630	488	789	292	13	651	681	685	432
	708	351	106	649	506	473	646	327	148	455	232	487	863	349	296	397	536	290	458	201	361	432	82
	643	268	414	575	809	229	713	630	228	715	385	398	798	516	342	151	452	384	318	416	651	348	325

Les distances portées sur ce tableau sont calculées à partir du centre ville et en fonction du meilleur itinéraire, qui n'est pas obligatoirement le plus court.

Pour connaître la distance de deux villes entre elles, suivre les colonnes correspondantes à ces deux villes. Le kilométrage cherché se trouve à l'intersection des deux colonnes

	MARSEILLE	METZ	MONTPELLIER	MULHOUSE	NANCY	NANTES	NICE	NIMES	ORLÉANS	PARIS	PAU	PERPIGNAN	POITIERS	REIMS	RENNES	LA ROCHELLE	ROUEN	SAINT-ÉTIENNE	STRASBOURG	TOULON	TOULOUSE	TOURCOING	TOURS
METZ	772																						
MONTPELLIER	164	739																					
MULHOUSE	667	234	634																				
NANCY	715	57	682	177																			
NANTES	914	713	741	814	693																		
NICE	198	929	347	752	872	1071																	
NIMES	138	687	52	582	630	783	295																
ORLÉANS	696	396	663	497	376	317	853	611															
PARIS	797	312	764	468	308	394	954	712	116														
PAU	582	1010	418	965	968	524	765	470	622	757													
PERPIGNAN	325	900	161	795	843	789	508	213	775	925	331												
POITIERS	735	615	562	652	594	179	892	604	218	337	420	634											
REIMS	801	182	768	383	206	544	958	716	262	154	863	929	480										
RENNES	952	680	813	781	660	106	1109	867	284	361	630	895	251	511									
LA ROCHELLE	921	773	724	789	731	147	1119	783	406	474	378	597	137	668	253								
ROUEN	937	414	904	668	438	372	1094	852	199	140	797	974	377	232	298	465							
SAINT-ÉTIENNE	317	499	284	397	442	597	474	232	379	462	635	445	418	528	635	547	578						
STRASBOURG	760	161	727	108	148	841	845	675	524	456	1058	888	742	354	808	879	586	490					
TOULON	65	821	239	716	764	963	159	187	745	846	657	400	784	850	1001	990	986	366	809				
TOULOUSE	411	913	247	881	856	579	594	299	565	681	194	210	424	806	685	387	764	441	974	486			
TOURCOING	1001	367	978	593	416	601	1168	926	392	240	1003	1139	583	210	537	705	239	710	564	1060	957		
TOURS	739	512	645	613	492	196	896	654	116	235	522	717	102	378	211	290	275	422	640	788	507	481	
TROYES	674	231	641	310	189	504	831	589	187	158	779	802	405	121	471	542	298	401	337	723	722	331	303

OÙ TROUVER LE SYNDICAT D'INITIATIVE ?

Quelques adresses et numéros de téléphone

Dép.	Adresse	Téléphone
01	**Bourg-en-Bresse** 6 avenue Alsace-Lorraine	*22 49 40*
02	**Laon** place du Parvis de la Cathédrale	*23 45 87*
03	**Moulins** place de l'Hôtel-de-ville	*44 14 14*
	Vichy 19 rue du Parc	*98 71 94*
04	**Digne** Le Rond-Point	*31 42 73*
05	**Briançon** Porte de Pignerol	*21 08 50*
06	**Nice** Avenue Thiers	*87 07 07*
07	**Les Vans** place Ollier	*37 24 48*
08	**Charleville** 2 rue de Mantoue	*33 00 17*
09	**Foix** cours Gabriel-Fauré	*65 12 12*
10	**Troyes** 16 bd Carnot	*73 00 36*
11	**Carcassonne** 15 bd Camille-Pelletan	*25 07 04*
	Narbonne place Roger-Salengro	*65 15 60*
12	**Rodez** place Foch	*68 02 27*
13	**Marseille** 4 La Canebière	*54 91 11*
	Aix-en-Provence 2 place du Gal-de-Gaulle	*26 02 93*
	Arles 35 place de la République	*96 29 35*
14	**Caen** 14 place St-Pierre	*86 27 65*
	Bayeux 1 rue des Cuisiniers	*92 16 26*
	Lisieux 11 rue d'Alençon	*62 08 41*
15	**Aurillac** place du Square	*48 46 58*
16	**Angoulême** place de l'Hôtel-de-Ville	*95 16 84*
17	**La Rochelle** 10 rue Fleuriau	*41 14 68*
18	**Bourges** 14 place Étienne-Dolet	*24 75 33*
19	**Tulle** quai Baluze	*26 59 61*
2A	**Ajaccio** avenue Antoine Serafini	*21 40 87*
2B	**Bastia** 33 bd Paoli	*31 02 04*
21	**Dijon** place Darcy	*43 42 12*
	Beaune face à l'Hôtel-Dieu	*22 24 51*
22	**Saint-Brieuc** 7 rue St-Gouéno	*33 32 50*
	Dinan 6 rue de l'Horloge	*39 75 40*
23	**Guéret** 1 avenue Charles-de-Gaulle	*52 14 29*
24	**Périgueux** 1 avenue d'Aquitaine	*53 10 63*
	Les Eyzies place de la Mairie	*06 97 05*
25	**Besançon** place de la 1re-Armée-Française	*80 92 55*
26	**Valence** place Général-Leclerc	*43 04 88*
27	**Évreux** 35 rue Dr-Oursel	*38 21 61*
28	**Chartres** 7 cloître Notre-Dame	*21 54 03*
29	**Quimper** 3 rue du Roi-Gradlon	*95 04 69*
	Brest 1 place de la Liberté	*44 24 96*
30	**Nîmes** 6 rue Auguste	*67 29 11*
	Alès 2 rue Michelet	*52 21 15*
31	**Toulouse** Donjon du Capitole	*23 32 00*
32	**Auch** 1 rue Dessoles	*05 22 89*
33	**Bordeaux** 12 cours du 30-juillet	*44 28 41*
	Arcachon place Franklin-Roosevelt	*83 01 69*
34	**Montpellier** 6 rue Maguelone	*58 26 04*
	Béziers 27 rue du 4-septembre	*49 24 19*
35	**Rennes** Pont-de-Nemours	*79 01 98*
	Saint-Malo Esplanade St-Vincent	*56 64 48*
36	**Châteauroux** place de la Gare	*34 10 74*
37	**Tours** place de la Gare	*05 58 08*
	Amboise quai du Général-de-Gaulle	*57 09 28*
	Azay-le-Rideau 26 rue Gambetta	*43 34 40*
	Chenonceaux 1 place de la Mairie	*29 94 45*
	Chinon 12 rue Voltaire	*93 17 85*
	Loches place de la Marne	*59 07 98*
38	**Grenoble** 14 rue de la République	*54 34 36*
39	**Lons-le-Saunier** 1 rue Pasteur	*24 20 63*
40	**Mont-de-Marsan** 22 rue Victor-Hugo	*75 38 67*
41	**Blois** 3 avenue Jean Laigret	*74 06 49*
	Chaumont-s/Loire	
	4 rue de Lattre-de-Tassigny	*20 98 65*
42	**St-Étienne** 12 rue Gérentet	*25 12 14*
43	**Le Puy** place du Breuil	*09 38 41*
44	**Nantes** place du Change	*47 04 51*
	La Baule 8 place de la Victoire	*24 34 44*
45	**Orléans** place Albert-Ier	*53 05 95*
46	**Cahors** place Aristide-Briand	*35 09 56*
47	**Agen** 107 bd Carnot	*47 36 09*
48	**Mende** 16 bd du Soubeyran	*65 02 69*
49	**Angers** place Kennedy	*88 69 93*
50	**Saint-Lô** 2 rue Havin	*05 02 09*
	Avranches 2 rue Général-de-Gaulle	*58 00 22*
	Coutances Les Unelles	*45 17 79*
	Le Mont-St-Michel	
	Corps de garde des Bourgeois	*60 14 30*
51	**Reims** 1 rue Jadart	*47 25 69*
52	**Langres** place Bel-Air	*85 03 32*
53	**Laval** place du 11-Novembre	*53 09 39*
54	**Nancy** 14 place Stanislas	*335 22 41*
	Lunéville Aile sud du Château	*374 06 55*
55	**Bar-le-Duc** 12 rue Lapique	*79 11 13*
	Verdun place de la Nation	*84 18 85*
56	**Lorient** place Jules-Ferry	*21 07 84*
57	**Metz** Porte Serpenoise, av. R.-Schuman	*775 65 21*
58	**Nevers** 31 rue du Rempart	*59 07 03*
59	**Lille** Palais Rihour, place Rihour	*30 81 00*
	Valenciennes 1 rue Askièvre	*46 22 99*
60	**Beauvais** 6 rue Malherbe	*445 08 18*
	Compiègne place de l'Hôtel-de-Ville	*440 01 00*
	Chantilly avenue du Maréchal-Joffre	*457 08 58*
61	**Alençon** place Lamagdelaine	*26 11 36*
62	**Arras** 7 place du Maréchal-Foch	*51 26 95*
	Calais 12 bd Clemenceau	*96 62 40*
63	**Clermont-Ferrand** 69 bd Gergovia	*93 30 20*
64	**Pau** place Royale	*27 27 08*
	Biarritz Javalquinto, square d'Ixelles	*24 20 24*
65	**Tarbes** place de Verdun	*93 36 62*
	Lourdes place du Champ-Commun	*94 15 64*
66	**Perpignan** quai de Lattre-de-Tassigny	*34 29 94*
	Andorre 5 rue Anne-Marie Janer	*20 214*
	Andorre-la-Vieille	
67	**Strasbourg**	
	Pont de l'Europe	*61 39 23*
	Place de la Gare	*32 51 49*
	10 place Gutenberg	*32 57 07*
68	**Colmar** 4 rue d'Unterlinden	*41 02 29*
	Mulhouse 9 avenue du Maréchal-Foch	*45 68 31*
69	**Lyon** place Bellecour	*842 25 75*
70	**Vesoul** rue des Bains	*75 43 66*
71	**Mâcon** 185 rue Carnot	*38 06 00*
	Autun 3 avenue Charles-de-Gaulle	*52 20 34*
72	**Le Mans** 38 place de la République	*28 17 22*
73	**Chambéry** 24 bd de la Colonne	*33 42 47*
	Aix-les-Bains place Maurice-Mollard	*35 05 92*
74	**Annecy** 1 rue Jean-Jaurès	*45 00 33*
	Évian place d'Allinges	*75 04 26*
75	**Paris**	
	Accueil de France 127 Champs-Élysées	*723 61 72*
76	**Rouen** 25 place de la Cathédrale	*71 41 77*
	Le Havre place de l'Hôtel-de-Ville	*21 22 88*
77	**Fontainebleau**	
	31 place Napoléon-Bonaparte	*422 25 68*
	Barbizon 41 rue Grande	*066 41 87*
78	**Versailles** 7 rue des Réservoirs	*950 36 22*
	Rambouillet place de la Libération	*483 11 91*
	St-Germain-en-Laye	
	1 bis rue de la République	*451 05 12*
79	**Niort** place de la Poste	*24 18 79*
80	**Amiens** rue Jean-Catelas	*91 79 28*
81	**Albi** place Ste-Cécile	*54 22 30*
82	**Montauban** 2 rue du Collège	*63 60 60*
83	**Toulon** 8 avenue Colbert	*22 08 22*
84	**Avignon** 41 cours Jean-Jaurès	*82 65 11*
85	**La Roche-s/Yon** rue Georges-Clemenceau	*36 09 63*
	Les Sables-d'Olonne rue du Gal-Leclerc	*32 03 28*
86	**Poitiers** place du Maréchal-Leclerc	*41 21 24*
87	**Limoges** bd de Fleurus	*34 46 87*
88	**Epinal** 13 rue de la Comédie	*82 53 32*
89	**Auxerre** 1-2 quai de la République	*52 06 19*
	Sens place Jean-Jaurès	*65 19 49*
	Vézelay rue St-Pierre	*33 23 69*
90	**Belfort** place Corbis	*28 12 23*
94	**Vincennes** 11 avenue de Nogent	*808 13 00*

Nota : le premier nom de la liste dans chaque département est celui du siège de la préfecture.
Les numéros de téléphone sont en italique.

INDEX DES CARTES

I. Index général des villes, localités et lieux-dits

A

C

E

F

G

H

I

J

M

N

O

P

Q

R

S

T

U

V

W

X

Y

Z

II. Index général des noms géographiques et des noms de curiosités touristiques et naturelles.

CHÂTEAUX, FORTS, OPPIDUMS, RUINES, VILLES ET VILLAGES FORTIFIÉS, AUTRES CURIOSITÉS.

ABBAYES, CALVAIRES, ÉGLISES, MÉMORIALS, MONUMENTS.

PHARES, PONTS, TUNNELS, VIADUCS, AÉROPORTS ET AÉRODROMES.

RÉGIONS PHYSIQUES.

BOIS, CAMPS, FORÊTS, PARC, RÉSERVES, ZOOS.

AVENS, CANYONS, CAUSSES, CIRQUES, CLUES, CLUSES, COMBES, CORNICHES, DÉFILÉS, GORGES, GOUFFRES, GROTTES, PLATEAUX, VALLÉES, VAUX.

ABERS, ANSES, BAIES, CAPS, CORNICHES, CÔTES TOURISTIQUES, EMBOUCHURES, GOLFES, GOULETS, ÎLES, PERTUIS, POINTES, PUNTA, PRESQU'ÎLES, RADES, SILLONS.

BARRAGES, CASCADES, ÉTANGS, FONTAINES, LACS, MARAIS, RÉSERVOIRS, SOURCES MINÉRALES, STATIONS THERMALES.

Achevé d'imprimer en octobre 1984 par Printer Industria Gráfica, S.A., Provenza, 388, Barcelona, Espagne
Depósito legal B. 25645-1982
Dépôt légal : octobre 1984. Dépôt légal 1re édition : 2e trimestre 1976
Imprimé en Espagne